Le Routard
New York

Directeur de collection et auteur
Philippe GLOAGUEN

Cofondateurs
Philippe GLOAGUEN
et Michel DUVAL

Rédacteur en chef
Pierre JOSSE

Rédacteurs en chef adjoints
Amanda KERAVEL
et Benoît LUCCHINI

Directrice de la coordination
Florence CHARMETANT

Directrice administrative
Bénédicte GLOAGUEN

Direction éditoriale
Catherine JULHE

Rédaction
Isabelle AL SUBAIHI
Mathilde de BOISGROLLIER
Thierry BROUARD
Marie BURIN des ROZIERS
Véronique de CHARDON
Gavin's CLEMENTE-RUÏZ
Fiona DEBRABANDER
Anne-Caroline DUMAS
Géraldine LEMAUF-BEAUVOIS
Olivier PAGE
Alain PALLIER
Anne POINSOT
André PONCELET

Administration
Carole BORDES
Solenne DESCHAMPS

2013

hachette

Remarque importante aux hôteliers et restaurateurs

Les enquêteurs du *Routard* travaillent dans le plus strict anonymat. Aucune réduction, aucun avantage quelconque, aucune rétribution n'est jamais demandé en contre-partie. Face aux aigrefins, la loi autorise les hôteliers et restaurateurs à porter plainte.

Avis aux lecteurs

Le *Routard,* ce n'est pas comme le bon vin, il vieillit mal. On ne veut pas pousser à la consommation, mais évitez de partir avec une édition ancienne. Les modifications sont souvent importantes.
Les réductions accordées à nos lecteurs ne sont jamais demandées par nos rédacteurs afin de préserver leur anonymat. Les hôteliers et restaurateurs sont sollicités par une société de mailing, totalement indépendante de la rédaction, qui reste donc libre de ses choix. De même pour les autocollants et plaques émaillées.

routard.com, le voyage à portée de clics !

✓ Rejoignez la plus grande communauté francophone de voyageurs : plus de **2 millions** de visiteurs !

✓ Échangez avec les routarnautes : forums, photos, avis sur les hôtels...

✓ Retrouvez aussi toutes les informations actualisées pour choisir et préparer vos voyages : plus de 200 fiches pays, une centaine de dossiers pratiques et un magazine en ligne pour découvrir tous les secrets de votre destination.

✓ Enfin, comparez les offres pour organiser et réserver votre voyage au meilleur prix.

Pictogrammes du *Routard*

Établissements

- Hôtel, Auberge, chambres d'hôtes
- Camping
- Restaurant
- Brunch
- Boulangerie, sandwicherie
- Glacier
- Café, salon de thé
- Café, bar
- Bar musical
- Club, boîte de nuit
- Salle de spectacle
- Office de tourisme
- Poste
- Boutique, magasin, marché
- @ Accès internet

Sites

- Plage
- Site de plongée
- Piste cyclable, parcours à vélo

Transports

- Aéroport
- Gare ferroviaire
- Gare routière, arrêt de bus
- Station de métro
- Station de tramway
- Parking
- Taxi
- Taxi collectif
- Bateau
- Bateau fluvial

Attraits et équipements

- Présente un intérêt touristique
- Recommandé pour les enfants
- Adapté aux personnes handicapées
- Ordinateur à disposition
- Connexion wifi
- Inscrit au Patrimoine mondial de l'Unesco

Mille excuses, on ne peut plus répondre individuellement aux centaines de CV reçus chaque année.

Le *Routard* est imprimé sur un papier issu de forêts gérées.

I.S.B.N. 978-2-01-245564-1

TABLE DES MATIÈRES

COMMENT Y ALLER ?

NEW YORK UTILE

HOMMES, CULTURE, ENVIRONNEMENT

NEW YORK

QUITTER NEW YORK

Nous avons divisé les États-Unis en plusieurs titres. En effet, la très grande majorité d'entre vous ne parcourt pas tout le pays. Et ces contrées sont tellement riches culturellement qu'elles nécessitent 6 ou 7 guides à elles seules. Rassemblés en un seul volume, nos ouvrages atteindraient 1 500, voire 2 000 pages. Ils seraient alors intransportables et coûteraient... 3 fois plus cher ! Nous souhaitons conserver un format pratique à un prix économique tout en vous fournissant le maximum d'informations sur des régions qui méritent d'être développées. Voilà !

La rédaction

NOUVEAU ET IMPORTANT : DERNIÈRE MINUTE

Sauf exception, le *Routard* bénéficie d'une parution annuelle à date fixe. Entre deux dates, des événements fortuits (formalités, taux de change, catastrophes naturelles, conditions d'accès aux sites, fermetures inopinées, etc.) peuvent modifier vos projets en voyage. Pour éviter les déconvenues, nous vous recommandons de consulter la rubrique « Guide » par pays de notre site • *routard.com* • et plus particulièrement les dernières « Actus voyageur ».

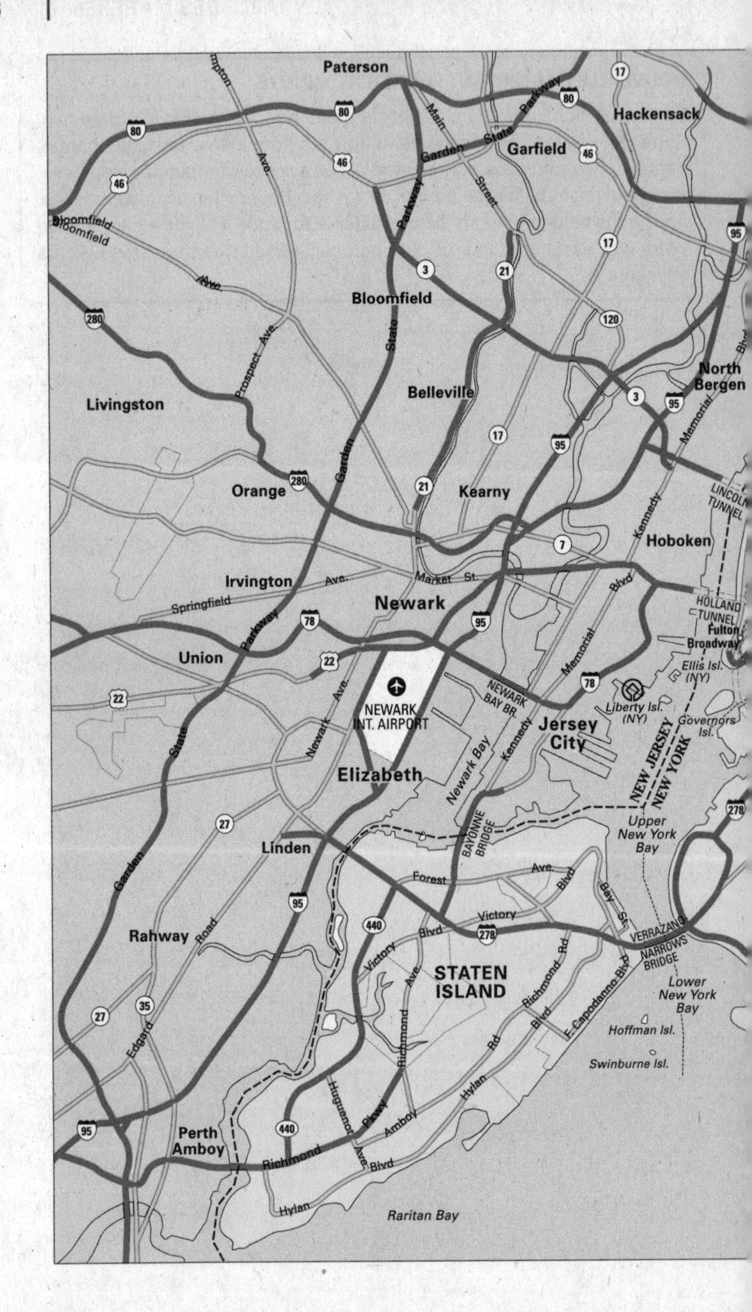
Paterson
Hackensack
Garfield
Garden State Parkway
Main Street
Bloomfield Ave.
Bloomfield
Prospect Ave.
Belleville
Livingston
North Bergen
Memorial
Orange
Kearny
Hoboken
Kennedy
LINCOLN TUNNEL
Irvington
Springfield Ave.
Market St.
Newark
HOLLAND TUNNEL
Fulton
Broadway
Union
Ellis Isl. (NY)
Newark Ave.
NEWARK INT. AIRPORT
NEWARK BAY BR.
Jersey City
Liberty Isl. (NY)
Governors Isl.
Newark Bay
Elizabeth
NEW JERSEY
NEW YORK
Upper New York Bay
BAYONNE BRIDGE
Linden
Forest Ave.
Bay St.
Victory Blvd
VERRAZANO-NARROWS BRIDGE
Rahway
Road
STATEN ISLAND
Richmond Rd
Richmond Ave.
E. Capodanno Blvd
Lower New York Bay
Hoffman Isl.
Swinburne Isl.
Edgar
Hylan Blvd
Huguenot Ave.
Richmond Pkwy
Amboy Rd
Perth Amboy
Richmond Blvd
Raritan Bay
80
17
46
95
3
21
120
280
7
78
22
27
278
440
35

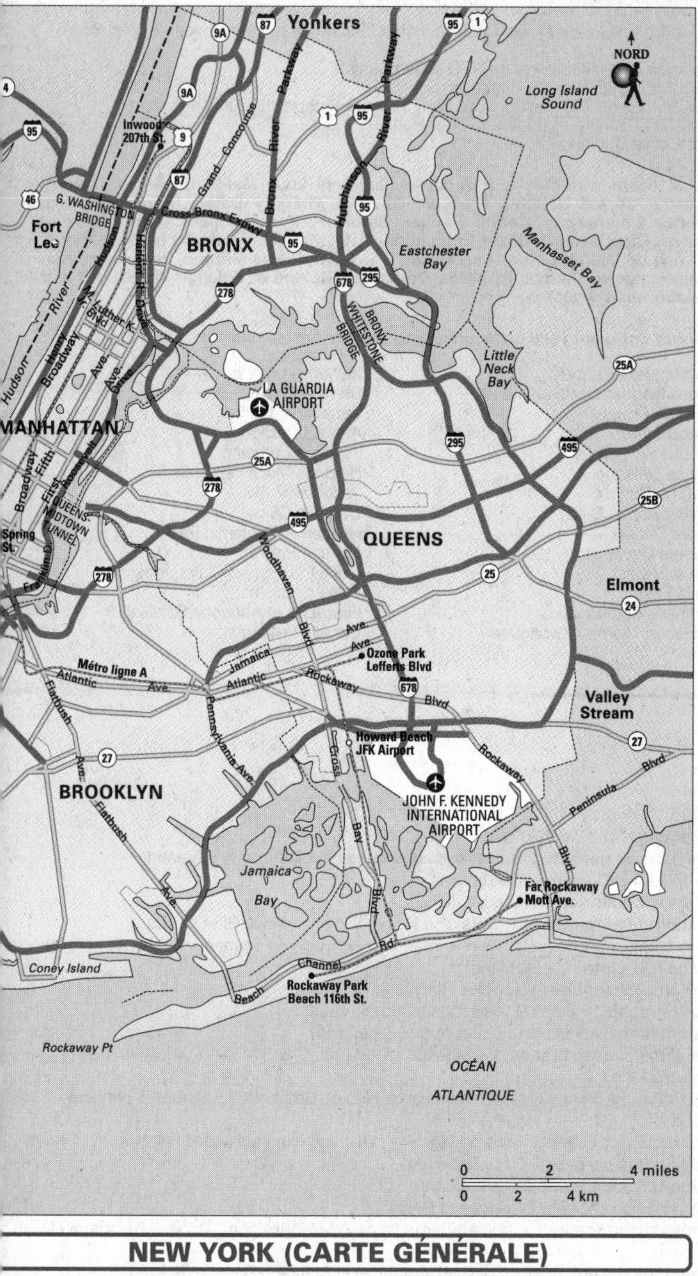

Yonkers
NORD
Long Island Sound
Inwood 207th St.
G. WASHINGTON BRIDGE
Fort Lee
Cross-Bronx Expwy
Grand Concourse
Bronx River Parkway
Hutchinson River Parkway
Harlem R. Drive
BRONX
Eastchester Bay
Manhasset Bay
BRONX WHITESTONE BRIDGE
Hudson River
Henry Hudson
Broadway
Martin Luther King Blvd
LA GUARDIA AIRPORT
Little Neck Bay
MANHATTAN
Broadway
Fifth
First
Roosevelt
QUEENS-MIDTOWN TUNNEL
Spring St.
Franklin D.
QUEENS
Woodhaven Blvd
Elmont
Jamaica Ave.
Ozone Park Lefferts Blvd
Métro ligne A
Atlantic Ave.
Rockaway Blvd
Valley Stream
Flatbush Ave.
Pennsylvania Ave.
Cross Bay Blvd
Howard Beach JFK Airport
Rockaway Blvd
Peninsula Blvd
BROOKLYN
JOHN F. KENNEDY INTERNATIONAL AIRPORT
Jamaica Bay
Far Rockaway Mott Ave.
Coney Island
Channel Rd.
Rockaway Park Beach 116th St.
Beach
Rockaway Pt
OCÉAN ATLANTIQUE
0 2 4 miles
0 2 4 km

NEW YORK (CARTE GÉNÉRALE)

Special thanks !

- Sandra Epiard, de Article Onze Tourisme, bureau de représentation de New York à Paris ;
- Marjan Inbar Blumberg, de NYC & Company ;
- Eliot Niles, de Brooklyn Attitude ;
- Guillaume de Tournemire, pour Park Slope et Prospect Heights à Brooklyn ;
- Michelle Bonfils, Heidi & Tom pour Harlem ;
- et Cécile Coulondre.

Nous tenons à remercier tout particulièrement Loup-Maëlle Besançon, Thierry Bessou, Gérard Bouchu, François Chauvin, Grégory Dalex, Stéphanie Déro, Fabrice Doumergue, Cédric Fischer, Carole Fouque, Michelle Georget, David Giason, Claude Hervé-Bazin, Emmanuel Juste, Dimitri Lefèvre, Sacha Lenormand, Fabrice de Lestang, Romain Meynier, Éric Milet, Pierre Mitrano, Jean-Sébastien Petitdemange, Thomas Rivallain, Dominique Roland et Solange Vivier pour leur collaboration régulière.

Et pour cette nouvelle collection, nous remercions aussi:

Emmanuelle Bauquis
Jean-Jacques Bordier-Chêne
Michèle Boucher
Lisa Buchter
Stéphanie Condis
Agnès Debiage
Jérôme Denoix
Tovi et Ahmet Diler
Clélie Dudon
Sophie Duval
Clara Favini
Alain Fisch
Mathilde Fonteneau
Adrien et Clément Gloaguen
Xavier Haudiquet
Bernard Hilaire
Sébastien Jauffret
Anaïs Kerdraon
Jacques Lemoine
Béatrice Mace de Lepinay
Jacques Muller
Caroline Ollion
Nicolas et Benjamin Pallier
Martine Partrat
Odile Paugam et Didier Jehanno
Prakit Saiporn
Jean-Luc et Antigone Schilling
Camille Veillard

Direction: Nathalie Pujo
Contrôle de gestion: Héloïse Morel d'Arleux et Virginie Laurent-Arnaud
Secrétariat: Catherine Maîtrepierre
Direction éditoriale: Catherine Julhe
Édition: Matthieu Devaux, Géraldine Péron, Olga Krokhina, Gia-Quy Tran, Julie Dupré, Pauline Fiot, Julien Hunter, Camille Loiseau, Emmanuelle Michon, Marion Sergent et Clémence Toublanc
Préparation-lecture: Véronique Rauzy
Cartographie: Frédéric Clémençon et Aurélie Huot
Fabrication: Nathalie Lautout et Audrey Detournay
Relations presse France: COM'PROD, Fred Papet. ☎ 01-70-69-04-69. • info@comprod.fr •
Direction marketing: Muriel Widmaier, Adrien de Bizemont, Lydie Firmin et Laure Illand
Contacts partenariats: André Magniez (EMD). • andremagniez@gmail.com •
Édition des partenariats: Élise Ernest
Informatique éditoriale: Lionel Barth
Couverture: Clément Gloaguen et Seenk
Maquette intérieure : le-bureau-des-affaires-graphiques.com, Thibault Reumaux et npeg.fr
Relations presse: Martine Levens (Belgique) et Maureen Browne (Suisse)
Régie publicitaire: Florence Brunel-Jars

NOS NOUVEAUTÉS

NOS MEILLEURS SITES POUR OBSERVER LES OISEAUX EN FRANCE (octobre 2012)

Pour répondre à l'attente des amoureux de la nature et de ceux qui souhaitent mieux connaître les oiseaux, *Le Routard,* en partenariat avec la Ligue de Protection des Oiseaux, a sélectionné dans toute la France plus de 70 sites pour approcher et observer les voyageurs du ciel. À travers différents milieux (forêt, parc, étang, montagne...), c'est l'occasion de prendre conscience de la richesse et de la diversité du monde des oiseaux et de la nécessité de le protéger. Pour vous aider à les identifier, vous trouverez des planches en couleurs, des conseils et des informations surprenantes sur nos amis à plumes, sans oublier les hébergements et restos à proximité. Que vous soyez *bird watcher* occasionnel ou ornithologue averti, ce guide vous prend sous son aile.

DUBLIN (novembre 2012)

Dublin, une ville grise tout en couleurs. Autant dire une ville qui en surprend plus d'un avec ses contrastes inattendus. On passe, tout d'un coup, d'un Dublin aristocratique à un Dublin populaire. Quant à la gastronomie, bonne nouvelle, l'offre a progressé de manière spectaculaire ces dernières années et les Irlandais ont redécouvert les vertus de leurs produits naturels. Sans oublier, bien sûr, les pubs : il y en a... jusqu'à plus soif. Côté culture, la ville s'enorgueillit de posséder plusieurs musées nationaux qui, non seulement sont gratuits, mais renferment des collections somptueuses ; sans parler du prestigieux Trinity College, avec des pièces rares comme le fameux livre de Kells. Ville à l'empreinte littéraire également, labellisée Cité de la littérature par l'Unesco. À découvrir d'urgence

??? LES QUESTIONS QU'ON SE POSE LE PLUS SOUVENT

Quels sont les papiers indispensables pour se rendre à New York ?
Passeport biométrique ou électronique valide, ou passeport individuel à lecture optique valide et émis avant le 26 octobre 2005, même pour les enfants, ainsi qu'un billet aller-retour et, depuis 2009, une autorisation de voyage à remplir sur Internet (14 $). Visa nécessaire pour un séjour de plus de 3 mois.

Quel est le décalage horaire à New York ?
Il est de 6h par rapport à l'heure française. Quand il est 12h en France, il est donc 6h à New York.

Quelle est la meilleure saison ?
L'été est chaud, voire caniculaire, et l'hiver glacial. Le printemps et l'automne sont les saisons les plus agréables (et il y a moins de monde qu'en été). À condition d'être bien équipé contre le froid, les mois de janvier et février sont les moins chers de l'année.

La vie est-elle chère à New York ?
Très chère dans l'ensemble. Le logement est le poste le plus onéreux, surtout à certaines périodes (au printemps et en fin d'année principalement, avec un pic pour Noël et le Nouvel An). Aux prix affichés, n'oubliez pas d'ajouter les taxes (de 8 à près de 14 % selon l'achat) et le service (minimum fixé de 15 à 20 % !).

Peut-on y aller avec des enfants ?
Les États-Unis sont le royaume des enfants, et New York ne faillit pas à la règle, tout en sachant qu'on y marche beaucoup (évitez de surcharger le programme !), que la chaleur est torride en plein été et que les dollars défilent très vite en famille.

Comment se déplacer ?
Métro ou bus (sûrs, pratiques et économiques), bateau, taxi (intéressant à plusieurs) et... vos pieds (qui seront mis à rude épreuve !). Voiture à bannir.

New York est-elle une ville dangereuse ?
Non, New York est devenue une des villes les plus sûres des États-Unis. On peut se promener sans risque à Manhattan, Harlem, Queens, Brooklyn et dans la plupart des quartiers du Bronx, en respectant d'évidentes consignes de bon sens mais pas plus qu'ailleurs.

Combien de jours faut-il prévoir sur place ?
Une semaine (voire plus si on peut...) est le temps idéal pour apprivoiser New York à son rythme. Moins longtemps, on reste vraiment sur sa faim.

Que rapporter de New York ?
New York est la mecque du shopping. Superbes grands magasins, boutiques de musées et à thème, fringues, photo, hi-fi, design... il y en a pour tous les goûts.

Comment voir un show à Broadway ?
On peut acheter sur place, le jour même, des billets à prix réduits ou bien réserver ses places avant le départ sur Internet.

LES COUPS DE CŒUR DU ROUTARD

- Au soleil couchant, monter à bord du ferry de Staten Island (gratuit), s'asseoir sur le côté droit du bateau et admirer la *skyline* de Manhattan et la statue de la Liberté 127
- Visiter le musée d'Ellis Island pour mieux comprendre l'espoir des millions d'immigrants qui ont débarqué à New York de 1892 à 1924 126
- Profiter de la plus belle vue sur Manhattan depuis la passerelle piétonne du mythique Brooklyn Bridge 328
- Se balader le long de la High Line, cette ancienne voie ferrée reconvertie en jardin suspendu, qui traverse les quartiers de Meatpacking District et Chelsea, et offre un panorama architectural étonnant Un pur concentré de New York ! 170
- Monter en haut du Rockefeller Center *(Top of The Rock),* plutôt qu'à l'Empire State Building. Non seulement on a vue sur ce dernier et aussi sur Central Park, mais, en prime, on patiente nettement moins longtemps pour accéder à ce panorama mythique 251
- Prendre un bain de foule à Times Square, le soir, et se croire en plein jour dans cette débauche de néons et d'écrans géants 236
- Monter sur la terrasse *(roofgarden)* du Metropolitan Museum, et s'offrir cette incroyable vue sur Central Park que les people qui habitent la 5th Avenue ont payée des millions de dollars 272
- Visiter un quartier de New York avec un habitant de la ville, grâce à l'association de bénévoles *Big Apple Greeter* 67
- Boire un cocktail ou bruncher à ciel ouvert sur un *rooftop bar,* avec vue plongeante sur la forêt de gratte-ciel 147
- Se faire un tour du monde gastronomique en goûtant tout un tas de cuisines différentes, y compris la *street food* (cuisine de rue), qui fait un tabac actuellement. Le dimanche, matin ou midi, se payer un *dim sum* (brunch à la mode de Hong Kong et Canton) à Chinatown 138, 139
- Le dimanche matin, assister à une messe à Harlem, puis bruncher dans un resto de *soul food* (cuisine du Sud des États-Unis), et enfin découvrir le patrimoine architectural de ce quartier authentique et moins connu, notamment les belles maisons *brownstone.* Terminer la journée à Central Park, envahi de New-Yorkais à vélo ou à rollers 303, 304, 310, 313, 294
- Visiter The Cloisters, un ensemble méconnu de cloîtres médiévaux provenant du Midi de la France, remontés dans un parc bucolique surplombant l'Hudson River 318
- Traverser l'East River pour découvrir DUMBO, le quartier post-industriel de Brooklyn tout proche de Manhattan. La vue sur le pont de Brooklyn et le Jane's Carousel depuis le Manhattan Bridge est aussi insolite que fascinante 324
- À Brooklyn, toujours, écumer les bars et petites adresses branchées de Williamsburg, le repaire des *hipsters,* arpenter les charmantes ruelles de Brooklyn Heights et s'extasier devant les plus beaux ensembles de *brownstones* de New York du côté de Park Slope 330, 335, 344
- Percer les secrets de l'animation et du cinéma dans le passionnant Museum of The Moving Image du Queens 371

ITINÉRAIRES CONSEILLÉS

1 jour

Visiter New York en 1 jour n'est pas chose aisée. Cela dit, dans le cadre d'un voyage professionnel, ce serait vraiment dommage de ne pas y passer ne serait-ce que quelques heures. Et puis, ça vous donnera envie de revenir !
Commencez donc cette journée marathonienne par un vrai petit déj américain bien solide, dans une de nos bonnes adresses dédiées spécial breakfast et brunch. Ensuite, cap sur les buildings emblématiques de la ville : le Flatiron d'abord, qui fut le premier gratte-ciel de New York (en forme de fer à repasser), puis le Chrysler, joyau de la période Art déco, avant de monter au sommet du Rockefeller Center *(Top of The Rock)* où la vue panoramique sur la ville est plus belle qu'à l'Empire State Building (les files d'attente en moins). Enchaînez avec les deux derniers niveaux du Museum of Modern Art (MoMA) : un pur concentré de chefs-d'œuvre ! Puis remontez l'emblématique 5th Avenue jusqu'à la lisière de Central Park, où vous reprendrez le métro jusqu'à la pointe sud de Manhattan pour embarquer à bord du ferry (gratuit) pour Staten Island. La vue sur la célèbre *skyline* de Manhattan et la statue de la Liberté est extraordinaire, surtout au coucher du soleil. S'il vous reste quelques forces, poussez jusqu'au pont de Brooklyn ; sinon, foncez direct vers Times Square pour un bain de lumières, avant de terminer la soirée dans un club de jazz de West Village.

3 jours

– ***1er jour :*** le musée d'Ellis Island (qui fut la porte d'entrée de l'Amérique) et la statue de la Liberté, puis un petit tour dans le Financial District (Wall Street, etc.) avant d'emprunter le pont de Brooklyn pour la photo mythique des gratte-ciel de Manhattan. On termine avec du spectaculaire encore (bien qu'ultra-touristique) : Times Square de nuit.
– ***2e jour :*** au choix, visite du MoMA et de la Frick Collection ou bien du Metropolitan Museum tout court (c'est immense, donc concentrez-vous sur quelques sections seulement). En sortant, petit tour dans Central Park (au passage, jeter un œil au Guggenheim) et promenade architecturale dans Midtown à la découverte des fleurons de l'architecture moderne. Ne pas manquer de faire un détour par le Chrysler, *of course !* Puis on enchaîne en fin de journée avec le sommet du Rockefeller Center ou de l'Empire State Building (en ayant pris soin de réserver) au soleil couchant.
– ***3e jour :*** shopping et balade le nez au vent dans les charmants quartiers de Greenwich Village, SoHo (particulièrement Green Street, où se trouve le plus long ensemble de *cast-iron buildings*) et enfin Lower East Side et East Village, où vous en profiterez pour goûter aux spécialités traditionnelles d'Europe centrale. Soirée dans un des nombreux bars et clubs de jazz du quartier, ou bien à Williamsburg (Brooklyn), juste de l'autre côté de l'East River.

1 semaine

C'est le temps idéal pour un séjour à New York, la ville vous appartient !
– ***1er jour :*** Ellis Island Museum et statue de la Liberté, puis un petit tour dans le Financial District (de préférence un jour de semaine, sinon, c'est mort) : Wall Street et le chantier du World Trade Center, puis pont de Brooklyn pour la photo de la *skyline* avant de pousser juste de l'autre côté de l'East River à la découverte de deux visages très différents de Brooklyn : DUMBO (atmosphère industrielle très photogénique) et Brooklyn Heights (quartier résidentiel plein de charme).
– ***2e jour :*** si c'est un dimanche, profitez-en pour « monter » à Harlem, un quartier aujourd'hui en plein renouveau. Commencez par une messe gospel à Harlem, puis prenez un brunch dans un des nombreux petits restos de *soul food,* avant de découvrir les alignements de belles maisons *brownstone.* Fin d'après-midi à Central Park.
– ***3e jour :*** montée au sommet de l'Empire State Building (résa conseillée) ou du Rockefeller Center, balade architecturale à Midtown et visite du MoMA. À la nuit tombée, bain de foule à Times Square avec option show à Broadway (billets vendus à prix réduits le jour même).
– ***4e jour :*** les musées d'Upper East Side. D'abord le Metropolitan (au moins une demi-journée), puis, en sortant, un petit crochet par le Guggenheim pour en admirer au moins la façade, avant de finir par la Frick Collection si vous n'avez pas épuisé toutes vos ressources physiques au MET.
– ***5e jour :*** journée shopping et flânerie dans les quartiers de SoHo, Greenwich Village, Chelsea et Flatiron. Les amateurs d'art contemporain pourront sillonner le Gallery District. Pour s'éventer un peu les esprits s'il fait beau, fin de journée sur les bords de l'Hudson River et coucher de soleil sur la High Line.
– ***6e jour :*** les quartiers ethniques. East Village et Lower East Side, des endroits qui bougent où vous pourrez mêler shopping, arrêts gastronomiques (c'est un des meilleurs quartiers pour bien manger ; on y trouve toutes sortes de cuisines et à prix raisonnables) et balade culturelle dans le creuset de l'immigration juive à New York. En poussant un peu, vous vous retrouverez dans Chinatown et Little Italy (très touristiques). Et si, malgré les kilomètres parcourus, vous êtes encore en forme à la fin de la journée, une multitude de bars vous tendent les bras à East Village et Lower East Side, ainsi qu'à Williamsburg, le quartier le plus branché de Brooklyn (à une station de métro de Lower East Side seulement).
– ***7e jour :*** Brooklyn (le week-end de préférence, pour l'animation). Cet immense borough mérite bien une journée à lui tout seul, mais il vous faudra faire des choix entre les différents quartiers car c'est immense. Pour une première approche, on conseille le secteur de Park Slope-Prospect Heights car vous pourrez conjuguer visite du Brooklyn Museum, balade dans Prospect Park (l'équivalent de Central Park) et à la découverte des plus beaux ensembles de *brownstones* de New York.

À ne pas rater si vous êtes...

– ***En amoureux :*** boire un cocktail ou bruncher dans un des innombrables *rooftop bars* avec vue panoramique sur Manhattan, traverser le pont de Brooklyn jusqu'à DUMBO et admirer la la skyline avec le Jane's Carrousel au premier plan, se promener dans les charmantes rues de Brooklyn Heights, visiter les Cloisters (environnement bucolique à souhait).
– ***Branché architecture industrielle, design et art contemporain :*** le Meatpacking District et la High Line, le Galleries District de Chelsea, le MAD (Museum of Arts and Design), le MoMA, le Whitney Museum, le Guggenheim, la section art moderne du Metropolitan Museum, les quartiers de DUMBO et Williamsburg à Brooklyn. Noter aussi que les parties communes des hôtels design de New York sont assez facilement accessibles même si on n'y séjourne pas.

– ***Tendance bio-écolo et vintage :*** la High Line, Central Park (à vélo par exemple), le Farmer's Market d'Union Square (lundi, mercredi, vendredi et samedi), les supermarchés bio *Trader Joe's* et *Whole Foods Market*, *The Garage* à Chelsea (énorme brocante), le Brooklyn Flea Market (plusieurs lieux selon la saison), les boutiques *Beacon's Closet*. Et tout Brooklyn, définitivement le plus bio des boroughs !

– ***Avec des ados :*** Top of the Rock ou Empire State Building, comédie musicale à Broadway, bain de foule nocturne à Times Square, Madame Tussauds, Museum of Natural History, balade à vélo à Central Park ou le long de l'Hudson River (pistes cyclables), séance de bowling, parc d'attractions Luna Park à Coney Island, Museum of the Moving Image (musée du cinéma) et 5 Pointz (quartier entièrement graffité) dans le Queens, sans oublier l'incontournable virée shopping chez *Abercrombie, Hollister* et consorts...

COMMENT Y ALLER ?

LIGNES RÉGULIÈRES

▲ AIR FRANCE

Rens et résas au ☎ 36-54 (tlj 6h30-22h ; 0,34 €/mn), sur • airfrance.fr •, dans les agences Air France et dans ttes les agences de voyages.

➢ Air France dessert New York/JFK avec près de 5 vols/j. directs au départ de Paris/Charles-de-Gaulle (dont 1 avec l'*A 380*), ainsi que 1 vol/j. au départ de Nice.

➢ Air France dessert aussi New York/Newark avec 1 vol/j. direct au départ de Paris/Charles-de-Gaulle.

Air France propose toute l'année une gamme de tarifs accessibles à tous. Pour les moins de 25 ans, Air France offre des tarifs spécifiques, ainsi qu'une carte de fidélité, *Flying Blue Jeune*, gratuite et valable sur l'ensemble des compagnies membres de Skyteam. Cette carte permet de cumuler des *miles*.

Sur Internet, possibilité de consulter les meilleurs tarifs du moment directement sur la page d'accueil, rubrique « Nos meilleures offres ».

▲ AMERICAN AIRLINES

Infos et résas : ☎ 0826-460-950 (service en français tlj sf w-e 8h-17h30 ; en anglais lun-ven 8h-20h et le w-e 9h30-18h). • aa.com • Comptoir billetterie à l'aéroport Paris/Charles-de-Gaulle, terminal 2A.

➢ American Airlines propose, au départ de Paris/Charles-de-Gaulle, 2 vols/j. sans escale pour New York/JFK.

▲ DELTA AIR LINES

– Paris : 2, rue Robert-Esnault-Pelterie, 75007 (agence ouv lun-sam 10h15-18h30). ☎ 0892-702-609 (lun-ven 8h-20h ; w-e et j. fériés 9h-17h30 ; 0,34 €/mn). • delta.com • Ⓜ Invalides.

➢ Delta opère des vols quotidiens sans escale au départ de Paris/Charles-de-Gaulle vers New York, en partenariat avec Air France. Au départ de Lyon, vols avec escale et de Nice, vols sans escale vers New York/JFK.

▲ ICELANDAIR

– Paris : 12, rue Vignon (6e étage), 75009. Lun-ven 9h30-12h30. Sinon, résa par tél au ☎ 01-44-51-60-51 ou sur • icelandair.fr •

➢ La compagnie islandaise propose au moins 1 vol quotidien pour New York (2 en saison), via Reykjavik. L'occasion de combiner une escale en Islande sans frais supplémentaires.

▲ US AIRWAYS

– Paris : ☎ 0810-63-22-22 (prix d'un appel local ; lun-ven 8h-21h, w-e 9h-17h). • usairways.com •

➢ La compagnie propose 2 vols/j. sur New York/La Guardia via Philadelphie ou Charlotte.

COMPAGNIE LOW-COST

▲ XL AIRWAYS

Rens et résas au ☎ 0892-23-13-00 (0,34 €/mn). • xlairways.fr •

➢ La compagnie XL Airways propose des vols réguliers directs Paris/Charles-de-Gaulle-New York/JFK à prix intéressants (l'été seulement).

LES ORGANISMES DE VOYAGES

EN FRANCE

– Ne pas croire que les vols à tarif réduit sont tous au même prix pour une même destination à une même époque : loin de là. On a déjà vu, dans un même avion partagé par deux organismes, des passagers qui avaient payé 40 % plus cher que les autres, tout dépend de la date d'achat de votre billet. De plus, une agence bon marché ne l'est pas forcément toute l'année (elle peut n'être compétitive qu'à certaines dates bien précises). Donc, contactez tous les organismes et jugez vous-même.

▲ ALMA VOYAGES

☎ 05-56-87-58-46. ● alma-voyages.com ●
– Villenave d'Ornon : 573, route de Toulouse, 33140.
Alma Voyages est une agence de voyages en ligne qui propose des week-ends et séjours plus ou moins longs sur New York avec des excursions en français et la carte *pass NYC* qui vous donne accès à de nombreuses attractions de la Grosse Pomme.
Cette agence dispose aussi d'un large choix d'hébergements, de l'auberge de jeunesse à l'hôtel 5 étoiles, et de tarifs négociés sur les billets d'avion.
Spécialistes des USA, les agents de voyages d'Alma vous proposeront un conseil personnalisé, des produits adaptés à vos besoins et un suivi avant, pendant, et après votre voyage.

▲ AVENTURIA

– Lyon : agence et siège au 42, rue de l'Université, 69002. ☎ 04-78-69-35-06.
– Paris Raspail : 213, bd Raspail, 75014. ☎ 01-44-10-50-50.
– Paris Opéra : 20, rue des Pyramides, 75001. ☎ 01-44-50-58-40.
– Bordeaux : 9, rue Ravez, 33000. ☎ 05-56-90-90-22.
– Lille : 21, rue des Ponts-de-Comines, 59800. ☎ 03-20-06-33-77.
– Marseille : 2, rue Edmond-Rostand, 13006. ☎ 04-96-10-24-70.
– Nantes : 2, allée de l'Erdre, cours des 50-Otages, 44000. ☎ 02-40-35-10-12.
– Strasbourg : 13 A, bd du Président-Wilson, 67000. ☎ 03-88-22-08-09.
● aventuria.com ●
Spécialiste des États-Unis, ce tour-opérateur original fabrique entièrement ses programmes et les distribue exclusivement dans ses propres agences. Avec l'aide de conseillers en voyage expérimentés, vous construirez votre itinéraire idéal et vous personnaliserez totalement votre voyage à l'aide de leur sélection d'étapes de charme et de modules variés d'escapades. Découverte individuelle à votre rythme, séjour new-yorkais ou découverte des grands territoires de l'Ouest, hébergements authentiques, tout est à la carte !
Brochure sur demande par téléphone ou sur le web.

▲ BACK ROADS

– Paris : 14, pl. Denfert-Rochereau, 75014. ☎ 01-43-22-65-65. ● backroads.fr ● Ⓜ ou RER B : Denfert-Rochereau. Lun-ven 10h-19h ; sam 10h-18h.
Depuis 1975, Jacques Klein et son équipe sillonnent les routes américaines, ce qui fait d'eux de grands connaisseurs des États-Unis, de New York à l'Alaska en passant par le Far West. Pour cette raison, ils ne vendent leurs produits qu'en direct. Ils vous feront partager leurs expériences et vous conseilleront sur les circuits les plus adaptés à vos centres d'intérêt. Spécialistes des autotours, qu'ils programment eux-mêmes, ils ont également le grand avantage de disposer de contingents de chambres dans les parcs nationaux ou à proximité immédiate. Dans leur brochure, ils offrent également un grand choix d'activités, allant du séjour en ranch aux expéditions à VTT, en passant par le trekking ou le rafting.
De plus, Back Roads représente deux centraux de réservation américains lui permettant d'offrir des tarifs très compétitifs pour la réservation. D'abord *Amerotel* : des hôtels sur tout le territoire, des *Hilton* aux *YMCA*. Ensuite *Car Discount* : un courtier en location de voitures.

▲ BOURSE DES VOLS / BOURSE DES VOYAGES

● *bdv.fr* ● *ou par tél au* ☎ *01-42-61-66-61, lun-sam 9h-20h.*

Agence de voyages en ligne, bdv.fr propose une vaste sélection de vols secs, séjours et circuits à réserver en ligne ou par téléphone. Pour bénéficier des meilleurs tarifs aériens, même à la dernière minute, le service de Bourse des Vols référence en temps réel un large panel de vols réguliers, charters et dégriffés au départ de Paris et de nombreuses villes de province. Bourse des Voyages propose des promotions toute l'année sur une large sélection de destinations (séjours, circuits...).

▲ COMPAGNIE DES ÉTATS-UNIS & DU CANADA

– Paris : 5, av. de l'Opéra, 75001. ☎ *0892-234-430 (0,34 €/mn).* ● *compagniesdumonde.com* ● Ⓜ *Palais-Royal-Musée-du-Louvre ou Pyramides. Lun-ven 9h-19h ; sam 10h-19h.*

Compagnie des États-Unis & du Canada est depuis 15 ans la plus importante compagnie du groupe Compagnie du Monde, qui a ouvert à Paris un concept store offrant tous les voyages sur mesure sur le continent, une galerie d'art contemporain exposant des artistes américains, et un salon de café avec des variétés en provenance directe des meilleures plantations situées sur ses destinations.

D'un côté, la compagnie propose des vols négociés sur les États-Unis et le Canada. De l'autre, une brochure très complète, aux nombreuses formules de voyages sur mesure : du camping aux circuits les plus luxueux ou la mythique route 66 (en Harley-Davidson ou en voiture).

Les circuits et les séjours individuels sur mesure sont la spécificité de ce voyagiste avec son espace orienté vers le « Beau ». La meilleure façon de respecter et de découvrir le monde. C'est pourquoi la Compagnie est aussi spécialisée dans les séjours tournés vers l'art, les grands musées, les expositions et l'architecture. Elle propose de nombreux séjours à New York, Philadelphie, Boston, Chicago, Las Vegas, et toutes les grandes villes de l'Ouest, sans oublier chaque année deux forfaits de 7 jours pour les réveillons de Noël et du Jour de l'an à New York.

Une envie de croisière, consultez le site le plus complet ● *mondeetcroisieres.com* ●

▲ COMPTOIR DES ÉTATS-UNIS ET DES BAHAMAS

– Paris : 6, rue Saint-Victor, 75005. ☎ *0892-239-339 (0,34 €/mn).* ● *comptoir.fr* ● Ⓜ *Cardinal-Lemoine. Lun-ven 9h30-18h30, sam 10h-18h30.*

– Toulouse : 43, rue Peyrolières, 31000. Ⓜ *Esquirol.* ☎ *0892-232-236 (0,34 €/mn). Lun-sam 9h30-18h30.*

– Lyon : 10, quai Tilsitt, 69002. Ⓜ *Bellecour.* ☎ *0892-230-465. Lun-sam 9h30-18h30.*

– Marseille : 12, rue Breteuil, 13001. Ⓜ *Estrangin.* ☎ *0892-236-636. Lun-sam 9h30-18h30.*

Pour votre voyage aux États-Unis, Comptoir vous propose des séjours citadins de New York à San Francisco, une grande variété d'autotours à travers l'Ouest américain... et le soleil et la mer, toute l'année, aux Bahamas ou en Floride. Quelles que soient vos envies, une équipe de spécialistes vous aide à créer votre voyage sur mesure.

21 Comptoirs, plus de 60 destinations, des idées de voyages à l'infini. Comptoir des Voyages s'impose depuis 20 ans comme une référence incontournable pour les voyages sur mesure, accessible à tous les budgets. Membre de l'association ATR (Agir pour un tourisme responsable), Comptoir a obtenu en 2010, pour la deuxième année, la certification Tourisme responsable AFAQ AFNOR.

▲ ÉQUINOXIALES

☎ *01-77-48-81-00.* ● *equinoxiales.fr* ●

25 ans d'expérience et une passion inépuisable sont les clés de l'expertise d'Équinoxiales pour les voyages sur mesure au long cours à prix *low-cost,* assortis des meilleurs conseils. Un simple appel, un simple mail et les conseillers d'Équinoxiales sont à l'écoute pour créer, avec les candidats au voyage, le périple qui leur convient au meilleur prix.

▲ EXPERIMENT

– Paris : 89, rue de Turbigo, 75003. ☎ *01-44-54-58-00.* ● *experiment-*

france.org • Ⓜ *Temple ou République. Lun-ven 9h-18h.*

Partager en toute amitié la vie quotidienne d'une famille, c'est ce que vous propose l'association Experiment. Cette formule de séjour en immersion totale chez l'habitant à la carte existe dans une douzaine de pays à travers le monde (Amériques, Europe, Asie).

Aux États-Unis, Experiment offre également la possibilité de suivre des cours intensifs d'anglais sur trois campus pendant une durée de 2 semaines à 9 mois. Les cours d'anglais avec hébergement chez l'habitant existent également en Irlande, en Grande-Bretagne, à Malte, au Canada, en Australie, en Afrique du Sud et en Nouvelle-Zélande. Experiment propose aussi des cours d'espagnol, de brésilien, d'allemand, d'italien, d'arabe, de russe, de chinois et de japonais dans les pays où la langue est parlée. Ces différentes formules s'adressent aux adultes et adolescents.

Sont également proposés : des jobs en Grande-Bretagne, en Norvège, au Canada, en Afrique du Sud et en Espagne ; des stages en entreprise aux États-Unis, en Angleterre, en Irlande, en Espagne, en Chine et en Afrique du Sud ; des programmes de bénévolat aux États-Unis, en Inde, en Afrique du Sud et au Népal. Service *Départs à l'étranger* : ☎ *01-44-54-58-00.*

Pour les 18-26 ans, Experiment organise des séjours « au pair » aux États-Unis (billet A/R offert, rémunération de 195 US$ par semaine, formulaire DS 2019, etc.). Service *Au Pair* : ☎ *01-44-54-58-09.* Également en Espagne, en Angleterre, en Italie, en Irlande, au Danemark et en Allemagne.

▲ NOUVELLES FRONTIÈRES

– Rens et résas dans tte la France : ☎ 0825-000-747 (0,15 €/mn). • *nouvelles-frontieres.fr* •

Les brochures Nouvelles Frontières sont disponibles gratuitement dans les 300 agences du réseau, par téléphone et sur Internet. Un grand choix de formules est proposé : des vols sur la compagnie Corsair International et sur toutes les compagnies aériennes régulières, avec une gamme de tarifs selon votre budget. Sont également proposés toutes sortes de circuits, aventure ou organisés ; des séjours en hôtels, en hôtels-clubs et en résidences ; des week-ends, des formules à la carte...

▲ OBJECTIF AMERIQUES

☎ *04-72-77-98-98.* • *objectif-ameriques.com* •

– Lyon : 11, quai Jules-Courmont, 69002.

Depuis 27 ans, ce tour-opérateur, spécialiste des USA, est le leader en Rhône-Alpes sur cette destination. Leur passion, c'est de vous offrir un dépaysement total et un séjour inoubliable au cœur du Nouveau Monde. Découverte individuelle à votre rythme, hébergement authentique en hôtels et étapes de charme, escapade citadine à New York ou autour en direction des grands parcs de l'Ouest, les conseillères d'Objectif vous feront partager leur grande connaissance du continent nord-américain et vous fabriqueront un séjour totalement à votre mesure. Brochure sur demande par téléphone ou sur le web.

▲ PROMOVACANCES.COM

• *promovacances.com* • ☎ *0899-654-850 (1,35 € l'appel puis 0,34 €/mn). 10 agences situées à Paris et à Lyon : lun-ven 8h-minuit, sam 9h-23h, dim 10h-23h.*

N° 1 français de la vente de séjours sur Internet, Promovacances a fait voyager plus de 2 millions de clients en 10 ans. Le site propose plus de 10 000 voyages actualisés chaque jour sur 300 destinations : séjours, circuits, week-ends, thalasso, plongée, golf, voyages de noce, locations, vols secs... L'ambition du voyagiste : prouver chaque jour que le petit prix est compatible avec des vacances de qualité. Grâce aux avis clients publiés sur le site et aux visites virtuelles des hôtels, vous réservez vos vacances en toute tranquillité.

▲ PROMOVOLS

– Infos et résas : • *promovols.com* • *ou ☎ 01-53-43-70-53. Lun-ven 9h-19h, sam 10h-18h.*

Spécialiste de la vente de billets d'avion sur Internet, Promovols vous propose une vaste sélection de vols réguliers, charters, et dégriffés au départ de Paris et de la plupart des

villes de province. Grâce à son moteur de réservation très performant, cette agence de voyages en ligne vous garantit les meilleurs prix du marché quelle que soit votre destination. Promovols propose également un très large choix d'hôtels, séjours et circuits à prix extrêmement compétitifs sur plus de 200 destinations.

▲ ROOTS TRAVEL

– Paris : 17, rue de l'Arsenal, 75004. ☎ 01-42-74-07-07. Ⓜ Bastille. Lun 10h-13h et 14h-18h ; mar-ven 10h-13h, 14h-19h ; sam 11h-13h et 14h-19h. Promos et séjours • rootstravel.com •

Roots Travel est un spécialiste de New York et propose des séjours individuels en appartements privés exclusivement sur Manhattan. Les séjours se composent d'un vol et d'une location d'appartement (2, 3 pièces), de studio, duplex ou de loft. L'agence possède un bureau sur place avec une équipe francophone. Possibilité de faire un combiné original avec New York et Reykjavik. Roots Travel est aussi spécialisé sur Cuba, la République dominicaine, Madagascar et le Maroc.

▲ USA CONSEIL

Devis et brochures sur demande, réception sur rdv, agence Paris 16e. Rens : ☎ 01-45-46-51-75. • usaconseil.com • ou • canadaconseil.com •

Spécialiste des voyages en Amérique du Nord, USA Conseil s'adresse particulièrement aux familles ainsi qu'à toutes les personnes désireuses de visiter et de découvrir les États-Unis et le Canada en maintenant un bon rapport qualité-prix. USA Conseil propose une gamme complète de prestations adaptées à chaque demande et en rapport avec le budget de chacun : vols, voitures, hôtels, motels, bungalows, circuits individuels et accompagnés, itinéraires adaptés aux familles, excursions, motorhomes, motos, bureau d'assistance téléphonique francophone tout l'été avec numéro vert USA et Canada. Sur demande sur le site internet, par téléphone, mail ou fax, USA Conseil adresse un devis gratuit et détaillé pour tout projet de voyage.

▲ VACANCES FABULEUSES

– Paris : 54-56, av. Bosquet, 75007. ☎ 0820-300-382. • vacancesfabuleuses.fr • Ⓜ École-Militaire. Lun-ven 10h-18h. Et dans ttes les agences de voyages.

Vacances Fabuleuses, c'est « l'Amérique à la carte ». Ce spécialiste de l'Amérique du Nord (États-Unis, Canada, Bahamas, Mexique et Amérique centrale) vous propose de découvrir l'Amérique de l'intérieur, avec un large choix de formules allant de la location de voitures aux formules sportives, en passant par des circuits individuels de 6 à 21 jours.
Le transport est assuré sur des compagnies régulières, le tout proposé par une équipe de spécialistes.

▲ VACANCES USA

– Paris : 4, rue Gomboust (angle 31, avenue de l'Opéra), 75001. ☎ 01-40-15-15-15. Lun-ven 8h30-20h, sam 10h-18h30. • cercledesvacances.com • Vacances USA est une marque de la société Le Cercle des Vacances.

Voyagiste spécialiste des USA, Vacances USA propose des voyages à travers tous les états du pays, des destinations phare et incontournables à celles plus insolites, pour tous les types de budgets, pour les individuels comme pour les groupes, grâce à des conseillers voyages ayant vécu sur place. Découverte, culture, parcs nationaux et aventure, plusieurs formules sont proposées dans leur brochure et sur leur site internet. Au programme : vols sur toutes les compagnies régulières, circuits accompagnés, week-end, voyages à la carte, circuits aventure, hébergements variés, locations de voitures à prix très attractifs...

▲ VOYAGES-SNCF.COM

• Voyages-sncf.com •, acteur majeur du tourisme français qui recense 9 millions de visiteurs par mois, propose d'acheter en ligne des billets de train, d'avion, des chambres d'hôtel, des locations de voitures, de vacances et des séjours clés en main ou Alacarte®, ainsi que des spectacles, des excursions et des visites de musées. Un large choix et des prix avantageux sont offerts toute l'année, pour tous types de voyages dans le monde entier :

SNCF, 180 compagnies aériennes, 84 000 hôtels référencés et les principaux loueurs de voitures.
Le site • *voyages-sncf.com* • permet d'accéder tlj, 24h/24 à plusieurs services : envoi gratuit des billets à domicile, Alerte Résa pour être informé de l'ouverture des résas et profiter du plus grand choix, calendrier des meilleurs prix (TTC), mais aussi des offres de dernière minute et des promotions...
Pratique : • *voyages-sncf.mobi* • le site mobile pour réserver, s'informer et profiter des bons plans n'importe où et à n'importe quel moment.
Et grâce à l'ÉcoComparateur, en exclusivité sur • *voyages-sncf.com* •, possibilité de comparer le prix, le temps de trajet et l'indice de pollution pour un même trajet en train, en avion ou en voiture.

▲ **VOYAGEURS DU MONDE**
– Voyageurs aux États-Unis, au Canada et aux Bahamas (Alaska, Bahamas, Canada, Québec, Hawaii, USA) : ☎ 01-42-86-16-30.
Le spécialiste du voyage en individuel sur mesure. • vdm.com •
– Paris : La Cité des Voyageurs, 55, rue Sainte-Anne, 75002. ☎ 01-42-86-16-00. Ⓜ Opéra ou Pyramides. Lun-sam 9h30-19h.
Également des agences à Bordeaux, Caen, Grenoble, Lille, Lyon, Marseille, Montpellier, Nantes, Nice, Rennes, Rouen, Strasbourg et Toulouse.
Parce que chaque voyageur est différent, que chacun a ses rêves et ses idées pour les réaliser, Voyageurs du Monde conçoit, depuis plus de 30 ans, des projets sur mesure. Les séjours proposés à travers 120 destinations sont des suggestions élaborées par leurs 180 conseillers voyageurs. Spécialistes de leur pays, ils vous aideront à personnaliser les voyages présentés à travers une trentaine de brochures d'un nouveau type et sur le site internet où vous pourrez également découvrir leurs hébergements exclusifs et consulter votre espace personnalisé. Chacune des 15 Cités des Voyageurs est une invitation au voyage : librairies spécialisées, accessoires de voyage, expositions-vente d'artisanat et conférences. Voyageurs du Monde est membre de l'association ATR (Agir pour un tourisme responsable) et a obtenu en 2008 sa certification Tourisme responsable AFAQ AFNOR.

Comment aller à Roissy et à Orly ?

Bon à savoir :
– Le ***pass Navigo*** est valable pour Roissy-Rail (RER B, zones 1-5) et Orly-Rail (RER C, zones 1-4).
– Le ***billet Orly-Rail*** permet d'accéder sans supplément aux réseaux métro et RER.

À Roissy-Charles-de-Gaulle 1, 2 et 3

Attention : si vous partez de Roissy, pensez à vérifier de quelle aérogare votre avion décolle car la durée du trajet peut considérablement varier en fonction de cette donnée.

En transports collectifs

🚌 ***Les cars Air France :*** *☎ 0892-350-820 (0,34 €/mn). • lescarsairfrance.com • Paiement par CB possible à bord.*
Le site internet diffuse les informations essentielles sur le réseau (lignes, horaires, tarifs...) permettant de connaître en temps réel des infos sur le trafic afin de mieux planifier son départ. Il propose également une boutique en ligne, qui permet d'acheter et d'imprimer les billets électroniques pour accéder aux bus.
➢ *Paris-Roissy :* départ pl. de l'Étoile (1, av. Carnot), avec un arrêt pl. de la Porte-Maillot (bd Gouvion-Saint-Cyr). Départs ttes les 20-30 mn, 6h-22h. Durée du trajet : 35-50 mn env. Tarifs : 15 € l'aller simple, 24 € l'A/R ; réduc enfants 2-11 ans.
Autre départ depuis la gare Montparnasse (arrêt rue du Commandant-Mouchotte, face à l'hôtel *Pullman*), ttes les 30 mn, 6h-21h30, avec un arrêt gare de Lyon (20 bis, bd Diderot). Tarifs : 16,50 € l'aller simple, 27 € l'A/R ; réduc enfants 2-11 ans.
➢ *Roissy-Paris :* les cars *Air France* desservent la pl. de la Porte-Maillot, avec un arrêt bd Gouvion-Saint-Cyr,

et se rendent ensuite au terminus de l'av. Carnot. Départs ttes les 20-30 mn, 6h-23h des terminaux 2A et 2C (porte C2), 2E et 2F (niveau « Arrivées », porte 3 de la galerie), 2B et 2D (porte B1), et du terminal 1 (porte 34, niveau « Arrivées »).
À destination de la gare de Lyon et de la gare Montparnasse, départs ttes les 30 mn, 6h-21h30 des mêmes terminaux. Durée du trajet : 45 mn env.

Roissybus : ☎ *32-46 (0,34 €/mn).* • *ratp.fr* • Départs de la pl. de l'Opéra (angle rues Scribe et Auber) ttes les 15 mn (20 mn à partir de 20h), 5h45-23h. Durée du trajet : 60 mn. De Roissy, départs 6h-23h des terminaux 1, 2A, 2B, 2C, 2D et 2F, et à la sortie du hall d'arrivée du terminal 3. Tarif : 10 €.

Bus RATP n° 351 : de la pl. de la Nation, 5h35-20h20. Solution la moins chère mais la plus lente. Compter 3 tickets ou 5,70 € et 1h40 de trajet. Ou ***bus n° 350,*** de la gare de l'Est (1h15 de trajet). Arrivée Roissypôle-gare RER.

RER ligne B + navette : ☎ *32-46 (0,34 €/mn).* Départ ttes les 15 mn (4h55-0h20) depuis la gare du Nord et à partir de 5h26 depuis Châtelet. À Roissy-Charles-de-Gaulle, descendre à la station (il y en a 2) qui dessert le bon terminal. De là, prendre la navette adéquate. Compter 50 mn de la gare du Nord à l'aéroport (navette comprise). Tarif : 10,90 €.

Si vous venez du nord, de l'ouest ou du sud de la France en train, vous pouvez rejoindre les aéroports de Roissy sans passer par Paris, la gare SNCF Paris-Charles de Gaulle étant reliée aux réseaux TGV.

En taxis

Compter au moins 50 € du centre de Paris, en tarif de jour.

En voiture

Chaque terminal a son propre parking. Compter 34 € par tranche de 24h. Également des parkings longue durée (PR et PX), plus éloignés des terminaux, qui proposent des tarifs plus avantageux (forfait 24h 25 €, forfait 7 j. pour 151 €). Possibilité de réserver sa place de parking via le site • *aeroportsdeparis.fr* • Stationnement au parking Vacances (longue durée) dans le P3 Résa (terminaux 1 et 3) situé à 2 mn du terminal 3 à pieds ou le PAB (terminal 2). Formules de stationnement 1-30 j. (120-205 €) pour le P3 Résa. De 2 à 5 j. dans le PAB 13 € par tranche de 12h et de 6 à 14 j. 24 € par tranche de 24h. Réservation sur Internet uniquement. Les P1, PAB et PEF accueillent les 2-roues : 15 € pour 24h.

Comment se déplacer entre Roissy-Charles-de-Gaulle 1, 2 et 3 ?

Les rames du CDG-VAL font le lien entre les 3 terminaux en 8 mn. Fonctionne tlj, 24h/24. Gratuit. Accessible aux personnes à mobilité réduite. Départ ttes les 4 mn, et ttes les 20 mn, minuit-4h. Desserte gratuite vers certains hôtels, parkings, gares RER et gares TGV. *Infos au :* ☎ *39-50.*

À Orly-Sud et Orly-Ouest

En transports collectifs

Les cars Air France : ☎ *0892-350-820 (0,34 €/mn).* • *lescarsairfrance.com* • *Tarifs : 11,50 € l'aller simple, 18,50 € l'A/R ; enfants 2-11 ans : 5,50 €. Paiement par CB possible dans le bus.*
➢ *Paris-Orly :* départs de l'Étoile, 1, av. Carnot, ttes les 30 mn 5h-22h40. Arrêts au terminal des Invalides, rue Esnault-Pelterie (Ⓜ Invalides), gare Montparnasse (rue du Commandant-Mouchotte, face à l'hôtel *Pullman* ; Ⓜ Montparnasse-Bienvenüe, sortie Gare SNCF) et porte d'Orléans (arrêt facultatif uniquement dans le sens Orly-Paris).
➢ *Orly-Paris :* départs ttes les 20 mn, 6h-23h40 d'Orly-Sud, porte L, et d'Orly-Ouest, porte H, niveau « Arrivées ».

RER C + navette : ☎ *01-60-11-46-20.* • *parisparletrain.fr* • Prendre le RER C jusqu'à Pont-de-Rungis (un RER ttes les 15-30 mn). Compter 25 mn depuis la gare d'Austerlitz. Ensuite, navette pdt 15-20 mn pour Orly-Sud et Orly-Ouest. Compter 6,45 €. Très recommandé les jours où

NOUVEAUTÉ

NORD-PAS DE CALAIS, LA RÉGION DES MUSÉES (novembre 2012)

Le saviez-vous ? La région Nord-Pas de Calais est la seconde région française en nombre de musées. Plus de 100 musées sont implantés sur les 2 départements. Ce guide présente les plus importants d'entre eux. Des musées riches, dynamiques, originaux, dans une région qui accueille désormais le Louvre-Lens. Et qui fait aussi la part belle à l'art contemporain à travers une série de structures permettant aux nouvelles disciplines et aux jeunes créateurs de se faire connaitre. Une région fière de son histoire, riche d'un patrimoine industriel qu'elle a su, avec intelligence, reconvertir en lieux culturels de qualité. Alors pour découvrir l'art dans tous ses états et sous toutes ses formes, ne perdez pas le nord.

l'on piétine sur l'autoroute du Sud (w-e et jours de grands départs) : on ne sera jamais en retard. Pour le retour, départs de la navette ttes les 15 mn depuis la porte G à Orly-Ouest (5h40-23h14) et la porte F à Orly-Sud (4h45-0h55).

Bus RATP Orlybus : ☎ *0892-68-77-14 (0,34 €/mn).* ● *ratp.fr* ●

➢ *Paris-Orly :* départs ttes les 15-20 mn de la pl. Denfert-Rochereau. Compter 20-30 mn pour rejoindre Orly (Ouest ou Sud). Orlybus fonctionne tlj 5h35-23h, jusqu'à minuit ven, sam et veilles de fêtes dans le sens Paris-Orly.

➢ *Orly-Paris :* départ d'Orly-Sud, porte H, quai 4, ou d'Orly-Ouest, porte J, niveau « Arrivées ». Tlj 6h-23h20, jusqu'à 0h20 ven, sam et veilles de fêtes dans le sens Orly-Paris. Compter 7 € l'aller simple.

Orlyval : ☎ *32-46 (0,34 €/mn).* ● *ratp.fr* ● Compter 10,90 € l'aller simple entre Orly et Paris. Ce métro automatique est facilement accessible à partir de n'importe quel point de la capitale ou de la région parisienne (RER, stations de métro, gare SNCF). La jonction se fait à Antony (ligne B du RER) sans aucune attente. Permet d'aller d'Orly à Châtelet et vice versa en 40 mn env, sans se soucier de la densité de la circulation automobile.

➢ *Paris-Orly :* départs pour Orly-Sud et Ouest ttes les 6-8 mn, 6h-22h15.

➢ *Orly-Paris :* départ d'Orly-Sud, porte K, zone livraison des bagages, ou d'Orly-Ouest, porte W, niveau 1.

En taxis

Compter au moins 35 € en tarif de jour du centre de Paris, selon circulation et importance des bagages.

En voiture

À proximité d'Orly-Ouest, parkings P0 et P2. À proximité d'Orly-Sud, P1, P2 et P3 (à 50 m du terminal, accessible par tapis roulant). Compter 28,50 € pour 24h de stationnement. Les parkings P0 et P2, à proximité immédiate des terminaux, proposent un forfait « week-end » intéressant, valable du ven 0h01 au lun 23h59 (45 €). Forfaits disponibles aussi pour les P4, P5 et P7 : 15,50 € pour 24h et 1 € par jour supplémentaire au-delà de 8 j. (45 j. de stationnement max). Il existe pour le P7 des forfaits Vacances 1 à 30 j. (15-130 €).

Les P4, P7 (en extérieur) et P5 (couvert) sont des parkings longue durée, plus excentrés, reliés par navettes gratuites aux terminaux. *Rens :* ☎ *01-49-75-56-50.* Comme à Roissy, possibilité de réserver en ligne sa place de parking (P0 et P7) sur ● *aeroportsdeparis.fr* ● Les frais de résa (en sus du parking) sont de 8 € pour 1 j., de 12 € pour 2-3 j. et de 20 € pour 4-10 j. de stationnement pour le P0. Les parkings P0-P2 à Orly-Ouest, et P1-P3 à Orly-Sud accueillent les 2-roues : 6,20 € pour 24h.

Liaisons entre Orly et Roissy-Charles-de-Gaulle

Les cars Air France : ☎ *0892-350-820 (0,34 €/mn).* ● *lescarsairfrance.com* ● Départs de Roissy-Charles-de-Gaulle depuis les terminaux 1 (porte 32), 2A et 2C, 2B et 2D, 2E et 2F (galerie de liaison entre les terminaux 2E et 2F) vers Orly 5h55-22h30. Départs d'Orly-Sud (porte K) et d'Orly-Ouest (porte H) vers Roissy-Charles-de-Gaulle 6h30 (7h le w-e)-22h30. Ttes les 30-45 mn (dans les 2 sens). Durée du trajet : 50 mn env. Tarif : 19,50 € ; réduc.

RER B + Orlyval : ☎ *32-46 (0,34 €/mn).* Depuis Roissy, navette puis RER B jusqu'à Antony et enfin Orlyval entre Antony et Orly, 6h-22h15. Tarif : 19,50 €.

– ***En taxi :*** compter 50-55 € en journée.

EN BELGIQUE

▲ AIRSTOP

Pour ttes les adresses Airstop, un seul numéro de téléphone : ☎ *070-233-188.* ● *airstop.be* ● *Lun-ven 9h-18h30, sam 10h-17h.*

– Bruxelles : bd E.-Jacquemain, 76, 1000.

– Anvers : Jezusstraat, 16, 2000.

– Bruges : Dweersstraat, 2, 8000.

– Gand : Maria Hendrikaplein, 65, 9000.

– Louvain : Tiensestraat 5, 125, 3000.

Airstop offre une large gamme de prestations, du vol sec au séjour tout compris à travers le monde.

▲ CONNECTIONS

Rens et résas : ☎ 070-233-313. • *connections.be* • *Lun-ven 9h-19h, sam 10h-17h.*

Fort d'une expérience de plus de 20 ans dans le domaine du voyage, Connections dispose d'un réseau de 30 *travel shops* dont un à Brussels Airport. Connections propose des vols dans le monde entier à des tarifs avantageux et des voyages destinés à des voyageurs désireux de découvrir la planète de façon autonome et de vivre des expériences uniques. Connections propose une gamme complète de produits : vols, hébergements, locations de voitures, autotours, vacances sportives, excursions, assurances « protection »...

▲ NOUVELLES FRONTIÈRES

• *nouvelles-frontieres.be* •

– Nombreuses agences dans le pays dont *Bruxelles, Charleroi, Liège, Mons, Namur, Waterloo, Wavre* et au *Luxembourg.*

Voir texte dans la partie « En France ».

▲ SERVICE VOYAGES ULB

• *servicevoyages.be* • *22 agences dont 11 à Bruxelles.*

– Bruxelles : campus ULB, av. Paul-Héger, 22, CP 166, 1000. ☎ 02-650-40-20.

– Bruxelles : rue Abbé-de-l'Épée, 1, Woluwe, 1200. ☎ 02-742-28-80.

– Bruxelles : hôpital universitaire Érasme, route de Lennik, 808, 1070. ☎ 02-555-38-63.

– Bruxelles : chaussée d'Alsemberg, 815, 1180. ☎ 02-332-29-60.

– Ciney : rue du Centre, 46, 5590. ☎ 083-216-711.

– Marche (Luxembourg) : 11, av de France, 6900. ☎ 084-31-40-33.

– Wepion : chaussée de Dinant, 1137, 5100. ☎ 081-46-14-37.

Service Voyages ULB, c'est le voyage à l'université. Billets d'avion sur vols charters et sur compagnies régulières à des prix compétitifs.

▲ TAXISTOP

Pour ttes les adresses Taxistop : ☎ 070-222-292. • *taxistop.be* •

– Bruxelles : rue Théresienne, 7a, 1000.

– Gent : Maria Hendrikaplein 65, 9000.

– Ottignies : bd Martin, 27, 1340.

Taxistop propose un système de covoiturage, ainsi que d'autres services comme l'échange de maisons ou le gardiennage.

▲ VOYAGEURS DU MONDE

– Bruxelles : chaussée de Charleroi, 23, 1060. ☎ 0900-44-500 (0,45 €/mn). • *vdm.com* •

Voir texte dans la partie « En France ».

EN SUISSE

▲ STA TRAVEL

• *statravel.ch* • *☎ 058-450-49-49.*

– Fribourg : rue de Lausanne, 24, 1701. ☎ 058-450-49-80.

– Genève : rue de Rive, 10, 1204. ☎ 058-450-48-00.

– Genève : rue Vignier, 3, 1205. ☎ 058-450-48-30.

– Lausanne : bd de Grancy, 20, 1006. ☎ 058-450-48-50.

– Lausanne : à l'université, Anthropole, 1015. ☎ 058-450-49-20.

Agences spécialisées notamment dans les voyages pour jeunes et étudiants. 150 bureaux STA et plus de 700 agents du même groupe répartis dans le monde entier sont là pour donner un coup de main *(Travel Help).*

STA propose des voyages avantageux : vols secs *(Blue Ticket)*, hôtels, écoles de langues, work & travel, circuits d'aventure, voitures de location, etc. Délivre la carte internationale d'étudiant et la carte Jeune.

STA est membre du fonds de garantie de la branche suisse du voyage ; les montants versés par les clients pour les voyages forfaitaires sont assurés.

▲ TUI – NOUVELLES FRONTIÈRES

– Genève : rue Chantepoulet, 25, 1201. ☎ 022-716-15-70.

– Lausanne : Bd de Grancy, 19, 1006. ☎ 021-616-88-91.

Voir texte dans la partie « En France ».

AU QUÉBEC

▲ INTAIR VACANCES

Intair Vacances propose un vaste choix de prestations à la carte incluant vol,

hébergement et location de voitures en Europe, aux États-Unis ainsi qu'aux Antilles et au Mexique. Également au menu, des courts ou longs séjours, en Espagne (Costa del Sol) et en France (hôtels et appartements sur la Côte d'Azur et en région). Également un choix d'achat-rachat en France et dans la péninsule Ibérique.

▲ TOURS CHANTECLERC

• *tourschanteclerc.com* •

Tours Chanteclerc est un tour-opérateur qui publie différentes brochures de voyages : Europe, Amérique du Nord, Amérique du Sud, Asie et Pacifique sud, Afrique et Bassin méditerranéen en circuits ou en séjours. Il s'adresse aux voyageurs indépendants qui réservent un billet d'avion, un hébergement (dans toute l'Europe), des excursions ou une location de voiture. Également spécialiste de Paris, le tour-opérateur offre une vaste sélection d'hôtels et d'appartements dans la Ville Lumière.

▲ TOURSMAISON

Spécialiste des vacances sur mesure, ce voyagiste sélectionne plusieurs « Évasions soleil » (plus de 600 hôtels ou appartements dans quelque 45 destinations), offre l'Europe à la carte toute l'année (plus de 17 pays) et une vaste sélection de compagnies de croisières (11 compagnies au choix). Toursmaison concocte par ailleurs des forfaits escapades à la carte aux États-Unis et au Canada. Au choix : transport aérien, hébergement (variété d'hôtels de toutes catégories ; appartements dans le sud de la France ; maisons de location et condos en Floride), locations de voitures pratiquement partout dans le monde. Des billets pour le train, les attractions, les excursions et les spectacles peuvent également être achetés avant le départ.

▲ VACANCES AIR CANADA

• *vacancesaircanada.com* •

Vacances Air Canada propose des forfaits loisirs (golf, croisières, voyages d'aventure, ski, et excursions diverses) flexibles vers les destinations les plus populaires des Antilles, de l'Amérique centrale et du Sud, de l'Asie, de l'Europe et des États-Unis. Vaste sélection de forfaits incluant vol aller-retour et hébergement. Également des forfaits vol + hôtel/ vol + voiture.

▲ VOYAGES CAMPUS/ TRAVEL CUTS

• *voyagescampus.com* •

Voyages Campus/Travel Cuts est un réseau national d'agences de voyages spécialisées pour les étudiants et les voyageurs qui disposent d'un petit budget. Le réseau existe depuis 40 ans et compte plus de 50 agences dont 6 au Québec. Voyages Campus propose des produits exclusifs comme l'assurance « Bon voyage » le programme de Vacances-Travail (SWAP), la carte d'étudiant internationale (ISIC) et plus. Ils peuvent vous aider à planifier votre séjour autant à l'étranger qu'au Canada et même au Québec.

UNITAID

UNITAID a été créé pour lutter contre le VIH/sida, le paludisme et la tuberculose, principales maladies meurtrières dans les pays en développement. UNITAID intervient dans 94 pays en facilitant l'accès aux médicaments et aux diagnostics, en en baissant les prix dans les pays en développement. Le financement d'UNITAID provient principalement d'une contribution de solidarité sur les billets d'avion mise en place par six pays membres, dont la France, où la taxe est de 1 € sur les vols intérieurs et de 4 € sur les vols internationaux (ce qui représente le traitement d'un enfant séropositif pour un an). Depuis 2006, UNITAID a réuni plus d'un milliard de dollars. Les financements ont permis à près d'un million de personnes atteintes du VIH/sida de bénéficier d'un traitement et de délivrer plus de 19 millions de traitements contre le paludisme. Moins de 5 % des fonds sont utilisés pour le fonctionnement du programme, 95 % sont utilisés directement pour les médicaments et les tests. Pour en savoir plus : • *unitaid.eu* •

NEW YORK UTILE

ABC DE NEW YORK

- *Population :* 8,2 millions d'habitants, dont 1,5 million à Manhattan. Près de 40 % des habitants sont nés à l'étranger.
- *Superficie :* New York est composée de 5 boroughs (quartiers) : Manhattan (58,8 km²), Brooklyn (184 km²), le Bronx (106 km²), Queens (290 km²) et Staten Island (148 km²).
- *Nombre de visiteurs :* 50 millions de visiteurs en 2011 dont 80 % d'Américains (c'est la 3e ville la plus visitée au monde derrière Paris et Londres et la 2e aux États-Unis, après Orlando).
- *Taux de chômage :* environ 8 % en 2012.
- *Maire :* Michael Bloomberg (républicain) depuis janvier 2002 (3e mandat 2009-2013).

AVANT LE DÉPART

Adresses et infos utiles

En France

Office de tourisme – USA (c/o Visit USA Committee) : ☎ *0899-70-24-70 (1,35 € l'appel, puis 0,34 €/mn).* • *office-tourisme-usa.com* • *Fermé au public, mais rens sur le site internet et par tél.* Bureau d'informations privé représentant certains États, mais aussi des sociétés (chaînes d'hôtels, loueurs de voitures...) et des services.

NYC & Company : • *nyc.france@articleonze-tourisme.com* • *nycgo.com* • Bureau de tourisme privé (fermé au public). Envoi sur demande de quelques brochures sur New York (dont le *NYC Official Visitor Guide*), pour une 1re approche de la ville.

Ambassade des États-Unis, section consulaire : *4, av. Gabriel, 75008 Paris.* ☎ *01-43-12-22-22.* Ⓜ *Concorde. Rens sur les visas :* • *french.france.usembassy.gov* •*, puis cliquer sur « Visas » pour ttes questions sur les formalités d'entrée dans le pays. Rens personnalisés pour les demandes de visas :* ☎ *0810-26-46-26 (8h-17h ; 14,50 € l'appel).*

– ***Le visa n'est pas obligatoire pour un séjour de moins de 90 jours*** (voir « Formalités d'entrée », plus loin).

En Belgique

Visit USA Marketing & Promotion Bureau : *PO Box 10001, Berchem, 2600 Berchem.* • *visitusa.org* •

Bureau d'informations privé, qui pallie comme en France l'absence d'office de tourisme. Les demandes de renseignements peuvent être communiquées par courrier ou Internet. Pour l'envoi de documentation ou brochures, une participation aux frais de 10 € est demandée.

■ ***Ambassade des États-Unis :*** *bd du Régent, 27, Bruxelles 1000. ☎ 32-2-811-4000. • french.belgium.usembassy.gov •* Le visa n'est pas obligatoire pour les Belges pour un séjour de moins de 90 jours (voir « Formalités d'entrée », plus bas).

En Suisse

■ ***Ambassade des États-Unis :*** *Sulgeneckstrasse 19, 3007 Berne. ☎ 031-357-7011. • bern.usembassy.gov •*

– ***Le visa n'est pas obligatoire pour les Suisses pour un séjour de moins de 90 jours*** (voir « Formalités d'entrée », plus loin).

Au Canada

■ ***Consulat général des États-Unis :*** *1155, rue Saint-Alexandre, Montréal. Adresse postale : 315, place d'Youville, case postale 500, Montréal (Québec) H2Y 0A4. ☎ 514-398-9695 (serveur vocal). • french.montreal.usconsulate.gov •*

■ ***Consulat général des États-Unis :*** *2, place Terrasse-Dufferin (derrière le château Frontenac), Québec. Adresse postale : CP 939, Québec (Québec) G1R 4T9. ☎ 418-692-2095 (serveur vocal). • quebec.usconsulate.gov •*

– ***Le visa n'est pas obligatoire pour les Canadiens pour un séjour de moins de 90 jours*** (voir « Formalités d'entrée », ci-dessous).

Formalités d'entrée

– ***Attention :*** les mesures de sécurité concernant les formalités d'entrée sur le sol américain n'ont cessé de se renforcer depuis le 11 septembre 2001. ***Avant d'entreprendre votre voyage, consultez impérativement le site de l'ambassade des États-Unis,*** très détaillé et constamment mis à jour, pour vous tenir au courant des toutes dernières mesures : *• french.france.usembassy.gov •*, rubrique « Visas ».

– ***Passeport biométrique ou électronique en cours de validité, ou passeport individuel à lecture optique (modèle Delphine en cours de validité et émis avant le 26 octobre 2005).*** Si votre passeport a été délivré, renouvelé ou prolongé entre le 26 octobre 2005 et le 26 octobre 2006, consultez le site internet de l'ambassade des États-Unis pour vérifier ses caractéristiques (un visa peut être nécessaire dans certains cas). Les enfants de tous âges doivent impérativement posséder leur propre passeport. ***Depuis 2009,*** les voyageurs (y compris les enfants) doivent aussi être en possession d'une ***autorisation électronique de voyage ESTA,*** à remplir obligatoirement en ligne sur leur site internet *(• https://esta.cbp.dhs.gov •)* avant d'embarquer pour les États-Unis, que ce soit par voie maritime ou aérienne. ***Précisions importantes :*** la demande d'autorisation de voyage ne peut être réalisée à moins de 72h du départ, faites la donc le plus tôt possible. C'est payant (14 $) et la réponse est généralement immédiate. Méfiez-vous des sites clandestins d'ESTA qui sont, eux, plus chers... Lors de la demande en ligne, c'est le numéro officiel du passeport à 9 caractères qui doit être inscrit. Quant aux femmes mariées, elles doivent de préférence se faire enregistrer sous leur nom complet (nom de jeune fille et d'épouse). L'ESTA est valable 2 ans à priori. Enfin, tous les voyageurs se rendant aux États-Unis doivent être en mesure de présenter un ***billet d'avion aller-retour,*** ou un billet attestant le projet de quitter les États-Unis, et se soumettre au rituel des empreintes digitales et de la photo, lors du passage de l'immigration.

– ***Le visa*** n'est pas nécessaire pour les Français qui se rendent aux États-Unis pour tourisme (lire plus haut). Cependant, votre séjour ne doit pas dépasser 90 jours et n'est pas prolongeable. ***Attention :*** le visa reste indispensable pour les diplomates, les étudiants poursuivant un programme d'études, les stagiaires, les jeunes filles au pair, les journalistes en mission et pour toutes les autres catégories professionnelles.

– Le visa n'est pas obligatoire pour ***les Belges et les Suisses*** pour un séjour de tourisme de moins de 90 jours, sous certaines conditions (grosso modo les mêmes que les Français). Quant aux ***Canadiens,*** ils doivent aussi être désormais munis d'un passeport valide, le visa n'est pas obligatoire pour un séjour de tourisme de moins de 180 jours. Avant tout voyage, il est impératif de vérifier ces formalités via les sites internet des ambassades (voir plus haut).

– Si vous allez ***aux États-Unis en passant par le Mexique ou le Canada***, il n'est pas nécessaire d'avoir un visa (mais une taxe de 6 $, payable en espèces, vous sera demandée).

– Pas de ***vaccination*** obligatoire (voir « Santé » plus loin).

– ***Pour conduire sur le sol américain : le permis de conduire national suffit,*** mais le ***permis international*** peut être parfois exigé, même si c'est rare. Mieux vaut s'en faire délivrer un par la préfecture (gratuit).

– ***Interdiction d'emporter des denrées périssables non stérilisées*** (charcuterie, fromage, biscuits...) ***et des végétaux.*** Seules les conserves sont tolérées. Une bouteille d'alcool par personne est autorisée.

– ***Aucun objet coupant autorisé en cabine.*** Même les ciseaux à bout rond des enfants sont confisqués !

– ***Les liquides, gels, crèmes, pâtes dentifrice sont restreints en cabine*** (sauf aliments pour bébés). Ils doivent être conditionnés dans des flacons ou tubes de 100 ml maximum et placés dans une pochette plastique transparente (type sac de congélation).

– ***Évitez de verrouiller vos valises*** de soute, sous peine de retrouver leurs serrures forcées par les services de sécurité qui les fouillent régulièrement. Il existe des cadenas et des bagages agréés *TSA,* qui permettent à la *Transportation Security Administration* de les ouvrir sans les endommager.

– Vous aurez à remplir ***une déclaration de douane*** par famille. Ce document est généralement distribué dans l'avion. Gardez sur vous l'adresse de votre premier hébergement ; celle-ci vous sera demandée dans les papiers à remplir.

Pensez à scanner passeport, visa, carte de paiement, billet d'avion et vouchers d'hôtel. Ensuite, adressez-les-vous par mail, en pièces jointes. En cas de perte ou de vol, rien de plus facile pour les récupérer dans un cybercafé. Les démarches administratives seront bien plus rapides.

Assurances voyages

■ ***Routard Assurance*** *(c/o AVI International)* **:** *106, rue La Boétie, 75008 Paris.* ☎ *01-44-63-51-00.* ● *avi-international.com* ● Ⓜ *Saint-Philippe-du-Roule ou Franklin-D.-Roosevelt.* Depuis 1995, *Routard Assurance,* en collaboration avec *AVI International,* spécialiste de l'assurance voyage, propose aux routards un tarif à la semaine qui inclut une assurance bagages de 2 000 € dont 300 € pour les appareils photo. Pour les séjours longs (2 mois à 1 an), il existe le contrat Marco Polo. Ces 2 contrats sont également disponibles à un prix forfaitaire pour les familles en courts et longs séjours. *Routard Assurance* est aussi disponible en version « light » (durée adaptée aux week-ends et courts séjours en Europe). Vous trouverez un bulletin de souscription dans les dernières pages de chaque guide.

■ ***AVA :*** *25, rue de Maubeuge, 75009 Paris.* ☎ *01-53-20-44-20.* ● *ava.fr* ● Ⓜ *Cadet.* Un autre courtier fiable pour ceux qui souhaitent s'assurer en cas de décès-invalidité-accident lors d'un voyage à l'étranger, mais surtout pour bénéficier d'une assistance rapatriement, perte de bagages et annulation. Attention, franchises pour leurs contrats d'assurance voyage.

■ ***Pixel Assur :*** *18, rue des Plantes, 78600 Maisons-Laffitte.* ☎ *01-39-62-*

28-63. ● *pixel-assur.com* ● *RER A : Maisons-Laffitte.* Assurance de matériel photo et vidéo tous risques dans le monde entier. Devis basé sur le prix d'achat de votre matériel. Avantage : garantie à l'année.

Carte d'adhésion internationale aux auberges de jeunesse (carte FUAJ)

Cette carte, valable dans plus de 90 pays, vous ouvre les portes des 4 000 auberges de jeunesse du réseau Hostelling International réparties dans le monde entier. Les périodes d'ouverture varient selon les pays et les A.J. À noter, la carte est souvent obligatoire pour séjourner en auberge de jeunesse, donc nous vous conseillons de vous la procurer avant votre départ. Adhérer en France vous reviendra moins cher qu'à l'étranger.

Vous pouvez adhérer

– En ligne, avec un paiement sécurisé, sur le site ● *fuaj.org* ●

– Dans toutes les auberges de jeunesse, points d'informations et de réservations en France.

– Auprès de l'antenne nationale : *27, rue Pajol, 75018 Paris.* ☎ *01-44-89-87-27.* ● *fuaj.org* ● Ⓜ *Marx Dormoy ou La Chapelle. Horaires d'ouverture du point accueil sur le site Internet rubrique « Nous contacter ».*

– Par correspondance, en envoyant la photocopie d'une pièce d'identité et un chèque à l'ordre de la FUAJ du montant correspondant à l'adhésion. Ajoutez 2 € de plus pour les frais d'envoi. Vous recevrez votre carte sous 15 jours.

Les tarifs de l'adhésion 2013

– Carte internationale FUAJ – de 26 ans : 7 €.

Pour les mineurs, une autorisation parentale et la carte d'identité du parent tuteur sont nécessaires pour l'inscription.

– Carte internationale FUAJ + de 26 ans : 11 €.

– Carte internationale FUAJ Famille : 20 €.

Seules les familles ayant un ou plusieurs enfants de moins de 16 ans peuvent bénéficier de la carte Famille sur présentation du livret de famille. Les enfants de plus de 16 ans devront acquérir une carte individuelle.

– La carte donne également droit à des réductions sur les transports, les musées et les attractions touristiques dans plus de 90 pays mais ces avantages varient d'un pays à l'autre, ce qui n'empêche pas de la présenter à chaque occasion. Liste de ces réductions disponible sur ● *hihostels.com* ● et pour les réductions en France sur ● *fuaj.org* ●

En Belgique

La carte d'adhésion est obligatoire. Son prix varie selon l'âge : entre 3 et 15 ans, 3 € ; entre 16 et 25 ans, 9 € ; après 25 ans, 15 €.

Renseignements et inscriptions

■ ***À Bruxelles :*** *LAJ, rue de la Sablonnière, 28, 1000.* ☎ *02-219-56-76.* ● *info@laj.be* ● *laj.be* ●

■ ***À Anvers :*** *Vlaamse Jeugdherbergcentrale (VJH), Van Stralenstraat, 40, B 2060 Antwerpen.* ☎ *03-232-72-18.* ● *info@vjh.be* ● *vjh.be* ●

– Votre carte de membre vous permet d'obtenir de 3 à 20 € de réduction sur votre première nuit dans les réseaux LAJ, VJH et CAJL (Luxembourg), ainsi que des réductions auprès de nombreux partenaires en Belgique.

En Suisse (SJH)

Le prix de la carte dépend de l'âge : 22 Fs pour les moins de 18 ans, 33 Fs pour les adultes et 44 Fs pour une famille avec des enfants de moins de 18 ans.

Renseignements et inscriptions

■ ***Schweizer Jugendherbergen (SJH) service des membres :*** *Schaffhauserstr. 14, 8006 Zurich.* ☎ *41-44-360-14-14.* ● *booking@youthhostel.ch* ● *et* ● *contact@youthhostel.ch* ● *youthhostel.ch* ●

Au Canada

La carte coûte 35 $Ca pour une durée de 16 à 28 mois et 175 $ Ca pour une validité à vie. Gratuit pour les enfants de moins de 18 ans qui accompagnent leurs parents.

■ ***Auberges de jeunesse du Saint-Laurent / St Laurent Youth Hostels :***
– **À Montréal :** *3514, av. Lacombe, Montréal (Québec) H3T 1M1. ☎ (514) 731-10-15. Sans frais (au Canada) : ☎ 1-800-663-5777.*
– **À Ottawa :** *Canadian Hostelling Association : 205, Catherine Street, bureau 400, Ottawa, Ontario, Canada K2P 1C3. ☎ (613) 237-78-84. • info@hihostels.ca • hihostels.ca •*
– Il n'y a pas de limite d'âge pour séjourner en AJ. Il faut simplement être adhérent.
– La FUAJ offre à ses adhérents la possibilité de réserver en ligne grâce à son système de réservation international • *hihostels.com* • jusqu'à 12 mois à l'avance, dans plus de 1 600 auberges de jeunesse dans le monde. Et si vous prévoyez un séjour itinérant, vous pouvez réserver plusieurs auberges en une seule fois.
Ce système permet d'obtenir toutes les informations utiles sur les auberges reliées au système, de vérifier les disponibilités, de réserver et de payer en ligne.

ARGENT, BANQUES, CHANGE

La monnaie américaine

Mi-2012, 1 $ valait 0,75 € environ.
– ***Les pièces :*** 1 cent *(penny)*, 5 cents *(nickel)*, 10 cents (*dime*, plus petite que la pièce de 5 cents), 25 cents *(quarter)* et 1 dollar, cette dernière ayant du mal à s'imposer face au billet que les Américains préfèrent. Avis aux numismates, les *quarters* font régulièrement l'objet de séries spéciales.
– ***Les billets :*** sur chaque billet, le visage d'un président ou d'un grand homme politique des États-Unis : 1 $ (Washington), 5 $ (Lincoln), 10 $ (Hamilton, secrétaire du Trésor et non président), 20 $ (Jackson), 50 $ (Grant), 100 $ (Franklin). Il existe aussi un billet de 2 $ (bicentenaire de l'indépendance, avec l'effigie de Jefferson), très peu en circulation mais que les collectionneurs s'arrachent.

En argot, un dollar se dit souvent *a buck*. L'origine de ce mot remonte au temps des trappeurs lorsqu'ils échangeaient leurs peaux de daims *(bucks)* contre des dollars.

Argent liquide, change et chèques de voyage

– Le plus simple est de ***retirer sur place du liquide*** avec une ***carte de paiement.*** Il y a des distributeurs de billets (appelés *ATM* pour *Automated Teller Machine,* ou *cash machines*) partout, jusque dans les petites épiceries ! Chaque retrait d'argent liquide est soumis à une taxe calculée en fonction du montant. Évitez absolument de retirer des sommes trop riquiqui à tout bout de champ, car une somme fixe de 2-3 $ est également prélevée pour chaque transaction (souvent plus élevée dans les petits distributeurs situés dans les boutiques ou les hôtels car on paie le service). N'oubliez pas non plus qu'il y a un seuil maximal de retrait par semaine, fixé par votre banque (négociez éventuellement une extension temporaire). ***Utilisez de préférence les distributeurs attenants à une agence bancaire***. En cas de pépin (carte avalée, erreur de code secret...), vous aurez un interlocuteur dans l'agence, pendant les heures ouvrables du moins.
– Pour ceux qui ne disposeraient pas de carte de paiement, avoir presque tout son argent sous forme de ***chèques de voyage*** est plus sécurisant, car on peut se les faire remplacer en cas de perte ou de vol. Très pratique : la plupart des grands magasins, restaurants et boutiques les acceptent sur simple présentation du passeport et rendent la monnaie dessus. Inutile d'aller dans une banque ou un bureau de change pour les convertir en liquide.
– Enfin, en dernier ressort, si vous devez quand même ***changer de l'argent*** (ou des *travellers*), il y a, en gros, trois types d'endroits : les agences de la *Chase Bank,* les bureaux *American Express* et les petits kiosques de change qu'on trouve à droite et à gauche. Préférez les deux premiers pour leurs nombreuses adresses en

ville, même si les taux de change ne sont pas intéressants du tout. Enfin, évitez les petits bureaux de change (particulièrement ceux des aéroports) car, sans parler d'arnaque, c'est ici généralement que la commission est la plus élevée ou le taux le plus défavorable...

Les cartes de paiement

Aux États-Unis, on appelle ça *plastic money*, ou *plastic* tout court. ***Et c'est le moyen le plus pratique de payer.*** Les plus répandues sont la *MasterCard* et la *Visa* (l'*American Express* est également acceptée pratiquement partout). Indispensable, par ailleurs, pour louer une voiture ou réserver une chambre d'hôtel (même si vous avez tout réglé avant le départ, on prendra systématiquement l'empreinte de votre carte). Précaution au cas où vous auriez l'idée de partir sans payer les prestations supplémentaires *(incidentals)* genre parking, petit déj, téléphone, boissons... Les Américains paient tout par carte, même pour 5 $! Dans certains commerces type drugstores ou supermarchés, dès que vous présenterez une carte de paiement, on vous posera systématiquement la question fatidique : ***« Debit or credit ? ».*** Si vous n'avez pas un compte aux États-Unis, la réponse est « *Credit* » (même si vous avez une carte *Visa* ou *MasterCard*). De plus en plus de magasins sont munis d'écrans de paiement sur lesquels vous signez au moyen d'un stylo électronique.

Certains magasins (*Abercrombie,* par exemple) vous demanderont de choisir de ***payer en dollars ou en euros.*** Le réglement par carte en dollars semble plus intéressant.

– ***En cas de perte ou de vol :*** quelle que soit la carte que vous possédez, chaque banque gère elle-même le processus d'opposition et le numéro de téléphone correspondant ! Avant de partir, notez donc bien le numéro d'opposition propre à votre banque (il figure souvent sur votre contrat, au dos des tickets de retrait ou à côté des distributeurs de billets), ainsi que le numéro à 16 chiffres de votre carte. Bien entendu, conservez ces informations en lieu sûr et séparément de votre carte. Par ailleurs, l'assistance médicale se limite aux 90 premiers jours du voyage et l'assistance véhicule aux cartes haut de gamme (renseignez-vous auprès de votre banque).

– ***Carte Bleue Visa :*** *assistance médicale incluse ; numéro d'urgence (Europ Assistance) : ☎ (00-33) 1-41-85-85-85. • visa-europe.fr • Pour faire opposition, contactez le numéro communiqué par votre banque.*

– ***Carte MasterCard :*** *assistance médicale incluse ; numéro d'urgence : ☎ (00-33) 1-45-16-65-65. • mastercardfrance.com • En cas de perte ou de vol, composez le numéro communiqué par votre banque pour faire opposition.*

– ***Carte American Express :*** *téléphonez en cas de pépin au ☎ (00-33) 1-47-77-72-00 (24h/24). • americanexpress.fr •*

– Pour ttes les cartes émises par ***La Banque postale,*** *composez le ☎ 0825-809-803 (0,15 €/mn) depuis la France métropolitaine ou les DOM, et le ☎ (00-33) 5-55-42-51-96 depuis les DOM ou l'étranger.*

– *Également un numéro d'appel valable* ***quelle que soit votre carte de paiement pour faire opposition*** *: ☎ 0892-705-705 (serveur vocal à 0,34 €/mn). Mais ne fonctionne ni en PCV ni depuis l'étranger.*

Dépannage d'urgence

En cas de besoin urgent d'argent liquide (perte ou vol de billets, chèques de voyage, carte de paiement), vous pouvez être dépanné en quelques minutes grâce au système ***Western Union Transfert d'argent.*** *• westernunion.com •*

– *Aux États-Unis : ☎ 1-800-325-6000.*

– *En France :* demandez à quelqu'un de déposer de l'argent en euros à votre attention dans l'un des bureaux *Western Union*. Les correspondants en France sont *La Banque postale (fermée sam ap-m et dim ; ☎ 0825-00-98-98 ; 0,15 €/mn)* et la *Société financière de paiements (SFDP ; ☎ 0825-825-842 ; 0,15 €/mn)*. L'argent vous est transféré en 10-15 mn aux États-Unis. Avec le décalage horaire, il faut que l'agence soit ouverte de l'autre côté de l'Atlantique, mais certaines le sont même la nuit. La commission, assez élevée, est payée par l'expéditeur. Possibilité d'effectuer un transfert en ligne 24h/24 par carte de paiement (*Visa* ou *MasterCard* émise en France).

ACHATS

On trouve absolument de tout à New York, des fringues à l'électronique en passant par l'art, les accessoires de mode ou les gadgets les plus fous. Le consommateur est roi (ou esclave...), et les portes des magasins lui sont ouvertes tous les jours, même le dimanche, généralement de 11h (parfois plus tôt) à 19h ou 20h, souvent jusqu'à 22h, voire minuit.
Attention, les prix affichés sont hors taxe. Il faut ajouter la ***taxe locale*** de New York, qui est de 8,37 %.
Ayez toujours votre passeport (ID en anglais) sur vous car on vous le demandera quasi à tous les coups si vous réglez par carte de paiement.

Électronique, hi-fi, vidéo, appareils photo...

Avant le départ, relevez les prix pratiqués en France pour les articles recherchés. N'oubliez pas d'ajouter la taxe locale et le prix de la garantie internationale, rarement comprise.
Assurez-vous aussi que les appareils convoités peuvent fonctionner correctement en France (vérifiez tension et fréquence, notamment). À ce sujet, aucun problème pour les ***iPod, iPhone*** et autres ***iPad*** (*Apple* offre en prime la garantie internationale sur tous ses produits, sans frais supplémentaires). En revanche, la plupart des consoles de ***jeux vidéo*** achetées aux États-Unis ne marchent pas chez nous (même si le vendeur vous affirme le contraire), le système électronique est différent (idem pour les jeux en eux-mêmes). Les *Nintendo DS,* les *PSP* et les *PS3,* elles, sont compatibles (consoles et jeux, mais attention à la langue !). Quant aux TV et lecteurs DVD, ils répondent à la norme américaine NTSC, incompatible avec notre procédé Secam. Enfin, les ***DVD*** doivent être compatibles « zone 2 ».
Pour ceux qui achètent régulièrement en ligne des films et des musiques provenant des États-Unis, il peut être intéressant de rapporter des ***cartes prépayées iTunes,*** qui permettent, une fois en France, de faire ses achats sans taux de change.
Sachez aussi qu'en rentrant de voyage, si vous ne déclarez pas ces achats auprès du service des douanes, vous risquez de payer de fortes amendes (idem pour les appareils photo et caméras).
Pour faire ses emplettes, deux solutions : la plus sage étant de se rendre dans un *Apple Store,* une chaîne ou un grand magasin type *B & H* (voir « Shopping » à Chelsea) ou *J & R* (voir « Shopping » à Lower Manhattan) ; les prix y sont intéressants, les vendeurs très pros, et on ne se fait pas arnaquer. La seconde solution, pour ceux qui ont le goût du risque, consiste à opter pour une des nombreuses boutiques d'électronique, dans lesquelles il faut marchander pour faire de bonnes affaires. Notez néanmoins que les grosses économies se font logiquement sur les... gros achats. Certains petits appareils photo, comme les compacts numériques par exemple, n'offrent pas toujours une ristourne énorme quand on doit ajouter la taxe locale et en plus la garantie internationale ! Attention aussi aux arnaques, surtout dans les quartiers touristiques comme Times Square et Chinatown ! Sans verser dans la parano systématique, il est difficile de faire un topo des différentes entourloupes les plus courantes, car cela change tout le temps, et ces marchands ont plus d'un tour dans leur sac. Mais pensez à vérifier les marchandises devant le vendeur, et plus particulièrement la présence des accessoires normalement inclus. Contrôlez aussi que la garantie internationale vous est fournie en bonne et due forme. Et puis, gardez les articles en main jusqu'à la fin de la transaction ; si le magasin est un peu louche, refusez les paquets cadeaux et autres emballages.

Vêtements

Depuis quelques années, ***le montant des taxes sur les vêtements et chaussures varie régulièrement.*** Dernière règle en date : depuis le printemps 2012, les vêtements et chaussures de moins de 110 $ pièce (enfin, les deux chaussures quand même !) sont exemptés de la taxe de l'État de New York, de l'ordre de 4 % normalement.

Les ***jeans Levi's*** coûtent bien moins cher qu'en France (facilement moitié prix), même si vous les achetez dans les *Levi's Stores* officiels. En revanche, il n'est pas toujours facile de retrouver aux États-Unis un modèle repéré en France (hormis les classiques) car les numéros de référence ne sont pas les mêmes qu'en Europe. Cela dit, les coupes, elles, sont similaires même si les références sont différentes.

Le prêt-à-porter décontracté est tout aussi intéressant, particulièrement les tee-shirts colorés (choix incroyable), les sweats à capuche *(hoodies)* et les baskets (on dit *sneakers*), notamment les *Converse*. Pour tout ce qui est *Levi's, Converse* et compagnie, c'est sur Broadway (principalement entre 4th Street et Canal Street) que vous trouverez le plus grand choix. Les prix se tiennent à peu de chose près : *Converse* à 45 $ par exemple.

UNE PROMO POILANTE

Desigual, la célèbre marque espagnole de prêt-à-porter branché, a lancé un slogan formidable pour l'ouverture de son magasin de SoHo (Broadway et Houston St) : « Entrez en sous-vêtements, ressortez de la boutique habillé. » Des centaines de New-Yorkais ont fait la queue toute la nuit, en petite tenue... Et toutes les télés américaines ont couvert l'événement.

Quelques marques « jeunes », que l'on retrouve partout : *American Eagle Outfitters, Aeropostale, Old Navy* (la gamme la moins chère de la maison *Gap*), *Urban Outfitters* et bien sûr *Abercrombie* et *Hollister,* dont nos ados sont fous. Plus chic, mais coloré et sympa dans un style un peu vintage : *J. Crew,* la marque fétiche de Michelle Obama. Et aussi *Anthropologie,* très hippie chic, avec de superbes boutiques.

Pas mal de choix aussi pour les ***vêtements pour enfants,*** à condition de n'avoir rien contre les couleurs flashy car les Américains en sont fans.

Encore un bon plan : les ***chaussures et vêtements de sport et de loisirs*** (yoga et Pilates, notamment).

Soldes

Si vous y êtes à la bonne période, ne manquez pas ***les soldes de fin de saison*** classiques, bien plus intéressants qu'en France. D'autres ont lieu pratiquement chaque jour férié (voir les dates dans la rubrique « Fêtes, festivals et jours fériés » dans « Hommes, culture, environnement », plus loin), dans les grands magasins, boutiques de fringues, d'équipement hi-fi et vidéo, d'électroménager, etc. Beaucoup de boutiques et de chaînes comme *Gap, Banana Republic, Old Navy, Abercrombie* et *Hollister* proposent des nouveautés presque toutes les semaines. Vous trouverez donc, dans chaque magasin, un coin de *sales* (également nommé ***clearance***) pour les invendus de la collection précédente, et cela 365 jours par an ! Un autre filon : les ***Sample Sales.*** Quand un distributeur se retrouve avec du stock sur les bras alors que la nouvelle collection débarque, il le refile à des boutiques, souvent dans le *Garment District* (le quartier des textiles, voir « Theater District ») ; ces soldes ont parfois lieu dans des bureaux, et les bonnes occasions ne manquent pas. Il y en a en moyenne deux ou trois par semaine. Le mieux est de se balader le long de Broadway, entre 37th et 41st Street, où plein d'hommes-sandwichs distribuent des prospectus. Ces *Sample Sales* et autres soldes sont aussi mentionnés dans *Time Out* (section *Shopping* de la version papier ou *on line*), sur le site ● *clothingline.com* ● et sur les blogs des fashionistas.

Outlet (magasin d'usine)

Woodbury Common Premium Outlets : *498 Red Apple Court, à Central Valley, à quelques km au nord de NYC. ☎ 845-928-4000. • premiumoutlets.com • Bus Gray Line à partir de Port Authority Bus Terminal (plan 1, B1). Compter 1h de trajet et billet assez cher tt de même. À partir de 2-3 pers, plus intéressant de louer une voiture à la journée.* Si vous avez une grosse demi-journée à tuer, rendez-vous dans ce grand complexe commercial, où quelque 220 magasins d'usine représentent les grandes marques américaines (et les autres) à prix cassés : *American Apparel, G-Star Raw, J. Crew, Ralph Lauren, Brooks Brothers, Timberland, Converse, Ugg, Jimmy Choo...*

Jersey Gardens : *NJ Turnpike exit 13A, 651 Kapkowski Rd, à Elizabeth dans le New Jersey. À env 25 km de Manhattan, pas très loin de l'aéroport de Newark. ☎ 908-354-5900. Bus New Jersey Transit 111 ou 115 depuis Port Authority Terminal (compter 13 $ l'A/R et 30 mn de trajet). Également une navette depuis Newark (9 $ A/R).* Un autre *mall,* intéressant surtout pour les *outlets* (magasins d'usine) *Abercrombie* et *Hollister.* Avis aux fans de ces deux marques adulées par les ados *frenchy* !

Beauté

Les produits de beauté ***(cosmétiques, maquillage...),*** genre *L'Oréal, Maybelline* ou *Neutrogena* coûtent quasiment moitié moins cher qu'en France. On les trouve dans les grands drugstores ouverts très tard (voire 24h/24) type *Duane Reade, CVS* ou *Rite Aid.* Les grandes marques américaines comme *Clinique* sont également plus intéressantes.
Sinon, offrez-vous au moins une fois une ***manucure*** (et pourquoi pas une pédicure aussi). Vous verrez plein de salons « *Nails* » dans la ville, souvent tenus par des jeunes femmes chinoises. Massage des mains en prime, c'est vraiment l'occasion de se détendre. Selon le quartier (on vous déconseille Midtown, cher), vous paierez environ 10 $ la manucure et 20 $ la pédicure.

Supermarchés

Grâce aux campagnes « *Eating healthy* » (« Mangeons sain » pour lutter contre l'obésité), les New-Yorkais ont découvert il y a quelques années le goût des bons produits et même le plaisir de cuisiner, un truc fou au pays de la *junk food* ! On trouve donc de plus en plus de supermarchés à Manhattan, bio *(organic)* pour la plupart et assez haut de gamme. ***Whole Foods Market*** fut le pionnier du genre, avec des étalages magnifiques et le plus beau des rayons traiteur, mais des prix très élevés forcément. ***Fairway*** lui a emboîté le pas *(2127 Broadway, entre 74th et 75th St, à Upper West Side),* mais c'est surtout le petit nouveau, ***Trader Joe's***, qui crée le buzz aujourd'hui *(plusieurs adresses à Manhattan, dont 675 6th Ave, entre 21st et 22nd St ; 138 E 14th St à Union Square).* Son concept : démocratiser le bio pour le rendre accessible à tous. Pas de plats cuisinés comme chez *Whole Foods,* une sélection de produits plus restreinte mais la qualité est au rendez-vous, et les prix sont vraiment attractifs.

Flea markets (puces)

Hell's Kitchen Flea Market *(plan 1, B1) :* *W 39th St (entre 9th et 10th Ave). Ⓜ (A, C, E) 42nd St. • hellskitchenfleamarket.com • W-e 9h-18h.* Pour chiner, dénicher, marchander antiquités et bricoles... et bien sûr grignoter dans ce quartier en plein essor. Près de 200 stands.

Petits marchés aux puces de quartier : le grand marché aux puces de Chelsea sur 6th Avenue ayant disparu, les chineurs se réfugient désormais dans des lieux clos (ouverts seulement le week-end), ou plus rarement dans la rue. Citons par exemple ***The Garage*** *(112 W 25th St, entre 6th et 7th Ave)* qui, comme son nom l'indique, propose de nombreux stands vintage installés dans les étages d'un parking.

Et aussi : les ***Flea Markets*** de Brooklyn et les boutiques ***Beacon's Closet,*** toujours à Brooklyn, décidément le borough le plus branché vintage. Voir index en fin de guide.

Thrift shops

Les *thrift shops* (littéralement, « boutiques économiques ») sont de curieux capharnaüms pleins de fripes, antiquités sans valeur, mobilier, vieux bouquins, disques passés de mode, etc. Vous en verrez plein dans New York. Les articles vendus sont des dons, l'argent gagné va à de bonnes œuvres et, bien sûr, les objets vendus sont très bon marché. Ce sont des bénévoles qui tiennent les magasins. Les New-Yorkais y achètent, ou y donnent, des tonnes de trucs. Faites comme eux, et profitez-en pour rapporter un cadeau original des États-Unis tout en participant à une œuvre charitable ! On recommande *Housing Works,* qui a pour but d'aider les personnes sans domicile et celles atteintes du sida, pour leur permettre de vivre dignement. Une douzaine de boutiques à Manhattan, Brooklyn et Queens (Long Island City), parmi lesquelles :

Housing Works : *à Upper West Side, 306 Columbus Ave (entre 74th et 75th St.).* ☎ *212-579-7566.* Ⓜ *(C) 72nd St. À Gramercy-Murray Hill,157 E 23rd St (entre 3rd et Lexington Ave).* ☎ *212-529-5955. À SoHo, 130 Crosby St. À Chelsea ; 143 17th St (entre 6th et 7th Ave).* Ⓜ *(1) 18th St.* • *housingworks.org* •

BUDGET

New York n'est pas une ville bon marché... À moins de se serrer la ceinture en permanence et de ne faire son shopping qu'aux adresses discount que nous vous indiquons, tout y est au moins aussi cher que chez nous (tout dépend du taux de change bien sûr) : l'hébergement (le plus gros poste), la nourriture, les magasins, les bars et même les musées ! Pour les musées, les routards fauchés se précipiteront sur la rubrique « New York gratuit » (voir plus loin). De plus, autant savoir tout de suite que les ***prix affichés un peu partout s'entendent SANS LA TAXE,*** qui est de 14,25 % dans l'hôtellerie et de 8,37 % dans les autres secteurs (restauration, commerces...). Sans oublier la règle du pourboire au resto (*tip* ou *gratuity* ; minimum 15 %), qui vous ferait passer pour un malappris si vous ne la respectiez pas (voir aussi « Taxes et pourboires »)...

En bref, un routard se contentant d'un lit en dortoir, d'un sandwich le midi, d'un musée par jour et d'un resto bon marché le soir devra prévoir environ 100-120 $ par jour. En revanche, si vous logez à l'hôtel (en chambre double), que vous vous offrez chaque jour un resto à prix moyens et que vous n'êtes pas à une bière près, il vous faudra tabler plutôt sur un budget journalier d'environ 200-250 $ par personne.

UN BILLET PLUS VERT QUE VERT

Nul besoin de décimer des forêts pour fabriquer les dollars. Contrairement aux apparences, le célèbre billet vert n'est pas en papier mais en tissu ! Eh oui, il est composé de 75 % de coton et 25 % de lin. Avant la Première Guerre mondiale, des fibres de soie entraient dans sa composition, et depuis 1991, un fil de polyester renforce le billet. Dur d'être faussaire !

Hébergement

Les prix indiqués dans le guide sont ceux d'une chambre pour deux personnes (généralement sans le petit déjeuner). Ils ne comprennent pas la taxe, on le rappelle, qui s'élève à 14,25 %.
– ***Très bon marché :*** de 30 à 60 $ pour un lit en dortoir.
– ***Bon marché :*** de 90 à 150 $ pour une double.
– ***Prix moyens :*** de 150 à 200 $.
– ***Plus chic :*** de 200 à 250 $.
– ***Très chic :*** de 250 à 350 $.
– ***Très, très chic :*** plus de 350 $. Nous les citons surtout en fonction de leur renommée, de leur déco (souvent design) et de leur charme, en souhaitant que votre budget vous permette un jour d'y descendre... En attendant, vous pouvez toujours y boire un verre !

Restaurants

Ici, les prix sont ceux d'***un plat à la carte le soir*** (c'est souvent moins cher le midi). Dans la plupart des restos, un plat suffit généralement, vu la taille des portions américaines. On peut aussi partager sans problème. Ne pas oublier de rajouter la taxe et le pourboire : donc 25 % en plus...
– ***Très bon marché :*** de 4 à 7 $ (principalement les sandwicheries et autres adresses sur le pouce qui fleurissent un peu partout).
– ***Bon marché :*** de 7 à 15 $.
– ***Prix moyens :*** de 15 à 20 $.
– ***Plus chic :*** de 20 à 30 $.
– ***Très chic :*** plus de 30 $.

Monuments, sites et musées

Voir plus loin « New York gratuit ».

CLIMAT

À New York, il fait (très) chaud et (très) humide en été. D'ailleurs, beaucoup d'habitants vous diront que leur ville est insupportable en juillet-août. L'hiver, au contraire, est très froid : janvier et février (parfois même mars) sont les mois les plus rudes de l'année, avec un vent glacial venu du large ; les rues et Central Park sont souvent couverts d'épaisses couches de neige (inoubliable pour les amateurs de luge, patins à glace et ski de fond – et on ne rigole pas, même les skieurs en costard-cravate et attaché-case sont nombreux !). Donc, manteau, polaire, caleçon long comme au ski, bonnet (ou mieux, cagoule, pour sauver ses oreilles !) et moufles sont de rigueur : lorsque le vent se lève et charrie d'épais nuages de flocons glacés, vous ne regretterez pas votre accoutrement aux allures de bibendum ! Mars est un mois particulièrement pluvieux, le parapluie et une veste résistant à l'eau ne sont donc pas superflus. De l'avis de tous, le printemps est la plus belle saison (particulièrement à partir de mi-avril). L'automne aussi est très agréable, été indien oblige.
– Infos sur la météo : ● *weather.com* ● et la chaîne TV *Weather Channel*, que l'on capte dans tous les hôtels.
– À titre indicatif, voir ci-dessous les températures et précipitations moyennes relevées à New York.

Moyenne des précipitations et des températures

	J	F	M	A	M	J	J	A	S	O	N	D
T°	0	0	5	11	16	22	25	24	20	15	8	2
Précip. (mm)	84	80	105	92	90	86	94	130	100	86	90	86

Tableau des équivalences Celsius-Fahrenheit

Fahrenheit	Celsius	Fahrenheit	Celsius
108	42,2	52	11,1
104	40	48	8,9
100	37,8	44	6,7
96	35,6	40	4,4
92	33,3	36	2,2
88	31,1	32	0
84	28,9	28	- 2,2
80	26,7	24	- 4,4
76	24,4	20	- 6,7
72	22,2	16	- 8,9
68	20	12	- 11,1
64	17,8	8	- 13,3
60	15,6	4	- 15,6
56	13,3	0	- 17,8

DANGERS ET ENQUIQUINEMENTS

Régler le problème de la sécurité a été la grande œuvre de l'ancien maire républicain Rudolph Giuliani. C'était le fameux slogan de la tolérance zéro. Il est vrai que depuis son premier mandat (en 1993), la criminalité n'a cessé de diminuer à New York, même si c'est aussi le cas dans d'autres grandes villes américaines... Les agressions sont en baisse depuis une vingtaine d'années et les homicides au plus bas depuis plus de 30 ans. Tout cela ne fait que conforter le statut de la Grosse Pomme comme ***« la plus sûre des grandes villes américaines ».*** À Manhattan (Harlem compris) et dans certains quartiers de Brooklyn (DUMBO et Brooklyn Heights, Williamsburg, Park Slope et Prospect Heights, Carroll Gardens) ou Queens (Astoria), on se promène à toute heure du jour et de la nuit (fille ou garçon). Quant aux autres quartiers (reste de Brooklyn et Queens, zone du Bronx autour des principales attractions), on s'y balade sans problème dans la journée (mais on évite la nuit). La présence des policiers, bien que visible, est discrète, sachant que nombre d'entre eux sont en civil.

Tout cela ne veut pas dire qu'il ne faut pas prendre un minimum de précautions et éviter de faire de la provocation... Dans le métro et les endroits très fréquentés (c'est-à-dire partout à Manhattan !), faites attention aux pickpockets, comme dans n'importe quelle grande ville dans le monde. Répartissez votre argent, vos papiers (photocopiez votre passeport avant de partir) et vos billets dans différents endroits, et mettez vos sacs en bandoulière. Astuce pour les femmes seules : dans le métro, repérez le panneau rayé noir et blanc pile au milieu des rames, il indique le wagon dans lequel se trouve le chauffeur.

De manière générale, évitez quand même de vous retrouver à marcher dans des lieux peu éclairés et déserts. Et oubliez Central Park la nuit.

Enfin, en cas de problème, adressez-vous à un policier. Ils sont postés dans chaque quartier et ont la réputation d'être les plus serviables des States. Sinon, faites le ☎ *911* (gratuit à partir de n'importe quel téléphone public).

DÉCALAGE HORAIRE

Il y a quatre fuseaux horaires aux États-Unis (six avec l'Alaska et Hawaii), et 6h de décalage entre Paris et New York. Quand il est 12h en France, il est 6h à New York. D'avril à fin octobre, comme chez nous, avancez vos montres de 1h. Enfin, quand on vous donne rendez-vous à 8.30 p.m., cela veut dire à 20h30. Pensez-y, cela vous évitera de vous lever de très bonne heure pour rien ! Et notez que 12 a.m. c'est minuit et 12 p.m. midi... et non l'inverse.

ÉLECTRICITÉ

Généralement : 110-115 volts et 60 périodes (en France : 220 volts et 50 périodes). Attention : si vous achetez du matériel à New York, ***prévoyez l'adaptateur et le convertisseur électriques*** qui conviennent. Les fiches électriques américaines sont à deux broches plates. On vous conseille d'apporter un adaptateur si vous voulez recharger la batterie de votre appareil numérique, de votre ordi ou de votre téléphone portable. Vérifiez également si vos appareils acceptent indifféremment le 110 et le 220 volts. Si ce n'est pas le cas, n'oubliez pas de vous munir d'un convertisseur. En cas d'oubli, vous pourrez vous procurer un adaptateur dans les aéroports, à la réception de la plupart des hôtels ou dans une boutique d'électronique, mais c'est nettement moins vrai pour les convertisseurs.

ENFANTS

Beaucoup de parents débarquant à New York avec leurs rejetons de tous âges sont déboussolés devant l'immensité de la ville et la diversité des possibilités de visites. Sans vous donner d'itinéraire précis, on vous suggère quelques spots intéressants par quartier (musées, parcs, boutiques, restos...). Cela vous permettra de concocter un programme adapté à leurs centres d'intérêt et à votre budget.

Conseils pratiques pour les enfants

– Éviter dans la mesure du possible juillet-août avec de jeunes enfants (la chaleur et l'humidité y sont pénibles), et le plein hiver (glacial). ***Préférer les intersaisons.***
– Côté ***hébergement,*** certains hôtels proposent des chambres pour quatre au même prix, ou quasiment, que pour deux. Sinon, il y a aussi la location d'appartements (ou l'échange d'appartements), plus spacieux qu'une chambre d'hôtel et commode car on peut prendre le petit déj sur place, voire y bricoler un dîner, surtout si les enfants sont petits.
– ***Ne pas trop charger la journée,*** New York, c'est grand ! Attendre et apprendre le métro (pas toujours simple), arpenter Central Park, faire les boutiques ou couvrir toutes les salles d'un musée, ça fatigue beaucoup, pas la peine d'ajouter les pleurnicheries de bambins crevés à vos propres courbatures.
– ***Baliser son itinéraire*** avant le départ, pas de détours inutiles, et ***prévoir de bonnes chaussures.***
– Les enfants voyagent gratuitement dans les ***bus*** et le ***métro*** jusqu'à 3 ans.

– Les ***taxis,*** bien moins chers et beaucoup plus nombreux qu'à Paris, peuvent s'avérer économiques à partir de trois ou quatre personnes. Ne pas hésiter à les utiliser, surtout en fin de journée, quand la fatigue se fait sentir.
– Éviter les overdoses en tout genre. ***Alterner les réjouissances :*** visite de musée, pause burger ou hot dog, soda ou glace, boutique marrante, activité sportive ou de plein air, etc.
– Les ***restos*** new-yorkais (et américains de façon générale) sont des paradis pour enfants. Non seulement ils seront bien accueillis, le plus souvent avec des coloriages, jeux et crayons de couleur, mais entre les burgers-frites, les pizzas, les petits déj à l'américaine, les sodas géants, les glaces crémeuses et autres milkshakes, ils ne sauront plus où donner de la tête ! Faire au moins une halte dans un *diner,* ces restos typiquement ricains (à l'origine dans des wagons, malheureusement, il n'en reste plus beaucoup de ceux-là), où l'on sert toute la panoplie des spécialités US, du breakfast au burger en passant par les incontournables bagels. Pensez aussi à leur faire découvrir toutes les nouvelles minichaînes de *gourmet burgers* (*Shake Shack, Bareburger*, etc ; voir l'index en fin de guide), histoire de leur montrer la différence entre un vrai bon burger, élaboré avec des produits de qualité, et celui qu'ils connaissent (et dont on taira le nom !)...

Suggestions pour les enfants (du sud au nord)

À Lower Manhattan

– ***La statue de la Liberté :*** autant commencer par du spectaculaire ! Mais attention, longues files d'attente...
– Le très intéressant ***musée de l'Immigration d'Ellis Island,*** pour les plus grands (audioguide en français).
– Une balade sur les ***bords de l'Hudson River,*** aménagés en promenade de plusieurs kilomètres et ponctués de superbes aires de jeux pour enfants.
– Pour les plus courageux, voir Manhattan s'illuminer doucement depuis le ***pont de Brooklyn*** au coucher du soleil.

Autour de Greenwich Village

– Petite balade dans ***Greenwich Village*** et sur la nouvelle ***High Line.*** Et pourquoi pas louer des rollers aux *Chelsea Piers* et patiner tranquille au bord de l'Hudson ?

Autour de Times Square, Theater District et Midtown

– ***Times Square :*** quel gamin peut résister aux sirènes de cette énorme machine touristique ? Entre la débauche de lumières et toutes les giga-boutiques alentour (*Toys R'Us*, *Disney Store, M & M's* et *Hershey's* pour les gourmands...), vous aurez de quoi faire et de quoi dépenser aussi. Surtout si vous vous offrez le plaisir d'assister à une ***comédie musicale pour enfants à Broadway*** (voir « Spectacles » dans « Hommes, culture, environnement »).
– Monter à ***Top of The Rock,*** l'observatoire situé au sommet du ***Rockefeller Center.*** Beaucoup moins d'attente qu'à l'Empire State Building, et la vue est encore plus chouette.
– ***Le MoMA*** *(Museum of Modern Art),* bien sûr. Contentez-vous des deux derniers niveaux, où sont réunis les chefs-d'œuvre (*Les Demoiselles d'Avignon* de Picasso, entre autres).
– Difficile de résister devant les nombreuses boutiques de Midtown (voir « Shopping » dans ce quartier). Parmi nos préférés, le magnifique magasin de jouets ***FAO Schwarz,*** à la lisière sud de Central Park, ***American Girl Place, Build-A-Bear, Lego Store.***
– Pour les amateurs du genre, ***The Intrepid Sea-Air & Space Museum*** (on peut visiter, entre autres, un porte-avions et un sous-marin nucléaire).

Dans Central Park et autour

– ***Le Metropolitan Museum of Art (MET) :*** 2-3h suffiront pour éviter l'overdose justement, mais ce serait dommage de passer à côté. Concentrez-vous sur la grandiose section égyptienne et la peinture contemporaine, par exemple.
– On sort directement dans ***Central Park,*** un must pour les enfants. Si vous avez pensé à embarquer vos rollers dans vos bagages, chaussez-les, le parc est grand (340 ha) et vous gagnerez du temps. Sinon, il y a des loueurs sur place. Possibilité de pratiquer de nombreuses activités sportives : vélo, jogging, tennis, natation, pêche, balade à cheval, bateau sur le lac, etc. Et puis, il y a aussi un théâtre de marionnettes, un petit zoo, un manège, des concerts en plein air... Prévoir un bon pique-nique.
– ***American Museum of Natural History*** (un des plus grands musées d'histoire naturelle au monde). Tout y est passionnant et bien présenté, mais les enfants adoreront surtout l'étage des dinosaures, et puis l'énorme section des animaux naturalisés, présentés avec un grand réalisme dans leur environnement naturel. Génial !
– ***Children's Museum of Manhattan.***
– Jeter un œil à la façade du ***musée Guggenheim*** pour son architecture et entrer dans le hall pour regarder la célèbre spirale.

Les autres musées, lieux et attractions plus excentrés qui plairont aux enfants et aux plus grands

– Le dimanche, allez écouter un ***gospel dans une église de Harlem.*** Ces messes, hautes en couleur, durent 2 ou 3h, ce qui peut s'avérer long avec des enfants. Restez au fond pour un repli en toute discrétion.
– ***À Brooklyn :*** le ***Brooklyn Children's Museum,*** premier musée pour enfants jamais créé, à coupler avec une balade dans ***Prospect Park*** et son ***Botanic Garden,*** qui sont à Brooklyn ce que Central Park est à Manhattan.
– ***Dans Queens :*** l'***American Museum of Moving Image,*** le ***New York Hall of Science,*** le spectaculaire secteur de ***Five Pointz*** pour les ados amateurs de graffitis et, pour la pause verdure, le ***Flushing Meadow Park*** qui accueille le ***Queens Wildlife Refuge,*** un petit zoo doublé d'une ferme pédagogique.
– ***Dans le Bronx :*** le vaste ***Bronx Zoo,*** avec ses nombreux pavillons à thème et sa forêt tropicale africaine reconstituée, et, non loin de là, le ***New York Botanical Garden.***

HÉBERGEMENT

Disons-le tout de go : à New York, surtout à Manhattan, l'hébergement est hors de prix ! Sauf exception, pas de lit en dortoir à moins de 30-60 $ (et encore, c'est vraiment le prix plancher), ni de chambre double en dessous de 100 $ (et on vous parle de la plus sommaire qui soit, en YMCA par exemple !). Le meilleur plan consiste à s'éloigner un peu du cœur de Manhattan (à peine, franchement) pour se loger à Brooklyn ou à Harlem, où le rapport qualité-prix est bien meilleur.

Les auberges de jeunesse

Que les petits budgets soient rassurés, la ville en compte quand même plusieurs dizaines ! Cela dit, elles sont quasi exclusivement privées (sauf une, on en parle plus loin) et sont par conséquent de qualité très inégale. Certaines sont franchement impeccables (modernes, bien entretenues, sûres), d'autres vraiment pourries (hygiène déplorable, promiscuité). Certaines AJ ont d'ailleurs été contraintes de fermer leurs portes en 2010 suite à des contrôles. Côté prix, elles sont plus chères que chez nous : de 30 à 60 $ la nuit en dortoir (sans la taxe). On peut parfois aussi

y trouver des chambres doubles basiques mais à petits prix (à partir de 100 $). En revanche, elles ont l'avantage d'être accessibles à tous, sans limite d'âge, et ne nécessitent aucune carte de membre.
Quant à la seule AJ officielle *(Hostelling International)*, vous apprendrez avec joie que son isolement est heureusement compensé par sa taille : c'est la plus grande des États-Unis, et la deuxième du monde ! Elle se situe dans l'Upper West Side, à hauteur de 103rd Street (voir « Où dormir ? » dans ce chapitre). Il n'est pas nécessaire d'être membre du réseau pour y dormir, mais vous paierez 3 $ de plus par nuit si ce n'est pas le cas. Vu que la carte coûte à peine plus de 15 € en France (réduction moins de 26 ans), il vaut mieux vous la procurer si vous prévoyez d'y passer plus de cinq nuits (voir coordonnées de la FUAJ, qui représente *Hostelling International* à Paris, plus haut dans « Avant le départ »). Attention, elle coûte deux fois plus cher si on l'achète aux États-Unis.

Les YMCA (hommes) et les YWCA (femmes)

Il y en a quatre : à East Midtown, dans l'Upper West Side, à Harlem et à Brooklyn (voir « Où dormir ? » dans les chapitres en question). Il s'agit de centres d'hébergement dotés d'installations sportives impressionnantes, proposant des chambres fonctionnelles et propres mais sans charme et parfois vétustes, comme c'est le cas à Brooklyn et Harlem. Compter 100-150 $ pour une double (lits superposés) avec ou sans salle de bains, sans petit déj (un peu moins cher à Brooklyn). Trop cher au bout du compte quand on sait que certains petits hôtels et B&B, nettement plus sympas, peuvent (selon la saison) proposer leurs chambres doubles à des tarifs équivalents... Si vous optez pour une YMCA, réservez le plus longtemps possible à l'avance car, ici, c'est un mode d'hébergement très populaire.

Les universités

Pendant les grandes vacances d'été, de mi-mai à mi-août, les ***residence halls des universités*** new-yorkaises pratiquent le ***Summer Housing,*** c'est-à-dire louent les chambres des étudiants, même aux simples touristes de passage. Du dortoir à l'appart' avec 3 chambres en passant par la chambre double, ces hébergements fonctionnels et corrects représentent une véritable aubaine pour les routards qui veulent séjourner ici plusieurs semaines. Rens par exemple sur le site de la NY University de Greenwich Village : • *ny.edu/life/living-at-nyu.html* •

Les hôtels

Ce n'est pas ça qui manque à Manhattan, mais plus on descend vers la pointe sud, plus les hôtels se raréfient et il vous faudra de toute façon y mettre le prix. En règle générale, ils restent plus élevés qu'en Europe (continentale) pour des prestations surévaluées la plupart du temps. C'est bien simple, compter au minimum 100 $ (hors taxe !) pour une chambre double au confort minimal, et encore, plutôt en basse saison.
Car ici, ***les prix varient beaucoup selon le remplissage, et donc, en gros, selon la saison touristique.*** Janvier et février (voire encore mars) sont les mois les plus creux de l'année ; l'automne (en particulier septembre) et les vacances de Noël représentent la haute saison touristique. Les vacances de printemps sont aussi très prisées, donc chères. Le week-end est aussi, en général, plus chargé (et donc plus cher) que la semaine.
De même, il faut savoir que beaucoup d'hôtels proposent des chambres de différents types (avec 1 lit, avec 2 lits, plus simples, plus spacieuses, mieux équipées...), et que le prix, bien sûr, sera également fixé en fonction.

Lexique de l'hébergement new-yorkais

– *Double :* chambre double avec lit d'environ 1,40 m de large.
– *Queen :* double avec lit d'environ 1,50 m de large.
– *King :* double avec lit d'environ 2 m de large.
– *Two double beds :* chambre avec deux lits d'environ 1,40 m pouvant loger quatre personnes.
– *Deluxe :* chambre un peu plus spacieuse en général (ou avec vue).
– *Dorm bed :* lit en dortoir.
– *Bunk beds :* lits superposés.
– *Dorm with bathroom ensuite :* dortoir avec salle de bains attenante.
– *Private room with shared bath :* chambre double avec salle de bains partagée.
– *Private room with private bath :* chambre double avec salle de bains privée.

Bref, devant le grand nombre de paramètres déterminant ce que, au bout du compte, vous devrez payer, on a tout simplement décidé de vous indiquer la ***fourchette de prix*** à l'intérieur de laquelle l'hôtel peut louer ses chambres ***pour deux personnes,*** qu'il s'agisse d'une chambre à un grand lit ou d'une chambre à deux grands lits... pour laquelle vous ne payez que pour deux. Ce qui est tout à fait possible ici vu que, si dans certains hôtels les prix sont établis d'après le nombre de personnes qui occupent la chambre, dans d'autres, en revanche, on paie pour la chambre, quel que soit le nombre de personnes qui l'occupent. Intéressant pour les familles car les chambres à deux grands lits ne sont, dans ce cas de figure, guère plus chères que les chambres doubles.

Encore d'autres infos et conseils

– Attention ; les prix que nous indiquons s'entendent ***sans la taxe*** de l'État et de la ville de New York, qui s'élève à 14,25 %.
– Si vous prévoyez un séjour ***en haute saison, mieux vaut réserver votre chambre le plus longtemps possible à l'avance.*** Mais à contrario, si vous partez ***en période plutôt creuse, réserver peu avant le départ vous fera faire des économies*** car les hôteliers préfèrent brader leurs chambres plutôt que de ne pas les louer. ***Pour réserver, le plus simple est de le faire via le site internet de l'hôtel (souvent des promos)***, mais, bien sûr, c'est également possible par téléphone (beaucoup d'hôtels proposent un numéro gratuit mais utilisable uniquement aux États-Unis). Quel que soit le moyen choisi, on vous demandera un numéro de carte de paiement. Dans la plupart des hôtels, vous pourrez annuler sans frais votre réservation jusqu'à 48h ou même 24h avant la date d'arrivée. À noter aussi que dès votre arrivée, on prendra l'empreinte de votre carte de paiement, pour les *incidentals* comme ils disent, à savoir les frais de téléphone (beaucoup plus élevés que d'une cabine, lire plus loin), minibar ou autres.
– Pour profiter de ***réductions*** ou de tarifs préférentiels dans une sélection d'hôtels (dont certains que nous indiquons), possibilité de réserver aussi sur ● *quikbook.com* ● L'avantage : vous payez sur place, directement à l'hôtel.
– La plupart des hôtels proposent des chambres équipées de ***TV*** (***écran plat*** quasi partout, plus ou moins grand selon le standing de l'hôtel), ***clim et sanitaires complets.*** Si tel n'est pas le cas, nous le précisons dans le commentaire. ***Wifi*** quasiment partout, avec en plus un ordinateur à disposition des clients qui n'ont ni *Laptop* (portable) ni iPad.
– ***Peu d'hôtels incluent le petit déj*** dans le prix de la nuitée. Un peu plus souvent néanmoins, l'hôtel propose aux clients du café, du thé, voire des muffins dans le

lobby. Pratique pour ne pas partir le ventre vide mais pas très glamour : on mange debout et vite fait. Quoi qu'il en soit, ce sera plutôt l'occasion d'aller prendre un petit déj à l'extérieur, comme les New-Yorkais, et d'être de bonne heure en contact avec les vibrations intenses de la rue ! D'autant que ce ne sont pas les endroits qui manquent à New York : en dehors de nos adresses « Spécial petit déjeuner », bien sûr, on trouve des *diners* (restos traditionnels américains) ou des *coffee shops* un peu partout.

– Cela peut surprendre, mais certains hôtels proposent encore des chambres ***fumeurs,*** mais il faut le préciser, bien sûr.

– Faites attention au ***check-out time,*** heure au-delà de laquelle vous devez payer une nuit supplémentaire si vous n'êtes pas encore parti. C'est généralement midi, parfois 11h. Le *check-out* des *B & B* est presque toujours plus tôt.

– ***Le téléphone :*** téléphoner des hôtels coûte très, très cher. Si vous ne voulez pas plomber votre facture de téléphone portable, la solution la plus économique consiste à acheter plutôt une carte téléphonique prépayée (voir plus loin « Téléphone et télécommunications ») que vous utiliserez depuis le téléphone de votre chambre d'hôtel. Une taxe d'environ 1 $ par appel est parfois prélevée (même si la communication n'a pas abouti, mieux vaut le savoir !), mais ce n'est rien à côté du montant que vous auriez dû payer sans carte.

Les *B & B, guesthouses* et chambres chez l'habitant

La mode des *B & B* et autres chambres chez l'habitant a gagné New York, surtout Harlem et Brooklyn, où l'immobilier est d'un bien meilleur rapport qualité prix. On a un faible pour ce type d'hébergement qui vous fera découvrir un autre visage de New York.

La location de studios et appartements meublés

Si vous comptez passer au moins quelques semaines à New York, la location d'une chambre ou d'un appartement est une solution, surtout à plusieurs. Le site • *airbnb.com* •, consultable en français et très bien fichu, recense une foultitude d'annonces de chambres privées ou à partager, d'apparts et de maisons entières. On paie en ligne mais le proprio ne reçoit l'argent qu'après votre arrivée, ce qui limite les risques d'arnaques. Autre plan : le forum de Voilà New York *(• voila newyork.com •).* Autre possibilité : s'adresser à une ***agence spécialisée dans les locations d'apparts.*** Elles sont assez nombreuses mais gèrent le plus souvent les mêmes logements, d'ailleurs souvent aménagés de la même façon. Attention, contrairement à ce qu'on imagine, ce n'est pas moins cher qu'un hôtel, au contraire : de 150 à 500 $ la nuit dans un appart pour deux à quatre personnes. Le rapport qualité-prix est donc discutable à deux, sans compter que le confort n'est pas aussi bon qu'à l'hôtel (côté literie, sanitaires, entretien général et propreté) et l'équipement est souvent limité, pour cuisiner par exemple. Il faut savoir encore que New York est une ville très bruyante et les apparts sont souvent mal isolés, et du bruit de la rue (pas de double vitrage) et de ceux des voisins. Quant aux immeubles eux-mêmes, ils sont généralement assez vétustes (cela peut surprendre à New York) et sans ascenseur. Enfin, vérifiez attentivement la situation géographique avant de vous décider car certains apparts sensés être « au cœur de Manhattan » s'avèrent en fait très excentrés (en bordure de rivière) et loin du métro.

■ ***New York Habitat :*** *307 7th Ave (entre 27th et 28th), suite 306, New York, NY 10001.* ☎ *212-255-8018.* • *nyhabitat.com* • L'agence la plus sérieuse dans le domaine. S'occupe, pour tout type de clientèle (individuels, étudiants, groupes, etc.), de trouver un logement pour des périodes diverses. Nombreuses formules, en meublé la plupart du temps. Possibilité de visionner les adresses sur Internet. Les frais d'agence dépendent de la durée du séjour. Pas donné, mais bon service.

■ ***Maison International :*** *119 W*

23rd St, suite 801, New York, NY 10011. ☎ 212-462-4766. • maisonintl.com • Agence immobilière proposant surtout des sous-locations *(sublet)* de meublés pour des périodes courtes et de non-meublés pour des périodes de plus de 1 an. Commission variable. Service francophone.

Échange d'appartements

Une formule de vacances originale et très pratiquée outre-Atlantique. Il s'agit, pour ceux qui possèdent une maison, un appartement ou un studio, d'échanger leur logement contre celui d'un adhérent du même organisme, dans le pays de leur choix, pendant les vacances. Cette formule (beaucoup plus fiable qu'une simple location d'appartement) offre l'avantage de passer des vacances aux États-Unis à moindres frais, en particulier pour les jeunes couples avec enfants. Voici deux agences qui ont fait leurs preuves :

■ ***Intervac :*** *☎ 05-46-66-52-76. • intervac-homeexchange.com • Adhésion annuelle avec diffusion d'annonce sur Internet et nombre d'échanges illimité : 95 €.*

■ ***Homelink International :*** *19, cours des Arts-et-Métiers, 13100 Aix-en-Provence. ☎ 04-42-27-14-14. • homelink.fr • Adhésion annuelle avec diffusion d'annonces sur Internet : 125 €.*

LANGUE

Sachant qu'un tiers de la population a pour langue maternelle l'espagnol, on a hésité à vous mettre également un petit dictionnaire d'espagnol !
Et pour vous aider à communiquer, n'oubliez pas notre ***Guide de conversation du routard en anglais.***

Vocabulaire anglais de base utilisé aux États-Unis

Oui	*Yes*
Non	*No*
D'accord	*Okay*
Politesse	
S'il vous plaît	*Please*
Merci (beaucoup)	*Thank you (very much)*
Bonjour !	*Hello !/Hi !*
Au revoir	*Good bye/Bye/Bye Bye*
À plus tard, à bientôt	*See you (later)*
Pardon	*Sorry/excuse me*
Expressions courantes	
Parlez-vous le français ?	*Do you speak French ?*
Je ne comprends pas	*I don't understand*
Pouvez-vous répéter ?	*Can you repeat please ?*
Combien ça coûte ?	*How much is it ?*
Vie pratique	
Poste	*Post Office*
Office de tourisme	*Visitor Center*
Banque	*Bank*
Médecin	*Doctor*
Pharmacie	*Pharmacy/Drugstore*
Hôpital	*Hospital*
Supermarché	*Supermarket*

Transports

Billet	*Ticket*
Aller simple	*One-way ticket*
Aller-retour	*Round-trip ticket*
Aéroport	*Airport*
Gare	*Train station*
Gare routière	*Bus station*
À quelle heure est le prochain bus/ train pour... ?	*At what time is the next bus/train to... ?*

À l'hôtel et au restaurant

J'ai réservé	*I have a reservation*
C'est combien la nuit ?	*How much is it per night ?*
Petit déjeuner	*Breakfast*
Déjeuner	*Lunch*
Dîner	*Dinner*
L'addition, s'il vous plaît	*The check, please*
Le pourboire	*The tip/The gratuity*

Les chiffres, les nombres

1	*one*	8	*eight*
2	*two*	9	*nine*
3	*three*	10	*ten*
4	*four*	20	*twenty*
5	*five*	50	*fifty*
6	*six*	100	*one hundred*
7	*seven*		

LIVRES DE ROUTE

Les livres mentionnés dans cette liste (non exhaustive !) sont cités dans un ordre chronologique. Certains peuvent être momentanément épuisés. Vous pourrez toutefois les trouver d'occasion sur ● *chapitre.com* ● ou ● *amazon.fr* ●

– ***Feuilles d'herbe*** (1855), de Walt Whitman (Grasset, Les Carnets Rouges). *Feuilles d'herbe*, c'est l'œuvre poétique d'un créateur solitaire américain de la moitié du XIXe s. À travers la puissance de cette œuvre, reconnue pour son lyrisme, Whitman n'entend célébrer qu'un seul et unique patriotisme : celui de l'homme. Véritable hymne à la vie, le New York de Whitman intègre la force désinvolte d'une Nature conçue, non plus comme un reliquat de la création, mais comme une entité à part entière et active. Un régal.

– ***Manhattan Transfer*** (1925), de John Dos Passos (Gallimard, Folio). Le héros de ce roman, c'est New York, de 1900 à 1920 – New York dont les lumières ont « la couleur des œufs de rouge-gorge ». Plusieurs dizaines de personnages composent un tableau de la société américaine. Toutes leurs histoires (et bien d'autres !) sont racontées simultanément ; leurs destins se croisent, pour le meilleur parfois, pour le pire souvent, car la vision de Dos Passos n'est pas optimiste. Disons-le haut et fort : un des grands livres du XXe s.

– ***New York*** (1930), de Paul Morand (Garnier-Flammarion). Globe-trotter en smoking, Paul Morand arpente d'un pas svelte les artères du New York des Années folles. Ville jeune, nerveuse, grouillante fourmilière de pierre et de métal, où rien n'annonce encore la récession et dont on peut, sans sourire, parler comme de la vitrine d'un Nouveau Monde, l'autel du fameux rêve américain.

– ***Aller-retour New York*** (1935), d'Henry Miller (Buchet/Chastel). Depuis 1928, Miller vit en Europe ; en 1934, il effectue un séjour de quelques mois à New York, d'où ce livre, qui se présente comme un récit fait à un ami. Miller déteste les États-

Unis en général, et New York, sa ville natale, en particulier. Il en dresse un tableau féroce mais qui offre l'avantage de nous faire découvrir la Grosse Pomme sous un jour inhabituel.

– ***L'Attrape-cœurs*** (1951), de J. D. Salinger (Pocket). C'est l'histoire du p'tit Holden Caulfield qui se fait virer du bahut, et fait tout un tas de conneries ensuite. Il se trimbale un fichu mal de vivre. Et il vous raconte tout ça avec un tel naturel qu'on reste estomaqué à lire son récit. Sans blague, ce livre hors du commun peut vous rendre dingue.

– ***Homme invisible, pour qui chantes-tu ?*** (1952), de Ralph Ellisson (Grasset). Un grand classique de la littérature noire. Dans les années 1950, en pleine ségrégation, les aventures d'un jeune Black, parti de son Sud natal pour monter à Harlem.

– ***Tout pour plaire*** (1959), de Chester Himes (Gallimard, Folio Policier). Sur le mode picaresque qui lui est cher, Chester Himes nous promène dans les rues de Harlem sur les pas de *Gentil Prophète,* et sur l'air de « When the Saints Go Marching in ».

– ***Last Exit to Brooklyn*** (1964), d'Hubert Selby Jr (10/18). Best-seller des *sixties,* ce livre culte a été ressuscité par le cinéma. À la manière des chansons de Lou Reed, *Last Exit to Brooklyn* transfigure la lie de l'Amérique, la faune des petites frappes, drogués, homos, travelos, chômeurs, tous résidus d'un monde sans pitié.

– ***Portnoy et son complexe*** (1969), de Philip Roth (Gallimard, Folio). Ce livre est indescriptible. On peut certes raconter qu'il s'agit de la confession d'un jeune juif new-yorkais qui n'a qu'une seule obsession dans la vie : le sexe. Mais comment traduire la truculence, l'exubérance, la jovialité qui s'en dégagent ? Au premier abord, ce tourbillon de fantasmes érotiques, ce personnage trouble, perpétuellement insatisfait, suscitent une franche hilarité. Mais petit à petit, on se prend à rire jaune. Et l'on finit par se demander s'il ne s'agit pas de l'autobiographie d'une certaine Amérique qui nous est contée là.

– ***Isaac le mystérieux*** (1978), de Jerome Charyn (Gallimard, Série Noire). Isaac Sidel est un vieux flic à l'intestin rongé par le ver solitaire. Déguisé en clochard, il traîne parmi les prostituées du Bronx et s'entiche de l'une d'elles. Mais Isaac le mystérieux n'est pas n'importe quel flic : c'est le premier adjoint du commissaire principal de New York... Du même auteur, emportez ***New York, chronique d'une ville sauvage*** (Gallimard, Découvertes).

– ***Le Choix de Sophie*** (1979), de William Styron (Gallimard, Folio). D'Auschwitz à New York, le récit douloureux des confidences de Sophie, de son impossible choix... Ce roman, événement des années 1980, possède une très grande puissance émotionnelle. Bouleversant. Son adaptation au cinéma révéla Meryl Streep.

– ***Récit d'Ellis Island*** (1980), de Georges Perec (P.O.L.). Petit livre bouleversant qui rassemble les réflexions de Georges Perec, à la suite d'un reportage qu'il fit sur cette île mythique, « où des fonctionnaires harassés baptisaient des Américains à la pelle ». Dans ce lieu de transit, l'écrivain fait face à ses doutes quant à l'errance, la dispersion, la diaspora.

– ***Journal d'un oiseau de nuit*** (1984), de Jay McInerney (Le Livre de Poche). Un des livres cultes des années 1980 : la descente aux enfers tragi-comique d'un aspirant écrivain qui bosse au service « Vérifications des faits » d'un grand magazine new-yorkais. En une semaine, sa mère meurt, sa femme le plaque et il perd son job.

– ***Le Bûcher des vanités*** (1987), de Tom Wolfe (Le Livre de Poche). Beau et riche, comblé par la vie, *golden boy* arrogant, Sherman Mac Coy habite Park Avenue. Pourtant, sa vie, un soir, va basculer parce que, de retour de l'aéroport où il est allé chercher sa maîtresse, il rate la bonne sortie de l'autoroute, se perd dans le Bronx, renverse un jeune Noir et prend la fuite (voir aussi le film avec Bruce Willis et Melanie Griffith).

– ***Trilogie new-yorkaise*** (1987), de Paul Auster (Actes Sud). Le New York de Paul Auster répond aux lois de l'arbitraire, de l'aléatoire des rencontres et du hasard... Voici donc l'univers dans lequel Quinn, le héros commun aux trois récits de l'ouvrage (« Cité de verre », « Revenants » et « La Chambre dérobée »), erre jusqu'à perdre son identité.

– ***American Psycho*** (1991), de Bret Easton Ellis (10/18). Dans les années 1980, un *golden boy* new-yorkais se transforme en serial killer la nuit. Personne dans son entourage ne soupçonne sa double vie. L'auteur essuya de nombreux refus avant de trouver un éditeur qui accepte de publier un tel roman, lequel devint finalement un best-seller aux États-Unis et fut par la suite adapté au cinéma. Les crimes, d'une atrocité incommensurable, sont décrits avec une précision glaciale. Pour les amateurs de sensations fortes.

– ***Les Petites Fées de New York*** (1992), de Martin Millar (Intervalles). Sans être fan de fantasy, ce roman réjouira quiconque est prêt à s'envoler dans l'univers délirant des petites fées écossaises Morag et Heather et de leurs consœurs qui, fuyant leur pays, échouent à New York. Elles découvrent avec ahurissement la ville bourdonnante, où errent une SDF qui se prend pour le général grec Xénophon et le fantôme de Johnny Thunders qui cherche désespérément sa guitare, volée lors d'un concert au *CBGB.* Le sale caractère de ces fées bien attachantes, carburant au whisky et désireuses d'aider les humains, va semer une belle pagaille...

– ***Les Saisons de la nuit*** (1999), de Colum McCann (10/18). Quelques dizaines d'années séparent les vies de Nathan Walker et Treefrog, les personnages principaux de cette chronique sociale new-yorkaise. Le premier est terrassier et travaille à la construction du tunnel qui relie Brooklyn à Manhattan. Entre nostalgie de sa Géorgie natale et fraternité virile sous terre, son quotidien est loin d'être rose. Treefrog, lui, est sans abri et supporte difficilement sa situation de SDF. Comme quoi rien ne change avec le poids des années ! C'est dans les souterrains new-yorkais que leurs vies vont mystérieusement se projeter. Une histoire émouvante, mais aussi un vrai pamphlet contre l'administration new-yorkaise.

– ***Outremonde*** (1997), de Don DeLillo (Le Livre de Poche). Quand un gamin du Bronx vous raconte l'histoire de son pays, c'est toute une nation qui se regarde dans le miroir. 3 octobre 1951, finale historique de base-ball opposant les Brooklyn Dodgers aux New York Giants ; explosion de la première bombe nucléaire soviétique. Le décor est planté. Deux coups de batte qui propulseront les États-Unis dans une fresque où M. Tout-le-Monde côtoie le FBI, la guerre froide, la mafia... Les destins s'entrecroisent, la balle survole 50 ans d'histoire que DeLillo dissèque et nous jette à la figure ; où les mots précis, le style noble ricochent longtemps dans nos mémoires.

– ***La Poursuite du bonheur*** (2001), de Douglas Kennedy (Pocket). Un vrai bon mélo à Manhattan, où s'entremêlent les fils du destin de plusieurs femmes des années 1950 (à l'époque du maccarthysme) à 1990, autour d'un seul et même homme, Jack Malone. Belle découverte de la ville, entre ses parcs (vous ne verrez plus Washington Square de la même façon après l'avoir lu !), ses coins huppés Uptown, ses belles boutiques comme *Tiffany's, Brooks Brothers* et ses quartiers d'artistes comme Greenwich Village et Sheridan Square.

– ***In tenebris*** (2003), de Maxime Chattam (Pocket). Un thriller qui explore les bas-fonds de la cité tentaculaire. Pourquoi cette femme scalpée déambule-t-elle à moitié nue ? Sur les traces du très mystérieux Caliban, Annabel O'Donnel de la NYPD et Joshua Brolin, un privé, entament une course-poursuite des plus tortueuse. Poursuivraient-ils le Diable ? Haletant et impossible à lâcher.

– ***Mardi 11 septembre*** (2003), de Henrik Rehr (Vents d'Ouest). Ce matin-là, un matin comme les autres à priori, Henrik Rehr, l'auteur de cette bande dessinée, boit son café devant sa fenêtre surplombant Manhattan... et assiste en direct à l'attaque des Twin Towers. En quelques minutes, tout bascule, il perd le contact avec sa femme qu'il n'arrive pas à joindre au bureau, et avec leur fils, dont il n'a pas de nouvelles. L'attente et l'angoisse font remonter en lui des souvenirs intimes. Un témoignage humain et sensible sur ce sujet difficile.

– ***Brooklyn Follies*** (2005), de Paul Auster (Actes Sud). Une histoire simple : Nathan Glass, au terme de son existence, revient sur les faits marquants de sa vie et rêve avec son neveu de créer l'hôtel Existence. Un grand hôtel où circuleraient tous les protagonistes de leur vie quotidienne. Regards tendres, rapports sincères, un livre sur les rêves et sur l'amour à New York. Extra.
– ***Red Hook*** (2005), de Reggie Nadelson (Éd. du Masque). Sur fond d'enquête policière, l'histoire d'une ville dont la moitié de la population est née ailleurs. La romancière nous livre ici le sentiment qui grandit à New York depuis les événements du 11 Septembre : la peur.
– ***L'Histoire de l'amour*** (2006), de Nicole Krauss (Gallimard). Une histoire imbriquée où se jouent trois destins. Alma, jeune New-Yorkaise, découvre l'histoire espagnole traduite par sa mère où l'héroïne se nomme... Alma. Un grand-père d'Harlem revit ses souvenirs polonais. Au Chili, un romancier travaille, quelques années auparavant. Ou quand les histoires d'amour se déclenchent à retardement, avec des personnages poétiques plus vrais que nature et des récits rocambolesques. Époustouflant !

MUSÉES

New York compte plus de 150 musées, les plus beaux et les plus divers du pays (avec Washington DC). Le Metropolitan Museum of Art (MET) ou le Museum of Modern Art (MoMA) à eux seuls justifieraient de venir à New York !
– ***Les jours de fermeture hebdomadaire*** (souvent le lundi) fluctuent selon les musées ; toujours prudent de se renseigner avant de se déplacer pour visiter. La plupart sont fermés les jours fériés.
– ***Prix d'entrée :*** les musées sont chers (10-25 $ en moyenne), mais certains d'entre eux appliquent le système de ***contribution libre ou suggérée*** (*free donation* ou *suggested donation*), à certains moments de la semaine ou tout le temps. Cela signifie qu'on paie ce qu'on veut dans le premier cas (dans la limite du raisonnable bien sûr !). Si la contribution est suggérée, c'est moins évident de savoir quoi donner sans passer pour un gros radin. Un indice : les Américains paient en fonction du temps qu'ils comptent passer sur place. À notre avis, on peut se contenter d'une « demi-donation » si on est vraiment fauché...
– Il existe plusieurs ***formules de passes,*** qui proposent l'accès à plus ou moins de musées, monuments et attractions :
Le CityPass, le plus populaire, axé sur les incontournables musées/sites. Valide 9 jours, il coûte 89 $ (64 $ 6-17 ans) et donne accès à la *statue de la Liberté* (extérieur seulement) et *Ellis Island* (ou, au choix, un tour en bateau avec *Circle Line Sightseeing Cruises*), l'*observatoire de l'Empire State Building,* le *Guggenheim* ou le *Top of the Rock* (observatoire du Rockefeller Center), l'*American Museum of Natural History,* le *Museum of Modern Art (MoMA),* le *Metropolitan Museum of Art (MET)* et son annexe *The Cloisters.* On économise près de 50 % et, autre avantage, on évite la queue aux caisses (en revanche, on n'échappe pas à celles qui serpentent devant l'accès aux sites, notamment à l'embarcadère pour la statue de la Liberté). Tenir son *pass* en main, bien visible, de façon qu'un employé vous invite de suite au coupe-fil. Le *CityPass,* qui se présente sous forme d'un carnet avec des bons, s'achète au guichet d'un des sites (ou à l'office de tourisme). • *citypass.com* •
Le New York City Explorer Pass, très flexible puisqu'on choisit parmi une cinquantaine d'options 3, 5, 7 ou 10 lieux que l'on veut visiter (validité : 30 jours). Tarifs : 75-200 $ (réduc enfants). Infos : • *smartdestinations.com* •
Enfin, le ***New York Pass,*** réservé à ceux qui veulent « tout » voir en un minimum de temps (à notre avis difficilement rentable). Donne accès à une cinquantaine de sites majeurs sans faire la queue et aussi à des réducs sur les shows à Broadway,

par exemple. Tarifs : 80 $ pour 1 jour, 130 $ pour 2 jours, 165 $ pour 3 jours, 210 $ pour 7 jours. Réduc 4-12 ans. Infos : ● *newyorkpass.com* ●
– On vous conseille aussi de profiter des ***audioguides*** et des ***visites guidées*** (souvent gratuites).
– ***Vestiaires gratuits*** dans tous les musées pour les vêtements et sacs. En revanche, ils refusent les ordinateurs portables et autres objets de valeur (iPod, iPad, téléphone, etc.).

NEW YORK GRATUIT

Arpenter Manhattan à pied ne vous coûtera pas grand-chose (hormis des ampoules aux pieds), et vous en prendrez plein les mirettes ! Vous trouverez, dans le descriptif des quartiers, des idées de balades, et si vous souhaitez aborder New York sous un angle particulier, on conseille vivement l'association ***Big Apple Greeter,*** qui propose des ***promenades gratuites conduites par des bénévoles newyorkais*** passionnés par leur ville (voir plus loin « Visites guidées »). Quant aux ***parcs de New York,*** ils sont bien entendu gratuits ; rien qu'à Central Park, vous avez de quoi occuper une grosse journée (certaines activités sont payantes). L'***Hudson River Park,*** le front aménagé de l'Hudson River, s'avère lui aussi un bon plan avec ses activités nautiques gratuites, ses parcs, terrains de sport (beach-volley, tennis, skate-board) et jeux pour enfants (voir rubrique « Sports et loisirs » dans « Hommes, culture, environnement »). La ***High Line*** est également une balade très agréable entre Gansevoort Street et 30th Street, avec de nombreuses animations à la belle saison.
En revanche, dès qu'il s'agit de visiter un monument ou un musée, il vous faudra mettre la main au portefeuille. Heureusement, on rappelle que ***quelques musées et monuments sont gratuits à certains moments de la semaine*** (voir plus haut « Musées » et le descriptif de chaque musée dans le texte). Le MoMA, par exemple, est gratuit le vendredi en nocturne. Attendez-vous, évidemment, à ne pas être seul... donc venez tôt pour entrer dans les premiers, sinon la visite sera courte. Les galeries d'art de Chelsea ou SoHo sont également gratuites, tout comme les deux belles installations permanentes de Walter Maria à SoHo (*The New York Earth Room* et *The Broken Kilometer*).
D'autres musées suggèrent (plutôt qu'ils n'imposent) un droit d'entrée (*pay as you wish* ou *suggested donation*). Enfin, une soirée par an, en juin, les neuf musées du Museum Mile (5th Avenue) sont gratuits, dont le Metropolitan et le Guggenheim. ● *museummilefestival.org* ● Côté musique, ne manquez pas ***Summer Stage,*** un ***festival de concerts en plein air à Central Park,*** de fin juin à mi-septembre. Certains concerts sont gratuits, d'autres avec don libre à l'entrée. Par ailleurs, au Lincoln Center, les étudiants de la prestigieuse Julliard School donnent environ une fois par semaine des concerts de musique de chambre au Alice Tully Hall.
Et puis, en vrac : le ***feu d'artifice du 4 juillet*** sur l'Hudson River, les ***illuminations de Noël au Rockefeller Center,*** écouter un ***gospel dans une église de Harlem,*** admirer Manhattan depuis ***le pont de Brooklyn,*** prendre le ***ferry de Staten Island*** en fin d'après-midi pour admirer le coucher du soleil sur la *skyline* ou bien ***la navette bateau IKEA*** qui part du Pier 11 à South Street Seaport et file à Red Hook (Brooklyn) via la statue de la Liberté *(gratuite le w-e slt, 5 $ sinon),* voir les ***films projetés l'été dans Bryant Park...***

POIDS ET MESURES

Même s'ils ont coupé le cordon avec la vieille Angleterre, même s'ils conduisent à droite, pour ce qui est des unités de mesure, les Américains ont conservé un système « rustique ». Après les Fahrenheit (voir « Climat ») et le voltage électrique (voir

« Électricité »), une autre différence à assimiler. On a essayé de limiter les dégâts en vous donnant les mesures : bon courage pour les calculs !

Capacité

1 *pint* = 0,473 litre	1 litre = 2,11 *pints*
1 *gallon* = 3,785 litres	1 litre = 0,26 *gallon*

Longueurs et distances

1 *inch* (pouce) = 2,54 cm	1 cm = 0,39 *inch*
1 *foot* (pied) = 30,48 cm	1 cm = 0,03 *foot*
1 *yard* = 0,914 m	1 m = 1,09 *yard*
1 *mile* = 1,609 km	1 km = 0,62 *mile*

Poids

1 *ounce (oz)* = 28,35 g	100 g = 3,53 *oz*
1 *pound (lb)* = 453,5 g	1 kg = 2,2 *lb*

POSTE

✉ ***General Post Office*** *(plan 1, B1-2)* **:** *421 8th Ave (entre 31st et 33rd). Ouv 24h/24 pour les guichets automatiques.* Vous pouvez vous faire adresser des lettres au General Post Office en poste restante. Exemple : Harry Cover, General Delivery, General Post Office, New York 10199, NY. Les postes restantes ne gardent pas toujours le courrier au-delà de la durée légale : 10 jours.

✉ ***Rockefeller Center Post Office*** *(plan 2, G-H11)* **:** *Rockefeller Plaza (5th Ave et 50th St).* Ⓜ *(D, F) 47th et 50th St. Au sous-sol du Rockefeller Center. Lun-ven 10h-17h.*

– Sans oublier le bureau de poste qui se trouve au sous-sol du bâtiment des ***Nations unies,*** où l'on peut se faire faire des timbres personnalisés avec photo (lire « Midtown. À voir »).

Les timbres *(stamps)* sont disponibles dans les guichets de poste *(US Mail)* et certains commerces (presse, souvenirs, etc.). On peut également s'en procurer dans les distributeurs *(automats)* des papeteries, mais ils valent alors le double ! Ne soyez pas étonné de mettre votre courrier dans des boîtes bleu marine que l'on pourrait prendre de prime abord pour des poubelles... Notez que le tarif pour la France est d'environ ***1 $ pour une lettre ordinaire ou une carte postale.***

SANTÉ

La sécurité sanitaire est excellente aux États-Unis mais extrêmement chère, même pour les Américains. Pas de consultation médicale à moins de 150 $. Pour les médicaments, multiplier au moins par deux les prix français. D'où l'importance de souscrire, avant le départ, une assurance voyage intégrale avec assistance-rapatriement (voir plus haut « Avant le départ »).

Les médicaments et consultations

Un conseil : prévoyez dans vos bagages une pharmacie de base, avec éventuellement un antibiotique à large spectre prescrit par votre généraliste (au cas où), à fortiori si vous voyagez avec des enfants. Sur place, si vous souffrez de petits bobos courants ou facilement identifiables (rhume, maux de gorge...), vous pouvez pratiquer en premier lieu l'automédication, comme le font les Américains. S'il vous manque quelque chose, sachez que de nombreux médicaments délivrés uniquement sur ordonnance en France sont vendus en libre service aux États-Unis, dans les drugstores type *Duane Reade, CVS* ou *Rite Aid* (certains sont ouverts 24h/24). Si vous cherchez du Doliprane, le nom déposé le plus répandu est Tylenol (le paracétamol se dit *acetaminophen* là-bas). Évidemment, si cela vous semble grave ou s'il s'agit d'enfants, un avis médical s'impose. Le service social du consulat de France (voir « Adresses utiles ») tient à votre disposition une liste de spécialistes parlant le français. Attention, on le répète : les consultations privées sont chères (150-200 $ minimum chez un généraliste...). Sinon, cherchez dans les Pages Jaunes (sur Internet : • *yellowpages.com* •) à *Clinics* ou *Physicians and surgeons.*

■ ***Généraliste parlant le français – Dr Michael W. Jacobson :*** *1421 3rd Ave (entre 80th et 81th St).* ☎ *212-517-5060.* • *mj@mjmd.com* • Excellent accueil de ce médecin qui a fait ses études à Strasbourg.

■ ***Dentiste francophone – Dr Alexandra Germain :*** *18 E 50th St (entre 5th et Madison Ave), Floor 9.* ☎ *212-223-0302.* 📱 *917-596-9937.* • *dr.agermain@gmail.com* • Juste en face de Saint Patrick's Cathedral.

Vous trouverez une liste plus complète de ***médecins francophones*** (généralistes et spécialistes) sur la page « Vie Pratique, Santé » du site internet de French Morning New York : • *frenchmorning.com/ny* •

– ***Duane Reade Walk-In Medical Care :*** ☎ *1-888-535-6963.* • *drwalkin.com* • Service médical proposé par la chaîne de drugstores *Duane Reade,* dans certains magasins : entre autres à Times Square *(1627 Broadway et 50th St ; tlj 8h-20h)* et à Upper East Side *(125 E 86th St et Lexington ; sem 10h-19h, w-e 9h-17h).* Les consultations (sans rendez-vous) sont données par des médecins travaillant dans un hôpital local. D'autres centres ailleurs dans NY (voir site internet).

– ***New York Hotel Urgent Medical Services :*** ☎ *212-737-1212.* • *travelmd.com* • *Service d'urgences téléphoniques accessible aux voyageurs 24h/24.* En quelques minutes, un médecin vous rappelle et on vous envoie un spécialiste (parlant le plus souvent votre langue) dans l'heure à votre hôtel. Ils ont également un centre médical dans l'Upper East Side, ouvert aussi 24h/24 mais qui ne fonctionne que sur rendez-vous (moins cher bien sûr que le service à l'hôtel) : *952 5th Ave, suite 1D (entre 76th et 77th St) ; plan 2, H9.*

Voir aussi « Urgences » à la fin de ce chapitre.

Les *bedbugs*

Les punaises de lit ont défrayé la chronique ces derniers temps, mais il semblerait que les services sanitaires de la ville aient pris le problème en main. Ces petits insectes, qui se reproduisent à vitesse grand V et peuvent vivre des mois sans se nourrir, se planquent dans les matelas, les plinthes, les encadrements de portes, etc. Le souci, c'est qu'elles aiment la chaleur humaine, et leurs piqûres provoquent des démangeaisons aiguës et persistantes. De nombreux hébergements (même parfois haut de gamme !) ont été touchés, mais ils font en général le nécessaire tout de suite pour s'en débarrasser. Donc, pas de panique, d'autant que ces petites bestioles ne véhiculent aucune maladie... Si vous avez des doutes sur un hôtel ou un lieu, ce site traque les *bedbugs* dans tous les États-Unis... • *bedbugregistry.com* •

SITES INTERNET

• ***routard.com*** • Rejoignez la plus grande communauté francophone de voyageurs ! Échangez avec les routarnautes : forums, photos, avis d'hôtels. Retrouvez aussi toutes les informations actualisées pour choisir et préparer vos voyages : plus de 200 fiches pays, une centaine de dossiers pratiques et un magazine en ligne pour découvrir tous les secrets de votre destination. Enfin, comparez les offres pour organiser et réserver votre voyage au meilleur prix. *Routard.com*, le voyage à portée de clics !

- ***nycgo.com*** • Site de l'office de tourisme de New York. Des informations pratiques et utiles qui vous donnent un bon aperçu de la Big Apple (plans détaillés, réservation d'hôtels et de voitures, sites à visiter, etc.). Traduit partiellement en français.
- ***nyc.com*** • Le site couvre toutes les activités new-yorkaises : restaurants, sorties, musées, parcs et expositions. Il permet, entre autres, d'acheter des tickets pour un des shows de Broadway, de réserver un hôtel, etc.
- ***frenchmorning.com/ny*** • Créé par des journalistes francophones vivant aux États-Unis pour la plupart, ce webmagazine s'adresse aux Français s'installant à New York comme aux visiteurs de passage. Revues de presse, chroniques en tout genre et aussi plein de tuyaux sur les restos, les sorties branchées, les expos du moment... Des articles de fond également très intéressants.
- ***voilanewyork.com*** • Un autre site sympa réalisé par des Français de New York. Des idées pour se loger, sortir et même s'installer dans la Grosse Pomme, même si certains dossiers datent un peu.
- ***newyorkstreetfood.com*** • Site proposant une carte avec l'emplacement de tous les *food trucks* dont les New-Yorkais sont fans, ainsi que les espaces publics pour savourer son repas.
- ***nyc.gov/records*** • La mairie de New York a ouvert ses archives au public. Plus de 800 000 photos, cartes et documents portant sur 160 ans de l'histoire de la ville, désormais disponibles sur Internet. La photographie la plus ancienne date de 1858. Possibilité de commander des versions papier sur le site.
- ***delicatesseny.typepad.fr*** • Le blog gourmand d'une Française à New York, qui a l'art de raconter ses pérégrinations culinaires.
- ***bons-plans-voyage-new-york.com*** • Un site qui porte bien son nom ! Nombreux bons plans donc, concrets et actuels, pour préparer son voyage.

TABAC

Comme chez nous depuis plus récemment, il est interdit à New York de fumer dans tous les lieux publics (musées, moyens de transport, bureaux...), mais aussi dans les restos, bars et boîtes de nuit, pour préserver la santé des serveurs et des serveuses. Les seuls rescapés de l'interdiction sont une poignée de bars à cigares ayant obtenu leur licence au début du XXe s. Depuis 2011, le conseil municipal de New York a également adopté l'interdiction de fumer dans les parcs, sur les plages de la ville ainsi que dans certains quartiers piétonniers comme Times Square. L'objectif de cette législation très controversée du côté des fumeurs : respirer mieux à New York et vivre plus longtemps. Un but déjà atteint puisque d'après Michael Bloomberg, les New-Yorkais auraient, grâce à sa campagne anti-tabac et en moins de 10 ans, augmenté de près de 2 ans leur espérance de vie.

TAXES ET POURBOIRES

D'abord les taxes...

À New York, comme dans tous les États-Unis, ***les prix affichés dans les magasins, les hôtels, les restos, etc., s'entendent SANS TAXE.*** Celle-ci s'ajoute au moment de payer, et varie selon le type d'achat. Dans les hôtels, elle est de 14,25 % ; pour tout ce qui est restos, vêtements et chaussures, location de voitures... elle est de 8,37 %. Ne l'oubliez pas, ça change tout de même un peu le prix, surtout pour les gros achats.

Les commerçants, les restaurateurs et les hôteliers l'ajoutent donc une fois à la caisse. Les produits alimentaires vendus en magasin n'y sont pas soumis. Quelques autres secteurs, il est vrai peu nombreux, en sont exonérés.

... puis les pourboires (*tip* ou *gratuity*)

Dans les restos, les serveurs ont un salaire fixe ridicule, la majeure partie de leurs revenus vient des pourboires. Voilà tout le génie de l'Amérique : laisser aux clients, selon leur degré de satisfaction, le soin de payer le salaire des serveurs, pour les motiver. ***Le tip est une institution à laquelle vous ne devez pas déroger*** (sauf dans les fast-foods et endroits self-service où vous pouvez ne laisser que 1 ou 2 $). Un oubli vous fera passer pour un rustre total. Les Français possèdent la réputation d'être particulièrement radins et de laisser plutôt 10 % que les 15-20 % attendus.

Pour savoir quel pourboire donner : il suffit de doubler la taxe ajoutée au montant de la note, ce qui représente 16,50 % (et donc un pourboire honnête). Si vous réglez une note de resto avec une carte de paiement, n'oubliez pas de remplir vous-même la case « *Gratuity* » qui figure sur l'addition, ou de la barrer si vous laissez un pourboire en liquide. Car sinon, le serveur peut s'en charger lui-même et doper carrément l'addition en vous imposant un pourboire plus élevé que celui que vous auriez consenti. Vous ne vous en apercevriez qu'à votre retour, en épluchant votre relevé de compte bancaire (au fait, aux USA, *1* s'écrit *l*, sans barre horizontale, donc attention à ce que votre *1* ne soit pas pris pour un *7* sur votre facturette). Il arrive aussi que le service soit ajouté d'office au total, après la taxe. Soyez vigilant pour ne pas le payer une seconde fois. Cela se passe surtout avec les *parties* (groupes) de six personnes ou plus ; et dans ce cas, le service est généralement facturé un peu plus cher (on frise les 20 %).

L'ORIGINE DU *TIP*

Aux XVIIIe s, le patron d'un café outre-Manche eut l'idée de disposer sur son comptoir un pot portant l'inscription To Insure Promptness (littéralement, « Pour assurer la promptitude »). Les clients pressés y glissaient quelques pièces pour être servis plus vite. Les initiales formèrent le mot tip, devenu un incontournable du savoir-vivre américain.

Dans les bars : le barman, qui n'est pas mieux payé qu'un serveur de resto, s'attend à ce que vous lui laissiez un petit quelque chose, par exemple 1 $ par bière, même prise au comptoir... ***Concernant les taxis :*** il est de coutume de laisser un *tip* de 10 à 15 % en plus de la somme au compteur. Là, gare aux jurons d'un chauffeur mécontent ; il ne se gênera pas pour vous faire remarquer ouvertement votre oubli. Enfin, prévoir des billets de 1 $ pour tous les petits boulots de service où le pourboire est légion (bagagiste dans un hôtel un peu chic, par exemple).

TÉLÉPHONE ET TÉLÉCOMMUNICATIONS

Téléphone

Indicatifs téléphoniques (à composer même à l'intérieur de la ville) :

☎ *212* pour Manhattan (*attention,* d'autres indicatifs sont affectés aux nouveaux numéros à Manhattan : ☎ *917 et 646*).
☎ *718* pour les autres boroughs.
Dans le texte, on indique systématiquement le numéro complet à 10 chiffres.
- ***États-Unis → France :*** 011 + 33 + numéro du correspondant à 9 chiffres (sans le 0 initial).

– ***France → États-Unis :*** 00 + 1 + indicatif régional à 3 chiffres + numéro du correspondant.
– ***Tous les numéros de téléphone commençant par 1-800, 1-888, 1-877, 1-866 ou 1-855 sont gratuits*** (compagnies aériennes, chaînes d'hôtels, location de voitures...). On appelle ça les ***« toll free numbers »*** : nous les indiquons dans le texte, ça vous fera faire des économies pour vos réservations d'hôtels et vos demandes de renseignements.
– ***Les numéros gratuits sont parfois payants depuis les hôtels*** et ne fonctionnent pas quand on appelle de l'étranger. En revanche, on peut quand même obtenir la communication (payante), en remplaçant 800 par 880, 888 par 881, et 877 par 882. Ceux des petites compagnies fonctionnent parfois uniquement à l'intérieur d'un État.
– ***Certains numéros sont composés de mots,*** chaque touche de téléphone correspondant à un chiffre et à trois lettres. Ce qui permet de retenir facilement un numéro (exemple : pour contacter les chemins de fer, ☎ *1-800-USA-RAIL* équivaut à *1-800-872-7245*).

Les règles de base pour téléphoner de New York

Si vous ne voulez pas alourdir votre note de portable, le plus économique pour téléphoner aux States (hors des cinq boroughs de New York) ou à l'étranger est de téléphoner depuis un poste fixe avec une ***carte téléphonique prépayée*** *(prepaid phone card).* Attention, ça ne marche pas si on appelle d'un téléphone portable. Ces cartes, qui disposent chacune d'un code « secret », sont vendues dans les drugstores *(Duane Reade, CVS, Rite Aid...).* Plusieurs montants possibles : 5, 10 $... Pour la connexion, il vous faudra d'abord composer un numéro gratuit indiqué sur la carte, qui commence par 1-800. Ensuite, laissez-vous guider par la voix enregistrée, pour composer d'abord votre code secret, puis le numéro que vous souhaitez joindre (pour la France : 011-33 + le numéro de votre correspondant à 9 chiffres, sans le 0 initial). Pour 5 $, vous pouvez téléphoner plus de 3h en continu vers la France si vous appelez un poste fixe (les unités défilent bien plus vite en appelant des portables !). En revanche, plus vous passez de coups de fil différents, plus la carte se vide rapidement car il y a des frais supplémentaires pour les appels courts, la « maintenance »... En principe, en pressant les touches *4, vous entendrez les instructions en français.
En revanche, ***évitez absolument de téléphoner depuis les hôtels*** (sauf avec une carte prépayée, bien sûr) qui pratiquent presque toujours des tarifs rédhibitoires. Sachez enfin que, dans certains hôtels, on peut vous facturer une communication téléphonique même si l'appel n'a pas abouti ! Il suffit parfois de laisser sonner quatre ou cinq coups dans le vide pour que le compteur tourne. Dans le même ordre d'idées, il arrive souvent que les hôtels fassent payer les communications locales, qui sont normalement gratuites, et même les numéros gratuits en 1-800, qui sont fréquemment facturés au-delà d'un certain temps de communication... Aussi, pour éviter les surprises, renseignez-vous avant de décrocher votre combiné.

Y A-T-IL QUELQU'UN AU BOUT DU FIL ?

Le premier central téléphonique du monde est monté à Budapest par un ingénieur nommé Puskas, collègue de Thomas Edison. Pour tester la ligne, il crie « Hallod », qui en hongrois signifie « Tu m'entends ? ». Depuis, « Hallod » est devenu « Allô » pour une grande partie du monde.

Le téléphone portable en voyage

Le routard qui ne veut pas perdre le contact avec sa tribu peut utiliser son propre téléphone portable aux États-Unis (à condition qu'il soit au moins tribande) avec l'option « Monde ». Mais gare à la note salée en rentrant chez vous ! On conseille donc d'acheter à l'arrivée une carte SIM locale prépayée chez l'un des nombreux opérateurs locaux (*AT & T* ou *T Mobile,* par exemple), représentés dans les boutiques de téléphonie mobile des principales villes du pays et souvent à l'aéroport. On vous attribue alors un numéro de téléphone local et un petit crédit de communication. Avant de signer le contrat et de payer, essayez donc, si possible, la carte SIM du vendeur dans votre téléphone – préalablement débloqué – afin de vérifier si celui-ci est compatible. Sinon, vous avez aussi la possibilité d'acheter un portable de base (à partir de 10 $) dans lequel vous pourrez activer la carte SIM. Ensuite, les cartes permettant de recharger votre crédit de communication s'achètent dans ces mêmes boutiques, ou en supermarché, stations-service, drugstores, etc. On peut aussi recharger son crédit en ligne ou par téléphone. C'est toujours plus pratique d'avoir un portable pour trouver son chemin vers un *B & B* paumé, réserver un hôtel, un resto ou une visite guidée, et bien moins cher que si vous appeliez avec votre carte SIM personnelle.

– ***En cas de perte ou de vol de votre téléphone :*** suspendre aussitôt sa ligne permet d'éviter de douloureuses surprises au retour du voyage ! Voici les numéros des quatre opérateurs français, accessibles depuis la France et l'étranger :
– ***SFR :*** *depuis la France : ☎ 1023 ; depuis l'étranger : 📱 + 33-6-1000-1900.*
– ***Bouygues Télécom :*** *depuis la France comme depuis l'étranger : ☎ 0-800-29-1000 (remplacer le 0 initial par « + 33 » depuis l'étranger).*
– ***Orange :*** *depuis la France comme depuis l'étranger : 📱 + 33-6-07-62-64-64.*
– ***Free :*** *depuis la France : ☎ 3244 ; depuis l'étranger : ☎ + 33-1-78-56-95-60.*
Vous pouvez aussi demander la suspension depuis le site internet de votre opérateur.

Internet

Peu de cafés internet en raison du fort taux d'équipement informatique des foyers américains. Cela dit, ***de nombreux lieux à New York sont équipés wifi*** : hôtels, *B & B,* auberges de jeunesse, cafés, bars, restos... Sans oublier certains parcs, comme Bryant Park ou Union Square par exemple. Bien pratique, à condition d'avoir un smartphone ou son ordinateur portable (on dit *laptop*) avec soi. Sinon, on trouve aussi des accès internet en libre service un peu partout. Il s'agit de bornes qui fonctionnent soit comme des distributeurs (la machine avale les billets ou la carte de paiement), soit avec des codes à entrer après avoir payé à la caisse pour la durée souhaitée.
Bon plan : si vous êtes fauché, on vous conseille d'aller dans un ***Apple Store*** où la connexion est gratuite sur les ordinateurs de démonstration (à condition de ne pas squatter des heures, bien sûr). Sinon, à la *New York Public Library,* c'est gratuit, mais le temps est souvent limité à 15 mn et la concurrence rude, d'autant que l'accès est donné en priorité aux membres. On peut également surfer sur quelques postes de la *Port Authority,* mais mieux vaut s'y présenter à une heure de faible affluence !
Une sélection de sites internet à consulter avant le départ est détaillée plus haut, à la rubrique « Sites internet ».

TRANSPORTS

Il y a trois grands moyens de transport à New York : le ***métro, l'autobus*** et le ***taxi,*** mais le ***bateau*** est en train de gagner du terrain et les ***pieds*** sont aussi très sollicités ! On peut aussi circuler à vélo (de plus en plus de pistes cyclables) et à rollers. En revanche, la voiture est à éviter ; on ne peut ni circuler ni se garer, et les parkings... et PV coûtent les yeux de la tête. D'où la circulation relativement fluide pour une si grande ville.

En métro

Les New-Yorkais passent beaucoup de temps dans les transports, en particulier dans le métro, qui transporte quotidiennement près de 5 millions de passagers. Le réseau est très étendu et efficace puisqu'il fonctionne 24h/24. Seul petit reproche : les stations sont parfois éloignées les unes des autres, notamment dans Queens ou Brooklyn où le maillage est très lâche. Et puis, ne pas s'attendre non plus à un métro ultramoderne : tout est vieillot voire vétuste, craspouille, et quand il pleut ou que la neige fond en hiver, ça suinte souvent à l'intérieur. Peu d'efforts sur la déco, hormis les frises de carrelage portant le nom des stations, et pas de pub sur les quais.

Et comment ça marche ? On achète des cartes magnétiques *(MetroCard)* que l'on passe dans des tourniquets automatiques. ***Même prix à l'unité quelle que soit la distance :*** *2,50 $* (correspondances bus-métro possibles pour le même prix, dans un délai de 2h). On les achète dans les stations de métro, dans les distributeurs automatiques *MetroCard.* Sinon, il existe plusieurs types de cartes valables 1 an, rechargeables (de 4,50 à 80 $ environ) et qui vous permettent également de passer du bus au métro et vice versa. Elles sont rentables à partir de deux trajets par jour. Un conseil très utile, payez-les par carte de paiement aux machines : le reçu vous permettra de recevoir une *MetroCard* de rechange en cas de perte ou de vol. Voici les différentes cartes *MetroCard* :

- ***Les Pay-Per-Ride MetroCard*** sont plus avantageuses que le ticket à l'unité : *à partir de 10 $ chargés, on obtient une réduc de 7 % env.*
- Si vous restez 1 semaine à NYC, le mieux est sans doute d'acheter le ***7-Day Unlimited Ride Pass*** : *il vous permet de prendre autant de fois que vous le voulez le métro et le bus pdt 7 j., et coûte 29 $.*

Petit mode d'emploi du métro

Pas si simple d'utilisation au début... D'abord, on repère les bouches de métro à leurs lumières extérieures. Faites bien attention qu'il s'agisse de la bonne station sur la bonne avenue (il existe plusieurs stations 125th Street, 34th Street, 14th Street, etc.). Une lumière verte indique que la station est dotée de personnel 24h/24. Une lumière rouge signale que l'entrée est fermée ou que son accès est limité ; dans ce cas, lire le panneau placé au-dessus de l'escalier.

Commencez par ***demander un plan du réseau au guichet*** (voire plusieurs d'un coup car ils sont fragiles et se déchirent très vite), il vous sera indispensable. Le principe de base à savoir : lorsqu'une rame va ***Uptown,*** elle se dirige vers le nord. Si la direction indiquée est ***Downtown,*** elle va vers le sud. Beaucoup de bouches d'entrée ne permettent d'accéder qu'aux rames allant soit dans le sens *Downtown,* soit dans le sens *Uptown.* Elles se trouvent le plus souvent d'un côté et de l'autre de la même rue ou avenue. Bien vérifier l'indication avant de s'y engager, sous peine de payer un trajet et de faire un voyage pour des prunes. Sinon, ***bien vérifier la lettre ou le numéro de la ligne figurant sur la rame de métro***. Attention, d'un même quai, des rames peuvent aller vers divers endroits (il faut alors se fier au numéro ou à la lettre inscrits sur les wagons et à l'intérieur de ceux-ci).

Attention également : ***il existe deux sortes de trains,*** le **local** (omnibus s'arrêtant à toutes les stations, indiquées par des points noirs sur le plan du métro) et ***l'express*** (stations principales uniquement, indiquées en blanc). Les stations où les deux types de train s'arrêtent sont représentées par deux demi-cercles noir et blanc. Donc vérifiez quel type de train arrive à quai pour choisir celui qui vous convient. Pour vous aider, les numéros des lignes sont inscrits sous le nom de l'arrêt sur le plan.

À partir de 22h, tous les métros deviennent* local, *pour redevenir* express *à 6h. Le week-end, les jours fériés et la nuit, certaines lignes sont remplacées ou réduites : dans ce cas, demander à un agent de la MTA ou, mieux, à l'employé du guichet de la station (s'il est ouvert) avant de dépenser un trajet inutilement.

Il y a souvent des affichettes sur les quais. ***Le métro, comme le bus, circule 24h/24.*** Les **heures de pointe** se situent de 7h30 à 9h et de 17h à 18h30. Le week-end, et en particulier le dimanche, certaines rames sont redirigées (à cause des travaux de maintenance sur les voies), et certains trains deviennent *express* ou *local*. Écoutez bien les annonces (bon courage, entre les voix nasillardes et les micros samplés avec des fonds de casserole, tendez bien l'oreille...), et si vous avez un doute, adressez-vous au chauffeur, dont la cabine est située au milieu de la rame.

RATE YOUR RAT !

Selon la légende, il y aurait à New York autant de rats que d'habitants... Ce qui est certain, c'est que les rongeurs colonisent les tunnels du métro. Pour lutter contre leur invasion et alerter les usagers, un syndicat de travailleurs du métro a eu l'idée d'organiser un concours de la plus belle photo de rat prise sur le vif. Celui qui envoie la photo du rat le plus nasty (entendez affreux) gagne une carte d'abonnement valable un mois !

Sécurité

Il faut savoir qu'il y a quelques ***agressions*** (surtout sur les lignes traversant le Bronx, Queens et Brooklyn, quasiment jamais à Manhattan), mais il ne faut rien exagérer (la criminalité est en chute libre à New York). Ce sont surtout des vols de sacs à main ou de portefeuilles et ça se passe généralement dans les sorties secondaires. Il suffit d'être normalement prudent, sans sombrer dans la paranoïa. Surtout suivre quelques conseils élémentaires et de bon sens.
Par exemple, quand on le peut, éviter d'aller dans un wagon où il n'y a personne. Sur les quais, la nuit, il y a des zones de regroupement de passagers marquées par des bandes jaunes. Les gens y vont naturellement. De même, dans les couloirs, il suffit de suivre un groupe de personnes. Pour les femmes seules, repérez au milieu du quai le panneau rayé noir et blanc (parfois pas très visible) qui indique le wagon dans lequel se trouve le chauffeur.
Pour toutes infos utiles sur les transports en commun new-yorkais, consulter le site de la *Metropolitan Transportation Authority* : ● *mta.info* ●

En autobus

Comme pour le métro, prix unique quel que soit le trajet (2,50 $). La caisse automatique accepte la ***MetroCard*** ou la somme exacte en pièces de monnaie. Voir aussi les informations sur les cartes ***MetroCard*** dans « En métro ». Procurez-vous le plan des bus, distinct de celui des métros.
Les bus fonctionnent, comme le métro, 24h/24, et suivent les rues d'est en ouest et les avenues du nord au sud en s'arrêtant grosso-modo tous les 2 blocs, fastoche ! Vérifiez bien que votre bus fait tout le parcours indiqué sur le plan. Plus agréable que le métro, mais beaucoup plus lent aussi, et peu fréquent. À éviter en fin d'après-midi (embouteillages). La nuit, de 22h à 5h, vous pouvez en principe demander au chauffeur de vous déposer en dehors des arrêts indiqués du moment que c'est sur son trajet.
Correspondance avec un autre bus (dans un délai de 2h) ; si vous avez acheté votre ticket au chauffeur, demandez-lui un *transfer.*

En taxi

Ils sont jaunes et très nombreux à tourner, vous n'aurez aucun mal à en trouver, sauf de 16h à 18h (*rush hours,* c'est à dire heure de pointe) et pire encore de 16h à 16h30, créneau horaire correspondant au changement de service des chauffeurs. Sur le toit du taxi, il y a trois ampoules lumineuses. Si celle du milieu est allumée, il est libre ; si elle est éteinte, c'est qu'il est pris ; si seules les lumières du côté sont allumées, il est *off duty,* c'est-à-dire qu'il a fini son service. Vous pouvez arrêter un taxi n'importe où.

Le prix

Revient à ***un peu plus que le métro à deux*** pour parcourir une distance de 20 rues. Intéressant les premiers jours pour s'habituer à New York. Prise en charge de 3 $, puis 40 cents par 0,2 mile parcouru (soit 320 m) et encore 40 cents/mn en cas d'embouteillage ou d'arrêt. Les prix sont majorés de 1 $ de 16h à 20h en semaine et de 50 cents tous les jours de 20h à 6h. Sans oublier les 15 % de pourboire !

Les chauffeurs

Curieusement, les chauffeurs de taxis new-yorkais parlent rarement l'anglais, en tout cas pas le même que vous. Ils sont souvent étrangers – pakistanais, sri-lankais et (de plus en plus rares) haïtiens ; ils parlent alors le français avec un délicieux accent créole. En général, ils ne font jamais de difficultés pour vous prendre, même pour quelques blocs ! La conduite est brusque, ponctuée de coups de frein brutaux, d'accélérations de même facture, dépassements hasardeux, coups de klaxon, injures aux automobilistes, voire apostrophes à vous, le client, quand le chauffeur est sociable. Souvent les chauffeurs chantonnent, parlent tout seuls ou alors au kit mains libres de leur portable ! Tout un programme, mais cela fait partie de l'ambiance de la ville. Vous noterez l'écran télé qui diffuse des infos, la météo et surtout de la pub... Au moment de régler la note, ***n'oubliez pas de rajouter 15 % de pourboire*** au prix affiché au compteur (sauf si le chauffeur l'a déjà intégré en vous annonçant oralement le montant, ce qui arrive souvent quand ils prennent des touristes).

JAUNE LE TAXI

D'après une étude de l'université de Chicago, le jaune est la couleur la plus visible de loin. John D. Hertz s'en inspire pour fonder sa compagnie de taxis en 1915, qu'il cible pour les populations modestes. C'est ainsi que naît le mythique yellow cab. Les locations de voitures Hertz ont gardé, elles aussi, ce jaune caractéristique, pour leur logo.

En bateau

– Le ***Staten Island Ferry, gratuit,*** offre une des plus belles vues sur Manhattan, avec en prime une vision relativement rapprochée de Miss Liberty. Départ (24h/24) de Whitehall Street à Lower Manhattan. Si on ne veut pas visiter Snug Harbor à Staten Island, rester sur le bateau et revenir directement à Manhattan. Nous conseillons de le faire en fin d'après-midi par beau temps pour bénéficier des superbes lumières du coucher de soleil et des gratte-ciel illuminés dans la nuit pour le retour. • *siferry.com* •

– ***East River Ferry :*** cette navette fluviale dessert depuis peu Brooklyn (DUMBO, Williamsburg et Greenpoint) et Queens (Long Island City) depuis Lower Manhattan (Wall St-Pier 11) et Midtown (E 34th St). Liaison saisonnière vers Governors Island. Original, sympa et pas très cher. *Tarifs : 4 $ le trajet, 12 $ le pass journée. Vélos acceptés.* ☎ *1-800-533-3779.* • *nywaterway.com* •

– ***New York Water Taxi :*** jaunes comme leurs cousins les taxis, ce sont de petits bateaux à moteur qui font des allers-retours entre l'Hudson et l'East River. En revanche, contrairement au East River Ferry qui dessert aussi Brooklyn, pas de ticket au trajet, uniquement le forfait *hop on-hop off* (montez et descendez à volonté) qui fait le tour de l'île dans les 2 sens en 1h30, via 5 arrêts : côté Hudson River, W 44th St à côté de l'Intrepid, Christopher St (Pier 45), Battery Park à la pointe sud, et côté East River South St Seaport (Pier 17) et Fulton Ferry Landing (DUMBO, Brooklyn). Possibilité de reprendre le bateau à chacune des étapes et dans n'importe quel sens. *Forfait 1 j. : 26 $; 16 $ enfants.* Noter que le forfait journalier inclut le *pass* pour le 9/11 Memorial (réservation obligatoire sur Internet sinon). Le New York Water Taxi dessert aussi Red Hook à Brooklyn (arrêt Ikea) au départ du Pier 11. *Gratuit le w-e, 5 $ en sem.* ☎ *212-742-1969.* ● *nywatertaxi.com* ●

À vélo

Voir « Sports et loisirs. Vélo et rollers » dans « Hommes, culture, environnement » plus loin.

En vélo-taxi

Ce mode de transport très populaire au Vietnam a fait son apparition à Manhattan dans quelques lieux touristiques (type Times Square). Attention, les tarifs de New York n'ont rien de comparable à ceux d'Asie... Certes c'est romantique, mais hors de prix ! Bien regarder la petite pancarte sur le côté du véhicule : 3-5 $ par avenue et... par personne, plus 5 $ de prise en charge. Bref, on dépasse vite les 50 $ pour moins de 10 mn de trajet, ce qui frise l'arnaque.

En *pony cab*

Voiturettes tirées par des cyclistes ou des chevaux sur Central Park South. Vous pouvez les commander, les héler dans la rue (attention, elles sont rares !) ou les prendre depuis leur garage situé au 517 Broome Street (et Thompson). ☎ *212-965-9334. Env 30-60 $/h pour 2 pers. Attention, les prix annoncés pour les balades en calèche à Central Park ne sont pas toujours respectés.*

En limousine

Il est fréquent de voir d'immenses limousines circulant dans New York, et, contrairement à ce qu'on croit, c'est abordable et pas uniquement réservé aux stars ! Expérience marrante, à s'offrir à plusieurs. En général, on loue la limo et son chauffeur à l'heure. *Le prix dépend du nombre de places. Compter 100-120 $/h dans une limousine à 8 places. Attention, le plus souvent, c'est 2-3h de location min.* À Times Square, vous en verrez certaines stationnées : demandez donc au chauffeur s'il est libre. Sinon, vous pouvez aussi contacter une compagnie privée :

■ ***Gotham Limo :*** ☎ *718-433-2776.* ● *gothamlimo.com* ●

■ ***New York Limo :*** ☎ *1-877-546-6448.* ● *newyorklimo.com* ●

À pied

Le meilleur moyen pour découvrir New York, à condition d'être bien chaussé ! En allant d'un centre d'intérêt à un autre, vous tomberez toujours en cours de route sur quelque chose qui vous intéressera.

Attention, on n'est pas en France : ***traversez les rues uniquement sur les passages cloutés et au feu,*** sinon vous risquez de subir le même sort que les hérissons sur les routes de campagne. La plupart du temps, les signaux lumineux sont faciles à comprendre : une main clignotante rouge pour vous prévenir que les véhicules vont bientôt démarrer et qui se fige quand ils démarrent effectivement. Un petit bonhomme blanc quand vous pouvez passer. Sinon, pour les vieux signaux lumineux, *walk* signifie « vert », *don't walk* clignotant signifie « orange » et *don't walk* fixe signifie « rouge ».

En voiture

On rappelle que la voiture n'est vraiment pas recommandée dans New York. Le stationnement dans les rues est autorisé mais souvent limité à 1h. ***Très important : il est rigoureusement interdit de se garer devant une bouche d'incendie*** *(fire hydrant).* Amende garantie en cas d'infraction ! Il existe de nombreux parkings privés à étages, compter facilement 30 $ par jour.
Si vous projetez une virée dans les environs ou poursuivez votre périple, voici quelques loueurs. Permis national exigé.

En France

■ ***Auto Escape :*** *☎ 0820-150-300. • autoescape.com • Vous trouverez également les services d'Auto Escape sur • routard.com •* L'agence *Auto Escape* réserve auprès des loueurs de véhicules de gros volumes d'affaires, ce qui garantit des tarifs très compétitifs. Il est recommandé de réserver à l'avance. *Auto Escape* offre 5 % de remise sur la location de voiture aux lecteurs du *Routard* pour toute réservation par Internet avec le code de réduction : « GDR13 ».

■ ***BSP Auto :*** *☎ 01-43-46-20-74 (tlj). • bsp-auto.com •* Les prix proposés sont attractifs et comprennent le kilométrage illimité et l'assurance tous risques sans franchise (LDW). *BSP Auto* propose exclusivement les grandes compagnies de location sur place, vous assurant un très bon niveau de service. Le plus : vous ne payez votre location que 5 jours avant le départ. Réduction spéciale aux lecteurs de ce guide avec le code « Routard ».

■ Et aussi : ***Hertz*** *(☎ 0825-030-040, 0,15 €/mn ; • hertz.com •),* ***Avis*** *(☎ 0820-05-05-05 ou 0821-230-760, 0,12 €/mn ; • avis.fr •),* ***Europcar*** *(☎ 0825-358-358, 0,15 €/mn ; • europcar.fr •) et* ***Budget*** *(☎ 0825-003-564, 0,15 €/mn ; • budget.fr •).*

Aux États-Unis

■ ***Hertz :*** *☎ 1-800-654-3001. • hertz.com •*

■ ***Avis :*** *☎ 1-800-331-1084. • avis.com •*

■ ***National :*** *☎ 1-877-222-9058. • nationalcar.com •*

■ ***Budget :*** *☎ 1-800-527-0700. • budget.com •*

■ ***Thrifty Rent-a-Car :*** *☎ 1-800-847-4389. • thrifty.com •*

■ ***Dollar Rent-a-Car :*** *☎ 1-800-800-6000. • dollar.com •*

URGENCES

– ***Pour une urgence (médicale ou autre), téléphonez au ☎ 911*** (numéro national gratuit). Si vous ne parlez pas l'anglais, précisez-le à l'opérateur *(« I don't speak English, I am French »)* qui vous mettra en relation, selon votre problème, avec la personne adéquate (la police, les pompiers ou les ambulances).
– ***Mount Sinai Hospital*** *(plan 2, H7) : 1468 Madison Ave (et 101st St). ☎ 212-241-6500. Service d'urgences.*
– ***Bellevue Hospital Center*** *(plan 1, D2) : 421 1st Ave (et 26th St). ☎ 212-562-4141. Service d'urgences 24h/24.*
– Voir aussi « ***Santé*** » plus haut.

VISITES GUIDÉES

À pied

■ ***Big Apple Greeter :*** *☎ 212-669-8159 (en sem). • bigapplegreeter.org •* Une manière originale de découvrir New York. *Big Apple Greeter* est une association de bénévoles *(volunteers* ou *greeters),* qui sont de vrais New-Yorkais amoureux de leur ville et désireux de la faire connaître. L'organisation est très pro (pas d'improvisation à la dernière minute !). Il faut les contacter 4 semaines à l'avance minimum (voire plus à certaines périodes) sur Internet. Vous aurez à remplir une fiche précisant les quartiers que vous souhaiteriez visiter, vos goûts et dans quelle langue vous désirez faire la visite. Laissez aussi votre date d'arrivée, votre e-mail et les coordonnées de votre hôtel. Ils vous contacteront alors pour vous donner vos date et lieu de rendez-vous. Bref, c'est sérieux, bien ficelé (les promenades durent de 2 à 4h) et... gratuit (donation bienvenue cela dit) ! Les bénévoles sont triés sur le volet et les groupes ne dépassent jamais 6 personnes, enfants compris. Et puis, reconnaissons-le, le meilleur guide du monde ne remplacera pas les bons conseils d'un autochtone.

■ ***Big Onion Walking Tours :*** *☎ 1-888-606-9255. • bigonion.com • Env 18 $; réducs. Compter 5 $ de plus pour le* Multi-Ethnic Eating Tour *(résa nécessaire pour ce dernier).* Visite des différents quartiers de la ville, menée par des historiens travaillant en étroite collaboration avec la New York Historical Society. Gage de qualité ! Généralement à 11h, 13h ou 14, durée environ 2h. Au programme : Financial District, Greenwich Village, Chelsea et la High Line, Historic Times Square, Historic Harlem et plusieurs tours sur Brooklyn... sans oublier un tour gay et lesbien, un autre sur les *Gangs of New York* (qui inspirèrent le film de Scorsese) et le très original *Multi-Ethnic Eating Tour* qui combine histoire et gastronomie à Lower East Side, Chinatown et Little Italy. Voir le calendrier des visites sur leur site web.

■ ***Brooklyn Attitude :*** *☎ et fax : 718-398-0939. • info@brooklynattitudetours.com • brooklynattitudetours.com • Tarif : 30-60 $/pers selon nombre de participants (limité à 10). Moins de 16 ans 30 $. CB refusées.* Visites guidées thématiques de Brooklyn, conduites par un Brooklynite de la 3ᵉ génération qui parle parfaitement le français. Voir la rubrique « Adresses et infos utiles » au début du chapitre Brooklyn.

■ ***Urban Oyster :*** *☎ 347-618-8687. • urbanoyster.com •* Une poignée de thématiques seulement, mais originales et dans l'air du temps : tour des brasseries de Brooklyn, l'immigration vue au travers de la cuisine, la *street food*...

– ***Visites guidées du New York hip-hop :*** *Hush Hip Hop Tours, ☎ 212-209-3370. • nychiphoptours.com •* Pour découvrir New York sous son angle hip-hop, la culture des graffitis, les bœufs historiques... Tours dans Harlem, Brooklyn, Queens et le Bronx. Vu les prix, c'est réservé aux fans.

À vélo

Dans le cadre du développement du New York vert, la ville s'est dotée d'un grand nombre de bandes cyclables *(bikelanes)* et de pistes cyclables en site propre *(bikepaths).* Une manière désormais sécurisée de découvrir les différents quartiers. Se procurer auprès du Visitor Center la ***NYC Cycling Map,*** la carte détaillée de toutes les pistes cyclables de New York, ou téléchargez-la en pdf sur le site : *• nyc.gov/bikes •*

■ ***Bike the Big Apple :*** *☎ 646-294-4641. • bikethebigapple.com • Env 80-90 $/pers le tour, loc du vélo comprise (8 ans min) ; si possible réservez au moins 3 j. à l'avance ; possibilité de groupe privatif dès 6 pers.* Cette petite entreprise originale propose des tours guidés de jour (toute l'année) comme de nuit (l'été seulement). Les circuits sont encadrés par 2 accompagnateurs, un « ouvreur » et un autre en « fermeture » et durent 5-6h (environ 30 km). On pédale, on s'arrête, le guide cause (possibilité de guide francophone, à préciser lors de la résa), on écoute, on s'arrête pour casser la croûte, et c'est reparti mon kiki. Ça permet d'avoir une approche complètement différente de la ville. Jesse, le patron, est un passionné, il a potassé ses circuits car il connaît les attentes de ses clients (une douzaine par groupe, environ). Le dimanche, cap sur Harlem pour assister à une messe gospel ; au plus fort de l'été, le *Special by night* vous fait pédaler au pied des gratte-ciel illuminés, ou encore, cap sur la plage de Coney Island et son parc d'attractions, non sans avoir sillonné les *brownstones* de Brooklyn (très sympas à faire en vélo). Et puis un petit *run* dans Central Park, le nez au vent le long de l'Hudson River, etc. Une façon originale de parcourir la Grosse Pomme !

En bus

Plusieurs compagnies privées possèdent des *double decker bus* (à deux étages) et organisent des ***visites guidées*** variées. La plupart sont représentées aux guichets excursions des grands hôtels. Assez cher.
Les visites des lieux de tournage remportent un gros succès, particulièrement auprès des fans de séries TV culte comme *Sex and the City, Friends* et *Les Soprano.*

■ ***Gray Line New York Sightseeing :*** *777 8th Ave (entre 47th et 48th). ☎ 212-445-0848 ou 1-800-669-0051. • newyorksightseeing.com* • Plusieurs formules, dont le très pratique *hop-on hop-off* (on descend et on remonte dans le bus autant de fois qu'on le souhaite).
■ ***On Location Tours :*** *☎ 212-683-2027. • screentours.com • Résa conseillée (on vous donne alors le lieu exact de rdv). Compter 40-45 $ selon le tour.* Une idée assez marrante : la visite des lieux cultes de tournages de films comme les classiques *Manhattan, Love Story, Kramer contre Kramer, Quand Harry rencontre Sally,* ou les plus récents *Spiderman, Le Diable s'habille en Prada...* mais encore des séries TV new-yorkaises *Sex and the City, Les Soprano, Friends, How I Met Your Mother...* Plusieurs possibilités d'excursion (de 3h à 4h), en anglais le plus souvent mais à priori aussi un tour par semaine au moins en français.

En bateau

NY Waterway Tours : *Pier 78, le long de l'Hudson River Greenway. ☎ 1-800-533-3779 (info ferries), 1-800-532-8737 (info bus). • nywaterway.com • Ⓜ (A, C, E) 42nd St-Port Authority Bus Terminal. Fonctionne dim-jeu 9h-19h45 (horaires élargis le w-e et l'été, consulter leur site) ; adulte 28 $, enfants 3-12 ans 17 $.* Une minicroisière de 90 mn jusqu'au pont de Williamsburg et retour pour voir la *skyline* « côté jardin » et tout savoir sur l'histoire du port de New York.
Circle Line *(plan 2, F11) : départ de l'embarcadère n° 83 au début de W 42nd St. ☎ 212-563-3200. • circleline42.com* • Fait le tour complet de Manhattan en 3h (38 $, 25 $ enfants 3-12 ans). Trop long pour ce que l'on voit. Sinon, possibilité de faire un demi-cercle autour de la partie sud de Manhattan en 2h (34 $, 23 $ enfants) avec option coucher de soleil possible. Également un tour qui fait en 1h15 l'aller-retour vers la statue de la Liberté et Ellis Island, mais il ressemble beaucoup au trajet en bateau pour voir la statue de la Liberté (au départ de Battery Park) tout en coûtant plus cher (27 et 19 $). Pour ceux qui aiment les sensations fortes, *Circle Line* dispose aussi d'un hors-bord très coloré, *The Beast (La Bête),* qui fait le tour de Manhattan en 30 mn, mais on est tellement secoué et trempé que c'est difficile d'apprécier le paysage. *Mai-oct ; départs ttes les heures. Pas donné non plus (26 $, 20 $ enfant).*
Voir également « Transports. En bateau. Les New York Water Taxis ».

En hélicoptère

C'est le moyen le plus original (et le plus bruyant) de découvrir New York. Évidemment, il faut y mettre le prix (parfois réducs en réservant via leurs sites internet).

■ ***Liberty Helicopters :*** ☎ *212-967-6464 (rens) ou 1-800-542-9933 (résas pour le jour même). ● libertyhelicopters.com ● Départs tlj du Downtown Heliport au Pier 6 sur l'East River. Résa préférable à partir de 3-4 passagers. Plusieurs circuits différents 15-20 mn, à partir de 150 $. Attention, arrivé à l'héliport on vous réclame en plus 30 $/pers de taxes.*

■ ***Helicopters Flight Services :*** ☎ *212-355-0801. ● heliny.com ● Résa indispensable. Départs tlj du Downtown Heliport au Pier 6 sur l'East River. Mêmes tarifs.*

HOMMES, CULTURE, ENVIRONNEMENT

New York ne laisse personne indifférent. Elle désarçonne par son gigantisme et elle envoûte par sa diversité. Car New York, c'est LA ville, la ville des villes. Trop petite pour être un pays et trop grande pour être une simple cité. C'est une mégalopole de plus de 8 millions d'habitants où tout se crée, où tout se fait, où tout semble possible. Les grands mouvements, les modes, les innovations naissent et s'épanouissent ici. Et son pouvoir de séduction est toujours plus fort.

Même si vous n'y avez jamais posé les pieds, son décor vous est déjà familier car tout le monde connaît New York. Par les photos, par le cinéma, les séries télévisées et les chansons, vous aurez certainement l'impression d'être déjà venu ici. Mais très vite, vous vous apercevrez que tout est encore « plus »... que vous ne l'imaginiez. Plus grand, plus haut qu'ailleurs.

New York, c'est la ville de toutes les cultures, de toutes les ethnies, de toutes les cuisines... C'est la ville-monde. Chaque borough, chaque quartier a son identité propre. Mais attention, New York, « la ville qui ne dort jamais », bouscule ceux qui se la coulent douce. Faire une pause, c'est régresser. Il faut brûler les étapes, aller toujours plus vite. En fait, seuls les touristes peuvent se permettre de prendre leur temps. Vous en avez de la chance ! New York, c'est plus qu'une ville, c'est une expérience unique, une machine à rêves, un mythe, une addiction.

Le 11 Septembre a marqué à jamais son histoire, mais la blessure commence tout doucement à cicatriser. Le nouveau World Trade Center prend forme. Malgré la crise, les New-Yorkais ont retrouvé un peu le sourire et leur légendaire vitalité.

POURQUOI LA BIG APPLE ?

L'expression fut utilisée, vers 1930, par les musiciens des jazz bands, désignant New York (Harlem surtout) comme la capitale mondiale du jazz. La formule à l'époque était : « Il y a beaucoup de pommes sur l'arbre, mais quand tu cueilles NY City, tu cueilles la grosse pomme. » En 1971, l'office de tourisme relança l'expression pour dynamiser l'économie touristique. Et aujourd'hui, la grosse pomme rouge est un symbole universel.

ARCHITECTURE

Les XVIIe et XVIIIe siècles : du style georgien au style fédéral

Au XVIIe s, avec l'arrivée des Hollandais et surtout des Anglais, l'architecture georgienne, inspirée par la Renaissance, traverse l'Atlantique et se répand dans ce qui devient New York en 1664. Après les guerres, les incendies et les démolitions, les héritages de ce style sont très rares aujourd'hui.

À voir : *Saint Paul's Chapel* et *Fraunces Tavern Museum* dans Lower Manhattan, la *Morris-Jumel Mansion* à Harlem. Après l'indépendance, le 4 juillet 1776, on veut effacer tout ce qui peut rappeler la domination britannique. Le style georgien laisse alors place au style fédéral, plus austère, sobre et massif (frontons et colonnes). Il en reste quelques exemples aujourd'hui, dont le *City Hall* (la mairie) de Lower Manhattan.

Le XIXe siècle : l'époque des « néo... »

Tout au long du XIXe s, tous les styles produits en Europe sont repris à New York, et plus généralement dans tous les États-Unis. C'est un retour aux sources. L'Antiquité grecque représente le mieux l'aspiration à une culture démocratique. Le mouvement le plus important est ainsi le ***style grec antique,*** appelé aussi *Greek Revival* : colonnes, frontons monumentaux et portiques fleurissent dans Manhattan. À voir : le rez-de-chaussée de la *City Bank* au 55 Wall Street (Lower Manhattan), quelques hôtels particuliers dans Greenwich Village et une série de maisons à Brooklyn (voir « Brooklyn Heights. Balades dans le quartier »)...
Puis arrive le ***gothique,*** qui devient donc néogothique avec un goût plus prononcé pour l'ornement extérieur. Les deux plus beaux exemples sont *Saint Patrick's Cathedral* dans Midtown et *Trinity Church* dans Lower Manhattan. Contrairement à ce que l'on pourrait imaginer, ces édifices religieux sont extrêmement bien mis en valeur par les gratte-ciel environnants. Amateurs de photo, régalez-vous...
Enfin vient l'***éclectisme architectural,*** qui prend ses sources à la fois dans les styles néo-Renaissance italienne, *Victorian gothic, Queen Anne* ou *romanesque.* Il se répand dans la seconde moitié du XIXe s et donne naissance aux *townhouses* prisées des familles bourgeoises. Parmi elles, les fameuses *brownstones,* ces maisons individuelles de grès brun qui ont été transformées en appartements au XXe s. Elles sont présentes encore un peu partout dans Manhattan, et vous pouvez en voir de belles dans Greenwich Village, Chelsea, autour de Gramercy Park, à Harlem et surtout à Brooklyn (voir les itinéraires proposés dans ce chapitre). À la toute fin du XIXe s et au début du XXe s, les clients riches font leurs commandes aux architectes en choisissant leur style préféré : néoroman pour le *Metropolitan Museum of Art* (East Side), néo-Renaissance pour le *Dakota Building* (West Side), etc. Beaucoup de ces édifices sont aujourd'hui classés comme *landmarks,* c'est-à-dire inscrits sur la liste des bâtiments les plus remarquables de New York.

LES ICÔNES DE NEW YORK

Symboles de la Big Apple au même titre que la statue de la Liberté ou l'Empire State Building, les water towers, ou citernes d'eau, font partie intégrante du paysage new-yorkais. Installées depuis le milieu du XIXe s sur les toits des immeubles de plus de six étages, elles facilitaient leur alimentation en eau et servent aujourd'hui de réserves en cas d'incendie.

Le XXe siècle : la *skyline*

Dès la fin du XIXe s, des problèmes de surpopulation, et donc de loyers prohibitifs, se font sentir dans l'étroite île de Manhattan. La solution architecturale est donc de construire en hauteur, en utilisant pour cela des innovations techniques. New York devient peu à peu une « ville debout » et s'élève au-dessus du reste du monde. Mais la structure du sol de Manhattan a limité la hardiesse des architectes aux deux seuls quartiers où le sol est dur : Lower Manhattan et Midtown.
L'histoire des ***gratte-ciel (skyscrapers)*** trouve ses bases techniques à Chicago. Tout commence véritablement en 1857 avec l'invention révolutionnaire de l'ascen-

seur par M. Otis. La fonte et l'acier offrent également aux architectes de plus grandes possibilités. Les premières tentatives de ***buildings à charpente en fonte*** sont réalisées à New York à la fin des années 1850 ; ce sont les fameux ***cast-irons*** qu'on peut voir à SoHo par exemple. Les immeubles à ossature en acier (beaucoup plus solide que la fonte) apparaissent à Chicago vers 1880 et arrivent à New York au tournant du XXe s. Le premier building de ce genre est le *Flatiron* (Madison Square), qui mesure 87 m de haut. Sa construction marque le début d'une véritable révolution technique, et sa conception originale est aujourd'hui encore saluée par tous les grands architectes. Comme c'est souvent le cas pour les chefs-d'œuvre, le principe structurel est assez simple : il s'agit d'un squelette en acier habillé de pierre, triangulaire en plan, qui permet de répartir le poids des murs sur l'ensemble de l'édifice et non pas seulement sur ses fondations. Cette technique a l'immense avantage de contreventer le bâtiment, qui est pourtant par nature une forme très rigide. Conçu également pour résister aux tremblements de terre, ce triangle allongé aux proportions inédites à l'époque lance, en 1902, la course au gigantisme. Sa légèreté et son originalité ont fait l'objet de nombreuses œuvres d'art, photos et cartes postales en tout genre. Un vrai modèle !
En 1916, New York adopte la *zoning law,* la fameuse loi d'urbanisme réglementant la hauteur et la forme des buildings. Elle impose les étages en retrait, afin de préserver de la clarté et une certaine ventilation des rues avoisinantes. Elle met donc fin aux blocs longs et compacts qui s'élevaient aussi haut que l'architecte le voulait, mais seulement sur un quart de la surface au sol. Cela donne lieu aux interprétations les plus diverses et les plus créatives. De cette époque date aussi le décret sur la prévention contre les incendies imposant les fameux escaliers métalliques *(fire escape)* sur les façades des immeubles.
Parlons un peu du ***style Art déco*** : il trouve ses bases à Paris, à l'occasion de la fameuse Exposition des arts décoratifs de 1925, qui inspire les architectes new-yorkais et, plus généralement, introduit aux États-Unis l'Art déco et son style très épuré et géométrique.
Une autre idée apparaît : faire de chaque building un symbole. La raison d'être du building est de représenter une entreprise, une personne ou même une idée. Ainsi, le *Woolworth Building* (construit en 1913), qui s'inscrit alors comme le plus haut du monde avec ses 240 m, est baptisé « la Cathédrale gothique du commerce ». À la fin des années 1920, cette course s'intensifie : Walter Chrysler veut battre le record. Résultat : le *Chrysler Building* qui culmine à 320 m. Il ne restera le plus haut du monde que deux petites années : en 1931, il est détrôné par l'*Empire State Building* (380 m), qui symbolise l'État de New York, appelé aussi « Empire State ».
Après la Seconde Guerre mondiale, les matériaux utilisés évoluent avec l'arrivée de l'aluminium et du verre. Les architectes de l'époque, très influencés par le ***style international*** et plus particulièrement par l'école allemande de design du Bauhaus, imaginent des immeubles clairs, rectangulaires et dépouillés, dotés de « murs-rideaux » où le verre domine. Le précurseur des gratte-ciel en verre est le *siège de l'ONU* (Midtown), suivi par le *Citicorp* et le World Trade Center qui, avec ses 410 m, demeura depuis sa construction dans les années 1970 et jusqu'à sa destruction, suite aux attentats du 11 septembre 2001, le plus haut building de New York. Les années 1980 ont vu naître une nouvelle époque architecturale : le ***postmodernisme,*** qui réagit au fonctionnalisme de l'époque précédente. Le building est toujours là, mais des colonnes et des arcs inspirés du style classique réapparaissent, ainsi que la pierre. Le plus bel exemple en est le *Sony Building,* dans Midtown.
À la fin des années 1990, l'architecte français Christian de Portzamparc renouvelle le concept du gratte-ciel avec sa fameuse *tour LVMH (57th St et Madison Ave ; voir « Midtown »)* remarquée pour sa forme prismatique, un croisement audacieux entre une toge s'enroulant sur elle-même et une tulipe de verre. Il faut le voir pour le croire. Parmi les autres buildings marquants de cette époque, notez l'*Austrian Cultural Forum (11 E 52nd St, entre 5th et Madison Ave)* évoquant une

colonne vertébrale et, bien sûr, les deux tours trapézoïdales en verre noir du *AOL Time Warner Center* sur Columbus Circle.

Le renouveau architectural post-11 Septembre

Il aura fallu quelques années après les attentats de 2001 pour que New York revienne sur le devant de la scène architecturale mondiale. Cette cité bouillonnante est redevenue le grand laboratoire où tous les styles s'entrechoquent, fusionnent et se réinventent. Le *New Museum of Contemporary Art,* inauguré en 2007 sur Bowery et dessiné par l'agence japonaise SANAA, est un audacieux empilement de blocs décentrés, aux proportions inégales, recouverts d'un treillage métallique. L'idée géniale, c'est d'offrir des volumes uniques et des éclairages inédits grâce aux espaces dégagés dans le décrochement des structures. La mode est également aux ***tours de logements*** « griffées », et les plus grands architectes ont été sollicités pour en construire : Richard Meier, Christian de Portzamparc, Santiago Calatrava, Herzog et De Meuron, Bernard Tschumi (une tour toute bleue dans le Lower East Side)... Dernière en date (2011), la Beekman Tower de Frank Gehry, à deux pas du chantier du World Trade Center, véritable symbole du *comeback* de New York après la crise. Drapé de métal ondulant à la manière d'une peau de serpent, c'est le premier ***gratte-ciel design*** de la Big Apple et la plus grande tour résidentielle des USA.

Parmi les autres grandes réalisations de cette dernière décennie, citons l'extension de la *Morgan Library* par Renzo Piano, qui a aussi conçu le nouveau siège du *New York Times* sur 8th Avenue (entre 40th et 41st), saisissant par sa rigueur et sa transparence : les rideaux de lames habillant les quatre angles de la tour de verre permettent de capter la lumière sans néanmoins absorber la chaleur. Une transparence aussi symbolique de l'information sans détours, encore représentée dans les quatre étages inférieurs occupés par la rédaction et creusés dans un vide où trône une miniforêt de bouleaux. La *Hearst Tower,* de Norman Foster, qui ressemble à une serre géante avec son original maillage triangulaire *(959 8th Ave et 57th Ave),* fut le premier ***gratte-ciel écolo*** : utilisation de matériaux recyclés tant pour la structure que l'aménagement intérieur. Et puis, en vrac, le *Westin NY (270 W 43rd St et 8th Ave),* réalisé par le cabinet Arquitectonica de Miami et très original avec ses panneaux de couleur très latino et ses volumes (le haut de la tour forme un arc de cercle) ; le *IAC Building* de Frank Gehry à Chelsea *(11th Ave et 18th St)* évoquant un navire géant ou un iceberg, la tour Harlequin de Jean Nouvel juste derrière avec sa façade fragmentée façon Mondrian, etc.

Mais la « une » architecturale reste bien sûr le ***chantier du World Trade Center,*** un projet maintes fois remanié mais qui voit enfin le jour (voir « Lower Manhattan »).

BARS, CLUBS ET BOÎTES DE NUIT

La vie nocturne contribue pour une part très importante à l'économie et à l'énergie new-yorkaise. La plupart des bars sont ouverts jusqu'à 4h, même en semaine ! Par ailleurs, dans « la ville qui ne dort jamais », les *after hours clubs* sont ouverts jusqu'à 8h, bien que la vente d'alcool cesse à 4h, tandis que le « *last call for alcohol* » (dernier verre alcoolisé servi) est à 1h dans les autres discothèques. Paradoxalement, les meilleurs plans de sortie sont parfois en semaine... Depuis quelques années, un concept fait de plus en plus d'adeptes : les ***speakeasies.*** Ce sont des bars « secrets », dans l'esprit de ceux de la prohibition. Le principe part d'un postulat valorisant à l'endroit de la personne : vous y êtes, c'est donc que vous l'avez trouvé, et si vous l'avez trouvé, c'est que vous êtes dans le coup ! Élémentaire non ? Donc, pas d'enseigne, pas d'adresse (à peine quelques indications, parfois un simple numéro de portable), ça s'appelle avoir pignon sur cave et ça fait un tabac. Autre endroit à la mode : le ***rooftop*** (le toit-terrasse), un bar aménagé au sommet d'un immeuble et disposant d'une vue et d'une terrasse en plein air, hautement appréciable dans la touffeur de l'été new-yorkais (le must est que certaines sont même chauffées l'hiver !). À l'opposé, le **Biergarten** (ou *Beergarden*) à l'allemande est une cour intérieure où l'on sert, à grand renfort de bretzels, de choucroute et d'*imbiss,* une bière blonde à la pression dans des chopes gigantesques. Évidemment pour tout ça, ***il faut avoir 21 ans*** révolus, car le *drinking age* est sévèrement appliqué dans l'État de New York ! De toute façon, et à fortiori si vous ne faites pas votre âge, ayez toujours votre ID (prononcer « aïdii ») sur vous, ça vous évitera de parler avec les mains devant le nombril du gorille qui vous interdit l'entrée. Tous les lieux servant de l'alcool interdisent l'accès aux moins de 21 ans, parfois même aux moins de 25 ans, et même accompagnés d'adultes ; les discothèques en font partie, ainsi que certaines boîtes de jazz ou lieux de concerts avec bar (voir « Boissons. Les alcools »). Enfin, sachez qu'***un cocktail coûte grosso modo 15 $*** dans un bar chic et *trendy.*

Comment se mettre à la page ?

Oiseaux de nuit, New York vous enchantera. Pour peu que vous soyez un peu débrouillard(e) et que vous traîniez au bon endroit, vous dénicherez certainement de quoi vous remplir les esgourdes de décibels à votre convenance. Les bars où l'on pratique un bon live sont pléthore, de même que les *parties* improvisées (souvent on récupère l'info sur des *flyers* imprimés à la dernière minute ou sur les réseaux sociaux de la Toile), sans compter l'incruste (mais là on n'a rien dit...). La *nightlife* new-yorkaise commence souvent dans les quartiers qui bougent, comme East Village, il n'y a qu'à arpenter St Mark's Place entre 2nd et 3rd Street le samedi soir pour s'en convaincre. Après, on s'atomise un peu partout, à la faveur d'une adresse glanée entre deux mousses dans des *meeting points* d'anthologie comme Mac Sorley's ou the Burp Castle. Autre bon plan pour commencer sa soirée le week-end : Union Square. Il s'y passe toujours quelque chose, alors peut-être aurez-vous la chance d'assister à une *silent rave,* un truc délirant : un millier de danseurs et de danseuses, oreillette rivée dans les tympans, qui se dandinent dans un silence monacal (enfin presque...) parce qu'à l'instant « T » ils ont tous enclenché la même *playlist* sur leur *iPod* ! Sans compter la Saint Patrick, en mars, qui dure au moins 3 semaines, pour dessiner un trèfle au fond de sa Guinness... Mais, à moins de tomber à pic, si vous avez un coup de cœur pour un bar ou une boîte, mieux vaut téléphoner pour éviter de rester sur le carreau. Côté pépettes, les boîtes de nuit et les bars dansants ont un droit d'entrée (communément appelé *cover charge* ou *cover*) qui varie de 5 $ (pour les bars produisant de petits concerts) à 30 $ (pour les discos les plus sélectes le week-end). Le *cover* n'inclut presque jamais de conso (dur !), ni le vestiaire. Cela dit, il y a quelques établissements qui ne prennent pas de *cover* (on vous en indique), c'est le cas notamment dans Lower East Side et East Village, les deux quartiers qui bougent le plus côté vie nocturne à Manhattan, ainsi qu'à Williamsburg, à Brooklyn.
Et, *last but not least,* pour payer moins cher, voire rien du tout, toujours téléphoner avant pour s'inscrire sur la *guest list.* Un plan pouvant s'avérer intéressant : Club Planet *(● clubplanet.com ●)* détient bon nombre de ces listes et pourra vous guider. Il faut vous inscrire (pas de frais) et vous avez ensuite accès à tous les services.

Quelques styles tendance ou *revival...*

Les discos sont souvent abreuvées d'électro, techno, disco ou *garage* (une house à quatre temps, élaborée par le feu Larry Levan, l'un des tous premiers DJ's modernes qui connut ses heures de gloire dans les années 1980). On trouve aussi de nombreux endroits où dominent hip-hop, R'n'B (rap soft, à ne pas confondre avec *rhythm and blues*) et rap. Grâce à la communauté caribéenne et sud-américaine, la musique latino est également très présente : mambo, cha-cha, salsa, *bachata*, etc. À noter, pour les fans de rythmes latinos, le site ● *salsanewyork.com* ● D'autres styles de musique plus originaux sont aussi représentés, tel le swing (eh oui, cette danse des années 1930 revient à la mode !), mais également le fox-trot, le madison, le quick-step, le west-coast swing, dont quelques clubs se sont fait une spécialité. Au *Midsummer Night Swing,* au Lincoln Center, depuis 1988, ça swingue sur l'esplanade devant le Met Opera. Il y a aussi pas mal de swing, l'été, sur certains quais, notamment au sud de Manhattan. Le tango argentin n'est pas en reste. On peut le danser dans de nombreux bars et pendant l'été dans Central Park et à Battery Park. Pour tout savoir et prendre des cours : ● *tangonyc.com* ●

BOISSONS

Les boissons non alcoolisées (*soft drinks*)

– ***L'eau glacée :*** dans les restos, la coutume est de servir d'emblée un verre d'eau glacée à tout consommateur. Quand on dit « glacée », ce n'est pas un euphémisme, donc n'hésitez pas à demander sans glace *(no ice, please)* ou avec peu de glaçons *(with little ice).* Les Américains sont des adeptes de l'eau du robinet *(tap water)* et consomment très peu d'eau minérale dans les restaurants. D'ailleurs, une fois vide, votre verre sera immédiatement rempli de nouveau (et avec le sourire !).

– ***Le thé et le café :*** le ***café américain*** de base (*regular* ou *American coffee*) est plus proche du café très allongé (pour ne pas dire du jus de chaussette) que du *ristretto* italien. Il faut dire que les Américains en sirotent à longueur de journée, y compris dans le métro et la rue grâce à ces tasses thermos que vous verrez partout, d'où l'intérêt qu'il ne soit pas trop fort. Si vous voulez un café noir, précisez bien *black coffee,* sinon on vous le sert souvent avec du lait. Cela dit, les amateurs d'***espresso*** ne seront pas en reste car on trouve un peu partout maintenant du très bon café à New York, notamment dans les nombreuses *coffee houses* qui proposent des sélections de grains des quatre coins du monde. Mais la grande mode, c'est le ***caffe latte*** (double *espresso* avec lait chaud), le ***cappuccino*** (un espresso avec juste une mousse de lait et un petit *topping* de poudre de cacao) et le ***macchiato*** (le plus allongé de lait).

Dans de nombreux restos, *diners* et caféts (en particulier pour le petit déj), on peut redemander le café de base autant de fois qu'on le désire *(free refill).* Cela ne s'applique pas aux *coffee shops* bobos ou sophistiqués qui envahissent la ville, ni au café de fin de repas, ni surtout aux cafés spéciaux (*espresso,* cappuccino et consorts). Le ***thé*** a aussi le vent en poupe, servi chaud ***(hot tea)*** ou glacé ***(iced tea),*** surtout le thé vert ***(green tea)*** et le ***chai latte*** (thé noir sucré et épicé, avec du lait). Attention, le ***herbal tea*** est en fait une infusion. À Chinatown, c'est le ***bubble tea*** qui a la cote : un mélange de thé et de lait parfumé de différents goûts, et de perles de tapioca noir, que l'on aspire avec une grosse paille.

– ***Coca et sodas :*** on le sait, les Américains ont inventé le Coca-Cola (*Coke,* comme on dit là-bas) et ils consomment des sodas sucrés à longueur de journée. D'ailleurs, dans de nombreux restaurants de chaîne, fast-foods, *coffee shops* et autres petits restos, les sodas *(fountain drinks)* sont souvent à volonté. Soit on se sert soi-même « à la pompe »,

SAINT NI-COLA

Tout le monde a en tête les pubs des années 1930 représentant un papy joufflu, habillé de rouge et blanc et buvant du Coke pour se donner des forces. Un joli coup de marketing afin d'inciter les enfants à consommer du Coca pendant l'hiver ! La firme a popularisé la version moderne du Père Noël (loin du modèle original du IVe s, l'évêque saint Nicolas). Et, contrairement à la croyance collective, la couleur rouge de son costume n'a pas été choisie parce que c'était celle de Coca-Cola... Les légendes ont la vie dure !

soit on demande un *free refill* (comme pour le café). Autre habitude de plus en plus en vogue : les ***energy drinks,*** ces boissons à base de caféine, parfois de guarana et, en ce qui concerne le *Red Bull* (la boisson la plus vendue au monde devant le Coca et autre Pepsi), de taurine, une molécule longtemps interdite en France (et toujours déconseillée par les autorités sanitaires...). Ces boissons énergisantes ont souvent un goût chimique assez... improbable.

- ***Les smoothies :*** ce sont des cocktails de fruits mixés et mélangés à du yaourt, du lait ou de la glace. Frais et sain. La chaîne *Jamba Juice* est spécialisée là-dedans mais il y en a d'autres.
- ***La root beer :*** ce breuvage au goût improbable de chewing-gum médicamenteux est très apprécié des *kids* américains, mais n'a rien à voir avec de la bière. La marque la plus courante est la *A & W.*
- **Les cream sodas** ***:*** encore une expérience culturelle à tenter. Il s'agit d'un soda (en général du Coca, mais aussi de la limonade ou de la *root beer*) mélangé à de la glace à la vanille. Hyper sucré et... heu, un retour en enfance assuré.

Les alcools

Le rapport des Américains à l'alcool n'est pas aussi simple que chez nous. La société, conservatrice et puritaine, autorise la vente des armes à feu mais réglemente de manière stricte tout ce qui touche aux plaisirs « tabous » (sexe, marijuana, alcool). L'héritage de la prohibition et bien sûr les lobbies religieux n'y sont pas pour rien. **N'oubliez pas vos papiers (*ID,* prononcer « aïdii »), car les bistrots, bars et boîtes de nuit les exigent à l'entrée.**

- ***Âge minimum : le*** **drinking age** ***est de 21 ans dans l'État de New York.*** On ne vous servira pas d'alcool dans les bars ni dans les épiceries si vous ne pouvez pas prouver que vous les avez. Il vous faudra donc impérativement votre passeport. Avis aux moins de 21 ans, certains lieux (de concerts notamment) vous refuseront catégoriquement l'entrée, même si vous promettez de ne pas boire d'alcool.
- ***Vente et consommation surveillées :*** il est strictement interdit de boire de l'alcool (bière comprise) dans la rue. Vous serez frappé par le nombre de gens cachant leur canette de bière dans un sachet en papier ou dans une housse en néoprène censée conserver la fraîcheur. On peut acheter des bières dans les supermarchés et épiceries, mais le vin et les autres boissons alcoolisées ne se trouvent que dans les *liquor stores.*
- ***Les vins :*** les *vins californiens* enchanteront les amateurs. Les progrès des vignerons sont considérables depuis quelques années (ils sont nombreux à avoir appris le métier en Europe, en France notamment, et pendant plusieurs vendanges), et certains crus n'ont plus à rougir de la comparaison. On pense notamment aux vins d'exception de grands domaines comme *Beringer* ou *Mondavi.* Cela dit, la plupart des *wineries* vinifient des vins souvent charmeurs, faciles à apprécier mais généralement sans complexité... Seule véritable ombre au tableau, les crus, même les moins élaborés, sont proposés à des prix très élevés (goûter au célèbre *Opus One* relève même du fantasme !). Quant aux vins français ou italiens, très bien représentés également sur les cartes des restaurants, ils sont encore plus chers. Reste l'option du vin au verre, mais compter 8 à 12 $ le verre selon les endroits ! Attention, ***certains restos n'ont pas la licence d'alcool*** et appliquent le principe du *Bring Your Own Bottle* ***(BYOB).*** Ce qui signifie que vous avez le droit d'apporter votre propre bouteille de vin ou de bière, par exemple. Une pratique qui a le mérite d'alléger considérablement l'addition !
- ***Les cocktails :*** on assiste depuis quelques années à une renaissance des cocktails. Aux États-Unis, on les appelle *cocktails martini* ou ***martinis,*** ce qui n'a rien à voir avec l'apéritif du même nom en France. Parmi les plus connus : le ***manhattan*** (vermouth rouge, bourbon et bitter) et bien sûr le ***cosmopolitan*** ou *cosmo* (vodka, Cointreau ou triple-sec, jus d'airelle et citron vert), tout rose et considéré

comme LA boisson emblématique de la New-Yorkaise, popularisée par la série culte *Sex and the City*. Les cocktails latins sont aussi très à la mode. La ***margarita*** est un classique (tequila, Cointreau, jus de citron vert, auxquels on ajoute souvent de la glace pilée), de même que le ***mojito*** (rhum, citron vert, sucre, eau gazeuse et feuilles de menthe), la *caipirinha* (même genre mais avec la *cachaça*, l'alcool de canne à sucre brésilien) et le *cuba libre* (rhum-Coca). Enfin, il y a aussi les cocktails réservés à l'heure du brunch, comme le ***bloody mary*** (vodka, jus de tomate relevé de citron, sauce *worcestershire,* Tabasco, sel et poivre) et le ***mimosa*** (champagne, jus d'orange et Cointreau ou triple-sec).

– ***La bière :*** tout le monde connaît la *Bud,* exportée dans tous les bars de la planète. Mais à New York, la star, c'est la ***Brooklyn Lager*** ! Brassée dans une ancienne fonderie de Williamsburg, cette bière artisanale déclinée en une quinzaine de variétés (blonde, rousse, brune, de saison...) a peu à peu conquis le marché jusqu'à devenir un incontournable dans tous les bars de la ville. L'effet de mode n'est sans doute pas étranger à sa diffusion, mais c'est évidemment sa qualité qui fidélise les amateurs. Elle a du goût, elle !

– ***Le bourbon*** (prononcer « beur' beun ») ***:*** impossible de passer sous silence ce whisky américain *(whiskey)* dont le Kentucky fournit une bonne moitié de la production (et le Tennessee le reste). Cette région s'appelait autrefois le *Bourbon County,* dont le nom fut choisi en l'honneur de la famille royale française. C'est ainsi, depuis 1790 (en pleine Révolution française), que le célèbre whisky américain porte le nom de bourbon. Pas étonnant non plus que la capitale du bourbon s'appelle... Paris.

LE BOURBON EST-IL UN WHISKY ?

Oui, bien qu'on utilise un mélange de céréales (et non seulement de l'orge), dont au moins 51 % de maïs. De plus, à la différence des Écossais ou des Irlandais, les Américains le font vieillir dans des fûts de chêne neufs noircis à la fumée. Le goût du bois est donc plus prononcé, avec une note de caramel.

– ***Happy hours :*** beaucoup de bars attirent les yuppies après le travail, généralement entre 16h et 19h, en leur proposant moitié prix sur les *drafts* (bières pression) ou autres *mixed drinks* (boissons composées d'un alcool et d'un soda) et cocktails.

CUISINE

Dire que les Américains mangent mal et trop est très simpliste. C'est encore malheureusement une réalité dans certains coins des États-Unis (de moins en moins cela dit), mais certainement pas à New York (qui a toujours été un cas à part), où vous ferez des découvertes culinaires, à condition d'aller dans les bons endroits, bien sûr.

La capitale gastronomique des États-Unis se targue d'être aussi la « ville la plus mince » du pays, même si le maire Michael Bloomberg a fait de la lutte contre l'obésité son dernier cheval de bataille. Les New-Yorkais se sont mis il y a déjà quelques années au régime *eating healthy* et sont fans de **bio (organic),** que l'on retrouve à toutes les sauces. Le ***phénomène « locavore »*** fait désormais partie des mœurs. Ce comportement alimentaire, né à San Francisco, privilégie la consommation d'ingrédients locaux, pas nécessairement bio mais produits dans un rayon limité (en général, une centaine de miles). Mais la grande particularité de New York, c'est que toutes les cuisines sont représentées et qu'on trouve partout de tout à tous les prix, de la ***cuisine de rue (street food)*** vendue par les marchands ambulants aux tables de grands chefs, en passant par les *delis* et les *salad bars* dans les grandes surfaces. Vous remarquerez rapidement que plus la cuisine est raffinée et créative, plus les quantités diminuent dans l'assiette (et plus l'addition est élevée, bien sûr) !

Attention au service (**gratuity *****ou tip*****) :*** parfois ajouté d'office sur l'addition, mais le plus souvent non, donc bien vérifier avant de payer. S'il n'est pas compris, il est d'usage de rajouter *15 % minimum (plutôt 18 %)* car les serveurs ne sont rétribués qu'au pourboire.

Les plats sont généralement bien plus copieux que chez nous (souvent pantagruéliques). Aucun problème pour commander une entrée seulement ou un plat pour deux, à partager (*to share*). Idem pour le breakfast.

La plupart des restos sont ouverts midi et soir (de 11h ou 12h à 15h ou 16h puis de 17h à 23h environ), avec parfois une petite interruption entre les deux services. Beaucoup servent le brunch le week-end et certains également le petit déjeuner en semaine. ***Dans le texte, on ne précise pas toujours les horaires, uniquement les jours de fermeture et quand ça change de l'ordinaire.***

Penser à réserver, surtout le soir, car les restos sont souvent pleins et l'attente de mise.

Certains restaurants n'ont pas la licence d'alcool, n'oubliez donc pas de prévoir votre « boutanche » (BYOB ; voir plus haut « Boissons ») !

Contrairement à ce qu'on pourrait penser, ***les cartes de paiement ne sont pas acceptées dans tous les restos.***

Le breakfast

Le *breakfast in America* est l'un des plus copieux qu'on connaisse. Pour les Américains, c'est souvent un vrai repas, abondant et varié (qui inclut du salé) et qu'ils prennent régulièrement dehors. Un peu partout, vous trouverez des restos qui servent le petit déj (certains ne font que ça), des cafétérias, des *diners* (restos populaires avec long comptoir et tables en formica ; à prononcer « daï'neur »), des *coffee shops* et autres *luncheonettes*...
La carte est souvent longue comme le bras avec, au choix, ***pancakes*** (crêpes épaisses arrosées de sirop d'érable et accompagnées parfois de fruits frais, de bacon grillé, etc.), pain perdu que l'on appelle ici ***French toast,*** et, bien sûr, des œufs ***(eggs),*** servis brouillés *(scrambled),* en omelette (*omelette* aussi en anglais) ou frits *(fried).* Sur le plat, l'œuf peut être ordinaire *(sunny side up)* ou retourné et cuit des deux côtés *(over)* comme une crêpe. Dans ce cas, pour éviter que le jaune ne soit trop cuit, demandez-le *over easy* (légèrement) et non *over medium*. Les œufs peuvent également être pochés *(poached),* mollets *(soft boiled)* ou durs *(hard boiled).* Ils sont généralement proposés avec du jambon grillé *(ham),* du bacon ou des saucisses, des pommes de terre sautées avec des oignons ***(homefries)*** ou des frites ***(French fries),*** plus rarement des ***grits*** (une spécialité du Sud des États-Unis héritée des Indiens, entre le porridge et la polenta) et enfin des toasts beurrés ; on vous demandera probablement si vous préférez du pain de mie blanc *(white),* complet *(brown)* ou entre les deux *(wheat).* Mon tout arrosé de ketchup (en option). Mais le fin du fin en matière d'œufs, ce sont les ***eggs Benedict*** : pochés, posés sur un petit pain rond toasté (un *English muffin*) et nappés de sauce hollandaise, avec le plus souvent du jambon grillé ou du saumon fumé, mais on en trouve moult déclinaisons.
Dans un registre plus « continental », il faut absolument goûter aux ***bagels.*** Inventés en Pologne au XVIIe s, ces petits pains en forme d'anneau, à la mie compacte

(moelleux à l'intérieur, croustillant dehors), ont suivi les émigrés juifs jusqu'à New York pour devenir un *breakfast food* incontournable. Servis traditionnellement grillés *(toasted)* puis tartinés de *cream cheese* (souvent du *Philadelphia*) ou de beurre et confiture, ils existent en différentes versions : nature *(plain)*, avec des raisins secs et de la cannelle *(cinnamon-raisin)*, des graines de sésame ou de pavot, de l'oignon, multigrains, etc. Nos préférés : les *everything*, avec comme son nom l'indique, un peu de tout dedans. Ne pas confondre les bagels avec les ***donuts*** (beignets ronds, troués aussi au milieu), dont les Américains, Homer Simpson en tête, sont très friands. On allait oublier les ***muffins,*** aux myrtilles, à la framboise, à la banane, etc., moelleux et délicieux, qu'on trouve surtout dans les *coffee shops.* Et les ***granola,*** mélange de céréales croustillantes (genre muesli) servies avec du yaourt, des fruits, etc.
Dernière chose, dans les formules petits déj ou bien les brunchs, la boisson chaude est rarement incluse. Mais si vous demandez un café *regular,* il sera en principe servi à volonté.

Le brunch

Une tradition du week-end incontournable chez les New-Yorkais. Le dimanche, et parfois aussi le samedi, de 10-11h à 15-16h en général, de nombreux restos et même des bars servent le brunch, c'est-à-dire des plats à mi-chemin entre le breakfast et le lunch, à accompagner d'une boisson chaude, d'une coupe de champagne (du mousseux parfois) ou d'un cocktail genre *bloody mary* ou *mimosa.* Armez-vous de patience car l'attente est souvent longue. Depuis quelques années, les brunchs gourmets ont le vent en poupe : produits de qualité et recettes élaborées, souvent inspirées des classiques américains mais revisitées avec légèreté et créativité.

Le lunch et le *dinner*

– Dans les restaurants, ***la carte n'est pas la même le midi et le soir.*** Au déjeuner, elle est souvent plus réduite et moins chère, avec principalement des salades, sandwichs, pizzas et autres burgers. Le soir, en revanche, les plats sont plus élaborés et les prix plus élevés. Il arrive parfois que les mêmes plats coûtent beaucoup plus cher le soir que le midi. Il est donc conseillé aux petits budgets de bien manger au déjeuner, quitte à ne casser qu'une petite graine pour le dîner. Ou alors, si, à cause du décalage horaire, vous avez faim tôt, profitez des tarifs ***early bird*** (spécial couche-tôt) : les restos new-yorkais ouvrent dès 17h ou 17h30 et certains proposent, pendant 1h ou un peu plus, des prix spéciaux pouvant atteindre - 30 % sur une gamme de plats. Dans le même ordre d'idées, certains pubs et restos ont des *happy hours* : de 16h30 à 19h, deux boissons au prix d'une ou buffet gratuit pour le prix d'une boisson.
– ***Les today's specials*** (ou ***specials*** tout court, ou encore ***specials of the day***) ***:*** ce sont les incontournables suggestions du jour, servies en fait midi et soir, que les serveurs vous encouragent à choisir. Attention, contrairement à nos « plats du jour », les *specials* sont souvent plus chers que le reste de la carte, et le prix n'est pas toujours clairement indiqué.
– ***Les salad bars :*** dans les ***delis*** (épiceries qu'on trouve à chaque coin de rue, ouverts 24h/24 le plus souvent, à ne pas confondre avec les *delicatessen,* lire plus loin), il y a souvent une section avec tout un choix de crudités, de salades composées (à accompagner de nombreuses sauces), plats cuisinés chauds ou froids de toutes sortes, y compris des plats asiatiques, parfois des sushis, des salades de fruits frais, etc., à consommer sur place ou à emporter. Idéal pour les végétariens. Il suffit de remplir une barquette et de passer à la caisse : on paie au poids (5-10 $ le *pound,* soit 454 g). Les plus beaux *salad bars* que l'on connaisse à New York sont ceux des supermarchés bio *Whole Foods Market* (voir index).

Lexique anglais-français spécial resto

– *For here or to go ?* : sur place ou à emporter ?
– *Appetizers* : entrées.
– *Entrees* (à prononcer presque à la française) : plats de résistance.
– *Are you done ?* : vous avez terminé ?
– *No, I'm still working on it* : non, je n'ai pas fini (de manger).
– *The check, please* : l'addition, s'il vous plaît.

Les spécialités

– ***Le hamburger (ou burger) :*** ce dernier n'a pas aux États-Unis la détestable image qu'il a chez nous, même si les chaînes de fast-food les plus populaires (*McDo* et consorts) proposent des viandes vraiment bas de gamme. Ce n'est bien sûr pas là qu'il faut le goûter pour l'apprécier, mais plutôt dans les enseignes du style « gourmet fast-food » comme *Shake Shack* et *Bareburger* (voir index) et dans les vrais restos, qui servent des viandes fraîches, *juicy,* tendres et moelleuses (on vous en demande la cuisson), prises entre deux tranches de bon pain. Attention, les frites (***fries*** ou ***French fries***) ne sont pas toujours servies avec, il faut parfois les prendre en plus.

LE HAMBURGER N'EST PAS AMÉRICAIN !

Fin d'un mythe, le hamburger est né en Allemagne, à Hambourg, comme son nom l'indique. À la fin du XIXe s, les immigrés allemands de la région de Hambourg affluaient en masse vers le pays de l'Oncle Sam, et le hamburger désignait alors le bifteck haché qu'on leur servait à bord des transatlantiques. C'est donc grâce aux immigrants que le burger a fait son apparition au Nouveau Monde, avant d'être récupéré par les frères McDonald qui le placent entre deux tranches de pain et le proposent en self-service !

– ***La viande de bœuf :*** de tout premier ordre mais chère. Détail intéressant : la tendreté de la viande américaine provient aussi de sa découpe (perpendiculaire aux fibres du muscle), différente de celle des bouchers français. D'où la difficulté de traduire les différents morceaux que l'on retrouve sur les cartes des restos new-yorkais. Parmi nos préférés figurent le ***filet mignon*** (rien à voir avec un filet mignon de porc, c'est un pavé dans le filet), le ***sirloin steak*** (faux-filet), le ***ribeye*** (entrecôte) et le célèbre ***T-bone,*** c'est-à-dire la double entrecôte avec l'os en T. Enfin, le très tendre ***prime rib*** (côte de bœuf) a aussi ses adeptes (à ne pas confondre avec le *spare ribs* qui est du travers de porc). Théoriquement, quand on souhaite un steak à point, on le demande *medium* ou *medium rare.* En revanche, *well done* signifie bien cuit, et saignant se dit *rare* (et non *bloody...*). Mais selon les endroits, il est parfois encore difficile d'obtenir de la viande *vraiment* saignante !
– ***Le delicatessen (ou deli) :*** une institution juive new-yorkaise, à ne pas confondre avec les autres *delis* qui désignent les épiceries-*salad bars* rencontrées à tous les coins de rue. Le vrai *deli* new-yorkais sert des spécialités juives d'Europe centrale (polonaises, ukrainiennes, hongroises, etc.). Il faut absolument goûter au ***pastrami*** (poitrine de bœuf moelleuse et épicée, servie tiède), au ***corned-beef*** ou à la dinde *(turkey),* servis en énorme sandwich sur du pain au cumin *(rye bread)* avec à côté le gros cornichon aigre-doux *(pickles)* et le sempiternel petit pot en carton de ***coleslaw*** (salade de chou blanc râpé avec sauce crémeuse).
– ***Les salades :*** les Américains sont les champions des salades composées. Toujours fraîches, appétissantes et copieuses, elles constituent un repas sain et équilibré. La star est la ***Caesar salad,*** à base de romaine, parmesan râpé, croûtons

et d'une sauce crémeuse à l'ail. En version *deluxe,* elle s'accompagne de poulet *(chicken)* ou de grosses crevettes *(shrimps).* La ***Cobb salad*** est un autre classique : salade verte, tomate, bacon grillé, poulet, avocat, œuf dur et roquefort.

– ***Les sauces (dressings) :*** impossible d'évoquer les salades sans le cortège de sauces qui vont avec. Les plus populaires sont la ***Ranch,*** relevée d'ail et de poivre, la ***Blue Cheese,*** au bleu, la ***Honey Mustard*** (vinaigrette moutardée avec une pointe de miel), la ***Thousand Island,*** de couleur rosée (un peu l'équivalent de notre « sauce cocktail »), la ***Caesar,*** au parmesan et à l'ail, qui accompagne la *Caesar salad, et la **Balsamic** (vinaigre du même nom et huile d'olive).* Pour ceux qui font attention à leur ligne, toutes ces sauces existent en version allégée *(light).* Vous voilà paré pour répondre à la rituelle question que l'on vous posera si vous commandez une salade : « *What kind of dressing would you like ?* »

– ***Les sandwichs :*** le sandwich que nous connaissons en Europe s'appelle en américain *cold sandwich.* À ne pas confondre avec les *hot sandwiches* (par exemple le *Philly cheesesteak sandwich*), qui sont de véritables repas chauds servis avec frites (ou chips ou *potato salad*) dans les restaurants, donc bien plus chers. On trouve aussi des ***wraps,*** ce sont des sandwichs mais roulés dans une tortilla. Au fait, savez-vous d'où vient le mot « sandwich » ? Il tire son nom du comte Sandwich, joueur invétéré qui, pour ne pas quitter la table de jeux (et ne pas tacher les cartes de gras), demanda à son cuisinier de lui inventer un nouveau type de repas. Et le ***hot dog*** alors ? Ce nom étrange (« chien chaud ») proviendrait de la ressemblance entre les *frankfurters* et une autre importation des immigrants allemands arrivés à la fin du XIXe s aux États-Unis : le chien teckel ou basset, dont le corps allongé évoque une saucisse.

– ***Les bagels :*** typiques de New York, à consommer nature, tartinés de beurre-confiture le matin, ou bien de fromage frais *(cream cheese),* de thon mayonnaise *(tuna fish)* ou garnis de saumon fumé *(lox).* Voir plus haut « Le breakfast ».

– ***Les glaces (et dérivés) :*** outre la glace classique, très crémeuse, il existe aussi la ***frozen custard*** (crème glacée enrichie avec des œufs), spécialité de la mini-chaîne de burgers *Shake Shack* (leurs parfums changent tous les jours !), et le ***frozen yogurt*** (yaourt glacé), un peu plus léger en matières grasses tout en ayant une texture plus riche qu'un sorbet. On peut y ajouter des ***toppings*** (garnitures) comme des *M & M's,* des noix ou des céréales. La tendance actuelle étant au bio et aux bons produits locaux, les glaciers dans le coup se sont mis au parfum en proposant justement des saveurs de saison.

– ***Les pâtisseries :*** certains les trouvent alléchantes, d'autres écœurantes rien qu'à les regarder... à notre humble avis, elles sont excellentes lorsqu'elles sont réussies. Et c'est le cas dans de plus en plus de pâtisseries. Les ***cupcakes,*** ces petits gâteaux ronds et légers, genre génoise, nappés d'un glaçage au beurre très sucré et très coloré aussi (rose, bleu, vert...), ont toujours le vent en poupe, talonnés par les ***whoopie pies,*** sorte de minisandwich de gâteau en forme de soucoupe volante, avec une garniture crémeuse au milieu. Les ***macarons*** à la française font aussi une entrée en force. Sinon, on peut se rabattre sur les desserts plus traditionnels que sont le ***cheesecake*** (gâteau au fromage blanc parfois agrémenté de fruits, de chocolat, au citron, etc.), le ***carrot cake*** (gâteau aux carottes et aux noix, sucré et épicé, recouvert d'un glaçage crémeux, qui existe aussi en version *cupcake*) ; mais aussi les ***chocolate fudge cake, pecan pie*** (aux noix de pécan, typique du Sud), ***pumpkin pie*** (célèbre tarte au potiron, typique de la période d'Halloween), sans oublier les muffins et cookies.

La révolution « green » et locavore

La nouvelle mode des ***marchés fermiers*** (*farmers markets* ou *greenmarkets*) est très révélatrice de l'évolution des mentalités dans une mégapole où les comportements alimentaires ont depuis des lustres été conditionnés par l'agrobusiness. Le plus célèbre d'entre tous, celui d'Union Square (qui se tient les lundi, mercredi, vendredi et samedi), est un rendez-vous incontournable pour les ***locavores,*** et particulièrement pour les restaurateurs. Ces derniers affichent avec fierté la provenance de leurs produits, souvent des fermes situées dans la fertile vallée de l'Hudson, quand ils ne cultivent pas eux-mêmes leurs légumes dans leur propre potager ! Bref, depuis quelques années, on assiste au pays de la malbouffe à un grand retour à la terre, orchestré par des paysans urbains qui ne jurent que par le goût et le respect des saisons.

Le succès de la *street food*

Difficile d'échapper au phénomène de la ***street food.*** Il n'y a encore pas si longtemps, les ***carts,*** comme on appelait ces petits stands ambulants de cuisine de rue pas toujours reluisants, était l'apanage des quartiers d'affaires, particulièrement Lower Manhattan et Midtown. Le midi, on pouvait voir des files de cadres en costume faisant patiemment la queue devant leur *cart* favori, servant la plupart du temps de la cuisine indienne. Car c'est un fait, les New-Yorkais ont toujours aimé grignoter dehors, sur un coin de trottoir. Mais en quelques années, cette propension typiquement américaine à manger sur le pouce s'est muée en une véritable mode. Eh oui, la *street food* s'est boboïsée et sophistiquée. Des ***food trucks*** (camions gourmets) rutilants et colorés sillonnent désormais les rues de la Big Apple pour proposer leurs spécialités à tous les coins de rues. Chaque *truck* a la sienne : falafels, tacos, *dumplings, lobster rolls,* glaces, *cupcakes...* Rien à voir évidemment avec les médiocres chariots à hot dogs et bretzels qu'on trouve un peu partout, là on vous parle de cuisine de qualité, de produits locaux et de saison travaillés avec créativité et tout le tremblement. D'ailleurs, les prix ne sont pas les mêmes que pour de la *street food* basique... Les New-Yorkais en sont fous, ils se refilent leurs meilleurs plans sur des blogs et sites internet spécialisés (par exemple • *newyorkstreetfood.com* •). Et chaque année le Vendy Award, sorte d'oscar de la *street food,* est attribué au meilleur vendeur ambulant ! La *street food,* un véritable art de vivre.

ÉCONOMIE

Depuis 2007, la puissance, l'énergie et le rayonnement des États-Unis ont été mis à mal par la crise des *subprimes.* La Grosse Pomme n'a pas été épargnée. Mais tout comme le Phénix, New York a su renaître de ses cendres. Grâce au secteur touristique, la récession a été moins sévère dans « la ville qui ne dort jamais », qu'à l'échelle nationale. Elle a ainsi pu s'engager plus tôt dans la relance. La faiblesse du dollar a permis de booster le tourisme et de ce fait l'économie de la ville, alors que Wall Street se bat toujours pour rebondir. Les touristes étrangers, attirés par ce taux de change avantageux, ont redécouvert la Big Apple. En 2011, la ville enregistre même des records de fréquentation avec 50 millions de visiteurs donc 20 % d'étrangers. Et prévoit d'atteindre les 55 millions en 2015. C'est une véritable manne financière qui engendre 31 milliards de dollars de recettes et génère la création de milliers d'emplois.
Les excellents résultats de New York ne sont pas dus au hasard. Dès 2005, le maire Michael Bloomberg lançait un nouveau slogan, *« The World's Second Home »,* visant à promouvoir le business, la culture et le tourisme dans la cité. Selon lui, il n'y a pas de meilleure ville à vendre. Le potentiel touristique est exploité, les boroughs sont réhabilités ; des campagnes de pub *« Get more NYC », « This is New York »* et *« Just ask the Locals »* où les people new-yorkais vous dévoilent leurs tuyaux, s'ingénient à faire de leur ville une destination touristique à la fois magique et accessible. Mais les plans de Bloomberg vont encore plus loin. Transformer la Big Apple en Green Apple est son dernier challenge. Plantations de millions d'arbres, taxe pour les véhicules circulant dans Man-

hattan, rénovation du réseau électrique, ce n'est là qu'un échantillon des changements prévus pour faire de New York une ville verte.
Parallèlement, si de nombreuses entreprises n'ont pas résisté à la crise, de grandes marques en profitent pour gagner du terrain et multiplier leurs boutiques. C'est le cas de la maison *Marc Jacobs* qui continue son expansion dans West Village. Pour certains entrepreneurs, c'est même le moment de s'installer à New York ! Jusqu'à maintenant, la ville a conservé les principes qui ont fait sa fortune : laisser faire les lois du marché, travailler sans relâche (la répugnance au travail est un signe de disgrâce divine selon l'éthique protestante puritaine), être à la pointe de la technologie, payer le moins possible d'impôts (qui ne sont pas si bas qu'on voudrait bien le laisser penser), laisser le secteur public s'occuper du reste (un minimum d'intervention !) et, surtout, voir les choses en grand... Les prix de Manhattan sont devenus exorbitants et poussent les New-Yorkais à l'extérieur, notamment à Brooklyn, le nouvel eldorado des bobos et des familles. Sur le point de remplacer Manhattan en tant que foyer artistique et nocturne, *« Brooklyn is the new Manhattan ».* Ainsi, au cœur de la tourmente, et même si la Bourse broie encore du noir, la ville de tous les superlatifs garde de sérieux atouts dans sa manche.

ENVIRONNEMENT

Contrairement à ce que les Européens imaginent, New York n'est pas une ville polluée. Bien sûr, aux heures de pointe, dans certains secteurs embouteillés, la qualité de l'air se dégrade, comme dans de nombreuses grandes villes du monde. Mais, en raison de la largeur des avenues et des vents puissants qui viennent certains jours de l'océan Atlantique tout proche, l'air de New York reste dans l'ensemble très respirable. Et il devrait l'être plus encore dans les années à venir : le maire, Michael Bloomberg, a clairement affiché sa volonté de ***transformer New York en ville verte*** d'ici à 2030. Son vaste projet, nommé *PlaNYC 2030* et lancé en 2007, prévoit la réduction des émissions de carbone de 30 %, et la plantation d'un million d'arbres. Parallèlement à ce travail seront entrepris une refonte de 90 % des canalisations, la mise en place de moyens plus écologiques d'utiliser l'énergie et le nettoyage des terrains les plus pollués. Sachez encore que Broadway, aussi célèbre pour ses shows que pour ses embouteillages d'anthologie, est désormais une zone piétonnière, fermée à la circulation de 42nd à 47th Street. Enfin, les taxis ont été sommés de passer progressivement du jaune au vert : incessamment sous peu tous devront être hybrides.
Cela dit, la pollution proviendrait moins des gaz automobiles et des fumées d'usine que des installations électriques des vieux gratte-ciel, qu'il serait bon de rénover. C'est pourquoi les architectes travaillent depuis quelques années sur des projets de ***gratte-ciel écolos.*** Norman Foster en a été l'initiateur avec sa *Hearst Tower (959 8th Ave et 57th St)* en forme de serre géante. La quasi-totalité du métal utilisé pour sa construction, ainsi que les planchers et plafonds à l'intérieur sont issus du recyclage. L'eau de pluie récupérée sur le toit est reliée à un bassin de 53 000 l au sous-sol, permettant de couvrir la moitié des besoins en eau de la tour. D'autres tours vertes ont suivi, notamment la *Bank of America Tower (sur 6th Ave, entre 42nd et 43rd St, en face de Bryant Park),* dessinée par Cook + Fox, aujourd'hui le deuxième plus haut building de la ville après l'Empire State Building. Mais la dernière grande réalisation est indéniablement la *High Line* dans le Meatpacking District : une ancienne ligne de chemin de fer reconvertie en jardin suspendu.
La vague écolo ne touche pas seulement la politique, elle est aussi au cœur des préoccupations des New-Yorkais, comme en témoigne ***le phénomène locavore.*** Ce comportement alimentaire (né à San Francisco) préconise de ne consommer que des produits locaux, c'est-à-dire provenant d'un lieu distant de 160 km au maximum, selon les puristes ! Certains restaurateurs new-yorkais se font désormais un honneur d'indiquer la provenance de leurs produits, le plus souvent des

fermes de la vallée de l'Hudson. Dans le même ordre d'idées, les fermiers urbains sont de plus en plus nombreux. ***Jardins communautaires*** (il existe plus de 600 *Community Gardens* à New York), courettes réhabilitées en vergers, ***plantations et ruches sur les toits des buildings,*** tout est bon pour cultiver son jardin avec les moyens du bord !
Côté propreté, rien à redire dans les quartiers d'affaires et dans les secteurs résidentiels et touristiques (en gros, toute l'île de Manhattan jusqu'au nord de Central Park). C'est dans les autres boroughs que ça se dégrade. Le métro n'est pas très reluisant non plus et certains quartiers de Manhattan (comme East Village) sont littéralement envahis par les rats ! Quant au ***ramassage des ordures*** ménagères, c'est pas gagné : pas de conteneur, les poubelles s'entassent partout sur les trottoirs, au grand bonheur des rongeurs. Quant au ramassage proprement dit, à part vous réveiller en pleine nuit, il fonctionne lentement, et les bennes à ordures sont vétustes. Ça s'empile vite sur les trottoirs, surtout à l'arrière des resto et des bars.
Si les eaux du port de New York présentent un degré de pollution moindre qu'au début des années 1990, elles ne permettent pas encore la baignade. L'eau du robinet est, quant à elle, potable.
On ne voit pratiquement ***jamais de crottes de chien*** sur les trottoirs, un motif de réjouissance pour les marcheurs ! Rien de surprenant car, dans la pratique quotidienne, les Américains font preuve d'un esprit très civique dès qu'il s'agit des déjections animales. La loi américaine existe (amendes à l'appui), s'affiche plus qu'en Europe, et des instances puissantes sont chargées de la faire respecter.
Autre question : ***le bruit.*** New York est une ville très sonore. Il y a un bruit de fond permanent, notamment de jour, auquel il faut s'adapter. Celui-ci reste normal et supportable, étant donné l'activité de la ville. À cette « rumeur de la mégalopole », qui n'est autre qu'un sourd brouhaha, s'ajoute celui des bruits exceptionnels : les chantiers en construction, le survol des hélicoptères, les sirènes des ambulances, des pompiers et des policiers. Même dans les plus grands hôtels, on n'est pas toujours à l'abri de ces nuisances quotidiennes. Demander de préférence une chambre située dans les étages supérieurs et ne donnant pas sur une avenue. C'est logique : plus on monte en altitude dans les gratte-ciel et plus on s'éloigne des bruits venus de la terre.
Dernière chose, en dépit de l'effort marketing pour vanter un New York écolo, le comble des économies d'énergie, c'est quand même le ***chauffage des immeubles*** dont la gestion est centralisée. La plupart du temps surchauffés, certains logements (notamment ceux des étages) atteignent parfois les 28-30° en plein hiver, sans possibilité de toucher au thermostat. Du coup on vit en permanence la fenêtre ouverte, quand on n'allume pas purement et simplement son climatiseur en parallèle pour tenter de redescendre la température de son appart' !
Bref, en matière d'environnement, New York sait qu'elle peut mieux faire et s'y applique désormais. Certes, la révolution verte a ses limites, et il faudra un certain temps pour que les mentalités changent, dans un pays à la traîne en terme de développement durable. Ainsi, le plan visant à imposer un péage urbain à l'entrée de Manhattan a finalement été rejeté en 2008. Et le temps où les Américains pourront se passer d'air conditionné paraît encore lointain...

FÊTES ET JOURS FÉRIÉS

Il y a énormément de fêtes, festivals et parades dans la Big Apple, la plupart sponsorisés par de grosses compagnies privées. Le mieux est de consulter *Time Out* ou le *Village Voice,* ou encore le *Visitor Center* ou leur site internet : ● *nycgo.com* ●
De nombreuses manifestations ont aussi lieu à Brooklyn. Pour les connaître, voir « Fêtes et manifestations » dans ce quartier.

Parades

– ***Martin Luther King's Day Parade :*** le 3e lundi de janvier. Parade à la mémoire du pasteur noir américain prônant la non-violence pour mettre fin à la ségrégation et qui fut assassiné le 4 avril 1968 à Memphis, Tennessee. La parade, variée et colorée, essentiellement composée de Noirs, remonte 5th Avenue entre 60th et 86th Street, à partir de 13h. Militaires, majorettes, pompiers, enfants des écoles, policiers, groupes de jazz jouent en dansant.
– ***Nouvel An chinois :*** le jour de la 2e lune après le solstice d'hiver. Depuis 1997, fini les feux d'artifice sauvages et les pétards, le maire les jugeait trop dangereux. Maintenant, on a juste droit à une parade, parsemée de trois ou quatre dragons, avec bannière bilingue et fanfares des écoles locales. Vraiment surprenant.
– ***Saint Patrick's Day Parade :*** le 17 mars. Fête des Irlandais de New York (ils sont plus de 500 000 !). C'est l'occasion d'une beuverie de masse. Chacun se promène avec un badge « *Today I'm Irish !* ». La parade remonte 5th Avenue (de 44th à 86th). Mélange de cornemuses, policiers, pompiers... tous y sont : officiels, écoles, majorettes... Un vrai spectacle ! Tous les ans, les homos d'origine irlandaise veulent y participer, mais les organisateurs (catholiques) refusent.
– ***Easter Parade :*** le dimanche de Pâques. Parade sur 5th Avenue, entre 49th et 57th. Les New-Yorkais, déguisés pour la circonstance, se rassemblent pour célébrer dans la joie et la décontraction, toutes classes et ethnies confondues, la fête pascale. Ce jour-là, les églises sont pleines à craquer. À noter que le matin, il y a une chasse aux œufs organisée pour tous les New-Yorkais en culottes courtes (gratuit, sur la grande pelouse de Central Park). Oui, New York conserve des aspects très traditionnels, sinon puritains.
– ***Gay Pride Day** (Jour de la fierté homosexuelle) :* vers le 28 juin. Le défilé, qui passe dans 5th Avenue, est absolument époustouflant. C'est une date fêtée par des défilés un peu partout dans le monde, nettement plus drôles que les parades militaires. • *nycpride.com* •
– ***Fête de la Musique :*** le 21 juin. Eh oui, depuis quelques années, ce bon concept français est en vigueur à New York. En journée uniquement, le *Summer Solstice Festival* organise des concerts dans Queens, à Long Island City. Des spectacles en tout genre, mais surtout de la musique. *Rens auprès du Socrates Park (où ont lieu les festivités) : ☎ 718-956-1819.* • *socratessculpturepark.org* •
– ***Independence Day :*** le 4 juillet. Commémoration de la signature de la Déclaration d'indépendance en 1776, avec feux d'artifice sur l'Hudson River, payés par le grand magasin *Macy's*.
– ***14 juillet :*** si vous voulez vous retrouver parmi les Français de New York, allez fêter *Bastille Day* (comme on dit aux États-Unis), le dimanche le plus proche du 14 juillet dans 60th Street (entre 5th et Lexington Avenue), toute la journée. Là aussi, il y a foule : plus de 10 000 personnes. Il y a à boire, à manger et même à danser avec un bal musette. Organisé par le *French Institute Alliance française* et les autres assos' frenchy de New York. *☎ 212-355-6100.* • *fiaf.org* •
– ***Fête de San Gennaro :*** pendant 10 jours mi-septembre. Dans Little Italy, sur Mulberry Street. Nourriture à gogo, jeux... La statue de San Gennaro, saint patron de Naples, est entièrement recouverte de dollars. • *sangennaro.org* •
– ***Halloween :*** le 31 octobre. Cette tradition druidique importée par les Écossais et les Irlandais est aujourd'hui célébrée avec une grande ferveur aux États-Unis, principalement à New York. D'abord pour les enfants, pour exorciser leur peur de l'obscurité et des monstres imaginaires... Halloween est différent dans les banlieues et en ville. Dans les quartiers résidentiels, les enfants vont de porte en porte déguisés en sorcières, fantômes... et réclament des friandises, ou plutôt ils vous menacent de vous faire un mauvais coup si vous ne leur donnez rien *(trick or treat)*. En ville, les adultes se déguisent, se griment, se travestissent pour se retrouver dans l'incroyable parade du soir. Il faut le voir pour le croire : la plus grande et la seule parade de nuit de tout le pays, commençant sur 6th Avenue et Spring Street

pour remonter jusqu'à 21st Street. Tout le monde peut y participer en s'incrustant parmi les participants au départ. Après, se balader sur Christopher Street, dans Greenwich Village, où la fête continue.
- ***Veteran's Day Parade :*** le 11 novembre. Beaucoup de vétérans de la Seconde Guerre mondiale et leurs médailles défilent sur 5th Avenue, de 42nd à 26th Street. À noter que les vétérans du Vietnam boycottent l'affaire. Après la parade, service commémoratif à la flamme éternelle du Madison Square Park.
- ***Thanksgiving :*** le dernier jeudi de novembre. C'est LA fête américaine par excellence. Toutes les familles sont réunies autour de la traditionnelle dinde et de la tourte au potiron, pour commémorer le repas donné par les premiers immigrants (les Pères pèlerins) en remerciement à Dieu et aux Indiens pour leur avoir permis de survivre à leur premier hiver dans le Nouveau Monde. Depuis un bon demi-siècle, c'est l'occasion d'un immense défilé financé par le grand magasin *Macy's,* suivi par des centaines de milliers de spectateurs. Il démarre à Central Park West et 77th Street, descend Broadway et s'arrête au niveau du célèbre magasin. Le défilé symbolise en quelque sorte l'arrivée du Père Noël dans la ville, vu que c'est lui qui clôture la parade. Grandiose et très coloré : chars, fanfares, clowns, dragons, etc.
- ***Lighting of the Christmas Tree at the Rockefeller Center :*** début décembre, éclairage du gigantesque sapin de Noël au Rockefeller Center. Pour finir l'année, 5th Avenue est fermée à la circulation les deux dimanches avant Noël, au niveau du Rockefeller Center : Père Noël, sapin énorme, décoration pleine de couleurs et de lumières. C'est Noël à l'américaine ! Et s'il se met à neiger, c'est encore plus magique. Tous les grands magasins ont des vitrines incroyables avec automates, neige artificielle et tout le tremblement ; dans la journée, les gens font la queue pour les voir, mais si vous y allez tard le soir, il n'y a pas un chat et tout reste allumé.
- ***New Year's Eve :*** le 31 décembre. La fête la plus folle est à Times Square (à l'origine, le building du magazine *Times*) où, depuis plus d'un siècle, une foule de près de 1 million de personnes en délire attend que la grosse boule de lumière glisse le long du mât, en haut du building à Times Square. Un feu d'artifice est simultanément tiré de Central Park, coïncidant avec le départ du marathon de minuit. Pas mal de monde aussi vers South Street Seaport où se trouve une horloge géante.

Jours fériés

Il y a 11 jours fériés aux États-Unis. Souvent accompagnés de parade (voir plus haut), ils ne sont en général chômés que par une partie de la population. Les magasins restent ouverts, et la plupart des transports fonctionnent normalement. Seules exceptions : Thanksgiving (presque tout est fermé) et, dans une moindre mesure, President's Day et Independence Day.
- ***New Year's Day :*** le 1er janvier.
- ***Martin Luther King's Birthday :*** le 3e lundi de janvier, celui le plus près de son anniversaire, le 15 janvier. Un jour très important pour la communauté noire américaine.
- ***President's Day :*** le 3e lundi de février, pour honorer la mémoire des premiers présidents américains.
- ***Easter (Pâques) et Passover (Pessah) :*** les boutiques peuvent être fermées samedi et dimanche.
- ***Memorial Day :*** le dernier lundi de mai, en mémoire de ceux qui sont morts à la guerre. L'annonce officieuse de la haute saison.
- ***Independence Day :*** le 4 juillet, fête nationale.
- ***Labor Day :*** le 1er lundi de septembre, la fête du Travail. Correspond souvent à la fin de la saison touristique.
- ***Columbus Day :*** le 2e lundi d'octobre, en souvenir de la « découverte » de l'Amérique par Christophe Colomb.
- ***Veteran's Day :*** le 11 novembre.

- ***Thanksgiving :*** le 4e jeudi de novembre (voir plus haut).
- ***Christmas Day :*** le 25 décembre.

GÉOGRAPHIE

New York City fait partie de l'État de New York (abréviation : NY ou NYC) qui s'étend de l'océan Atlantique jusqu'au lac Ontario et à la frontière du Canada. Montréal n'est située qu'à 614 km au nord (soit 7h30 de route) tandis que Los Angeles est à 4 543 km à l'ouest ! Parmi les mégalopoles mondiales, comme Los Angeles ou Tokyo (Japon), New York est née et s'est développée sur le littoral d'un grand océan, l'Atlantique. C'est assez logique. Ici, l'histoire rejoint la géographie. Les premiers pionniers furent des marins venus d'Europe à bord de bateaux à voile. Ne trouvant pas d'abris sûrs sur la côte, ils pénétrèrent dans une grande baie abritée et accostèrent sur un bout de terre plus ou moins plate, l'île de Manhattan. Celle-ci est devenue aujourd'hui le cœur palpitant de la ville de New York. Les autres quartiers périphériques *(outer boroughs)* s'étendent sur des langues de terre autour de la baie de New York et sur les bords des rivières Hudson (Hudson River) et East River. Des quartiers comme Brooklyn et Queens ont la taille de grandes villes et s'étalent sur la pointe sud de Long Island. Staten Island, face à Brooklyn, est un de ces quartiers, sur une grande île reliée au continent par des ponts autoroutiers. Ces « banlieues » font partie de l'agglomération new-yorkaise. Bien que proches de Manhattan, les zones urbaines sur la rive droite de la rivière Hudson ne dépendent pas de la municipalité de New York City mais de l'État du New Jersey.

New York quartier par quartier

Downtown (de la pointe sud de Manhattan à 14th St)

- ***Lower Manhattan :*** c'est le triangle sud de la presqu'île de Manhattan, entre Chambers Street au nord et Battery Park au sud, où se rejoignent les deux rivières, Hudson River et East River. Le cœur et le moteur du capitalisme américain. D'ailleurs, les New-Yorkais lui préfèrent l'appellation de *Financial District.* C'est ici que se trouvent *Wall Street* et son *New York Stock Exchange* (la Bourse), et que se dressaient les deux tours jumelles du World Trade Center (les Twins), détruites par les attentats terroristes du 11 septembre 2001. Contrairement à ce que l'on pense souvent, la statue de la Liberté ne se situe pas à la pointe sud de Lower Manhattan mais au large, sur une petite île de la baie de New York.
- ***Chinatown :*** un quartier « ethnique », animé et dépaysant, habité principalement par des Asiatiques en majorité d'origine chinoise. De taille réduite, situé entre Canal Street, Chatham Square et The Bowery, Chinatown est essentiellement un quartier commerçant et touristique. On y va le dimanche, jour du grand marché. Le quartier est en continuelle expansion et grignote lentement mais sûrement ses voisins (surtout Little Italy et, peu à peu, Lower East Side).
- ***Little Italy :*** juste au nord de Chinatown, Little Italy se réduit maintenant à trois blocs touristiques sur Mulberry, au nord de Canal Street. Tel un certain village gaulois, la dernière légion de restaurateurs italiens campés sur le pas de leur porte est désormais cernée par les commerçants chinois !
- ***NoLiTa :*** beaucoup plus sympa et à deux pas de là, NoLiTa *(North of Little Italy)* est une sorte de petit SoHo mais en plus décontracté.
- ***SoHo :*** ce nom est un raccourci de *South of Houston Street.* Entre Canal Street, Houston Street, Broadway et l'Hudson River. Commerçant au début du XXe s, refuge des artistes marginaux dans les années 1970, c'est à présent le quartier des magasins de mode chic, des galeries d'art, des petits cafés et des restos branchés.

- ***TriBeCa :*** encore un nom bizarre (prononcer « Traille'biquet » à l'américaine !). En fait, c'est l'acronyme de *Triangle Below Canal Street,* « le triangle sous la rue du Canal ». Entre Canal Street, Broadway et Chambers Street s'étend ce quartier qui est un peu l'Upper West de Downtown : moins commerçant, plus résidentiel et moins animé le soir que ses voisins. Un grand nombre de vieux immeubles en brique et d'anciens entrepôts reconvertis aujourd'hui en lofts, ateliers d'artistes et appartements. Robert De Niro y possède une maison de production et des parts dans trois restaurants et un hôtel.
- ***Lower East Side :*** le quartier situé en dessous d'East Village, entre Houston Street, The Bowery, Columbia Street et East Broadway. Peu recommandable il y a quelques années, il s'est en partie métamorphosé pour devenir l'un des derniers quartiers à la mode de Manhattan, notamment entre East Houston Street et Delancey Street où se situent les scènes musicales les plus décontractées de NY. Le sud du quartier (que grignote actuellement Chinatown) fut le quartier des premières vagues d'immigrants juifs, il est aujourd'hui le théâtre d'une activité commerciale et culturelle en voie de développement avec Orchard Street pour pierre d'achoppement : boutiques de créateurs, galeries d'art...

Centre Manhattan

- ***Greenwich :*** un gros village au sein de la mégalopole, surnommé d'ailleurs « *The Village* ». Entre 14th Street au nord, Broadway à l'est, Houston Street au sud et l'Hudson River à l'ouest, Greenwich fut le quartier bohème de Manhattan, puis le refuge des beatniks et de la culture underground vers 1950. Très peu de tours ou de gratte-ciel dans le paysage urbain, mais de petits immeubles, de ravissantes maisons basses (de style anglais) qui donnent une couleur provinciale unique à ce charmant village à taille humaine. Même s'il s'est sérieusement embourgeoisé, il est toujours agréable d'y prendre un café ou un bon repas.
- ***West Village :*** correspond à la partie ouest du village de Greenwich, en bordure de l'Hudson River. Au sein du West Village, le petit *Meatpacking District,* traversé par une ancienne voie ferrée reconvertie en jardin, a son identité propre et des faux airs de décor de cinéma avec ses pavés et ses buildings en brique reconvertis en restos, boutiques de créateurs et boîtes branchées.
- ***East Village :*** entre Broadway, East River, Houston Street et 14th Street. Ce fut à l'origine un des grands quartiers de l'immigration, puis un refuge d'anticonformistes dans les années 1960. Suivirent deux décennies de déclin (pauvreté, drogues dures, violence et insécurité), dont East Village est aujourd'hui complètement sorti. La sécurité est rétablie et les gangs ont disparu. Les jeunes cadres urbains reviennent y habiter ; c'est le processus de « gentrification » qui a métamorphosé le quartier, sauf peut-être une infime portion d'Alphabet City (où les avenues prennent des lettres à la place de numéros) qui y résiste encore, dans la partie la plus à l'est.
- ***Chelsea :*** entre l'Hudson River et 6th Avenue, et entre 14th et 34th Street. Quartier naguère hanté par des artistes rebelles tels que Jack Kerouac. Nombreuses rues plantées d'arbres et bordées d'immeubles de taille moyenne en brique rouge, où les tours sont peu nombreuses. Ambiance gay dans tout le quartier, et notamment le long de 8th Avenue. Plus à l'ouest, le *Galleries District* regorge de galeries d'art contemporain (entre 10th et 11th Avenue), à découvrir pendant la journée du mardi au samedi (quand elles sont ouvertes !).
- ***Union Square, Madison Square et Gramercy :*** situé à l'est de 6th Avenue, entre 14th et 42nd. Autant d'immeubles résidentiels que de bureaux. On note l'émergence d'un nouveau quartier, le *NoMad*, acronyme de ***No****rth of* ***Mad****ison Square Park*, situé entre 23rd et 30th St.

Uptown Sud

- ***Theater District - Midtown West :*** un des centres nerveux de New York dans le domaine de l'économie, du tourisme et des spectacles. Le carrefour de *Times*

Square (l'angle de 42nd Street et de Broadway) peut être considéré comme le cœur palpitant de Manhattan. Longtemps envahi par les sex-shops et menacé par l'insécurité, le quartier autour de Times Square a redoré son blason et fait le ménage. Résultat : il a acquis une excellente réputation auprès des touristes. Sont ici rassemblés les plus beaux cinémas, les salles de théâtre et de spectacles les plus prestigieuses de New York. C'est aussi un des secteurs de Manhattan où la foule est la plus dense, de jour comme de nuit. D'ailleurs, jour et nuit se confondent tant le quartier est illuminé la nuit.

– ***Midtown :*** correspond en gros à la partie située à l'est de Theater District. Entre Times Square (42nd Street), 6th Avenue, Central Park et East River. C'est la quintessence de New York, un Manhattan « chimiquement pur » avec sa superbe forêt de gratte-ciel (dont l'emblématique tour Chrysler et le Seagram Building), mais aussi la gare centrale et le siège de l'ONU.

Uptown Centre (la partie de Manhattan au nord de la 59th St)

– ***East Side et Upper East Side :*** quartier situé à l'est de Central Park, de 59th à 110th Street. Le secteur le plus riche, le plus chic, le plus cher de Manhattan, traversé par trois fameuses avenues : 5th Avenue, Madison Avenue et Park Avenue, bordées d'immeubles cossus habités par des milliardaires, des hommes d'affaires et des stars. On y trouve aussi une concentration élevée d'hôtels et de boutiques de luxe. La partie est du quartier est beaucoup plus détendue et abordable. Beaucoup d'endroits pour sortir sur 1st et 2nd Avenues notamment. Quant à la partie nord (au-dessus de 96th Street), elle est nettement plus populaire à mesure que l'on s'approche d'East Harlem.

– ***Central Park :*** situé au centre nord de Manhattan, Central Park n'est pas un quartier mais un poumon d'oxygène d'une surface de 340 ha (la taille d'un quartier non construit) bordé par les deux quartiers symétriques, West Side et East Side.

– ***West Side et Upper West Side :*** ce quartier, symétrique d'East Side, est situé à l'ouest de Central Park, limité au sud par 59th Street et Columbus Circle et, au nord, par 110th Street. Moins chic que l'East Side mais très animé : restos, boutiques et supermarchés bio le long de Broadway (entre le Lincoln Center et 85th Street grosso modo). L'architecture du quartier (notamment les buildings Art déco) vaut le détour. Plus on monte vers le nord de Manhattan et vers Harlem, plus les loyers deviennent abordables. Le changement social est progressif et suit la géographie.

Harlem

– ***Harlem et les Heights :*** au nord de l'île de Manhattan, entre 110th Street (limite nord de Central Park) et 145th Street, s'étend le quartier de Harlem. Habité en majorité par des Afro-Américains *(African Americans)* et de plus en plus par les Latinos. Longtemps considéré comme un épouvantable ghetto, Harlem est de plus en plus touché par la « gentrification » : les superbes *brownstones* sont peu à peu rénovées et les projets de condominiums se multiplient. Sur le côté ouest, au niveau de 116th Street, ***Columbia University*** forme une « île étudiante ».

Les autres boroughs autour de Manhattan

– ***Brooklyn :*** des quatre grandes banlieues, Brooklyn est la plus peuplée (2,5 millions d'habitants). Situé au sud de Manhattan, ce quartier s'étend jusqu'à l'océan Atlantique au sud (Coney Island, *baby !*), et jusqu'à l'East River au nord. Il est en plein essor : les quartiers de Williamsburg-Greenpoint, Park Slope et DUMBO (entre autres) sont les nouveaux endroits de prédilection des ateliers d'artistes et des *hipsters* (les bobos)... rejoints depuis quelque temps par les yuppies aventureux. Pour beaucoup, Brooklyn est devenu l'avant-garde de New York. Nombreux sont ceux qui viennent de Manhattan pour y faire la fête et profiter de ses excellents restaurants.

– ***Queens :*** située sur Long Island, à l'est de Manhattan, Queens est la plus vaste des banlieues de New York, plutôt modeste et très internationale. En raison de l'espace disponible, c'est ici qu'ont été installés les aéroports John F. Kennedy et La Guardia. Le déménagement provisoire du MoMA, le temps de la rénovation du fameux musée, a donné une nouvelle impulsion au quartier de Long Island City.
– ***Bronx :*** au nord de Manhattan, voici le quartier le moins touristique de New York. Il fut longtemps le symbole de la grande pauvreté urbaine avec son corollaire souvent inévitable : l'insécurité. Cependant, depuis quelques années, le borough connaît une transformation sociale significative. Les grands ghettos noirs rongés par la drogue ont quasiment disparu. À visiter pour son incroyable zoo et le vrai *Little Italy.*
– ***Staten Island :*** ce quartier fait face à Brooklyn, sur la rive est de la baie de New York. Pas grand-chose à voir, mais ne manquez pas de prendre le ferry gratuit qui le relie à Manhattan (voir « Lower Manhattan »).

Orientation dans Manhattan

Bon à savoir, ***les avenues vont dans la direction nord-sud***, tandis que les ***rues s'étirent d'est en ouest***. Les rues et les avenues étant perpendiculaires, ***une adresse se compose toujours d'un numéro de rue et d'un numéro d'avenue***. Exemple : 2nd Ave et 24th St ; ou 2nd Ave (entre 24th et 25th St). Si par exemple vous demandez à un taxi de vous conduire au 754 Broadway (sans lui préciser que c'est au niveau de 8th St), il ne saura absolument pas où c'est !
Les avenues sont numérotées du sud au nord, tandis que les rues le sont de l'est vers l'ouest pour la partie située à l'ouest de 5th Ave (exemple : 52 W 32nd St) et de l'ouest vers l'est pour celle située à l'est de cette même avenue (exemple : 52 E 32nd St).
Dans la partie la plus à l'est de l'East Village, les avenues prennent des lettres (A, B, C et D) et non plus des chiffres. D'où le nom d'« Alphabet City ».
Méfiez-vous de certains ***faux amis*** dans le libellé des adresses : *Place* = rue ; *Park* = square ; *Square* = place ou carrefour !

Les abréviations suivantes ont été utilisées dans ce guide

Ave	Avenue	Sq	Square
Blvd	Boulevard	St	Street
Dr	Drive	E	East
Gr	Grove	N	North
Hwy	Highway	S	South
Pl	Place	W	West
Rd	Road		

HISTOIRE

L'histoire de New York est, à elle seule, un résumé des grandes dates de l'histoire des États-Unis.

Le New York précolombien et les premiers peuplements européens

À l'origine, évidemment, les Indiens occupent la place. Les premiers habitants de ce qui n'était pas encore une ville ni un État sont probablement les *Lenape,* une tribu de langue algonquienne ; ***l'endroit s'appelait « Mannahatta »*** ou « l'île aux Collines » (si notre algonquien est correct). Les peuples algonquiens représentent à l'époque des centaines de tribus et concernent des centaines de milliers

d'individus. Leurs territoires couvrent tout le nord-est des États-Unis actuels et l'ensemble de ce qui est devenu le Canada. La culture algonquienne est alors surtout portée vers la chasse et la pêche, même si l'on a retrouvé quelques traces d'agriculture (maïs, haricots, courges).
Si Christophe Colomb découvre officiellement l'Amérique en 1492, la tranquillité des peuples algonquiens ne sera pas troublée pendant encore un siècle, le temps que les concurrents nordiques de l'Espagne et du Portugal (qui s'étaient concentrés jusqu'alors sur l'Amérique centrale et du Sud) s'organisent.
Mais revenons à New York ! Quelques décennies après Colomb, en 1524, et parallèlement à la *conquista* du Mexique aztèque et de l'Empire inca par Cortés et Pizarro, le roi de France, François Ier, missionne le Florentin Giovanni Da Verrazano pour explorer les côtes allant de l'actuelle Floride à Terre-Neuve, dans le but de trouver un passage vers l'Ouest.
Durant son périple, Verrazano ne découvre pas la route vers l'Ouest, mais recense clairement ***la baie de New York qu'il baptise « Nouvelle Angoulême »*** (aujourd'hui, le pont reliant Staten Island à Brooklyn, le *Verrazano Bridge,* commémore ce moment). Toutefois, il ne débarquera pas et se contente d'observer la côte du pont de son bateau.
C'est finalement l'Anglais Henry Hudson, pour le compte de la Compagnie néerlandaise des Indes orientales (VOC), qui débarque le premier dans la baie qui, désormais, porte son nom. Il y fonde le premier établissement de peuplement de souche non américaine sous la forme d'un comptoir d'échange sur l'île de « Staaten Eylandt », pour le compte de la VOC.
Plus tard, employé cette fois par la Compagnie néerlandaise des Indes occidentales (WIC), créée en 1621, le marchand d'Amsterdam Adriaan Block fonde avec quelques associés un comptoir permanent sur l'île de Manhattan (1624).

De La Nouvelle-Amsterdam à La Nouvelle-York

Dès lors, les premiers colons affluent, et le comptoir se transforme très vite en un village qu'ils baptisent La Nouvelle-Amsterdam. La naissance de New York se fait pacifiquement : en 1626, ***Peter Minuit, gouverneur de la colonie, achète l'île de Manhattan aux Indiens pour 60 florins (l'équivalent de 24 $ actuels).*** Les premières relations avec les Indiens du coin sont commerciales, sur la base de l'échange ou du troc. Mais celui-ci est cependant inégal car les Indiens locaux échangent le plus souvent des fourrures, revendues une fortune en Europe, contre des babioles sans valeur.
Très vite, ils vont demander plus aux colons, et ceux-ci vont devoir les payer avec de l'alcool et des armes à feu en quantité. Aussi, les Indiens abandonnent peu à peu leurs cultures pour se concentrer sur la chasse des animaux à fourrure. De cette façon, ils se sont privés petit à petit de leurs moyens de subsistance traditionnels.
En 1643, de premiers affrontements éclatent. Ceux-ci deviennent ensuite si fréquents qu'en 1653, Peter Stuyvesant (qui n'était ni un vendeur de cigarettes ni un voyagiste, mais le gouverneur de la ville) est obligé de faire construire ***une palissade (« Wall ») protectrice sur ce qui correspond aujourd'hui à Wall Street.***
La palissade sert aussi de protection contre les Anglais, dont la continuité territoriale des colonies est entravée par la petite colonie néerlandaise qui, en quelques décennies, est devenue le point de passage obligé du commerce transatlantique.
Les Anglais font le forcing et, en septembre 1664, ils s'emparent de la ville. Elle compte alors 17 rues et presque autant de langues pour environ 1 500 âmes. Le roi d'Angleterre Charles II en fait aussitôt don à son frère James, le duc d'York. C'est à ce moment-là que ***La Nouvelle-Amsterdam devient La Nouvelle-York, en anglais New York.***

La prospérité économique et les années sombres de l'esclavage

La croissance démographique se fait raisonnablement : ***à la fin du XVII*e *s, la ville de New York compte près de 20 000 personnes.*** Et un siècle plus tard, en 1790, on recense environ 50 000 New-Yorkais. Ce n'est qu'après que New York devient la grande mégalopole qu'elle est aujourd'hui.
On l'a dit, New York se situe à un point de passage obligé des marchands qui désirent commercer avec l'Amérique du Nord. Ses principaux revenus sont l'import-export avec l'Angleterre et les Antilles, et le négoce. Elle s'enrichit énormément au XVIIIe s en armant les bateaux corsaires et en servant de magasin général dans le conflit franco-anglais sur la possession du Canada (1755). C'est aussi grâce à l'exploitation de milliers d'esclaves originaires au début du Mozambique ou de Madagascar, puis des Antilles, que New York s'est enrichie aussi vite...
Les 11 premiers esclaves africains débarquent d'un navire hollandais en 1626 pour satisfaire le besoin de main-d'œuvre dans les plantations (tabac). La main-d'œuvre servile est aussi utilisée pour la construction des routes, maisons, bâtiments officiels, ainsi que pour des fonctions domestiques. Moins de 40 ans plus tard, les Anglais reprennent à leur compte l'horrible trafic. N'ayant que 600 esclaves pour commencer, ils ouvrent près d'une dizaine de marchés sur Wall Street.
En 1740, la population de New York se compose de près de 21 % d'esclaves et, à la veille de la révolution qui chasse les Anglais, seule la ville de Charleston (Caroline du Sud) compte plus d'esclaves que New York.
En 1817, la ville et l'État de New York abolissent l'esclavage. Mais malgré cette abolition, le commerce persiste (jusqu'en 1865 aux États-Unis), et les affranchis de l'État de New York sont encore longtemps victimes des *blackbirders* qui kidnappent les Noirs dans les rues pour les vendre ensuite dans le Sud. De plus, même libres, ces nouveaux citoyens, pour la plupart noirs ou métis, n'avaient pas la vie facile : confrontés à la concurrence de nouveaux immigrés blancs (principalement des Irlandais peu qualifiés), ils sont souvent victimes de préjugés raciaux sur le marché du travail. Le 13 juillet 1863, ***la tension raciale se traduit par les draft riots,*** des émeutes anticonscription qui sont détournées en émeutes raciales contre les populations noires de la ville (voir le film *Gangs of New York,* de Martin Scorsese).

Au cœur de la lutte

Après la Déclaration d'indépendance et durant la guerre qui suivit, New York fut au centre de toutes les convoitises, en raison d'intérêts stratégiques et commerciaux évidents. George Washington, après avoir chassé les Anglais de Boston, fondit sur New York. Les combats firent de nombreuses victimes, parmi lesquelles beaucoup d'Indiens, encore présents dans la région à l'époque et qui penchaient, idéologiquement, plus du côté des Anglais. Dommage...
En décembre 1783, le drapeau aux 13 étoiles flotte sur Battery Park. ***De 1784 à 1790, New York assure provisoirement le rôle de capitale des jeunes États-Unis.*** En 1789, George Washington y est investi président.

L'urbanisation : du port à la ville

Et la ville continua de plus belle son extension. En 1811, sa croissance est devenue tellement rapide que le *Common Council,* l'équivalent de notre conseil municipal, décide d'un plan en damier. ***On oriente les rues d'est en ouest et les avenues du nord au sud.*** Sur ce point au moins, rien n'a changé, et même si c'est un peu monotone, ça a le mérite d'être simple (surtout vu d'avion).

Seul Broadway fait exception à la règle. En effet, c'est la seule avenue qui traverse Manhattan en biais du nord-ouest au sud-est. Broadway est en fait un ancien sentier indien qui, comme l'avenue aujourd'hui, rejoignait la banlieue de Yonkers.

À l'intérieur de l'État, l'autorité des quelques familles hollandaises sur les dizaines de milliers de métayers fut à peine affectée par le transfert de la colonie de la Hollande à l'Angleterre, ou même par l'indépendance américaine (4 juillet 1776). Ce n'est qu'après la construction du canal Érié en 1825, reliant la ville de New York aux Grands Lacs, que l'intérieur de l'État commença à se développer économiquement. C'est grâce à cette croissance industrielle et agricole que les capitalistes de Wall Street firent fortune. Depuis lors, l'État de New York est dominé politiquement et économiquement par la ville de New York, qui n'en est même pas la capitale (c'est Albany !).

Le 1er janvier 1898, 40 municipalités différentes, des villages fermiers de Queens et Staten Island à la ville-champignon de Brooklyn, se sont jointes à Manhattan et au Bronx pour devenir la ***première ville mégalopole : New York City.*** Avec cette unification, la population fait un bond pour atteindre 3,5 millions d'habitants, ***New York devient la ville la plus peuplée des États-Unis et la deuxième du monde après Londres.***

Les premiers parcs urbains apparaissent dès 1860 : ***Central Park***, puis Riverside Park dans Manhattan et ***Prospect Park à Brooklyn.*** Parallèlement, après de terribles incendies en 1835 et 1845, la ville se dote d'un corps de sapeurs-pompiers professionnels et une loi est instaurée qui oblige les propriétaires d'immeubles à construire des *fire escapes,* ces fameux escaliers métalliques à l'extérieur des buildings qui donnent encore aujourd'hui une physionomie si particulière aux rues new-yorkaises.

La ville la plus...

C'est au XIXe s que New York devient la ville de tous les superlatifs : la plus active, la plus riche de toutes, etc. ; ***son port est le plus grand du monde de 1820 à 1960.***

Tout l'argent de cette prospérité est alors investi pour faire de New York ce qu'elle est devenue. De grands projets immobiliers voient le jour. Le premier d'entre eux est la ***construction du pont de Brooklyn,*** qui commence en 1869 pour s'achever en 1883. La vue sur Manhattan y est sublime au coucher du soleil... Puis arrivent les gratte-ciel, si caractéristiques de New York. Les entreprises américaines, qui avaient presque toutes leur siège à New York (70 % en 1900), sont les principaux promoteurs de buildings, la hauteur de leurs immeubles faisant sentir à tous leur puissance. Pour les construire et, plus tard, les occuper, les promoteurs trouvent une main-d'œuvre en nombre avec les immigrants.

Les immigrants

Les tout premiers immigrants arrivent en 1624 : 23 juifs séfarades exilés du Brésil. Fuyant la misère, la famine, les persécutions politiques, raciales ou religieuses, ils sont 12 millions en un peu plus de 30 ans, de 1892 à 1924, à faire le voyage jusqu'aux pieds de la statue de la Liberté, symbole des chaînes brisées. Irlandais, Allemands, Italiens, juifs d'Europe centrale, tous viennent chercher en Amérique une vie meilleure (en 1914, un septième des juifs d'Europe centrale avaient émigré aux États-Unis).

Depuis la fin de la guerre froide, beaucoup de Russes vivent à New York et, petite anecdote, le fils du dictateur soviétique Nikita Khrouchtchev a obtenu sa nationalité américaine, en 1999. Tout cela n'est pas sans poser des problèmes de racisme, de communication, de morale et d'intégration. Et même si chaque communauté s'est plus ou moins bien fondue dans la cité, les traditions demeu-

rent ou renaissent plus fortes que dans le pays d'origine. La fête de la Saint-Patrick, par exemple, est une tradition sacrée chez les Irlandais de New York (le 17 mars).
Ces différences, ces conflits, même s'ils sont souvent très enrichissants pour les hommes un tant soit peu ouverts, ont fait l'affaire de la presse, qui vit ici une manne formidable pour assurer son développement. ***Ainsi, à la fin du XIXe s, New York compte à elle seule 146 journaux quotidiens en une demi-douzaine de langues différentes.***

La « loi sèche »

Après la Première Guerre mondiale, une nouvelle bataille ronge l'Amérique : celle de la lutte contre l'alcool. ***En 1919, la prohibition*** (la « loi sèche »), votée par le Congrès, interdit à quiconque de consommer de l'alcool sur le territoire américain. Au pays du bourbon, ce ne pouvait être que problématique. ***New York devient la tête de pont d'un gigantesque réseau de contrebande*** où les gangs dirigés par Al Capone et Lucky Luciano (originaire du même village que Frank Sinatra, soit dit en passant !) s'affrontent pour l'argent de l'alcool clandestin. À l'heure où l'on parle d'argent de la drogue, cela peut faire doucement rigoler. Toujours est-il que c'est à New York que l'on retrouve les premiers cadavres mafieux, au fond du fleuve, les pieds coulés dans le béton. Pas moins de 32 000 *speakeasies* (bars clandestins) ont été dénombrés dans la ville à l'époque.

La crise

Après les Années folles vinrent les années noires. Durant l'été 1929, l'indice de référence de la Bourse monte de 110 points. Tout le monde achetait, sûr de revendre plus cher rapidement. Ce qui fit dire à certains experts que, après la période de forte spéculation que les États-Unis vivaient depuis 1926, une crise économique grave allait survenir. ***Le 24 octobre 1929, ce fut le Jeudi noir : les cours s'écroulèrent.*** Une vraie panique. Les ventes se succédèrent à un rythme hallucinant durant 22 jours. Le krach était total : mi-novembre, le marché avait baissé de plus de 40 %. Un exemple : les actions d'une société de machines à coudre passèrent en 5 jours de 48 à... 1 $. Les actions Chrysler, elles, en 1932, avaient perdu en tout 96 % de leur valeur.

LE DOW JONES POUR LES NULS

Le plus vieil indice boursier est le Dow Jones de New York. Il appartient à la Dow Jones & Company, également propriétaire du Wall Street Journal, la bible des banquiers. Ils furent créés tous deux par Charles Henry Dow (1851-1902), à l'origine journaliste. Son objectif était d'évaluer le cours global de la bourse de New York, le New York Stock Exchange, en se basant sur 30 entreprises représentatives cotées en bourse. Il s'associa à un statisticien, Edward Jones, et créa le fameux Dow Jones.

De boursière, la crise devint économique puis sociale. Le gouverneur de New York commença alors à organiser des secours efficaces car l'Armée du Salut était débordée de demandes d'hébergement. Le chômage se développait tous les jours, jusqu'à toucher bientôt la moitié de la population active. La production industrielle s'effondra. La misère était partout. Le gouverneur s'appelait Franklin Delano Roosevelt. Il allait faire reparler de lui un peu plus tard.
Évidemment, une telle crise ne pouvait manquer de favoriser la corruption, la magouille et le crime. En 1933, les New-Yorkais en eurent assez et ils élirent un maire qui était bien décidé à nettoyer tout cela. Fiorello La Guardia fit un grand

ménage. En 12 ans, il purgea le personnel municipal corrompu, les flics ripoux et démantela le syndicat du crime. De plus, pour contrer la crise, il lança un vaste programme de construction duquel naquirent ***l'Empire State Building*** (de 1929 à 1931) et le ***Rockefeller Center*** dont l'édification débuta en 1932.
Au début de la Seconde Guerre mondiale, ***New York devint la capitale intellectuelle du monde occidental,*** investie par les génies qui vinrent s'y réfugier : Einstein, Dalí, Thomas Mann, Stravinski, Brecht, et même Saint-Exupéry, dont la première édition du *Petit Prince* sortit à New York...

Un difficile après-guerre

L'après-guerre fut prospère du point de vue économique, comme c'est souvent le cas, mais ce fut le seul point positif. Socialement, même si New York fit beaucoup pour les nécessiteux, elle se heurta au problème des émeutes noires qui éclatèrent à Harlem ; l'arrivée des Portoricains n'arrangea rien aux querelles de clans. Deux autres problèmes rongèrent la ville dans les années 1950 : ***le logement et l'insalubrité.*** New York était une ville sale, très sale, et des millions de rats hantaient les égouts.

Une ville en pleine banqueroute

New York fut confrontée à une véritable calamité : la dégradation rapide des logements favorisant la spéculation immobilière sous toutes ses formes. Peu à peu, les classes aisées désertèrent le centre-ville, entraînant la fermeture de nombreux commerces. ***L'insécurité augmenta et de graves émeutes noires éclatèrent durant les années 1960.***
Résultat : en octobre 1975, New York échappe de peu à la faillite. Imaginez une ville de 8 millions d'habitants susceptible de se retrouver, du jour au lendemain, sans le moindre service public : les autobus abandonnés çà et là, la police et les ambulances n'assurant plus aucun service, le métro restant en panne et la ville croulant bientôt sous les ordures... Il faut dire qu'avec 13 milliards de dollars de dettes, la situation était alors plus que critique. Le gouvernement de l'État, les banques et les syndicats s'associèrent pour éviter le chaos. Les finances furent redressées en moins d'un an.
En août 1977, une panne de courant de 25h déclencha un mini-baby-boom 9 mois plus tard ! Plus grave, le vandalisme et les pillages furent sans précédent.
En novembre de la même année, Edward Koch fut élu sur la base d'un programme dur, visant à assainir la ville et ses finances de toutes les corruptions. Durant 12 ans, il donna un nouvel élan à New York. En 1989, il fut remplacé par David Dinkins, le ***premier maire black.*** Rien d'étonnant dans une ville où les Noirs et les Hispaniques représentent la moitié de la population.
En août 1991, la mort d'un enfant noir dans un accident de voiture causé par un juif orthodoxe à Crown Heights provoqua 3 jours d'émeutes assez sanglantes dans ce quartier mixte de Brooklyn. Un étudiant orthodoxe fut tué d'un coup de poignard en représailles. Le coupable, un Noir de 22 ans, a été condamné à 19 ans de prison (peine maximale pour infraction des droits civiques). La cote de popularité du maire en prit un sacré coup, et beaucoup critiquèrent son manque de réaction. La communauté juive orthodoxe de Crown Heights fit un procès à la mairie de New York pour ne pas avoir immédiatement mis fin à ces émeutes qui enfreignaient leurs droits constitutionnels. En 1998, la ville a payé 1,1 million de dollars en dommages et intérêts aux juifs de Crown Heights.
En novembre 1993, après 30 ans d'absence, les conservateurs ont repris la mairie ; jusqu'au début de novembre 2001, Rudolph Giuliani « dirigea » New York. Cet homme, d'origine italienne, avait déclaré vouloir être un incorruptible...

La renaissance de New York

Comme il l'avait promis dans sa campagne électorale, ***Rudolph Giuliani a littéralement « nettoyé » New York,*** ville réputée pour être ingouvernable (la Big Apple avait été rebaptisée la « Rotten Apple », la « Pomme pourrie »). Rue par rue, il a reconquis la ville. Pour commencer, reprenant la théorie socio-urbaine du « carreau cassé » qui veut que des déprédations mineures encouragent une criminalité plus grave, il a réduit le climat d'insécurité en appliquant la ***« tolérance zéro » en matière de vandalisme.*** Il s'est ensuite attaqué aux infractions plus sérieuses.
Les ***crimes en tout genre ont diminué de moitié*** (meurtres en baisse de 60 %, grâce notamment à l'augmentation des effectifs de police), les rues sont devenues plus propres et près de 320 000 emplois ont été créés. Durant son premier mandat, Giuliani a aussi ***remis les caisses de la mairie à flot*** : de - 2,3 milliards de dollars en 1993, la balance est passée à + 2 milliards en 1998.
Sa première tâche avouée a été de ***se débarrasser de la mainmise de la mafia sur plusieurs industries.*** Giuliani avait de l'expérience dans ce domaine, ayant été plusieurs années magistrat fédéral (l'équivalent du procureur de la République) pour la région sud de l'État de New York. En 6 ans, il a mis plus de 4 000 personnes en prison ! C'était la mafia qui contrôlait par exemple le marché aux poissons de South Street Seaport. Pendant 60 ans, rien ne pouvait se faire sans son accord ; tous les marchands devaient payer des pots-de-vin, et la mafia fixait les prix (qui ont ensuite largement diminué).
Et c'est pour ne pas avoir payé ses impôts (500 millions de dollars de bénéfices provenant de la prostitution, des prêts, des syndicats et de casinos illégaux), que le parrain de la famille Gambino (l'une de celles qui se partageaient le marché aux poissons), John Gotti, s'est retrouvé en prison, ce qui fut le coup de grâce pour cette fructueuse affaire de famille. Également au cachot, le « Latin King » de la mafia hispanique et le parrain de la Cosa Nostra (une autre mafia italienne).
Comme si besoin était de prouver qu'il est pratiquement impossible de se débarrasser totalement de la mafia, en 2000, les New-Yorkais apprennent que cette noble organisation avait infiltré la Bourse : plus de 120 personnes arrêtées dans 19 compagnies, toutes les grandes familles de la mafia « représentées ». Une escroquerie incroyable de plus de 50 millions de dollars en manipulant les prix des actions.

Mardi 11 septembre 2001 : l'acte de guerre

Le 11 septembre 2001 a marqué d'une pierre noire l'entrée dans le XXIe s. Ce matin-là, quatre avions commerciaux américains sont détournés par des terroristes kamikazes et transformés en bombes volantes. Trois appareils atteignent leur cible : ***deux avions s'écrasent sur les Twin Towers,*** symboles de Manhattan et de la puissance économique américaine, et le troisième sur le Pentagone à Washington, symbole de sa puissance militaire. Quant au quatrième, il termine sa course près de Pittsburgh en Pennsylvanie avant d'avoir atteint son objectif. C'est la plus grosse attaque terroriste jamais commise contre un État. Aucun scénariste de film catastrophe hollywoodien n'avait osé imaginer cela. Le bilan est tragique et les pertes humaines sont les plus lourdes pour les États-Unis depuis la guerre du Vietnam : ***près de 3 000 morts et autant de blessés.*** En tout, moins de 2h auront suffi aux terroristes pour mettre le monde entier en état de choc. Pour la première fois depuis près de deux siècles hormis Pearl Harbor, les États-Unis sont victimes d'un acte de guerre sur leur propre sol, sans rien avoir vu venir. Oussama Ben Laden, milliardaire intégriste musulman, jadis formé et armé par la CIA pour lutter contre l'Union soviétique en Afghanistan, est le principal suspect.
Les conséquences économiques de ces événements ont été sévères. La zone proche des attaques a été paralysée pendant de nombreuses semaines, et les cours immobiliers y ont chuté. Les assurances ont enregistré les plus grosses

pertes de leur histoire, les compagnies aériennes ont vécu une crise financière sans précédent depuis une trentaine d'années, sans parler du coût de la reconstruction. L'impact psychologique est au moins aussi important : les attaques ont porté le coup de grâce à une croissance déjà moribonde en entamant la confiance de tous les agents économiques : investissements et consommation en berne, licenciements à la pelle.
Ce qui a frappé dans ces attentats, c'est la démesure de la violence et l'atteinte mondiale : ***80 nationalités furent recensées parmi les victimes du World Trade Center,*** un des lieux les plus cosmopolites de la planète. Personne n'oubliera les images traumatisantes de ces attentats-suicides, retransmises en direct et en boucle sur tous les écrans du monde. Personne ne pourra oublier, et surtout pas les New-Yorkais, la vision apocalyptique des Twins s'effondrant comme des décors de carton-pâte. Les photos des carcasses métalliques des tours se dressant dans un brouillard de poussière nous rappelleront sans doute longtemps la fin de la première version de *La Planète des singes,* la statue de la Liberté émergeant du sable dans un paysage désertique. New York a été blessée, amputée de son emblème, paralysée pendant près d'une semaine, mais elle a fait face. Dans ce paysage de désolation, la ***solidarité des New-Yorkais,*** unis dans le chagrin et la colère, nous a tous saisis. Dans une ville où l'individualisme est roi, ils se sont mobilisés pour aider les secouristes et faire des dons de sang, de médicaments, de vêtements... Le maire de l'époque, Rudolph Giuliani, dont tout le monde parlait déjà au passé à quelques mois des élections à sa succession, a fait preuve de courage et de détermination. On l'a vu se battre sur tous les fronts pour mettre immédiatement en place une cellule de crise, aider les pompiers, secourir des victimes, soutenir ses concitoyens... Giuliani a fini son mandat (qu'on lui a même demandé d'étendre de 3 mois) avec une cote de popularité exceptionnelle.

L'après-11 Septembre : New York veut rebondir

Plus que jamais, la Grosse Pomme veut croquer la vie à pleines dents, bien décidée à ne pas vivre dans le spectre du 11 Septembre. Puisant dans son exceptionnel réservoir d'énergie, la ville a su réagir aux incroyables défis qui se présentaient à elle. Sur le site du World Trade Center, on s'affaire désormais à la construction du nouveau complexe. Le ***projet architectural, maintes fois remanié,*** rend hommage aux victimes, en étant avant tout ambitieux et résolument tourné vers l'avenir. Tout le symbole d'une ville blessée mais volontariste.
Même si le 11 Septembre est dans toutes les mémoires, ***la ville a retrouvé son dynamisme*** : la ***fréquentation touristique est repartie de plus belle,*** d'abord avec le tourisme domestique, puis les visiteurs étrangers (et notamment européens grâce à la force de l'euro) ont emboîté le pas.
La reconstruction est aussi économique. Le 11 septembre 2001 avait précipité une récession déjà en embuscade, et les finances de la ville étaient en état de crise aiguë à l'arrivée de Michael Bloomberg. Mais c'était sans compter sur le dynamisme de « la ville des villes ». Faisant mentir ceux qui annonçaient son déclin après *September 11th*, New York a gardé la tête haute et balayé la crise. Les scènes de joie observées le jour de la victoire historique de Barack Obama en novembre 2008 ont marqué les esprits. Ce jour-là soufflait dans les rues de New York un vent d'espoir et d'optimisme que les habitants attendaient depuis 7 ans.

2011-13 : le come-back de New York

La nouvelle de la mort de Ben Laden, tué par un commando américain en mai 2011, a provoqué une explosion de joie dans tous les États-Unis, et particulièrement à New York. Une foule en liesse a immédiatement investi Ground Zero (où la reconstruction du World Trade Center se poursuit désormais activement), pour célébrer cette « revanche » attendue si longtemps. Dix ans après le 11 Septembre,

New York a retrouvé toute sa vitalité et son énergie créatrice. Les signes de reprise se multiplient, et la crise financière appartient désormais au passé. L'industrie touristique est pour beaucoup dans cette renaissance : le cap des 50 millions de visiteurs a d'ailleurs été atteint en 2011. Après avoir longtemps broyé du noir, Manhattan voit désormais la vie en... vert. Une ***vague écolo,*** encouragée par le maire Michael Bloomberg, déferle sur la ville. Petit à petit, ***la Big Apple se mue en Green Apple,*** une ville plus zen où l'on prend le temps de vivre, de respirer, de savourer. Tel le phénix, New York renaît de ses cendres.
Cependant, si New York se porte mieux, il n'en est pas de même pour la jeunesse, qui prend la crise de plein fouet. Le 17 septembre 2011, un millier de personnes occupent le parc Zuccotti (près de Wall Street) pour dénoncer les abus du capitalisme financier et le scandale des inégalités sociales. Dans les jours qui suivent, ils sont rejoints par des milliers d'autres sur le thème « nous sommes 99 % à subir la crise contre 1 % de privilégiés »... C'est le début du ***mouvement Occupy Wall Street,*** qui rapidement s'étend à l'ensemble du pays, sur le modèle des Indignés espagnols et du Printemps arabe. Il est soutenu par Michael Moore, Salman Rushdie, Noam Chomsky, Radiohead, Paul Krugman (prix Nobel d'économie 2008) et bien d'autres personnalités... Même le milliardaire Georges Soros exprime sa sympathie pour le mouvement. Le 14 novembre, les militants sont expulsés du parc par la police. Plusieurs tentatives de réoccupation ont échoué. Aujourd'hui, le mouvement cherche un second souffle, le soutien de l'opinion publique s'étant érodé pendant l'hiver. La lourde répression policière et l'amalgame avec les organisations anarchistes plus radicales y furent bien sûr pour quelque chose.
En 2012, le ***revival de New York*** se confirme, surtout celui des boroughs, comme le Bronx et Queens, après Brooklyn. Harlem connaît aussi une véritable renaissance et devient l'une des destinations culturelles et gastronomiques privilégiées. Cependant, un mal ronge la ville : l'***obésité*** ! Le 30 mai, le maire ***Michael Bloomberg décide d'interdire dans les cinémas, les snacks et les restos la vente des sodas de plus d'un demi-litre.*** Ses raisons : les sodas et boissons sucrées se révèlent un des facteurs clés de l'obésité, qui tue 5 800 personnes par an et coûte 4 milliards de dollars à la ville. Reste l'approbation du conseil de santé de New York. Les vendeurs de sodas auront 9 mois pour changer la taille de gobelets... Déjà, Coca-Cola prépare la riposte et Michael Bloomberg est traité d'hypocrite puisqu'il soutient chaque année le concours du plus gros mangeur de hot dogs à Coney Island... À suivre !

HOMOS

En juin 2011, l'État de New York est devenu le 6e état américain à légaliser le mariage gay. Après San Francisco (où, paradoxalement, la promulgation de la loi tarde à venir), New York est donc la 2e ville homo des États-Unis. Certains estiment que 20 % de la population de Manhattan est gay ou lesbienne. C'est aussi la ville américaine la plus visitée par les touristes gay. Greenwich Village et Chelsea (autour de 9th Avenue) sont leurs fiefs traditionnels, et Hell's Kitchen (l'ouest de Theater District), le nouveau spot branché. À New York, les homos ont tout : une chaîne de TV, des stations de radio, des magasins, un hôtel, une église (la cathédrale Saint John The Divine dans laquelle un mémorial est dédié aux victimes du sida), des clubs de gym, une clinique et évidemment des bars, boîtes, restos... De plus, les boîtes hétéros, sachant que les homos sont de bons clients, leur réservent une soirée spéciale par semaine.
Les endroits pro-homos sont reconnaissables à un drapeau arc-en-ciel, le *Rainbow Flag,* symbole de la Gay Pride et de la diversité du monde homosexuel, hommes et femmes de toutes les couleurs, religions et ethnies.
– Pour tous renseignements sur les sorties, événements culturels : ● *nextmagazine.com* ● L'équivalent de *Time Out* pour les gays.

MÉDIAS

Votre TV en français : TV5MONDE

TV5MONDE est reçue partout dans le monde par câble, satellite et sur Internet. Voyage assuré au pays de la francophonie avec films, fictions, divertissements, sport, informations internationales et documentaires.
En voyage ou au retour, restez connecté ! Le site internet • *tv5monde.com* •, sa déclinaison mobile *(• m.tv5monde.com •)* et son application iPhone offrent de nombreux services pratiques et permettent de prolonger ses vacances à travers des blogs et des visites multimédia.
Demandez à votre hôtel sur quel canal vous pouvez recevoir TV5MONDE et n'hésitez pas à faire vos remarques sur le site • *tv5monde.com/contact* •

Liberté de la presse

L'arrivée de Barack Obama au pouvoir a suscité beaucoup d'optimisme, après 8 années de mandat de George W. Bush, marquées par une grave régression des libertés publiques au nom de la « sécurité nationale ». Ces espoirs ont été rapidement déçus.
Trente-six États et le District of Columbia disposent actuellement d'une législation propre, garantissant aux journalistes, à des degrés divers, la protection de leurs sources ; or celle-ci demeure absente au niveau fédéral.
Toujours au nom de la « sécurité nationale », un revirement a présidé à l'entrée en application du Freedom of Information Act sur l'accès des citoyens à l'information publique. Une directive prometteuse du ministre de la Justice disposait que la rétention d'informations par les administrations devait rester exceptionnelle. En mars 2009, au grand dam des associations de défense des libertés publiques et malgré une injonction de la justice fédérale, la Maison-Blanche a décidé d'interdire la diffusion des photos de sévices infligés par l'armée américaine à des prisonniers en Irak et en Afghanistan. Si certains de ces clichés circulent déjà sur la Toile, la CIA a confirmé, en avril 2010, avoir procédé dès 2005 à la destruction du maximum de preuves (images et vidéos) d'actes de torture commis dans ses prisons secrètes et à Guantanamo.
Le journaliste James Risen, du quotidien *The New York Times,* s'est vu notifier, en mai 2011, une citation à comparaître lors du procès d'un agent de la CIA, accusé d'avoir transmis des informations confidentielles à plusieurs journalistes. Dans le document reçu par le journaliste, le ministère fédéral de la Justice affirme que Risen est un témoin et qu'il doit révéler ses informations et ses sources devant un jury. En cas de refus, il risque la prison pour « outrage à la Cour ». L'obsession sécuritaire affecte tout autant le domaine d'Internet. Les récents projets de loi relatifs à la cyber-sécurité – en particulier le Cyber Intelligence Sharing and Protection Act of 2011 (CISPA) – passés entre les mains du Congrès posent de graves entorses au principe de protection de la vie privée.
L'émergence du mouvement Occupy, né de la crise financière, et la répression dont il a fait l'objet, ont également eu d'importantes répercussions sur la liberté d'informer. De septembre 2011 à avril 2012, près de 80 journalistes – ou citoyens journalistes souvent issus du mouvement – ont subi des arrestations parfois musclées, assorties d'inculpations aussi absurdes que la « conduite désordonnée », la « réunion illégale » ou le « défaut d'accréditation ». Dans de nombreux cas, ces charges ont été heureusement abandonnées.
Une autre affaire, qui a beaucoup mobilisé l'opinion internationale, a connu au bout de 30 ans un dénouement encourageant. Ancien journaliste de radio et militant des Black Panthers, Mumia Abu-Jamal avait été condamné à mort en 1982 pour l'assassinat, dont il a toujours nié être l'auteur, du policier Daniel Faulkner. De graves irrégularités avaient entaché la conduite de son procès. Après un interminable ping-

pong judiciaire entre la justice de l'État de Pennsylvanie et la Cour suprême, le procureur de Philadelphie, Seth Williams, a finalement renoncé, en décembre 2011, à réclamer la peine capitale contre le journaliste. Après 30 ans passés dans le couloir de la mort, Mumia Abu-Jamal a pris ses nouveaux quartiers dans une prison de droit commun, avec des conditions de séjour moins inhumaines. L'enjeu d'une éventuelle libération reste d'actualité, l'affaire n'étant toujours pas rejugée sur le fond.
Ce texte a été réalisé en collaboration avec ***Reporters sans frontières.*** Pour plus d'informations sur les atteintes aux libertés de la presse, n'hésitez pas à les contacter.
■ ***Reporters sans frontières :*** *47, rue Vivienne, 75002 Paris.* ☎ *01-44-83-84-84.* • *rsf.org* • Ⓜ *Grands-Boulevards ou Bourse.*

Journaux

Les quotidiens

Les quotidiens sont de véritables institutions aux États-Unis, et à New York en particulier. Les Américains lisent énormément les journaux. Il faut dire que le prix y est pour beaucoup : environ 1 $ en moyenne. En vente dans des distributeurs un peu partout en ville.
– ***Le New York Times,*** né en 1905, compte parmi les monuments de la ville et représente une véritable référence au-delà. Journal progressiste et de qualité. L'édition du dimanche (plus chère, environ 5 $), est une encyclopédie de 2 kg pleine d'adresses pratiques, de renseignements sur les spectacles, les sorties... Il s'est courageusement opposé à la guerre en Irak.
– Autres quotidiens : le ***Wall Street Journal,*** sérieux et conservateur ; ***USA Today,*** le seul quotidien national (qualité médiocre). Et puis les tabloïds (appelés ainsi à cause de leur format plus petit), comme *Daily News, New York Post...* remplis de scandales, de potins mondains et de mauvais esprit. Ces derniers coûtent en moyenne 50 cents, ça donne une idée de la qualité... À New York, il y a aussi des quotidiens pour les Russes, les Chinois et les hispanophones.
– ***am New York :*** gratuit, à dispo dans les boîtes rouges disposées à tous les coins de rue ou presque.

Les hebdos

Les plus intéressants pour les touristes sont :
– ***The Village Voice :*** une mine d'infos sur la Big Apple : spectacles, cinés, vie culturelle et nocturne, mais aussi petites annonces, location d'appartements. Il est gratuit, sort le mercredi, et on le trouve dans les bars un peu branchés ou dans les distributeurs rouges situés à certains croisements de rues (surtout dans les quartiers tendance, genre TriBeCa). Il existe aussi une version *on line* : • *villagevoice.com* •
– ***Time Out New York :*** comme pour *The Village Voice,* tout y est pour sortir avec encore plus de détails et d'informations. En vente à partir du jeudi. Sinon, la version en ligne • *timeoutny.com* •
– ***New York Magazine :*** tout sur la vie culturelle et nocturne de New York, mais cette fois sous forme de magazine. • *nymag.com* •
– ***The L Magazine :*** plutôt axé sur Brooklyn, avec une version en ligne • *thelmagazine.com* •
– ***The New Yorker :*** THE magazine intello et littéraire depuis 1925, sophistiqué, impertinent et décalé. Réputé pour ses couvertures illustrées (réalisées en partie par Sempé depuis 1978), ses dessins humoristiques et sa rubrique « The Talk of the Town » farcie de potins manhattaniens. Il faut tout de même un bon niveau d'anglais pour le lire mais encadrer une couverture vous fera un joli souvenir de voyage !

Radio

Il y en a des dizaines. On en trouve pour tous les goûts, elles diffusent tous les styles de musique. Pour ceux qui voudraient cultiver leur anglais, une radio publique new-yorkaise sans pub : *WNYC 93.9 FM.*

Pour les auditeurs nostalgiques, *Radio France internationale* : *WNYE 91.5 FM (● rfi.fr ● ; lun-sam 6h30-7h10, 22h-1h ; w-e 6h30-9h, 23h-1h).* Actualités internationales, culture francophone et place de choix réservée au continent africain.

Télévision

Elle est reine à New York : les trois grands *networks (CBS, NBC, ABC)* y ont leur siège. Outre les 80 chaînes du câble (qui compte même une chaîne pour chiens !), il y a aussi une chaîne locale hertzienne : *WPIX* sur le canal 11. Depuis quelques années, les jeux et les séries surtout, occupent une place de choix.
– Sur la chaîne *NY1* : toutes les 10 mn, des news locales et la météo.
– Si vous avez l'occasion, allez assister à un show d'un des trois *networks,* comme *Saturday Night Live* ou le *Late Show with David Letterman,* tous les soirs sur CBS. S'inscrire des mois à l'avance... ● *cbs.com* ●
– *Weather Channel :* chaîne 36. La météo 24h/24.

PERSONNAGES

Cinéma

– ***Woody Allen*** *(né Allen Stewart Konisberg ; 1935)* **:** le cinéaste new-yorkais par excellence, dont on attend chaque année le nouveau millésime. Fils d'un chauffeur de taxi, ce gamin de Brooklyn vit aujourd'hui sur 5th Avenue, dans Upper East Side, l'un des derniers bastions de l'opulence new-yorkaise. Si la bourgeoisie intello de New York a nourri le meilleur de son œuvre (*Annie Hall, Manhattan, Alice, Meurtre mystérieux à Manhattan, Coups de feu sur Broadway...* pour ne citer que quelques films où la Big Apple est bien plus qu'un décor) et semblait indissociable de celle-ci, en 2005, il quitte sa ville pour Londres, où il tourne successivement trois films, puis l'Espagne (*Vicky Christina Barcelona* en 2008). Le réalisateur, plus apprécié en Europe que dans son pays, ne cache pas que cette délocalisation est avant tout due à des raisons de financements. Après *Midnight in Paris* et *To Rome with Love,* Woody devrait renouer avec son pays.
– ***John Cassavetes*** *(1929-1989)* **:** originaire d'une famille aisée issue de l'immigration grecque, Cassavetes est l'archétype de l'auteur indépendant refusant le système hollywoodien, qu'il a pourtant fréquenté comme acteur, mais dans lequel il n'a jamais trouvé la liberté de création dont il avait besoin. Dès son premier film, *Shadows* (1958-1959), tourné en décors réels à New York, il invente un style cinématographique qui lui permet de coller à la réalité, encore méconnue à l'époque, du sous-prolétariat noir. Ses films se feront ensuite « en famille », avec sa femme, la sublime Gena Rowlands, l'inoubliable femme en déséquilibre dans *Une femme sous influence* (1974), l'actrice fragile de *Opening Night* (1979) ou la femme courage de *Gloria* (1980), aux prises avec la mafia dans les rues du Bronx. Leur fils Nick a repris le flambeau familial, il est aussi réalisateur.
– ***Robert De Niro*** *(1943)* **:** avec son compère Martin Scorsese, il est l'une des grandes figures italo-américaines du cinéma. Fils d'un couple de peintres, il grandit dans Little Italy. Acteur de théâtre, c'est avec Scorsese qu'il perce dans le cinéma à partir des années 1970 : le réalisateur tient là son acteur fétiche que l'on verra, entre autres, dans *Mean Streets* (1973), *Taxi Driver* (1976), *Raging Bull* (1980), film consacré au boxeur Jack La Motta pour lequel il prend 30 kg en se gavant de pâtes, *Les Affranchis* (1990), sans oublier *Le Parrain II* et *Le Parrain III,* sous la houlette d'un autre grand Italo-Américain, Coppola. Il a aujourd'hui investi dans trois restos à succès et un hôtel de luxe écolo-design à TriBeCa. Et c'est l'un des organisateurs du TriBeCa Film Festival !
– ***Scarlett Johansson*** *(1984)* **:** découverte par le grand public dans *L'Homme qui murmurait à l'oreille des chevaux* (1998) de Robert Redford alors qu'elle n'est

encore qu'adolescente, c'est avec *Lost in Translation* (2003) de Sofia Coppola que Scarlett Johansson devient la star sensuelle que l'on compare souvent à Marylin Monroe, dont elle partage la bouche pulpeuse, les rondeurs et la blondeur. Mais à moins de 30 ans, sa filmographie est déjà presque aussi longue que celle de Monroe à la fin de sa vie... Depuis quelques années, l'égérie de Woody Allen, avec qui elle tourna trois films (*Match Point, Scoop* et *Vicky Cristina Barcelona*), s'essaie aussi avec succès à un autre art, celui de la chanson.

– ***Spike Lee*** *(1957)* **:** cinéaste noir militant, amoureux de New York, il dépeint la communauté afro-américaine de Brooklyn (où il a longtemps vécu) confrontée au racisme et à la violence. Sa carrière débute avec *She's Gotta Have It* (1986) et *Do the Right Thing* (1989). Depuis, il a réalisé plus d'une vingtaine de films dont *Jungle Fever* (1991), *Malcolm X* (1992) et *Inside Man* (2005) ainsi qu'un documentaire télévisé sur l'ouragan Katrina salué par la critique. Parmi ses derniers projets figure un long-métrage dont l'action se déroulerait à Brooklyn le 25 juin 2009, jour de la mort de Michael Jackson.

– ***Martin Scorsese*** *(1942)* **:** l'enfant d'Elizabeth Street, dans Little Italy, tombé tout petit dans le cinéma (non sans avoir failli embrasser pendant un temps la carrière de prêtre, mais il s'est fait recaler à l'examen d'entrée chez les jésuites...), a eu beau s'installer pendant 13 ans à Los Angeles, les grands moments de sa filmographie sont liés à sa ville, New York, où il est revenu établir ses bureaux sur Park Avenue. *Mean Streets* (1973), son quatrième film, défini par Scorsese lui-même comme « une sorte de manuel anthropologique et sociologique », raconte ainsi l'existence de quatre Italo-Américains de la seconde génération, ballottés entre leurs désirs et leur conscience, un peu plus morale, encore que... Puis c'est *Taxi Driver* (1976), cette odyssée hallucinante dans la jungle urbaine, *New York, New York* (1977), une comédie musicale avec Liza Minnelli et avec le compère De Niro, *Gangs of New York* (2002), avec Leonardo DiCaprio et Daniel Day Lewis et enfin *The Wolf of Wall Street* (2012), cinquième collaboration avec DiCaprio, cette fois dans le rôle d'un courtier en bourse. Scorsese s'est aussi intéressé à d'autres univers que celui de sa ville, mais il est l'un des cinéastes qui ont le mieux su décrire sa vie foisonnante.

Musique

– ***Mariah Carey*** *(1970)* **:** née à Long Island, chanteuse pop américaine au succès phénoménal. Fille d'un père d'origine afro-vénézuélienne et d'une mère d'origine irlandaise, elle souffre, enfant, de la séparation de ses parents, du racisme et de la pauvreté. Elle se réfugie dans la musique et dans le chant. Dotée d'un organe rare (la différence entre sa note la plus aiguë et sa note la plus grave est de 33 notes, soit cinq octaves, ce que seule la chanteuse péruvienne Yma Sumac égalerait), elle fait les bonnes rencontres et sort un premier album en 1990. Le succès vient ensuite rapidement, notamment pour son troisième album *Music Box* où elle interprète le succès international *Hero* (1993). La diva est depuis lors régulièrement en tête des *charts* un peu partout.

– ***Sean J. Combs*** *(1969)* **:** alias P. Diddy, producteur et P.-D.G. de Bad Boy Records dont il est le fondateur. Né à Harlem, ses parents sont d'origine haïtienne. Après des études universitaires, il décide de créer son propre label en 1991 et lance la chanteuse Faith Evans et le rappeur emblématique Notorious B.I.G. Il produira également Queen Latifah et Jennifer Lopez avant d'entreprendre une carrière artistique sous le nom de Puff Daddy puis P. Diddy, connu pour ses tubes de boîtes de nuit. Il est aussi très controversé et alimente régulièrement la presse à scandale. Sean Combs est à la tête d'un véritable empire financier qui touche à des domaines aussi divers que la mode, la télé-réalité, le cinéma ou la musique.

– ***George Gershwin*** *(1898-1937)* **:** fils d'immigrés russes, le petit Jacob Gershovitz est fasciné, à l'âge de 6 ans, par un piano mécanique. Sa vocation est née. Débutant dans le monde des *musicals* de Broadway, il devient rapidement célèbre, composant souvent avec son frère, Ira, de nombreuses *songs* qui deviendront des standards de jazz *(The Man I Love, I Got Rhythm...)*, mais aussi de la musique symphonique dans laquelle il a introduit les rythmes de jazz et les bruits de la jungle urbaine *(Rhapsody in Blue, Un Américain à Paris)*. Il est aussi l'auteur du premier opéra noir, *Porgy and Bess*. Une tumeur au cerveau l'emporte prématurément, en pleine gloire. On raconte que Gershwin avait rencontré Ravel et lui avait humblement demandé des conseils. Le compositeur français lui répondit que vu les sommes que gagnait Gershwin, ce serait plutôt à lui de lui refiler quelques tuyaux !

– ***Thelonious Monk** (1917-1982) :* le grand prêtre du be-bop, selon la formule consacrée, n'est pas né à New York, mais en Caroline du Nord. Néanmoins, installé dès l'âge de 6 ans dans ce qui allait devenir la capitale du jazz, il a été l'un des grands New-Yorkais du XXe s, attaché à sa ville d'adoption, port d'attache qu'il avait hâte de retrouver à chaque fin de tournée. Il a passé presque toute sa vie dans le quartier connu sous le nom de San Juan Hill avant que l'énorme Lincoln Center ne le défigure. Les hauts lieux du jazz tendance be-bop, de Harlem à Lower East Side, ont vu passer sa silhouette dégingandée puis bedonnante avec l'âge. Et quand il se murera dans le silence, ce sera pour être recueilli par une mécène du jazz, Nica De Koeningswarter, à Weehawkeen (New Jersey), dont les grandes baies vitrées de la somptueuse villa, juste de l'autre côté du fleuve, donnent sur New York...

– ***Lou Reed** (né Lewis Alan Reed ; 1942) :* auteur-compositeur américain né à Freeport, New York, fondateur avec John Cale du *Velvet Underground*, groupe phare de la scène new-yorkaise de la fin des années 1960 et du début des années 1970. Lou Reed fait partie des icônes du rock, même si son succès commercial a toujours été moindre que celui d'autres artistes de sa génération. Ses textes et ses musiques sont empreints de la noirceur liée à sa fréquentation des bas-fonds new-yorkais et à la drogue suite au rejet violent de ses tendances homosexuelles par ses parents. Ami d'Andy Warhol, il est entre autres le compositeur du fameux *Walk On the Wild Side* (1972).

– ***Rza** (1969) :* alias Robert Diggs, rappeur et producteur américain né et ayant grandi à Brooklyn. C'est l'un des producteurs les plus reconnus actuellement. Il a mis en musique, produit et chanté sur tous les albums du collectif new-yorkais Wu Tang Clan, dont il est l'un des membres fondateurs, et s'est fait remarquer pour son travail sur les B.O. des films *Ghost Dog* (1999) et *Kill Bill 1* et *2* (2003-2004). Grand amateur des sonorités soul américaines des années 1960 et 1970, Rza a su en particulier remettre au goût du jour dans ses productions ces classiques par des *samples*.

– ***Tupac Shakur** (1971-1996) :* de son vrai nom Sesane Parish Crooks, Tupac est considéré comme un des plus grands rappeurs de son temps. Natif de Harlem, il est surtout connu pour son activité du côté de Los Angeles. Son assassinat en 1996 lui a valu le statut de quasi-saint dans sa ville natale, car il apparaît comme le symbole de ce que la violence et les rivalités de gangs peuvent faire de pire (on voit sa photo partout à Brooklyn notamment, à côté de celles de Jésus ou de Shiva).

– ***Paul Simon** (1941) :* le premier du « couple » Simon & Garfunkel, né dans Queens. Simon et Garfunkel ont commencé à se faire connaître en 1957 sous le nom de Tom et Jerry ! Ces idoles des *sixties* connurent leur premier succès avec *Wednesday Morning*, mais c'est surtout la B.O. du film *Le Lauréat*, avec, entre autres, *Mrs Robinson* (élu disque de l'année 1968), qui a fait d'eux des vedettes planétaires. Septuagénaire assagi, Paul Simon, plus new-yorkais que jamais, poursuit aujourd'hui sa carrière en solo. Mais le duo se reforme parfois pour des tournées.

Littérature

– ***Paul Auster** (1947) :* né à Newark, dans le New Jersey, Paul Auster est installé depuis de nombreuses années à Brooklyn avec sa femme, Sigri Huvstedt, également romancière. Dans son livre *L'Art de la faim*, il a raconté sa vie au jour le jour pendant sa période française, tendance vache enragée (de 1971 à 1974), et ses difficultés à faire éditer ses premiers manuscrits. Le succès lui vient dans les années 1980 avec sa *Trilogie new-yorkaise,* minimaliste et étrange, qui capte une partie du mystère de la grande cité, puis il se renouvelle avec des romans plus amples qui s'interrogent sur l'Amérique et ses valeurs *(Léviathan, Moon Palace, Mr Vertigo, Brooklyn Follies...).* Il s'est aussi essayé au travail de scénariste et même de réalisateur (*Lulu on the Bridge,* 1998).

– ***Jerome Charyn*** *(1937)* **:** né dans le Bronx de parents juifs russo-polonais, Jerome Charyn fait partie des monstres sacrés de la littérature américaine contemporaine. Toute son œuvre est centrée sur New York, avec une prédilection pour les quartiers de l'ombre, les bas-fonds de son enfance, loin des néons tapageurs du cœur de Manhattan : le Bronx, Queens, Harlem, Lower East Side, Hell's Kitchen... Son héros, Isaac Sidel, commissaire de police, gravit un à un les échelons de la société pour devenir au fil des opus... maire de New York puis carrément président des États-Unis. Le rêve américain. New York, la ville de tous les possibles. Aujourd'hui, Jerome Charyn vit toujours là-bas, à la lisière de Chelsea et Greenwich Village, dans l'une des dernières ruelles pavées de Manhattan.

– ***Herman Melville*** *(1819-1891)* **:** le père de *Moby Dick,* né et mort à Manhattan, a bourlingué d'abord comme mousse sur un navire marchand, puis sur un baleinier et enfin sur une frégate. De ses voyages sur les différentes mers du globe, il tirera d'abord des récits exotiques. Puis ce sera l'œuvre de sa vie, son roman le plus connu, *Moby Dick* (1851), qui est un échec terrible pour lui : moins de 4 000 exemplaires vendus de son vivant. La carrière littéraire de Melville n'est d'ailleurs pas un grand succès et il doit se replier sur New York où il assurera sa subsistance et celle des siens en devenant inspecteur des douanes du port de New York. Il abandonne toute ambition romanesque pour se replier sur la poésie, plus confidentielle encore. Son dernier recueil sera d'ailleurs tiré à 25 exemplaires ! Melville repose à Woodlawn Cemetery dans le nord du Bronx. Le musicien new-yorkais **Moby** (un pseudonyme pas choisi au hasard !) est un arrière-petit-neveu du grand Herman.

– ***Henry Miller*** *(1891-1980)* **:** écrivain incontournable, Miller fut un des plus fervents combattants du puritanisme et de l'hypocrisie américaine et occidentale en général. Né un lendemain de Noël à New York, il fit son éducation dans les rues de Brooklyn. Ses éloges d'une existence et d'une sexualité libérées, dans ses romans et essais ainsi que dans sa propre vie, lui valurent d'être interdit à la vente aux États-Unis jusqu'en 1961, ce qui lui donna évidemment une réputation d'auteur avant-gardiste. Père de la révolution sexuelle, il sera porté par les grands mouvements contestataires californiens.

– ***Walt Whitman*** *(1819-1892)* **:** autodidacte (Whitman a quitté l'école à l'âge de 6 ans), il est, avec Emily Dickinson, l'un des piliers de la poésie américaine du XIXe s. Son œuvre majeure *Leaves of Grass (Feuilles d'herbe),* recueil qu'il n'aura de cesse de réécrire toute sa vie durant, autoéditée pour la première fois en 1855, alors qu'il travaillait en tant que pigiste à New York, clame, par son lyrisme, la sensualité et la liberté.

NATURE MORTE

Près de son atelier de Long Island, Jackson Pollock avait repéré une immense pelouse verte appartenant à un riche homme d'affaires. Il rêvait de peindre dessus... Après une grosse pluie, il décida de réaliser son œuvre. Au volant de sa voiture, il sillonna en tous sens le gazon immaculé, créant (selon lui !) des traces similaires à ses projections de peinture colorée. Pollock refusa de payer les 10 000 $ de dommages et intérêts au millionnaire, arguant que ce dernier possédait maintenant sa plus grande œuvre ! L'artiste proposa même de signer « le tableau » et d'être payé en retour...

Arts

– ***Jackson Pollock*** *(1912-1956)* **:** découvre à 11 ans les motifs abstraits de l'art primitif indien, source d'inspiration de sa peinture. Toute sa vie confronté à l'alcoolisme, Pollock trouve dans le dessin un moyen de libérer ses angoisses et sa rage. Sa marque de fabrique, le *dripping* (projection de peinture liquide sur la toile posée à même le sol, qui se trouve recouverte d'entrelacs colorés) donne naissance à l'*Action Painting* et lui vaut le surnom de *Jack The Dripper* (Jack L'Égoutteur). Chef de file du mouvement expressionniste abstrait (avec Willem de Kooning et Mark Rothko), il est considéré comme un des plus grands artistes américains. Une de ses toiles, la *n° 5,* peinte en 1948, s'est vendue 140 millions de dollars en 2006. Un des tableaux les plus chers de l'histoire alors que lui-même avait vécu dans une extrême précarité.

– ***Andy Warhol*** *(né Andrew Warhola ; 1928-1987)* **:** fils d'immigrés slovaques, originaire de Pittsburgh et non de New York, cet artiste touche-à-tout, provocateur, à l'ego surdimensionné, surnommé « le pape du pop », fut néanmoins une des figures incontournables de la ville. Illustrateur publicitaire à ses débuts, il devient peintre dans les années 1960 mais abandonne les *comics* quand il découvre que Roy Lichtenstein a un style très (trop) proche du sien, pour ne pas souffrir la comparaison. Il innove alors des techniques comme celle de la photo de célébrité sérigraphiée sur toile, devenue sa marque de fabrique. Artiste prolixe, Warhol produit aussi dans sa célèbre Factory le groupe de rock *The Velvet Underground* et se consacre enfin au cinéma. Il réalise pas moins de 200 films, du court au très long métrage (25h !). *Sleep,* où il filme pendant 5h un homme (son amant de l'époque) en train de dormir, restera dans les annales.

MANGE TA SOUPE, ANDY !

Les psys sont unanimes, tout ce qui se passe pendant l'enfance a une influence sur le restant de la vie. Par exemple, les fameuses boîtes de soupe rouge et blanc, sérigraphiées par Andy Warhol à partir de 1962 et emblématiques de son œuvre, sont une réminiscence de ses jeunes années. Enfant chétif, souvent malade, il eut droit tous les jours, pendant 20 ans, à son bol de soupe Campbell's au dîner, ce qui lui a plutôt réussi.

Société

– ***Bobby Fischer*** **:** *(1943-2008)* **:** c'est pendant sa petite enfance à Brooklyn que Bobby Fischer se découvre une véritable passion pour les échecs. Dès lors, il enchaîne les titres. En 1956, champion junior des États-Unis. À 13 ans, il tente celui des adultes et finit quatrième ! Grand maître à 15 ans, puis plusieurs fois champion des USA, le jeune Bobby commence une carrière internationale, bat les plus grands, jusqu'à l'historique championnat du monde (« le match du siècle ») contre le Russe Boris Spassky qu'il bat, mettant fin à 24 ans d'hégémonie soviétique. Ce match, très médiatisé, fut présenté comme un affrontement est-ouest, symbole du début du déclin de l'URSS... Il perdit cependant son titre en 1975 par forfait et ne rejoua qu'une seule fois, en 1992, dans une revanche accordée à Spassky. La partie s'étant déroulée dans la Yougoslavie en pleine guerre civile et sous embargo, Fischer fut déchu de sa nationalité américaine. Commença alors une vie misérable d'errance, en proie à une véritable paranoïa, pour finir à Reykjavik, symbole de sa gloire passée...

– ***John Davison Rockefeller*** *(1839-1937)* **:** un nom mythique dans le monde des affaires et même dans les cours d'école (qui n'a pas entendu de blague à son sujet ?). Le prototype du self-made-man sans état d'âme (« à l'américaine ») a bâti sa richesse sur l'or noir dès 1870 à travers la Standard Oil Company en éliminant la concurrence et en créant une situation de monopole. En 1911, son empire est finalement démantelé par la loi antitrust. Néanmoins, Rockefeller fera beaucoup pour sa ville et pour les arts, notamment dans la période de récession des années 1930. En 1929, il prête un de ses appartements de

5e Avenue à trois riches collectionneuses plutôt audacieuses pour l'époque. Elles y exposent les œuvres de Cézanne, Gauguin, Seurat et Van Gogh, alors ignorés du grand public et boudés des critiques. Le premier musée d'art moderne est né, bientôt baptisé MoMA. En 1930, il offre à la Ville le Fort Tryon Park et son monastère-musée doté de quatre cloîtres, les fameux Cloisters de Harlem, où aucun moine n'a vécu car la plupart des éléments architecturaux des XIIe-XVe s viennent du... Midi de la France ! Enfin, son nom reste évidemment associé au Rockefeller Center, un ensemble de 18 gratte-ciel construits en pleine dépression des années 1930 pour redonner du pep's à l'économie new-yorkaise.

– ***Malcolm X*** *(Malcolm Little ; 1925-1965)* **:** une figure incontournable de la cause noire. Converti à l'islam, il devient le porte-parole de la Nation Islam (Black Muslims), un mouvement révolutionnaire qui revendique la création d'un État noir indépendant. En 1964, il fonde sa propre organisation et s'oriente vers une vision plus humaniste intégrant l'ensemble des Afro-Américains, l'objectif étant toujours l'émergence d'un réel pouvoir noir. Il meurt assassiné devant son pupitre.

Mode

– ***Calvin Klein*** *(1942)* **:** figure emblématique de la mode, Calvin Klein est initié très jeune au dessin et à la couture. Après avoir suivi des études au Fashion Institute of Technology de New York, il fonde son entreprise en 1968 et le succès arrive très vite. Le couturier se fait notamment un nom en faisant défiler ses mannequins en slip et en flirtant doucement avec la provocation dans ses publicités. En dehors des sous-vêtements pour hommes et femmes, Calvin Klein est aussi célèbre pour sa marque de jeans, ses parfums et les fameuses lunettes estampillées CK.

– ***Ralph Lauren*** *(né Ralph Lipschitz ; 1939)* **:** styliste américain, né dans le Bronx. Ses parents étaient des immigrés juifs polonais, son père était peintre en bâtiment. Dès son plus jeune âge, le petit Ralph s'intéresse à la couture. Ayant très jeune l'ambition du succès, il change son nom vers 16 ans pour le rendre plus vendeur. Après avoir étudié la gestion, il crée pour la marque Brooks Brothers le label *Polo* et le rachète en 1967 pour ouvrir son propre commerce. Spécialisé au début dans les cravates, il va se diversifier avec le succès en restant toujours dans une gamme décontractée chic, et en gardant le petit joueur de polo brodé comme marque de fabrique. La société Ralph Lauren est aujourd'hui cotée en Bourse, depuis son introduction au milieu des années 1990 au New York Stock Exchange.

POLITIQUE

La ville, qui héberge le siège des Nations unies et se définit elle-même comme la « capitale du monde », est l'un des champs de bataille préférés des politiciens. Selon le mode d'attribution républicain des délégués lors des primaires, New York est en effet un État *« winner takes all »*, où le gagnant remporte la totalité des délégués de son parti (en l'occurrence 52) s'il obtient la majorité simple. Les démocrates, quant à eux, se voient attribuer leurs délégués selon le mode proportionnel (à condition d'avoir obtenu plus de 15 % des suffrages). Et l'État de New York en compte 232, un nombre non négligeable dans la course à l'investiture. Les New-Yorkais, qui comptent pour près de 45 % de la population de l'État, ont l'habitude de répartir leurs votes entre les 14 districts de la ville et le *City Council* (qui donne le feu vert pour la moindre dépense). Dans cette ***ville de tradition démocrate,*** progressiste et libérale (qui a voté massivement pour Obama en 2008), les républicains sont qualifiés de « modérés » et les démocrates se convertissent au libéralisme, ce qui rend les frontières entre les deux partis très floues.

Mais, davantage que le clivage démocrate-républicain, la clé de la politique new-yorkaise est basée sur sa multiplicité ethnique et religieuse. La ville a d'abord été dominée par les Irlandais, rejoints par les Italiens (La Guardia fut le premier maire italo-américain en 1933) et les juifs, tous affiliés au Parti démocrate tout-puissant. Durant cette période, les minorités (notamment les Afro-Américains et les Portoricains) restaient en marge du système. Après les émeutes de Harlem en 1964, les choses ont évolué. John Lindsay a ainsi été élu maire en 1965 grâce au soutien d'une coalition progressive de juifs, Noirs et Portoricains. Mais la dynamique s'est ensuite inversée, avec une réaction conservatrice de la communauté blanche devant certaines réformes et la situation de faillite de la ville en 1975. Cela mena à l'élection du conservateur Koch en 1977, soutenu par les classes moyennes blanches. Hormis l'intermède du premier maire noir David Dinkins, cette tendance s'est confirmée. Rudolph Giuliani (deux mandats de 1993 à 2001) puis Michael Bloomberg se sont appuyés sur les classes moyennes blanches pour être élus. Les minorités ne sont pas pleinement parvenues à traduire leur poids démographique en influence politique, en partie parce que leurs membres n'ont pas la citoyenneté américaine ou ne sont pas inscrits sur les listes électorales.

Le New York d'aujourd'hui n'a plus rien à voir avec le Gotham City de l'après-La Guardia où la mafia était un mal incontournable de la vie new-yorkaise. À son arrivée à la mairie, Rudolph Giuliani, ancien procureur, fait tomber le parrain des *Latin King* et celui de la *Cosa Nostra,* la mafia sicilienne. Il réhabilite les boroughs, où tout un chacun était armé et où la police était corrompue, modernise la police, intensifie les patrouilles et instaure la politique de « tolérance zéro » en matière de vandalisme. Aux antipodes de la tolérance chère aux New-Yorkais, cette politique a entraîné de nombreuses bavures mais a connu un succès indéniable (meurtres réduits de moitié et 60 % d'agressions dans le métro en moins), faisant de New York l'un des endroits les plus difficiles pour obtenir un permis de port d'arme et la troisième ville la plus sûre des États-Unis.

L'homme d'affaires ***Michael Bloomberg,*** digne héritier de cette politique, fut élu en 2001 grâce au parrainage de Giuliani et surtout... à sa fortune. Sa première campagne lui a coûté 73 millions de dollars et son salaire actuel en tant que maire s'élève à 1 $ symbolique. Après avoir longtemps été démocrate, il a adopté l'étiquette républicaine pour se présenter à la Mairie de New York et s'est depuis déclaré indépendant des deux grands partis américains. Michael Bloomberg laisse son nom à une draconienne loi antitabac (qui en a depuis inspiré d'autres ailleurs dans le monde, dont une chez nous). Il s'est aussi attelé à un chantier d'envergure : faire de New York une ville verte. Et il est surtout considéré comme un des meilleurs maires que New York ait connu.

POPULATION

New York est la ville cosmopolite par excellence, où l'immigration est plébiscitée par le maire lui-même. Deux New-Yorkais sur trois sont nés à l'étranger ou enfants de parents nés à l'étranger. Au dernier recensement, ils représentaient 3 millions, soit 600 000 de plus qu'en 1930, après la grande vague d'immigration qui vit l'arrivée massive d'Irlandais, Italiens et juifs d'Europe centrale à Ellis Island. Alors que les Blancs représentent 75 % de la population des États-Unis, celle de New York n'en compte plus que 35 %. Cette population, qui plus est, a tendance à diminuer (attirée par le New Jersey et le Connecticut voisins) alors que celle des Noirs est stable (environ 25 %) ; quant aux populations hispaniques et asiatiques, elles sont en plein essor. Il suffit de s'intéresser un peu aux cuisines des restaurants new-yorkais pour mesurer l'étendue de l'immigration hispanique...

LA TOUR DE BABEL

À New York, on parle plus de 170 langues et dialectes mais les spécialistes en recensent même 800 en comptant les idiomes mineurs ! Un bon nombre sont menacés de disparition, ce qui fait de New York un vrai conservatoire de langues vivantes. On rencontre notamment encore quelques Syriens qui parlent l'araméen, la langue du Christ.

La Big Apple compte près de 200 nationalités et selon la mairie, les élèves des écoles publiques parlent plus de 170 langues différentes (ce n'est pas pour rien que s'y trouve le siège des Nations unies !). Au palmarès des langues se trouve l'anglais, bien sûr, suivi par l'espagnol (près d'une personne sur trois le parle), le chinois, le russe, l'italien et le créole français, puis le coréen, le français, le polonais, le grec, l'arabe, l'hébreu, etc. Dans cette incroyable mosaïque ethnique de plus de 8 millions de personnes (8 000 hab./km^2 !), on trouve :

- 2,8 millions de ***Blancs.*** Parmi eux, près de 2 millions de ***juifs*** (c'est plus que les populations juives de Jérusalem, Tel-Aviv et Haïfa réunies). Les autres composantes importantes sont ***italiennes, grecques, russes*** (dont un nombre important venus s'installer ici après la chute du mur de Berlin en 1989) et ***irlandaises*** ;
- plus de 2 millions d'***Hispaniques*** (27 % de la population, la deuxième communauté après les Blancs). Une majorité provient d'Amérique centrale (Portoricains, Mexicains, Dominicains, etc.). D'ailleurs, toutes les formalités administratives (sécurité sociale, banque, etc.) peuvent être faites en anglais ou en espagnol et nombre de publicités dans les rames de métro sont imprimées dans les deux langues ;
- plus de 2 millions de ***Noirs*** ;
- un demi-million d'***Indiens*** (d'Inde) ; il y a aussi pas mal de ***Pakistanais*** ;
- les ***Asiatiques,*** dont une majorité de Chinois ;
- les ***Arabes,*** qui doivent faire face à des discriminations depuis le 11 Septembre ;
- le plus petit groupe : les ***Indiens d'Amérique.*** Il n'en reste que 15 000 dans la Big Apple.

Toutes catégories confondues, on estime à près d'un demi-million le nombre de clandestins à New York.

Bien sûr, les différences sont marquées d'un borough à l'autre. Brooklyn compte à lui seul 2,5 millions d'âmes, suivi de près par Queens (2,3 millions), Manhattan (plus de 1,5 million et une densité affolante de plus de 20 000 hab./km^2), le Bronx (1,3 million) et Staten Island (près d'un demi-million). Brooklyn, Queens et Manhattan seraient respectivement les quatrième, cinquième et septième villes des États-Unis après New York, Los Angeles et Chicago ! Les différences sont aussi ethniques : Staten Island est à 70 % blanche, mais le Bronx est peuplé à 80 % par les communautés noire et latino.

RELIGIONS ET CROYANCES

New York est depuis toujours ***la ville des libertés de culte*** par excellence. Cette liberté fut l'une des caractéristiques qui la rendirent attractive : pour les premiers colons, New York était la porte d'entrée en Amérique du Nord, un nouveau monde dans lequel ils allaient enfin pouvoir pratiquer leur religion sans être inquiétés ni persécutés.

Le paysage religieux de New York se forma donc au fil des vagues d'émigrants qui débarquèrent du XVIIe s à aujourd'hui. Dès 1621, des calvinistes de la Compagnie hollandaise des Indes occidentales s'établirent sur l'île de Manhattan. Durant la seconde moitié du XVIIe s, l'État de New York accueillit William Penn et ses quakers, des luthériens et divers protestants allemands (les amish d'aujourd'hui). Au XIXe s, l'arrivée massive d'Irlandais et de Français, venus travailler contre une maison et un lopin de terre, augmenta considérablement le nombre de catholiques. Cette tendance s'accentua avec l'arrivée, plus tardive, d'Italiens et de Polonais. En provenance d'Europe de l'Est, une partie de la diaspora juive débarqua à son tour, ainsi que des orthodoxes. Au milieu des années 1960, la communauté musulmane commença à s'étoffer, grâce notamment à l'afflux de « cerveaux » venant du Pakistan, d'Inde, du Bangladesh, du Liban ou de Syrie.

Aujourd'hui, la vie religieuse à New York se compose d'une mosaïque de cultes et de croyances. Des origines essentiellement protestantes de la ville subsistent quatre églises de la *Dutch Reform,* la plus importante étant la *Marble Collegiate Church* (qui possède de superbes vitraux Tiffany), construite en 1854, située sur 5th Avenue (et 29th Street). Par ailleurs, on dénombre dans la ville plus de 2 500 églises protestantes, et également 429 églises catholiques, 110 églises orthodoxes, 437 synagogues, 60 mosquées, 16 temples bouddhiques, un temple hindou et un centre bahaï.

Contrairement à ce que les nombres des différents lieux de culte pourraient nous faire croire, les New-Yorkais sont en majorité catholiques ; viennent ensuite les protestants, puis les juifs (la Big Apple est d'ailleurs la première ville juive du monde).

En dehors des cultes et religions établis, il faut également souligner l'apparition d'un nouveau type de spiritualité fondée sur des philosophies de vie de style New Age, souvent inspirées par le retour en force du bouddhisme et de l'hindouisme (merci au yoga !).

La religion à New York est aussi une affaire de gros sous. Totalisant 90 milliards de dollars, les organisations religieuses investissent en Bourse. Elles sont exemptées de taxes et ne sont soumises à aucun contrôle. Ainsi, de nombreux illuminés en profitent pour créer leur propre religion, dérivant systématiquement sur des ***sectes,*** qui sont tolérées par la ville.

Dans le métro, à chaque coin de rue et surtout à Times Square et Harlem, vous tomberez nez à nez avec des personnes délirantes perchées sur des tabourets, avec haut-parleur, essayant de vous convertir à leur religion. À vos risques et périls !

Enfin, les organisations religieuses jouent un rôle important dans la vie politique new-yorkaise. Lors de nombreuses messes, le célébrant encouragera ses ouailles à voter pour le candidat qui semble représenter au mieux leurs intérêts. Pour les Blacks et les juifs, c'est souvent un démocrate. Pour les WASP (*White Anglo Saxon Protestants* : Blancs anglo-saxons protestants) les plus aisés, c'est plutôt un républicain. Au niveau fédéral, les ***lobbies religieux s'opposent à l'avortement, aux mariages civils homosexuels*** et aimeraient afficher les 10 commandements dans toutes les écoles. Ils ont le vent en poupe depuis le premier mandat du très conservateur George W. Bush, qui avait l'habitude de prier avant chaque réunion politique ou électorale et qui est parti en guerre au nom de Dieu.

SAVOIR-VIVRE ET COUTUMES

Quelques conseils et indications en vrac.

– ***Les files d'attente*** dans les lieux publics ne sont pas un vain mot. Pas question, comme en France, de gratter quelques places à la poste ou dans la queue de cinéma. Le petit rigolo qui triche ou qui ne respecte pas la distance de sécurité entre le guichet et le gros de la file d'attente est vite remis en place. C'est l'occasion d'apprendre le civisme et la patience.

– ***How are you today ?*** est la question qui vous accueille partout dans ce pays, que ce soit dans les boutiques, les restos, etc. Qu'un vendeur ou un serveur que vous ne connaissez ni d'Ève ni d'Adam vous demande d'emblée « Comment ça va aujourd'hui ? » surprend un peu au début...

– Les Américains se font très rarement la ***bise.*** Quand on se connaît peu, on se dit *Hi !* (prononcer « aïe »), qui signifie « Salut ! », « Bonjour ! ». Quand on est proche et qu'on ne s'est pas vu depuis un moment, c'est le *hug* qui prévaut. Il s'agit de s'enlacer en se tapant dans le dos, gentiment quand il s'agit de femmes, avec de grandes bourrades quand il s'agit d'hommes. Si vous approchez pour la première fois un Américain en lui faisant la bise, ça risque de surprendre (voire choquer) votre interlocuteur. Cela dit, la *French attitude* est plutôt bien vue... Le meilleur moyen de saluer quelqu'un est quand même de lui serrer la main, pratique très courante, même chez les ados.
– ***En arrivant dans un restaurant, on ne s'installe pas à n'importe quelle table,*** mais on attend d'être placé. Cela dit, dans certains cafés très décontractés, cette règle ne s'applique pas.
– ***Les petits restes :*** si, au resto, vous avez du mal à terminer ce que vous avez commandé (ce qui arrive souvent là-bas), n'ayez pas de scrupules à demander une barquette pour emporter les restes de vos plats ; d'ailleurs, tout le monde le fait. Jadis, on disait pudiquement : « C'est pour mon chien », et il était alors question de *doggy bag.* Aujourd'hui, n'hésitez pas à demander : « *Would you wrap this up for me ?* » ou encore « *Would you give me a box, please ?* ».
– Au sujet des ***w-c publics*** **(restrooms)** ***:*** ils sont plutôt rares à New York. Vous en trouverez à Penn Station, à Grand Central, dans certains buildings (genre Trump Tower), dans les halls des grands hôtels, dans la plupart des grands magasins (ou dans les librairies *Barnes and Noble* et les supermarchés bio *Whole Foods Market* qui ont des cafét') et dans certains jardins publics. N'hésitez pas à demander, on ne vous dira jamais non, à moins qu'une pancarte précise « *Customers only* », ce qui est le cas dans la plupart des restaurants (dans ce cas, mieux vaut viser de grands établissements type *McDo*).
– ***La climatisation et le chauffage :*** en été, les Américains ont la manie de pousser la clim à fond dans la plupart des lieux publics (restos par exemple). Ayez donc toujours un petit pull sur vous pour éviter les chocs thermiques permanents. À contrario, si vous logez en studio ou en appartement en plein hiver, les radiateurs ont une fâcheuse tendance à émettre de gros filets de vapeur tout en chuintant comme des cocottes-minute !
– ***Les crottes de chien :*** voilà encore un sujet sur lequel on pourrait prendre de la graine. Les New-Yorkais savent ramasser les crottes de leur toutou. Ce qui apparaît comme un geste simple, civique et évident là-bas a décidément du mal à se mettre en place en France.
– ***Pour acheter votre journal, il existe des distributeurs automatiques :*** il suffit de glisser la somme et une petite porte s'ouvre pour vous laisser prendre votre quotidien.
– ***Il ne sert à rien de s'énerver et encore moins de hurler*** quand quelque chose ne se déroule pas comme on le voudrait. Une attitude malheureusement bien française mais totalement décalée aux États-Unis. Le fait d'élever la voix vous fera passer pour un fou et vous risquez d'être traité comme tel. On vous conseille plutôt de garder votre sang-froid, surtout si vous vous adressez à un policier, cela va sans dire.
– ***Les malentendus culturels :*** les Américains, joyeux drilles, grands enfants naïfs qui adorent rigoler, aiment les contacts et sont d'un abord facile, à New York particulièrement. Pour les Français, cet élan immédiat leur fait croire qu'ils se sont fait de nouveaux amis dans la minute. Le premier contact passé, ils s'aperçoivent souvent que la mayo de l'amitié est redescendue. L'analyse de cette situation fait dire aux Français que les Américains sont superficiels, légers, inconsistants. Les Américains nous trouveraient arrogants et distants. En fait, c'est la facilité du premier contact avec les Américains qui peut induire en erreur, alors que les Français auraient plutôt tendance à se tourner autour, se renifler, se toiser... pour enfin se parler.

SITES INSCRITS AU PATRIMOINE MONDIAL DE L'UNESCO

Pour figurer sur la liste du Patrimoine mondial, les sites doivent avoir une valeur universelle exceptionnelle et satisfaire à au moins un des 10 critères de sélection. La protection, la gestion, l'authenticité et l'intégrité des biens sont également des considérations importantes.
Le patrimoine est l'héritage du passé dont nous profitons aujourd'hui et que nous transmettons aux générations à venir. Nos patrimoines culturel et naturel sont deux sources irremplaçables de vie et d'inspiration. Ces sites appartiennent à tous les peuples du monde, sans tenir compte du territoire sur lequel ils sont situés. Pour plus d'informations : ● *whc.unesco.org* ●
Curieusement, un seul site est classé par l'Unesco à New York : la ***statue de la Liberté.***

SPECTACLES

Comédies musicales

Si les comédies musicales commencent à débarquer aussi « chez nous », il est difficile de ne pas être bluffé par la variété, le professionnalisme et l'efficacité de certains shows *made in Broadway*. Rien que le nombre de théâtres laisse pantois. Car le Theater District, c'est 40 théâtres de plus de 500 places (ce que les New-Yorkais appellent ***On-Broadway***) concentrés autour de Times Square et une petite centaine d'autres scènes de plus petite capacité, autrement dit les ***Off-Broadway.*** Ce qui ne veut pas dire que les shows *off-Broadway* sont moins bons, c'est juste une question de capacité de salle et de budget. Les « *off* » ont aussi leurs avantages : la liberté de ton et la proximité de la scène et des acteurs par rapport aux spectateurs. Et puis, certains « off » sont aussi des tremplins pour passer ensuite sur les grandes scènes. Car l'objectif de tous ces spectacles reste bien sûr la rentabilité.
Si le prix des billets est élevé (de 50 à 120 $ selon le spectacle et la catégorie), il y a heureusement moyen de dégoter des ***places à tarifs réduits*** (voir plus loin).
Attention, la plupart des théâtres font relâche le lundi.
Maintenant, reste à bien choisir son spectacle. Pour savoir ce qui passe et voir de courts extraits, consulter les sites ● *playbill.com* ● *broadway.com* ● On peut aussi parcourir le *New York Times* du vendredi et du week-end, ainsi que les hebdos *Village Voice* et *Time Out New York.* Voici une petite sélection des incontournables, *On* et *Off-Broadway* :
– ***Priscilla Queen of the Desert :*** inspirée du film éponyme, l'épopée de deux drag-queens et d'une transsexuelle traversant l'Australie dans un bus coloré qui tient la vedette pendant tout le spectacle. Un cocktail réjouissant de tubes (Cindy Lauper, Madonna, Donna Summer...), de paillettes et de plumes. Costumes délirants, maquillages outranciers, humour sous la ceinture, tout est d'un kitsch absolu mais assumé.
– ***Memphis :*** l'irruption de la *soul music,* la musique des Afro-Américains dans les années 1950, et les difficultés pour l'imposer au public blanc. Pourtant, un animateur de radio va réussir à la programmer et conquérir la jeunesse, en brisant les préjugés, les tabous, les barrières sociales et raciales. En même temps, il vit lui-même une superbe histoire d'amour avec une chanteuse noire, sur fond de ségrégation. Chanteurs, danseurs et acteurs sont merveilleux et d'un profes-

sionnalisme confondant. Magnifiques décors et jeux de lumière. Mis en scène au millimètre, orchestre extra ! Que du bonheur.
- ***Chicago :*** d'après la comédie musicale de Bob Fosse et Fred Ebb, elle-même tirée d'un fait divers. Dans le Chicago des années 1920, deux meurtrières sont prêtes à tout pour devenir célèbres. Un incontournable de Broadway, qui mettra tout le monde d'accord.
- ***Anything Goes :*** encore un classique, signé Cole Porter cette fois, et créé à Broadway en 1934. Et un bon choix pour une première expérience de comédie musicale.
- ***Avenue Q :*** l'originalité de ce *musical* parodiant l'émission pour enfants *Sesame Street,* c'est qu'il est interprété presque exclusivement par des marionnettes, un peu à la manière du *Muppet Show.* Mais attention, ce n'est pas du tout pour les enfants, et une bonne connaissance de l'anglais est requise pour apprécier l'humour des dialogues.
- ***The Phantom of the Opera :*** près de 25 ans d'affiche à Broadway pour cette adaptation du roman de Gaston Leroux qui se déroule dans les profondeurs de l'Opéra de Paris. Très beaux costumes (plus de 200, certains confectionnés à la main), mise en scène classique à l'eau de rose et quelques effets spéciaux dont la scène mythique du lustre monumental qui chute sur le public !
- ***Mamma Mia ! :*** ce *musical,* adapté depuis au cinéma avec Meryl Streep et Pierce Brosnan, a fait le tour du monde et séduira surtout les fans du groupe Abba, dont les tubes rythment le scénario.
- ***Jersey Boys :*** toujours un gros succès pour ce show qui retrace la vie de Frankie Valli and The Four Seasons, ce groupe d'ouvriers devenu une icône de la pop américaine dans les *sixties.*
- ***Stomp :*** créé au Royaume-Uni, acclamé aux quatre coins du monde, divisé en plusieurs troupes afin de répondre à la demande mondiale... Même réduit par rapport à la troupe initiale, ce spectacle de percussions réjouira petits et grands.
- Et puis, inspirés par les dessins animés de Disney et autres films familiaux, donc accessibles aux plus jeunes, les excellents ***The Lion King*** *(Le Roi Lion)* et ***Mary Poppins,*** ainsi que ***Spiderman***, ***Wicked*** (adapté du *Magicien d'Oz)* et ***The Addams Family.***

Billets à prix réduits pour le théâtre et les comédies musicales

■ ***TKTS Times Square :*** *sous l'escalier rouge, au centre de la patte d'oie formée par Broadway et 47th St. ☎ 212-221-0013 ou 0885. Réducs 25-50 % sur les places les plus chères (billets d'orchestre à env 60 $ + frais). Ventes pour le soir même lun, mer et sam 15h-20h, mar 14h-20h, dim de 15h à 30 mn avt la représentation ; ventes pour la matinée du jour mer et sam 10h-14h, dim 11h-15h. Cash ou CB.* Sont affichés les spectacles pour lesquels il reste des places disponibles le jour même. Faites la queue bien avant. Attention, il y a en général 2 files d'attente, une pour le théâtre et une autre pour les *musicals.*

■ ***TKTS South Street Seaport :*** *angle John St et Front St. Tlj 11h-18h (16h dim).* Mêmes prestations qu'à Broadway, mais les billets pour les matinées sont vendus la veille pour le lendemain et puis il y a nettement moins de monde, ce qui n'est pas négligeable !

■ ***TKTS Brooklyn :*** *1 MetroTech Center (angle Jay St et Myrtle Ave Promenade). Mar-sam 11h-15h, 15h30-18h.* Mêmes prestations qu'à South Street Seaport.

■ • ***broadwayforbrokepeople*** • Ce site internet recense les différentes possibilités de réduction, show par show. Certains théâtres ont mis en place un système de loterie ***(lottery),*** avec un tirage au sort d'une vingtaine de billets autour de 25-30 $, environ 2h avant le spectacle. Sinon, il y a aussi les ***rush tickets,*** c'est à dire les places de dernière minute vendues aux guichets dès l'ouverture le matin. Dans ces 2 cas précis, il faut se rendre directement dans les théâtres concernés.

Théâtre

Contrairement à Broadway qui reste dans le registre commercial, East Village joue la carte des pièces de théâtre originales (et du cinéma d'art et d'essai, voir ci-dessous). Mais pour profiter vraiment de tous ces spectacles, mieux vaut avoir un niveau d'anglais supérieur à celui du bac !

■ ***La MaMa E.T.C.*** *(Experimental Theatre Club ; centre 3, C3) : 74 A E 4th St (entre Bowery et 2nd Ave).* ☎ *212-475-7710.* ● *lamama.org* ● Ⓜ *(F) 2nd Ave. Spectacles certains soirs de la sem.* C'est à cet endroit précis que furent jouées, au début du XXe s, les premières pièces en espagnol et en yiddish. Aujourd'hui, *La MaMa E.T.C.* propose un remarquable répertoire théâtral, ouvert à tous les genres, toutes les aventures. Également de la danse et de l'opéra.

■ ***Theater for the New City*** *(centre 3, D3) : 155 1st Ave (entre 9th et 10th St).* ☎ *212-254-1109.* ● *theaterforthenewcity.net* ● Ⓜ *(6) Astor Pl ou (L) 1st Ave.* Orientation très « contre-culture ». S'il n'y a pas de représentation théâtrale, on peut entrer dans le grand hall kitsch. Expos temporaires dans les couloirs et *murals* psychédéliques au sous-sol. Bon accueil.

■ ***Bowery Poetry Club*** *(centre 3, C4, 445) : 308 Bowery (entre Bleecker et E Houston).* ☎ *212-614-0505.* ● *bowerypoetry.com* ● Ⓜ *(F) 2nd Ave. Cover charge 5-15 $ en moyenne.* Le *B.P.C.* pour les intimes ! En fait, son succès vient du slam dont il est un ardent promoteur *(ts les mar 19h).* Ici se succèdent chanteurs, acteurs et comédiens en herbe pour une programmation très éclectique : slam, hip-hop, jazz, rock, poésie, théâtre, etc. Très créatif.

Musique

– Nombreux ***concerts en plein air en été*** (souvent sponsorisés par de grandes marques), ce qui ajoute au charme de New York. Le plus fameux est ***Summer Stage*** qui se déroule de fin juin à mi-septembre à Central Park *(Rumsey Playfield, vers le milieu du parc, entrée sur 72nd St, W et E ; plan 2, H9).* Les meilleurs groupes pop internationaux s'y produisent. Le week-end le plus proche du 14 juillet, super concerts de groupes français ou maghrébins, pratiquement toujours gratuits (don libre à l'entrée). ● *summerstage.org* ●

– Ne manquez pas un ***opéra*** (de septembre à avril) ou un ballet (de mai à août) au *Metropolitan Opera* du *Lincoln Center.* C'est en v.o. sous-titrée, les décors sont grandioses, la musique vous prend aux tripes, les meilleurs chefs d'orchestre, chanteurs lyriques et danseurs du monde se produisent devant vos yeux. Les billets ne sont pas donnés, mais il y a des réducs de dernière minute ou encore les places debout ou à visibilité réduite.

– ***Lincoln Center Festival :*** 3 semaines en juillet. Festival international de théâtre et d'opéra. Quand les acteurs jouent dans une langue autre que l'anglais, on vous prête des écouteurs avec traduction simultanée, comme à l'ONU ! Attention, c'est complet très tôt, réservez donc à l'avance. ● *new.lincolncenter.org* ●

– ***Lincoln Center Midsummer Night Swing :*** de fin juin à fin juillet, 19h30-22h. On danse dans le joli décor de la place du Lincoln Center et du Met Opera *(63rd Street et Columbus).* Programmation musicale différente chaque jour : swing, salsa, *merengue,* tango, etc. Une sorte de petit chapiteau est dressé au milieu avec un orchestre live. ● *new.lincolncenter.org* ●

– *Au Carnegie Hall,* des ***concerts classiques*** pratiquement chaque jour avec des pianistes, violonistes... jeunes talents ou confirmés. Le meilleur plan est de se présenter au guichet vers 12h le jour de la représentation : les places invendues (souvent avec vue limitée) sont à 10 $. Demander un *rush ticket.*

– Ceux qui aiment le ***music-hall*** iront au *Radio City Music Hall (Rockefeller Center).* Une salle de presque 7 000 places en train d'applaudir Liza Minnelli ou Barbra Streisand, vous ne verrez cela qu'à New York.

Cinéma

Si votre niveau d'anglais vous le permet, allez au cinéma. Pour une quinzaine de dollars, c'est très dépaysant ! Le public américain est dissipé, voire bruyant, se gavant de Coca et de pop-corn dégoulinant de beurre fondu pendant toute la séance. Bref, une expérience intéressante.

■ ***Angelika*** *(centre 2, C4)* **:** *W Houston et Mercer St.* ☎ *1-777-FILM ou 212-995-2000.* ● *angelikafilmcenter.com* ● 5 salles et un café. Ils y passent les derniers films étrangers et pas mal de films indépendants. Fréquenté par beaucoup d'étudiants.

– Si vous voulez voir les derniers films à l'affiche (en 3D par exemple), on trouve le plus grand complexe de la ville à Times Square (25 salles), ***AMC Empire 25*** *(234 W 42nd St, entre 7th et 8th Ave).* Entrée par le vieil Empire Theater qui était à l'origine situé plus à l'ouest du bloc, et a été déplacé sur près de 50 m. ● *amcentertainment.com* ● Juste en face, concurrence oblige, un autre cineplex : le ***Loews 42nd St E Walk,*** qui peut accueillir 3 500 spectateurs, avec ses 13 salles de 200 à 550 sièges. Certains écrans mesurent près de 11 m de haut sur plus de 19 m de large. Le hall d'entrée est une évocation des grands cinémas d'antan, avec des maquettes de gratte-ciel au-dessus des caisses et un plafond peint d'un *mural* « 4 saisons ».

■ ***Landmark's Sunshine*** *(centre 3, C4)* **:** *143 E Houston St (entre 1st et 2nd Ave).* ☎ *212-330-8182 ou 212-777-FILM (#687).* ● *landmarktheatres.com* ● Ⓜ *(F) 2nd Ave.* Il s'est forgé une belle réputation dans la ville, et sa programmation est un vrai « rayon de soleil » dans le paysage ambiant, illustrant l'esprit curieux, ouvert et revendicateur de Lower East Side. Projection de films cultes, généralement vendredi et samedi à minuit.

■ ***Anthology Film Archives*** *(centre 3, C4)* **:** *32 2nd Ave (angle 2nd).* ☎ *212-505-5181.* ● *anthologyfilmarchives.org* ● Ⓜ *(F) 2nd Ave.* Joli bâtiment de brique rouge qui abrite une riche cinémathèque, pour les amateurs d'art et d'essai. Festivals sur un thème, un pays ou un cinéaste.

– Les nombreux cinémas de quartier projettent des films spécialement adaptés à la population ethnique locale ; ainsi, dans East Harlem, beaucoup de cinémas jouent exclusivement des films en espagnol.

SPORTS ET LOISIRS

Les New-Yorkais, comme la plupart des Américains d'ailleurs, sont des fondus de sport : gym, muscu, jogging, tôt le matin ou après le boulot en semaine (voire le midi). Vous en verrez un paquet courir sur des tapis roulants en regardant la télé, iPod vissé sur les oreilles dans toutes les salles de sport jusque dans le Financial District. Le dimanche, tout le monde se retrouve à Central Park pour courir, faire du vélo ou du roller. On peut pratiquer toutes sortes d'activités sportives à Manhattan.

Pour plus d'infos, contacter les *Urban Park Rangers (☎ 1-888-NYPARKS ; ● nycgovparks.org ●).* Ils organisent excursions en canoë, plongée sous-marine, balades ornithologiques, cours de pêche, de tennis, de rollers, d'escalade...

Vélo et rollers

Vélo

Depuis 2007, près de 500 km de pistes cyclables en site propre *(bikepath)* ont été aménagées à New York ! Gros avantage, vous pouvez prendre votre bicyclette dans le métro, pas besoin de permis, seulement du bon sens : installez-vous dans le dernier wagon (souvent moins rempli). Demandez à la personne derrière le gui-

chet de vous ouvrir la porte, plutôt que de vous battre avec le tourniquet (s'il n'y a personne au guichet, faites comme les autres : poussez la porte, cela déclenchera l'alarme qui ne semble guère alerter grand monde !). Le Vélib' version new-yorkaise va bientôt faire son apparition : 10 000 ***vélos en libre-service,*** dans 600 stations réparties entre Manhattan et certains quartiers de Brooklyn, toutes fonctionnant à l'énergie solaire.
Les prix des locations de vélos chez les loueurs indiqués ci-dessous ne comprennent pas la caution (se renseigner sur ce qu'il advient en cas de vol) ni le casque. Il faut compter environ 12-16 $ de l'heure selon le type de vélo ou de 35 à 48 $ par jour (mais à rendre avant la fermeture, sinon compter de 40 à 55 $ pour 24h). Appelez pour voir s'ils ont des bicyclettes en stock et combien de temps vous pouvez garder le vélo (attention, avec certains, si vous dépassez de 1h, vous payez 1 jour de plus !).

■ ***Metro Bicycles :*** *5 adresses à Manhattan.* ● *metrobicycles.com* ● *À **SoHo** (centre 2, B4, **90**) : 75 Varick St (angle Watts).* ☎ *212212-334-8000. À **Upper West Side,** près de Central Park (plan 2, F7-8) : 231 W 96th St (entre Amsterdam Ave et Broadway).* ☎ *212-663-7531. Dans **Theater District** (plan 2, G11) : 360 W 47th St (entre 8th et 9th Ave).* ☎ *212-581-4500. Dans **Greenwich** (centre 4, B3) : 549 6th Ave (entre 14th et 15th).* ☎ *212-255-5100. Dans **East Village** (centre 3, C3, **247**) : 332 E 14th St (entre 1st et 2nd Ave).* ☎ *212-228-4344. Dans **East Side** (plan 2, H8) : 1311 Lexington Ave (angle 88th St).* ☎ *212-427-4450.* Bon équipement, mais assez cher *(10 $/h, 45 $/j., 55 $ pour 24h).*

■ ***NYC Velo*** *(centre 3, C3, **741**) : 64 2nd Ave (entre 3rd et 4th).* ☎ *212-253-7771.* ● *nycvelo.com* ● Moins cher que le précédent, mais une seule boutique, à East Village.

■ ***Bike & Roll :*** *Pier 84, le long de l'Hudson River Greenway.* ☎ *212-260-0400.* ● *bikeandroll.com* ● Ⓜ *(A, C, E) 42nd St-Port Authority Bus Terminal.* Toutes sortes de vélos, y compris des tandems et des remorques pour petits.

■ ***New York Cycle Club :*** ☎ *212-828-5711.* ● *nycc.org* ●

■ ***Time's Up :*** *à Brooklyn (Williamsburg), 99 S 6th St (Bedford Ave).* ☎ *212-802-8222.* ● *times-up.org* ● Une organisation à l'esprit contestataire, pédagogique (il y a des cours pour apprendre à réparer son vélo !) et à but non lucratif, qui organise des tas de balades gratuites à rollers, à vélo et d'autres activités. À ne pas manquer !

Rollers

Possibilité de louer des rollers chez ***Blades,*** *dans East Village (centre 3, C4, **549**), 659 Broadway (entre Bleecker et Bond).* ☎ *212-477-7350. Dans Upper West Side, 156 W 72nd St (entre Amsterdam et Columbus Ave).* ☎ *212-787-3911.* ● *blades.com* ● Pour les accros, sachez qu'à l'achat les rollers sont beaucoup moins chers à New York qu'en France.

■ ***Blade Night Manhattan :*** ☎ *212-794-8513.* Association qui organise des excursions nocturnes à rollers dans les rues de la ville (le mercredi, de mai à octobre). Départ devant ***Blades, Board and Skate*** *(plan 1, A2) : 23rd St et 12th St (Chelsea Piers).*

Sports nautiques sur l'Hudson River

■ ***Village Community Boathouse :*** *Pier 40, Hudson River Greenway (à l'extrémité de W Houston St).* ● *villagecommunityboathouse.org* ● Ⓜ *(1, 2) Houston St. Avr-nov, mar et jeu de 17h30 au coucher du soleil, dim dès 12h ; en hiver mer et dim matin slt. Gratuit (dons bienvenus) à condition de : signer une décharge, savoir nager et mettre son gilet (les moins de 16 ans seront obligatoirement accompagnés d'un adulte).* Cette association à but non lucratif, gérée par des bénévoles, offre une manière très originale de voir Manhattan. Embarquer à bord d'une yole de mer est une expérience unique.

En général, la balade dure environ une heure (ça dépend du skipper) et permet d'avoir une vision complètement différente de la ville. C'est vivifiant en hiver et très rafraîchissant en été.

■ ***Downtown Boathouse :*** *Pier 40, Hudson River Greenway (à l'extrémité de W Houston St). • downtownboathouse.org • Ⓜ (1, 2) Houston St. De mi-mai à mi-oct, 9h-18h le w-e ; début juin-fin sept, jeu 17h-19h (consulter leur site internet, ça change souvent). Gratuit, mêmes conditions que pour la yole de mer (voir ci-dessus).* Encore une initiative sympa dans le cadre du New York vert. Premier arrivé, premier servi ! Ici, ne vous attendez pas à de la navigation hauturière, on reste entre les *piers* ! Chaque session dure environ 20 mn (il faut laisser son tour aux autres). C'est le moment de vérifier si votre appareil photo est étanche ! À part ça, ne pas oublier lunettes de soleil, crème protectrice, eau et chaussures à semelle souple. Départs également du Pier 96 et au niveau de 72nd Street.

■ ***Hudson River Community Sailing :*** *Pier 66, Hudson River Greenway (à l'extrémité de 26th St). ☎ 212-924-1920. • hudsonsailing.org • Compter 60 $/pers pour 2h, départs à 12h, 15h, 18h le w-e slt en hiver, tlj en été.* Tirer des bords sur fond de gratte-ciels, pas mal, non ?

Marathon

– ***New York City Marathon :*** le marathon le plus couru du monde (30 000 participants) se déroule depuis 1970 le 1er dimanche de novembre, de Staten Island à Central Park en passant par Brooklyn et Queens. La participation est soumise à un tirage au sort, à moins d'être un coureur confirmé.

Ski, luge et patins à glace

En hiver, New York est sous la neige, alors profitez-en pour faire une escapade en ski de fond, luge ou patins à glace dans Central Park, avec les buildings en toile de fond... Ça vaut le coup d'œil !

Voici un listing des patinoires de Manhattan :

■ ***Sky Rink au Chelsea Piers :*** *au bord de l'Hudson River, Pier 61 (au niveau de 23rd St). ☎ 212-336-6100. • chelseapiers.com • Tte l'année.*

■ ***The Rink at Rockefeller Center :*** *☎ 212-332-7654. Janv-avr.* Une institution qui existe depuis 1936 ! Toujours un monde fou et cher en prime mais on paie le plaisir de patiner au pied de l'immense sapin de Noël du Rockefeller Center...

■ ***The Citi Pond at Bryant Park :*** *sur 6th Ave, entre 40th et 42nd St.* De fin octobre à mi-janvier, la pelouse se transforme en patinoire ! Entrée gratuite, donc logiquement bondé, cela dit peut-être un peu moins qu'au Rockefeller Center (la location des patins reste payante).

■ ***Wollman Rink à Central Park :*** *Central Park S à l'angle de 59th St et 6th Ave. ☎ 212-439-6900. Oct-avr.* Au milieu du parc, avec les gratte-ciel en ligne de mire, comme dans *Love Story* pour ceux qui s'en souviennent... Plus au nord mais toujours dans Central Park, au niveau de 110th St et Lenox Ave, une autre patinoire un peu moins fréquentée, ***Lasker Ice Skating Rink.***

Rencontres sportives et tournois

Le sport, les New-Yorkais en font et ils vont aussi en voir dans les stades. Baseball, basket, football américain, les supporters sont fidèles à leurs équipes. Allez dans un stade quel qu'il soit, nous vous assurons le dépaysement. Ici, pas de hooligans, le sport, c'est une grand-messe.

– ***US Open Tennis Tournament :*** pendant 2 semaines à partir de fin août. L'un des quatre tournois du Grand Chelem de tennis professionnel au *USTA National Tennis Center,* à Flushing Meadow dans Queens.

– New York a deux équipes de ***base-ball*** : les ***NY Yankees*** qui jouent au *Yankee*

Stadium, dans un nouveau stade construit tout à côté de l'ancien, dans le Bronx *(1 E 161st St et River Ave, Highbridge ; Ⓜ (4) 161st St-Yankee Stadium ou train direct depuis Grand Central Station ; • yankees.com •).* Possibilité d'obtenir aussi des billets aux magasins des Yankees dans Manhattan. Et les ***NY Mets*** qui, eux aussi, se sont offert un nouveau stade plus spacieux, le *Citi Field,* en lieu et place du *Shea Stadium,* dans Queens *(126th St et Roosevelt Ave, Flushing ; ☎ 1-718-507-8499 ; Ⓜ (7) Willets Point-Shea Stadium).* Saison : d'avril à octobre. Tickets vendus via Internet ou directement au stade.

– Les stars du ***football américain*** (deux équipes aussi : les ***Giants*** et les ***Jets***) jouent au *Giant Stadium* du Meadowlands Sport Complex, dans le New Jersey. Mais là, point d'espoir. Il est très difficile, sinon impossible, d'avoir des places. Elles sont achetées à l'année par les supporters abonnés qui suivent toute la saison de septembre à fin janvier. Il y a même des abonnements qui se transmettent par héritage. C'est vous dire la difficulté pour avoir des billets.

– Le siège de l'équipe de ***basket (NBA)*** est le *Madison Sq Garden (7th Ave et 33rd St ; ☎ 212-465-6741 ; Ⓜ (A, C, E) 34th St)* où se produisent les ***Knicks.*** La saison commence en octobre et dure jusqu'en avril. Donc, si vous êtes un passionné, l'été aux States c'est pas le bon plan pour le basket.

– Pour le ***hockey,*** c'est au même endroit que le basket et à la même époque. Le nom de l'équipe : les ***Rangers.***

Dans la rubrique « Sports » du magazine *Time Out New York,* vous trouverez les noms des équipes et les dates et heures des rencontres (en saison, il y a un match de base-ball tous les jours au *Yankee Stadium* !).

NEW YORK

▸ Pour se repérer, voir dans le plan détachable en fin de guide les plans 1 et 2 de Manhattan et les centres 1 (Financial District), 2 (SoHo-TriBeCa-Chinatown-Little Italy), 3 (East Village-Lower East Side) et 4 (West Village-Greenwich).

L'arrivée à New York

✈ Il existe ***3 aéroports*** à New York : *John F. Kennedy International Airport* (« JFK » pour les intimes), *Newark* et *LaGuardia.* Tous sont bien reliés au centre de la ville.
– Si vous avez l'intention de ***louer une voiture,*** mieux vaut le faire (et donc arriver) à Newark car, étant situé dans le New Jersey, les taxes et prix de location y sont bien moins chers qu'à JFK ou LaGuardia. Cela dit, si vous ne restez qu'à New York, la voiture est à proscrire : circulation très dense et parkings hors de prix.
– Voir « Transports » dans « New York utile » en début de guide pour le choix des ***cartes de métro*** à l'arrivée : si vous comptez aller vous coucher directement ou quasi, mieux vaut choisir l'option *Airtrain + métro* pour env 7,50 $ plutôt qu'une carte hebdomadaire que vous risquez de gâcher le 1er jour.
– Pour toutes les liaisons entre les aéroports et la ville ou les aéroports entre eux : • *panynj.gov/airports/* •
– ***Consignes à bagages*** *(luggage storage)* **:** à JFK, celle du terminal 4 est ouv 24h/24 et celle du terminal 1 tlj 7h-23h. Env 12 $ par 24h pour une valise standard. À Newark, consigne au terminal C ouv 8h-1h. Env 10 $ pour le 1er bagage, 5 $ pour les suivants.

De Kennedy International Airport (à 24 km à l'est du centre)

Le métro

Le moins cher c'est de prendre l'***Airtrain*** qui dessert les terminaux de l'aéroport (5 $ à payer à la sortie). Prendre de préférence celui qui aboutit en 10-15 mn à la station de métro ***Jamaica-Sutphin Blvd-JFK Airport*** au nord de JFK. De là, trois possibilités : soit la ligne de métro E (2,50 $) pour Queens et Midtown (env 1h pour le secteur de Times Square, changement pour le nord ou le sud de Manhattan) ; soit la ligne de métro J pour Lower East Side (Essex St), soit le *LIRR (Long Island Rail Road),* un train rapide qui rejoint Penn Station en 25 mn (env 11 $). Sinon, un autre *Airtrain* relie l'aéroport à la station ***Howard Beach JFK Airport*** à l'ouest de JFK ; de là, on prend la ligne de métro A, mais c'est un peu plus lent. Conviendra plutôt à ceux qui se rendent au sud de Manhattan et à Brooklyn (dans les quartiers de Park Slope et DUMBO notamment, voire Williamsburg à condition de changer à *Broadway Junction* pour la ligne L). *Infos : ☎ 718-330-1234 ou • mta.info •*

New York Airport Service

Bus reliant, ttes les 20-30 mn (la fréquence est aléatoire), ts les terminaux de JFK à ***Grand Central Terminal*** *(plan 1, C1)*, ***Pennsylvania (« Penn ») Station*** *(plan 1, B1-2)*, ***Port Authority Bus Terminal*** *(plan 1, B1)* et, pour le même prix, les hôtels de Midtown situés entre 23rd et 63rd St (descendre à Grand Central pour prendre une 2e navette). Compter 45 mn-1h de trajet, et plus aux heures de pointe. *Infos : ☎ 718-875-8200. • nyairportservice.com •* Service 6h-23h. Ticket : env 15 $ ou 25 $ l'A/R ; gratuit moins de 12 ans (limité à 1 enfant par adulte). Les billets s'achètent avant de monter dans le bus, auprès des employés vêtus d'une veste bleue et postés aux différents arrêts. Un bémol toutefois : la capacité des bus étant limitée, il arrive que des voyageurs restent sur le carreau, forcés d'attendre le départ suivant. Bien à l'aller donc, moins génial au retour (dans le sens Manhattan-JFK).

Super Shuttle et Airlink

Le *Super Shuttle* est un minibus bleu ou jaune qui vous dépose où vous voulez à Manhattan. *☎ 1-800-258-3826. • supershuttle.com •* Les minibus *Airlink* (blancs) rendent le même service. *☎ 1-877-599-8200 ou 212-812-9000. • goairlinkshuttle.com •* Pratique pour les individuels (moins cher que le taxi). Env 20 $ mais le tarif varie selon la destination, le type d'hébergement (hôtel ou location d'appartement, ce n'est pas le même prix) et le nombre de personnes. Appel gratuit à partir des téléphones disposés à cet effet dans les différents terminaux, ou aussi demander aux kiosques affichant « *Ground Transportation Information* » qu'ils les contactent pour vous. En principe, un véhicule passe ttes les 30 mn. Dans l'autre sens, réserver 24h à l'avance !

Le taxi

À la sortie de chaque terminal, un préposé vous indique un taxi libre et vous confie un ticket. Le prix de la liaison JFK-Manhattan est fixé à 52 $, hors péage du pont et pourboire de 15-20 %. Un peu plus cher pour le centre de Brooklyn (Downtown Brooklyn). Attention aux faux taxis qui racolent à l'intérieur de l'aéroport ! Rien ne garantit que le prix annoncé au départ soit le même à l'arrivée ! Les taxis officiels, eux, sont jaunes et patientent en rang d'oignons à la sortie.

De l'aéroport de Newark (à 25 km au sud-ouest du centre)

Newark Airport Express Bus

Jusqu'à ***Grand Central Terminal*** *(plan 1, C1)*, ***Port Authority Bus Terminal*** *(plan 1, B1)* et ***Bryant Park*** *(plan 1, B1). ☎ 1-877-8NEWARK. • coachusa.com/olympia •* Départs ttes les 15-30 mn, 4h-1h. Tarif : 16 $ (28 $ l'A/R) ; ½ tarif seniors, gratuit moins de 12 ans accompagnés d'un adulte (max 3 enfants par adulte). Comptoir à chaque terminal, après la remise des bagages. Compter une bonne heure pour rejoindre le centre de Manhattan.

Airtrain Newark

Ce petit train aérien vous conduit gratuitement et en quelques minutes à la gare ferroviaire : *Newark Liberty International Airport Train Station.* Départ ttes les 3 mn 5h-minuit et ttes les 15 mn le reste du temps. *Infos : ☎ 1-888-397-4636 ou • airtrainnewark.gov •*
Une fois à la gare ferroviaire, achetez au distributeur votre ticket pour *Penn Station (plan 1, B1-2)* pour 15 $. Compter 2-6 départs/h 5h-2h. Trajet : 20 mn. *Infos : ☎ 1-800-772-2222. • njtransit.com •* Une solution très intéressante si vous êtes seul ou à deux, et qui élimine les risques d'embouteillage. Également possibilité de rallier directement Philadelphie, Boston et Washington *(infos : ☎ 212-USA-RAIL ou • amtrak.com •).*

Le taxi

Prix officiels : compter 50-60 $ pour Manhattan et jusqu'à 80 $ pour les endroits éloignés. Surcharge de 5 $ pdt les heures de pointe (6h-9h, 16h-19h), les w-e et j. fériés, et si vous allez dans la partie est de Manhattan. Enfin, 1 $ par valise. Si on rajoute le *toll* (péage) et le *tip* (pourboire), l'addition s'avère salée.

De l'aéroport LaGuardia (à 15 km au nord-est du centre)

New York Airport Service

Bus ttes les 20-30 mn, 7h30-23h, pour ***Grand Central Terminal*** *(plan 1, C1)*, ***Pennsylvania (« Penn ») Station*** *(plan 1, B1-2)*, ***Port Authority Bus Terminal*** *(plan 1, B1)* et, pour le même prix, les hôtels de Midtown situés entre 31st et 60th St. Tarifs : 12 $, et 21 $ l'A/R. • *nyairportservice.com* •

Super Shuttle

Même desserte et mêmes tarifs que depuis JFK.

Le bus + le métro

Bus Q47, Q48 ou Q33 de la MTA New York Transit Authority jusqu'au terminal du métro, puis ligne nº 7 jusqu'à Grand Central. Ou bien bus M60 qui traverse Harlem et a pour terminus Cathedral Pkway à Upper West Side. (110th St). *Infos : ☎ 718-330-1234 ou • mta.info •*

Le taxi

Selon l'endroit où vous allez dans Manhattan, 25-35 $ (plus le péage et le *tip*, 15-20 %). Env 20 mn de trajet jusqu'à Midtown.

Adresses utiles

Informations touristiques

ℹ ***NYC & Company*** *(plan 2, G11, **1**) : 810 7th Ave (entre 52nd et 53rd). ☎ 212-484-1200. • nycgo.com • Ⓜ (N, R) 57th St. Lun-ven 8h30-18h ; w-e 9h-17h (15h j. fériés).* À deux pas de Times Square. Plein de brochures, de plans (bus et métro notamment) et un système d'infos interactives sur New York. Définissez vous-même votre itinéraire sur écran géant et envoyez-le sur votre téléphone. Vente de *CityPass* et *MetroCards*, résa de comédies musicales à Broadway (discounts pour certaines). Voir « Adresses utiles » dans « Theater District et Midtown West ».

ℹ ***Times Square Alliance*** *(plan 2, G11, **2**) : 1560 7th Ave (entre 46th et 47th). ☎ 212-768-1560. • timessquarenyc.org • Ⓜ (S, N, Q, R, W, 1, 2, 3, 7) Times Sq-42nd St. Lun-ven 9h-19h ; w-e 8h-20h.* Brochures (essentiellement sur le quartier), vente de billets pour les shows de Broadway et les excursions en bus ou bateau. Autre kiosque à ***Chinatown,*** à la jonction de Canal, Baxter et Walker St *(tlj 10h-18h)*.

ℹ ***Lower East Side Visitor Center*** *(centre 3, D4, **625**) : 54 Orchard St. ☎ 212-226-9010. • lowereastsideny.com • Ⓜ (F, J) Delancey-Essex St. Lun-ven 9h30-17h30 ; w-e 9h30-16h.* Tout nouveau tout beau, plein d'infos sur ce quartier en plein développement : galeries d'art, boutiques, restaurants et *nightlife*. Petite nocturne organisée tous les 3e jeudi du mois de 18h à 21h pour faire de la pub aux artistes exposant dans les galeries du quartier.

Consulats

■ ***France*** *(plan 2, H9, **4**) : 934 5th Ave (entre 74th et 75th St). ☎ 212-606-3688 ou 3689. En cas d'urgence : ☎ 1-917-867-2457. • consulfrance-newyork.org • Lun-ven 9h-13h.*
– Service social : ☎ 212-606-3602.
– Service des visas : ☎ 212-606-3601.

■ ***Belgique*** *(plan 1, B1, **6**) : 1065 6th Ave (mais entrée sur 40th St). ☎ 212-586-5110. Lun-ven 9h30-12h30 (slt sur rdv l'ap-m).* Papiers d'identité obligatoires pour entrer dans les bureaux (22e étage).

■ ***Suisse*** *(plan 1, C1, **7**) : 633 3rd Ave (entre 40th et 41st St), 30e étage. ☎ 212-599-5700. Lun-ven 8h30-12h.*

■ ***Canada*** *(plan 2, G11, **8**) : 1251 6th Ave (entrée par 50th St). ☎ 212-596-1628. Lun-ven 9h-12h, 13h-15h (sf j. fériés).*

Culture

■ ***French Institute – Alliance française*** *(plan 2, H10, **5**) : 22 E 60th St (et Madison Ave). ☎ 212-355-6100. • fiaf.org •* Le FIAF offre toutes sortes d'activités françaises et francophones. Ciné-club, bibliothèque, conférences, cafés-philo et spectacles, et petite galerie d'expos temporaires. Accueil sympa.

– ***Bons plans culturels :*** dans le supplément du quotidien *New York Times* du vendredi, pour les événements et manifestations du week-end ; ou dans l'édition du dimanche pour les bons plans de la semaine qui suit. Également pas mal d'infos dans l'*Official NYC Guide,* édité tous les 3 mois par le *Visitor Center* ainsi que dans le mensuel *In New York* disponible au bureau d'information ***NYC & Company.***

Santé, urgences

Voir « Santé » et « Urgences » dans « New York utile » en début de guide.

LOWER MANHATTAN

Sur cette parcelle de *Big Manhattan* se dresse un quartier parsemé de monuments, de buildings, d'espaces verts et de lieux chargés d'histoire. D'abord, on y découvre avec émerveillement la fameuse *skyline,* crête des gratte-ciel, hélas mutilée le 11 septembre 2001. Ici, la diversité et l'originalité de l'architecture se sont pleinement exprimées. À deux pas des constructions historiques témoins des origines de la ville, le nouveau complexe du World Trade Center, né à l'emplacement des défuntes tours jumelles, concourt à maintenir New York à l'avant-garde en matière de réalisation architecturale d'envergure. Mais Lower Manhattan, c'est aussi le cœur battant du capitalisme américain, le fameux *New York Stock Exchange* et la non moins célèbre *Wall Street,* très animés aux heures de bureau. Enfin, c'est à l'extrémité de Broadway – ici surnommée le *canyon des Héros* en référence au *Ticket Tape Parade* qui s'y déroule chaque année, un lâché de confettis monumental célébrant les militaires et les sportifs victorieux –, que vous embarquerez pour la statue de la Liberté.

UN PEU D'HISTOIRE

Au XVIIe s, Wall Street marque la frontière nord de New Amsterdam. Au-delà, c'est la campagne, et en deçà, la vie grouille entre les ruelles et les canaux, remblayés depuis pour gagner du terrain (Broad Street, par exemple, est très large, comme son nom l'indique, car elle a remplacé un canal). Puis la ville commence son extension vers le nord et l'est grâce au commerce maritime vers Pearl, Front et South Street. Au XIXe s, c'est un quartier très actif mais trop étriqué pour caser financiers et négociants. Le problème trouve sa solution dans une révolution architecturale : le building. La course au gigantisme commence à la fin du XIXe s au sud de Broadway, tandis qu'à l'est le Brooklyn Bridge est érigé pour faciliter la vie des *commuters,* les banlieusards. Wall Street ne prend son véritable essor de place financière qu'après la Seconde Guerre mondiale...

STOCK FOR STEAK

La chaîne de steakhouses Smith & Wollensky a mis en place un mode de paiement atypique : elle autorise les golden boys de Wall Street à payer leur steak en titres cotés en Bourse. Reste à ne pas oublier de laisser quelques actions pour le service...

Adresses utiles

■ ***New York City Visitors Bureau*** *(centre 1,* ***89****) : sur Broadway, en face du Woolworth Building (angle Barclay).* Ⓜ *(4, 5, 6) Brooklyn Bridge-City Hall. Lun-ven 9h-18h ; w-e 10h-17h.* Petit kiosque d'information où l'on peut se procurer une carte détaillée de Lower Manhattan.

■ ***Castle Clinton :*** ☎ *212-269-5755.*

• *statuecruises.com* • Ⓜ *(4, 5) Bowling Green. Billetterie et embarquement sur le ferry pour Liberty et Ellis Islands. Tlj sf à Noël 9h30-15h30 (16h30 en été).*

■ ***TKTS*** *(plan 1, C6,* ***9****)* **:** *Front St (angle John, derrière le Seaport Museum). Tlj sf dim 11h-18h.* Vente de billets à prix réduits pour le théâtre et les comédies musicales (voir « Spectacles » dans « Hommes, culture, environnement » en début de guide).

@ ***Internet*** **:** *au* ***Burger King*** *(centre 1,* ***14****), 106 Liberty St (et Trinity Place).* Ⓜ *(A, C, 2, 3, 4, 5) Fulton St. Ou à l'****Arome Cafe II*** *(centre 1,* ***11****), 5 Dey St (à côté de l'entrée nord de Century 21).* Ⓜ *(4, 5) Fulton St.* Pour consulter ses mails devant une salade ou un café.

Où dormir chic ?

Best Western Seaport Inn *(plan 1, C5,* ***20****)* **:** *33 Peck Slip. ☎ 212-766-6600.* • *seaportinn.com* • Ⓜ *(A, C, 2, 3, 4, 5) Fulton St. Doubles 160-400 $ selon saison, petit déj inclus.* Pour les hommes d'affaires (et les autres) qui voudraient humer un peu l'air du large, voici un élégant bâtiment en brique situé dans le quartier de South Street Seaport, en contrebas du pont de Brooklyn et au pied de l'East River. Pas très grandes, les chambres sont néanmoins confortables. Fitness. Accueil courtois.

Où manger ?

Côté table, ce n'est pas la panacée. Entre les chaînes pour *businessmen* pressés le midi et les restos à touristes de South Street Seaport, point vraiment de salut. Cela dit, ça vaut la peine d'y déjeuner en semaine pour observer l'animation du célèbre quartier des affaires. Le week-end, en revanche, c'est plutôt désert, et l'ambiance que dégagent les rues vides surplombées de gratte-ciel est assez irréelle.

Bon marché, sur le pouce

|●| ***Nicky's*** *(centre 1,* ***114****)* **:** *99-C Nassau St (et Ann). ☎ 212-766-3388.* Ⓜ *(A, C, 2, 3, 4, 5) Fulton St. Lun-ven 11h-21h. Sandwichs et phó 6-9 $.* Cash only. Cette mini-échoppe vietnamienne fidélise sa clientèle de cols blancs avec des sandwichs *banh mi* à la fois frais et épicés (on aime aussi celui au *pork chop* bien grillé) et avec un très bon *phó* (bouillon) servi avec des petits légumes à tremper dedans. Une poignée de places assises seulement, dans un décor sans caractère.

|●| ***Amish Market Tribeca*** *(centre 1,* ***164****)* **:** *53 Park Pl (angle West Broadway). ☎ 212-608-3863.* Ⓜ *(A, C) Chambers St. Lun-ven 6h-21h30 ; w-e 8h-21h. Plats 6-10 $.* Salades et plats du jour en libre-service, mais également rôtisserie, tacos, steak et kebab à grignoter sur place dans cette épicerie fine qui semble sans fond. Un temple du bio qui ravira les fines gueules. Par contre, les files d'attente sont un peu désorganisées.

|●| ***Hale and Hearty Soups*** *(centre 1,* ***126****)* **:** *55 Broad St (et Beaver). ☎ 212-509-4100.* Ⓜ *(2, 3, 4, 5) Wall St. Tlj sf w-e 10h30-17h. Env 10 $ avec boisson.* À deux pas du *New York Stock Exchange,* une chaîne de soupes proposant également des sandwichs et des salades.

|●| ***Food Court du Pier 17*** *(plan 1, C6,* ***100****)* **:** Ⓜ *(A, C, 2, 3, 4, 5) Fulton St. Tlj 10h-19h (minuit pour certains restos). Dès 10 $.* Dans le centre commercial au cœur de South Street Seaport, au bord de l'East River. Au 2e étage, petits stands sans prétentions (le moins qu'on puisse dire...) de cuisine chinoise, pizzas, crêpes, tex-mex, huîtres... En terrasse, superbe vue sur le pont de Brooklyn (le principal intérêt du lieu, l'ambiance étant désagréablement touristique).

|●| ***McDonald's*** *(centre 1,* ***101****)* **:** *160 Broadway (et Malden Lane). ☎ 212-385-2063.* Ⓜ *(A, C, 2, 3, 4, 5) Fulton St. Tlj 6h-2h (4h ven-sam).* Nous l'indiquons car c'est le *McDo* de Wall Street, avec un décor Art déco et un pianiste perché en vitrine pendant l'heure du déjeuner ! Complètement décalé.

Prix moyens

|●| ***Adrienne's Pizzabar*** *(centre 1,* ***102****)* **:** *54 Stone St. ☎ 212-248-3838.*

Ⓜ *(2, 3) Wall St ou (J, Z) Broad St. Plats 14-20 $, moins pour une salade.* Dans une jolie ruelle avec d'anciennes maisons rescapées des gratte-ciel (voir le nº 57). Les restos l'ont investie, en en faisant une gigantesque terrasse. Une salle tout en longueur où l'on est accueilli avec bonne humeur dans une ambiance rugissante. Excellente pizza servie sur un grand plateau, très croustillante et suffisante pour 2 personnes... Possibilité de composer sa pizza à la carte. Pas si cher en fin de compte.

Jeremy's Ale House *(plan 1, C5, **103**) : 228 Front St. ☎ 212-964-3537.* Ⓜ *(A, C, 2, 3, 4, 5) Fulton St. La cuisine ferme tôt (20h sem, 21h ven-sam, 18h dim). Plats 10-12 $.* Vieux rade dans un entrepôt au décor hétéroclite : cravates coupées, soutien-gorge et petites culottes au plafond ! Clientèle à la fois jeune et yuppie. Bon choix de bières pression, et quelques plats de poissons et de crustacés à grignoter dans une atmosphère bruyante et décontractée. Accueil bourru.

Où boire un café ?
Où boire un verre ?

Jack's Stir Brew Coffee *(plan 1, C5, **103**) : 222 Front St (entre Beekman St et Peck Slip). ☎ 212-227-7631.* Ⓜ *(A, C) Fulton St. Tlj 7h (8h w-e)-19h.* Sur un parquet coloré, on se tasse autour des quelques tables en bois. Au plafond, d'étranges poissons à la mine boudeuse, tristes probablement de ne pouvoir tremper les lèvres dans le délicieux café de la maison, bio, issu du commerce équitable initié par Jack Mazzola, un fêlé de la cafetière !

Beekman Beer Garden Beach Club *(plan 1, C5, **118**) : 89 South St (et Beekman), en contrebas de Pier 17. ☎ 212-896-4600.* Ⓜ *(A, C, 2, 3, 4, 5) Fulton St. Ouv l'été slt.* Un *biergarten* les pieds dans le sable, avec une vue imprenable sur le Brooklyn Bridge. Une ambiance de vacances dans un décor de cinéma. Bon, la « plage » est un peu surpeuplée et la bière pas donnée mais on paie le cadre...

Jeremy's Ale House *(plan 1, C5, **103**) :* voir « Où manger ? ».

Shopping

Century 21 *(centre 1, **509**) : 22 Cortland St (et Church). ☎ 212-227-9092.* Ⓜ *(E) World Trade Center.* Le rendez-vous de tous les Français de passage dans la Big Apple... Sur plusieurs niveaux, un impressionnant bazar de grandes marques « à prix sacrifiés » : bagagerie, prêt-à-porter (homme, femme, enfant), déco, parfumerie, lingerie, et puis aussi des chaussures dans un magasin juste à côté, sur Cortland Street. Prévoir du temps devant soi pour faire des trouvailles.

Abercrombie & Fitch *(centre 1, **620**) : 199 Water St. ☎ 212-809-9000.* Ⓜ *(2, 3) Wall St.* Même concept que sur la 5ᵉ Avenue (voir chapitre Midtown), mais un peu moins de monde. En revanche, moins spectaculaire côté ambiance, on ne peut pas tout avoir ! Clientèle teenager frenchy toujours majoritaire et accompagnée de papa-maman pour le passage en caisse...

J & R *(centre 1, **510**) : 15-34 Park Row (face au City Hall). ☎ 1-800-238-9000.* Ⓜ *(4, 6) Brooklyn Bridge-City Hall. (gratuit).* En tout, 5 boutiques les unes à côté des autres, offrant un choix énorme de CD (avec souvent des nouveautés moins chères qu'ailleurs). Aussi des prix intéressants sur le matériel informatique, électronique, électroménager et photo. À l'étage, petite salle tranquille pour boire un café.

Tent & Trails *(centre 1, **530**) : 21 Park Pl. ☎ 212-227-1760.* Ⓜ *(2, 3) Park Pl.* Cartes, vêtements techniques, matos de camping, ce spécialiste de l'*outdoor* ravira tous les amateurs de rando. Fait aussi de la location : tente, sac de couchage, sac à dos, etc.

À voir. À faire

Castle Clinton et Battery Park *(centre 1) : ☎ 212-344-7220. • nps.gov/cacl •* Ⓜ *(4, 5) Bowling Green. Tlj sf Noël 8h30-17h. Entrée libre.* Battery Park est situé à

la pointe sud de Manhattan, devant la statue de la Liberté et le grand large. C'était à l'origine un îlot rocheux, avant que le bras de mer le séparant de Manhattan ne soit remblayé. Construit en 1811, le Castle Clinton, qui porte le nom du gouverneur de l'époque, faisait partie d'un ensemble d'ouvrages défensifs. Une batterie de canons occupait alors le bâtiment. Une fois les guerres finies, la petite forteresse ovale fut transformée en centre d'accueil pour les immigrants, en attendant l'ouverture de celui d'Ellis Island. De la promenade qui longe le parc, belle vue sur la baie de New York. À un jet de pierre, « The Sphere », le globe de cuivre monumental de Fritz Koenig (symbole de paix globale...), qui trônait jadis au pied des tours jumelles, attend de regagner sa place sur l'esplanade du World Trade Center.
– En face, le ***Verrazano Narrows Bridge,*** qui relie Brooklyn à Staten Island. Construit en 1964, il fut à l'époque le pont suspendu le plus long du monde (la travée centrale fait 1,3 km, voir « Histoire » dans « Hommes, culture, environnement » en début de guide), dépassant de peu le Golden Gate Bridge de San Francisco. C'est le point de départ du fameux marathon de New York.

Statue of Liberty *(hors plan 1 par B6)* **:** *située sur Liberty Island, à l'entrée du port de New York. Pour y aller, prendre le ferry au départ de Battery Park. Billetterie au Castle Clinton ; embarquement ttes les 40 mn, tlj sf Noël 9h30 (parfois dès 8h30 en saison)-15h30 (plus tard en été). Infos ferries et tickets : ☎ 1-877-523-9849. • statuecruises.com • nps.gov/stli • Ticket ferry pour la statue de la Liberté et Ellis Island : 13 $; réducs ; gratuit moins de 4 ans. Si votre anglais est un peu juste, on conseille l'audioguide en français des 2 sites à visiter, surtout pour Ellis Island : 8 $ pour les 2. Contrôles de sécurité type « aéroport » au départ du ferry et une fois arrivé au pied de la statue pour la visite de l'intérieur ; bagages interdits et obligation de déposer sacs, bouteilles d'eau et nourriture dans des casiers payants avt la visite. Dernier retour du ferry aux environs de 17h. De la statue, le ferry part ttes les 20 mn pour Ellis Island, et de là, départs également ttes les 20 mn pour rentrer à Manhattan.*
– ***Attention : l'intérieur de la statue de la Liberté a fermé pendant un an pour gros travaux de rénovation*** (sécurisation des escaliers et modernisation des ascenseurs, essentiellement). ***Réouverture prévue fin 2012.***
Le ticket ne permet qu'une visite extérieure de la statue ; pour pénétrer à l'intérieur, il est nécessaire de retirer un *pass* spécial (gratuit) au départ du ferry, qui vous indiquera une heure de visite. Le nombre de *pass* distribués dans la journée étant limité (selon le principe du premier arrivé, premier servi), il est ***vivement conseillé de réserver son pass bien en avance*** *(par tél au ☎ 1-877-523-9849 ou sur Internet : • statuecruises.com •).* Prenez-vous-y 2-3 semaines avant minimum et plutôt 1 à 2 mois en juillet-août, surtout si vous voulez un créneau le matin. Sinon, tentez votre chance avant l'ouverture du guichet et embarquez sur le premier bateau. Si par malchance vous n'obteniez pas ce *pass,* demandez très poliment une fois sur Liberty Island, au bureau Information Center, s'il n'y a pas eu de désistement pour la visite. Il arrive que certaines personnes ne souhaitent pas attendre et rendent leur ticket. Mais ce n'est pas garanti. ***Enfin, si vous comptez visiter la statue ET le musée d'Ellis Island, embarquez avant midi, sinon vous n'aurez pas le temps de faire les deux.*** Mieux encore, prenez le 1er ferry et commencez par Ellis Island : la quasi-totalité des touristes descendent du

L'ANCÊTRE DU GADGET

En 1886, pour l'inauguration de la statue de la Liberté, on distribua des miniatures de Miss Liberty aux personnalités présentes. On se battait pour avoir son exemplaire en minuscule, fabriqué et donc signé par l'entreprise française Gaget-Gauthier. Tout le monde s'interrogeait : « Do you have your Gaget ? ». Le nom Gaget, difficile à prononcer, devint vite « Gadget » dans la bouche des Américains. Le mot « gadget » était né.

bateau à Liberty Island, vous serez donc tranquille dans le musée d'Ellis Island pendant une bonne heure !

La visite

Après un nouveau contrôle de sécurité (qui peut s'avérer long selon l'affluence), la visite débute dans le socle de la statue par une jolie pièce détachée : le premier flambeau de la grande dame, qui, à l'origine, était éclairé de l'intérieur. Puis un petit ***musée*** très intéressant, qui retrace les différentes étapes de sa construction. La plaque de l'inauguration de 1886 à l'entrée rappelle que la statue symbolisait le soutien de la France à l'indépendance américaine (mais ce cadeau est aussi, en filigrane, une critique du Second Empire en France et une célébration de l'idéal républicain...). On apprend que c'est le légendaire colosse de Rhodes, l'une des Sept Merveilles du monde (construit en 300 av. J.-C. et détruit par un séisme en 227), qui aurait suscité le goût du grandiose chez Auguste Bartholdi lors d'un voyage en Égypte en 1856. L'architecte, épris de grandeur, avait alors 22 ans. Il dessina d'abord une ébauche de statue pour orner l'entrée du canal de Suez, qui devait symboliser le Progrès (le projet s'appelait « L'Égypte apportant la lumière à l'Asie »). L'idée fut abandonnée, et le Progrès laissa la place à *La Liberté éclairant le monde.* Le musée montre que Bartholdi s'est en partie inspiré du personnage du célèbre tableau de Delacroix, *La Liberté conduisant le peuple.* Et savez-vous à qui la dame ressemble ? À la mère de Bartholdi, pardi ! Son visage y est d'ailleurs reproduit (à la taille de la statue) à l'entrée du musée. La charpente métallique de ce colosse féminin de 46 m de haut fut réalisée dans les ateliers Gaget-Gauthier, sous la houlette de Viollet-le-Duc. Malheureusement ce dernier mourut avant la fin de la construction, ce qui conduisit Bartholdi à faire appel à un spécialiste en charpente métallique, l'ingénieur Gustave Eiffel, qui n'avait pas encore réalisé sa fameuse tour. Eiffel reprit donc le projet de Viollet-le-Duc, en le modernisant. Exposée au parc Monceau dans le but de lever des fonds, elle fut financée par une souscription populaire, avant d'être démontée puis acheminée par bateau jusqu'au piédestal bâti par les Américains pour une inauguration en grande pompe le 28 octobre 1886. Ne manquez pas de jeter un œil aux anciens documents et affiches récupérant l'image de la grande dame à des fins publicitaires, aussi bien côté français qu'américain (ah, la pub pour *Levi's* !). Enfin, sachez qu'elle fut rénovée en 1986 à l'occasion de son centenaire et son bras réajusté, car il avait été mal monté en 1886...

Après la visite du musée, on grimpe jusqu'à la promenade qui fait le tour du piédestal, avec vue superbe sur Manhattan. Avant de redescendre, ne pas manquer de lever les yeux pour apercevoir l'intérieur de la statue. Très intéressant car on comprend vraiment comment est faite sa structure. Pour finir sur une note d'humour, n'oublions pas l'inénarrable réplique du film *Crimes et Délits* de Woody Allen à son sujet : « La dernière fois que j'ai pénétré une femme, c'était la statue de la Liberté ! »

|●| ***Fast-food*** sur place, mais la cafét' d'Ellis Island est plus agréable.

🚶🚶🚶 ***Ellis Island Immigration Museum*** *(hors plan 1 par B6) : on s'y rend par le ferry qui s'arrête d'abord à Liberty Island* (pass combiné pour les 2 îles ; *voir infos pratiques ci-dessus). Entrée gratuite. Prévoir au moins 2h sur place car c'est très dense.*

De 1892 à 1924, plus de 12 millions de candidats à l'immigration ont débarqué à Ellis Island, point de contrôle obligatoire avant Manhattan et le Nouveau Monde. L'île est ainsi devenue un véritable lieu sacré : plus de 100 millions d'Américains, soit 40 % de la population, ont un parent qui serait passé par ici ! Aménagé dans les anciens bâtiments d'accueil des candidats à la citoyenneté américaine, le musée retrace l'histoire de l'immigration aux États-Unis à travers une multitude d'objets, de photos et d'affiches, sans oublier les témoignages d'une dizaine de familles débarquées. On retrouve un peu l'atmosphère de l'époque. L'exposition investit la vie de tous ces exilés et montre comment ils ont modifié le visage et la culture de l'Amérique qui les a mis au travail. Mais ce n'était pas toujours rose, comme le prouve le témoignage suivant : « Quand je suis arrivé en Amérique, je croyais que les rues étaient pavées d'or. Je me suis vite aperçu que c'était faux, que les rues n'étaient pas pavées du tout et que c'était à moi de le faire. » Suivons maintenant l'itinéraire des « arrivants ».

– Au rez-de-chaussée, dans la ***salle des bagages,*** un amas de balluchons, malles, paniers et valises d'époque. Au fond à droite, salle vidéo où est régulièrement projeté un petit film. Allez d'abord consulter les horaires de projection, pour commencer par là dans la mesure du possible. Derrière, une salle expose les statistiques de l'immigration aux États-Unis avec force courbes et graphiques. Enfin, sur les côtés, des ordinateurs et un *Learning Center* vous proposent de vérifier si vos ancêtres sont eux aussi passés par ici et de les honorer par une inscription (et un don) au *Wall of Honor,* aujourd'hui composé d'environ 600 000 noms.

– Puis c'est la montée à l'étage vers la ***salle d'enregistrement*** où pouvaient se presser jusqu'à 5 000 personnes chaque jour. Quel immense espace vide aujourd'hui... C'est là que les immigrants vivaient leur première épreuve sur le sol américain : « les 6 secondes physiques ». À leur insu, des médecins postés en haut examinaient leur façon de gravir l'escalier et marquaient d'un signe à la craie les vêtements de ceux qui semblaient mériter un contrôle. Un *E* pour les yeux *(eyes),* un *B* pour le dos *(back),* un *H* pour le cœur *(heart),* un *L* pour les poumons *(lungs),* un *X* pour les déficiences mentales, etc. Suivaient alors des tests d'alphabétisation et de compréhension de l'anglais. Les candidats à l'immigration devaient répondre à des questions du genre : « Êtes-vous anarchiste, polygame ? », « Avez-vous de la famille aux États-Unis ? », etc. À une question sur sa date de naissance que lui posait l'agent d'état civil, un homme répondit en allemand : *« Vergessen »* (« J'ai oublié »). Désormais, lui et tous ses descendants s'appelleraient Fergusson.

– Se diriger ensuite vers les ***ailes du bâtiment*** pour suivre de salle en salle le chemin qui conduisait, dans le meilleur des cas, à un bureau de change et enfin au guichet du ferry pour Manhattan. Excellents panneaux, documents, films et témoignages d'archives. Les recalés prenaient, quant à eux, *« l'escalier de la Séparation »,* le couloir central qui les conduisait vers les dortoirs ou l'hôpital pour des examens supplémentaires. En tout, 250 000 personnes sont retournées d'où elles venaient, soit officiellement 2 % du nombre total des immigrants.

UNE ATTRACTION PHARE

La statue de la Liberté était la première image que les immigrants avaient de l'Amérique en débarquant à Ellis Island. Pour tous ces gens venus trouver une vie meilleure, elle était un signe de bienvenue, le symbole de l'espoir, de la fin de l'oppression. Avant de devenir la statue la plus emblématique de la ville, elle servit de phare, de 1886 à 1902. C'était même le premier phare à utiliser l'électricité, et son faisceau lumineux était visible à 39 km à la ronde. Quant au gardien, il avait une place de choix : dans le flambeau !

– Dans les autres ailes du 1er étage, l'exposition *Peak Immigration Years,* elle aussi bien intéressante, retrace le destin de ces immigrants une fois aux États-Unis.

– Dans les salles du ***2e étage*** (accès par les coursives), on visite un petit dortoir à l'époque surpeuplé, puis des maquettes montrent la transformation de l'île de 1854 à 1940, agrandie plusieurs fois pour suivre la montée du nombre des immigrants... Enfin, quelques panneaux et photos illustrent la restauration des lieux.

|●| ***Cafétéria*** au rez-de-chaussée, avec vaste terrasse panoramique fort agréable par beau temps (belle vue).

Staten Island Ferry *(centre 1) : à la pointe sud de Manhattan.* Ⓜ *(1, 9) South Ferry. Départs du Whitehall Terminal ttes les 30 mn env 6h30-1h30, et ttes les heures le reste de la nuit ; fréquence encore plus rapprochée (ttes les 15-20 mn) aux heures de pointe en sem.* Ce ferry plus que centenaire (1905) transporte chaque jour environ 70 000 personnes et navigue 24h/24. Le trajet dure 25 mn aller, et c'est gratuit ! Il n'accoste pas sur Liberty Island et ne permet pas de visiter la statue de la Liberté, mais les fauchés et les autres ne manqueront pas cette expérience inoubliable, surtout à la tombée de la nuit, où vous pouvez admirer le soleil couchant sur la *skyline* de Manhattan et la statue de la Liberté... Penser à s'asseoir à tribord, sinon on ne voit rien.

National Museum of the American Indian *(Heye Center ; centre 1,* ***700****) : dans l'Alexander Hamilton US Custom House, 1 Bowling Green, adossé à Battery Park (entrée à l'extrémité de Broadway). ☎ 212-514-3700. • americanindian.si.edu • Ⓜ (4, 5) Bowling Green. Tlj sf Noël 10h-17h (20h jeu). Entrée gratuite.*
Situé à la pointe sud de Manhattan, à l'endroit même où Peter Minuit, alors gouverneur de la colonie de Nouvelle-Néerlande, acheta l'île aux indiens *Manhattes* en 1626 pour la modique somme de 60 florins (soit environ 25 $), le musée occupe l'*Alexander Hamilton Custom House,* un imposant bâtiment construit en 1907. À l'époque, l'impôt sur le revenu n'étant pas encore généralisé, la principale source d'argent du Trésor américain était les droits de douane prélevés sur les marchandises arrivant à New York. D'où l'importance, voire la grandiloquence de l'édifice, de style « French Beaux-Arts », en marbre blanc, où il faut détailler les sculptures (réalisées par un certain Daniel Chester... French, celui du Lincoln Memorial à Washington DC). Devant l'entrée, les figures féminines symbolisent les quatre grands continents (Amérique, Asie, Europe et Afrique). Celui de l'Amérique nous montre une maîtresse femme, brandissant la torche du Progrès, entourée d'un Indien qu'elle cache complètement et d'un ouvrier à genoux sous son bras protecteur. Vraiment les fantasmes de l'Amérique triomphante ! Quant aux statues sur la corniche, elles représentent les grandes puissances maritimes de la planète : Venise avec son doge et sa gondole, la Scandinavie avec une femme viking, ou la France avec une figure féminine brandissant la statuette des Beaux-Arts... À l'intérieur, on retrouve ce luxe démesuré, avec des panneaux représentant la conquête des mers. Dépendant de la célèbre *Smithsonian Institution* de Washington, le musée fut fondé au début du XXe s par un banquier new-yorkais, George Gustav Heye, qui rassemblait pendant ses voyages en Amérique du Nord et du Sud des objets fabriqués par les différentes tribus. Aujourd'hui, la collection, qui couvre une période de 10 000 ans, compte près de 800 000 pièces. C'est l'une des plus complètes au monde. Tous ces objets traditionnels nous éclairent sur l'environnement, l'économie, l'habitat, l'armement, les techniques de chasse, l'alimentation, les croyances, l'organisation sociale et les divertissements de chaque peuple...
Comme il est impossible de tout exposer en même temps, le musée fait tourner ses collections en organisant chaque année de nouvelles thématiques (aucune expo permanente donc). La muséographie est d'une grande qualité, claire et aérée, et les objets et vêtements exposés pour la plupart superbes. C'est très didactique et interactif, avec des reportages, témoignages projetés sur des écrans TV, des musiques, etc.
Saviez-vous qu'on recense actuellement plus de 1,5 million de *Native Americans* (ou *American Indians*) aux États-Unis ? Environ 12 000 ont élu domicile à New York, pas mal vivent en Californie et dans l'Oklahoma, tandis que les autres se répartissent dans les 280 réserves du pays. Parmi eux, les Indiens Mohawks travaillaient essentiellement dans le bâtiment à New York, Chicago, etc. Ils possédaient la particularité de ne pas souffrir du vertige et ont ainsi contribué à l'édification des plus hauts gratte-ciel...

Fraunces Tavern Museum *(centre 1,* ***701****) : 54 Pearl St (et Broad). ☎ 212-425-1778. • frauncestavernmuseum.org • Ⓜ (4, 5) Bowling Green ou (J, Z) Broad St. Tlj sf dim : sept-juin 12h-17h ; juil-août 10h-17h. Entrée : 10 $; réducs.* Cette belle bâtisse en brique de style géorgien doit son nom à l'Antillais Samuel Fraunces, maître d'hôtel de George Washington, qui en fit une taverne en 1762. Devenue populaire, elle fut même un lieu de réunion pour les jeunes révolutionnaires... Washington offrit, au 2e étage, un grand dîner d'adieu à ses troupes après le départ des Anglais, en 1783. Cette salle *(The Long Room)* a été conservée telle quelle. *The Porterhouse Brewing Co (tlj 11h-4h),* la taverne, abrite aussi un resto chic et figé dans le temps au rez-de-chaussée, et un *musée* qui commémore la guerre d'Indépendance avec quelques armes, drapeaux, manuscrits et meubles. Surtout pour les fanas de l'histoire américaine.

Museum of Jewish Heritage *(plan 1, B6,* ***703****) : 36 Battery Pl (angle 1st Pl). ☎ 1-646-437-4200. • mjhnyc.org • Ⓜ (4, 5) Bowling Green. Dim-mar et jeu 10h-17h45 ; mer 10h-20h ; ven 10h-17h (15h nov-mars). Fermé sam, pdt les fêtes juives et à Thanksgiving. Entrée : 12 $; réducs ; gratuit moins de 12 ans et pour ts mer 16h-20h. Audioguide (anglais et espagnol) 5 $ pour 2h de visite.*

Extrêmement bien conçu, ce musée historique entièrement dédié à l'Holocauste occupe pour partie un immeuble en forme de pyramide à six côtés, en hommage aux 6 millions de juifs victimes de la barbarie nazie. Et pour mieux ancrer le devoir de mémoire, l'Holocauste est replacé dans le contexte de la vie de la communauté au XXe s, appuyé par des témoignages audiovisuels, photos, articles de presse, musiques et autres objets traditionnels. La visite s'avère particulièrement interactive. À l'heure où le racisme et l'antisémitisme reprennent un mauvais souffle en Europe, ce musée, loin d'être larmoyant ou accusateur, propose donc une incroyable visite du souvenir. À ne pas manquer.

– *Rez-de-chaussée :* ***la vie juive traditionnelle.*** Pour commencer, un film tente de plonger le visiteur dans l'atmosphère, la culture et la mémoire de la communauté. De nombreux documents et films retracent ensuite la vie des juifs et leurs traditions il y a 100 ans : shabbat, mariage, saisons, synagogues... Une vidéo révèle que 2,6 millions d'entre eux quittèrent l'Europe pour les États-Unis entre 1880 et 1930, réduisant de 75 % à 58 % la population mondiale de juifs restée sur le Vieux Continent... On croise également de grandes figures comme Léon Blum, Freud ou Einstein, avant de comprendre la place des juifs dans les grands courants de pensée du XIXe et XXe s : orthodoxie, sionisme, socialisme, libéralisme.

– *1er étage :* ***l'Holocauste.*** De la montée du parti nazi en Allemagne dans les années 1920 à la découverte des camps d'extermination en 1945, tout y est : documents d'identité, photos, affiches, films d'archives... D'abord le coup d'État manqué d'Hitler en 1923, puis son ascension au poste de chancelier en 1933, sans oublier les lois racistes de Nuremberg en 1935 ; l'invasion de la Pologne en 1940 et le ghetto de Varsovie ; puis la Seconde Guerre mondiale, les camps d'extermination, la collaboration française, la Résistance et le procès de Nuremberg en 1945. Les murs sont couverts de photos des disparus, et les témoignages vidéo des survivants de la Shoah sont poignants et dignes.

– *2e étage :* ***la création d'Israël.*** Consacré à l'après-guerre (on y rappelle qu'un tiers de la population juive mondiale fut décimé), et au renouveau juif, avec la création de l'État d'Israël... Petit clin d'œil audiovisuel à tous les juifs qui nous font vibrer par leur talent artistique : les chanteurs Bob Dylan, Lou Reed, Leonard Cohen, Paul Simon, les écrivains Salinger et Norman Mailer, les cinéastes et comédiens Woody Allen, Dustin Hoffman, Steven Spielberg... La visite se termine sur l'engagement des juifs américains dans l'armée US pendant la Seconde Guerre mondiale : expo d'uniformes, armes et encore de nombreux témoignages.

Wall Street *(centre 1) :* son nom aurait deux origines. D'abord, la plus connue : un mur construit en 1653 par les Hollandais pour se protéger des Indiens. Il aurait été détruit 40 ans plus tard par les Anglais qui s'étaient entre-temps emparé de La Nouvelle-Amsterdam pour la rebaptiser New York. Autre version, rapportée par Eloïse Brière, lointaine descendante de Français arrivés au XVIIe s, dans son livre *J'aime New York* : « ... Là pas de mur, mais la présence de Wallons francophones, premiers à s'installer dans le quartier... » ; bien avant les traders et autres Golden Boys ! Wall Street est aujourd'hui le siège de la Bourse américaine et le centre financier de la planète, où les courtiers font la pluie et le beau temps sur les plus grands marchés financiers du monde. Mais cette rue de buildings a connu des hauts et des bas. Quelques dates resteront dans l'histoire : d'abord le lundi 19 octobre 1987, plus connu sous le nom de « Lundi noir », où la Bourse enregistrera sa plus brutale chute depuis le célèbre Jeudi noir de 1929... Depuis l'éclatement de la bulle Internet ou les minikrachs actuels en provenance d'Asie, les journalistes campent ici à la moindre alerte, à l'affût du moindre bruit...

LA BOURSE OU LA VIE

La statue en bronze d'un taureau en position d'attaque, symbole d'une économie en plein boom (à l'opposé de l'ours, représentant la récession), est devenue l'icône du quartier financier de Wall Street. Elle se trouve actuellement sur le terre-plein central de Bowling Green, où l'arrêt photo est quasi obligatoire. Au choix : le cliché côté tête ou côté cul, ou encore entre les jambes du beau bestiau pour illustrer le désir de se faire aussi des c... en or !

À la suite des attentats du 11 septembre 2001, tout le quartier de Wall Street a été paralysé. Pour la première fois depuis la Seconde Guerre mondiale, la Bourse de New York a fermé ses portes pendant 6 jours. Et le 17 septembre, ce sont les pompiers, les policiers et les secouristes qui ont sonné la cloche à l'heure de l'ouverture. Aujourd'hui encore, une bonne partie du secteur est inaccessible aux véhicules non autorisés : barrages, plots en béton et guitounes remplies de policiers...

Maintenant, en route pour une ***balade le long de Wall Street :***

– Au nº 1 (angle de Broadway), bel édifice Art déco qui accueille les bureaux de la ***Bank of New York.*** Il a été construit dans les années 1930 sur un terrain considéré dans ces temps de crise comme l'un des plus chers du monde. La salle des guichets est tapissée de mosaïques rouge et or. Impossible de manquer, juste en face, la belle ***Trinity Church*** (voir le texte qui lui est consacré dans le paragraphe sur Broadway, un peu plus loin).

– Puis, point d'orgue de Wall Street, la Bourse : le ***New York Stock Exchange*** *(centre 1, **704**),* ou *N.Y.S.E.* pour les initiés. On ne peut plus la visiter depuis les attentats de 2001, le quartier étant désormais surprotégé par les policiers qui sont devenus l'attraction du coin : il y a des jours où les touristes font quasiment la queue pour être pris en photo avec eux !

Avant de continuer, retournez-vous et regardez à nouveau, en direction de Broadway, l'étrange et superbe allure de Trinity Church surgissant entre ces tours gigantesques...

– Au nº 26, à l'angle de Nassau Street, le ***Federal Hall National Memorial*** a été construit dans le plus pur style grec antique, en 1842. Il abritait l'hôtel des douanes à l'emplacement d'un plus ancien bâtiment qui servait de siège au gouvernement américain lorsque New York fut, l'espace de quelques années, la capitale des tout jeunes États-Unis, juste après l'indépendance. C'est pour cette raison qu'une statue de George Washington se dresse juste devant. *Visite tlj sf w-e et j. fériés 9h-17h ; visites guidées à 10h, 11h, 13h, 14h et 15h. Infos : ☎ 212-825-6990. ● nps.gov/feha ●*

– Au nº 30, observez les traders se défoulant sur les tapis roulants de la salle de sports du ***NY Sports Club.*** Sur le mur d'en face, il reste quelques traces d'impact des attentats des indépendantistes portoricains avant la Seconde Guerre mondiale...

– Au nº 48, le ***Museum of American Finance*** (voir ci-dessous), installé dans le superbe immeuble néo-Renaissance de l'ancienne *Bank of New York* de 1928, banque fondée en 1784 par Alexander Hamilton.

– Juste à droite, au nº 50, un de ces nombreux lobbys d'immeubles privés ouverts aux New-Yorkais pour y faire une pause en journée, pique-niquer le midi, etc.

– Au nº 55, notez la double rangée de colonnes néoclassiques.

Remontons maintenant un peu au-dessus de Wall Street par Nassau Street.
– Juste à côté du 1 Chase Manhattan Plaza, on admire un ***Groupe de quatre arbres*** du sculpteur français Jean Dubuffet.
– À l'angle de Nassau et Liberty Street, la fameuse ***Federal Reserve Bank*** (ou *Fed,* pour les intimes des marchés financiers). Derrière cet édifice florentin se cache un quart des réserves d'or mondiales et, peut-être plus important encore, une autorité économique dont les décisions ont des retentissements sur la terre entière.

Museum of American Finance *(centre 1, **705**)* **:** *48 Wall St (et William). ☎ 212-908-4110. • moaf.org • Ⓜ (2, 3, 4, 5) Wall St. Mar-sam 10h-16h. Entrée : 8 $; réducs. Expos temporaires ts les 6 mois.* De prime abord, on pourrait considérer ce musée comme franchement barbant. Et c'est là tout le génie américain : rendre attrayant n'importe quel sujet en le présentant de façon ludique et interactive ! Alors c'est parti pour une plongée dans l'univers impitoyable de la finance, où l'on apprend comment Wall Street est devenue une puissance si redoutable qu'elle influence l'économie mondiale depuis un siècle. Vidéos, bandes-son et nombreuses infos sur ordinateurs évoquent le pouvoir de l'argent et la notion de commerce, tandis que les vitrines présentent une collection d'antiques bons-au-porteur, de vieilles caisses enregistreuses et même de chèques signés par des célébrités (dont celui de Rockefeller, qui correspondrait aujourd'hui à... 2,7 millions de dollars). Et, comme tout bon musée, il aborde toutes les facettes du sujet, dont une histoire de la monnaie et celle des voleurs de banques !

ET POURQUOI PAS DES SIGNAUX DE FUMÉE ?

Pour connaître au plus tôt l'évolution du marché, les premiers investisseurs ne manquaient pas d'imagination : pigeons voyageurs lâchés des transatlantiques dès qu'ils approchaient des côtes, signaux lumineux ou drapeaux relayés d'immeubles en collines... Il ne fallait guère plus de 1h30 pour qu'une nouvelle parvienne de Philadelphie à New York. Au sein même de Wall Street, un courtier eut l'idée d'utiliser des daims pour véhiculer les cotations entre la Bourse et les bureaux. Un système délirant qui perdura jusqu'à l'avènement du télégraphe !

New York City Police Museum *(centre 1)* **:** *100 Old Slip. ☎ 212-480-3100. • nycpolicemuseum.org • Ⓜ (J, Z) Broad St. ♿ Tlj sf j. fériés 10h (12h dim)-17h. Entrée : 8 $; réducs.*
Installé dans un ancien commissariat, dont l'architecture détonne quelque peu au milieu des buildings, ce petit musée est consacré à l'histoire de la prestigieuse police new-yorkaise, tout en expliquant ses méthodes actuelles de travail. On y découvre ainsi une collection d'insignes, d'armes et de matraques (certaines de cérémonie, d'autres avec sifflet ou menottes incorporées !), de vieux manuels et les fiches signalétiques des plus grands truands qui ont sévi à NYC ou qui y sont nés : Al Capone (Scarface), né à Brooklyn en 1899 ; George Metesky (Mad Bomber) qui posa pas moins de 33 bombes dans sa « carrière », dont une à Grand Central Station ; Richard Hauptman qui kidnappa et tua le fils de Charles Lindberg en 1932...
Également quelques véhicules de police anciens (auto avec une sirène en parfait état de marche et de superbes motos), sans oublier l'exposition permanente qui rend hommage aux disparus du 11 Septembre. Enfin, boutique du *NYPD (New York Police Department).* Au cas où vos marmots caresseraient l'idée d'endosser un jour l'uniforme, une expo interactive leur est entièrement dédiée, avec tests de sélection physique et intellectuelle, eh oui...

Broadway *(centre 1)* **:** une balade au niveau des premiers numéros de Broadway peut commencer par la très élégante ***Trinity Church*** *(centre 1* ; à l'angle de Wall Street), objet de nombreuses photos avec les gratte-ciel en fond. Elle date seulement du milieu du XIXe s, mais a été en fait reconstruite deux fois, après un incendie et une démolition. Sa façade a fait scandale au moment de la construction, car le grès rouge *(brownstone)* n'était pas considéré comme un matériau noble. Son petit cimetière attenant montre un vrai côté campagnard et, en été, plein de gens viennent y chercher de l'ombre ou un moment de paix...

– En remontant sur Broadway, entre Cedar et Pine Street, la façade de l'***Equitable Building*** *(centre 1)* semble avoir été coupée en deux. Sa construction, au début du XXe s, a déchaîné les passions. On protesta contre sa taille : il faisait trop d'ombre aux autres rues (il était donc inéquitable ?). En forme de H et élevé sur un socle orné d'aigles en pierre, cet immeuble néo-Renaissance possède pas moins de quatre entrées et 5 000 fenêtres ! Après son inauguration, une loi fut adoptée, qui réglementerait désormais la taille et la forme des buildings pour faciliter la ventilation et l'éclairage des rues.

– Une autre église anachronique, sur Broadway, à l'angle d'Ann Street : avec son fronton de temple grec, ***Saint Paul's Chapel*** *(centre 1)* est la plus ancienne église de la ville, datant d'avant la révolution ! Washington y célébra sa nomination comme premier président des États-Unis d'Amérique. Son prie-Dieu y est exposé. À deux pas du site du World Trade Center, son petit cimetière au milieu des buildings est surréaliste, avec tous ces New-Yorkais pique-niquant entre les tombes à l'ombre des grands arbres. À l'entrée, l'arbre renversé et peint en rouge fait partie des vestiges du 11 Septembre. Aujourd'hui, l'église est un lieu de mémoire dédié à ces événements dramatiques. À l'intérieur, certains des jolis bancs blancs portent encore les marques laissées par les pompiers et autres bénévoles qui venaient s'y reposer, les paroissiens ayant décidé de ne pas les repeindre. Photos, vidéos, témoignages, ex-voto et reliques en tout genre de *September 11th* devant et à l'intérieur de l'église.

– Ne manquez pas non plus le ***Woolworth Building*** *(centre 1)*, entre Barclay Street et Park Place. Construit en 1911 dans un style néogothique... flamboyant ! Dommage, l'incroyable hall d'entrée, avec ses plafonds dorés à la feuille d'or, ses voûtes de style byzantin et ses ascenseurs rococo-gothique, n'est pas accessible.

🚶🚶🚶 ***World Trade Center et 9/11 Memorial*** (centre 1) : • *wtc.com* • *911memorial.org* • *Entrée provisoire du mémorial à l'angle de Albany et Greenwich St.* ***Billet gratuit mais nécessité de réserver un pass avec un créneau horaire, le plus sûr est de le faire en ligne.*** *Sinon, un nombre limité de billets (aléatoire en fonction des jours) est également distribué, sur présentation d'une pièce d'identité, au 9/11 Memorial Preview Site de Vesey St (lire ci-dessous).* Ⓜ *(N) Cortland St ou (E) World Trade Center.*

Longtemps surnommé ***Ground Zero,*** le site où s'élevaient les Twin Towers du World Trade Center est aujourd'hui presque enfin reconstruit.

Un peu d'histoire

Les *Twins* étaient la porte d'entrée de Manhattan et le symbole de la toute-puissance économique américaine. En arrivant par avion, c'était la première vision de New York, une ville ouverte sur le ciel... Mais au matin du 11 septembre 2001 et devant toutes les TV de la planète, les tours jumelles du World Trade Center se sont effondrées (en 10 s à peine...), frappées à mort par deux avions de ligne détournés par des commandos-suicides d'Al-Qaïda. Le bilan des victimes avoisina les 3 000 morts, dont de nombreux pompiers et policiers ; 8 mois furent nécessaires pour tout déblayer...

Avec leurs 417 et 415 m respectifs et leurs 110 étages chacune, les Twin Towers étaient les plus hauts gratte-ciel de New York. Érigées au début des années 1970 dans le but de revitaliser ce quartier en perte de vitesse (164 immeubles, soit 16 blocs, avaient été rasés pour permettre sa construction), elles étaient conçues pour résister aux rafales de vent, aux séismes et même, en principe – elles avaient déjà survécu à un premier attentat en 1993 –, à l'impact d'un Boeing 707 lancé à 950 km/h...

On avait néanmoins omis un détail fondamental : la fusion des structures en métal causée par la chaleur extrême dégagée par l'incendie de réacteurs bourrés de kérosène. Avec près de 500 entreprises, 35 000 salariés et 12 000 visiteurs au quotidien, le *World Trade Center* était l'adresse mythique des grandes multinationales. D'ailleurs, le complexe avait même son propre code postal : 10048. De son sommet, on avait la vision d'une immense maquette animée entourée d'eau...

DES MÉTAUX LOURDS DE SENS

Le USS New York, dernier-né de la marine américaine inauguré fin 2009, est un navire de guerre un peu particulier. Pour le bâtir, on a utilisé 7,5 t d'acier récupéré dans les décombres du World Trade Center. Sa forme lui rend aussi hommage puisqu'elle comporte deux tours évoquant les Twins. Si sa construction (dans des chantiers navals de Louisiane) a été quelque peu perturbée par l'ouragan Katrina, certains ouvriers n'ont pas hésité à différer leur départ en retraite pour avoir l'honneur de participer à sa réalisation.

Le nouveau WTC

La première pierre de la future *Freedom Tower*, rebaptisée ensuite ***One World Trade Center (1 WTC)***, a été posée le 4 juillet 2004. Mais pendant de longues années, le chantier est resté au point mort et il a fallu attendre 2012 pour voir sa silhouette complète s'élancer dans le ciel new-yorkais. Quant au projet dans son ensemble, qui a connu moult difficultés, rebondissements et polémiques, il ne devrait pas être achevé avant fin 2013 voire 2014. Retenu dès 2003, le plan de Daniel Libeskind a finalement été modifié à cause des intérêts contradictoires des familles des victimes, des architectes, des milieux d'affaires, des promoteurs, de la police de New York, des politiques, mais aussi eu égard aux exigences de Larry Silverstein, déjà propriétaire du WTC7, lequel avait signé 6 semaines avant les attentats un bail de location de 99 ans tout en pensant à s'assurer contre le risque terroriste ! Bref, la maîtrise d'œuvre du projet fut confiée à l'architecte américain David Childs du cabinet Skidmore Owings et Merrill.

Si la hauteur de la nouvelle tour, initialement fixée par Libeskind à 1 776 pieds (541 m), chiffre symbolique de la date de l'indépendance des États-Unis, a été maintenue, son design a bien évolué. Le *1 WTC* est une « tour-forteresse » à facettes, surmontée d'une antenne en forme de spirale, éclairée en écho à la torche de la statue de la Liberté. Une plate-forme d'observation et un restaurant panoramique couronneront le projet, comme dans les défuntes Twins. Mais celle qui devait être provisoirement la plus haute tour du monde habitée s'est déjà vue détrônée par sa rivale de Dubaï, la Burj Al-Khalifa (828 m...) réalisée d'ailleurs par le même cabinet d'architecture. Elle devrait cependant conserver son statut de plus haut building des États-Unis. Côté sécurité, ses inventeurs ont mis le paquet. Ascenseurs, escaliers de secours, systèmes de communication, ascenseur d'urgence pour les pompiers et réservoirs d'eau sont englobés dans un cœur d'acier vertical, lui-même protégé par une couche de béton. Au pied du *1 WTC* se trouve le ***mémorial,*** inauguré par Barack Obama le 11 septembre 2011, lors du 10e anniversaire de la tragédie. Très attendu par les familles des victimes, c'est une indéniable réussite. Réalisé sur le thème de l'absence et du silence par l'architecte israélo-américain Michael Arad, le mémorial est un jardin du souvenir planté de chênes blancs, entourant deux immenses et impressionnants bassins vides construits sur les empreintes mêmes des tours nord et sud. D'immenses chutes d'eau (9 m de hauteur) tombent en cascade dedans, aspirées dans un puits central dont on ne voit pas le fond. Les noms des 2 983 victimes des attentats de 2001 et 1993 sont gravés sur des parapets en bronze tout autour des bassins, non pas par ordre alphabétique, mais en fonction des liens entre les disparus. Très poignant. Tous les 11 septembre au matin, le mémorial sera inondé de lumière, aucune ombre ne devra passer ce jour-là. L'ensemble du site, la hauteur décroissante des différentes tours, les reflets, tout a été étudié au millimètre dans ce but. Indissociable du mémorial, le ***National Septembre 11 Memorial Museum*** (ouverture fin 2012) est accessible par un pavillon de verre et acier entre les deux bassins-fontaines. Construit sur un emplacement considéré par beaucoup pour sacré, le musée a fait évidemment l'objet de vives polémiques. Rendre hommage aux victimes et aux survivants, préserver le site et les objets qu'il renferme, faire comprendre l'impensable, tels sont les objectifs de ce nouveau musée dont la direction a été confiée à la directrice adjointe du Holocaust Museum de Washington. Le musée possède 4 000 objets, parmi lesquels une compression de 13 t de plusieurs étages effondrés, des photos d'hommes et de femmes sautant des tours en flammes, des vidéos de témoins et de survivants, des enregistrements poignants, comme celui de cette hôtesse de l'air du vol American Airlines 11, informant calmement les équipes au sol de ce qui se passe autour d'elle. Toute la difficulté d'un tel musée étant de savoir ce qu'il faut montrer. Transmettre la vérité, oui, mais en évitant de montrer l'horreur de manière trop explicite, pour ne pas raviver le traumatisme encore à vif. Aucun détail dans la conception architecturale n'a été négligé. Des portes de sortie ont ainsi été disposées tout au long du parcours, pour permettre aux visiteurs qui en ressentent le besoin de quitter les lieux avant la fin.

Très important : tant que le chantier de reconstruction du World Trade Center sera actif (environ 2014), l'accès au mémorial restera très réglementé pour ne pas perturber le bon déroulement des travaux (voir formalités de réservation ci-dessus). Une fois l'ensemble du site achevé, tout le monde en revanche pourra y accéder librement.

Le complexe sera à terme entouré de trois autres gratte-ciel signés par les architectes Norman Foster, Richard Rogers et Fumihiko Maki, sans compter le *7 WTC* (sur Vesey St, angle Greenwich), la seule tour à avoir été reconstruite dans la foulée des attentats (livrée en 2006). Rappelons que la tour n° 7, haute de 47 étages et reliée par une passerelle au complexe du World Trade Center, s'était effondrée peu après les tours. Ironie du sort, elle avait été conçue pour résister aux attaques terroristes, car elle abritait les services de la CIA, de l'espionnage économique et le poste de commandement des situations d'urgence de la mairie de New York !

Sur un plan plus pratique, une nouvelle gare (spectaculaire avec sa double marquise symbolisant les ailes d'un oiseau), le ***World Trade Center Transportation Hub,*** conçue par l'architecte Santiago Calatrava, sera opérationnelle en 2014. Elle permettra à quelque 250 000 passagers d'accéder quotidiennement au réseau du métro, à la gare des trains de banlieue reliant Manhattan et le New Jersey en passant sous l'Hudson River (PATH), et à un centre commercial reliant les tours en partie souterraine.

– ***Tribute WTC Visitor Center*** *(centre 1,* ***737****)* ***:*** *120 Liberty St.* ☎ *1-866-737-1184. • tributewtc.org • Tlj 10h-18h (17h dim). Entrée : 15 $. Visites guidées (en français sur résas) tlj à 11h, 12h, 13h et 15h (14h et 16h en plus le sam) menées par des bénévoles rescapés ou proches des victimes (env 1h15) : 20 $, accès au mémorial inclus. Audioguides en français 10 $.* Financé par les familles de victimes et les visiteurs, il restera à priori ouvert jusqu'à l'ouverture du musée. Films d'archives, maquettes, vestiges (entre autres, le hublot d'un des avions et une poutrelle d'acier complètement tordue), témoignages sonores et photos sur le World Trade Center, mémorial sous la forme d'un vaste panneau avec les photos, objets personnels et

LE MIRACULÉ DU 11 SEPTEMBRE

Entre les deux bassins du mémorial se tient un arbre protégé par une barrière. Ce poirier, aujourd'hui seul au milieu de la forêt de chênes blancs, s'élevait sur la place centrale du World Trade Center. Retrouvé sous les décombres, il fut chouchouté dans un parc de la ville jusqu'à ce qu'il reprenne vie, et replanté ici. Le survivor tree est devenu pour les New-Yorkais un véritable symbole d'espoir et de renouveau après avoir survécu à une nouvelle catastrophe en 2010 : une tempête cette fois.

souvenirs de la plupart des victimes, dessins d'enfants... Au sous-sol, expos temporaires et mur de messages des visiteurs. Un émouvant hommage aux victimes et aux secouristes.

– ***9/11 Memorial Preview Site*** *(centre 1,* ***741****) : 20 Vesey St (et Church).* ☎ *212-267-2047. • 911memorial.org • Tlj 9h (8h w-e)-19h. Gratuit.* Centre d'informations sur la reconstruction du WTC, avec maquettes du projet, vitrines, vidéos, photos, documents d'archives et une kyrielle de gadgets, T-shirt et autres casquettes à vendre pour la bonne cause... C'est aussi ici que l'on peut tenter sa chance pour récupérer un *pass* d'entrée gratuit au 9/11 Memorial (sur présentation d'une pièce d'identité), mais on le répète, c'est plus sûr de le faire à l'avance sur leur site internet car le nombre de billets distribué ici est aléatoire.

Battery Park City *(plan 1, B6)* **:** un quartier qui s'inscrit dans le cadre du New York vert en entrant dans la continuité de l'Hudson River Park. Récent, il a été gagné sur la mer et élevé sur le remblai des défuntes Twin Towers... Belle esplanade au bord de la rivière Hudson, bordée d'allées, de bancs et de fleurs. Une balade agréable pour se rendre à l'embarcadère du ferry de la statue de la Liberté, ou de celui de Staten Island.

Civic Center *(centre 2, C5,* ***732****)* **:** le centre administratif de New York, qui se concentre dans quelques rues au nord de Lower Manhattan. On y trouve ainsi rassemblés : l'hôtel de ville *(City Hall),* la cour criminelle, la cour de justice fédérale et de l'État de New York, etc. Sur la façade de cette dernière (aux allures de pseudo-temple grec) est inscrit : « La bonne administration de la justice est le pilier le plus solide d'un bon gouvernement. »
Le ***City Hall Park*** met une touche de vert dans ce paysage bétonné. Seule une petite partie du parc est accessible au public, autour de la fontaine, à l'angle de Broadway et Barclay Street. Grand cercle sur le sol retraçant les différentes étapes de l'essor de New York. En été s'y déroulent parfois des concerts gratuits. Au centre, le ***City Hall,*** la mairie de New York ; à droite, l'énorme ***Municipal Building,*** avec un grand portique et une belle tour blanche surmontée d'une statue dorée, qui nous fait penser à une pièce montée !

African Burial Ground *(centre 2, C5,* ***707****)* **:** *angle Elk et Duane St. Entrée du musée (expos temporaires) au 290 Broadway.* ☎ *212-637-2019. • nps.gov/afbg • Ⓜ (R) City Hall. Mar-sam sf j. fériés 10h-16h. Entrée libre.* De ce qui fut un vaste cimetière d'esclaves noirs pendant près de deux siècles, il ne reste qu'un petit coin de pelouse sur laquelle se dresse un mémorial sobre, rappelant le sort de ceux qu'on a arrachés à leur pays et qui sont morts dans l'indifférence. Tombée dans l'oubli, cette nécropole redécouverte en 1991 à l'occasion de la construction d'un immeuble a suscité beaucoup d'émotion. New York, opposée aux États du Sud pendant la triste guerre de Sécession, a malgré tout un lourd passé colonialiste. Des associations ont réagi, le gouvernement s'est investi. Le président George W. Bush l'a en effet classé *National Monument.* En 1794, le cimetière situé en dehors des limites de la cité s'étendait sur 5,5 acres (plusieurs pâtés de maison aujourd'hui) et comptait sans doute 20 000 sépultures. Le petit morceau fouillé a permis d'en dégager près de 400. Parmi ces esclaves, de nombreux enfants morts suite à de mauvais traitements et beaucoup de recrues de l'armée britannique à qui on avait promis la liberté si elles combattaient du côté des loyalistes. Les fouilles terminées, les corps ont été solennellement inhumés, un mémorial a été inauguré, et une expo très intéressante installée dans le bâtiment voisin (entrée au 290 Broadway).
Au centre de Foley Square, à deux pas, face au bâtiment de la Cour suprême, un autre monument commémoratif d'inspiration malienne : *Tiywara*, deux antilopes mâle et femelle stylisées, la première symbolise le Soleil et la seconde la Terre. En ce qui concerne les esclaves à New York, voir aussi « Histoire. La prospérité économique et les années sombres de l'esclavage » dans « Hommes, culture, environnement », en début de guide.

South Street Seaport *(plan 1, C-D6) : situé à l'est de Lower Manhattan et du Civic Center. • southstreetseaport.com • M (A, C, 2, 3, 4, 5) Fulton St.*
C'est le berceau de l'Amérique, l'ancien cœur du port de New York, hyperactif au XIXe s et jusqu'au début du XXe s. C'est ici que débuta la richesse de l'Amérique, dans le ballet incessant des clippers. Et puis c'est à Seaport que fut inaugurée, par Thomas Edison lui-même, la première station d'éclairage urbain à l'électricité le 4 septembre 1882. Il y a quelques années, le quartier fut sauvé de la démolition par une importante mobilisation populaire, à caractère largement sentimental. Aujourd'hui, un projet de réhabilitation bat son plein sur le mythique et « scorsesien » Fulton Fish Market. Le vieux marché aux poissons (le deuxième plus grand du monde, juste derrière Tokyo) a finalement déménagé dans le Bronx en 2005, après 15 ans de rebondissements. Du pain bénit pour les promoteurs, qui ont créé à la place une zone de loisirs et de promenade, sur laquelle on trouve déjà quelques enseignes telles qu'*Abercrombie & Fitch*, *Guess* et *Gap*.
– Sur Fulton Street, le ***Shermerhorn Row*** (entre Front et South Street) est l'alignement des maisons les plus anciennes de la ville, aujourd'hui reconverties en boutiques. Belle rangée de *row houses* également le long de Water Street (entre Peck et Beekman Street).
– ***Pier 17*** *(plan 1, C6, **100**)* **:** un ancien dock reconverti en centre commercial assez bas de gamme et fâcheusement touristique. Le *NY Water Taxi* part d'ici (du Pier 16 exactement) et file vers DUMBO juste en face avant de remonter vers Midtown. On y trouve des restos sans intérêt et un *food court* si besoin, un *biergarten* plutôt sympa en revanche (voir « Où boire un verre ?), des magasins de souvenirs, ainsi qu'une assez jolie vue sur les bateaux, le pont de Brooklyn et ceux de Manhattan (panorama bien plus intéressant en traversant l'East River car on donne alors sur la *skyline*).
– ***South Street Seaport Museum*** *(plan 1, C6, **708**)* **:** *12 Fulton St. ☎ 212-748-8786. • southstreetseaportmuseum.org • M (2, 3) Fulton St. Tlj 10h-18h. Entrée : 10 $; réduc ; gratuit moins de 9 ans.* Installé dans un entrepôt datant de 1812 récemment transformé, ce joli musée retrace l'épopée maritime du port de New York, à grand renfort de vieux objets de marine, de tableaux, vieilles photos et affiches évoquant la vie des marins, les paquebots transatlantiques... Compter 1h de visite. Le ticket d'entrée donne aussi droit à la visite de plusieurs galeries d'expo disséminées dans le quartier, et à la découverte de deux bateaux à quai, l'*Ambrose* (1907) mais surtout le *Peking* (1911), deuxième plus grand voilier au monde. Manœuvré par une soixantaine de marins, ce cinq-mâts, tout en métal et bois, servait au transport des nitrates. Désarmé en 1933, il est ancré dans le port de New York depuis 1974...
➢ ***Minicroisière sur un vieux clipper*** **:** *infos et horaires au ☎ 1-800-544-1224 • manhattanbysail.com • De fin avr à mi-oct, croisière de 1h30 env, 5 départs/j. Tarifs : 40-45 $; réducs.* Guichets sur l'esplanade devant l'Ambrose. Ces sympathiques balades sont organisées à bord du *Shearwater* et du *Clipper City*, deux embarcations quasi centenaires. Autre possibilité de naviguer à bord de la goélette ***Pioneer*** : *☎ 212-748-8786. • nywatertaxi.com • fonctionne juin-sept, 3 départs/j. en sem, 4 le w-e, durée 2h env. Compter 40 $/pers ; réduc enfants.* Une façon insolite et romantique d'admirer Manhattan et sa forêt de gratte-ciel.

Governors Island *(hors plan 1 par C6) : • govisland.com • Accessible mai-sept, sam-dim slt. Plusieurs navettes bateau possibles : de Lower Manhattan (à côté du Staten Island Ferry), avec le* Governors Island Manhattan Ferry *(gratuit). Non loin de là (Wall St-Pier 11), départ possible avec l'*East River Ferry *(trajet 4 $; • nywaterway.com •). De Brooklyn (Pier 6 à Brooklyn Bridge Park), avec le* Governors Island Brooklyn Ferry *(gratuit). Compter 5 mn de trajet (file d'attente non comprise...). Loc de vélos possible sur place.*
Cette île de 70 ha, située à 730 m de la pointe sud de Manhattan, plus près encore de Brooklyn et surtout posée presque au pied de la statue de la Liberté, fut longtemps la résidence exclusive des gouverneurs de New York nommés par la cou-

ronne britannique (d'où son nom). Elle est aujourd'hui ouverte au public, pour le plus grand plaisir des New-Yorkais qui s'y pressent nombreux tous les week-ends d'été. Au programme : visite des forts historiques ou de belles *mansions,* bronzette sur la plage de sable (prise d'assaut, soyons honnêtes avec vous) ou les vastes pelouses avec la *skyline* et Miss Liberty en ligne de mire, barbecue, concerts, matchs de polo, ateliers pour enfants, festival de *street food*... Chaque week-end, les animations de plein air sont différentes.

CHINATOWN ET LITTLE ITALY

Voici l'un des quartiers les plus cosmopolites de Manhattan, où les Italiens cohabitent avec les Chinois, eux-mêmes voisins des juifs installés dans Lower East Side depuis la fin du XIXe s. Depuis 2010, Chinatown et Little Italy sont classés et font partie du même *National Register Historic District*.

Autour de 1860, des milliers d'Allemands arrivent ici, obligeant l'ancienne colonie irlandaise à se déplacer vers le bas de la ville. Puis, jusqu'en 1910, près de 2 millions de juifs d'Europe centrale formeront la plus importante colonie juive de la planète. Aujourd'hui, avec plus de 250 000 âmes, la communauté chinoise a pris l'ascendant, conférant à ce quartier l'aspect d'une véritable enclave asiatique. Sons, odeurs, enseignes, couleurs, idéogrammes renvoient à un autre monde... Essentiellement animé en journée – plus particulièrement le dimanche, jour de marché –, Chinatown se visite à pied. Vous y déjeunerez pour pas cher, et goûterez tous les types de cuisine asiatique. Quant à Little Italy, situé à quelques blocs à peine, c'est un miniquartier devenu très touristique et dont on fait très rapidement le tour, la vraie Little Italy étant dans le Bronx.

HOROSCOPE CHINOIS

La coutume veut qu'on termine son repas chinois par un fortune cookie, petit gâteau sec renfermant une mini-bandelette de papier sur laquelle est inscrite une phrase porte-bonheur, une prédiction ou une maxime humoristique. Cette tradition n'a rien de chinois, elle est née... en Californie, au début du XXe s. Mais vu le succès aux États-Unis, il paraît que la Chine s'y est mise aussi !

Adresse utile

@ ***Silkroad Place*** *(centre 2, C5,* ***133****) : 30 Mott St.* Ⓜ *(J, N, Q, Z, 6) Canal St.* Grand café sombre et anonyme avec plusieurs ordinateurs (payant).

Où dormir ?

Hotel 91 *(plan 1, D5,* ***31****) : 91 East Broadway.* ☎ *212-266-6800.* • *hotel91.com* • Ⓜ *(F) East Broadway. Doubles 140-210 $.* Passé les dorures de l'entrée et le rouge de l'ascenseur (la réception est au 2e étage), ça se calme, heureusement. Les chambres sont toutes dans les tons crème ou vert olive et bien insonorisées (tant mieux, car le train ne passe pas loin). Bon confort et accueil courtois.

Où manger chinois ?

Chinatown est une aubaine pour l'estomac et le porte-monnaie. La qualité est très inégale, tourisme oblige, mais globalement, on parvient toujours à dégoter quelque chose d'honnête pour une poignée de dollars. Le thé est généralement inclus. En revanche, ***les cartes de paiement sont souvent refusées.***

– ***Le dim sum :*** servi généralement tous les jours du matin jusque vers 14-15h, le *dim sum* est l'équivalent du petit déj ou du brunch, mais à la mode de Hong Kong et Canton. Une bonne formule pour goûter un peu à toutes les chinoiseries sans y laisser sa fortune et surtout, une vraie invitation au voyage. Des serveuses passent en poussant un chariot garni de différentes bouchées vapeur mais aussi frites, de l'entrée au dessert, le tout servi en petites portions. En général, elles s'arrêtent aux différentes tables pour les proposer, sinon vous pouvez aussi les héler au passage. On ne sait pas toujours exactement ce qu'on va déguster, mais ça fait partie du jeu et du plaisir de la découverte ! L'idée, c'est d'en piocher plusieurs et de les partager avec sa tablée. On paie à la sortie en présentant la petite carte tamponnée au fur et à mesure par les serveurs(ses). On peut bien sûr demander les prix au fur et à mesure mais pas de mauvaise surprise à la clé, rien n'est vraiment cher.

Très bon marché, sur le pouce

I●I Repérer l'enseigne indiquant juste ***« Fried Dumpling »***, sur Mosco Street *(entre Mott et Mulberry ; centre 2, C5,* ***129****)*. Imbattable : 5 *fried dumplings* (raviolis chinois) pour 1 $! Ils sont généralement au porc. À emporter, car l'odeur qui saisit le nez en entrant dans ce réduit est tout bonnement insupportable !

Bon marché

I●I ***Nha Trang One*** *(centre 2, C5,* ***136****)* ***:*** *87 Baxter St (entre Walker et White).* ☎ *212-233-5948.* Ⓜ *(J, N, Q, R, 6) Canal St. Plats 6-12 $.* Une foule de plats avec des spécialités sino-vietnamiennes pour varier un peu. C'est copieux, souvent bondé et l'on fait des rencontres en partageant sa table. Déco insipide, mais service rapide.

I●I ***Shanghai Cuisine*** *(centre 2, C5,* ***131****)* ***:*** *89-91 Bayard St.* ☎ *212-732-8988.* Ⓜ *(J, N, Q, R, 6) Canal St. Tlj sf mar. Plats 10-15 $ (la moitié pour une bonne soupe). CB refusées.* Dans un petit resto agrandi par des miroirs, une cuisine traditionnelle goûteuse et bien servie réputée pour ses *dim sum.* On s'y presse à l'heure du déjeuner.

I●I ***Nice Green Bo*** *(centre 2, C5,* ***134****)* ***:*** *66 Bayard St (entre Mott et Elizabeth).* ☎ *212-625-2359.* Ⓜ *(J, N, Q, R, 6) Canal St. Plats 8-15 $.* Derrière la vitrine embuée en hiver, le décor est proche de zéro, mais l'imposante carte propose les grands classiques de la cuisine chinoise, avec des spécialités de Shanghai copieuses (inutile de trop commander du 1er coup), bonnes et pas chères. Ici, on partage aussi sa table où est servi d'office un bon thé au jasmin. Toujours plein, mais service rapide.

I●I ***Big Wong*** *(centre 2, C5,* ***135****)* ***:*** *67 Mott St (entre Walker et Bayard).* ☎ *212-964-0540.* Ⓜ *(J, N, Q, R, 6) Canal St. Plats 10-15 $.* Grande cantine qui ne désemplit pas, et où l'on dévore soupes, pâtes, viande et poisson arrangés à la cantonaise. Si vous aimez le *congee* (soupe de riz), c'est une des spécialités, de même que la langouste au gingembre, servie pour 2 à prix imbattable. Fréquenté par des descendants de l'Oncle Sam ou de l'empire du Soleil-Levant, qui partagent volontiers votre table. Service énergique.

De prix moyens à plus chic

I●I ***Joe's Shanghai*** *(centre 2, C5,* ***130****)* ***:*** *9 Pell St (entre Mott et Bowery).* ☎ *212-233-8888.* Ⓜ *(J, N, Q, R, 6) Canal St. Plats 12-18 $ (un peu plus pour la seafood). CB refusées.* Excellente cuisine shanghaienne servie dans une petite salle éclairée par des néons verts et roses, souvent bondée. *Joe's* est LE spécialiste des *soup dumplings* (raviolis à la vapeur remplis de bouillon), la coqueluche des New-Yorkais. Le grand jeu consiste à attraper son ravioli sans le crever pour le poser dans la cuillère. Faire ensuite un petit trou au niveau de l'attache, aspirer le jus avant de croquer dedans. Aussi de très bons *fried string beans szechuan style.*

I●I ***Jing Fong*** *(centre 2, C4,* ***431****) : 20 Elizabeth St (entre Canal et Bayard). ☎ 212-964-5256 ou 5257. Ⓜ (6, J, N, Q, R) Canal St.* Dim sum *tlj 9h30-15h30, env 15-20 $/pers selon ce qu'on prend.* Voici le vrai *dim sum* comme à Hong Kong (voir explication plus haut). On commence par inscrire son nom en bas avant de gravir l'escalator menant à une impressionnante « salle des fêtes », remplie de tables et dominée par d'énormes lustres en cristal incrustés dans le plafond. Atmosphère populaire et familiale. Le week-end, c'est la folie, tout le monde fait la queue dehors, alors armez-vous de patience ou venez tôt.

I●I ***Oriental Garden*** *(centre 2, C5,* ***167****) : 14 Elizabeth St (entre Canal et Bayard). ☎ 212-619-0085. Ⓜ (6, J, N, Q, R) Canal St.* Dim sum *tlj 10h (9h sam-dim)-15h30, env 15-20 $/pers. Le soir, plats 17-25 $. Cash ou American Express slt.* Une adresse plus chic et plus chère que la moyenne, prisée pour sa cuisine de haute volée (la *seafood* notamment) mais aussi pour son fameux *dim sum,* qui attire les foules mais dans une ambiance plus calme et intimiste que chez son voisin *Jing Fong*. Le week-end, venir quand même le plus tôt possible pour éviter l'attente, car la salle est assez petite. Clientèle assez mélangée.

I●I ***Fuleen Seafood*** *(centre 2, C5,* ***124****) : 11 Division St (et Catherine). ☎ 212-941-6888. Ⓜ (J, N, Q, R, 6) Canal St. Tlj jusqu'à 2h30. Plats 13-19 $. 11h30-15h, plats, soupes et riz 7-9 $.* Déco bien chinoise, tables rondes à plateaux tournants et clientèle exclusivement locale. Comme son nom l'indique, spécialisé dans les fruits de mer (original *jumbo shrimp and honey walnuts with mayo*). Également du poisson, des crustacés (choisissez-les vivants dans l'aquarium) et des huîtres vendus au poids. Et puis tous les classiques cantonais servis copieusement. Les serveurs parlent très peu l'anglais.

Où manger italien ?

Paradoxalement, Little Italy n'est pas le meilleur endroit pour manger italien... Les serveurs racolent le client sur le pas de leur porte, la cuisine y est prévisible et plus chère qu'ailleurs. Néanmoins, la plupart des restos de Mulberry Street proposent des formules avantageuses le midi (contrastant singulièrement avec les prix du soir), et des terrasses animées aux beaux jours.

I●I 🍸 ♩ ***Epistrophy Cafe*** *(centre 2, C4,* ***138****) : 200 Mott St (entre Spring et Kenmare). ☎ 212-966-0904. Ⓜ (6) Spring St. Plats 12-18 $. CB refusées.* Wi-fi Belle ambiance dans ce petit resto-bar à vins au look de café littéraire. Dans l'assiette, une cuisine italienne style « cantina » : *bruschette, taglieri...* sans oublier la *pasta...* Le tout rondement mené et servi avec le sourire. Bonne musique et *live* bien ficelé certains soirs.

I●I ***Pellegrino's*** *(centre 2, C4,* ***137****) : 138 Mulberry St (entre Grand et Hester). ☎ 212-226-3177. Ⓜ (J, N, Q, R, 6) Canal St. Bon marché le midi (plats 9-17 $) mais franchement cher le soir (plats 18-38 $).* Grande salle aux murs lie de vin, atmosphère méditerranéenne et petite terrasse en été. Une adresse réputée pour sa *pasta della casa.* Accueil chaleureux. Si vous vous croyez dans un film de Scorsese, la boutique *Cigar Company* juste à gauche vend des barreaux de chaise pour 8 à 30 $ environ...

Où boire un verre ?
Où écouter du live ?

🍸 ***Apotheke*** *(centre 2, C5,* ***70****) : 9 Doyers St. ☎ 212-406-0400. Ⓜ (6, J, N, Q, R) Canal St. Tlj 18h30-2h à priori.* Pas d'enseigne visible, il faut repérer le nº 9 et le nom *Apotheke* écrit en minuscule sur la devanture en métal rouillé pour découvrir ce bar « secret » de Chinatown, dans l'esprit des *speakeasies* de la prohibition. Murs capitonnés, canapés en velours cramoisis, petites tables éclairées à la bougie et flacons d'apothicaire alignés derrière le bar, où l'on vous tendra la liste des prescriptions du jour. Car les potions, oups, les cocktails (relevés d'herbes médicinales et d'élixirs maison), sont préparés par des barmen en blouse blanche qui officient avec la précision de chimistes !

Epistrophy Cafe *(centre 2, C4,* ***138****) :* voir « Où manger ? ».

Cafés, pâtisseries, glaces et salons de thé

Chinatown Ice Cream Factory *(centre 2, C5,* ***304****) : 65 Bayard St (entre Mott et Elizabeth). ☎ 212-608-4170. Ⓜ (J, N, Q, R, 6) Canal St. Env 4 $ le cornet.* L'endroit est tout petit et ne paie pas de mine. Pourtant, il est archi-connu, et pour cause. Goûtez donc aux délicieuses glaces maison. Nombreux parfums originaux : litchi, mangue, gingembre, taro, sésame noir et même wasabi... Portions généreuses.

Teariffic *(centre 2, C5,* ***305****) : 51 Mott St (au niveau de Bayard). ☎ 212-393-9009. Ⓜ (J, N, Q, R, 6) Canal St.* C'est le rendez-vous de la jeunesse du quartier. Spécialité de thé glacé mousseux *(frothy),* avec ou sans lait, et décliné dans plus de 40 parfums : cacahuète, sésame, miel, gingembre, thé vert... certains avec des perles de tapioca noir *(bubble tea).* Étonnant. Seul le cadre n'est pas vraiment *terrific* !

Ten Ren's Tea Time *(centre 2, C5,* ***306****) : 79 Mott St (entre Bayard et Canal). ☎ 212-732-7178. Ⓜ (J, N, Q, R, 6) Canal St.* Un spécialiste du thé, mais avec un look résolument moderne... Atmosphère plutôt zen en plein cœur d'un quartier très animé. Le magasin de thé à côté appartient à la même maison (voir « Shopping »).

Ferrara *(centre 2, C4,* ***301****) : 195 Grand St (et Mott). ☎ 212-226-6150. Ⓜ (J, N, Q, R, 6) Canal St.* Sol en marbre, boiseries, service classieux, ce café, ouvert en 1892, revendique le titre de 1er *espresso bar* des États-Unis... Cela justifie-t-il pour autant le prix excessif du p'tit noir (excellent, cela dit) ? Bonnes pâtisseries (italiennes mais aussi américaines et françaises) et glaces copieuses et à prix à peu près raisonnables.

Caffè Roma *(centre 2, C4,* ***302****) : 385 Broome St (et Mulberry). ☎ 212-226-8413. Ⓜ (J, N, Q, R, 6) Canal St. Tlj 8h-minuit.* Café-pâtisserie tranquille et réputé, qui affiche près de 100 ans au compteur ! D'ailleurs, cela se voit : le lustre vieillot, les étagères patinées et les tableaux noircis trahissent son âge vénérable. Les nostalgiques sont néanmoins toujours aussi nombreux à lui rendre hommage pour goûter ses spécialités de *chocolate cannoli, amaretto* cheese-cake et tiramisù, sans oublier les *espressi,* cappuccini (précisez sans cannelle), glaces et pâtisseries. Idéal aussi pour boire un verre sagement en soirée.

Shopping

Une foule de boutiques chinoises proposant quantités de pacotilles décoratives kitsch à souhait. Également des tas d'échoppes vendant n'importe quoi à prix imbattables : vêtements, chaussures, lunettes de soleil, et évidemment des imitations en toc de grandes marques.

Hong Kong Dynasty Supermarket *(centre 2, C4,* ***516****) : 157 Hester St (et Elizabeth). ☎ 212-966-4943. Ⓜ (D) Grand St.* La visite de ce supermarché asiatique vaut le coup pour rester dans l'ambiance de Chinatown. Sur 2 niveaux, produits asiatiques côtoyant les basiques de l'alimentation américaine. Un immense rayon de thé, des sushis très bon marché fabriqués devant vous et, bien sûr, plein de gourmandises aux noms imprononçables....

Ten Ren's Tea Time *(centre 2, C5,* ***306****) : 79 Mott St (entre Bayard et Canal). ☎ 212-732-7178 ou 1-800-292-2049. Ⓜ (J, N, Q, R, 6) Canal St.* Une référence en matière de thé à Chinatown. Grand choix de thé vert, noir, fumé ou médicinal, conditionné de toutes les façons, de la grosse bonbonne de 5 kg aux petits sachets en boîte. Parfait pour emporter un souvenir du quartier. Succursale au 138 Lafayette St.

Alleva *(centre 2, C4,* ***503****) : 188 Grand St (angle Mulberry). ☎ 212-*

CHINATOWN ET LITTLE ITALY

226-7990. Ⓜ *(J) Bowery ou (J, N, Q, R, 6) Canal St.* Ouverte depuis 1892, cette appétissante boutique italienne est un des derniers vestiges de Little Italy : fabuleuses charcuteries, pâtes et huiles d'olive, sans oublier les fromages.

À voir

CHINATOWN

Ⓜ *(J, N, Q, R, 6) Canal St.*

L'expérience culturelle d'un monde à part, à vivre si possible le dimanche, jour où le marché envahit les rues. Les Chinois des environs viennent de loin serrer la main de leurs copains, acheter légumes et poissons. Prépondérance de gargotes et restos bon marché, boutiques et magasins d'alimentation. Les plaques de rues sont en anglais et en chinois, comme les journaux d'ailleurs... Les experts noteront que la grande majorité des résidents s'expriment en cantonais plutôt qu'en mandarin, et cohabitent avec de nombreuses autres communautés asiatiques. Ici, on peut naître, vivre et mourir sans jamais avoir parlé un mot d'anglais ! Les tripots et fumeries d'opium de la fin du XIXe s ont disparu, mais on trouve encore d'étonnantes pharmacies qui vendent des herbes, des racines et des remèdes de la médecine traditionnelle chinoise. Si vous êtes adepte de massage, c'est d'ailleurs *the* quartier ! Dans les épiceries, vous trouverez du thé aromatisé, de la *seafood* séchée (moules, pétoncles, méduses, concombres de mer...) et surtout de beaux fruits exotiques. Sur les étals des poissonneries, il n'est pas rare de voir des grenouilles et des tortues vivantes ! Si vous voulez du pittoresque, faites un tour sur Mott Street, entre Hester et Grand Streets, où les magasins d'alimentation sont à touche-touche.

East Broadway *(plan 1, D4-5)* **:** descendez par exemple à la station East Broadway de la ligne F *(plan 1, D4)*, puis remontez vers l'ouest par Canal et Mott Street... qui vous paraîtront alors curieusement touristiques par rapport au « tout chinois » d'East Broadway. Sur *Chatham Square* (angle de East Broadway et Mott Street), un monument aux descendants chinois tombés pour défendre la démocratie... Et à l'angle de Bowery et de Mott Street, un bâtiment en forme de pagode. Enfin, remarquez la première église baptiste chinoise au 21 Pell Street (petite rue entre Mott et Bowery Street).

Mahayana Buddhist Temple *(centre 2, C4,* ***711****)* **:** *133 Canal St (pratiquement au pied du Manhattan Bridge). Tlj 8h-18h.* Si vous entrez, tenue décente exigée. Temple abritant un immense bouddha doré d'environ 5 m de haut, ainsi qu'une trentaine de gravures polychromes relatant sa vie en anglais. Petite boutique à l'étage.

La statue de Confucius **:** *sur Confucius Plaza, angle Bowery et Division St.*

Columbus Park *(centre 2, C5)* **:** *angle Mulberry et Bayard St, au sud de Canal St.* Les vieux Chinois s'y retrouvent pour jouer au mah-jong, aux cartes, aux dés... ou discuter pendant que les gamins jouent au ballon sur la pelouse à côté.

LITTLE ITALY

Essentiellement concentrée sur quelques blocs le long de ***Mulberry Street*** *(centre 2, C4)*, Little Italy est une attraction touristique un peu *has been* dans la mesure où le dragon s'est déjà taillé une belle part de pizza. Il fut pourtant une époque où il valait mieux ne pas s'intéresser aux conversations des autres, surtout si elles étaient en italien. D'ailleurs, ici le mot « mafia » ne se prononçait jamais. La Cosa Nostra avait même réussi à faire interdire aux États-Unis toute utilisation officielle de ce terme, prétendant qu'il constituait une atteinte raciste à l'image des Italo-Américains... Ces temps-là sont révolus, et les descendants de l'immigration italienne ont progressivement migré vers Brooklyn (voir les films de Martin Scorsese) ou Queens, au mieux vers l'Upper East Side pour ceux qui ont réussi. À l'instar des touristes, ils ne viennent plus à Little Italy qu'en pèlerinage, pour y humer un parfum de nostalgie, surtout à la San Gennaro (le saint patron de Naples), le 2e jeudi de septembre. Si Little Italy ne disposait pas de quelque statut non officiel de monument en péril, il y a belle lurette qu'elle eût été complètement phagocytée par la communauté chinoise...

Police Building *(centre 2, C4)* **:** *240 Centre St (entre Grand et Broome).* Bel édifice de 1909 qui a été le siège de la police de New York pendant 65 ans. Le dôme a été restauré en 1988 par les ouvriers français qui s'étaient occupé de la statue de la Liberté. Aujourd'hui, ce sont des appartements.

Puck Building *(centre 2, C4)* **:** *au coin de Lafayette et E Houston St.* Construite en 1886 pour abriter le célèbre magazine satirique *Puck* et sa maison d'édition, cette immense structure en brique est percée de baies cintrées créant une belle harmonie dans sa façade Rundbogenstil, alliance de romantisme et d'éléments Renaissance. Statue dorée de Puck au-dessus de la monumentale entrée, une autre au coin de la rue Mulberry. Notez l'inscription sur le calepin qu'elle tient à la ceinture (*« What fools these mortals be »,* soit « Quels imbéciles, ces mortels » !). Joli festival de volets dans la ruelle derrière l'édifice.

– Deux grandes manifestations très colorées animent les rues du quartier : fin mai pour la ***fête de San Antonio di Padova,*** et mi-septembre à l'occasion de la ***fête de San Gennaro.***

SOHO ET NOLITA

SoHo, c'est l'abréviation de *South of Houston Street.* Lorsque les loyers du Village sont devenus prohibitifs, les artistes ont émigré dans ce quartier d'entrepôts pour les reconvertir en ateliers et logements, les fameux lofts. L'âge d'or de SoHo est révolu. Au XIXe s, SoHo était le quartier où Walt Whitman rencontrait les « *Bohemians* ». Dans les années 1970, celui de Robert Rauschenberg ou de Roy Lichtenstein (l'un des maîtres du pop art).
Aujourd'hui, SoHo est devenu très cher mais réserve une foule de merveilles architecturales à découvrir, notamment des immeubles à structure en fonte, les fameux *cast-iron buildings,* datant du XIXe s. Cette technique permettait de construire de grands espaces hauts de plafond avec de larges fenêtres... Le quartier recèle aussi de nombreux restos tendance, des boutiques de créateurs plutôt chères et des galeries d'art, notamment sur Greene, Spring et Prince Streets. Broome Street concentre, quant à elle, les antiquaires, et Thompson Street sort des sentiers battus. Plus à l'ouest, finalement, West Broadway est la reine incontestée de l'animation... et de l'agitation dans le quartier.
Si la « branchitude » chic, la frime et les commerces de standing continuent à supplanter l'atmosphère bohème et décontractée du SoHo des *seventies,* le quartier reste quand même un de nos préférés pour les balades surprenantes.
Enfin, à quelques rues de SoHo, à l'est de Lafayette Street et au nord de Little Italy, on trouve le petit quartier très à la mode de *NoLiTa (North of Little Italy),* où règne une ambiance plus simple et tout aussi agréable. Faites donc un petit tour dans ce coin, autour de Prince, Spring, Mott, Elizabeth ou Mulberry Street. Ici, pas d'édifices en fonte, mais des petits cafés et boutiques sympas.

Adresses utiles

@ **Internet :** *nombreux accès gratuits à l'***Apple Store** *(centre 2, C4,* **566***), 103 Prince St (angle Greene).* Ⓜ *(N, R) Prince St. Voir plus loin « Shopping ».*

■ **Location de vélos :** *chez* **Metro Bicycles** *(centre 2, B4,* **90***), 75 Varick St (angle Watts).* ☎ *212-334-8000.* • *metrobicycles.com* • Ⓜ *(1, 2) Canal St.* Voir « Sports et loisirs. Vélo et rollers » dans « Hommes, culture, environnement » en début de guide.

Où dormir ?

De prix moyens à plus chic

SoHotel *(centre 2, C4,* **24***) : 341 Broome St (angle Bowery).* ☎ *212-226-1482 ou 1-800-737-0702.* • *thesohotel.com* • Ⓜ *(J) Bowery. Doubles 90-210 $; familiales 120-260 $.* Ouvert en 1822, le plus vieil hôtel de New York a revu son look depuis : réception aux couleurs flashy (jaune, violet), canapés zébrés, lustres noir et blanc baroques un rien chargés, le tout sur fond de murs en brique. Au nombre d'une petite centaine, les chambres sont heureusement plus sobres. Toutes avec salle de bains et généralement exiguës, elles n'en sont pas moins propres et assez douillettes. Pas de petit déj, mais thé et café à disposition. Bon rapport qualité-prix pour NYC, et idéal pour les budgets modérés. En prime, chouette bar à la déco postindustrielle.

Très chic

The James Hotel *(centre 2, B4,* **143***) : 27 Grand St (et Thompson).* ☎ *212-465-2000 ou 1-888-JAMES-78.* • *jameshotels.com* • Ⓜ *(A, C, E) Canal St. Doubles standard 300-500 $, petit déj léger inclus.* Nouveau dans le paysage new-yorkais, le *James Hotel* joue la carte du design urbain écolo-chic arty. Les matériaux utilisés sont locaux ou recyclés, y compris pour le building lui-même, tout en verre, béton et bois de récup'. Dans les chambres, parquet et tons naturels assez foncés, larges baies ouvertes sur la ville et salle de bains chocolat noir entièrement vitrée avec rideau occultant pour plus d'intimité ! Mais le must, c'est le *rooftop bar Jimmy*, devenu en un rien de temps *the place to be* à NY (voir « Où boire un verre ? » plus loin). Sa terrasse extérieure avec petite piscine s'avance telle une figure de proue sur Manhattan, avec l'Hudson River et le nouveau World Trade Center en ligne de mire. Très bon resto aussi, signé David Burke, un des grands noms de la nouvelle cuisine américaine.

SoHo Grand Hotel *(centre 2, B-C4,* **21***) : 310 W Broadway (entre Grand et Canal).* ☎ *212-965-3000 ou 1-800-965-3000.* • *sohogrand.com* • Ⓜ *(A, C, E) Canal St. Doubles 320-800 $.* Au cœur de SoHo, un autre hôtel ultra-branché, repaire des bobos français en goguette dans la Grosse Pomme. Le beau hall de réception et le bar en seraient même un peu intimidants. Les chambres sont plus conventionnelles (du moins les standard) mais vastes, discrètement élégantes et rehaussées de quelques touches fantaisistes (les oiseaux de certaines salles de bains, notamment). Si vous n'avez pas les moyens d'y dormir, visitez-le quand même (de préférence à partir de 17h), le temps d'un verre ou d'un café au bar (1er étage) pour goûter l'ambiance du chic new-yorkais.

Où manger ?

Spécial petit déjeuner et brunch

Balthazar *(centre 2, C4,* **272***) : 80 Spring St (angle Crosby).* ☎ *212-965-1785 ou 1414.* Ⓜ *(6) Spring St. Petit déj sem 7h30-11h30. Brunch le w-e 10h-16h (résa conseillée). Env 15-20 $.* Vaste brasserie à la parisienne pleine du matin au soir. Le décor est exceptionnel, bien que récent, et l'atmosphère bouillonnante. Idéal pour un petit déjeuner raffiné en lisant la presse française. À côté, ***Balthazar-Boulangerie*** propose viennoiseries,

focacce et bons vieux jambon-beurre pour ceux qui auraient le mal du pays !
Et aussi : ***Lupe's, Café Gitane, Café Habana, Le Pain Quotidien*** et ***The Cupping Room Café*** (voir plus loin).

Sur le pouce

La Esquina *(centre 2, C4,* ***132****) : 114 Kenmare St (entre Cleveland Pl et Lafayette St). ☎ 646-613-7100. Ⓜ (C, E, 6) Spring St. Tlj 11h-2h. Moins de 10 $.* Cette *taqueria* populaire est campée dans un antique *diner* avec façade en inox et enseigne d'époque indiquant *The Corner Deli*. Photogénique en diable. Les tacos, délicieux, sont préparés en direct et servis au comptoir. Mais le plus amusant, c'est que cette adresse en cache deux autres (voir plus loin)...

Olive's *(centre 2, C4,* ***105****) : 120 Prince St (entre Greene et Wooster). ☎ 212-941-0111. Ⓜ (N, R) Prince St. Tlj 8h-18h ou 19h. Env 7-10 $.* Excellents sandwichs, salades, soupes, pâtisseries et cookies à emporter. On trouve un banc à l'intérieur ou dehors pour poser un bout de fesse en contemplant la façade de l'immeuble d'en face.

Once Upon a Tart *(centre 2, B4,* ***146****) : 135 Sullivan St (entre Prince et W Houston). ☎ 212-387-8869. Ⓜ (C, E) Spring St. Fermé le soir. Env 10-12 $.* Boulangerie-salon de thé de poche. Ici, on dévore de délicieuses tartes sucrées et salées, ou encore des sandwichs, soupes, salades, sans oublier les classiques pâtisseries américaines. Idéal pour un repas rapide mais équilibré.

Bon marché

Snack *(centre 2, B4,* ***107****) : 105 Thompson St (entre Prince et Spring). ☎ 212-925-1040. Ⓜ (C, E) Spring St. Plats et sandwichs 8-14 $.* Petit antre grec offrant seulement 5 tables et un petit banc sur le trottoir où se poser pour dévorer sandwichs, *mezze*, salades ou petits plats maison (comme la moussaka végétarienne, par exemple). Pour une petite pause goûteuse le midi.

Pepe Rosso To Go *(centre 2, B4,* ***149****) : 149 Sullivan St (entre Prince et W Houston). ☎ 212-677-4555. Ⓜ (C, E) Spring St. Formule 9 $ (soupe ou salade + panini ou pâtes) ; plats 7-12 $ servis 11h-16h.* « Ici, pas de déca, pas de lait écrémé et rien que des bonnes choses... » annonce la carte. Juste quelques tables pour déguster *antipasti*, pâtes, paninis, salades... et seulement si vous arrivez à trouver une place, sinon vous devrez tout emporter !

Hampton Chutney & Co *(centre 2, C4,* ***116****) : 68 Prince St (entre Crosby et Lafayette). ☎ 212-226-9996. Ⓜ (N, R) Prince St. Ferme à 21h. Plats et sandwichs 8-12 $.* Un tout petit resto indien moderne, tendance New Age et bio, avec la photo du gourou (une femme) sur le mur et des mantras en fond sonore. Spécialités de *dosas, uttapams, thalis* et sandwichs. Évidemment, plein de bons chutneys (mangue, curry, cacahuète, etc.) et délicieux *lassi* à la mangue.

Lupe's *(centre 2, B4,* ***111****) : 110 6th Ave (et Watts). ☎ 212-966-1326. Ⓜ (A, C, E) Canal St. Plats env 10-12 $ (un peu plus pour le poisson). CB refusées.* Un peu à l'écart du centre de SoHo, petit resto style *seventies* ayant mal vieilli. Mais dans l'assiette, une cuisine mexicaine excellente et copieuse, servie dans une ambiance très relax où on ne pousse ni à la consommation ni à libérer la table. Bon brunch le week-end.

Café Gitane *(centre 2, C4,* ***141****) : 242 Mott St (et Prince). ☎ 212-334-9552. Ⓜ (6) Spring St. Plats 10-13 $; petit déj complet 9 $.* Petit café-resto toujours plein d'une faune bigarrée, jeune et cosmopolite. Vraiment cool, à l'image du quartier de NoLiTa. Cuisine savoureuse d'inspiration française, italienne ou encore marocaine, préparée sous vos yeux et présentée avec goût. Vin au verre à prix correct. Également des petits déj très abordables.

Café Habana *(centre 2, C4,* ***142****) : 17 Prince St (et Elizabeth). ☎ 212-625-2001. Ⓜ (6) Spring St. Plats 8-12 $.* Cadre de *diner* américain avec façade en alu, pour une cuisine cubano-mexicaine roborative quoiqu'un peu grasse. Toujours bondé du matin au soir, et bonne ambiance distillée par la jeunesse branchée du quartier. Juste à côté, au 229 Elizabeth Street, petite annexe à emporter, avec une poignée de places assises. Succursale à Brooklyn *(Habana Outpost, 757 Fulton St)*, fonctionnant à l'énergie solaire (à la belle saison seulement) !

|●| ***Kelley and Ping*** *(centre 2, C4, **121**) : 127 Greene St (entre Houston et Prince). ☎ 212-228-1212. Ⓜ (D, F) Broadway-Lafayette St. Plats 9-11 $.* Dans un entrepôt genre grande cantine un peu chic et rafraîchie par une batterie de ventilos, un chinois, avec un large choix de soupes, rouleaux de printemps et raviolis à la vapeur. Également cuisine au wok sans grande finesse mais néanmoins goûteuse : on y apprécie les portions copieuses et les prix raisonnables.

|●| ***Ñ*** *(centre 2, C4, **140**) : 33 Crosby St (entre Grand et Broome). ☎ 212-219-8856. Ⓜ (N, R) Canal St. Tlj 17h-2h (4h ven-sam). Portion de tapas env 5-7 $.* Très sympa, petit et bondé, à l'ambiance intime, avec un fond sonore permettant les conversations et, au fond d'une salle allongée, un lavabo tout en faïence recomposée. Bonne sangria pas chère. Flamenco le mercredi à 20h.

Prix moyens

|●| ***Lombardi's*** *(centre 2, C4, **147**) : 32 Spring St (entre Mott et Mulberry). ☎ 212-941-7994. Ⓜ (6) Spring St. Pizzas 16-20 $ (6 ou 8 parts). CB refusées.* C'est la toute 1re pizzeria de New York, ouverte en 1905. On y cuit toujours (au charbon) la fameuse pâte croustillante élaborée par Gennaro Lombardi. Le ténor Caruso l'adorait tout autant que les ouvriers du coin. Vraiment copieux. Déco chaleureuse avec nappes à carreaux, typiquement italienne. Une institution, donc souvent bondée...

|●| ☕ ***Le Pain Quotidien*** *(centre 2, C4, **108**) : 100 Grand St (angle Mercer). ☎ 212-625-9009. Ⓜ (6) Spring St. Lun-ven 7h30-19h30 (8h30 le w-e). Plats et petits déj 8-18 $.* Dans un bel immeuble typique de SoHo. Voir descriptif général plus loin « Où manger ? Prix moyens » dans « Greenwich et West Village ».

|●| ☕ 🍸 ***The Cupping Room Café*** *(centre 2, C4, **139**) : 359 W Broadway (et Broome). ☎ 212-925-2898. Ⓜ (1) Canal St. Plats 16-26 $.* Dans ce bar-café-resto, on dévore omelettes, salades, sandwichs, burgers et de bons desserts maison dans une des salles en brique nue avec plafond décoré. Expo photos ou peintures. Live jazz du jeudi au samedi à 20h30, sans *cover charge*. Bons petits déj et brunch réputé le week-end.

Plus chic

|●| ***L'École*** *(centre 2, C4, **128**) : 462 Broadway (angle Grand). ☎ 212-219-3300. Ⓜ (N, R) Canal St. Tlj sf dim. Résa conseillée en ligne sur • frenchculinary.com • Déj menu 3 plats 30 $ ou carte ; dîner menu 4-5 plats 47 $ (mais valable slt 17h30-19h). Brunch w-e à la carte, env 20 $.* C'est le resto du *French Culinary Institute,* installé dans un bel immeuble *cast-iron*. Ici, les plats sont concoctés par des élèves expérimentés, appelés à devenir les grands chefs de demain. Un endroit raffiné donc, mais pas guindé, et fréquenté par une clientèle cosmopolite. Beaucoup de choix dans les menus et bon rapport qualité-prix.

|●| ***Aurora SoHo*** *(centre 2, B-C4, **104**) : 510 Broome St (entre W Broadway et Thompson). ☎ 212-334-9020. Ⓜ (C, E) Spring St, (1) Canal St. Plats déj 15-20 $, le soir 25-30 $ (mais primi 15-20 $, très copieux).* Une adresse à la mode, où la cuisine, inspirée, détourne les classiques italiens et joue superbement avec les produits de saison. Les petits à-côtés offerts par la maison mettent réellement en bouche et la patine ancienne donnée aux briques et au parquet confère à l'endroit une petite allure d'auberge traditionnelle. On apprécie moins l'accueil un peu condescendant, le service un poil pousse-conso... Mais la qualité de la cuisine et le charme de l'endroit, subtilement éclairé et sans fond sonore abrutissant, l'emportent avantageusement.

|●| ***La Esquina*** *(centre 2, C4, **132**) : 114 Kenmare St (entre Cleveland Pl et Lafayette St). ☎ 646-613-7100. Ⓜ (4,*

6) Spring St. Tlj 11h-2h. Plats 20-25 $. Résa obligatoire (au moins 3 sem à l'avance pour la cave-brasserie). *Taqueria* de qualité (voir plus haut « Sur le pouce »), servant dans le café-resto attenant quasiment la même (bonne) cuisine. Mais le plus fun, c'est la cave ! Après avoir réservé nominativement, ne reste plus, le jour J, qu'à décliner son identité au gorille et à traverser les cuisines pour descendre à la cave. Une fois en bas, on vous indique votre table copieusement arrosée de décibels. L'assiette, quoiqu'un peu chiche, tient la route, et les desserts sont excellents. Un détail : n'oubliez pas votre lampe de poche pour lire la carte et votre porte-voix pour passer commande !

Dos Caminos *(centre 2, C4, **197**) : 475 W Broadway (et Houston). ☎ 212-277-4300. Ⓜ (B, D, F M) Broadway-Lafayette St. Plats 16-20 $ en moyenne, quelques autres plus travaillés 18-28 $.* Spécialité de *ceviche* et autres plats latinos. Lieu très couru par les expats français. Voir plus loin « Union Square, Madison Square et Gramercy ».

Épicerie fine

Dean & Deluca (centre 2, C4, **501**) : *560 Broadway (et Prince). ☎ 212-226-6800. Ⓜ (N, R) Prince St.* C'est le must du raffinement alimentaire en plein SoHo, une véritable institution new-yorkaise. Tout y est superbement présenté. Pas donné, mais vaut au moins le coup d'œil. Beaucoup de produits italiens, bien sûr, mais aussi français. Si vous aimez les bains de foule, allez-y le samedi, jour des courses, et profitez-en pour vous offrir un bon café au *Bar Espresso* en essayant les dégustations.

Pâtisseries, glaces et *coffee shops*

Housing Works Bookstore Café *(centre 2, C4, **144**) : 126 Crosby St (entre Prince et Houston). ☎ 212-334-3324. Ⓜ (D, F) Broadway-Lafayette St.* Une belle librairie d'occasion qui sent bon le papier jauni, avec mezzanine en bois et atmosphère studieuse et décontractée. On peut passer des heures à bouquiner en sirotant son café. En consommant, vous soutenez un projet de réinsertion de *homeless* et d'enfants atteints du sida.

Little Cupcake Bakeshop *(centre 2, C4, **532**) : 30 Prince St (et Mott). ☎ 212-941-9100. Ⓜ (N, R) Prince St.* L'avantage de cette pâtisserie, c'est qu'on peut s'y poser confortablement pour savourer son *cupcake*, la spécialité maison, décliné comme il se doit dans toutes les couleurs (assorties aux murs !). Les puristes diront qu'ils ne sont pas du niveau de *Magnolia Bakery*, la référence en la matière, mais pour une halte dans le quartier, c'est parfait.

Rice to Riches (centre 2, C4, **109**) : *37 Spring St (entre Mott et Mulberry). ☎ 212-274-0008. Ⓜ (6) Spring St ou (J) Bowery. Portion de* rice pudding *dès 7 $.* Vous avez envie de riz(-re) ? Vous voulez du concept, rien que du concept, toujours du concept ? Venez donc dans cette petite boutique futuristico-*revival* pleine d'humour où le comptoir est en forme de grain de riz et où l'on ne propose que du *rice pudding* (sorte de riz au lait parfumé à plein de choses), délicieux et servi avec toutes sortes de *toppings*.

Ciao Bella *(centre 2, C4, **308**) : 285 Mott St (entre Houston et Prince). ☎ 212-431-3591. Ⓜ (D, F) Broadway-Lafayette St. Lun-ven 10h-18h. À partir de 5 $.* Excellentes glaces aux parfums originaux, à emporter seulement.

Où boire un verre ?

Voici une poignée d'adresses sûres, et pour connaître les derniers bars à la pointe de la tendance, lisez la presse locale, interrogez les fêtards ou allez-y à l'instinct ! En tout état de cause, vous devriez trouver votre bonheur sur West Broadway (entre Grand Street et Spring Street) : plein de bars branchés, très animés le week-end.

Café Noir *(centre 2, B4, **348**) : 32 Grand St (et Thompson). ☎ 212-*

431-7910. Ⓜ *(1) Canal St. Plats de tapas à grignoter à plusieurs 26 $. CB refusées.* Beaucoup, beaucoup d'ambiance en soirée dans ce petit café branché, qui compte parmi les grands classiques de SoHo. Déco assez réussie avec murs artistiquement décrépis.

***Sweet and Vicious** (centre 2, C4, **326**) : 5 Spring St (entre Elizabeth et Bowery). ☎ 212-334-7915.* Ⓜ *(J) Bowery.* Grand bar rustique tout en bois très prisé dans le quartier. Beaucoup de monde qui « socialise » bruyamment le long de l'interminable comptoir les soirs de week-end, sur des airs de musique pop. Cour intérieure gentiment tagguée.

***Fanelli's Café** (centre 2, C4, **351**) : 94 Prince St (et Mercer). ☎ 212-226-9412.* Ⓜ *(N, R) Prince St.* Parmi les plus vieilles adresses de SoHo (1847), et même de New York, bien connue des gens du quartier, des artistes... et maintenant des touristes. Avec ses murs tapissés de photos d'anciens boxeurs, le cadre plaira aux nostalgiques des vieux bars. Au fond, on s'entasse dans les petites salles, coudes sur la toile cirée pour un *fish and chips* très prisé, un burger ou un chili.

***Milano's** (centre 2, C4, **364**) : 51 E Houston St (entre Mott et Mulberry). ☎ 212-226-8632.* Ⓜ *(D, F) Broadway-Lafayette St.* Un de ces rades usés qui traversent les époques sans bouger d'un pouce. Créé dans les années 1920, son décor est digne d'un inventaire à la Prévert. Côté musique, le juke-box gratifie la clientèle de vieux tubes. La bière est bien tirée, l'atmosphère populaire, et les soirs de fin de semaine, se frayer un chemin dans cet étroit repaire relève presque de l'exploit.

***Jimmy** (**The James Hotel**; centre 2, B4, **143**) : 27 Grand St (et Thompson). ☎ 212-465-2000 ou 1-888-JAMES-78.* Ⓜ *(A, C, E) Canal St.* Le très *hype rooftop bar* du non moins chic *James Hotel* (voir plus haut « Où dormir ? ») est ouvert à tous, clients ou non, dès 17h. Cocktails à prix pas déraisonnables pour ce genre d'endroit, alors franchement, offrez-vous ce petit luxe ! La terrasse extérieure offre une vue géniale à presque 360° mais la vue est superbe aussi de la partie intérieure du bar, dans les tons bois et velours bleu-nuit.

***Bar 89** (centre 2, C4, **178**) : 89 Mercer St (entre Spring et Broome). ☎ 212-274-0989.* Ⓜ *(N, R) Prince St.* Intérieur scandinave, clientèle bourgeoise, limite coincée, ça peut faire très froid ou... très New York. Une dizaine de mètres sous plafond, des tables, des chaises et un bar tout noir. Mais le clou, ce sont les toilettes dont les portes transparentes s'opacifient dès que c'est occupé ! Presque du Buñuel quoi !

Où écouter de la musique ? Où danser ?

***S.O.B.'s** (Sound of Brazil ; plan 1, B4, **451**) : 204 Varick St (et Houston). ☎ 212-243-4940. • sobs.com •* Ⓜ *(1) Houston St. Cover 15-25 $ pour les concerts.* THE spot pour les aficionados des rythmes latinos, mais aussi de reggae, de hip-hop, R'n'B et soul. *S.O.B.'s* est l'un des endroits les plus actifs de la scène musicale new-yorkaise. La *caïpirinha* est bonne mais chère, et on y danse jusqu'au bout de la nuit. Évitez d'y manger en revanche.

Shopping

Vêtements, chaussures...

Broadway est le « temple du shopping » pour ce genre de produits. Sur la portion entre 4th Street au nord et Canal Street, on trouve des tas de boutiques vendant *Levi's, Converse* et autres baskets souvent moins chers qu'ailleurs. À vous de bien comparer les modèles et les prix. Les produits d'appel en vitrine cachent parfois des prix plus élevés à l'intérieur... Côté ***SoHo,*** on trouve pas mal de boutiques de créateurs sur West Broadway (entre Broome et Spring Street), mais il y a de plus en plus de grandes marques du luxe européen...

Pour les fringues branchées, ça se passe dans le minuscule quartier de

NoLiTa (North of Little Italy), là où les boutiques des créateurs ont investi les lieux. Attention, elles n'ouvrent souvent que vers 11h30-12h.

Converse *(centre 2, C4,* ***501****) : 560 Broadway (et Prince St). ☎ 212-966-1099. Ⓜ (N, R) Prince St.* La plus grande boutique du monde de la célèbre marque de baskets, déclinées ici dans toutes les couleurs et graphismes imaginables. Si vous ne trouvez pas votre bonheur en rayon, vous pourrez les customiser au fond du magasin, superbe par ailleurs. Basiques à prix courants mais aussi modèles originaux plus chers (notamment ceux créés par des designers). Également vêtements et accessoires.

Callalilai *(centre 2, C4,* ***109****) : 43 Spring St (entre Mott et Mulberry). ☎ 212-334-2188. Ⓜ (6) Spring St.* Une ligne de vêtements pour femmes dans le style bohémien chic, avec des blouses amples, des robes fluides et de jolis imprimés soyeux assez graphiques. Original et pas très cher pour un créateur. Aussi un rayon petites filles.

Allan & Suzi *(centre 2, C4,* ***514****) : 237 Centre St (entre Grand et Broome). ☎ 212-724-7445. Ⓜ (6) Spring St ou (J, N, Q, R, 6) Canal St.* Une boutique spectaculaire spécialisée dans la mode vintage. Que des grandes marques (Gaultier, Prada, Versace, Mugler, Montana...) et des pièces souvent exceptionnelles, parfois totalement extravagantes surtout côté tenues et accessoires de soirée. Le paradis des fashionistas les plus pointues.

Daffy's *(centre 2, C4,* ***128****) : 462 Broadway (et Grand). ☎ 212-334-7444. Ⓜ (J, N, Q, R, 6) Canal St.* Un temple du dégriffé pour hommes, femmes et enfants (succursales à Manhattan). Style pas toujours très jeune et goût plutôt américain, mais présentation plus agréable que chez *Century 21* à Lower Manhattan, prix très intéressants et souvent des trouvailles en perspective, surtout au rayon vêtements de soirée. Pas mal de créateurs : Moschino, See by Chloé, Calvin Klein...

Topshop Topman *(centre 2, C4,* ***519****) : 480 Broadway (et Broome). ☎ 212-966-9555. Ⓜ (J, N, Q, R, 6) Canal St.* La chaîne anglaise de prêt-à-porter, connue pour ses minicollections signées par des créateurs dans le coup, a pignon sur Broadway. Sur 4 niveaux (dont le sous-sol pour les hommes), fringues plutôt jeunes et branchées à prix très raisonnables.

Déco et technologie

MoMA Design Store *(centre 2, C4,* ***531****) : 81 Spring St (angle Crosby). ☎ 1-646-613-1367. Ⓜ (6) Spring St.* De la babiole originale à la pièce quasi unique signée par l'artiste (européen bien souvent !), on débusque mille et une idées cadeaux mais c'est pas donné ! En bas, une librairie d'art et quelques grands classiques du design côtoient une boutique Muji. Un total d'achat supérieur à 50 $ vous donne droit à une entrée gratuite au MoMA.

Apple Store *(centre 2, C4,* ***566****) : 103 Prince St (angle Greene). ☎ 212-226-3126. Ⓜ (N, R) Prince St.* Boutique immense et très design installée dans une ancienne poste où vous trouverez tous les derniers Mac, les fameux iPod et iPad, ainsi que les logiciels et accessoires. Connexions Internet et téléphoniques gratuites au rez-de-chaussée.

Boutiques spécialisées

Evolution *(centre 2, C4,* ***624****) : 120 Spring St (entre Greene et Mercer). ☎ 212-343-1114. Ⓜ (N, R) Prince St.* Boutique originale, spécialisée dans les sciences naturelles : fossiles, minéraux, pépites, météorites, coquillages, squelettes, dents de requin, poils de mammouth, sucettes au scorpion, larves à grignoter à l'apéro... plein d'idées-cadeaux. À l'étage, des crânes et des peaux. Belle collection d'insectes qui ravira les entomologistes. Vaut le coup d'œil de toute façon.

Babeland *(centre 2, C4,* ***517****) : 43 Mercer St (entre Grand et Broome). ☎ 212-966-2120. Ⓜ (6) Spring St. Interdit aux moins de 18 ans.* Entrez sans gêne dans ce sex-shop chic entièrement dédié au plaisir féminin, et fréquenté par les filles classe du quartier. Dans les rayons, une foule de *sex toys* aux couleurs, formes et matières extravagantes, d'amusants gadgets, et plein de livres sur le sujet avec de bons conseils pour explorer son corps et à transmettre à ses amants !

Pearl River (centre 2, C4, **521**) : *477 Broadway (entre Broome et Grand). ☎ 212-431-4770. Ⓜ (6) Spring St.* Grand magasin de chinoiseries, un peu à l'écart de Chinatown, pour se procurer vaisselle, produits d'alimentation, encens, thé et gadgets à foison. Kitsch ou carrément joli, il y en a pour tous les goûts. Amusant et très abordable.

Kid Robot (centre 2, C4, **105**) : *126 Prince St (entre Wooster et Greene). Ⓜ (N, R) Prince St.* Ici, on est spécialisé dans les *urban vinyl action figures,* à savoir plein de figurines de manga, robots, gens de l'espace et héros de films dont certains, customisés par des designers, valent une petite fortune. Très collector, tout ça, mais aussi plein de babioles à moins de 10 $ pour faire des petits cadeaux rigolos.

Token Store New York (centre 2, C4, **616**) : *258 Elizabeth St (entre Houston et Prince). ☎ 212-226-9655. Ⓜ (N, R) Prince St ou (D, F) Broadway-Lafayette St.* Sous ce nom se cache aussi la marque des sacs new-yorkais (mais désormais fabriqués en Chine !) *Manhattan Portage,* dont on trouve ici un très large choix joliment présenté. Ces sacs très sobres, qui étaient à l'origine les sacs des coursiers new-yorkais, sont réputés pour leur solidité.

À voir

Ce quartier chic de galeries d'art recèle deux installations permanentes, deux bijoux de l'art contemporain signés Walter de Maria. La première, très « terrienne », ***The New York Earth Room,*** est sise au 141 Wooster Street depuis 1977 *(centre 2, C4,* ***738*** *; mer-sam 12h-15h, 15h30-18h ; prendre l'escalier bien raide et grimper au 1er étage ; entrée libre).* La seconde, ***The Broken Kilometer,*** installée au 393 West Broadway depuis 1979 *(centre 2, C4,* ***739*** *; mer-dim 12h-15h, 15h30-18h ; entrée libre),* serait plutôt une route vers l'infini pavée d'or... Des œuvres à la fois grandioses et d'une extrême simplicité.

New York City Fire Museum (plan 1, B4, **710**) : *278 Spring St (entre Varick et Hudson). ☎ 212-691-1303. • nycfiremuseum.org • Ⓜ (C, E) Spring St ou (1) Houston St. ♿ Tlj 10h-17h. Entrée : 8 $; 5 $ moins de 12 ans.* Depuis les événements du 11 Septembre, ce petit musée, situé dans l'ancienne caserne de style Beaux-Arts (1904) de la *Engine Company 30,* attire de plus en plus de visiteurs. De nombreux New-Yorkais sont venus se recueillir devant le *mémorial* en hommage aux pompiers disparus. La visite retrace également les grands incendies de la ville, notamment celui de 1835 (près de 700 maisons et la célèbre Trinity Church parties en fumée), ou celui de 1848 à Brooklyn. Exposition de vieux véhicules, pompes à vapeur et à bras, dont une belle pompe hippomobile de 1901, et puis les ancêtres de la sirène et de l'extincteur, des photos, écussons, outils, etc. On y apprend aussi que la race des chiens dalmatiens était autrefois utilisée par les pompiers parce que la seule à s'entendre avec les chevaux. Pensez à montrer aux enfants la salle consacrée à la prévention contre les accidents domestiques. Si vous souhaitez rapporter un souvenir des pompiers de NYC, petite boutique sur place ou se rendre à *The Original Firestore* (voir « Shopping. Spécial enfants-ados » à Greenwich et West Village).

Old Saint Patrick's Cathedral (centre 2, C4, **721**) : *angle Mott et Prince St. ☎ 212-226-8075. Ⓜ (6) Spring St.* De style gothique, c'est la plus ancienne des églises catholiques de NYC. Vous y trouverez quelques documents parlant de Pierre Toussaint, ancien esclave haïtien libéré par sa propriétaire alors mourante et que le diocèse de New York voudrait bien voir canonisé. Il faut dire que Toussaint était un fin prédicateur... Sa dépouille repose désormais à Saint Patrick's Cathedral sur 5th Avenue. Dans la rubrique people, sachez que l'évêque Dubois, enterré ici, usa ses fonds de culotte sur les mêmes bancs qu'un certain Robespierre. Et puis le petit Martin Scorsese y fut enfant de chœur tout en étudiant à l'école Saint-Patrick juste en face.

Itinéraire dans SoHo (du sud au nord)

Démarrez la balade à l'angle de Canal et Greene Street *(plan itinéraire SoHo)*. Ici commence le plus long ensemble de ***cast-iron buildings*** (immeubles à armature de fonte), du n° 8 au n° 76. Cette technique de construction, apparue au milieu du XIXe s en Angleterre, offrait plusieurs avantages par rapport au bois : primo, elle réduisait les risques d'incendie – un risque qu'encouraient les nombreux entrepôts de textile de New York –, secundo, la préfabrication d'éléments standardisés permettait de remplacer facilement les pièces défectueuses, et de réduire les coûts. En outre, ce type de structure aux murs moins épais autorisait un nombre important d'étages, favorisant le percement de grandes baies afin de laisser entrer l'air et la lumière ; enfin, le décor des façades était travaillé de façon très esthétique et à faible coût. La construction de tels immeubles cessa avec l'avènement des charpentes d'acier et des ascenseurs.

➢ L'un des plus connus de ces immeubles à armature de fonte est aux nos 28-30, ***The Queen of Greene Street*** *(plan itinéraire SoHo, **A**)*, dessiné par l'architecte I. F. Duckworth et construit en 1872. Son toit mansardé et ponctué de lucarnes est orné d'un pavillon central dans le style Second Empire. Sa façade est décorée de colonnes surmontées de chapiteaux en forme de cloches.

➢ Aux 469-475 Broome Street, à l'angle de Greene Street *(plan itinéraire SoHo, **B**)*, le ***Gunther Building*** fut édifié en 1871-1872. Observez les inhabituelles fenêtres d'angle incurvées, bordées de colonnes, et la corniche du toit, simple mais marquée, s'appuyant sur de solides « consoles » et des rangées symétriques de pilastres. En passant, jetez un œil au bâtiment voisin, aux nos 477-479, sorti de terre en 1872-1873 d'après le dessin d'Elisha Sniffen.

➢ En face, à l'angle nord-ouest de Broome et Greene Street, aux ***nos 464-468*** *(plan itinéraire SoHo, **C**)*, un architecte inconnu a conçu en 1860 un immeuble qui inspirera la construction de nombreux autres. Côté Broome Street, notez que les longues colonnes encadrant les fenêtres sur deux étages sont dites de *« sperm candle style »*, pour leur ressemblance avec les chandelles fabriquées avec de l'huile de cachalot...

➢ Encore en face, au ***451 Broome Street*** *(plan itinéraire SoHo, **D**)*, cet immense et spectaculaire building, l'un des plus hauts de SoHo, fut construit en 1896 pour abriter les bureaux des *factories* du quartier (aujourd'hui reconvertis en condominiums). Il est très fin, ses derniers étages sont assez travaillés (brique et pierre taillée), et son toit est en cuivre.

➢ À l'angle de Broadway, au n° 490 *(plan itinéraire SoHo, **E**)*, se dresse le ***Haughwout Building,*** construit en 1857. Considéré comme « le Parthénon de l'architecture *cast-iron* aux États-Unis », il fut le premier dans son genre à être classé. John P. Gaynor, et Daniel D. Badger pour les détails de la façade, sont les concepteurs de ce superbe palais vénitien Renaissance édifié pour un fabricant de porcelaine, alors fournisseur officiel de la Maison-Blanche... Des arches flanquées de colonnes corinthiennes encadrent les fenêtres du bâtiment. Remarquez la cor-

MÊME PAS PEUR !

Elisha Otis, fondateur de la Otis Elevator Company, aujourd'hui la plus grande société d'ascenseurs du monde, est l'inventeur du « parachute », un système de frein qui empêche la chute de l'ascenseur en cas de rupture de câble. Il en fit la promotion de façon spectaculaire à l'exposition du Crystal Palace de Londres, en 1853, en faisant sectionner les câbles de sécurité alors qu'il se trouvait lui-même à l'intérieur de la cabine ! Cette invention qui le rendit célèbre et mit les gens en confiance eut un impact considérable sur le développement des gratte-ciel.

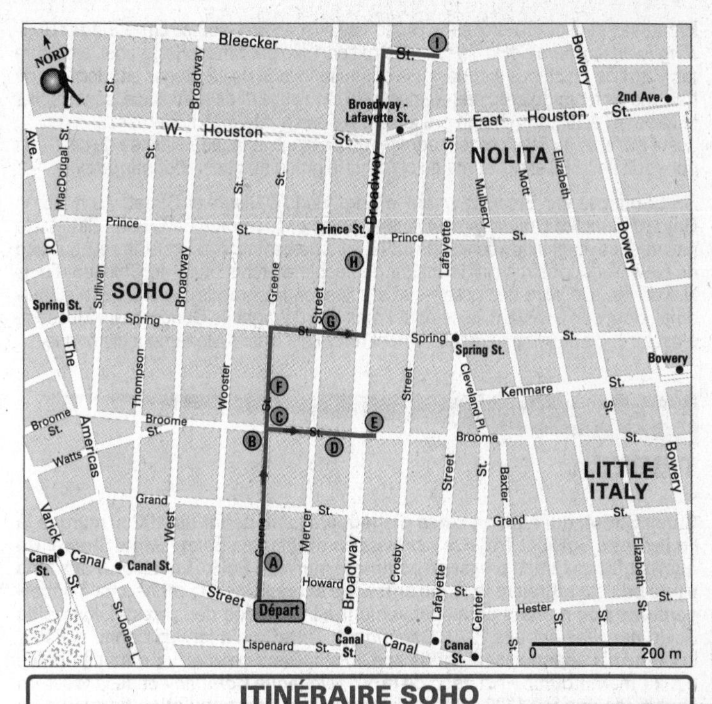

ITINÉRAIRE SOHO

- **A** The Queen of Greene Street
- **B** Gunther Building
- **C** 464-468 Broome Street
- **D** 451 Broome Street
- **E** Haughwout Building
- **F** The King of Greene Street Building
- **G** 101 Spring Street
- **H** Little Singer Building
- **I** Bayard Condict Building

niche délicate qui domine une série de frises très travaillées. Sachez que ce building fut aussi le premier équipé d'un ascenseur pour passagers Otis (fonctionnant avec un treuil à vapeur !).

➢ Revenez vers Greene Street. ***The King of Greene Street Building,*** aux n°s 72-76 *(plan itinéraire SoHo, **F**)*, est un bel exemple de style Renaissance française et Second Empire. Du porche à la corniche supérieure, ses rangées de colonnes corinthiennes donnent à l'ouvrage une forte impression tridimensionnelle. Comme le *Queen* (voir début de la balade), il est l'œuvre de I. F. Duckworth pour la *Gardner Colby Company* et date de 1873.

➢ Arrivé à Spring Street, jetez un coup d'œil à droite au ***n° 101*** *(plan itinéraire SoHo, **G**)*, un *cast-iron building* remarquable de simplicité, contrairement aux autres qui empruntent aux répertoires classiques, esthétiquement souvent plus compliqués. Les grandes surfaces vitrées entourées de colonnes élancées lui donnent un aspect léger, lumineux et aéré.

➢ Engagez-vous dans Mercer Street, qui conserve un petit aspect industriel intéressant, jusqu'à Prince Street. Parvenu à Prince Street, tournez à droite vers

Broadway et encore à droite sur Broadway. Aux n°s 561-563, le ***Little Singer Building*** *(plan itinéraire SoHo, **H**)* fut construit en 1905 par Ernest Flagg pour le célèbre fabricant de machines à coudre. Sa curieuse façade de 12 étages est décorée de balcons en fer forgé avec des éléments de terre cuite et de porcelaine, sans oublier le verre et l'acier. Son design préfigure celui des gratte-ciel modernes...
Juste en face, au 504, on peut admirer au passage la façade élancée du *cast-iron* construit en 1860 et qui abrite aujourd'hui le grand magasin ***Bloomingdale's.***

➢ Continuez sur Broadway vers le nord jusqu'à Bleecker Street. Au n° 65, le ***Bayard Condict Building*** *(plan itinéraire SoHo, **I**)*, en face de Crosby Street. Ne pas rater ce magnifique édifice de 1899, à l'ornementation délicate, le seul building de New York construit par le maître de l'école d'architecture de Chicago, Louis H. Sullivan. Ce père des gratte-ciel a influencé les grands architectes d'aujourd'hui, dont son assistant, le célèbre Frank Lloyd Wright (le Guggenheim Museum, c'est lui !). Ce building particulièrement réussi est classé Monument historique.

TRIBECA

Canal Street, qui était un canal d'égout jusqu'au début du XIXe s, marque la limite entre SoHo et TriBeCa (abréviation de *Triangle Below Canal Street*). Ce quartier fut un temps pressenti comme le nouveau SoHo. La raison ? Ses lofts à bas prix qui attiraient la faune artistique et créatrice à la recherche d'hébergements bon marché consécutivement à la flambée des prix des loyers de SoHo dans les années 1970. Cependant, TriBeCa n'a jamais connu ni l'âme bohême ni l'épanouissement de son voisin. Dans ce quartier dominé par les deux « mammouths » Art déco de la *NY Telephone Company* et de la *Western Union*, les années 1980-1990 attirèrent plutôt une population branchée de yuppies, financiers et people, tant et si bien que le prix de l'immobilier finit par exploser, contraignant les artistes à s'en aller. Aujourd'hui, restos et bars y jouent plutôt la carte du haut de gamme.
Robert De Niro a installé dans le quartier sa maison de production *(TriBeCa Films)*, investissant également dans plusieurs restos et dans un hôtel, le tout à côté des bars branchés, galeries, antiquaires et designers. La star y organise aussi, au printemps, un festival de cinéma (le *TriBeCa Film Festival*) qui attire chaque année « le gratin des acteurs »... Bref, TriBeCa, c'est un peu « son » quartier.

Où dormir ?

Cosmopolitan Hotel *(centre 2, B-C5, **33**) : 95 W Broadway (angle Chambers). ☎ 212-566-1900 ou 1-888-895-9400. ● cosmohotel.com ● Ⓜ (1, 2, 3) Chambers St. Résa conseillée. Doubles 180-240 $; familiales 210-260 $.* Assez proche du site du World Trade Center, c'est l'un de nos hôtels les plus au sud de Manhattan. Immeuble ancien rénové, avec des chambres impeccables dans les tons noir et blanc, dont certaines, les moins chères, sont des « minilofts » avec mezzanine. Les chambres sur la rue sont les plus lumineuses mais aussi les plus bruyantes : à vous de choisir, la vue ou la nuit paisible. Un assez bon rapport qualité-prix doublé d'un bon accueil.

Où manger ?

Spécial petit déjeuner et brunch

Duane Park Patisserie *(centre 2, B5, **287**) : 179 Duane St (face au parc).*

☎ *212-274-8447.* Ⓜ *(1, 2, 3) Chambers St. Env 10-15 $ le petit déj.* 2 ou 3 tables en formica, un petit côté désuet mais néanmoins romantique dans cette micro-pâtisserie créée par une chef pâtissier de renom, tombée dans le moule quand elle avait 10 ans !

Et aussi **Columbine** et **Kitchenette** (voir plus loin).

Bon marché, sur le pouce

Columbine *(centre 2, C5, **152**) : 229 W Broadway (angle White).* ☎ *212-965-0909.* Ⓜ *(1) Franklin St. Tlj sf le soir et le w-e. Env 10-12 $.* Tout petit resto proposant salades, soupes, sandwichs et pâtisseries, à dévorer accoudé à de petits comptoirs. Simple et idéal pour le petit déj ou un grignotage sur le pouce.

Zucker's Bagels & Smoked Fish *(centre 2, B5, **110**) : 146 Chambers St (et West Broadway).* ☎ *212-608-5844.* Ⓜ *(1, 2, 3) Chambers St. Env 7-10 $.* Un look de poissonnerie nordique dans ce snack spécialisé dans les bagels au poisson fumé (notamment le saumon). Une bonne combinaison pour des sandwichs un peu plus délicats que d'ordinaire et que l'on peut emporter ou déguster sur place. Imposante queue (de poisson) sur le trottoir aux heures de pointe.

Whole Foods Market *(plan 1, B5, **154**) : 270 Greenwich St (et Warren).* ☎ *212-349-6555.* Ⓜ *(1, 2, 3) Chambers St. Tlj 7h-23h.* Pour le descriptif de cette chaîne de supermarchés bio, voir « East Village et Lower East Side », « Union Square, Madison Square et Gramercy ». À l'étage, vaste espace cafétéria ouvert par de larges baies vitrées qui fait un peu « RU » car tous les *teenagers* du quartier la squattent à l'intercours.

Carl's Steaks *(centre 2, C5, **179**) : 79 Chambers St (entre Broadway et Church).* ☎ *212-566-2828.* Ⓜ *(1, 2, 3) Chambers St. Env 10 $.* C'est le spécialiste des *philly cheesesteaks*, une sorte de kebab américain, la spécialité de Philadelphie : steak *sirloin* en lamelles, fromage, oignons, champignons, pickles, piment, etc. Très bon (sauf pour le régime) et très populaire, même si le décor est nul. Pour tous les viandards en mal d'une bonne tranche d'Amérique !

Prix moyens

Kitchenette *(centre 2, B5, **120**) : 156 Chambers St (entre Greenwich et Hudson).* ☎ *212-267-6740.* Ⓜ *(1, 2, 3) Chambers St. Plats 10-18 $.* Une toute petite adresse au style rétro, proposant des petits déj jusqu'à 16h30 (vive la grasse mat' !) et un brunch le week-end. Également des salades, sandwichs, burgers, soupes et autres plats chauds, le tout très *comfy home cooking*. De la cuisine familiale, quoi.

Walker's *(centre 2, B5, **117**) : 16 N Moore St (angle Varick).* ☎ *212-941-0142.* Ⓜ *(1) Franklin St. Plat env 11-23 $.* Un vieux pub élégant qui sert de bons petits plats de cuisine américaine aux accents italiens mitonnés avec attention. Ambiance très costard-cravate mais chaleureuse quand même. Le dimanche soir (de 20h à 23h), jazz live sans *cover charge,* où le guitariste Peter Leitch joue en duo avec un invité chaque fois différent. Sinon, au bar on sert aussi de bonnes bières pression *(draft beer).*

Plus chic

Tribeca Grill *(plan 1, B5, **122**) : 375 Greenwich St (angle Franklin).* ☎ *212-941-3900.* Ⓜ *(1) Franklin St. Résa conseillée. Plats 15-24 $; menu 3 plats env 25 $.* De Niro a ouvert ce resto à succès, comme ses films d'ailleurs, dans un ancien entrepôt, avec immense salle en brique, grand bar en bois et jolis lustres. Classe et chaleureux à la fois, et à l'étage, on trouve même les bureaux de sa société de production... À la carte : néocuisine américaine aux accents italiens. Belle carte des vins.

Bubby's *(centre 2, B5, **505**) : 120 Hudson St (angle Moore).* ☎ *212-219-0666.* Ⓜ *(A, C, E) Canal St. Tlj 24h/24 (ferme à minuit le lun). Plats 20-25 $.* L'ambiance fleure bon les retrouvailles entre amis. Dans ce décor lumineux et presque champêtre on sert une cuisine américaine familiale, *comfy* comme on dit ici. Du demi-poulet de ferme à la viande des burgers en passant par les salades, tout est *organic* ou commerce équitable. Accueil gentil.

Nobu *(centre 2, B5,* ***123****) : 105 Hudson St (et Franklin). ☎ 212-219-0500. Ⓜ (1) Franklin St. Résa obligatoire. Sushis 4-13 $ pièce ; plats 15-40 $.* Encore un resto du père De Niro dont s'est entichée l'élite new-yorkaise. Déco New Age, sorte d'hymne à la nature, sophistiquée en diable, pour une table japonaise considérée comme l'une des meilleures de la ville. Devant la planche à découper, un véritable empereur de la *new style Japanese cooking* qui n'hésite pas à y incorporer une petite touche... péruvienne. *Juste à côté, une annexe sans résa nécessaire, le* **Next Door Nobu.** *☎ 212-334-4445. Fermé le midi.* Même déco que son grand frère, mais ambiance plus décontractée. Cela dit, les plats sont pratiquement aux mêmes prix. Pour éviter de faire la queue pendant 1h, venir très tôt ou très tard.

Pâtisserie

Billy's Bakery *(centre 2, C5,* ***330****) : 75 Franklin St (entre Church St et Broadway). ☎ 212-647-9958. Ⓜ (1) Franklin St. Tlj 7h (9h sam)-21h (10h-17h dim).* Succursale de la fameuse pâtisserie de Chelsea (voir ce quartier). Même déco rétro, bons cafés et *cupcakes* d'anthologie.

Où boire un verre ? Où écouter de la musique ?

M1-5 *(centre 2, C4,* ***359****) : 52 Walker St (entre Church St et Broadway). ☎ 212-965-1701. • m1-5.com • Ⓜ (A, C, E, N, R) Canal St. Tlj sf dim 16h-4h.* Un lieu multiforme avec un grand bar au milieu d'un vaste espace rouge comme le plaisir où se produisent, certains soirs, des artistes new-yorkais et des formations de hip-hop mais aussi de rock, des DJs, etc. Pas le genre d'endroit où on se prend la tête, contrairement aux apparences. Billard, fléchettes, TV projetée sur le mur, retransmission de matchs, etc.

The Bubble Lounge *(centre 2, B-C5,* ***322****) : 228 W Broadway (et White). ☎ 212-431-3433. Ⓜ (1) Franklin St. Tlj sf dim 17h-2h (4h ven-sam).* On aime bien ce bar-*lounge* à la mode, feutré et chaleureux, pour siroter des cocktails à base de champagne. On y mange aussi, mais c'est pas donné !

Shopping

Western Spirit *(centre 2, C4,* ***523****) : 395 Broadway (angle Walker). ☎ 212-343-1476. Ⓜ (N, R) Canal St.* Tous les vêtements et accessoires pour jouer aux cow-boys et aux Indiens. Véritable paradis de la santiag et du mocassin, on y trouve aussi quelques bijoux en argent et turquoise, sacs à main, etc. Certains objets peuvent faire malgré tout un brin trop folkloriques, voire un peu toc.

GREENWICH ET WEST VILLAGE

En parcourant ces deux quartiers anciens de Manhattan, on a véritablement l'impression d'être dans une ville au cœur de la ville. Plantation hollandaise de tabac au XVIIe s (à la place d'un village algonquin) puis quartier résidentiel anglais, Greenwich et West Village deviennent le terrain d'élection des immigrants du XIXe s. Mark Twain et Edgar Allan Poe y élisent domicile. Dans les années 1910, les loyers défiant toute concurrence, une population de jeunes aux idées neuves et anticonformistes s'y installe à son tour, conférant au

quartier l'allure d'une « bohème de Manhattan ». Arrivent ensuite les avant-gardistes (Pollock, Hopper) et les beatniks (Kerouac, Ginsberg, Dylan), qui voient les années 1950 et 1960 transformer Greenwich en temple de l'underground. Norman Mailer y fonde (pas tout seul) la revue *Village Voice*. Depuis, le quartier s'est largement embourgeoisé, repoussant l'avant-garde culturelle, d'abord vers SoHo, puis vers East Village, Lower East Side et aujourd'hui Williamsburg et DUMBO à Brooklyn. Le Village attire désormais de plus en plus de touristes, et quand bien même sa scène jazz reste dynamique, le quartier s'est donc un peu empâté, voire carrément assoupi. Cela dit, cette partie de Manhattan semble avoir de la ressource, à l'extrémité nord de West Village, Meatpacking District, l'ancien quartier de l'emballage de la viande, avec ses récentes galeries d'art, magasins de créateurs, bars, restos chic et hôtels de luxe, est aujourd'hui le théâtre d'une activité renaissante. Quant à la High Line, la promenade suspendue aménagée sur une ancienne ligne aérienne désaffectée, elle offre au promeneur une perception de la ville en tous points singulière qui ravira petits et grands.

Adresses utiles

@ ***Apple Store*** *(plan 1, A-B3,* ***566****) : 401 W 14th St.* ☎ *212-444-3400.* Ⓜ *(A, C, E) 14th St.* Connexion rapide et gratuite.

@ ***News Bar*** *(centre 4, C3,* ***19****) : 107 University Pl.* ☎ *212-353-1246.* Ⓜ *(N, Q, R, 4, 5, 6) 14th St. Tlj jusqu'à 21h (20h le w-e).* Bar agréable, à deux pas d'Union Square ; connexion moyennant quelques dollars.

@ ***The Lite Choice*** *(centre 4, B3,* ***618****) : 116 7th Ave (angle Christopher)* ☎ *212-929-7949.* Ⓜ *(1, 2) Christopher St-Sheridan Sq. Tlj jusqu'à minuit.*

@ ***Computer Repair*** *(centre 4, B3,* ***506****) : 49 W 8th St (en face de la boutique* Disc-O-Rama*)* ☎ *347-321-6022.* Ⓜ *(A, C, D, E, F) W 4th St. Tlj sf dim.*

Où dormir ?

Prix moyens

🏠 ***Hotel 309*** *(centre 4, B3,* ***500****) : 309 W 14th St (entre 8th et 9th Ave).* ☎ *212-243-7757 ou 1-888-309-4683.* • *hotel309.com* • Ⓜ *(A, C, E) 14th St. Doubles 60-150 $ sans sdb, 100-230 $ avec : pour 4 pers, dès 85 $ sans sdb.* Wi-Fi Ambiance très new-yorkaise dans cet immeuble ancien de 5 étages entièrement rénové qui propose une soixantaine de chambres, toutes avec kitchenette. Certaines ont les sanitaires sur le palier, d'autres ont carrément le look d'une minisuite, avec grand lit et canapé convertible ; d'autres encore, communicantes, possèdent dans l'une un grand lit et dans l'autre 2 lits superposés, idéal pour les familles. Et pour les bandes de copains, celles avec 4 lits superposés sont d'un rapport qualité-prix imbattable à Manhattan ! Aménagement basique mais fonctionnel et le tout impeccablement tenu. Lors de la résa, ne pas hésiter à demander une chambre au calme, sur l'arrière. Bonne atmosphère et accueil gentil comme tout. Bref, un excellent plan.

🏠 ***Larchmont Hotel*** *(centre 4, B3,* ***23****) : 27 W 11th St (entre 5th et 6th Ave).* ☎ *212-989-9333.* • *larchmonthotel.com* • Ⓜ *(F, M) 14th St. Doubles 120-145 $, familiales 220-250 $, petit déj compris.* 💻 Wi-Fi Petit hôtel calme avec une soixantaine de chambres équipées de lavabo. Salle de bains sur le palier (sf pour les familiales) et petite cuisine à disposition. La maison est vraiment élégante, dommage que la déco des chambres soit un peu plus *cheap* et qu'on privilégie le *no room service* : comprendre que le ménage n'est fait qu'en fonction du renouvellement des résidents. Si on adhère au style comme à la maison, ça passe ; sinon, on peut trouver le tout un peu limite. Jolie vue sur les toits depuis les étages. Un assez bon rapport qualité-prix pour ce secteur de New York. Accueil courtois.

🏠 ***The Jane*** *(plan 1, A3,* ***315****) : 113 Jane St (et West). Voir ci-après.*

Plus chic

The Jane *(plan 1, A3, **315**) : 113 Jane St (et West).* ☎ *212-924-6700.* • *thejanenyc.com* • Ⓜ *(A, C, E, 1, 2, 3) 14th St. Cabines 1 pers 100-125 $, 2 pers 125-135 $; doubles avec sdb 250-300 $ env.* Aux frontières du Meatpacking District, en bordure de l'Hudson River, cet ancien foyer pour marins qui a accueilli les survivants du *Titanic* avant d'être transformé en YMCA a subi depuis un superbe lifting. Le lobby donne le ton avec son ambiance victorienne, son vieil ascenseur et son groom en livrée... Mais ce n'est rien à côté de l'exceptionnelle salle de bal qui fait office de bar. Quant aux chambres... ce sont des cabines simples ou doubles (couchages superposés) semblables aux bannettes d'un antique paquebot transatlantique ! Minuscules forcément, mais parfaitement équipées (bonne literie, peignoir, réveil avec station iPod, mini-écran plat) et charmantes, même si pas super bien insonorisées. En revanche, 2 salles de bains par étage seulement. Également de spacieuses chambres doubles meublées à l'ancienne *(Captain's Rooms)*, avec de jolies salles de bains rétro. En prime, une annexe d'un très bon petit resto de SoHo, le *Café Gitane*, idéal pour le petit déj, entre autres. Une adresse conceptuelle, hors des sentiers battus.

Washington Square Hotel *(centre 4, B3, **40**) : 103 Waverly Pl (et Washington Sq).* ☎ *212-777-9515 ou 1-800-222-0418.* • *washingtonsquarehotel.com* • Ⓜ *(A, C, D, E, F) W 4th St. Selon confort et saison, doubles 190-290 $, familiales 275-370 $; petit déj inclus.* Idéalement situé en bordure de Washington Park, cet élégant immeuble abrite un hôtel fort agréable, cosy et feutré, décoré sur le thème Art déco. Bien que petites, les chambres bénéficient d'un très bon niveau de confort (peignoirs, station iPod...) et de jolies salles de bains. Essayer d'en avoir une au 8e ou au 9e étage, avec vue sur l'Empire State Building (celles situées dans les étages inférieurs peuvent manquer de lumière). Accueil en français et, en prime, un bon et copieux petit déj.

B & B Rooms to Let *(plan 1, A3, **25**) : 83 Horatio St (entre Washington et Greenwich).* ☎ *212-675-5481.* • *roomstolet.net* • Ⓜ *(A, C, E) 14th St. Doubles avec ou sans sdb 200-230 $. Pas de petit déj sur place mais on vous donne des bons pour le prendre à l'extérieur (bien les réclamer !).* Dans une rue tranquille au cœur du Meatpacking District, voici une poignée de chambres coquettes dans une maison de style *Greek Revival*. Belle déco soignée, avec plancher, murs de brique et toutes sortes de bibelots. La suite sous les toits, avec baignoire sabot dans la chambre, est vraiment mimi. Cour-jardin sur l'arrière très agréable en été. Thé et café à disposition. Dommage que l'accueil ne suive pas.

Abingdon Guest House *(centre 4, B3, **26**) : 13 8th Ave (entre W 12th et Jane).* ☎ *212-243-5384 ou 212-675-0495 (en cas d'absence).* • *abingdonguesthouse.com* • Ⓜ *(A, C, E) 14th St. Réception au 21 8th Ave. Doubles 160-250 $ selon confort (+ 10 % de mi-nov au Jour de l'an) ; min 2 nuits le w-e.* Au beau milieu de Greenwich Village, une dizaine de chambres avec ou sans commodités, réparties dans une maison fin XIXe s décorée avec goût : parquet grinçant, tentures, murs en brique, et même poutres apparentes pour certaines. Le seul hic, c'est que, mis à part celle située en sous-sol, les chambres donnent sur une artère passante et c'est bruyant. Accueil commercial.

Très, très chic

The Standard *(plan 1, A3, **92**) : 848 Washington St (et W 13th St ; entrée sous la High Line par le sas jaune canari).* ☎ *212-645-4646 ou 1-877-550-4646.* • *standardhotels.com/new-york-city* • Ⓜ *(A, C, E) 14th St. Doubles 300-500 $ (mais ça peut grimper...).* Ouvert en 2008, le *Standard* n'a rien de standard et reste à la pointe en matière d'hôtel de luxe design branché. Le bâtiment lui-même, tout béton et verre sur pilotis, est remarquable. Inspiré de Le Corbusier, il enjambe la High Line, l'ancienne voie ferrée reconvertie en promenade plantée. Toutes les chambres, décorées sur le thème paquebot des années 1950, offrent des vues panoramiques incroyables sur le Meatpacking District et l'Hudson puisque même les étages inférieurs sont surélevés. Salles de bains avec douche XXL ouverte sur la chambre ! L'adresse idéale pour une nuit d'amour. D'ailleurs une des scènes les plus hot du film *Shame* a été tournée ici. Fitness au 17e étage, *lounge*-jacuzzi tout noir juste au-dessus, mais ce n'est rien à côté du *Boom Boom Room*, le bar délirant, doré du sol au plafond, avec toujours cette vue... On allait oublier le resto du rez-de-chaussée (*The Standard Grill,* voir « Où manger ? Plus chic »), une vraie réussite lui aussi et investi par tous les *beautiful people* dans le coup. Et puis allez-y rien que pour jeter un coup d'œil à l'installation vidéo de l'ascenseur, comme ça, juste pour voir...

Hotel Gansevoort *(plan 1, B3, **375**) : 18 9th Ave. (entre 12th et 13th) ☎ 212-206-6700. • hotelgansevoort.com • Ⓜ (A, C, E) 14th St. Doubles env 400-600 $. Petit déj 20 $.* Encore un hôtel *hype,* fréquenté par une clientèle jeune et rock'n'roll. Normal, on est en plein Meatpacking District. Déco design sobre, dans des tons foncés, lustres ultra-originaux et quelques œuvres d'art çà et là (un Warhol dans le penthouse !). Chambres éclairées par d'immenses baies vitrées, avec literie moelleuse, station iPod, etc. Fitness, spa et belle piscine sur le toit, accolée à un bar-terrasse très tendance lui aussi, avec vue à 360° et de spectaculaires couchers de soleil sur l'Hudson River (voir « Où boire un verre le soir ? »). Bon petit déj. Accueil pro et décontracté.

Où manger ?

Spécial petit déjeuner et brunch

Grey Dog's Coffee** (centre 4, B4, **150**) : 33 Carmine St (entre Bedford et Bleecker). ☎ 212-242-8160. Ⓜ (1) Houston St. Plats 5-10 $. Coffee shop* décontracté, toujours plein d'étudiants et d'artistes. On ne sait plus trop si on est à New York ou à San Francisco. En plus des petits déj, sandwichs, salades, burgers. Bon, copieux et pas trop cher. On commande au comptoir pour s'asseoir ensuite où l'on peut. En sortant, faire un tour chez ***House of Oldies, le disquaire d'à côté, on y trouve des rayons de vieux vinyles rayés.

***Murray's Bagels** (centre 4, B3, **288**) : 500 6th Ave (entre 12th et 13th). ☎ 212-462-2830. Ⓜ (F, M) 14th St. Tlj 7h-20h (18h lun, 21h jeu-ven, 19h dim). Env 9-12 $. CB refusées.* Parmi les meilleurs bagels de Manhattan, confectionnés à l'ancienne et à dévorer sur place ou à emporter. Une dizaine de variétés, et plus du double de garnitures, sucrées et salées, dont homard et poisson. Copieux, pas trop cher et typiquement new-yorkais.

Silver Spurs *(centre 4, C4, **327**) : 490 Laguardia Pl (angle Houston). ☎ 212-228-2333. Ⓜ (D, F) Broadway-Lafayette St. Tlj 7h-23h (24h/24 le w-e). Plats 5-17 $.* Un *diner* tout verre et alu, largement vitré, où l'on sert les classiques du breakfast. Aussi une formule « basses calories » pour ceux que ça intéresse. Agréable terrasse ensoleillée, ce qui est rare dans le quartier.

Et puis : ***Tartine*** *(brunch le w-e),* ***Café Gitane, Le Pain Quotidien, The Standard Grill, Pastis, Cowgirl, Magnolia Bakery*** *(pâtisseries à emporter),* ***Caffè Reggio, Doma Café and Gallery*** et ***Joe*** *(voir plus loin).*

De très bon marché à bon marché, sur le pouce

***Mamoun's Falafel** (centre 4, B3, **153**) : 119 McDougal St (entre Bleecker et W 3rd). ☎ 212-674-8685. Ⓜ (A, C, D, E, F) W 4th St. Env 3-4 $ le falafel.* Un classique du quartier (il y a donc souvent la queue), spécialisé dans le falafel à toute heure du jour et de la nuit (pratique quand on sort de boîte !). Toute petite salle pour manger sur place, mais dans la journée, c'est bien plus agréable de croquer les falafels autour d'une partie d'échecs à Washington Square.

***Taïm** (centre 4, B3, **158**) : 222 Waverly Pl (et 7th Ave). ☎ 212-691-6101.*

Ⓜ (1, 2, 3) 14th St. Env 5-11 $. CB refusées. Le spécialiste du néofalafel, à emporter ou à déguster sur place. Pas très confort, mais ultra-frais, délicieux (c'est d'ailleurs le sens de *taïm* en hébreu) et préparé à la demande avec de bons produits. La pita et les petites sauces sont savoureuses. Bons *smoothies* aussi. À recommander aux végétariens. Le midi, vente ambulante sur le trottoir, gros succès auprès des costards-cravates du coin.

I●I ***Num Pang*** *(centre 4, C3,* ***300****) : 21 E 12th St (entre 5th et University). ☎ 212-255-3271. Ⓜ (4, 5, 6) 14th St-Union Sq. Sandwichs 7-9 $. CB refusées.* Soupe ou sandwich, c'est de la cuisine sino-thaï version fast-food toute bio et bien goûteuse. À consommer à touche-touche à l'étage ou mieux... à emporter !

I●I ***Café Angélique*** *(centre 4, B3,* ***227****) : 317 Bleecker St (et Grove). ☎ 212-414-1400. Ⓜ (1) Christopher St-Sheridan Sq. Env 9-13 $.* Voir « Où manger ? Sur le pouce » dans « East Village et Lower East Side » (cette adresse-ci dispose de plus de places assises).

I●I ***Hummus Place*** *(centre 4, B3,* ***112****) : 71 7th Ave (angle Bleecker). ☎ 212-924-2022. Ⓜ (1) Christopher St-Sheridan Sq. Plats 7-10 $. Autre adresse au 99 MacDougal St (entre W 3rd et Bleecker St ; centre 4, B3, au niveau du* ***153****).* Un petit endroit avec une mini-carte où l'houmous est à l'honneur. La purée de pois chiches est ici déclinée de 4 façons différentes et se mange accompagnée de pain pita. Petite salade ou quelques desserts pour compléter le repas.

I●I ***Peanut Butter & Co*** *(centre 4, B3,* ***162****) : 240 Sullivan St (entre W 3rd et Bleecker). ☎ 212-677-3995. Ⓜ (A, C, D, E, F) W 4th St. Env 6-8 $.* Pour les petits Américains et les amateurs de sandwichs au beurre de cacahuète, parmi lesquels le préféré d'Elvis Presley (beurre de cacahuète, banane et miel) et celui que toutes les mamans préparent à leurs rejetons (beurre de cacahuète et confiture). Tout ça servi dans un cadre agréable, décoré d'affiches de pub anciennes.

I●I ***Morton Williams Associated Supermarket*** *(centre 4, C4,* ***170****) : 130 Bleecker St (angle Laguardia Pl). ☎ 212-358-9597. Ⓜ (D, F) Broadway-Lafayette St. Tlj 24h/24. Env 7-9 $.* Ce supermarché propose un *salad bar* bien fourni, des sandwichs copieux et des plats préparés à consommer sur place, ou mieux, à emporter pour un petit pique-nique au Washington Square, tout proche. Pensez à respecter les feux à la caisse !

Bon marché

I●I ***Bareburger*** *(centre 4, C4,* ***512****) : 535 Laguardia Pl (et Bleecker St). ☎ 212-477-8125. Ⓜ (N, R) Prince St ou Ⓜ (A, C, D, E, F) W 4th St-Washington Sq. Burger-frites env 12-15 $.* Une nouvelle minichaîne de burgers gourmets, sains et bio qui fait fureur à New York. Ingrédients 100 % *organic* ou *natural* et associations savoureuses. On choisit sa viande (bœuf, agneau, bison, cerf ou autruche) et son pain. Tout est bon et goûteux, y compris les frites et les petites sauces qui vont avec.. Quant au décor, il est écolo lui aussi, tout en matériaux recyclés, à mi-chemin entre le hangar et la grange. Service à la cool.

I●I ***Miss Lily's Bake Shop & Melvin's Juice Box*** *(centre 4, B4,* ***520****) : 130 W Houston St (et Sullivan). ☎ 646-588-5375. Ⓜ (A, C, D, E, F) W 4th St-Washington Sq.Tlj 7h30 (8h30 w-e)-22h. Plats 6-16 $.* C'est la petite annexe du resto jamaïcain coloré et branché *Miss Lily's* (voir plus loin). On retrouve, dans un cadre beaucoup plus simple, les spécialités de la maison mère (*jerk chicken,* curry de chèvre) mais aussi des sandwichs et salades dans le même esprit, plus un bar à jus de fruits et légumes frais.

I●I ***Ql*** *(centre 4, B3,* ***148****) : 31 W 14th St (entre 5th et 6th Ave). ☎ 212-929-9917. Ⓜ (L) 6th Ave. Plats 9-17 $.* Déco zen, musique *electro-asian-groove* bien présente, ici on cuisine au *wok.* Les viandes sont chères, préférer les nouilles, les soupes ou les salades avec chutneys à équilibrer soi-même en fonction de son *dosa* (ici, les plats taoïsto-ayurvédiques sont censés vous redonner la pêche). Le service est efficace et souriant, et sans être de la grande cuisine, l'assiette est bien servie, et le porte-monnaie s'en tire avec un bon karma !

Corner Bistro *(centre 4, B3, **159**) : 331 W 4th St (angle Jane). ☎ 212-242-9502. Ⓜ (A, C, E) 14th St. Env 10 $. CB refusées.* Atmosphère tamisée dans cet ancien bistrot qui a conservé sa jolie déco. On y sert des burgers réputés, énormes morceaux de viande hachée bien goûteuse et *juicy,* avec tout un tas de bonnes choses dedans. Pas de desserts, mais une sélection de bières bon marché. Un bémol, le service parfois un peu raide.

Prix moyens

Tartine *(centre 4, B3, **163**) : 253 W 11th St (et W 4th). ☎ 212-229-2611. Ⓜ (1) Christopher St-Sheridan Sq. Plats 11-24 $; lunch menu 15 $; brunch le w-e 15 $. CB refusées.* Si l'air du pays vous manque, rendez-vous dans ce resto français proposant de délicieux petits plats et desserts, à dévorer sans vergogne dans une petite salle décorée de photos de notre belle Bretagne. Avis aux amateurs de vin : c'est un *BYOB,* apportez donc une bouteille qu'on vous débouchera volontiers. Sympa, les tables dehors en été. Il faut parfois attendre un peu pour avoir une place.

'Ino *(centre 4, B4, **160**) : 21 Bedford St (entre Downing et W Houston). ☎ 212-989-5769. Ⓜ (1, 2) Houston St. Env 16 $ (moins pour les paninis et les* bruschette*).* On se régale dans ce sympathique bar à vins italien, où l'on déguste au coude à coude les casse-croûte raffinés qui font la réputation de la Botte : paninis, *bruschette,* soupes... le tout arrosé d'un vin du pays. Venir tôt car très fréquenté.

Risotteria *(centre 4, B3-4, **434**) : 270 Bleecker St. ☎ 212-924-6664. Ⓜ (A, C, D, E, F) W 4th St. Plats 12-19 $.* À l'angle d'une rue jalonnée de restos, ce grand établissement disposant de peu de tables tire son épingle du jeu grâce à une idée originale : à la carte, du risotto, rien que du risotto. Préparé avec 3 sortes de riz et accommodé selon les goûts, il ravira les amateurs. Les autres trouveront néanmoins quelques pizzas et paninis.

Westville *(centre 4, B3, **433**) : 210 W 10th St (entre Bleecker et W 4th). ☎ 212-741-7971. Ⓜ (1) Christopher St-Sheridan Sq. Plats 13-18 $.* On ne change pas une recette qui a fait ses preuves. L'homologue d'East Village a donc tout repris point par point (voir « Où manger ? » dans ce quartier), mais en plus grand. Par conséquent, prévoir encore plus d'attente ici !

Café Gitane *(plan 1, A3, **315**) : au rdc de l'hôtel* The Jane, *113 Jane St (et West). ☎ 212-255-4113. Ⓜ (A, C, E) 14th St. Plats 8-13 $; petits déj 4-8 $.* L'exceptionnel hôtel *The Jane* (voir « Où dormir ? Plus chic » plus haut) s'est doté d'une annexe du *Café Gitane* de SoHo. Dans un beau décor vintage baigné d'un gentil brouhaha, on y propose la même cuisine bien ficelée, joliment présentée, d'inspiration *Frenchy* surtout, mais aussi italienne, méditerranéenne et asiatique.

La Nacional *(centre 4, B3, **430**) : 239 W 14th St (entre 7th et 8th Ave). ☎ 212-243-9308. Ⓜ (A, C, E) 14th St. Tapas 7-10 $, paella et autres spécialités 20 $. CB refusées.* Pas d'enseigne, repérez le drapeau espagnol, c'est en demi-sous-sol ! Ici, on se croirait dans n'importe quel *rincón* perdu sur les bords d'une nationale espagnole... C'est en fait la cantine de l'association (sans but lucratif) du Centro Español depuis 1868. Federico Garcia Lorca y a écrit *Poeta en Nueva York*. Côté décor, c'est basique, mais on y voit ce qu'on mange et on n'est pas au coude à coude. L'assiette ? Des tapas et surtout une excellente paella (quoique sans chorizo). Le vin n'est pas le petit Jésus en culotte de velours, mais il se laisse boire. Une adresse un peu décalée.

Moustache *(centre 4, B3, **166**) : 90 Bedford St (et Grove). ☎ 212-229-2220. Ⓜ (1) Christopher St-Sheridan Sq. Plats 10-15 $.* Petit endroit chaleureux et plutôt élégant dans le style du Village (brique et tableaux). Au menu, une très honnête cuisine arabe à prix justes, avec en vedette : salades, pizzas et sandwichs. Sinon, l'*ouzi* est un plat de riz-poulet-légumes que l'on partage à 2, sur fond de musique orientale. On y parle le français.

Le Pain Quotidien *(centre 4, B-C3, **331**) : 10 5th Ave (angle 8th St).*

☎ 212-253-2324. Ⓜ *(A, C, D, E, F) W 4th St. Tlj 7h-19h30. Plats et petits déj 8-18 $.* Pour un petit déj ou un *lunch*, un concept belge que les New-Yorkais adorent, style « camping à la ferme » version urbaine ! La marque de fabrique de la maison, c'est la grande table communale en bois rustique sur laquelle on pose pains bio, tartines campagnardes salées ou recouvertes de *brunette* (pâte de noisette), fromages français, salades et bonnes pâtisseries. Service parfois longuet et brouillon, cela dit. Une quinzaine d'autres adresses en ville, avec toujours un fond musical classique, qui repose du boum-boum habituel.

Arturo's Pizzeria *(centre 4, C4, **171**) : 106 W Houston St (et Thompson).* ☎ *212-677-3820.* Ⓜ *(C, E) Spring St. Tlj 16h-1h. Plats 18-30 $.* Italien bien connu du Village pour ses larges pizzas à partager, nappées de produits simples et bons. Leur qualité très honorable n'est plus à démontrer après un demi-siècle passé à régaler les amateurs, mais ce qui fait vraiment la différence ici, c'est l'ambiance un peu spéciale : un mélange de jazz, de bonne humeur italienne et d'esprit Greenwich ! Cadre hétéroclite et *live jazz* tous les soirs à 20h (plus tôt en fin de semaine). Gare aux longues files d'attente le week-end !

Mexicana Mama *(centre 4, C3, **106**) : 47 E 12th St (entre University Pl et Broadway).* ☎ *212-253-7594.* Ⓜ *(L, N, R, Q, 4, 5, 6) 14th St-Union Sq. Tlj sf lun 17h-23h. Plats 15-20 $. CB refusées.* Dans un décor on ne peut plus banal, une cuisine mexicaine aux prix peut-être un poil surestimés mais soignée. La carte est courte et ne propose pas les éternels classiques, même si on en retrouve les principaux ingrédients (tortillas, tacos, haricots et beaucoup de poulet). Cocktails chers mais décoiffants pour certains et bien dosés !

Cowgirl *(centre 4, B3, **169**) : 519 Hudson St (entre Charles et W 10th).* ☎ *212-633-1133.* Ⓜ *(1) Christopher St-Sheridan Sq. Plats 10-13 $ le midi, jusqu'à 20 $ le soir.* Un resto familial à la devanture un peu tape-à-l'œil dont la déco est entièrement vouée au Far West version vintage (pas kitsch donc). Côté cuisine, c'est du tex-mex roboratif tendance *deep-fried*, et ce dès le petit déj ! Pas franchement régime, mais les salades sont fraîches et bien garnies. Au fond, une partie *lounge* cosy avec canapés et fausse cheminée.

Plus chic

The Standard Grill *(plan 1, A3, **92**) : 848 Washington St (et W 13th).* ☎ *212-645-4100.* Ⓜ *(A, C, E) 14th St. Tlj 7h (16h pour le* Biergarten, *12h le w-e)-2h. Plats 10-15 $ le midi, 16-25 $ le soir. Résa indispensable.* C'est le resto de l'hôtel hyper branché *The Standard.* Excellente cuisine américaine revisitée : grillades, salades, moules-frites et fameux burger à prix raisonnables (surtout le midi) compte tenu de la qualité du service et du décor. D'abord un bistrot style Nouvelle-Angleterre, ouvrant sur une vaste salle aux voûtes carrelées, pas trop bruyante, avec sol incrusté de pennies, box en bois et chesterfield pour se câliner en amoureux dans les alcôves. Les rustiques, eux, choisiront le *biergarten* à l'allemande avec au menu : saucisses, bretzels et bières ou joueront au ping-pong entre copains (*so* chic !).

Miss Lily's *(centre 4, B4, **520**) : 132 W Houston St (et Sullivan).* ☎ *646-588-5375.* Ⓜ *(A, C, D, E, F) W 4th St-Washington Sq. Tlj dès 18h. Brunch sam-dim 11h-18h. Plats 15-25 $ pour la plupart.* Un resto jamaïcain à la mode, dans un décor de *diner* vintage revisité disco-reggae. Tables en formica, banquettes rouge-orange, pochettes de vinyles aux murs, mon tout ultra-coloré et festif, façon bar de plage. Un repaire de *beautiful people* venus déguster dans cette ambiance très léchée des spécialités de Jamaïque sucrées-salées, assez épicées mais adoucies par les fruits servis en jus, cocktails et desserts. Juste à côté, au 130 W Houston, c'est l'annexe moins chère, **Miss Lily's Bake Shop & Melvin's Juice Box** (voir plus haut).

Aki *(centre 4, B3, **145**) : 181 W 4th St (entre Barrow et Jones).* ☎ *212-989-5440.* Ⓜ *(A, C, D, E, F) W 4th St. Tlj 18h-22h30 (23h le w-e). Résa conseil-*

lée. Dîner env 30 $. Un resto japonais d'allure modeste où l'on s'installe autour de 5 tables riquiqui ou à une petite dizaine de places au comptoir, face aux fourneaux où s'activent silencieusement les chefs. La carte sort des sentiers battus et les plats, tout en délicatesse et d'une extrême fraîcheur, sont en prime superbement présentés. La qualité des produits et de l'exécution, le service, discret et adorable, et l'ambiance paisible, malgré l'exiguïté de l'endroit, ne donnent qu'une envie : revenir.

Tomoe Sushi *(centre 4, B-C4,* ***210****) : 172 Thomson St (entre Bleecker et Houston). ☎ 212-777-9346. Ⓜ (A, C, D, E, F) W 4th St. Tlj sf lun, mar midi et dim. Plateau de maki env 20 $, sushis et sashimis 30 $. Cash ou American Express slt.* Si vous résistez aux files d'attente (1h en moyenne le soir) et si votre porte-monnaie est bien rempli, vous aurez la chance de goûter à ces fameux sushis ! Le cadre est hétéroclite, voire totalement ribouldingue, le service un peu brut, mais le poisson y est exquis de fraîcheur et de finesse. Venir tôt pour éviter la queue et attention, pas plus de 5 personnes à la fois !

Barbuto *(plan 1, A-B3,* ***235****) : 775 Washington St (angle W 12th). ☎ 212-924-9700. Ⓜ (A, C, E) 14th St. Plats 15-26 $.* Ce bistrot néorital est installé dans un ancien garage Rolls-Royce, d'où les murs de brique, et les portes coulissantes qui s'ouvrent comme par magie aux beaux jours pour ensoleiller la terrasse... on a l'impression de manger dans la rue ! Les viandes y sont délicieuses et cuisinées de façon très subtile.

Pastis *(plan 1, A-B3,* ***174****) : 9 9th Ave (angle Little W 12th St). ☎ 212-929-4844. Ⓜ (A, C, E) 14th St. Plats 22-34 $.* Brasserie chic plantée en plein Meatpacking District et très prisée des people, d'où les prix, pas du tout raisonnables ! On y sert de bonnes pâtes, salades, sandwichs, plats et desserts largement inspirés par la France. Le tout joliment présenté. Mais surtout, la déco est superbe, avec son zinc arrondi, ses bouteilles de pastis, ses miroirs bien patinés sur les murs... Ambiance bistrot marseillais du matin au soir. Le petit déj et le lunch y sont plus abordables que le dîner. Agréable terrasse aux beaux jours.

Cafés, salons de thé, pâtisseries et glaces

Magnolia Bakery *(centre 4, B3,* ***318****) : 401 Bleecker St (et 11th). ☎ 212-462-2572. Ⓜ (1) Christopher St-Sheridan Sq. Tlj 9h-23h30 (0h30 ven-sam).* Excellentes pâtisseries exclusivement à emporter (petit square quasi en face pour la dégustation). La spécialité, ce sont toujours les *cupcakes* (petits gâteaux nappés d'un glaçage au beurre de couleur), rendus célèbres par les héroïnes branchées de *Sex and the City*. Les cheese-cakes et les « gâteaux à étages » sont également fameux. Si vous êtes fan de la série, la maison de Carrie dans la série est tout près, au 66 Perry Street (et Bleecker).

Grom *(centre 4, B3-4,* ***319****) : 233 Bleecker (angle Carmine). ☎ 212-206-1738. Ⓜ (A, C, D, E, F) W 4th St.* Quiconque a déjà goûté les délices du fameux glacier italien comprendra qu'on ne puisse résister à l'envie de vous l'indiquer ! Seuls des produits de la meilleure qualité sont utilisés (volontiers bio et issus du commerce équitable) et le choix côté sorbet dépend des saisons : pomme en hiver et fraise ou framboise en été seulement ! On tient l'explication des prix...

Jack's Stir Brew Coffee *(centre 4, B3,* ***307****) : 138 W 10th St (entre Greenwich Ave et Waverly Pl). ☎ 212-929-0821. Ⓜ (1) Christopher St-Sheridan Sq.* Tout petit café où, du précieux grain au lait de la vallée de l'Hudson, tout est bio. Fréquenté à longueur de journée par des habitués. Si on a la chance de s'attabler pour siroter un café à la cannelle, on est quand même un peu dans le passage de ceux qui font la queue... Belle atmosphère de quartier, cependant.

Caffè Reggio *(centre 4, B3,* ***153****) : 119 McDougal St (et W 3rd). ☎ 212-475-9557. Ⓜ (A, C, D, E, F) W 4th St. Brunch 11-13 $.* Inauguré en 1927, il aurait introduit le cappuccino aux États-Unis, rien que ça ! L'occasion aujourd'hui de déguster un bon café dans un beau décor italien Belle Époque, avec une alcôve, un antique et superbe percolateur et de vieux tableaux patinés par le temps. Le service, quant à lui, ne marque ni par son efficacité ni par la chaleur de son accueil.

Caffè Vivaldi *(centre 4, B3,* ***303****) : 32 Jones St (entre Bleecker et W 4th). ☎ 212-691-7538. Ⓜ (1) Christopher St-Sheridan Sq.* Un café à l'ancienne, avec une cheminée (certes à gaz) miraculeuse les soirs d'hiver, un bar arrondi et de vieilles photos sur les murs. Un décor banal, mais dans lequel on resterait volontiers des heures à écouter du classique en buvant un bon café. Concerts certains soirs et terrasse en été.

Doma Café and Gallery *(centre 4, B3,* ***161****) : 17 Perry St (angle 7th Ave). ☎ 212-929-4339. Ⓜ (1) Christopher St-Sheridan Sq. Plats 8-12 $.* On commande au comptoir avant de s'attabler dans cette élégante maison aménagée façon café littéraire. Devant les baies vitrées : une gentille colonie d'âmes seules qui bouquinent ou surfent sur le Web, le nez sur le va-et-vient du dehors, devant une soupe, un sandwich, un dessert ou un café... Une atmosphère cool et *arty* en somme...

Joe *(centre 4, B3,* ***323****) : 141 Waverly Pl (et Gay St). ☎ 212-924-6750. Ⓜ (A, C, D, E, F) W 4th St. Cash slt.* Cette récente minichaîne new-yorkaise est réputée pour son excellente sélection de cafés, préparés avec l'art et la manière par des *baristas* expérimentés qui donnent d'ailleurs des cours avec dégustation. Le cappuccino, dont la mousse est dessinée en forme d'as de pique, est divin. Peu de places, vite investies par les habitués qui « wifisent » sur leur *laptop.* Bons gâteaux et excellents cookies pour accompagner son nectar.

Cones *(centre 4, B3,* ***311****) : 272 Bleecker St (entre 7th Ave et Morton St). ☎ 212-414-1795. Ⓜ (1) Christopher St-Sheridan Sq. Fermé le mat.* Évidemment, ces cônes-là ne se fument pas, ils se lèchent. Fabrication artisanale de *gelati* avec des ingrédients frais et naturels, sans colorant ni conservateur. Une trentaine de parfums.

Où boire un verre le soir ?

Vous voici dans un quartier plébiscité par les noctambules, même si East Village, Lower East Side et Williamsburg à Brooklyn lui volent de plus en plus la vedette. À vous maintenant de choisir un bar, selon votre style et vos moyens...

The Jane Ballroom *(plan 1, A3,* ***315****) : dans l'hôtel* The Jane, *113 Jane St (et West). ☎ 212-924-6700. Ⓜ (A, C, E) 14th St. Tlj 17h-4h.* Un bar au décor exceptionnel, dans un hôtel branché aux allures de manoir. Première partie sombre et intime, avec plafond bas à caissons, animaux empaillés façon cabinet de curiosités. Ensuite, on bascule dans le grandiloquent, ambiance *Crime de l'Orient-Express,* dans une salle tout en tentures cramoisies, faïences vintage et bois cérusés, dominée par un bélier naturalisé, conférant à la pièce une mise orientaliste carrément décalée !

White Horse *(centre 4, B3,* ***342****) : 567 Hudson St (et W 11th). ☎ 212-989-3956. Ⓜ (1) Christopher St-Sheridan Sq. Accès refusé aux moins de 25 ans.* L'un des plus vieux pubs du Village (1880), repaire des buveurs de bière et de whisky. Jack Kerouac en sortait souvent rond comme une queue de pelle, et Dylan Thomas y aurait bu son dernier verre ! Hips ! Fait aussi resto. Très souvent plein.

Boom Boom Room *(plan 1, A3,* ***92****) : au sommet du* Standard Hotel, *848 Washington St (et W 13th). ☎ 212-645-4646. Ⓜ (A, C, E) 14th St. Ouv 16h-21h (plus tard slt pour les clients de l'hôtel).* Pour accéder facilement à cet incroyable bar *ultra hype,* avec l'air de savoir où l'on va : rentrer par la grande porte jaune, une fois dans le hall de l'hôtel se diriger vers la gauche, où sont les ascenseurs, et monter jusqu'au 18e étage. Ici, hommage est rendu au designer de *Windows of the World,* le fameux bar-resto panoramique des Twin Towers doré du sol au plafond, avec un bar-corolle et des canapés mordorés très *seventies* où se lover en se prenant pour James Bond. Vue époustouflante, y compris des toilettes... Cocktails pas inabordables pour le lieu, mais soignez votre look.

🍸 ***The Spotted Pig*** *(centre 4, B3, **334**) : 314 W 11th St (et Greenwich). ☎ 212-620-0393. Ⓜ (1) Christopher St-Sheridan Sq.* En dépit du nombre de conifères en pot ourlant la façade, ce n'est pas une jardinerie ! Mais un petit pub charmant souvent bondé jour et nuit, au point qu'il est parfois infernal d'essayer d'y entrer, alors on ne vous parle même pas d'y manger... Remarquez, c'est hors de prix ! Mais l'atmosphère y est si joyeuse et si festive qu'on s'en serait voulu de ne pas vous le signaler.

🍸 ***Plunge (bar de l'hôtel Gansevoort** ; plan 1, B3, **375**) : 18 9th Ave (entre 12th et 13th St). ☎ 1-877-426-7386. Ⓜ (A, C, E) 14th St.* Sur le toit de cet hôtel design, on trouve une piscine et un bar-terrasse (à ciel ouvert l'été, comme la piscine) offrant un superbe point de vue, en journée comme au *sunset,* sur les lumières du Meatpacking District et l'Hudson River. Toujours aussi branché le soir, tendance bling-bling.

🍸 ***Olive Tree Café*** *(centre 4, B3, **153**) : 117 McDougal St (et W 3rd). ☎ 212-254-3480. Ⓜ (A, C, D, E, F) W 4th St.* Pas de champ d'oliviers, mais un décor de pub rococo et soigné. Dans la salle à la lumière tamisée, un écran projette de vieux films muets. On peut aussi jouer au backgammon et aux échecs. Bons cocktails, café...

🍸 ***Arthur's Tavern*** *(centre 4, B3, **345**) : 57 Grove St (et 7th). ☎ 212-675-6879. Ⓜ (1) Christopher St-Sheridan Sq. Ouv jusqu'au bout de la nuit le w-e. CB refusées.* Un vénérable bar bien patiné qui présente l'avantage de proposer tous les soirs un concert live jazz ou blues, généralement sans *cover charge.* Programmation inégale, cela dit.

🍸 ***The Monster*** *(centre 4, B3, **347**) : 80 Grove St (et W 4th). ☎ 212-924-3557. Ⓜ (1) Christopher St-Sheridan Sq.* Le bar gay le plus célèbre du quartier. Clientèle quinqua, ambiance soft un peu plan-plan. Joli décor, piano-bar réputé, et discothèque au sous-sol misant beaucoup sur la musique des années 1970. Bref, plus personne n'a peur du grand méchant *Monster.*

🍸 ***Hogs and Heifers Saloon*** *(plan 1, A3, **349**) : 859 Washington St (angle W 13th). ☎ 212-929-0655. Ⓜ (A, C, E) 14th St.* Au cœur du Meatpacking District et de ses galeries-boutiques bling-bling voire prout-prout, quel contraste ! Ici, c'est le règne de la country, des Harley, des tatouages et de la bière pas chère ! Ne vous étonnez pas si les serveuses vous alpaguent, se mettent à brailler, danser et taper de la botte devant le squale accroché au-dessus du comptoir, ça fait partie du show ! Ici une tripotée d'habitués un peu rudes viennent se décaper la glotte dès la nuit tombée. Routardes, vous écluserez gratis si vous enlevez vot' soutif debout sur le bar ! Et vous ne seriez pas les premières, il suffit de voir l'ahurissante collection de dessous qui pendouillent lamentablement un peu partout (il paraît que Julia Roberts aurait donné le sien !). Pas classe du tout, vous êtes prévenu(e).

🍸 ***Tortilla Flats*** *(plan 1, A-B3, **350**) : 767 Washington St (et W 12th). ☎ 212-243-1053. Ⓜ (1) Christopher St-Sheridan Sq.* Bar à la déco kitscho-pétante : guirlandes, boules à facettes, spots colorés, photos et croûtes en hommage à Elvis... Bons cocktails. Très animé le week-end, chaude ambiance pas vraiment B.C.B.G. Chaudes soirées à thème : bingo lundi et mardi, hula hoop le mercredi et Trivial Pursuit le dimanche, tout ça pour gagner de la tequila ! Le 3e mercredi de février, une fête est organisée en l'honneur du comédien nonagénaire Ernest Borgnine, un ami de la maison.

Où écouter du bon jazz ou du blues ?

Les institutions du Village

♩ ***Village Vanguard*** *(centre 4, B3, **352**) : 178 S 7th Ave (et W 11th St). ☎ 212-255-4037. • villagevanguard.com • Ⓜ (1) Christopher St-Sheri-*

dan Sq. Tlj dès 20h (set à 21h et 23h, parfois aussi à 0h30 sam). Cover charge *25-30 $ (parfois plus pour certaines grosses pointures), boisson en sus.* Cash only *(sf sur Internet, mais supplément de 4 $).* Entre lumières faiblardes et peintures écaillées, le *Vanguard* n'a point besoin de faire brillante figure, car sa réputation n'est plus à faire. La maison distille un excellent jazz depuis des lustres, et de nombreuses pointures, comme John Coltrane, y ont été enregistrées... Quasi expérimental et fréquenté par les aficionados. Concerts tous les soirs. Ne soyez pas en retard ou l'on risque de revendre votre place !

♩ ***Blue Note*** *(centre 4, B3,* ***354****) : 131 W 3rd St (entre McDougal St et 6th Ave). ☎ 212-475-8592. • bluenote.net • Ⓜ (A, C, D, E, F) W 4th St.* Sets *à 20h et 22h30 (aussi 0h30 ven-sam). Brunch dim à 12h30 et 14h30, env 30 $.* Cover charge *selon jour, affiche et placement (bar ou table).* Célèbre boîte de jazz, fréquentée par une clientèle plutôt huppée. La salle n'est pas trop grande, agréable et cosy, mais les moins fortunés resteront sans hésiter au bar : bonne vue de la scène et acoustique impeccable (on se demande juste pourquoi le barman fait régulièrement tourner son minilave-vaisselle !). Max Roach, Sarah Vaughan, Maynard Ferguson, Ray Charles, Milt Jackson s'y sont produits. D'autres célébrités viennent parfois y faire un bœuf. Concerts tous les soirs et aussi pendant le fameux brunch du dimanche (l'entrée comprend alors le repas et une boisson). Détail important : même avec une réservation, arriver au moins une demi-heure avant l'heure indiquée, sous peine de vous voir refuser l'entrée si c'est complet.

♩ ***Terra Blues*** *(centre 4, C4,* ***358****) : 149 Bleecker St (entre Thompson et Laguardia). ☎ 212-777-7776. • terrablues.com • Ⓜ (A, C, D, E, F) W 4th St. Il faut monter l'escalier pour y accéder.* Cover charge *env 10-20 $, plus 1 boisson par* set, *souvent un bon single malt.* L'empire du blues ! Cette petite salle chaleureuse, conçue à l'ancienne mode (bar avec tabourets hauts, quelques tables et des banquettes), est connue comme le loup blanc pour ses concerts de très bon niveau presque chaque soir. En général, un solo en début de soirée, puis un groupe à partir de 22h. Beaucoup d'ambiance.

Le plan « bis »

♩ ***Fat Cat*** *(centre 4, B3,* ***355****) : 75 Christopher St (et 7th). ☎ 212-675-6056. • fatcatmusic.org • Ⓜ (1) Christopher St-Sheridan Sq. Entrée 3 $.* Un club de jazz dans un club de billard où l'on joue aussi au ping-pong, aux échecs, au scrabble... En journée, les ados y font des parties de *shuffleboard* endiablées. Live tous les soirs à partir de 22h30, bonne programmation et ambiance *easygoing* dans une salle tout en longueur, où l'on sirote son verre lové dans un canapé.

Où écouter de la musique ? Où danser ?

♩ ♫ ***Le Poisson Rouge*** *(centre 4, B4,* ***453****) : 158 Bleecker St (entre Thompson et Sullivan). ☎ 212-505-FISH. • lepoissonrouge.com • Ⓜ (A, C, D, E, F) W 4th St.* Un concept assez original, croisement entre un bar *lounge* design, une galerie d'art contemporain et une salle de concerts et spectacles. Tous styles de musiques (même du classique), mais aussi du théâtre et de la danse.

♩ ***Back Fence*** *(centre 4, B4,* ***357****) : 155 Bleecker St (et Thompson). ☎ 212-475-9221. • thebackfenceonline.com • Ⓜ (A, C, D, E, F) W 4th St. Tlj dès 17h (14h le w-e).* Cover charge *env 10 $.* Déco ultrabasique, salle vite remplie pour de bons concerts de folk, rock et blues. Programmation inégale, cela dit. Bière pas très chère. Lectures poétiques le dimanche de 15h à 17h.

♩ ***Bitter End*** *(centre 4, C4,* ***358****) : 147 Bleecker St (et Thompson). ☎ 212-673-7030. • bitterend.com • Ⓜ (A, C, D, E, F) W 4th St.* Cover charge *5-10 $.* C'est dans ce bar énergique, qui a fêté son cinquantième anniversaire en 2011, que le grand public a pu découvrir Bob Dylan, Curtis

Mayfield, Eric Clapton, Stevie Wonder, Taj Mahal, jusqu'à Norah Jones... Souvent bondé.

♩ ***Sullivan Hall*** *(centre 4, B3-4,* ***356****) : 214 Sullivan St (entre W 3rd et Bleecker). ☎ 212-634-0427 ; résas ☎ 1-866-468-7619. • sullivanhallnyc.com • Ⓜ (A, C, D, E, F) W 4th St. Cover charge 10-20 $.* Une salle de concerts sans fioritures où, tous les soirs, de bons groupes de rock, jazz ou jam se produisent dans une ambiance animée.

♩ ♫ ***Cielo*** *(plan 1, A3,* ***353****) : 18 Little W 12th St. ☎ 212-645-5700. • cieloclub.com • Ⓜ (A, C, E) 14th St.* Pléthore de boules à facettes au ciel de cette boîte ultra-design primée plusieurs fois, qui compte parmi les musts branchouilles de New York. Ici, des fêtards tout-beaux-tout-friqués viennent se trémousser sur fond de lumières psychédéliques. Faut dire que la sono est de 1er ordre et que le top des DJs y assure un roulement presque tous les soirs. Incontestablement *zeuplesstoubi* pour les amateurs de soirées *caliente*. Attention, entrée assez sélecte.

Où jouer au bowling ?

■ ***Bowlmor Lanes*** *(centre 4, C3,* ***360****) : 110 University Pl (entre 12th et 13th). ☎ 212-255-8188. • bowlmor.com • Ⓜ (L, N, Q, R, 4, 5, 6) 14th St-Union Sq. Lun-jeu 16h-2h (réservé aux plus de 18 ans après 19h) ; ven-sam 11h-3h30 (réservé aux plus de 21 ans après 19h) ; dim 11h-minuit (réservé aux plus de 18 ans après 19h). Entrée 11-13 $; loc de chaussures obligatoire env 7 $.* Inauguré en 1938, c'est l'endroit le plus sympa de Manhattan pour jouer au bowling. Un vieil ascenseur vous conduit jusqu'à une quarantaine de pistes, équipées de compteurs électroniques et réparties sur 2 étages. DJ vendredi et samedi ; idem le lundi, pour la soirée spéciale *Night Strike* de 21h à 1h où on peut jouer à volonté pour 24 $ par personne, les lumières sont éteintes et on ne voit plus que les quilles fluorescentes ! Resto sans intérêt par contre.

Shopping

Boutiques spécialisées

Village Chess Shop *(centre 4, C3,* ***533****) : 230 Thompson St (entre Bleecker et 3rd). ☎ 212-475-9580. Ⓜ (A, C, D, E, F) W 4th St. Ouv 24h/24.* Dans cette boutique-club, un choix incroyable de jeux d'échecs, de toutes tailles, formes, matériaux (bois de rose, ébène, etc.) et à tous les prix. Organise aussi des tournois, ou, plus simplement, des rencontres entre joueurs (payant). Plusieurs tables où l'on vient trouver son maître. Ambiance de vieille échoppe un peu en désordre. Très sympa.

C. O. Bigelow Apothecaries *(centre 4, B3,* ***156****) : 414 6th Ave (et W 8th St). ☎ 212-533-2700. Ⓜ (A, C, D, E, F) W 4th St.* La plus vieille pharmacie d'Amérique (1838). Outre la ligne de beauté et parfums maison (très bonne qualité, odeurs délicieuses et prix raisonnables), on y trouve aussi des produits anciens typiquement américains présentés dans des packagings vintage. Sympa pour des cadeaux originaux.

Native Leather *(centre 4, B4,* ***502****) : 203 Bleecker St. ☎ 212-614-3254. Ⓜ (A, C, D, E, F) W 4th St.* Une petite boutique ouverte depuis 1968 et, comme son nom l'indique, axée sur le cuir. Spécialisée dans les sandales, les ceintures, les vestes, les sacs et même les chapeaux en cuir. Bien plus authentique que *Western Spirit* à TriBeCa. Également une jolie collection de boucles de ceintures et de couteaux.

Village Tannery *(centre 3, C3-4,* ***539****) : 7 Great Jones St. ☎ 212-979-0013. Ⓜ (B, D, F, M) Broadway-Lafayette St. Aussi une autre boutique sur Bleecker St au 173.* Un créateur de sacs tout cuir originaux et colorés. Fabriqué sur place, chaque modèle est unique et garanti à vie. Évidemment, les prix vont de pair, entrer seulement pour le plaisir des yeux...

Crumpler *(centre 4, B3,* ***540****) : 49 8th Ave (et Jane). ☎ 212-242-2537. Ⓜ (A, C, E) 14th St. Tlj 11h30-19h30.* Une boutique de sacs australiens au design original, un peu en forme de grosse banane (en sac à dos, en bandoulière, pour ordinateur portable, appareil photo, etc.). Customisés sur place et à la demande. Pas donné, sauf quelques promos.

Mode

Bleecker Street, entre Bank et Christopher Street, est devenue un haut lieu du shopping haut de gamme. ***Marc Jacobs,*** le célèbre créateur new-yorkais, y règne en maître avec ses différentes boutiques pour hommes, femmes et même enfants (autour de W 11th et Perry St).

All Saints Spitalfields *(plan 1, A3,* ***537****) : 411 W 13th St.* ☎ *646-862-3155.* Ⓜ *(L) 8th Ave.* Ambiance très « Meatpacking » dans ce loft décoré de vieilles machines à coudre Singer et entièrement voué à l'*urban wear.* Pour homme, pour femme, un temple du *stone washed* et du cuir élimé. De très belles choses, et d'un rapport qualité-prix somme toute acceptable.

Uncle Sam's Army Navy Outfitters *(centre 4, B3,* ***541****) : 37 W 8th St (entre 5th et 6th Ave).* ☎ *212-674-2222.* Ⓜ *(A, C, D, E, F) W 4th St.* Ici, on vend des vêtements de l'armée, style rangers et pantalons increvables, accessoires et sacs à bandoulière pratiques pour les pérégrinations new-yorkaises. Pas si cher, mais pas mal de modèles made in China...

Christopher's *(centre 4, B3,* ***522****) : 7 Greenwich Ave (et Christopher).* ☎ *212-929-9454.* Ⓜ *(1) Christopher St-Sheridan Sq.* Grand choix de T-shirts *revival* ou humoristiques, plus originaux que ceux des boutiques de souvenirs.

Zachary's Smile *(centre 4, B3,* ***522****) : 9 Greenwich Ave (et Christopher).* ☎ *212-924-0604.* Ⓜ *(1) Christopher St-Sheridan Sq.* Une petite boutique de mode féminine dont la particularité est de reproduire le style vintage à des prix abordables. Également des santiags et des bottes rigolotes.

Dae Sung *(Sports Cap and Hat ; centre 4, B3,* ***506****) : 65 W 8th St (et 6th Ave).* ☎ *212-420-9745.* Ⓜ *(A, C, D, E, F) W 4th St.* Petite boutique spécialisée dans les couvre-chefs. Toute la collection *Kangol,* mais aussi des casquettes de base-ball, des bonnets de laine, des borsalino et même des *Stetson.*

Jeffrey *(plan 1, A3,* ***542****) : 449 W 14th St (entre Washington et 10th).* ☎ *212-206-1272.* Ⓜ *(A, C, E) 14th St.* On vous indique ce célèbre magasin de mode pour le plaisir des yeux car aucun article ne s'y vend à moins de 300 $ (ah, si, les ceintures...) ! *Jeffrey* incarne la métamorphose du quartier de Meatpacking District : un grand espace avec comptoir à maquillage, rayon chaussures et fontaine au centre. Les voisins s'appellent Stella McCartney ou Alexander McQueen.

Jean Shop *(plan 1, A3,* ***542****) : 435 W 14th (et 10th Ave).* ☎ *212-366-JEAN.* Ⓜ *(A, C, E) 14th St.* Toujours dans le quartier des créateurs du Meatpacking District, une boutique de jeans uniques et originaux mais pas à moins de 250 $ quand même... Également des vestes en agneau trempé toutes fines, toutes douces, superbes... mais hors de prix. Au moins pour le plaisir des yeux !

Spécial enfants-ados

The Original Firestore *(centre 4, B3,* ***522****) : 17 Greenwich Ave (entre N 10th et Anna Sokolow St, qui prolonge en réalité Christopher St).* ☎ *212-226-3142.* Ⓜ *(1) Christopher St-Sheridan Sq.* La boutique des nouveaux héros américains : les pompiers du *FDNY.* Pour ceux qui ont raté leur vocation de soldat du feu, c'est l'endroit rêvé : T-shirts et sweat-shirts des différentes unités, jouets et autres gadgets... Également les fringues de leurs copains les flics du *NYPD.*

Forbidden Planet *(centre 4, C3,* ***535****) : 840 Broadway (angle 13th).* ☎ *212-473-1576.* Ⓜ *(L, N, Q, R, 4, 5, 6) 14th St-Union Sq. Dim-mar 10h-22h ; mer-sam jusqu'à minuit.* Une clientèle aussi décontractée qu'éclectique dans cette boutique de bouquins de science-fiction et de B.D. Vend aussi des jouets et des gadgets style *Star Wars* ou super-héros. Grand choix de spécimens rares.

Librairies

Strand Bookstore *(centre 4, C3,* ***543****) : 828 Broadway (et 12th).* ☎ *212-*

GREENWICH ET WEST VILLAGE

473-1452. Ⓜ *(L, N, Q, R, 4, 5, 6) 14th St. Tlj 9h30 (11h dim)-22h30.* Inaugurée en 1927, une immense librairie de bouquins d'occasion ou en solde (certains *coffee-table books* sont bradés 1 $!) Littérature, histoire, art, tourisme... en tout, près de 30 km de rayonnages ! Bon rayon de livres sur New York.

Barnes & Noble *(centre 4, B3, **548**) : 396 6th Ave (et 8th).* ☎ *212-674-8780.* Ⓜ *(1) Christopher St-Sheridan Sq.* L'autre référence new-yorkaise en matière de librairie. On y trouve même les dernières nouveautés de CD. Plusieurs succursales à Manhattan.

Musique, disques

Guitar Center *(centre 4, B3, **534**) : 25 W 14th St.* ☎ *212-463-7500.* Ⓜ *(F, M) 14th St.* Ici tout ce qui se gratte, se tapote ou se pianote trouvera résonance. Sur 2 niveaux, un mégastore plein d'auditoriums où, casque sur les oreilles, chacun y va de sa petite démo. Un passage obligé pour les musicos et leurs aficionados !

Bleecker Street Records *(centre 4, B3, **544**) : 239 Bleecker St (et 6th).* ☎ *212-255-7899.* Ⓜ *(A, C, D, E, F) W 4th St. Ouv tard le soir.* Grand choix de disques dans tous les styles sauf le classique, d'occasion pour la plupart.

Disc-O-Rama *(centre 4, B3, **545**) : 44 W 8th St (entre Washington Sq et 6th Ave).* ☎ *212-206-8417.* Ⓜ *(A, C, D, E, F) W 4th St.* Spécialiste du CD à prix discount. Une des plus grandes sélections du quartier. Belle collection de vinyles au sous-sol.

À voir

Itinéraire dans Greenwich Village

Si vous en avez l'occasion, il faut se promener dans le Village le week-end pour profiter de l'animation très appréciée par de nombreux New-Yorkais, qui remplissent restos et bars (alignés comme à la parade sur Bleecker Street et dans les rues alentour). Les chineurs fileront droit sur W 4th Street et W 10th Street où sont rassemblés les antiquaires.

➢ L'itinéraire commence à ***Washington Square*** *(plan itinéraire Greenwich Village)*, le quartier de la plus grande université privée de la ville. Si Washington Square Park servit de fosse commune au début du XIXe s, il est aujourd'hui animé par une foule bien vivante, particulièrement le week-end, où de petits concerts sont régulièrement donnés. Toute la semaine, des joueurs d'échecs (parfois aussi de scrabble) tentent de gagner quelques dollars en défiant les amateurs. Attention, les règles ne sont pas toujours claires et si vous gagnez, vous aurez parfois du mal à obtenir votre dû !

➢ Au sud de cette place très animée, la ***Judson Memorial Church*** *(plan itinéraire Greenwich Village, **A**)*, achevée en 1892, est, avec son clocher, une représentation élégante du style Renaissance italienne. Le Dr Judson fut l'un des premiers missionnaires envoyés en Birmanie, à la fin du XIXe s, où il traduisit la Bible en birman. À l'intérieur de l'église, les vitraux valent le coup d'œil. Ils sont l'œuvre de John LaFarge, connu aux États-Unis pour avoir ravivé cet art un peu moribond.

➢ Contournez la place par l'ouest, en prenant West Washington Square. Ensuite, sur North Washington Square, vous trouvez quelques ***maisons de style Greek Revival*** *(plan itinéraire Greenwich Village, **B**)* construites autour de 1830 (nos 19-26). Longez maintenant North Washington Square vers l'est. Sur votre droite, marquant l'entrée sur 5th Avenue, un arc de triomphe de style Beaux-Arts inspiré de ceux de Rome et Paris, le ***Washington Centennial Memorial Arch*** *(plan itinéraire Greenwich Village, **C**)*. Il fut érigé en 1892 (d'abord en bois à titre d'essai, puis reconstruit en marbre tant il plaisait) pour commémorer le centenaire de l'accession à la présidence de George Washington... En 1916, le surréaliste

Marcel Duchamp grimpa même à son sommet avec quelques camarades pour proclamer la « République libre et indépendante de Washington Square » ! Toujours sur North Washington Square, une autre série de maisons de style *Greek Revival* (nos 1-12). Le peintre Edward Hopper vécut au no 3, tout comme l'écrivain Dos Passos qui y écrivit son célèbre *Manhattan Transfer.* Quant à Henry James, il vécut au no 18... mais ne cherchez pas, la maison a disparu ! Faites donc quelques pas à gauche sur University Place.

➢ Engagez-vous sur la gauche dans ***Washington Mews*** *(plan itinéraire Greenwich Village,* ***D****),* une jolie ruelle bordée d'anciennes écuries datant des années 1850, et transformées vers 1930 en charmantes maisons et ateliers d'artistes. On en ferait bien son ordinaire ! À l'entrée, côté University Place, se trouvent les bureaux de la *Maison française* et de la *Deutsches Haus*. Au bout de la ruelle, prendre à droite 5th Avenue.

➢ À l'angle de 10th Street se dresse la ***Church of the Ascension*** *(plan itinéraire Greenwich Village,* ***E****)* de style néogothique, achevée en 1841. En face, au no 39, très belle façade aux balcons ornés de faïence. Notez que, comme souvent à New York, ce type de décoration se situe en bas et en haut des immeubles mais jamais au milieu, sans doute pour faire des économies et satisfaire en même temps le regard du passant et celui du curieux qui lève la tête...

➢ Puis, à l'angle de 12th Street, la ***First Presbyterian Church*** *(plan itinéraire Greenwich Village,* ***F****),* également de style néogothique (1846), est remarquable par son clocher en grès rouge. Juste en face, au no 43, d'imposantes colonnes corinthiennes encadrent le porche d'un immeuble, formant un mélange original avec des baies vitrées de style Art nouveau.

➢ Prenez à gauche dans 12th Street, et descendez à gauche 6th Avenue (Avenue of the Americas) ; tournez alors à gauche dans 11th Street, pour découvrir, quelques pas plus loin sur la droite, ***The Second Cemetery of the Spanish and Portuguese Synagogue*** *(plan itinéraire Greenwich Village,* ***G****).* Formant un minuscule triangle, c'est l'un des trois cimetières de cette première congrégation juive de New York (1805-1829), et le plus petit de Manhattan.

➢ Retournez sur 6th Avenue pour descendre jusqu'à l'angle de 10th Street, puis traversez l'avenue. Vous voici au pied de la ***Jefferson Market Courthouse*** *(plan itinéraire Greenwich Village,* ***H****)* et sa tour fantaisiste. Élu « 5e plus beau bâtiment des États-Unis », ce grand édifice en brique construit en 1877 dans un style gothique victorien, autrefois cour de justice et prison pour femmes, abrite aujourd'hui une bibliothèque. Notez l'effet frappant de la brique rouge et de la pierre blanche, les motifs gothiques travaillés, et les vitraux. Cette tour, comme de nombreuses autres dans le New York de l'ancien temps, servait de vigie pour repérer les éventuels incendies...

➢ Derrière la *Courthouse,* à l'angle de 10th Street et 6th Avenue, jetez un œil à ***Milligan Place*** et ***Patchin Place*** *(plan itinéraire Greenwich Village,* ***I****),* où vécurent l'écrivain Djuna Barnes et le poète E. E. Cummings. Les petites allées privées sont bordées de maisons du XIXe s.

➢ Pour ceux que ça intéresserait, prenez Greenwich Avenue jusqu'à l'angle de 7th Avenue. Sur les grilles d'un parking sont accrochés des carreaux peints en hommage aux victimes du 11 Septembre et intitulés ***Tiles for America*** *(plan itinéraire Greenwich Village,* ***J****).*

➢ La petite ***Gay Street*** *(plan itinéraire Greenwich Village,* ***K****),* entre Christopher et Waverly Place, reflète bien aujourd'hui la forte présence de la communauté homosexuelle dans le quartier (Christopher Street est la rue la plus folle de la ville)... mais s'appelait déjà comme ça avant leur arrivée ! Alignement de maisons de style fédéral et *Greek Revival.* Les fans de ***Jimmy Hendrix*** feront un petit pèlerinage au 52 West 8th Street (et 6th Avenue), où il s'installa à la fin des années 1960. Certaines chambres furent alors transformées en studio, et il y enregistra quelques titres.

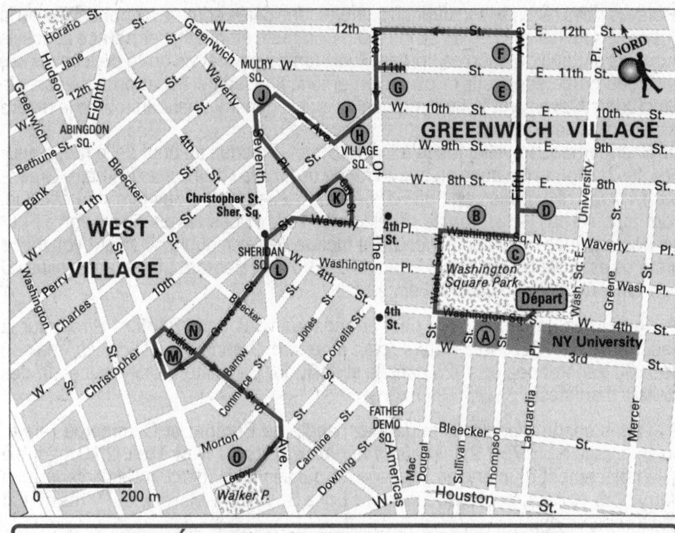

ITINÉRAIRE GREENWICH VILLAGE

A Judson Memorial Church
B North Washington Square (maisons de style Greek Revival)
C Washington Centennial Memorial Arch
D Washington Mews
E Church of the Ascension
F First Presbyterian Church
G The Second Cemetery of the Spanish and Portuguese Synagogue
H Jefferson Market Courthouse
I Milligan Place et Patchin Place
J Tiles for America
K Gay Street
L Sheridan Square
M Grove Court
N Twin Peaks
O Maisons de Leroy Street

➢ Toujours en marchant sur Christopher Street, on rejoint ***Sheridan Square*** *(plan itinéraire Greenwich Village,* ***L****)*, qui porte le nom du général nordiste Philip Sheridan, érigé ici en statue et connu pour cette phrase édifiante datant de la guerre de Sécession : « Un bon Indien est un Indien mort. » En 1863, les *Draft Riots,* les émeutes les plus meurtrières de l'histoire des États-Unis (2 000 morts), se déroulèrent ici. Seuls les riches pouvaient échapper à la conscription de la guerre de Sécession, ce qui provoqua une révolte des pauvres, incapables de payer, dont beaucoup d'Irlandais. Le pire, c'est que les

LES ORIGINES DE LA GAY PRIDE

Le 28 juin 1969, la police fit une descente au Stonewall Inn, un bar gay situé au 53 Christopher Street, face à Sheridan Square : 200 homosexuels en furent éjectés. Après quelques instants de confusion, un jeune Portoricain les injuria et leur lança une canette de bière. Les homos contre-attaquèrent à coups de bouteilles et de pierres. La police dut se réfugier dans le bar, et plusieurs policiers furent blessés. Depuis juin 1970, la Gay Pride commémore, partout dans le monde, ces émeutes du Stonewall qui demeurent chez les gays américains le symbole de leur revendication pour leur droit à la différence.

esclaves noirs récemment affranchis furent considérés comme responsables de la guerre et souvent lynchés en pleine rue... Contraste étonnant, cette place accueille aussi les statues de couples homosexuels (un de gays et un autre de lesbiennes) réalisées par le sculpteur et plasticien américain George Segal pour célébrer le *Gay Rights Movement*. Vous remarquerez que le général Sheridan tourne le regard dans la direction opposée...
De Sheridan Square, aller jusqu'à Grove Street. Presque au bout de la rue, à gauche, les quelques maisons en brique rouge de ***Grove Court*** *(plan itinéraire Greenwich Village,* ***M****)*, bâties en 1853-1854 pour héberger les ouvriers de l'époque, sont aujourd'hui transformées en élégants triplex ! Les temps changent... Pour les nostalgiques de la série *Friends,* la façade de l'immeuble où vivent vos héros préférés est celle qui se trouve à l'angle de Grove et Bedford Street, au-dessus du café *Little Owl* (et non *Central Perk* !).

➢ Retournez un peu sur vos pas, et engagez-vous dans Bedford Street sur la gauche. Au nº 102, ***Twin Peaks*** *(plan itinéraire Greenwich Village,* ***N****)*, maison de 1830 transformée en 1926 dans le style Tudor par Clifford Daily, qui en fit des ateliers d'artistes.

➢ Faites encore demi-tour et gagnez l'angle de Bedford et Commerce Street, où se dresse au nº 75 1/2, la ***maison la plus étroite de New York*** (2,90 m), bâtie à l'emplacement d'un ancien passage, et qui servit l'inspiration de l'acteur John Barrymore et de la poétesse féministe Edna St Vincent Mallory, qui y résidèrent (mais séparément).

➢ Un peu plus loin, prenez à droite 7th Avenue, puis encore à droite Leroy Street. Plusieurs ***belles maisons*** *(plan itinéraire Greenwich Village,* ***O****)* des années 1850, construites dans un style italianisant, bordent le côté droit de cette rue, face au Walker Park.

Meatpacking District et la High Line

Littéralement : le « quartier de l'emballage de la viande ». Ce mouchoir de poche situé au nord-ouest de Greenwich Village, délimité par 14th Street, 9th Avenue, Gansevoort Street et Hudson River, doit son nom au marché aux viandes installé ici dès le début du XXe s.
Depuis, les abattoirs et usines d'emballages ont pour la plupart déménagé dans le Bronx. Désormais investis par les galeries d'art et les créateurs de mode, ces grands lofts confèrent aujourd'hui au quartier – classé Monument historique depuis 2003 –, un look chic et branché. Du coup, une flopée de restos et de bars ont suivi, évidemment avec la faune « raccord », achevant de remodeler l'ambiance. Jetez donc un œil au carrefour 9th Avenue, Greenwich Street et Gansevoort Street. Avec ses vieux pavés, ses buildings (*cast-iron* et brique) et son pittoresque resto *Pastis,* on se croirait presque dans un décor de film.
Les galeries sont généralement installées sur 14th Street (entre Washington Street et Greenwich Avenue), et certaines ont même conservé les crochets à bestiaux de l'époque ouvrière et de vieux murs en brique un peu décrépis, façon « décadence travaillée ». Également de nombreuses boutiques de créateurs (à des prix... décoiffants) sur Little West 12th Street et 14th Street.

*** **The High Line** (plan 1, A2-3) **:** *départ à l'angle de Gansevoort et Washington St, mais plusieurs autres entrées possibles le long du parcours qui s'étire jusqu'à 30th St (compter 1h de balade en tout). Infos : ☎ 212-500-6035. • thehighline.org • Ⓜ (A, C, E) 14th St. Accès tlj 7h-22h.*
Cette promenade paysagère, aménagée le long d'une ligne de chemin de fer aérienne datant de 1930, est une longue et belle histoire. Les trains de marchandises y ont circulé jusqu'en 1980, déchargeant viandes et autres produits laitiers directement dans les entrepôts du quartier. Après l'interruption du trafic ferroviaire

en 1980, la ligne fut désaffectée, et on envisagea même de la détruire. Mais les riverains se mobilisèrent. Ils créèrent une association avec le projet de la transformer en espace public. Après une dizaine d'années d'études et cinq de travaux, les deux premiers tronçons de la nouvelle High Line (de Gansevoort à West 30th Street) ont finalement vu le jour. Un troisième et dernier est encore attendu (jusque vers 36th St). Et le succès auprès des touristes comme des New-Yorkais dépasse toutes les prévisions ! Les week-ends d'été, imaginez le monde...

Ce jardin suspendu à 10 m de hauteur (librement inspiré de la Promenade plantée à Paris) offre une perception tout à fait singulière de la ville. D'ailleurs, de nombreux points de vue ont été aménagés à cet effet. Conçue comme un parcours zen et verdoyant, la High Line est jalonnée d'aires de repos et de pique-nique (avec chaises, bancs et même transats), d'estrades en bois pour profiter des vues, de petits solariums et de fontaines. Même les oiseaux ne sont pas oubliés avec leur nichoir géant aux allures d'œuvre d'art ! « Là-haut », on n'entend pas le bruit des voitures, à peine celui du vent (glacial en hiver) qui s'engouffre entre les buildings. Tous les éléments datant des années 1930 ont été conservés et les rails, restaurés, réintégrés dans la végétation. Même le pavement en béton et la forme des bancs rappellent le tracé des voies. Quant aux plantes, mis à part les magnolias que l'ont trouve au voisinage de la 25th St, elles ont volontairement été sélectionnées pour leur côté sauvage, naturel, rappelant l'état de friche de la passerelle pendant de longues années. Été comme hiver, on y chemine à pied (vélos et rollers interdits) en profitant d'échappées inédites sur la ville et l'Hudson River, encore plus belles au coucher du soleil.

L'AVENUE DE LA MORT

Les trains n'ont pas toujours circulé sur cette ligne aérienne reconvertie en promenade suspendue. Au milieu du XIXe s, la voie ferrée passait en pleine rue et les accidents de circulation étaient si nombreux que 10th Avenue fut surnommée Death Avenue. Pendant près de 80 ans, on ne trouva comme solution que de placer en tête de convoi des hommes à cheval, agitant des drapeaux rouges le jour et des lumières la nuit. On les appelait les West Side Cow-Boys. Ce n'est qu'en 1929, dans le cadre d'une restructuration du quartier, que l'on décida enfin de surélever cette voie de chemin de fer pour protéger la population.

L'air de rien, c'est aussi l'occasion d'une ludique leçon d'architecture, depuis les petits bâtiments industriels du Meatpacking District jusqu'aux buildings du XXIe s. Certains sont vraiment remarquables : l'immeuble de l'hôtel design *The Standard* (surnommé le *peep show motel*, avec ses chambres toutes vitrées), style Le Corbusier, au niveau de West 13th Street, puis, juste après le Cristal, siège de la créatrice Diane von Fürstenberg (égérie d'Andy Warhol), un peu plus loin le IAC Building de Frank Gehry, semblable à un iceberg (au niveau de West 18th Street, face aux Chelsea Piers) et, juste derrière, la tour de Jean Nouvel et ses fenêtres en camaïeu de bleu-gris, avec en vis-à-vis, côté est, la silhouette mythique de l'Empire State Building. Au niveau de 20th St, un ensemble de maisons en brique rouge de style Tudor. Puis, c'est le colosse de brique aux clochers du *London Terrace Towers* qui attire le regard, relayé par deux nouveaux immeubles résidentiels de luxe, parfaitement intégrés dans le paysage urbain : le *HL 23*, signé Neil Denari, au niveau de 23rd St, et un bloc plus loin le *245 Tenth*. La fin du parcours est un peu moins spectaculaire architecturalement parlant. D'un point de vue végétal, quelques effets surprenants comme ce passage au niveau de la frondaison des sumacs (entre 25th et 26th St). Force est de constater que les quartiers traversés par cette coulée verte (Meatpacking et Chelsea) connaissent déjà un nouveau dynamisme. Les *condos* de luxe, tous plus design les uns que les autres, poussent comme des champignons et un projet pharaonique est en construction autour de 30th St (*Hudson Yards*, avec bureaux, écoles, jardins, hôtel centre culturel...). Quant à l'annexe du Whitney Museum réalisée par le « starchitecte » Renzo Piano, elle devrait ouvrir en 2015 à l'entrée sud de la High Line (côté Hudson River).

Itinéraire le long de l'Hudson River

Voici un itinéraire à la fois vivifiant en hiver et très rafraîchissant en été. On y croise quelques belles cartes postales de l'Amérique contemporaine : joggeurs et roller-skaters perfusés au lecteur mp3 fonçant tête baissée en exhibant leurs tatouages, saxophonistes esseulés livrant concert aux cormorans à l'extrémité d'un *pier* ou sexas énamourés raccordés l'un à l'autre par un caniche fraîchement toiletté. Une promenade presque bucolique, à tout le moins déstressante qui vous prendra une bonne demi-journée si vous faites l'aller par le front de l'Hudson River et le retour jusqu'à Meatpacking District par la High Line.

➢ La balade commence au ***pier 40*** *(plan 1, B4), à l'extrémité de W Houston Street.* Ⓜ *(1) Houston St.* C'est l'un des temps forts de l'Hudson River Park, avec la base nautique où l'on peut pratiquer la yole de mer et le kayak gratuitement (voir la rubrique « Sports et loisirs » dans « Hommes, culture, environnement » plus haut). Une belle esplanade, des terrains de sport, de beach-volley, des aires de pique-nique et de jeux pour enfants sans oublier les solariums pour humer l'air du large avec les tours du New Jersey en toile de fond.

➢ Poursuivez vers le nord jusqu'au ***pier 45.*** Belle promenade en bois cernant une vraie pelouse. Poussez jusqu'à l'extrémité de la jetée pour une très belle vue sur Lower Manhattan. Quelques tables pour pique-niquer sous les ormes de Sibérie. Des oiseaux migrateurs viennent se poser ici en hiver. C'est aussi le départ des *water-taxis.*

➢ Au niveau du ***pier 51,*** belle aire de jeu pour enfants et de quoi se rafraîchir en été. Vous noterez depuis le début de la promenade que le traitement paysager fait écho à celui de la High Line, l'ancienne voie de chemin de fer transformée en jardin suspendu, qu'il vous est d'ailleurs aisé de rattraper à partir d'ici en traversant la West Side Hwy en direction de Gansevoort Street. Sinon continuer vers le nord.

➢ Au niveau du ***pier 54,*** les vieilles jetées vont être entièrement démolies et remplacées par un grand espace dédié aux festivals et aux concerts. L'esprit des lieux, qui accueillaient jadis les paquebots transatlantiques, sera conservé. Poussez jusqu'au second temps fort de l'aménagement :

➢ Le ***Pier 59 – Chelsea Piers*** regroupe plusieurs centres d'intérêt, dont un practice de golf sur quatre niveaux, un *Skate Park (ouv 8h jusqu'au coucher du soleil),* un bowling et quelques restos. • *chelseapiers.com* • D'ici, vous pouvez également rattraper la High Line.

➢ Le ***Pier 66*** marque la fin de la partie la plus agréable de la promenade. D'ici, vous pouvez embarquer à bord d'un voilier pour naviguer sur l'Hudson River (voir rubrique « Sports et loisirs » dans « Hommes, culture, environnement »). Vous pouvez également pousser jusqu'au terminal des ferries ***(Pier 78)*** où se trouve le départ des visites guidées de ***NY Waterway Tours*** (voir la rubrique « Visites guidées » dans « New York utile ») ou encore jusqu'au porte-avions *Intrepid* (***Pier 86*** – rubrique « À voir » dans « Theater District et Midtown West »). Autre solution, redescendre dans le quartier de Meatpacking District en empruntant la High Line au niveau de 30th Street (poussez jusqu'à l'héliport, puis traversez la West Side Hwy).

EAST VILLAGE ET LOWER EAST SIDE

Broadway, 14th Street, Houston Street et East River sont les quatre artères qui délimitent *East Village.* Ce quartier fit longtemps partie du Lower East Side

avant de prendre ce nom spécifique. D'ailleurs, beaucoup l'appellent toujours *Loisada* dans sa partie portoricaine.
East Village a longtemps souffert d'une très mauvaise image en raison de la pauvreté, de la violence et des problèmes de drogue qui y sévissaient. Dès 1840, de nombreux émigrants s'y sont installés : tout d'abord des Irlandais et des Allemands, puis des juifs et ensuite des Africains, des Indiens, des Italiens et des Ukrainiens, pour ne citer qu'eux.
Dans les années 1960, East Village a attiré les beatniks et autres refuzniks de tout poil, faisant de ce quartier le pendant sur la côte Est du quartier de Haight Ashbury de San Francisco. Puis, au début des années 1980, Saint Mark's Place devint le pôle de la bohème radicale et de la contre-culture. De 1988 à 1992, Tompkins Square connut des moments agités. Devenu le rendez-vous des dealers de drogues dures, le parc se transforma en refuge pour des centaines de clochards et de SDF.

ALPHABET CITY DE A À Z

Ce quartier situé au cœur d'East Village tient son nom du quadrillage constitué par les Avenues A, B, C et D (les seules portant une lettre à Manhattan) autour de Tompkins Square Park. Du temps où Alphabet City était plutôt mal famée, il y avait un dicton qui signifiait grosso modo que plus on allait vers l'East River, plus on risquait sa peau. « Avenue A, you're All right. Avenue B, you're Brave. Avenue C, you're Crazy. Avenue D, you're Dead ! »

En 1992, les SDF furent chassés, puis les squats vidés. Depuis, East Village se transforme peu à peu en un nouveau SoHo. Seule *Alphabet City* (les quatre avenues à l'est de 1st Avenue) résiste encore à la « gentrification ». Outre l'atmosphère branchée et novatrice qui y règne, c'est aussi un des quartiers les plus sympas pour dîner, prendre un verre, sortir ou danser.
Plus décontracté et plus underground qu'East Village, notamment en ce qui concerne la vie nocturne, Lower East Side (L.E.S. pour les intimes) est le dernier quartier à la mode de Manhattan, du moins dans sa partie nord-ouest, entre Delancey et Houston Street. Après avoir longtemps abrité, dans des conditions parfois précaires, les vagues successives d'immigrants, le quartier est aujourd'hui très en vogue. Les restos et bars poussent comme des champignons, cultivant son côté bohème, créatif et minimaliste. Ludlow et Rivington Streets sont les deux artères de cette animation nocturne. De jour, c'est sur Orchard Street que ça se passe ; là, fleurissent les galeries d'art et les petites boutiques de créateurs. Avant toute chose, rendez-vous au *Visitor Center* (54 Orchard St), afin de vous procurer un plan du quartier.

Adresses utiles

✉ ***Poste*** *(centre 3, C3)* **:** *angle 11th St et 4th Ave. Lun-ven 9h-18h ; sam 9h-16h.*
@ ***Internet : The Bean*** *(centre 3, C-D3,* ***17****), 49 1st Ave (angle 3rd St).* Ⓜ *(F) 2nd Ave. Tlj 7h-23h (2h ven-sam).* Un café-pâtisserie où vous pourrez vous connecter (payant) en dévorant des gâteaux généreux ou devant un café.
■ ***Location de vélos : NYC Velo*** *(centre 3, C3,* ***741****), 64 2nd Ave (entre 3rd et 4th).* ☎ *212-253-7771.* • *nycvelo.com* • *Tlj 11h-20h. Ou* ***Metro Bicycles*** *(centre 3, C3,* ***247****) : 332 E 14th St (entre 1st et 2nd Ave).* ☎ *212-228-4344.* • *metrobicycles.com* • Pour plus d'infos sur la location de vélos, voir « Sports et loisirs » dans « Hommes, culture, environnement » en début de guide.

Où dormir ?

De très bon marché à bon marché

🏠 ***The Bowery House*** *(centre 3, C4,* ***156****) : 220 Bowery (et Rivington) ;*

réception au 3e étage. ☎ *212-837-2373.* ● *theboweryhouse.com* ● Ⓜ *(J) Bowery ou (6) Spring. Lit en dortoir 45-70 $, cabines 1 pers 55-90 $, cabines 2 pers 70-140 $, chambre double 90-140 $.* Un boutique-hôtel anti-conventionnel, dans ce qui fut un ancien asile de nuit. Rénovée dans un style contemporain très tendance (palette de couleurs sombres), la *Bowery House* a conservé la disposition des lieux, notamment les minuscules cabines-couchettes des années 1950. Certes, l'insonorisation est limitée car le plafond est ouvert (pour compenser l'absence de fenêtre dans certaines cabines) mais l'aménagement est vraiment mimi, la literie tout confort et... les boules Quiès sont fournies ! Également des dortoirs (avec plafond, eux) de 6 à 12 lits et une vraie chambre double classique. Salles de bains partagées pour tous, superbes avec leurs murs rouge sang et leurs carreaux noir et blanc. Cerise sur le gâteau, un *rooftop* avec vue sur le New Museum pile en face. Bref, un excellent rapport originalité-situation-prix et un super plan pour les noctambules fauchés, mais pas trop quand même, et surtout stylés !

ESKO Management Corp. : ☎ *646-234-8822.* ● *stavroun@aol.com* ● Ⓜ *(F) East Broadway. Loc au mois min, env 900-1 250 $ la chambre en appart (1 pers/chambre slt). Résa au moins 2 sem à l'avance. CB refusées.* Evangelo et Dino, 2 frangins grecs gèrent une tripotée d'appartements disséminés un peu partout dans L.E.S., mais aussi dans Little Italy, Chinatown et Flatiron District. Avec en moyenne 4 à 5 chambres, ces derniers possèdent salle de bains et cuisine communes. Le nettoyage est effectué chaque semaine, il faut juste apporter son linge de maison. Possibilité d'appart « seulement entre filles » quoiqu'ici, on privilégie la mixité de sexe et de culture. Pas de ghetto, quoi ! Une formule intéressante pour les jeunes petits budgets qui souhaitent loger au cœur de Manhattan. Mais exiger d'avoir photos et détails précis sur le logement (surface, etc.) avant de vous engager.

De prix moyens à plus chic

East Village Bed & Coffee *(centre 3, D3,* ***88****) : chez Anne Edris, 110 Ave C (entre 7th et 8th). Repérer la porte rouge.* ☎ *917-816-0071 (résas).* ● *bedandcoffee.com* ● Ⓜ *(L) 1st Ave ou (6) Astor Pl. Doubles 120-150 $. Min 3 nuits le w-e ; réducs à partir de 2 sem.* Enfin une petite adresse à prix raisonnables dont on aime beaucoup l'état d'esprit ! La sympathique et énergique proprio loue une dizaine de chambres à thème, pas bien grandes mais joliment rénovées par ses soins. Les plus petites sont la *Flight Room* (papa était aviateur) et la *Dutch.* Une seule familiale, la *Black & White.* Salles de bains communes avec serviettes et savons fournis, cuisine à chaque étage, appels locaux gratuits, agréable jardinet ensoleillé le matin sur l'arrière. Belle ambiance.

Comfort Inn *(centre 3, D4,* ***80****) : 136 Ludlow St (entre Stanton et Rivington St).* ☎ *212-260-4161.* ● *comfortinnlowereastside.com* ● Ⓜ *(F) Delancey St ou (J, M, Z) Essex St. Doubles 110-230 $, petit déj continental compris.* Hôtel de chaîne sans surprise, d'un bon rapport qualité-prix-situation car dans le L.E.S. qui bouge, mais en même temps dans une rue au calme. Une trentaine de chambres tout confort au standard classique : moquette au sol, meubles en mélaminé, petites salles de bains avec baignoires sabot... 10 d'entre elles sont des familiales à 2 lits doubles. La literie est ferme et l'accueil courtois.

Off SoHo Suites Hotel *(centre 3, C4,* ***81****) : 11 Rivington St.* ☎ *212-979-9808 (de l'étranger) ou 1-800-633-7646 (sur place).* ● *offsoho.com* ● Ⓜ *(6) Spring St. Résa impérative. Doubles économiques 100-200 $; suites pour 2, 160-200 $ et pour 4, 200-400 $ (selon période).* Dans un immeuble ancien typique du quartier, avec escaliers extérieurs et çà et là un mur de brique, une quarantaine de chambres confortables, rénovées et à des prix très raisonnables pour le secteur. Dans la catégorie *economy,* 2 chambres se partagent une salle de bains et une cuisine équipée communes. Sinon, au tarif supérieur, une trentaine de suites pour 2 à 4 avec cuisine. Derrière la réception, très agréable salon avec fauteuils chocolat, murs gris et orange et un petit côté ethnique dans la déco. Machine à laver à dispo. Fitness.

Saint Mark's Hotel *(centre 3, C3, **335**) : 2 Saint Mark's Pl (et 3rd Ave).* ☎ *212-674-0100.* • *stmarkshotel.net* • Ⓜ *(6) Astor Pl. Chambres pour 2-4 pers 110-170 $. CB refusées.* Fraîchement rénovées, les chambres sont assez petites et à la déco dépouillée mais nickel, avec salle de bains privée. Celles donnant sur 3rd Avenue sont un peu bruyantes, mais c'est normal, vous êtes au cœur de l'animation du quartier. Très bon accueil.

The GEM Hotel *(centre 3, C4, **79**) : 135 E Houston St (angle Forsyth).* ☎ *212-358-8844.* • *thegemhotel.com* • Ⓜ *(F) 2nd Ave. Doubles 190-350 $ selon période.* Situé sur une grosse artère passante, cet hôtel propose des chambres pas bien grandes mais impeccables et douillettes, toutes avec un lit double. Les salles de bains sont minuscules. La déco, bien que standard, joue plutôt la carte de l'élégance. Très bon accueil.

Très, très chic

Hotel on Rivington *(THOR ; centre 3, D4, **93**) : 107 Rivington St (entre Ludlow et Essex).* ☎ *212-475-2600.* • *hotelonrivington.com* • Ⓜ *(F, J) Delancey St-Essex St. Doubles 260-700 $ selon saison, petit déj inclus. Réception à l'étage.* Dans un très beau building de verre s'élevant au-dessus d'un immeuble new-yorkais traditionnel, voici un hôtel chic et branché (mais pas guindé). Les chambres sont bien conçues, avec de larges baies vitrées offrant de superbes vues sur la ville, une déco design sobre, un mobilier et des salles de bains étudiées. Dans les couloirs, moquettes rouge et noir, éclairage tamisé... Même le lobby est élégant, tout comme le restaurant du rez-de-chaussée. Salon et grand billard à la réception située à l'étage.

Thompson Lower East Side *(centre 3, D4, **22**) : 190 Allen St (entre Stanton et Houston).* ☎ *212-460-5300.* • *thompsonhotels.com* • Ⓜ *(F) 2nd Ave. Doubles 250-420 $.* Soyons clair : pour se sentir bien ici, mieux vaut apprécier le style brut et industriel. La déco carrée et épurée avec parquet noir, plafond en béton, murs et draps blancs nuancés de gris, évite cependant l'écueil de la froideur. Le prix des chambres varie selon leur taille (1 ou 2 lits). Les plus petites ont l'avantage d'être réparties dans les étages supérieurs et possèdent une vue ; d'autres ont un balcon. Aussi un resto et 2 beaux *lounge* : l'un avec terrasse, l'autre exclusivement réservé aux résidents. Au 3e, piscine en plein air (ouverte aux beaux jours seulement).

The Bowery Hotel *(centre 3, C3-4, **94**) : 335 Bowery (entre 2nd et 3rd).* ☎ *212-505-9100.* • *theboweryhotel.com* • Ⓜ *(6) Bleecker St. Doubles et suites 325-650 $.* Malgré sa facture récente, tout est fait à l'ancienne dans ce magnifique hôtel. Au rez-de-chaussée, le hall d'accueil, les salons et le bar à la déco victorienne sont, certes, sombres mais aussi terriblement cosy et classe (vous êtes quand même accueilli par des portiers en gilet rouge, cravate et chapeau !). Les chambres tout confort oscillent entre design et tradition, avec de jolies baies vitrées sur la ville. Resto allemand. Service impeccable. Le seul hic : Bowery est une artère très passante.

Où manger ?

East Village et Lower East Side sont des hauts lieux de la cuisine à Manhattan, avec en prime une immense variété de restos et d'ambiances.

Spécial petit déjeuner et brunch

Clinton St Baking Company *(centre 3, D4, **217**) : 4 Clinton St (entre Houston et Stanton).* ☎ *1-646-602-6263.* Ⓜ *(F) 2nd Ave. Ouv à 8h en sem, 10h le w-e. Plats 8-15 $. CB refusées.* Pour beaucoup, le meilleur breakfast de New York, notamment pour les pancakes. Attention, pas de résas,

1er arrivé, 1er servi ! Les classiques américains (*French toast, eggs Benedict,* omelettes...) y sont réinterprétés et allégés tout en restant copieux. Pas donné mais raffiné. D'ailleurs, toujours plein comme un œuf, surtout le week-end.

Great Jones Cafe *(centre 3, C3, **848**) : 54 Great Jones St (entre Lafayette et Bowery). ☎ 212-674-9304. Ⓜ (6) Bleecker St. Brunch le w-e 11h30-16h ; plats 8-12 $.* Une devanture orange vif, des loupiotes multicolores qui éclairent une petite salle un peu sombre et très animée. D'ailleurs, mieux vaut passer réserver pour le brunch et faire un tour dans le quartier pour patienter. Dans l'assiette, de bons gros plats américains-cajuns, burgers, chili et *chicken wings*. Moins fin qu'au *Five Points* en face mais moins cher aussi. Sympa aussi pour une bière le soir.

Prune *(centre 3, C4, **429**) : 54 E 1st St (entre 2nd et 1st Ave). ☎ 212-677-6221. Ⓜ (F) 2nd Ave. Le w-e, brunch 10h-15h30. Plats 15-32 $.* Arrivez tôt... ou tard. Entre les deux, c'est 45 mn d'attente. Car ce resto mignon comme tout, fréquenté par une clientèle « de bonne famille », est connu pour ses excellents brunchs, préparés avec de bons produits et pleins d'idées. Les becs sucrés choisiront le *Dutch pancake,* un énorme gâteau truffé de poire et arrosé de sirop d'érable, les autres se laisseront tenter par le saumon accompagné d'œufs d'esturgeon, ou encore par une omelette aux petits légumes. C'est frais, coloré et servi avec le sourire.

Five Points *(centre 3, C3-4, **218**) : 31 Great Jones St (entre Lafayette et Bowery). ☎ 212-253-5700. Ⓜ (6) Bleecker St. Résa impérative. Le w-e, brunch 11h30-15h, env 18-26 $ (boisson comprise).* Ce brunch raffiné mais pas donné figure parmi les musts branchés du quartier. Déco intérieure très actuelle mais sans originalité et petite terrasse charmante. Bonne ambiance, mais le week-end, c'est pris d'assaut.

Et aussi : **Café Angélique, Whole Foods Market, Westville East** *(brunch le dim)*, **B Bar & Grill** *(brunch sam-dim)*, **Veselka, Freemans** *(brunch le w-e)*, **Mud** *(petit déj servi tte la journée)* et **Schiller's** *(brunch tlj jusqu'à 16h)*. Voir plus loin.

Sur le pouce

Vanessa's Dumplings *(centre 3, C3, **246**) : 220 E 14th St (entre 2nd et 3rd Ave). Ⓜ (L) 3rd Ave. ☎ 212-529-1329. Ⓜ (L) 3rd Ave. Dès 2 $ les 5 dumplings !* Un des rares *bargains* de New York. Cette petite cantoche au décor proche de zéro est connue pour ses assortiments de très bons *dumplings* maison (raviolis grillés et autres bouchées vapeur) à des prix d'avant-guerre (de Sécession). Tout est préparé sous vos yeux derrière le comptoir. Également des *wonton soup, noodles, teriyaki,* sushis et sandwichs. Succursales dans le Lower East Side *(118 Eldridge St, à l'angle de Broome ; centre 3, D4)* et à Williamsburg.

Artichoke Basille's Pizza *(centre 3, C3, **247**) : 328 E 14th St (entre 1st et 2nd Ave). ☎ 212-228-2004. Ⓜ (L) 1st Ave. Tlj 11h-4h (5h30 ven-sam). Part de pizza env 4 $.* Un antre que l'on distingue à peine, si ce n'est à la longue file d'attente qui déborde souvent sur le trottoir. Au choix, 4 types de pizzas seulement. La plus populaire est à l'artichaut. Les fines bouches regretteront le manque de finesse et le gras qui dégouline (et un comptoir minuscule qui les oblige à manger dans la rue), les autres se régaleront de ces parts généreuses qui fondent dans la bouche, et les accompagneront d'une *Bud'* à la pression.

Dos Toros *(centre 3, C3, **165**) : 137 4th Ave (angle 13th St). ☎ 212-677-7300. Ⓜ (L, N, Q, R, 4, 5, 6,) 14th St-Union Sq. Tacos 3-4 $, plateau env 8 $.* Attention, ne le ratez pas ! Une *taqueria* jouissant d'une bonne cote chez les accros au chausson mexicain. Devant un personnel efficace, une queue qui socialise en attendant son tour. Commandez et emportez votre taco, c'est tout chaud, mais ne mordez pas dans le papier alu !

Russ & Daughters *(centre 3, D4, **229**) : 179 E Houston St (entre Orchard et Allen). ☎ 212-475-4880. Ⓜ (F) 2nd Ave. Lun-ven 8h-20h ; ferme plus tôt le w-e. Bagels 10-15 $.* Depuis 1914, cette belle boutique à l'ancienne est réputée (à juste titre) pour la qualité de ses poissons fumés servis dans des bagels. Le tout agrémenté de garnitures variées à base de *cream cheese.* Il y a même du caviar ! Enfin, pour faire passer le hareng, les becs sucrés n'auront qu'à se tourner vers les délices chocolatés, petits gâteaux et autres fruits secs. Bien sûr, tout ça se paie un peu...

Caracas To Go *(centre 3, D3,* ***427****) : 91 E 7th St (entre 1st et A Ave). ☎ 212-529-2314. Ⓜ (6) Astor Pl. Plats 10-15 $.* La version vénézuélienne du snack US. En guise de burgers, une sélection d'*arepas,* petits pains chauds fourrés au poulet, à l'avocat, au fromage ou aux haricots noirs. Avec 1 ou 2 *empanadas* et une ration de guacamole, on fait un bon repas. Dépaysant, à l'image du cadre : une poignée de tables drapées de toiles cirées, quelques souvenirs du pays, le tout baigné dans une odeur de friture ! Heureusement, le *Caracas Arepa Bar,* juste à côté, propose la même chose à consommer dans des conditions moins *roots.*

Café Angélique *(centre 3, C4,* ***227****) : 68 Bleecker St (et Broadway). ☎ 212-475-3500. Ⓜ (6) Bleecker St ou (D, F) Broadway-Lafayette St. Moins de 10 $.* Minicafé-boulangerie très agréable pour casser une petite graine le matin ou le soir (pas tard) ou encore pour boire un thé. Sandwichs, *wraps,* salades, soupes, bonnes pâtisseries (*cupcakes,* muffins, *scones*), tout est frais et maison. À emporter ou à grignoter sur place ou sur l'un des 2 bancs dehors, face à l'imposant *Bayard Condict Building.*

99 Miles to Philly *(centre 3, C3,* ***230****) : 94 3rd Ave (entre 12th et 13th). ☎ 212-253-2700. Ⓜ (L) 3rd Ave. Moins de 12 $.* Spécialité de *cheesesteaks* à la mode de Philadelphie : steak *sirloin* en lamelles, fromage, oignons grillés ou champignons, le tout revisité à la sauce L.E.S. avec notamment l'ajout de pickles. Quelques tables prises d'assaut le midi. C'est particulièrement gras, mais c'est chaud et ça cale !

Yonah Schimmel's Knishes *(centre 3, C4,* ***182****) : 137 E Houston St (entre 1st et 2nd Ave). ☎ 212-477-2858. Ⓜ (F) 2nd Ave. Tlj 9h-19h. Env 11-12 $.* Plongez dans le New York des immigrants juifs en entrant dans ce resto installé ici depuis 1910. Décor simplissime. Au menu, la panoplie complète des *knishes,* ces petites tourtes sucrées ou salées qui sont à la cuisine juive ce que la pizza est à la cuisine napolitaine. Pas très léger mais nourrissant ! On peut même s'en faire envoyer si on devient accro (voir le site internet)... Une petite expérience sociologico-historique plutôt que culinaire.

Bon marché

Whole Foods Market *(centre 3, C4,* ***309****) : 95 E Houston St (entre Chrystie St et Bowery). ☎ 212-420-1320. Ⓜ (F) 2nd Ave. Tlj 8h-23h. Env 10-13 $.* Un supermarché de produits estampillés bio dont on retrouve l'enseigne un peu partout en ville. À l'étage, grande cafét' largement vitrée avec différents comptoirs (asiatiques, salades, plats végétariens, petit déj). Ambiance familiale et décontractée et pas de musique, pour une fois. On s'installe sur de grandes tables à partager ou dans les espaces canapé.

Mama's Food Shop *(centre 3, D3-4,* ***180****) : 200 E 3rd St (et Ave B). ☎ 212-777-4425. Ⓜ (F) 2nd Ave. Tlj sf dim 11h-22h. Plats 10-13 $ selon accompagnement. CB refusées.* Pas vraiment de menu. On commande au comptoir avant de s'attabler dans la petite salle pour avaler les spécialités de base de la cuisine traditionnelle américaine. Simple, bon et roboratif. À côté, le *Mama's Bar* pour boire un verre dans une bonne ambiance.

De bon marché à prix moyens

Ippudo *(centre 3, C3,* ***250****) : 65 4th Ave (entre 9th et 10th). ☎ 212-388-0088. Ⓜ (6) Astor Pl. Plats 10-15 $.* Point de sushis ou sashimis et très peu de plats de poisson (excepté quelques-uns à base de crevettes) dans ce japonais très populaire, mais des *ramens,* les fameuses soupes de nouilles copieuses, spécialité de la maison. Dans la grande salle scintillante et bruyante où s'activent des serveurs efficaces, on mange au coude à coude autour de grandes tables communes, où les fauteuils ingénieux permettent aux tourtereaux de se roucouler à l'oreille en toute tranquillité. Des tables pour les groupes plus importants. Y aller de bonne heure, c'est souvent plein à craquer.

|●| ***Caracas Arepa Bar*** *(centre 3, D3,* ***427****) : 93 E 7th St (entre 1st et A Ave). ☎ 212-529-2314. Ⓜ (6) Astor Pl. Menu déj 8 $. Plats 10-15 $.* La version resto du *Caracas To Go* (voir ci-dessus) ne désemplit jamais. Forcément : des plats simples et bons à prix doux servis dans une salle agréable, c'est une aubaine ! D'autant plus que la sangria ou les bières locales arrondissent bien les angles.

|●| ***Itzocan Café*** *(centre 3, D3,* ***184****) : 438 E 9th St (entre 1st et A Ave). ☎ 212-677-5856. Ⓜ (L) 1st Ave. Midi env 10-12 $; soir 16-23 $. CB refusées.* Un tout petit bout de Mexique en plein cœur d'East Village. Et pourtant, la qualité n'est pas proportionnelle à l'espace. Dans l'assiette, une excellente *cocina mexicana,* avec en vedette les *burritos,* dont les saveurs chantent comme les mariachis de la radio. Pour se régaler sans casser sa tirelire, mieux vaut venir le midi que le soir.

|●| 🍸 ***B Bar & Grill*** *(centre 3, C3,* ***213****) : 40 E 4th St (angle Bowery). ☎ 212-777-0468. Ⓜ (6) Bleecker St. Plats 12-18 $.* Élégant décor à mi-chemin entre le *martini-bar* et le grill américain des sixties. La salle est haute de plafond et s'ouvre aux beaux jours sur une courette plantée, idéale pour un brunch. À l'intérieur, calé dans des boxes, on n'est pas à touche-touche et on voit ce qu'on mange. Dans l'assiette, une cuisine américaine classique (bon *strip steak* grillé), avec quelques accents mexicains. C'est bien fait et servi avec le sourire.

|●| 🍸 ***Westville East*** *(centre 3, D3,* ***269****) : 173 Ave A (angle 11th). ☎ 212-677-2033. Ⓜ (L) 1st Ave. Plats 12-17 $, moins pour une salade.* Au tableau noir, le marché du jour : toutes sortes de légumes vapeur, frits ou en purée, qui ont fait la réputation de ce petit bistrot. N'allez pas croire pour autant que le reste de la carte est végétarien ! Les bons burgers ont la cote, de même qu'une sélection de plats américains typiques bien réalisés. Au final, le tout se goûte bien, dans une ambiance jeune et propre sur elle, à l'image du cadre. Le dimanche, à l'heure du brunch, la queue s'allonge à vue d'œil !

|●| ***Katz's*** *(centre 3, D4,* ***211****) : 205 E Houston St (angle Ludlow). ☎ 212-254-2246. Ⓜ (F) 2nd Ave. Tlj 10h-22h (3h ven-sam). Plats 7-15 $. CB refusées.* L'un des plus anciens *delicatessen* de New York (1888), devenu une véritable institution ! Il n'y a qu'à voir les files d'attente pour s'en convaincre. En fait, on y va plutôt pour son vénérable décor, une immense cantoche, où a été tournée la grande scène de l'orgasme simulé dans le film *Quand Harry rencontre Sally...* On prend un ticket à l'entrée et on paie à la sortie. Dans l'assiette, point de 7e ciel, mais une grosse bouffe américaine sans finesse (cheese-cake pas trop mauvais, préférer les soupes de volaille) et servie sans sourire. Cela ferait partie du charme, d'après les aficionados !

|●| ***Balade*** *(centre 3, D3,* ***155****) : 208 1st Ave (entre 12th et 13th St). ☎ 212-529-6868. Ⓜ (L) 1st Ave. Formule déj 10-12 $. Plats carte 10-12 $, les plus chers env 20 $.* Ce resto libanais discret, au décor typique sans excès, sert tous les midis en semaine un imbattable *lunch menu* avec *mezze* au choix, pita ou *manakeesh* (sorte de pizza) et dessert. Le week-end, le brunch (à la libanaise bien sûr) prend le relais avec une formule dans les mêmes cordes. Et le soir les prix ne s'envolent pas. Bref, un bon rapport qualité-prix pour une cuisine savoureuse.

|●| ***Zum Schneider*** *(centre 3, D3,* ***215****) : 107 Ave C (angle 7th St). ☎ 212-598-1098. Ⓜ (F) 2nd Ave ou (6) Astor Pl. Tlj 17h (13h le w-e)-tard. Résa fortement conseillée le w-e. Plats 13-18 $. CB refusées.* Dans ce *Biergarten* qui prend des allures d'*Oktoberfest* en fin de semaine, pas moins d'une douzaine de blondes germaines à la pression ! D'ailleurs, on vient pour ça. Et comme si ça ne suffisait pas : *Wienerschnitzel* et *Wurst* à gogo, sans oublier quelques court-culottés en chapeau à plumes qui viennent en groupe astiquer leurs

cuivres certains soirs... C'est comme là-bas, dis !

|●| 🍷 ***Pink Pony*** *(centre 3, D4,* ***224****) : 176 Ludlow St (entre Houston et Stanton).* ☎ *212-253-1922.* Ⓜ *(F) 2nd Ave. Tlj 11h-2h. Plats 12-16 $ en majorité (jusqu'à 22 $).* Avec son décor Belle Époque dans son jus, voici un café littéraire qui a de la classe et du charme. Sandwichs avec de la baguette à la parisienne, salades et quelques plats d'inspiration française comme le steak au poivre, le « cassoulet toulousain » et la soupe gratinée à l'oignon. Un lieu douillet, très agréable aussi pour prendre un verre, même tard.

|●| ***Angelica Kitchen*** *(centre 3, C3,* ***195****) : 300 E 12th St (entre 1st et 2nd Ave).* ☎ *212-228-2909.* Ⓜ *(L) 1st Ave. Plats 12-18 $.* Pour les adeptes du végétalisme bio ou tout simplement les carnivores en quête de sensations nouvelles, voici un resto versé dans le bien-être. À la carte, de bons petits plats aux saveurs inattendues, et des sandwichs, servis par des babas écolos à une clientèle de trentenaires qui soigne sa ligne. Cadre clair et décalé. Une expérience culinaire vraiment intéressante. Plein d'infos sur la planète zen de New York.

|●| ***Bianca*** *(centre 3, C4,* ***207****) : 5 Bleecker St (entre Bowery et Elizabeth).* ☎ *212-260-4666.* Ⓜ *(6) Bleecker St. Le soir slt, 17h-23h. Plats 10-15 $. CB refusées.* Délicieux petit resto italien à prix raisonnables, donc souvent pris d'assaut. *Pasta, fritto misto,* tout est très bon et bien servi. Côté déco, c'est un mélange de NY (brique), d'Italie (bouteilles de vin) et de maison de campagne anglaise (service en porcelaine fleurie courant sur les murs). Une bien bonne adresse, mais quel brouhaha !

|●| ***Panna II*** *(centre 3, C-D3,* ***183****) : 93 1st Ave (entre 5th et 6th).* ☎ *212-598-4610.* Ⓜ *(6) Astor Pl ou (F) 2nd Ave. Plats 12-15 $.* Fleuron du *Little India*, ce resto indien « où la lumière des saveurs épicées rencontre celle des sapins de Noël » comme dit la pub, dépasse en kitsch tout ce qu'on peut imaginer ! Car ici la déco vaut le détour et quand bien même les adresses voisines ont repris exactement le même style, elle conserve une pointure d'avance ! Et ne vous inquiétez pas si on vous fait coucou à travers la vitre embuée en hiver... Entrer ici, c'est offrir à son palais une cuisine de maharaja : spécialités de curry, tandoori, *byriani*... Prévoir un peu d'attente en revanche.

|●| ☕ ***Veselka*** *(centre 3, C3,* ***185****) : 144 2nd Ave (et 9th).* ☎ *212-228-9682.* Ⓜ *(6) Astor Pl. Ouv 24h/24. Plats combinés 13-16 $.* Grande et belle salle avec de larges baies vitrées garnies de plantes vertes et une jolie fresque en noir et blanc au fond. Clientèle très variée : vieux clients de toujours, N.P.B.U. (nouvelle petite bourgeoisie urbaine), artistes, etc. Au menu : sandwichs, soupes, spécialités ukrainiennes et d'Europe de l'Est et de nombreuses pâtisseries maison. Le matin, plusieurs formules de petit déj à prix raisonnable.

|●| ***Max's*** *(centre 3, D3,* ***201****) : 51 Ave B (entre 3rd et 4th).* ☎ *212-539-0111.* Ⓜ *(F) 2nd Ave. Plats 16-20 $. CB refusées.* Chaleureux petit resto italien très fréquenté par les jeunes du quartier pour ses bons plats de pâtes à prix raisonnables. Du coup, petit risque d'attente à l'entrée. Belle carte de vins de la Botte et musique « boum-boum » assez présente.

|●| ***Lil Frankie's*** *(centre 3, C-D4,* ***240****) : 19 1st Ave (entre 1st et 2nd St).* ☎ *212-420-4900.* Ⓜ *(F) 2nd Ave. Plats 10-15 $. CB refusées.* « Juste un four en brique et des p'tits gars de Naples », dit la carte de visite. Il faut quand même ajouter un paquet de monde le soir au coude à coude dans un vacarme assourdissant, des pizzas croustillantes *(thin crust)* à consommer à la lampe de poche, et une impressionnante carte de vins italiens. Service rapide (un peu trop même).

– Et aussi : |●| ***Mud*** *(centre 3, C3,* ***253****) : 307 E 9th St (entre 1st et 2nd Ave). Voir* « Coffee shops, *pâtisseries et glaces* » *plus loin.*

De prix moyens à un peu plus chic

|●| ***Momofuku Noodle Bar*** *(centre 3, C-D3,* ***151****) : 171 1st Ave (entre 10th et 11th).* ☎ *212-777-7773.* Ⓜ *(L) 1st Ave. Plats 11-16 $; formule 3 plats 20 $.* Voir plus loin ***Momofuku Ssäm.***

Freemans *(centre 3, C4,* ***274****) : au bout de Freeman Alley (petite impasse au début de Rivington St, entre Bowery et Christie). ☎ 212-420-0012. Ⓜ (J) Bowery. Plats 13-26 $ (11-14 $ le midi).* Une adresse nichée au fond d'une allée discrète. À l'intérieur, on se croirait dans une vieille maison de campagne et pas du tout à New York ! Plancher, banquettes de cuir, miroirs, tableaux, trophées de chasse, tout est fané, patiné. On sert de l'*American comfy food,* entendez une bonne cuisine ricaine traditionnelle. De nombreux adeptes le soir et pour le brunch du week-end (tentez plutôt votre chance le midi).

Il Bagatto *(centre 3, D4,* ***206****) : 192 E 2nd St (entre Ave A et B). ☎ 212-228-0977. Ⓜ (F) 2nd Ave. Tlj sf lun 17h30-23h30. Plats 20-23 $. Il Bagatto* reste l'une des adresses préférées des yuppies trentenaires, tendance bobo. Murs en brique, lumière tamisée, musique bien présente. Bonne cuisine italienne émergeant héroïquement des décibels (préférer la salle du bas), tout en saveurs subtiles, et dosant magistralement les herbes. Accueil parfois un peu raide, quant à l'attente, heureusement que la maison est dotée d'un chaleureux bar à vins !

Pylos *(centre 3, D3,* ***177****) : 128 E 7th St (entre 1st et Ave A). ☎ 212-473-0220. Ⓜ (6) Astor Pl. Plats 19-28 $.* Tout en long, cruches au plafond, un resto crétois baigné d'un gentil brouhaha et fréquenté par une clientèle assez éclectique mais néanmoins friquée. Ici, on se donne rendez-vous pour des côtelettes d'agneau ou, plus généralement, pour une cuisine ensoleillée travaillée tout en finesse avec des produits du marché. La carte des vins est chère et, pour ne pas vous ruiner, restez dans les entrées chaudes, quitte à en prendre plusieurs et à partager. On passe un bon moment.

Hasaki *(centre 3, C3,* ***186****) : 210 9th St (et Stuyvesant). ☎ 212-473-3327. Ⓜ (6) Astor Pl. Formules 16-18 $ le midi, menu* early bird *20 $ avt 18h30 et plats 20-25 $ le soir.* Une petite salle en contrebas de la rue, avec toute la sobriété des décors japonais et une petite cour-jardin aux beaux jours. Élégants assortiments de sushis et sashimis, incluant soupe, salade, thé et dessert le midi. Très bon, très frais. Plus cher et un peu d'attente le soir. Excellent accueil.

Dok Suni *(centre 3, C-D3,* ***194****) : 119 1st Ave (entre 7th et Saint Mark's Pl). ☎ 212-477-9506. Ⓜ (6) Astor Pl. Tlj sf le midi en sem. Plats 12-17 $. CB refusées.* Resto coréen à la déco pas forcément engageante, limitée à quelques idéogrammes aux murs. Très bonne cuisine aux goûts étonnants, savamment épicés, et raffinés. Ambiance chaleureuse.

De plus chic à très chic

Perbacco *(centre 3, D3,* ***236****) : 234 E 4th St (entre Ave A et B). ☎ 212-253-2038. Ⓜ (F) 2nd Ave. Plats 21-26 $.* La petite salle chaleureuse aux murs de brique est assez sombre et pas bien grande, mais les longues tablées permettent d'y entasser du monde ! À la carte, des spécialités italiennes cuisinées avec finesse. Quiconque pense encore que les pâtes et raviolis sont des plats incapables de subtilité est invité à venir ici. La longue carte des vins ne dépare pas dans l'ensemble. Le seul qui grimacera peut-être à la fin du délicieux repas, c'est votre portefeuille !

Momofuku Ssäm *(centre 3, C3,* ***202****) : 207 2nd Ave (angle 13th St). ☎ 212-254-3500. Ⓜ (L) 3rd-1st Ave. Menu dégustation 25 $; plats 18-20 $.* David Chang, le chef d'origine coréenne, est l'une des coqueluches du moment. On se presse dans ses restos. Le menu du *Ko,* la maison-mère, variant de 100 à 160 $, nous vous indiquons plutôt les 2 « succursales » : Le *Ssäm* et le *Noodle Bar* (coordonnées plus haut). Le premier est au bois sombre ce que le second est au bois clair, le design conférant à l'un comme à l'autre une allure de cantines branchées. Plus raffiné, le *Ssäm,* avec son éclairage tamisé, conviendra aux dîners en tête à tête. Pour les grandes tablées bruyantes en revanche, ou pour une soupe de nouilles au comptoir face aux cuistots, optez pour le *Noodle Bar.* Les deux endroits ont en commun le mélange des influences (japonaises, américaines...) et des saveurs, fines et épicées. Juste à côté du *Ssäm,* sur 13th Street, le *Momofuku Milk Bar* est l'annexe boulangerie : excellents *soft baked cookies*, tartes et autres milk-shakes...

I Coppi *(centre 3, D3,* ***212****) : 432 E 9th St (entre 1st Ave et Ave A). ☎ 212-254-2263. Ⓜ (6) Astor Pl ou (L) 1st Ave. Ouv slt le soir. Plats 16-20 $.* Tout le charme discret de la Toscane au beau milieu de l'East Village : four à pizzas, vieux parquet, murs en brique, grosses tables en bois et jardin à l'arrière. Excellentes pizzas et *focacce* aux artichauts. Plats raffinés plus chers, contentez-vous des antipasti. Belle carte de vins italiens.

Coffee shops, pâtisseries et glaces

Sugar Sweet Sunshine *(centre 3, D4,* ***316****) : 126 Rivington St (entre Essex et Norfolk). ☎ 212-995-1960. Ⓜ (F, J) Delancey St-Essex St.* Adorable pâtisserie spécialisée dans les *cupcakes* (petits gâteaux ronds nappés d'un glaçage au beurre, un péché typiquement new-yorkais). Grand choix de thés et prix doux. Atmosphère bohème-cosy-*arty* du Lower East Side : meubles de récup', lampes vintage et polaroïds rigolos aux murs...

Mud *(centre 3, C3,* ***253****) : 307 E 9th St (entre 1st et 2nd Ave). ☎ 212-228-9074. Ⓜ (6) Astor Pl. Tlj 8h (9h w-e)-minuit.* Tout en longueur et en brique, ce petit café-resto très *peace and love* sert d'excellents cafés. On peut aussi siroter son cappuccino sur place, de préférence dans la charmante courette du fond, où il est aussi possible de grignoter : petit déj servi à toute heure, soupes, paninis... Bon fond sonore qui plaira à tous les nostalgiques de Woodstock. Même les toilettes sont sympas !

Ninth Street Espresso *(centre 3, D3,* ***428****) : 700 E 9th St. ☎ 212-358-9225. Ⓜ (L) 1st Ave. Tlj 7h-20h.* Discret mais trahi par les délicieux effluves qui s'en échappent, ce petit café aux lignes contemporaines, qui détonne un peu dans l'environnement du quartier, est l'endroit rêvé pour une pause. Un œil sur le journal (à dispo) ou sur leur ordi portable, les habitués sont nombreux à savourer l'*espresso* du jour, un cappuccino ou un *macchiato*.

Doughnut Plant *(centre 3, D4,* ***715****) : 379 Grand St (entre Essex et Norfolk). ☎ 212-505-3700. Ⓜ (F, J) Delancey St-Essex St. Tlj sf lun 6h30-18h30.* Cette petite échoppe sert les meilleurs donuts de New York, déclinés à tous les parfums et, surtout, d'une légèreté (si, si) et d'un moelleux incomparable. Nouvelle succursale au rez-de-chaussée du *Chelsea Hotel* (voir le chapitre Chelsea).

Veniero's *(centre 3, C3,* ***225****) : 342 E 11th St (entre 1st et 2nd Ave). ☎ 212-674-7070. Ⓜ (L) 1st Ave. Tlj 8h-minuit.* Dans cette 11th Street rendue célèbre par le film *Ragtime* de Milos Forman, voici l'une des pâtisseries les plus anciennes (1894) et les plus réputées de Manhattan. C'est bien simple, on se croirait à Milan ! Une tonne de pâtisseries et de gâteaux, dont d'excellents *cannoli*. Également des glaces bien crémeuses. Salon de thé au fond.

Van Leeuwen *(centre 3, C3,* ***248****) : 48 ½ E 7th St (entre 1st et 2nd Ave). Ⓜ (6) Astor Pl.* Excellent glacier artisanal dans une jolie petite échoppe au décor vintage. Parfums de saison seulement, élaborés à partir de produits locaux et naturels. Quelques tables pour la dégustation et fond musical bien dosé (des vinyles !).

Sundaes & Cones *(centre 3, C3,* ***222****) : 95 E 10th St (entre 3rd et 4th). ☎ 212-979-9398. Ⓜ (6) Astor Pl.* Un doux parfum vous prend les narines dès l'entrée. Ici, les glaces maison sont crémeuses et leurs parfums délicats. On en a encore l'eau à la bouche ! Aussi des gâteaux d'anniversaire assez délirants.

Il Laboratorio del Gelato *(centre 3, D4,* ***329****) : 188 Ludlow St (entrée sur Houston). ☎ 212-343-9922. Ⓜ (F) 2nd Ave.* Un labo tout blanc et très design avec en *front desk* pas moins d'une quarantaine de parfums souvent originaux. Fait également *espresso bar*.

Où boire un verre ?

Tous ces établissements ouvrent généralement en fin d'après-midi et ferment tard dans la nuit. Il existe encore bien d'autres endroits pour écluser un gorgeon en écoutant de la musique dans ce quartier en mouvance perpétuelle, notamment des remakes des anciens *speakeasies*, ces bars secrets en activité pendant la période de la prohibition. Allez-y à l'instinct ! Les soirées sont presque toujours animées par un DJ, et s'improvisent alors de petites pistes de danse...

Dans East Village

🍸 **7B Horseshoe Bar** (*Varzac ; centre 3, D3,* **371**) *: 108 Ave B (angle 7th St).* ☎ *212-677-6742.* Ⓜ *(6) Astor Pl.* Beaucoup d'ambiance et de musique forte dans ce vieux troquet des années 1940, dont la déco n'a pas beaucoup bougé. Murs patinés, force néons, long comptoir en U, juke-box, flipper et TV pour clientèle *Eastsider* tendance hard rock. On tourna ici quelques scènes de films, dont *Verdict* avec Paul Newman, *Angel Heart* avec Mickey Rourke ou encore *Le Parrain II*...

🍸 ♩ **Rue B** (*centre 3, D3,* **366**) *: 188 Ave B (entre 11th et 12th St).* ☎ *212-358-1700.* Ⓜ *(L) 1st Ave.* Un petit bar vraiment sympa, souvent bondé en fin de semaine (allez-y le lundi), avec des photos en noir et blanc de jazzmen et un éclairage tamisé. Excellents cocktails maison. Chaque soir, un concert de jazz à partir de 21h environ souvent de très bonne facture. Pas de *cover charge,* on fait passer la petite corbeille et voilà !

🍸 **The Burp Castle** (*centre 3, C3,* **370**) *: 41 E 7th St (entre 2nd et 3rd Ave).* ☎ *212-982-4576.* Ⓜ *(6) Astor Pl.* Happy hours *en sem 17h-20h.* Traduction du nom : « Le Château du Rot » ; élégant, non ? ! Un bar style abbaye, avec au mur une sorte de radeau de la méduse où des moines éméchés tirent des bords en compagnie de nymphettes. À la carte, une déferlante de bières belges à vous dessiner des moustaches d'écume. Sur le trottoir, petite terrasse encagée pour anachorètes prisonniers de la nicotine.

🍸 **Beauty Bar** (*centre 3, C3,* **368**) *: 231 E 14th St (entre 2nd et 3rd Ave).* ☎ *212-539-1389.* Ⓜ *(L) 3rd Ave.* Installé dans un ancien salon de beauté figé dans les années 1960, ce bar vaut vraiment le détour : serveuses en bigoudis, comptoir en formica, étagères où s'entassent les flacons d'eau de Cologne, perruques, vieilles pubs... On sirote même sous les cloches sèche-cheveux et ça sent le vernis à ongles ! Chaque soir, un DJ rock envoie les watts. Défrisant, non ?

🍸 **MacSorley's Old Ale House** (*centre 3, C3,* **367**) *: 15 E 7th St (entre 2nd et 3rd Ave).* ☎ *212-254-2570.* Ⓜ *(6) Astor Pl.* C'est le plus vieux bar de New York (1854). Vieilles cloisons en bois, sol couvert de sciure, odeur de houblon... C'est rustique et touristique. Le samedi soir, déplacer sa carcasse jusqu'au fond de ce troquet est un véritable défi. Aux murs, des photos, des articles de journaux, des cannes et des chapeaux, et tout plein d'autographes des célébrités qui ont picolé ici. Quand on pense que ce bar a été interdit aux femmes jusqu'en... 1970 ! Autre chose aussi : l'endroit s'enorgueillit de n'avoir jamais fermé... même pendant la prohibition.

🍸 **Niagara** (*centre 3, D3,* **373**) *: 112 Ave A (angle 7th).* ☎ *212-420-9517.* Ⓜ *(6) Astor Pl.* 📶 Lumière tamisée dans ce vieux bar à la déco rétro. Une atmosphère sympathique en journée, un peu plus endiablée le soir. Les jeunes habitués du quartier qui s'y retrouvent pour discuter sagement. Hein *kestudi* ? En sortant, attention à la chute (célèbre), les marches du perron sont très hautes !

🍸 **Yaffa Café** (*centre 3, D3,* **336**) *: 97 Saint Mark's Pl (entre 1st et Ave A).* ☎ *212-674-9302.* Ⓜ *(6) Astor Pl. Ouv 24h/24.* Une petite institution dans le quartier pour son étonnante salle du style plus-kitsch-tu-meurs et son jardin à l'arrière, bien agréable aux beaux jours. La terrasse à l'avant ne vaut pas tripette. De toute façon, c'est pas grave, on préfère y boire un verre qu'y manger. Une bière, un verre de vin ou de champ' et basta !

🍸 ♪ ***Swift*** *(centre 3, C3,* ***379****) : 34 E 4th St (entre Bowery et Lafayette).* ☎ *212-260-3600.* Ⓜ *(6) Bleecker St.* Un pub irlandais avec des fresques historiques. Pas moins de 22 bières pression et une bonne soixantaine de single malt, d'irish whiskies et de *blended*. Belle sélection de bières en bouteille, aussi. Musique traditionnelle irlandaise chaque mardi soir.

🍸 ***D.b.a*** *(centre 3, C-D4,* ***380****) : 41 1st Ave (entre 2nd et 3rd St).* ☎ *212-475-5097.* Ⓜ *(F) 2nd Ave.* Un repaire pour les « écluseurs » de mousse : plus d'une centaine de bières à la carte, dont une quinzaine à la pression. Souvent plein à craquer d'une clientèle jeune, tendance un peu yuppie. Ayez vos 21 printemps, c'est sévèrement contrôlé. Régulièrement des dégustations. Agréable petite terrasse couverte sur l'arrière.

🍸 ***KGB Bar*** *(centre 3, C3,* ***381****) : 85 E 4th St (entre 2nd et 3rd Ave).* ☎ *212-505-3360. • kgbbar.com •* Ⓜ *(6) Astor Pl.* Dans cet ancien siège de l'*American-Ukrainian League* (à partir de 1947) se tenait autrefois le bar de la Ligue. Avec ses murs tout rouges, ses portraits de dignitaires soviétiques et ses affiches du Parti, il était essentiellement fréquenté par les sympathisants communistes. Mais le *KGB* (qui ne signifie rien d'autre que *Kraine Gallery Bar* pour ne pas se mettre hors la loi !) est devenu un *hot spot* littéraire où, souvent, de 19h à 21h, des auteurs viennent lire des extraits de leurs livres et discuter avec le public.

Dans Lower East Side

🍸 ☕ ***Schiller's*** *(centre 3, D4,* ***385****) : 131 Rivington St (angle Norfolk).* ☎ *212-260-4555.* Ⓜ *(F, J) Delancey St-Essex St.* Une institution. Superbe bistrot à la déco style années 1920, chaleureuse et soignée, symbole du renouveau de Lower East Side, et souvent bondé. On y va pour boire un verre, voir... et être vu. Plein de journaux à disposition. On y « brunche » volontiers tous les jours jusqu'à 16h. Agréable aussi pour un café l'après-midi.

🍸 🍽 ***Beauty & Essex*** *(centre 3, D4,* ***191****) : 146 Essex St (entre Stanton et Rivington).* ☎ *212-614-0146.* Ⓜ *(F, J) Delancey St-Essex St.* On entre par une petite brocante psychédélique qui ne laisse rien deviner du décor glamour et sophistiqué du *lounge* juste derrière (toujours la mode des *speakeasies*). Panneaux de tissu tendu gris-bronze aux murs et lustres en chaîne métallique façon méduses, diffusant un éclairage tamisé. Pour monter à l'étage, cage d'escalier aussi spectaculaire avec mur en moumoute blanche et luminaire incroyable. Pour accompagner les cocktails (très originaux), on picore des *small plates*. Possibilité d'y dîner (cher hormis le burger) et d'y buncher le week-end. Champagne offert dans les toilettes des filles !

🍸 ***Motor City Bar*** *(centre 3, D4,* ***369****) : 127 Ludlow St (entre Rivington et Delancey).* ☎ *212-358-1595.* Ⓜ *(F, J) Delancey St-Essex St.* Un *rock bar* dédié à la route. Pub pour *Good Year*, sièges de voiture, banquettes rouges en moleskine, plaques routières aux murs... Et bien sûr, du rock à fond la caisse ! Un peu trash quand même, mais qu'importe quand on aime l'asphalte ? Bière assez bon marché.

🍸 ♪ ***Parkside Lounge*** *(centre 3, D4,* ***384****) : 317 E Houston St (entre Clinton et Attorney).* ☎ *212-673-6270. Pour les résas :* ☎ *609-972-5486 (demander Jenny) • parksidelounge.net •* Ⓜ *(F) 2nd Ave.* La 1re salle est un bar typique avec billard. Mais la seconde, à l'arrière, accueille tous les soirs des groupes live pour des nuits souvent endiablées. Petit *cover charge* et 2 consommations obligatoires.

🍸 ***The Ten Bells*** *(centre 3, D4,* ***363****) : 247 Broome St (entre Orchard et Ludlow).* ☎ *212-228-4450.* Ⓜ *(F, J) Delancey St-Essex St. CB refusées.* Une petite salle basse de plafond où tout s'organise autour de l'escalier qui mène à l'étage. On s'assoit autour du bar ou on s'accoude au comptoir le long du mur. 10 cloches seulement (facile), mais côté vin, une bonne centaine d'étiquettes vendues au verre, à la bouteille ou au magnum (soyons fous !). Éventuellement de petites choses à grignoter. Quant à l'ambiance, elle est à la fois tamisée et bruyante.

🍸 ***Essex*** *(centre 3, D4,* ***446****) : 120*

Essex St (angle Rivington). ☎ *212-533-9616.* Ⓜ *(F, J) Delancey St-Essex St. CB refusées.* On apprécie ce grand bar-restaurant rouge et blanc, avec mezzanines, pour son aspect loft et aéré. On y mange, mais c'est assez cher. L'endroit est plus branché cocktails que bières, peu nombreuses et servies en bouteilles uniquement.

Où écouter de la bonne musique live ?

Ce ne sont pas les endroits qui manquent, même depuis la disparition, en 2006 déjà, du mythique *C.B.G.B.* où débutèrent le Velvet Underground et Patty Smith. Au programme : jazz, country, folk, rock, hard-rock, etc., selon affinités musicales. Souvent un petit *cover charge* ou un nombre de boissons minimum, mais ça ne va pas bien loin... Notez qu'une pièce d'identité *(ID)* peut être réclamée et que les moins de 21 ans sont généralement refoulés à cause du *drinking age*.

♩ ***Living Room*** *(centre 3, D4,* ***391****) : 154 Ludlow St (et Stanton).* ☎ *212-533-7235.* ● *livingroomny.com* ● Ⓜ *(F) 2nd Ave. Concerts à l'étage payants (10-15 $).* Un de nos lieux préférés, qui, en quelques années, a su se faire un nom dans le monde de la musique folk et acoustique. Derrière le bar, presque toujours plein à craquer, une salle accueillante avec une petite scène où se produisent chaque soir des groupes de *songwriters* souvent intéressants (Norah Jones a débuté à l'ancienne adresse du *Living Room*...). Les chanteurs solo sont quant à eux programmés à l'étage, dans une 2e salle plus intimiste. Atmosphère décontractée et pas prétentieuse pour un sou. En bas, pas de *cover charge* et une seule conso par *set* demandée, ça c'est du jeu ! On fait juste passer un seau, on donne ce qu'on veut (on suggère 10 $ pour 2) et on s'inscrit sur une liste d'e-mails si on a aimé l'artiste. L'endroit idéal pour découvrir de jeunes talents.

♩ ***Pianos*** *(centre 3, D4,* ***391****) : 158 Ludlow St (entre Stanton et Rivington).* ☎ *212-505-3733.* ● *pianosnyc.com* ● Ⓜ *(F) 2nd Ave. Cover charge env 10 $.* À un jet de pierre du *Living Room*. Un peu le même principe : un bar et, derrière, une scène avec des concerts (rock le plus souvent). En revanche, l'entrée au concert est payante (pas au bar). Plein de monde également !

♩ ***Lakeside Lounge*** *(centre 3, D3,* ***461****) : 162 Ave B (entre 10th et 11th St).* ☎ *212-529-8463.* Ⓜ *(L) 1st Ave.* Ouvert à l'initiative de Eric (Roscoe) Ambel, un ancien guitariste des *Blackhearts,* ce petit *lounge* aux allures de bistrot de quartier, propose un seul groupe tous les soirs de la semaine vers 22h (23h le week-end). C'est du rock et du bon, voire parfois de la *country*, du *picking* ou du blues. Si vous arrivez en avance (c'est préférable), piochez un morceau au hasard dans le jukebox, c'est pas mauvais non plus...

♩ ***Arlene's Grocery*** *(centre 3, D4,* ***365****) : 95 Stanton St (entre Ludlow et Orchard).* ☎ *212-995-1652.* ● *arlenesgrocery.net* ● Ⓜ *(F) 2nd Ave. Cover charge 8-10 $.* Petite salle, petit *stage,* bonne sono, telles sont les 3 mamelles de cette adresse 80 % rock. La petite épicerie d'Arlene distille des concerts en sous-sol chaque soir mais aussi (et surtout ?) un original karaoké rock, voire punk-metal, assuré par un vrai groupe chaque lundi (gratuit) ! Si vous avez envie de déballer vos tripes, c'est le moment !

♩ ***Nuyorican Poets Café*** *(centre 3, D3-4,* ***388****) : 236 E 3rd St (entre Ave B et C).* ☎ *212-780-9386 en sem ou 212-477-7377 le w-e.* ● *nuyorican.org* ● Ⓜ *(F), 2nd Ave. Tlj. Env 7-15 $ selon type de soirée.* Pour entrer, sonnez ! Fondé en 1973 dans ce quartier alors infréquentable, voici un des points de rencontre de la culture new-yorkaise et portoricaine. À sa manière, il reflète bien les changements sociologiques et culturels d'East Village. En principe, *latin jazz jam session* le jeudi soir, slam ou hip-hop le vendredi soir et puis, selon les jours, poésie, théâtre, courts-métrages, etc. En fin de semaine, pointez-vous de bonne heure, ça rentre au compte-goutte...

♩ ***Nublu*** *(centre 3, D3,* ***361****) : 62 Ave C (entre 4th et 5th St).* ☎ *212-*

979-9925. Ⓜ *(F) 2nd Ave ou (F, J) Essex St.* Cover charge *env 10 $.* Aucun signe particulier si ce n'est ce sas gris et cette petite lumière bleue juste au-dessus. À l'intérieur, pas grand-chose pour s'assoir, le long du bar, c'est vite plein. Ici, c'est tout pour la musique : du jazz et encore du jazz, quelquefois de la soul ou un DJ. Belle petite terrasse sur l'arrière aux beaux jours. Un endroit très sympa pour siroter une *caipirinha*.

♩ ***Mercury Lounge*** *(centre 3, D4,* ***394****) : 217 E Houston St (entre Essex et Ludlow).* ☎ *212-260-4700.* • *mercury loungenyc.com* • Ⓜ *(F) 2nd Ave.* Cover charge *env 8-15 $.* L'une des scènes de rock indépendant les plus réputées de New York, surtout depuis la fermeture du *C.B.G.B.* Plusieurs groupes chaque soir.

♩ ***Delancey*** *(centre 3, D4,* ***393****) : 168 Delancey St (entre Clinton et Attorney).* ☎ *212-254-9920.* • *thedelancey.com* • Ⓜ *(F) Delancey St.* Cover charge *8-10 $.* Là aussi, un spot très rock dans un coin de Lower East Side encore très *« walk on the wild side »*, au pied du Williamsburg Bridge. Petite scène, bar interminable, mais surtout, un très agréable patio de style « amazonien » où trouver de quoi descendre des rapides dès les premières canicules. Live et DJs tous les soirs.

♩ ***Rock Wood Music Hall*** *(centre 3, D4,* ***395****) : 196 Allen St (entre Houston et Stanton St).* ☎ *212-477-4155.* • *rockwoodmusichall.com* • Ⓜ *(F) 2nd Ave. Pas de* cover charge. Pas facile de se frayer un passage dans ce tout petit bar au style plus glamour que ses voisins. Certains soirs, y trouver une place en mezzanine relève de l'exploit. C'est vrai que s'y produisent notamment de jolies voix féminines et de petites formations de jazz-rock et country. Début des hostilités vers 19h et jusqu'à la fermeture, c'est-à-dire jusqu'à 1h voire 3h, quand les *musicos* ont la patate. On a aimé.

♩ ***The Stone*** *(centre 3, D4,* ***397****) : angle 2nd St et Ave C (en face de la station-service* Mobil*).* • *thestonenyc.com* • Ⓜ *(F) 2nd Ave. Sessions tlj sf lun à 20h et 22h. Entrée env 10 $; réduc étudiants jusqu'à 19 ans.* Pour les intégristes du jazz uniquement. Avec les rideaux de fer tirés et la porte teintée, on pourrait penser l'endroit mort, mais non. Une toute petite salle très sombre garnie d'une quarantaine de chaises où quelques avant-gardistes viennent tenter de nouvelles explorations jazzistiques. Ici, pas de resto ni de bar : c'est tout pour la musique !

Où danser ?

♫ ***The Box*** *(centre 3, C4,* ***452****) : 189 Chrystie St (entre Stanton et Rivington).* Ⓜ *(6) Bowery.* ☎ *212-982-9301.* Le night-club le plus *hype* de NY, dans un ancien théâtre. Entrée assez sélecte, mais à l'intérieur, c'est un peu le boxon : orgie sonore et visuelle. 2 niveaux, 2 bars et une scène utilisée pour des concerts et des *special events* souvent décoiffants, parfois même trash mais pas sordides. Pour ceux qui n'ont pas froid aux yeux.

♫ ***Element*** *(centre 3, D4,* ***394****) : 225 E Houston St (angle Essex).* ☎ *212-254-2220.* • *elementny.com* • Ⓜ *(F) 2nd Ave. Entrée env 20 $ (réduc si inscription sur la* mailing list*).* Installée dans une ancienne banque du XIXe s (dont on a gardé les portes du coffre !), voici une grande boîte avec un joli déshabillé de brique, une « VIP mezzanine », un *dance floor* et un *lounge* avec banquettes et recoins. Côté *dance floor*, la boîte peut accueillir jusqu'à 600 danseurs plongés dans leur élément : 36 000 watts d'électro-rock, disco remixé, techno ou house dans une ambiance capitonnée. Po-pom, po-pom, po-pom...

Où jouer au billard ?

■ ***SoHo Billiards*** *(centre 3, C4,* ***398****) : 298 Mulberry St (entrée par Houston).* ☎ *212-925-3753.* • *sohobilliardsny.com* • Ⓜ *(D, F) Broadway-Lafayette St. Jusqu'à 3h en sem, 5h le w-e. Selon horaire et j., 6-10 $/h par pers (réducs à partir du 2e joueur).* À la limite de NoLiTa et d'East Village, une immense salle qui régalera ceux qui voudraient se prendre pour Tom Cruise ou Paul Newman dans *La Couleur de l'argent*.

Une trentaine de tables, rien que ça ! Petit bar sur place.

Bains

Avant l'arrivée des sushis, des cocktails à 10-15 $ et des magasins de fripes, une douzaine de saunas faisaient partie du paysage d'East Village. À l'époque où les appartements n'avaient qu'une plomberie rudimentaire, ces saunas et bains-douches étaient essentiels. Aujourd'hui, il ne reste plus qu'un établissement dans le quartier.

■ ***The Russian & Turkish Baths*** *(centre 3, D3) : 268 E 10th St (entre 1st et Ave A).* ☎ *212-473-8806 ou 212-674-9250. • russianturkishbaths.com •* Ⓜ *(L) 1st Ave. Accès mixte 12h-22h en sem (sf mer 10h-14h : femmes slt ; et sf jeu 12h-17h : hommes slt) ; sam 9h-22h ; dim 8h-14h (hommes slt) et 14h-22h. Entrée : env 35 $.* Un vrai voyage dans le passé. À part les photos des *movie stars* aux murs et le comptoir derrière lequel reposent des *pirogis* et du hareng macéré dans du vinaigre, rien ne semble avoir changé depuis 1892 au *« shvitz »,* comme l'appellent les habitués. Aujourd'hui, le russe et l'anglais remplacent largement le yiddish, mais ça papote toujours autant. Moyennant supplément, possibilité de bains de boue et de massages suédois, thaïs ou russes (très toniques, avec les mains, coudes, genoux et même les pieds : attachez vos ceintures !). Bref, une institution du Village où la décompression est garantie.

Shopping

Sur 9th Street, entre Avenue A et 2nd Avenue, beaucoup de petits magasins (brocanteurs, fripes, objets de déco kitsch, etc.). De quoi chiner tranquillement loin des foules des grandes avenues. Les adresses suivantes sont généralement ouvertes de 12h à 20h.

Boutiques spécialisées

Halloween Adventure Shop *(centre 3, C3, **214**) : 104 4th Ave (et 11th St). Autre entrée au 808 Broadway, juste derrière.* ☎ *212-673-4546.* Ⓜ *(6) Astor Pl ou (N, R) 8th St-NYU.* Un hypermarché du déguisement, classé par thèmes. Tellement grand qu'un plan est disponible à l'entrée ! Choix colossal et mauvais goût assumé complètement délirant. À côté, la version gothique Renaissance, qui appartient à la même maison.

Blades *(centre 3, C4, **549**) : 659 Broadway (entre Bleecker et Bond).* ☎ *212-477-7350.* Ⓜ *(6) Bleecker St.* Magasin spécialisé dans les sports de glisse, sur roulettes ou sur neige : planches, patins, surf et accessoires, fringues... Tendance mais assez cher quand même.

Babeland *(centre 3, D4, **553**) : 94 Rivington St (et Ludlow).* ☎ *212-375-1701.* Ⓜ *(F, J) Delancey St-Essex St. Interdit aux moins de 18 ans.* Un sex-shop chic, spécialisé dans le plaisir féminin. Très réussi : une bonne dose de féminisme, plein d'humour, et voici donc un endroit sympa, ni glauque, ni trash, ni vulgaire. Notons qu'aux États-Unis, la version « classique » des *sex toys* s'achète dans les drugstores-pharmacies également !

Sustainable NYC *(centre 3, D3, **216**) : 139 Ave A (angle 9th St).* ☎ *212-254-5400. Ferme tlj à 22h ou 23h.* Boutique qui surfe sur la vague du développement durable, équitable et bio. Plein de petites choses colorées à prix raisonnables en matière de récup', comme des sacs, des porte-monnaie, des carnets amusants, ou même des tennis aux semelles faites à partir de pneus... Petit café à l'intérieur *(ouv 9h-17h slt.* ᯤ*).*

Spécial enfants-ados

Economy Candy *(centre 3, D4, **538**) : 108 Rivington St (entre Essex et Ludlow).* ☎ *212-254-1531.* Ⓜ *(F, J) Delancey St-Essex St.* Pour ceux qui auraient été privés de bonbons, cette échoppe à l'ancienne devrait assouvir toutes les frustrations enfantines : des confiseries empilées du sol au plafond, et même en version géante (nounours de 350 g, distributeurs de Pez XXL)... Difficile de résister, entre l'odeur sucrée qui chatouille le nez dès l'entrée et les prix raisonnables.

Mode et beauté

Zacky's (centre 3, C3, **508**) : *686 Broadway (entre Great Jones et E 4th). ☎ 212-533-2005. Ⓜ (6) Bleecker St.* Sur 2 niveaux, un choix énorme de chaussures et baskets de marques genre *Converse, Dr Martens, Sebago, Timberland, New Balance,* mocassins *Minnetonka...* Également quelques *Levi's* et du *streetwear.*

East Village Shoe Repair (centre 3, C3, **550**) : *1st Mark's Pl (entre 2nd et 3rd Ave). ☎ 212-529-8339. Ⓜ (6) Astor Pl.* Cette minuscule échoppe de cordonnier abrite un sacré fourre-tout plus ou moins attirant. Cependant, il peut reconvertir vos *Converse* en *platform shoes* à fourrure argentée, vos babouches en escarpins à talons... Prix abordables pour des créations rigolotes !

Hollister (centre 3, C4, **525**) : *600 Broadway (angle Houston St). ☎ 212-334-1922. Ⓜ (D, F) Broadway-Lafayette St.* Sur 4 étages, la marque de prêt-à-porter californienne déballe dans la pénombre et la musique boum-boum, comme chez *Abercrombie & Fitch* (c'est la même maison, mais moins cher). En plein hiver, quand sort la collection été alors qu'à l'extérieur il gèle à pierre fendre, c'est toujours un ravissement d'être accueilli par des naïades en bikini et des éphèbes en tongs. Détour obligatoire pour les ados, mais dépaysement garanti pour tous car la boutique est spectaculaire dans le style postindustriel.

Search & Destroy (centre 3, C3, **528**) : *25 Saint Mark's Pl (et 2nd Ave). ☎ 212-358-1120. Ⓜ (6) Astor Pl. Ouv 13h-22h.* Ce « *dangerous clothing store* » plaira aux néopunks, voire aux adeptes du gothique. Plein de fringues et accessoires de très mauvais goût et, pour le coup, vraiment destroy. Évitez donc d'y traîner vos gamins...

New Era (centre 3, C3, **557**) : *9 E 4th St (entre Broadway et Lafayette). ☎ 212-533-2277. Ⓜ (6) Bleecker St.* Pour se rapporter une casquette new-yorkaise de rappeur branchouille, c'est ici, dans ce magasin parfumé... Modèles vraiment originaux : ça va de 35 $ à... 1 000 $ pour celle en croco !

Alife Rivington Club (centre 3, D4, **559**) : *158 Rivington St (entre Clinton et Suffolk). ☎ 212-375-8128. Ⓜ (F, J) Delancey St-Essex St.* Après la casquette branchée, il vous faut les chaussures, non ? Si vous en avez les moyens, voici le nec plus ultra de la branchitude *streetwear* : de grandes marques comme *Adidas* ou *Nike* totalement relookées par la boutique.

Kiehl's (centre 3, C3, **527**) : *109 3rd Ave (et 13th). ☎ 212-677-3171. Ⓜ (L) 3rd Ave.* On est toujours accueillis par le célèbre Mr Bones (le squelette !) dans la maison mère de la fameuse marque new-yorkaise de cosmétiques ! Créée en 1851, la maison est connue pour son engagement dans les grandes causes. La partie ancienne du magasin d'apothicaire est encore là. Les vendeurs distribuent volontiers des échantillons pour faire découvrir leurs produits, sérieux et écolos.

Livres et disques

Saint Mark's Bookshop (centre 3, C3, **556**) : *31 3rd Ave (et Stuyvesant). ☎ 212-260-7853. Ⓜ (6) Astor Pl. Tlj 10h-minuit.* Une petite librairie où le choix des livres n'est pas fait au hasard : arts visuels, littérature, théologie, musique... Plus c'est subversif et underground, mieux c'est ! Au fond, une sélection de magazines et quelques occases intéressantes.

Saint Mark's Comics (centre 3, C3, **528**) : *11 Saint Mark's Pl (et 2nd Ave). ☎ 212-598-9439. Ⓜ (6) Astor Pl.* Toutes les bandes dessinées US d'aujourd'hui, et surtout d'hier, avec pas mal de vintage des années 1960 et tous les produits dérivés (posters, T-shirts et poupées, de Betty Boop à Superman).

Other Music (centre 3, C3, **557**) : *15 E 4th St (entre Broadway et Lafayette). ☎ 212-477-8150. Ⓜ (6) Bleecker St.* Un petit disquaire sympa spécialisé dans les raretés en matière d'électro, hip-hop et indie rock. CD et vinyles.

À voir

EAST VILLAGE

Un peu d'histoire

Tous ceux qui trouvent Greenwich trop aseptisé échouent à ***Saint Mark's Place.*** Les vagues de l'immigration ont amené dans Lower East Side les Ukrainiens, les Polonais, les juifs d'Europe centrale, les Irlandais, les Italiens, les Portoricains puis les Latinos. À cette « immigration ethnique » est venue s'ajouter celle des marginaux de la société américaine : musiciens de jazz, artistes en tout genre, poètes, écrivains puis, dans les années 1960, les hippies, et ensuite les punks. Milos Forman a fait revivre le quartier grâce à son film *Ragtime,* tourné dans 11th Street. Enfin, si East Village demeure un foyer de la contre-culture des *sixties,* Lower East Side est toujours associé à l'immigration pauvre de New York, malgré la « gentrification » généralisée de tout le secteur.
À part le secteur d'*Alphabet City* (Avenues C et D situées à l'est), ***entre East Houston et 14th Street*** – quartier ouvrier et populaire où déferlèrent de 1850 à 1950 les grandes vagues d'immigration – le quartier est en pleine restructuration. La spéculation immobilière y est galopante. Dans le même immeuble, pour un même studio minuscule, on peut payer 500 ou... 1 500 $ suivant qu'on est un vieux locataire ou un yuppie nouvellement installé. Outre la diversité sociale, voire « ethnique », c'est cette cohabitation entre l'ancien et le nouveau mode de vie et tous ces mélanges sociaux qui rendent le quartier intéressant.
En 1988, cédant aux demandes des yuppies nouvellement installés, les autorités ont fermé Tompkins Square la nuit, afin d'en évacuer les centaines de marginaux et de clochards établis ici depuis des années. À l'époque, la résistance de ces derniers ainsi que la violence policière qui s'en est suivi ont contribué à radicaliser la population résidente à l'endroit du processus de « gentrification » de leur quartier. Depuis, son développement en tant que lieu de vie nocturne, notamment, a fait que cette vindicte s'est quelque peu assagie.
Un des gros problèmes, c'est la fermeture progressive de tous les petits commerces de proximité. Dès que tombe une fin de bail, les *landlords* multiplient par trois ou quatre les loyers, contraignant les commerçants à laisser leur place aux gérants de nouveaux restos branchés ou boutiques de fringues qui, eux, pourront assumer les nouveaux loyers !

Itinéraire dans East Village

➢ ***Saint Mark's in the Bowery*** *(plan itinéraire East Village,* ***A****)* **:** *131 E 10th St (angle 2nd Ave).* Cette élégante église de style géorgien tardif fut élevée en 1799 sur l'emplacement d'une chapelle qui marquait le début de la propriété de l'ancien gouverneur Peter Stuyvesant, dont la tombe se trouve dans le cimetière attenant. Son grand-père, Petrus, a droit à son buste. Le clocher de style *Greek Revival* fut ajouté en 1828, et le porche d'inspiration italienne en 1854. Magnifique jardin fleuri aux beaux jours et bel orgue à l'intérieur. Un véritable havre de paix au cœur de Manhattan. L'église est aussi parfois le lieu d'initiatives culturelles et littéraires, le pasteur permettant l'organisation, en dehors des offices, de spectacles de danse, récitals de poésie, au grand dam des bigotes du quartier.

➢ ***Renwick Triangle*** *(plan itinéraire East Village,* ***B****)* **:** juste à l'est d'Astor Place, découvrez une image typique de ce que fut le quartier au XIXe s. Sur East 10th Street, entre 2nd et 3rd Avenue, s'étendait la propriété de Peter Stuyvesant (l'homme qui fonda New York). Son petit-fils effectua une opération immobilière sur le terrain et fit ouvrir plusieurs rues en 1787, avec un plan triangulaire inha-

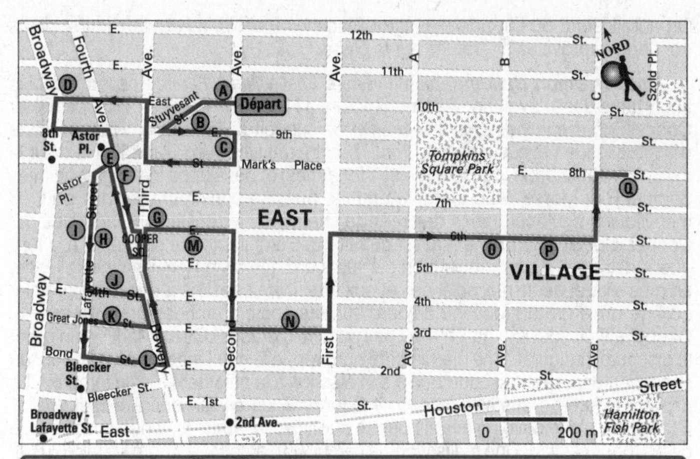

ITINÉRAIRE EAST VILLAGE

- **A** Saint Mark's in the Bowery
- **B** Renwick Triangle
- **C** Deutsches Dispensary
- **D** Grace Church
- **E** Station de métro Astor Place
- **F** Cooper Union Building
- **G** 41 Cooper Square
- **H** Joseph Papp Public Theater
- **I** Colonnade Row
- **J** Old Merchant's House
- **K** Engine Company 33
- **L** Bond Street Savings Bank
- **M** Ukrainian Museum
- **N** Club des Hells Angels de NYC
- **O** Community garden
- **P** Jardin botanique
- **Q** Firemen's Memorial Garden

bituel pour Manhattan : Stuyvesant Street épouse exactement l'allée qui menait à The Bowerie (soit « la ferme »), la maison de la propriété. À partir de l'église Saint Mark's in the Bowery, 10th Street offre une vision d'une rue de l'époque : perrons caractéristiques, élégants frontons de porte, rangées d'arbres. Au coin de 10th Street et de 3rd Avenue, Peter Stuyvesant planta un poirier. De retour en Batavie, en 1664, il l'emporta avec lui... Sur Stuyvesant Street, au nº 21, maison de style fédéral construite par le petit-fils de Peter, en 1803, et offerte en cadeau de mariage à sa fille Elizabeth et à son mari Nicolas Fish, de la *Hamilton-Fish House* (Hamilton Fish, né ici en 1808, fut gouverneur de New York, puis secrétaire d'État de Grant). La Fayette y fut également fêté en 1824...

➢ ***Deutsches Dispensary*** *(New York Public Library ; plan itinéraire East Village,* ***C****)* **:** *137 2nd Ave (entre 8th et 9th St).* Bâti en 1883-1884 par l'architecte William Schnickel, cet édifice en *terra cotta* (terre cuite) était d'un côté un dispensaire allemand construit dans le style Renaissance italienne et de l'autre la première bibliothèque de prêt de Manhattan, de style victorien tardif.

➢ ***Grace Church*** *(plan itinéraire East Village,* ***D****)* **:** *angle E 10th St et Broadway.* Beau travail *Gothic Revival* de James Renwick Jr. (l'architecte de la cathédrale Saint-Patrick) qui produisit là, en 1846, alors qu'il avait à peine 23 ans, le chef-d'œuvre de sa vie. On remarquera surtout les 46 vitraux et le joli chœur.

➢ La station de métro ***Astor Place*** *(plan itinéraire East Village,* ***E****)* est l'une des seules à avoir conservé sa décoration d'origine (le castor, symbole de la fortune Astor, née du commerce de leur fourrure, se trouve toujours à l'intérieur).

On aurait donc pu l'appeler « Castor Place »... Parfois, aux beaux jours, petits concerts improvisés et gratuits sur la place.

➢ ***Cooper Union Building*** *(plan itinéraire East Village,* ***F****)* **:** l'un des immeubles importants dans l'évolution de l'architecture à New York. Édifié en 1859 par Peter Cooper, ingénieur, industriel à succès et de surcroît philanthrope. Il construisit la première locomotive à vapeur (la *Tom Thumb*), travailla avec Cyrus W. Field sur le câble transatlantique (qui sortit de ses fonderies) et développa le télégraphe avec Samuel F. B. Morse. Voici donc le premier building construit avec des poutres métalliques, en l'occurrence des rails de chemin de fer également fabriqués par Cooper. L'originalité provient aussi du fait que l'architecte dut s'adapter à la longueur des rails, d'un modèle bien sûr standard. De style Renaissance italienne, en grès rouge, dédié aux sciences et aux arts, il était destiné à devenir le premier collège privé gratuit (devenu aujourd'hui une école d'architecture – payante !). Cooper s'était souvenu qu'il n'avait pas pu faire d'études ! Ce fut Mark Twain qui fit le discours inaugural. Une plaque côté nord rappelle que Lincoln y fit, en 1860, un speech retentissant qui contribua à son élection à la présidentielle (le fameux « Le droit fait la force »). Juste en face, le ***41 Cooper Square*** *(plan itinéraire East Village,* ***G****)*, spectaculaire building à la silhouette audacieuse, abrite le centre académique de la *Cooper Union*. Une réalisation de l'architecte américain Thom Mayne (2010), champion des bâtiments basse consommation.

➢ ***Joseph Papp Public Theater*** *(plan itinéraire East Village,* ***H****)* **:** *425 Lafayette St.* C'est l'ancienne *Astor Library* construite en 1849, la première grande bibliothèque publique gratuite. Elle forma en 1895, avec deux autres bibliothèques, la prestigieuse *New York Library.* De 1921 à 1965, le bâtiment abrita la H.I.A.S. *(Hebrew Immigrant Aid and Sheltering Society).* Cette organisation contribua, à partir de 1884, à l'insertion de plus de 4 millions d'immigrants juifs aux États-Unis. Des dizaines de milliers d'entre eux trouvèrent même refuge dans le bâtiment. En 1965, vu son mauvais état, la ville songea sérieusement à le démolir. Ce fut Joseph Papp qui mobilisa l'opinion pour sauver cet édifice de style Renaissance italienne, et obtint de la municipalité de pouvoir le racheter pour y installer des salles de théâtre, ainsi que le *New York Shakespeare Festival,* dont il est le fondateur.

➢ ***Colonnade Row*** *(plan itinéraire East Village,* ***I****)* **:** *428-434 Lafayette St (entre Astor et E 4th St).* Édifiée en 1833, elle comprenait à l'origine neuf maisons. Cinq furent démolies au début du XXe s pour ouvrir l'entrée d'un garage ! Malgré le pauvre état de ce qui reste, on n'a pas de mal à imaginer la magnificence de cet alignement de colonnes corinthiennes. Adresse de prestige puisque John Jacob Astor, Cornelius Vanderbilt et Warren Delano (grand-père du président Franklin D. Roosevelt) y possédèrent une demeure, et que quelques locataires de renom l'habitèrent (William Thackeray, Charles Dickens, Washington Irving...). La bourgeoisie fortunée finit par quitter ce qu'on appelait alors *The Golden Coast* (la « côte d'Or »), devenue trop « populaire ».

➢ ***Old Merchant's House*** *(plan itinéraire East Village,* ***J****)* **:** *29 E 4th St (entre Lafayette St et Bowery).* ☎ *212-777-1089.* • *merchantshouse.org* • Ⓜ *(6) Astor Pl. Tlj sf mar-mer 12h-17h. Entrée : 10 $; réducs.*
L'une des très rares demeures du XIXe s restées quasiment intactes. Construite en 1832 pour Seabury Tredwell et sa famille, elle faisait partie d'un *row* (un ensemble) qui comprenait de nombreuses maisons du même style, plantées les unes à côté des autres. Par quel miracle a-t-elle survécu ? La dernière descendante mourut en 1933, à l'âge de 93 ans, et cette demeure devint rapidement un musée. Ce qui explique qu'elle arrive aujourd'hui brute de forme, comme un témoignage de l'art de vivre dans l'*upper middle class* au XIXe s. Aujourd'hui, la maison revit aussi grâce aux soirées culturelles qui s'y déroulent : concerts de musique de chambre, lectures, repas (quatre personnes minimum)...
La façade est de style *Federal,* tandis qu'à l'intérieur, c'est le *Greek Revival* qui domine. Voir la *dining room,* joliment meublée, avec son portrait de Joseph Brews-

ter, l'architecte de la maison. Au sous-sol, la *cuisine,* avec son imposant fourneau en fonte d'origine, son évier en stéatite *(soapstone)* et sa pompe au-dessus d'une citerne de 16 000 l. Au 1er étage, notez les cheminées de marbre (seul moyen de chauffage jusqu'en 1933) et le décor de colonnes ioniennes rappelé dans l'encadrement qui sépare les deux pièces. Joli mobilier d'origine : armoire à colonnes avec pieds en forme d'animaux, élégants sofas de 1830, lampes de 1840 qui brûlaient à l'huile de baleine, lampes de style *Rococo Revival* des années 1850-1860.

➢ ***Engine Company 33*** *(plan itinéraire East Village,* ***K****)* **:** *42 Great Jones St.* Les New-Yorkais savaient honorer architecturalement leurs pompiers ! Voici un bel exemple de *fire house* de 1898. À l'époque, c'était le Q.G. des pompiers de la ville. Immense baie vitrée centrale en demi-lune et très jolie corniche. Au no 39, façade en céramique blanche ornementée, en piteux état. Au no 31, à l'angle de Great Jones et Lafayette Street, les *Beinecke Stables,* assez éclectiques, alliance de brique peinte rouge et de corniches noires. Toute la rue offre un échantillonnage architectural intéressant jusque dans Lafayette Street...

➢ Au 330 Bowery (angle Bond), l'ancienne ***Bond Street Savings Bank*** *(plan itinéraire East Village,* ***L****)* de 1874 est un petit chef-d'œuvre de *Greek Revival.* Colonnettes doriques et corinthiennes et fronton triangulaire.

➢ ***Ukrainian Museum*** *(plan itinéraire East Village,* ***M****)* **:** *222 E 6th St (entre 2nd et 3rd Ave).* ☎ *212-228-0110.* • *ukrainianmuseum.org* • *Tlj sf lun-mar 11h30-17h. Entrée : 8 $; réducs.* Intéressant musée consacré à la culture ukrainienne. Les collections sont présentées à travers des expos thématiques qui tournent régulièrement. Beaucoup d'art populaire, de magnifiques vêtements brodés aux couleurs chatoyantes, des œufs de Pâques délicatement peints *(pysanky),* des céramiques, des bijoux mais aussi des tableaux et des sculptures. Joli artisanat vendu à la *gift shop.*

➢ Au 77-79 E 3rd Street (entre 1st et 2nd Avenue), le ***club des Hells Angels de NYC*** *(plan itinéraire East Village,* ***N****).* Attention, ne pas toucher à leurs belles Harley garées devant ! Le building leur appartient, et ils y vivent en communauté, chacun y possédant son propre appartement...

➢ À l'angle de 6th Street et Avenue B se trouve un ***community garden*** *(plan itinéraire East Village,* ***O****). Ouv au public le w-e et certains ap-m avr-oct.* C'est un exemple de ces nombreux jardins communautaires d'East Village aménagés sur des terrains vacants appartenant à la Ville de New York et concédés à des associations de résidents qui les entretiennent. Menacés par la spéculation immobilière, ils ont été rachetés par des organismes de protection de l'environnement (notamment *Green Thumb*) soutenus financièrement par la chanteuse Bette Midler. Les gens du quartier s'y retrouvent pour discuter ou lire des poésies. Dans le même genre, un petit ***jardin botanique*** *(plan itinéraire East Village,* ***P****)* agrémenté de bassins et de fleurs se trouve dans East 6th Street, entre Avenue B et C.

➢ Au 358-364 East 8th Street, entre Avenue C et D, le ***Firemen's Memorial Garden*** *(plan itinéraire East Village,* ***Q****).* Une petite roseraie avec, au milieu, un mât pour hisser le drapeau. En hommage aux pompiers de New York, morts en bravant les flammes ou en secourant des victimes. Un peu triste en hiver...

LOWER EAST SIDE

L.E.S. est résolument le quartier qui a le vent en poupe. ***Orchard Street*** en est la colonne vertébrale. On y trouve de belles petites boutiques de créateurs ainsi que des galeries d'art qui raviront les amateurs de shopping « tendance ». Toutes les infos sur • *lowereastsideny.com* •

Un peu d'histoire

Les premiers juifs, au nombre de 23, arrivèrent à New Amsterdam (New York) en 1654. D'origine séfarade, et principalement ibères, ils avaient été chassés du Brésil quand les Portugais prirent la ville de Recife aux Hollandais. Dépouillés par des pirates, abandonnés sur une île, recueillis par un bateau français en route pour Montréal, ils furent finalement débarqués à New Amsterdam, ville administrée à l'époque par le fameux Peter Stuyvesant. Au risque d'écorner un peu l'image du premier magistrat de la ville, précisons que celui-ci possédait une solide réputation d'antisémite. Il les fit donc mettre en prison en attendant de les expulser et demanda des instructions à la capitale, Amsterdam.
Membres de la Dutch West India Company, les 23 juifs furent soutenus par leur maison mère qui fit pression sur le gouvernement hollandais pour qu'ils puissent rester dans la colonie. Stuyvesant les relâcha, leur ordonnant donc de se prendre en charge eux-mêmes. Ce qu'ils firent rapidement, en créant la première congrégation de rite séfarade des États-Unis. En 1664, New Amsterdam passa aux mains des Anglais et devint New York. Lower East Side était alors un verger (d'où le nom d'Orchard Street) qui appartenait au domaine colonial du président de la cour de justice, De Lancey. Après son exil en Angleterre, ses terres furent confisquées à la révolution américaine (1776), puis vendues au début du XIXe s à un certain Astor, alors plus grand propriétaire foncier de New York. En 1730 fut bâtie la première synagogue (disparue mais localisée sur South William Street, dans le Financial District). La communauté juive se développa très lentement. Au moment de la révolution, elle ne comptait guère plus de 2 000 membres. C'est entre 1820 et 1850 que se produisit la première vague d'immigration vraiment significative (200 000 personnes), principalement d'Allemagne et de Bohême, fuyant déjà répression et pauvreté. Puis, voulant échapper aux sanglants pogroms tsaristes, la deuxième vague arriva entre 1881 et 1924, en provenance des pays d'Europe centrale et de Russie, jusqu'à ce qu'en 1925, le gouvernement américain stoppe l'immigration. En tout, 5 millions de juifs passèrent par New York et un tiers d'entre eux s'installa dans Lower East Side, où l'on comptait alors cinq fois plus d'habitants que dans le reste de la ville. Beaucoup de familles vivaient dans les *tenements,* à 8 ou 10 par pièce, transformés le jour en ateliers de confection. En 1910, on estime que quelque 600 000 personnes vivaient ici dans des conditions très misérables.
Au plus fort de l'immigration, on compta jusqu'à 300 synagogues et des dizaines de théâtres de langue yiddish. Cependant, pour beaucoup Lower East Side ne fut qu'un lieu de transition, le temps d'une génération. Mais alors que le métro permettait la création d'autres communautés dans Brooklyn, le Bronx, Queens, Upper East Side et Upper West Side de Manhattan, L.E.S. se vidait petit à petit de sa communauté ; nombre de synagogues fermèrent, les journaux en yiddish mirent la clé sous la porte et, victime du vieillissement de la population et de l'américanisation des nouvelles générations, le quartier perdit de sa singularité. Aujourd'hui, il n'y reste guère plus que 20 000 juifs.

*** Lower East Side Tenement Museum*** *(centre 3, D4,* ***717****)* ***:*** *108 Orchard St (angle Delancey). ☎ 212-431-0233. • tenement.org • Ⓜ (F, J, M) Delancey-Essex St. Boutique tlj 10h-18h. Visite guidée obligatoire, tlj 10h30-17h (fréquence selon affluence) ; durée : 1 à 2h. Résa conseillée (groupe de 12-15 pers max). Entrée : 22 $; réducs.*
Plutôt qu'un vrai musée, il s'agit d'une association qui propose de faire découvrir, à travers différentes visites guidées, un *tenement* d'époque et les conditions de vie des immigrants au début du XXe s. On ne visite pas tous les appartements de l'immeuble (qui se trouve juste en face), il faudrait pour cela faire toutes les visites guidées, ce qui paraît malheureusement un peu fastidieux (et onéreux). Intéressant si vous comprenez bien l'anglais (les tours en français sont rares), mais évidemment longuet si ça n'est pas le cas (et atmosphère suffocante en été !). Le musée prête un texte explicatif traduit en français.

Cette partie de Manhattan est une vaste ferme quand Jacob Astor – un milliardaire enrichi par le commerce de la fourrure, notamment celle du castor – en fait l'acquisition en 1814. Puis l'homme d'affaires se sépare de son bien au bénéfice de la *Dutch Reformed Congregation,* qui décide d'installer dans le quartier les premières vagues d'immigrants. Fleurissent alors, dès 1833, les *tenements,* des mini-immeubles aménagés pour entasser le plus de personnes possibles. En 1850, ces *tenements* connaissent leur véritable développement. Avec parfois plus de 20 appartements de deux pièces, par bâtiment, ils reçoivent dans un premier temps des familles principalement d'origines irlandaise ou allemande. D'ailleurs, ce quartier aura tôt fait d'être surnommé « Kleindeutschland » (la Petite Allemagne). Puis, entre 1881 et 1910, déferle une vague d'immigration d'environ 1,5 million de juifs originaires d'Europe centrale. La communauté s'implante dans ces *tenements,* afin d'y établir des ateliers de confection. Au départ, il n'y avait ni électricité ni eau courante, et les w-c étaient dans la cour... Aujourd'hui, en dépit du processus de « gentrification » qui s'amorce, ce sont les dernières vagues d'immigration (noire, portoricaine et asiatique) qui tentent de prendre l'ascenseur social du quartier.
Le *Tenement Museum* organise aussi des promenades guidées à travers le quartier, centrées bien sûr sur l'immigration, dont une sur les spécialités culinaires du Lower East Side (45 $ pour cette dernière, dégustation incluse). La librairie est bien fournie en ouvrages sur le quartier.

New Museum *(centre 3, C4, **735**) : 235 Bowery St (et Prince). ☎ 212-219-1222. ● newmuseum.org ● Ⓜ (6) Bowery. Tlj sf lun-mar 11h-18h (21h jeu). Entrée : 14 $; réducs et gratuit moins de 18 ans.*
Ce musée dédié à l'art contemporain a défrayé la chronique lors de son déménagement en 2007. Il y a de quoi. Le bâtiment dessiné par le groupe d'architectes japonais SANAA est une petite merveille : un empilement de blocs blancs décentrés, aux proportions inégales, recouverts d'un fin treillage métallique. L'effet visuel est saisissant. L'intérieur s'avère cependant assez décevant, tout comme l'agencement un peu étriqué des expos temporaires proposées. Pointues, celles-ci intéresseront surtout un public averti. Jolie vue sur le quartier depuis la terrasse du 7e et dernier niveau.
Petite ***cafét'*** design.

GRANDEUR ET DÉCADENCE DE BOWERY

Le nom de cette large artère, la plus vieille de Manhattan, vient du hollandais bouwerij (ferme). C'était à l'origine un sentier indien, transformé par le gouverneur Peter Stuyvesant en voie d'accès desservant sa propriété rurale et quelques autres. Au XIXe s, le Bowery est un quartier chic et se pare de théâtres, devenant le Broadway de l'époque. Mais la mise en service du métro aérien transforme le coin en un lieu de perdition fréquenté par les gangsters et les sans-abris. Aujourd'hui encore, malgré le développement artistique (lié au New Museum), le quartier peine à émerger de ce lourd passé.

Itinéraire dans Lower East Side *(centre 3, D4)*

Balade nostalgique dans ce creuset de l'immigration, principalement juive, que fut Lower East Side. Aujourd'hui, une petite quarantaine de nationalités cohabitent dans ce quartier.
Pendant longtemps, le patrimoine architectural se dégrada ou fut modifié. La communauté asiatique, dynamique, en pleine expansion et en quête de nouveaux espaces, occupa nombre d'anciens édifices juifs, publics ou religieux, vacants ou abandonnés. Ce changement sociologique inéluctable, les télescopages culturels

et architecturaux qu'il entraîne, ne sont pas, dans cette balade, les éléments les moins intéressants ! Des clins d'œil insolites, émouvants... Depuis quelque temps cependant, conscients de la disparition dramatique d'un riche patrimoine, des organismes culturels, des historiens, des amoureux de la culture juive tentent de sauvegarder et de mettre en valeur un certain nombre de sites. Trop de synagogues et autres lieux historiques ont disparu ou fini en condominiums, entrepôts, ateliers d'artistes (dans ce dernier cas, une fin plutôt honorable !). Attention, la balade commence tout au sud du Lower East Side historique, à la limite de Lower Manhattan et de Chinatown.

➢ ***L'un des plus anciens cimetières juifs d'Amérique*** *(plan itinéraire Lower East Side,* ***A****)* **:** *55 St James Pl (et Oliver).* Ce petit cimetière aujourd'hui noyé dans le paysage urbain ferma en 1831. Il daterait de 1682 et la tombe la plus ancienne, celle de Benjamin Bueno de la Mesquita, de 1683. Il renferme des tombes de juifs espagnols et portugais. Durant la guerre d'Indépendance, le cimetière fut fortifié et servit de bastion de défense à la ville. D'ailleurs, 18 patriotes y sont enterrés, ainsi que le rabbin Gersham Mendes Seixas (1745-1816, le premier né en Amérique), qui dut fermer la seule synagogue de New York à l'époque, et la transférer dans le Connecticut quand les Anglais occupèrent la ville. Il était également membre de la direction du *Columbia College* et représenta la communauté juive à la prise de fonctions de Washington. Son frère Benjamin, enterré là aussi, fut un des fondateurs du New York Stock Exchange.

➢ À côté, sur Oliver Street, ***Mariners Temple Baptist Church*** *(plan itinéraire Lower East Side,* ***B****)* date de 1843. C'est la plus ancienne église baptiste de New York. Elle est de style *Greek Revival.* La grosse cloche de navire, devant, rappelle qu'elle fut longtemps le lieu de culte des marins et navigateurs.

👁👁 ***Museum at Eldridge Street Synagogue*** *(plan itinéraire Lower East Side,* ***C*** *; et plan 1, D4-5,* ***740****)* **:** *14 Eldridge St (entre Canal et Division).* ☎ *212-219-0302.* • *eldridgestreet.org* • Ⓜ *(F) E Broadway. Visites guidées slt, dim-jeu, ttes les 30 mn 10h-17h (dernière visite à 16h) ; ven 10h-15h. S'adresser à la boutique (située sous la synagogue). Tarif : 10 $; réducs ; gratuit le lun.* Dans un quartier très chinois aujourd'hui, elle fut la première synagogue construite en 1887 par les immigrants d'Europe centrale ; elle est d'ailleurs classée. L'intéressante visite guidée (1h) resitue surtout l'histoire de la synagogue et de la communauté qui l'a construite. Superbe façade avec des réminiscences mauresques (baies en fer à cheval) et beaux vitraux (admirez la rosace réalisée par Kiki Smith). Quand, dans les années 1930, le quartier fut abandonné par les nombreuses familles fuyant les *tenements* insalubres, la synagogue fut fermée, faute de fidèles. Puis elle se dégrada et menaça de tomber en ruine. Un groupe de citoyens se mobilisa alors pour la restaurer. Après 20 ans de travaux ayant coûté 20 millions de dollars (il avait fallu 1 an et 91 000 $ pour sa construction en 1887 !), la synagogue rouvrit ses portes en 2007 pour célébrer ses 120 ans.

➢ ***La synagogue Sons of Israel Kalvarier*** *(plan itinéraire Lower East Side,* ***D****)* **:** *15 Pike St.* Édifiée en 1903 dans le style néoroman, ce fut l'une des plus importantes de Lower East Side. Dans les années 1970, ses fidèles ne se réduisaient plus qu'à quelques vieillards. Elle fut vendue en 1978 pour devenir un condominium et abriter un temple et le siège d'une association bouddhiques.

➢ ***East Broadway Street*** fut l'une des rues les plus animées de Lower East Side. Impossible de citer ici tous les témoignages de la culture juive qu'elle recèle. Voici cependant les plus significatifs :

– ***Jewish Daily Forward Building,*** aux n°s 173-175 East Broadway (entre Rutgers et Jefferson Street ; *plan itinéraire Lower East Side,* ***E****)*, est un immeuble imposant, ancien siège de *Forward,* le plus important journal quotidien en yiddish de New York. De contenu progressiste, il fut fondé en 1897 et ne cessa jamais de défendre les intérêts des pauvres en améliorant leurs conditions de travail et de vie, de sou-

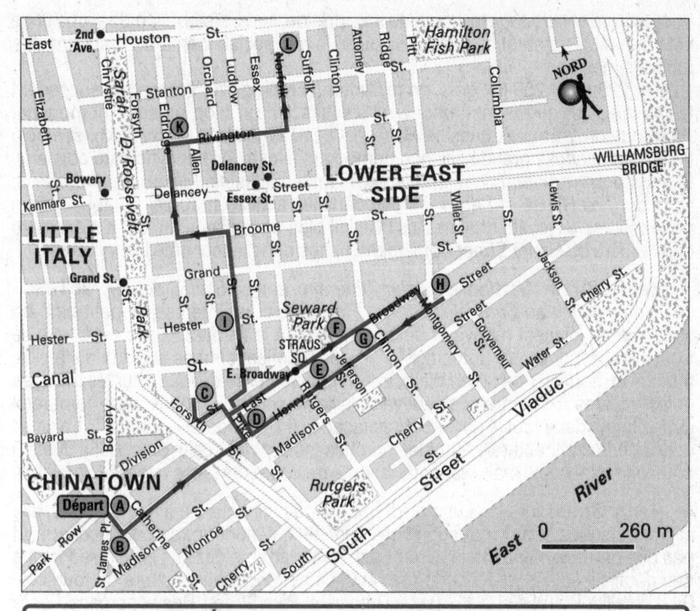

ITINÉRAIRE LOWER EAST SIDE

- **A** Cimetière juif
- **B** Mariners Temple Baptist Church
- **C** Museum at Eldridge Street Synagogue
- **D** Synagogue Sons of Israel Kalvarier
- **E** Jewish Daily Forward Building
- **F** Seward Park Branch of the New York Public Library
- **G** David Sarnoff Building (siège de l'Educational Alliance)
- **H** Henry Street Settlement
- **I** Hester Street
- **J** Forsyth Street
- **K** Rivington Street (First Warsaw Congregation)
- **L** La plus ancienne synagogue de New York

tenir l'action des syndicats et de dénoncer la corruption. Dans les années 1920, il vendait 200 000 exemplaires. Au début des années 1980, ayant perdu ses lecteurs habituels et les jeunes ne parlant plus le yiddish, il dut vendre son immeuble, devenir hebdo (en anglais et encore un peu en yiddish) et partir plus au nord. Mais le nom du journal, *Forward,* est toujours fièrement présent au fronton de l'édifice, sous la pendule, en grandes lettres hébraïques (pour toujours, façade classée !).

– Presque en face, au nº 192 (angle avec Jefferson Street), s'élève la ***Seward Park Branch of the New York Public Library*** *(plan itinéraire Lower East Side,* ***F****)*. Fondée en 1910, elle fut l'une des premières bibliothèques gratuites de New York. Dans les années 1910-1920, les immigrants avides de lecture attendaient patiemment leur tour dans des files d'attente gigantesques.

– Au nº 197 (entre Jefferson et Clinton Street) s'élève le ***David Sarnoff Building,*** siège de l'***Educational Alliance*** *(plan itinéraire Lower East Side,* ***G****)* qui joua un très grand rôle dans la vie sociale de Lower East Side. Construit en 1891, il aida pleinement à l'insertion des nouveaux immigrants dans le quartier (apprentissage

de la lecture et de l'anglais, cours du soir, prêt de livres, distribution de vivres et de vêtements...). L'institution y joue toujours un rôle social, même si c'est dans une moindre mesure.
– Du nº 229 au nº 255 (en gros, entre Clinton et Montgomery Street) se succèdent les *yeshivot* et autres institutions religieuses, en un bloc presque homogène. Autrefois, on y trouvait aussi le *Harry Truman Democratic Club* (1863), symbole de la traditionnelle grande alliance démocrate (Noirs, juifs et syndicats ouvriers). Si vous poussez jusqu'au nº 283 (après Samuel Dickstein Plaza), vous tomberez enfin sur *The House of Sages,* fondée dans les années 1930 par le rabbin Rubin pour assurer la retraite des rabbins ! Ce joli bloc de maisons du XIXᵉ s n'est autre que l'arrière du *Henry Street Settlement.* Faites donc le tour côté Henry Street...

➢ ***Henry Street Settlement*** *(plan itinéraire Lower East Side,* ***H****)* ***:*** *263-265-267 Henry St (angle Samuel Dickstein Plaza).* Voici un intéressant petit bloc de style fédéral joliment rénové et datant de 1832. À la fin du XIXᵉ s, c'est là que se trouvait le Henry Street Settlement, l'un des premiers centres sociaux de la ville, attaché au souvenir de Lillian Wald, une infirmière qui se dévoua pour les malades et les pauvres. Le centre social devait d'ailleurs servir de modèle à de nombreux autres créés dans tout le pays. Sobres façades (très « fédéral », tout ça !). La seule coquetterie architecturale étant les porches (notamment celui du nº 265). Juste à côté, une minuscule mais élégante *caserne de pompiers* (avec une jolie corniche).

➢ ***Henry Street*** fut aussi une rue symbole de l'immigration juive. En outre, elle aligne quelques beaux immeubles résidentiels qui montrent qu'on ne construisit pas que des *tenements* dans Lower East Side. Partez le nez en l'air, à la recherche des détails insolites, dans cette rue où vous ne rencontrerez guère de touristes. Bien détailler les nºˢ 111 à 117 (entre Rutgers et Pike Street). Beaux porches. Façades ouvragées élégantes. Au nº 123, cariatides, et au nº 127, frise, linteaux en terre cuite ciselés, jolie corniche. Au nº 166 (entre Jefferson et Rutgers Street), corniche remarquable. Au nº 177 (angle Jefferson), la façade de style néo-Renaissance ondule élégamment. Coin d'angle rond et ciselé.

➢ ***Hester Street*** *(plan itinéraire Lower East Side,* ***I****)* ***:*** dans les années 1880-1900, ce fut la rue commerçante la plus animée de Lower East Side. Imaginez la fureur du vendredi soir, juste avant le shabbat, lorsque les gens effectuaient leurs derniers achats, les centaines de marchandes et leurs carrioles occupant toute la rue, les embouteillages, les odeurs sauvages au plus fort de l'été (la réfrigération n'était pas encore très développée). Aujourd'hui, la rue s'est considérablement « asiatisée », mais il subsiste encore quelques témoignages de ce qu'elle fut jadis.

➢ ***Orchard Street :*** rue autrefois connue pour ses magasins de vêtements bon marché, elle appartient aujourd'hui à cette partie de Lower East Side qui, en dépit de son aspect encore *roots,* est entrée dans sa phase de branchitude, où les galeries d'art, les restos, les bars et les boutiques de mode ont pignon sur rue.

➢ Sur ***Forsyth Street*** *(plan itinéraire Lower East Side,* ***J****),* quelques vieux édifices intéressants. Au nº 80 (entre Grand et Hester Street), des étoiles de David sur le balcon en fer forgé indiquent un ancien lieu de culte, ainsi que le style gothique des fenêtres et la présence de deux oculi. Au nº 100 (entre Grand et Broome Street), un immeuble au style plus italien (belle corniche). De l'autre côté du square, à l'angle de Grand et Chrystie Street, immeuble de brique rouge avec encadrement de fenêtres en pierre blanche abondamment ornementées. Au coin de Forsyth et Delancey Street, ancienne synagogue de 1895 (aujourd'hui, temple adventiste du 7ᵉ jour).

➢ ***Rivington Street*** aligne pas mal de *landmarks* : au nº 58, l'ancienne ***First Warsaw Congregation*** *(plan itinéraire Lower East Side,* ***K****),* de 1903. Intéressante façade et style éclectique avec son gros oculus au milieu (aujourd'hui, lofts d'artistes). Au nº 95, on devine l'*ancienne école talmudique* (qui dépendait de la synagogue juste à côté, aujourd'hui rasée) ; le ciment qui recouvrait l'ancienne inscription et les Tables de la Loi s'est en effet en partie détaché !

➢ ***La plus ancienne synagogue de New York*** *(plan itinéraire Lower East Side,* ***L****)*, construite avant 1850, se trouve au 172 Norfolk. Avant cette date, les synagogues occupaient d'anciennes églises. Celle-ci fut donc édifiée en 1849 et demeura longtemps la plus grande de la ville. Façade rouge avec fenêtres trilobées et portail gothique, le tout inspiré de la cathédrale de Cologne. À l'intérieur, autel doré à la feuille d'or. Pour la petite histoire, c'est ici que se sont mariés Sarah Jessica Parker et Matthew Broderick en 1997, car le lieu sert maintenant de salle de réception.

CHELSEA

Chelsea n'est pas seulement cette carte postale de Manhattan montrant des ruelles ourlées de maisons en brique rouge caressées par le vert des grands arbres. D'un bloc à l'autre, les ambiances sont étonnamment différentes. Il y a d'abord le Chelsea bohème et artiste, de 20th à 25th Street (entre 9th et 11th Avenue), un quartier de restos et d'entrepôts baptisé *Galleries District,* traversé par la High Line, l'ancienne ligne de chemin de fer nouvellement transformée en jardin suspendu. Ensuite, avec ses nombreux commerces, restos, le secteur compris entre 23rd et 34th Street est, quant à lui, très animé et populaire. Enfin, définissant le quartier gay par excellence, les rues entre 16th et 20th Street (entre 6th et 8th Avenue) regorgent de bars et restos branchés... Mais Chelsea, c'est aussi un centre majeur de la danse contemporaine, avec pour fers de lance le *Dance Theater Workshop* et le *Joyce Theater.* Et puis, coup de chance, le quartier, qui accueille en outre quelques-uns des plus grands lieux de la nuit new-yorkaise, est encore peu connu des touristes.

UN PEU D'HISTOIRE

En 1750, le capitaine Thomas Clarke achète un terrain limité par 14th, 25th Street, 8th Avenue et l'Hudson River, et tente de reconstituer à New York le fameux quartier de Londres. Puis, en 1830, son petit-fils Clement Clarke Moore vend le terrain en parcelles, ce qui permet à une classe moyenne de venir s'y installer. Le quartier revêt alors un aspect bourgeois sans grand cachet. Vingt années plus tard, consécutivement à la construction de la voie ferrée de l'Hudson River le long de 11th Avenue, la classe ouvrière vient y habiter à son tour. L'ambiance change. Le quartier connaît alors une période d'activité théâtrale intense. Puis, suite au redéploiement des salles sur Broadway, parallèlement au développement du cinématographe, le secteur devient un lieu très prisé des réalisateurs. Malheureusement, avec la fermeture de la ligne de chemin de fer en 1930, Chelsea retombe dans une douce léthargie. Ce sont les antiquaires installés dans 9th Avenue et le marché aux fleurs de la 6th Avenue, qui redonneront au quartier un certain élan. Le *Galleries District* a aujourd'hui pris le relais.

Adresses utiles

✉ ***General Post Office*** *(plan 1, B1-2) : 31st-33rd St (entre 8th et 9th Ave). Tlj 24h/24 (pour les distributeurs automatiques). La boutique qui vend des timbres est à l'angle nord-ouest. Lun-ven 10h-17h, sam 13h30-17h30.*

@ ***Internet*** *(plan 1, B2,* ***338****) : chez* ***Tek Serve,*** *119 W 23rd St (et 6th Ave).* ☎ *212-463-9280.* • *tekserve.com* •

Ⓜ *(F, 1) 23rd St. Lun-ven 9h-20h ; sam 10h-18h ; dim 12h-18h.* Ce réparateur et revendeur *Apple* propose quelques postes connectés à Internet en consultation gratuite.

Où dormir ?

Très bon marché

🏠 ***Chelsea Highline Hotel** (plan 1, A2, **13**) : 184 11th Ave (et 23rd St). ☎ 212-366-4129. • jazzhostels.com • Ⓜ (C, E) 23rd St. Lit en dortoir 30-50 $, 80-125 $ en chambre privée.* 💻 📶 Située à proximité de la High Line, cette AJ vient d'être complètement rénovée, en témoigne le petit lobby rouge, noir et blanc. 3 types d'hébergement : dortoir à 2 ou 4 lits et chambre double, mais toujours avec salle de bains partagée. Aménagement simple mais fonctionnel, le tout très bien tenu. Cuisine commune en projet.

🏠 ***Chelsea International Hostel** (plan 1, B2, **29**) : 251 W 20th St (entre 7th et 8th Ave). ☎ 212-647-0010. • chelseahostel.com • Ⓜ (C, E) 23rd St. Réception 24h/24. Selon saison, nuit en double 40-50 $/pers, petit déj inclus.* 💻 📶 Un hôtel rénové d'une petite centaine de chambres avec 2 lits superposés, réparties dans un alignement de 9 buildings. Kitchenette, soirée pizza, tours organisés, bref une AJ bien dans la tradition. Bon accueil.

De bon marché à prix moyens

🏠 ***Chelsea Star Hotel** (plan 1, B2, **85**) : 300 W 30th St (et 8th Ave). ☎ 212-244-7827. • starhotelny.com • Ⓜ (1) 23rd St. Résa indispensable. Selon saison : 30-50 $ la nuit en dortoir de 4 lits (2 lits superposés), 80-130 $ pour une double sans sdb, 130-210 $ pour une double avec sdb ; apparts 4-6 pers 200-300 $.* 💻 📶 Cet hôtel est une perle rare. Le lieu a été formidablement rénové. Déco riante, il y a même de la musique de fond pour adoucir les mœurs. Les 5 chambres de 4 sont impeccables, avec parquet, murs de brique et salle de bains attenante. Quant aux chambres doubles, elles sont pour la plupart personnalisées : déco gratte-ciel *(NY Nights)*, trash *(Madonna)* ou encore vaisseau spatial *(Orbit)*. Petite terrasse commune avec tables et chaises. Café gratuit le matin. Les petits appartements, avec cuisine et salle de bains, sont confortables et une véritable aubaine pour les familles. Bon accueil.

🏠 ***The Leo House** (plan 1, B2, **30**) : 332 W 23rd St (entre 8th et 9th Ave). ☎ 212-929-1010. Fax : 212-366-6801. Ⓜ (C, E) 23rd St. Doubles 115-130 $ selon confort ; familiales 195 $ (4 pers max) ; petit déj env 10 $. Résa conseillée au moins 3 mois à l'avance ; dans ce cas, min 2 nuits en sem et 3 nuits le w-e ; en prenant le risque de réserver dans le mois, aucune durée minimale exigée.* Hôtel un chouia austère, d'une bonne soixantaine de chambres. Tenu par une institution catholique (il y a même une chapelle au 2e étage !), tout le monde est bienvenu. Longue tradition d'hospitalité puisque la maison commença à accueillir des immigrants allemands dès 1889... Bel immeuble ancien aux chambres vieillottes mais parfaitement tenues. Toutes disposent de toilettes et d'un lavabo ; les moins chères doivent partager la douche. Également une cafétéria, pour le petit déj (tous les jours sauf dimanche), et un jardin avec des oiseaux à la belle saison.

De prix moyens à chic

🏠 ***Chelsea Inn** (plan 1, B2-3, **28**) : 46 W 17th St (entre 5th et 6th Ave). ☎ 212-645-8989. • chelseainn.com • Ⓜ (F) 14th St. Doubles avec sdb partagée 90-160 $ selon saison ; avec sdb privée 160-200 $. Petit déj compris.* 📶 Dans une vieille maison classée, une trentaine de chambres dont 5 seulement avec salle de bains privative. Pour New York, toutes sont assez spacieuses, même la plus petite. Certaines communicantes sont idéales pour les familles. Demandez à être à l'arrière si vous voulez du calme. Ambiance un peu vieillotte, meubles en bois sombre, moquette parfois défraîchie et radiateurs en fonte, voilà pour le cadre. Cela dit, bien situé et accueil serviable.

- **Colonial House Inn** *(plan 1, B2, **76**) : 318 W 22nd St (entre 8th et 9th Ave). ☎ 212-243-9669 ou 1-800-689-3779. • colonialhouseinn.com • Ⓜ (C, E) 23rd St. Chambres 130-180 $ selon confort ; 2 suites 5 pers 280-300 $; petit déj compris.* Une très belle maison d'hôtes, dans une demeure de 1850 rénovée, aux intérieurs chaleureux et pleins de charme, où règne une atmosphère paisible. Une vingtaine de petites chambres, dont la moitié sans salle de bains, bien cosy, avec cheminée pour certaines. Cerise sur le gâteau, il y a une petite terrasse sur le toit, où l'on peut faire la crêpe, allongé sur des transats, et même y prendre une douche ! Ambiance *gay friendly,* où les hétéros sont bienvenus. Accueil charmant.

- **Chelsea Lodge** *(plan 1, B2, **77**) : 318 W 20th St (entre 8th et 9th Ave). ☎ 212-243-4499. • chelsealodge.com • Ⓜ (C, E) 23rd St. Pas d'enseigne. Doubles 135-190 $; suites 2-4 pers avec cuisine 265 $.* Dans une rue très élégante, une maison classée affichant une décoration distinguée composée de vieux portraits, de poissons et de canards parfaitement inoffensifs (très *new American,* tout ça !). Les 20 chambres ne sont pas très grandes mais dotées d'une bonne literie. Seul le tiers dispose de sanitaires privés ; les autres ont une douche mais les toilettes sur le palier. Les suites, plus spacieuses, se trouvent dans la maison voisine. Accueil nonchalant.

- **Chelsea Savoy Hotel** *(plan 1, B2, **34**) : 204 W 23rd St (angle 7th Ave). ☎ 212-929-9353. • chelseasavoynyc.com • Ⓜ (1) 23rd St. Doubles 125-295 $ selon période ; familiales 165-350 $.* Hôtel d'une petite centaine de chambres standard au look *seventies,* version « mamie vient-de-changer-ses-rideaux ». C'est confort mais sans charme. *Coffee* et *donuts* gratuits, servis le matin dans le lobby, en guise de petit déj. Assez bon rapport qualité-prix. Accueil méditerranéen correct.

Très chic

- **The GEM Hotel** *(plan 1, B2, **75**) : 300 W 22nd St (entre 8th et 9th Ave). ☎ 212-675-1911. • thegemhotel.com • Ⓜ (C, E, 1) 23rd St. Chambres 170-490 $.* Un petit bijou, cet hôtel : lobby violet, musique planante, jazz ou rock, c'est classe. Juste au-dessus 80 chambres, toutes avec un seul grand lit double mais variant selon la taille. Le design est sobre et épuré. Un cadre idéal pour les tourtereaux qui veulent nicher au cœur du Chelsea qui bouge mais sans (trop) se faire plumer. Bon accueil.

- **The Inn on 23rd** *(plan 1, B2, **95**) : 131 W 23rd St (entre 6th et 7th Ave). ☎ 212-463-0330 ou 1-877-387-2323. • innon23rd.com • Ⓜ (B, D, F, V, 1) 23rd St. Doubles 200-290 $; suite 430 $; petit déj inclus.* C'est un *Bed & Breakfast* de luxe. Très belles chambres, toutes avec un grand lit et un petit lit. La déco est différente dans chacune (on a un faible pour le style 1940). Si vous le pouvez, préférez les chambres dans les ailes, plus grandes (et donc plus chères) que les standard. Espace commun, coquet et chaleureux, avec bibliothèque et bar. Plein de petits plus : une réception accueillante, un bar et une école culinaire sur place pour le petit déj et des week-ends *wine & cheese* gratuits pour les clients ! Un lieu tout sauf anonyme, doublé d'un accueil charmant.

- **Hilton New York Fashion District** *(plan 1, B2, **32**) : 152 W 26th St (entre 6th et 7th Ave). ☎ 212-858-5888. • f26nyc.com • Ⓜ (C, E, 1) 23rd St. Doubles 160-450 $ selon période.* Rooftop *bar-resto 17h-2h jeu-sam en hiver ; tlj en été.* Au *desk,* des bobines façon Mondrian, pour un petit effet suprématiste. Ici, on se la joue haute couture, à l'instar du quartier. Dans les chambres (belles, sobres et bien équipées), de la moquette à l'oreiller, des housses de couette à l'essuie-tout, tout est décliné en motifs, textures et couleurs... Les 3 composantes de la mode. Beau confort pour *beautiful people* et ambiance carrément *hype.* Le must : la terrasse et son resto-bar, accessible aux non-résidents. Bel accueil.

- **Broadway Plaza Hotel** *(plan 1, B2, **35**) : 1155 Broadway (et 27th). ☎ 212-679-7665. • broadwayplazahotel.com • Ⓜ (N, R) 28th St. Doubles 100-400 $ selon période et confort, petit déj inclus.* Planté dans la cohue de

Broadway, cet hôtel au standard des années Dylan, aux couloirs labyrinthiques, offre des chambres confortables. Meubles en mélaminé imitation bois sombre, moquette, petite salle de bains, double vitrage appréciable. Quelques chambres possèdent 2 grands lits, mais de petites fenêtres. Salle de petit déj microscopique digne de l'ex-Union soviétique. Les prix varient beaucoup selon la saison et le taux de remplissage, soyez à l'affût... Accueil prévenant.

Très, très chic

🏠 ***The Americano** (plan 1, A2, **221**) : 518 W 27th St (entre 10th et 11th Ave). ☎ 212-216-0000. • hotel-americano.com • Ⓜ (C, E) 23rd St. Doubles 250-400 $.* Avec la prolongation de la High Line, Chelsea se devait d'avoir son hôtel design. C'est chose faite avec *l'Americano,* le pendant du *Standard* (situé à l'autre bout, en plein Meatpacking District). On retrouve donc les mêmes ingrédients : un building à l'architecture pointue, un aménagement intérieur *amazing* et des chambres entièrement vitrées livrant des vues urbaines incroyables. Très original, le lit posé sur une plate-forme en bois intégrée dans la chambre, inspiré des *ryokan* (auberges japonaises). Autres petits plus qui plairont à notre clientèle jeune et branchée : l'iPad dans chaque chambre et le peignoir en jean. Mais la cerise sur le gâteau, pour être totalement dans le coup, c'est le *rooftop bar* haut perché avec sa petite piscine. On allait oublier la touche écolo-chic : les vélos gratuits pour se balader sur la piste cyclable le long de l'Hudson River.

CHELSEA

Où manger ?

Sur 7th et 8th Avenues, entre 15th et 23rd Street, les restos pullulent, des sandwicheries et cantines de quartier aux tables pseudo chic, en passant par les latinos. Franchement, rien de formidable, et les enseignes changent souvent. Voici quand même quelques bonnes adresses.

Spécial petit déjeuner et brunch

🍴☕ ***Chelsea Market** (plan 1, A-B3, **709**) : 9th Ave (entre 15th et 16th). ☎ 212-243-5678. Ⓜ (A, C, E) 14th St. Tlj 8h-20h.* Le Chelsea Market (lire plus loin « À voir »), avec ses épiceries fines et ses bonnes boulangeries-pâtisseries, offre une intéressante sélection d'endroits où se poser le temps d'un petit déj (*Amy's Bread,* le salon de thé *Sarabeth's,* la laiterie *Ronny Brook Milk Bar,* etc.), surtout quand le froid hante les rues ou que le ciel est d'humeur pluvieuse.

☕ ***The City Bakery** (plan 1, C2, **234**) : 3 W 18th St (entre 5th et 6th Ave). ☎ 212-366-1414. Ⓜ (L, N, Q, R, 4, 5, 6) 14th St-Union Sq. Tlj 7h30-19h (18h sam et 9h-17h dim). Petit déj env 8 $.* Dans un immeuble *cast-iron,* ce vaste espace façon loft à l'ambiance de cantine assez quelconque ne désemplit pas depuis plus de 15 ans. Dès que NYC s'éveille et jusqu'au goûter, les aficionados y font la queue pour le fameux *hot chocolate,* épais et crémeux, décliné en plusieurs versions. Aussi un *salad bar* très varié, avec des options végétariennes et soi-disant les meilleurs *mac and cheese* de NYC ! Pas donné, mais la qualité est là.

☕ Et aussi : ***Eataly, Murray's Bagels, Eisenberg's Sandwich Shop, The Highliner, Le Grainne Café*** (voir plus loin).

Bon marché et sur le pouce

🍴☕ ***Eataly** (plan 1, B-C2, **187**) : 200 5th Ave (entre 23rd et 24th St). ☎ 646-398-5100. Ⓜ (C, E, 1) 23rd St. Tlj 8h-23h. De 6-8 $ le sandwich ou la part de pizza à 90 $ le menu dégustation.* Il y a en a pour tous les (bons) goûts et toutes les bourses dans ce temple-vitrine de l'art culinaire italien, réplique de la fameuse enseigne turinoise. Ni plus ni moins la plus grande épicerie du monde dédiée à la gastronomie italienne. Pas moins de 7 petits restos proposent *pasta, pizze, pesce, formaggi* et *salumi,* sans oublier les *gelati*, bien sûr ! Pour déjeuner plus tranquille, montez tout en haut à la *birreria* (voir plus loin). Et avant de repartir – non sans avoir dégusté un excellent vrai *espresso*, méditez sur cette citation de Sophia Loren inscrite au mur : « Tout ce que vous voyez, je le dois aux spaghettis ! »

|●| ***Lobster Place*** *(plan 1, A-B3,* ***709****) : 75 9th Ave (dans Chelsea Market). ☎ 212-255-5672. Ⓜ (A, C, E) 14th St. Tlj 8h-20h. Soupe de poisson 4-6 $; sushi env 6 $.* Une poissonnerie sans odeur où s'active un personnel tout à sa tâche. Soupes de poisson ou de crustacés, sushis préparés devant vous et à déguster sur place le long du bar en bois blanc. C'est ultra-frais, pas cher et goûteux. Il y a même du caviar !

|●| ***Bottino Take Out*** *(plan 1, A2,* ***113****) : 248 10th Ave (entre 24th et 25th). ☎ 212-206-6766. Ⓜ (C, E) 23rd St. Sandwich, salade env 7-8 $.* Grand choix de salades, soupes et sandwichs bons, variés, assez originaux et plutôt généreux, le tout à emporter uniquement. On vous offre même la tartine de pain de campagne pour accompagner la salade.

|●| ☕ ***Murray's Bagels*** *(plan 1, B2,* ***251****) : 242 8th Ave (entre 22nd et 23rd). ☎ 1-646-638-1335. Ⓜ (C, E) 23rd St. Ouv 7h-20h (18h lun, 21h jeu-ven, 19h dim). Env 6-10 $ (formules petit déj et lunch très bon marché).* Les meilleurs bagels du quartier ne manquent pas de fans, alors préparez-vous à patienter avant de goûter à l'un de ces petits pains fourrés avec toutes sortes de garnitures du jour, en version sucrée ou salée. Cadre agréable et quelques petites tables pour se poser. Bonne atmosphère et accueil gentil.

|●| ☕ ***Eisenberg's Sandwich Shop*** *(plan 1, B-C2,* ***232****) : 174 5th Ave (entre 22nd et 23rd). ☎ 212-675-5096. Ⓜ (N, R) 23rd St. Du matin tôt à 20h (16h le w-e). Plats 8-10 $.* Une salle tout en longueur (préférer la petite du fond) parcourue par un comptoir où s'alignent des tabourets recouverts de moleskine rouge. Dans cette vieille maison de confiance, on sert des soupes, salades, sandwichs et omelettes... depuis 1929. Le décor n'a pas beaucoup changé, ni les prix d'ailleurs : le café est à 1 $!

|●| ***Whole Foods Market*** *(plan 1, B2,* ***190****) : 250 7th Ave (entre 24th et 25th). ☎ 212-924-5969. Ⓜ (1) 23rd St. Tlj 8h-22h. Env 10 $.* Un des magasins de la grande chaîne de supermarchés bio, aux délicieux buffets de salades ou autres plats chauds. Contrairement à d'autres, celui-ci ne dispose malheureusement pas d'espace cafétéria où se poser pour dévorer ses emplettes.

|●| ***Garden of Eden*** *(plan 1, B2,* ***199****) : 162 W 23rd St. ☎ 212-675-6300. Ⓜ (F, 1) 23rd St. Tlj 7h-22h. Repas 8-12 $.* Épicerie fine aux rayons débordant de choses appétissantes, avec section traiteur, boulangerie, *espresso bar, salad bar* ultra-frais, *antipasti,* plats chauds, soupes... Que des bons produits ! Délicieux, mais tout est à emporter. Succursale à Union Square *(plan 1, C3).*

|●| ***Rickshaw*** *(plan 1, B2,* ***189****) : 61 W 23rd St (et 6th Ave). ☎ 212-924-9220. Ⓜ (F) 23rd St. Tlj 11h30-20h30. Env 6-10 $.* C'est un *dumpling bar,* soit un bar à *dim sum,* ces bouchées vapeur qui font la réputation de Canton. Mais ici, c'est la version ultramoderne, totalement épurée, c'est-à-dire un fast-food design d'honnête qualité avec quelques tables et basta. Également des soupes de nouilles, salades et, en dessert, le *chocolate dumpling* (boule de sésame au chocolat chaud).

De bon marché à prix moyens

|●| ☕ ***The Highliner*** *(plan 1, A2,* ***552****) : 210 10th Ave (et 22nd St). ☎ 212-206-6206. Ⓜ (C, E) 23rd St. Tlj du matin au soir. Le midi, plats 10-12 $, le soir 10-20 $.* Rendu célèbre par Andy Warhol, qui y achetait ses sandwichs, ce *diner* tout en aluminium est un chef d'œuvre du style Art déco. Récemment repris par une nouvelle direction, il a rouvert ses portes pour le plus grand bonheur de ses habitués. Carte appétissante, un cran au-dessus des *diners* typiques, *New American* comme on dit maintenant. Et le petit déj est servi toute la journée ! Bref, une très bonne option à deux pas de la *High Line*.

Spice *(plan 1, B2,* ***193****) : 199 8th Ave (entre 20th et 21st St). ☎ 212-989-1116. Ⓜ (C, E) 23rd St.* Lunch set *(plat et petite entrée) env 10 $, plats 10-16 $.* Une petite adresse gentiment branchée mais sans excès. Murs de brique blanchie et lumière distillée par des boules japonaises et des bougies. Dans l'assiette, bonne et copieuse cuisine d'inspiration thaïlandaise, au goût un peu américanisé. Clientèle jeune et décontractée. Très bon rapport qualité-prix, surtout le midi. Attention, c'est vite plein ! *Autres adresses à Manhattan, notamment une autre à un bloc, au 236 8th Ave (et 22nd St).*

Le Grainne Café *(plan 1, A-B2,* ***175****) : 183 9th Ave (angle 21st). ☎ 1-646-486-3000. Ⓜ (C, E) 23rd St. Tlj 8h-minuit. Plats 16-18 $.* Joli petit bistrot à la déco à la fois d'inspiration française et américaine, très chaleureuse. Pour des œufs-mayo, des crêpes, une soupe à l'oignon, une moule-frites ou un croque-monsieur... Sans oublier les desserts maison et petits déj. Cuisine simple mais soignée, goûteuse et bien présentée. On y côtoie quelques jeunes gens légèrement branchés.

Grimaldi's *(plan 1, B2,* ***526****) : Limelight Marketplace, 656 6th Ave (et 22nd St). ☎ 212-359-5523. Ⓜ (F) 23rd St. Pizzas dès 12 $. CB refusées.* La célèbre pizzeria de Brooklyn, qui attire depuis plus d'un siècle le tout New York, a fini par ouvrir une annexe à Manhattan. Une petite salle toute modeste, sans aucun décor, flanquée dans un recoin d'église désaffectée reconvertie en mini centre commercial... On y retrouve néanmoins les mêmes pizzas que dans la maison mère, ce qui réjouira leurs fans.

Pepe Giallo *(plan 1, A2,* ***257****) : 253 10th Ave (entre 24th et 25th). ☎ 212-242-6055. Ⓜ (C, E) 23rd St. Tlj sf dim midi.* Lunch special *env 9 $; plats 10-17 $.* Sur place ou à emporter en balade dans les galeries du coin. Notez que si les environs immédiats (une station-service !) et la petite salle au parfum de fleurs coupées n'ont aucun charme, la courette à l'arrière, elle, est carrément mimi ! Plats (paninis et *pasta*) copieux et savoureux, et prix justes, comparés aux autres restos italiens de NYC. Bon accueil.

CHELSEA

De prix moyens à plus chic

Birreria *(plan 1, B-C2,* ***187****) : 200 5th Ave (entre 23rd et 24th St). ☎ 212-937-8910. Ⓜ (C, E, 1) 23rd St. Repas env 25-35 $.* C'est la brasserie de l'énorme concept-store dédiée à la gastronomie italienne, *Eataly*. En gros, la version ritalo-new yorkaise néo-industrielle du *biergarten*. Perché au 15e étage, le *rooftop* de la *birreria* offre toute l'année (verrière en hiver) une vue inédite sur le sommet du Flatiron, dont on voit des détails sculptés difficiles à détailler autrement. Au menu : assiettes de charcuteries et fromages à picorer avec une bière maison (goûtez celle au thym) ou un verre de vin de la Botte, saucisses maison et autres plats mettant en valeur les bons produits de la maison.

Pâtisseries

Billy's Bakery *(plan 1, B2,* ***330****) : 184 9th Ave (entre 21st et 22nd). ☎ 212-647-9956. Ⓜ (C, E) 23rd St. Tlj 9h (10h dim)-23h.* Une des meilleures pâtisseries de la ville pour ses *cupcakes,* ces petits gâteaux ronds au nappage coloré typiquement new-yorkais. Cadre charmant baigné d'un fond sonore rockabilly, façon cuisine des années 1950 (formica et tons pastel assortis aux gâteaux !). 2 tables seulement. Petit manque de sourire, dommage.

Doughnut Plant *(plan 1, B2,* ***715****) : 220 W 23rd St (entre 7th et 8th Ave). ☎ 212-675-9100. Ⓜ (1, C, E) 23rd St. Tlj 7h-21h au moins.* Au rez-de-chaussée du mythique *Chelsea Hotel,* voici le temple du *doughnut* revisité avec légèreté et créativité par un pâtissier spécialisé là-dedans depuis plus de 15 ans (voir sa 1re boutique à Lower East Side). Rien à voir avec ceux d'Homer Simpson ni des chaînes genre *Dunkin Donuts*... On adore aussi le décor, tout entier à la gloire du beignet troué, mais en version arty, et les ferronneries datant de la construction de l'immeuble (1884). Quelques places assises, mais prises d'assaut.

Cupcake Café (plan 1, B2, **320**) : *18 W 18th St (entre 5th et 6th Ave). ☎ 212-465-1530. Ⓜ (F) 14th St. Ouv 8h-20h.* Dans une librairie spécialisée en littérature pour enfants, une minipâtisserie de *cupcakes* fleuris. Chaise coccinelle, table en contreplaqué, tons jaunes et faïence blanche... Le temps semble s'être arrêté ici, profitez-en !

Où boire un café ? Où boire un verre ?

Une multitude de bars de toutes tendances et pour tous les goûts sur 8th Avenue, entre 18th et 24th Street.

Café Grumpy (plan 1, B2, **460**) : *224 W 20th St (entre 7th et 8th Ave). ☎ 212-255-5511. Ⓜ (1) 18th St. Lun-ven 7h-21h ; w-e 8h-20h (21h sam).* L'un de ces endroits dont New York raffole : un petit café de quartier qui sent bon le grain fraîchement moulu. Ici, on vous invite à ne pas pianoter sur votre *laptop* ! Ambiance rêveuse, jeune et décontractée.

Tillman's (plan 1, B2, **392**) : *165 W 26th St (et 7th Ave). ☎ 212-627-8320. Ⓜ (1) 23rd St ou 28th St. Tlj 17h-2h (4h ven-sam).* Un couloir au papier peint rétro conduit à ce *lounge seventies* hyper cosy où de belles créatures des 2 sexes sirotent des cocktails, au bar ou dans une salle douillette ourlée d'alcôves. DJ du mardi au samedi à partir de 20h et jusqu'à la fermeture. Une atmosphère décontractée chic qui plaît beaucoup.

Lieux culturels

■ **Joyce Theater** (plan 1, B2) : *175 8th Ave (entre 18th et 19th St). ☎ 212-242-0800. • joyce.org • Ⓜ (1) 18th St ou (A, C, E) 14th St.* Un centre majeur de la danse contemporaine, installé dans un ancien cinéma.

■ **Dance Theater Workshop** (plan 1, B2) : *219 W 19th St (entre 8th et 7th Ave). ☎ 212-691-6500. • dancetheaterworkshop.org •* Fondé en 1965 par Jeff Duncan, Art Bauman et Jack Moore, voici un autre lieu de création incontournable en matière de danse. Whoopi Goldberg, entre autres, y a fait quelques entrechats.

Boîtes

Les boîtes de Chelsea sont chères et sélectes. L'entrée autour de 20-30 $ et le verre à 15 $, ça fait mal... Évidemment, le revers de la médaille est plus brillant : *beautiful people*, stars et artistes s'y donnent rendez-vous !

♫ **Marquee** (plan 1, A2, **456**) : *289 10th Ave (et 27th). ☎ 646-473-0202. • marqueeny.com • Ⓜ (C, E) 23rd St. Tlj sf dim-lun.* Une des boîtes tendance de New York, avec de grandes baies vitrées et de confortables banquettes sous une jolie hauteur de plafond. Idéal pour se faire du baratin et s'embrasser dans les coins !

♫ **Splash** (plan 1, B2-3, **396**) : *50 W 17th St (entre 5th et 6th Ave). ☎ 212-691-0073. • splashbar.com • Ⓜ (F) 14th St. Tlj 16h-4h.* Mégaboîte gay, avec force lumières et vidéos *fullscreen big size* ! Tels des îlots isolés dans la tempête de décibels, les mégabars centraux exhibent des apollons bodybuildés en string, agitant leur shaker suavement comme de beaux diables. Très *sex* et très new-yorkais tout ça, mais pour garçons uniquement...

Où jouer au billard... et au ping-pong ?

■ **Slate** (plan 1, B2, **399**) : *54 W 21st St (entre 5th et 6th Ave). ☎ 212-989-0096. • slate-ny.com • Ⓜ (N, R) 23rd St. Tlj jusqu'à 3h (4h le w-e). Billard ou ping-pong : forfait 15-17 $/h pour 2 pers, plus 3-4 $/joueur supplémentaire.* Un grand bar, plutôt classe, avec de belles couleurs et une douzaine de billards US pour faire rouler la chance... Et si vous n'êtes pas un as du petit coup de queue sec, essayez le ping-pong ! Un agréable mélange des genres.

Shopping

Mode

Dave's New York *(plan 1, B3,* **564***) : 581 6th Ave (entre 16th et 17th St). ☎ 1-800-543-8558. Ⓜ (F) 14th St ou (L) 6th Ave.* On a testé : voici un des plus grands choix de jeans *Levi's* de tout NYC ! Des basiques *(501, boot cut),* mais pas les dernières coupes à la mode. Également d'autres grandes marques à des prix très intéressants par rapport aux prix européens, notamment sur les blousons *Carhartt* (qui font fureur chez nos skaters...). Certains vendeurs parlent le français.

Family Jewels *(plan 1, B2,* **562***) : 130 W 23rd St (entre 6th et 7th Ave). ☎ 212-633-6020. Ⓜ (F, 1) 23rd St.* Une très jolie boutique de mode qui fait dans le vintage, depuis la période victorienne jusqu'aux années 1970 ! Pas donné, mais les yeux s'y perdent volontiers. Bonne musique de fond, ce qui ne gâche rien.

Fashion Design Bookstore *(plan 1, B2,* **570***) : 250 W 27th St (et 7th Ave). ☎ 212-633-9646. Ⓜ (1) 28th St. Tlj sf dim.* Boutique spécialisée dans la mode, le design et la couture, située sur le campus du *Fashion Institute of Technology* (lire plus bas « À voir »). Livres théoriques et pratiques, outils et autres instruments...

Disques

Jazz Record Center *(plan 1, B2,* **565***) : 236 W 26th (entre 7th et 8th Ave). ☎ 212-675-4480. Ⓜ (1) 28th St. Tlj sf dim 10h-18h. Prendre l'ascenseur jusqu'au 8e étage, room 804.* Sans doute l'un des meilleurs disquaires de jazz à New York. Tous ceux qui ont fait pleurer leurs instruments ont leur place dans ce magasin-appart qui sent encore la bakélite qui chauffe. Disques rares, vieux vinyles, CD et DVD. Pas de taxe à payer ici. Fred Cohen, qui tient la boutique, s'avère une mine d'infos. Également des revues spécialisées (gratuites) pour les dates de concerts, cartes postales, posters, calendriers. Jeter un œil à l'arbre généalogique du jazz (passionnant)...

Academy Records & CDs *(plan 1, B-C2,* **567***) : 12 W 18th St (entre 5th et 6th Ave). ☎ 212-242-3000. Ⓜ (F) 14th St ou (L) 6th Ave.* Vinyles et CD d'occase dans tous les styles de musique, mais surtout pour le classique où le choix est large. DVD également.

Boutiques spécialisées

B & H *(plan 1, B1,* **513***) : angle 34th St et 9th Ave. ☎ 212-444-6600. Ⓜ (A, C, E) 34th St-Penn Station. Fermé ven ap-m et sam.* Réputé mondialement, voici le plus grand magasin d'appareils photo, vidéo, audio, informatique de NYC, tenu par des juifs hassidiques. Un choix dingue, un monde fou et des prix vraiment intéressants. Comparez avec l'autre grand concurrent, *J & R* (voir « Shopping » à Lower Manhattan), et n'oubliez pas les taxes... On en ressort tout empapilloté !

Vintage Posters *(plan 1, B2,* **337***) : 145 8th Ave (entre 17th et 18th St). ☎ 212-741-1703. Ⓜ (A, C, E) 14th St.* Installé depuis plus de 30 ans à Chelsea, Robert Chisholm, qui parle le français, a rassemblé plus de 40 000 affiches de cinéma originales (dont plus des trois quarts du cinéma français), affiches de propagande (notamment soviétique) et autres réclames d'antan. Sa préférée, une œuvre vantant les mérites de l'absinthe *Robette* datant de 1896, s'est vendue 14 000 $! Mais vous vous contenterez peut-être des répliques miniatures à 1 $ pièce !

Bed, Bath & Beyond *(plan 1, B2,* **529***) : 620 6th Ave (entre 18th et 19th St). ☎ 212-255-3550. Ⓜ (F) 14th St.* Tout pour équiper sa maison. Le rayon cuisine est impressionnant, avec toute une batterie d'ustensiles typiquement américains à rapporter chez soi.

Abracadabra *(plan 1, B-C2,* **554***) : 19 W 21st St (entre 5th et 6th). ☎ 212-627-5194. Ⓜ (F) 23rd St.* Postiches, masques et tatouages, du plus trash au plus kitsch et une foultitude d'artifices pour effets spéciaux, des panoplies en veux-tu en voilà, toutes plus ou moins de bon goût et tout plein d'articles pour prestidigitateur en herbe ou patenté. Demandez à l'illusionniste de service qu'il vous montre un de ses trucs et prévenez quand même les petits que tout ça, c'est du cinéma !

À voir

Rubin Museum of Art *(plan 1, B3, **551**) : 150 W 17th St (entre 6th et 7th). ☎ 212-620-5000. • rmanyc.org • Ⓜ (A, C, E) 14th St. Tlj sf mar 11h-17h (19h mer, 22h ven, 18h w-e). Entrée : 10 $; réducs ; gratuit ts les ven 18h-22h. Audioguide 3 $.* Avec plus de 2 000 peintures, sculptures et textiles anciens dans son fonds permanent, ce musée, qui dépend de la prestigieuse *Smithsonian* de Washington, est l'un des plus grands musées du monde occidental entièrement consacrés à la culture himalayenne ; disons plutôt de la sphère d'influence du bouddhisme tibétain. Dotée d'une muséographie qui met admirablement bien en valeur les œuvres, c'est un ravissement pour les yeux. De nombreux artistes contemporains y sont régulièrement exposés, souvent en relation directe avec les œuvres maîtresses qui les ont inspirés. Ici, tout a été pensé pour permettre au visiteur le recul nécessaire à l'épanouissement de la relation artiste-œuvre-spectateur. Agréable petite cafétéria.

Museum at the Fashion Institute of Technology *(plan 1, B2, **734**) : angle 7th Ave et W 27th St. Ⓜ (1) 28th St. Mar-ven 12h-20h ; sam 10h-17h. Fermé dim-lun. Entrée gratuite.* Le musée de la Mode possède 50 000 vêtements et accessoires datant du XVIIIe s à nos jours, dont 4 000 paires de chaussures et de très nombreux tissus, les plus anciens datant du Ve s. Cette importante collection est présentée par roulement à travers de belles expos temporaires et thématiques, dont une partie est toujours consacrée aux travaux des étudiants de l'institut. Les créateurs contemporains sont souvent bien représentés, parmi lesquels : Paul Poiret, Chanel, Balenciaga, YSL, Dior, Courrèges, Vivienne Westwood, Manolo Blahnik, Roger Vivier...

Boutique spécialisée (voir « Shopping » ci-dessus).

The High Line *(plan 1, A2-3) : plusieurs entrées possibles le long du parcours, de l'angle de Gansevoort et Washington St dans le Meatpacking District au croisement de 30th St et 12th Ave.* Voir le descriptif plus haut, dans le chapitre « Greenwich et West Village ».

Chelsea Market *(plan 1, A-B3, **709**) : 9th Ave (entre 15th et 16th), en face de l'ancien Port Authority Terminal 1, aujourd'hui General Post Office. ☎ 212-243-5678. Ⓜ (A, C, E) 14th St. Tlj 8h-20h.* Dans un spacieux bâtiment en brique qui abrita naguère la fabrique de gâteaux *Nabisco*, puis une imprimerie, bordée par la ***High Line***. Très belle rénovation, qui met en valeur le passé industriel du lieu, sans oublier les très branchés ascenseurs et de belles expos photo temporaires. Plusieurs commerces alimentaires frais s'y sont installés, avec le concept commun de montrer l'envers du décor : le boucher hachant les os, le boulanger dans le pétrin, etc. Pour faire ses courses (les prix sont plutôt corrects), manger un morceau ou simplement visiter les lieux en flânant.

L'ART DE L'OREO

Oreo, le biscuit le plus vendu au monde, fut créé en 1912 dans le four de l'usine Nabisco, devenu aujourd'hui le Chelsea Market. Commercialisé pour concurrencer les biscuits anglais, l'Oreo est dégusté par une majorité d'Américains selon le cérémonial de la pub. On tourne d'abord les deux biscuits pour les décoller de la partie crémeuse au centre, puis on lèche la crème à la vanille avant de tremper les biscuits dans un verre de lait. Presque une religion !

Et si vous n'avez jamais vu de poste : ***General Post Office,*** *31st-33rd St, entre 8th et 9th Ave (plan 1, B1-2). Tlj 24h/24. Entrée sur 8th Ave.* C'est un peu la poste du Louvre locale, pour ceux qui connaissent celle de Paris, avec colonnes et escalier monumental. D'ailleurs, la France y est à l'honneur, puisqu'il est inscrit sur les frontons du bâtiment que Louis XI créa la première poste royale et que Richelieu mit en place le premier service postal public. Et à l'intérieur, le plafond dévoile un « R.F. » plutôt familier. Cocorico !

Itinéraires dans Chelsea

Voici un itinéraire dans Chelsea que nous avons découpé en plusieurs étapes pour ceux qui n'auraient pas assez de temps. La balade commence le long de 6th Avenue *(Ladie's Mile),* puis longe 23rd Street, avec notamment des édifices *cast-iron* et Art déco. Puis cap sur les vieilles *brownstones* de Chelsea... et les galeries d'art qui ont délogé les entrepôts, entre 10th et 11th Ave. *Ready, steady, go !*

Ladie's Mile

➢ La balade commence à l'angle de 6th Avenue et 18th Street *(W (F) 14th St).* Le « bout » de 6th Avenue compris entre 18th et 23rd Street faisait autrefois partie du « Ladie's Mile ». À la fin du XIXe s et au début du XXe s, ses trottoirs étaient arpentés par les New-Yorkaises élégantes qui venaient y faire leurs achats. Tous les grands magasins créés à cette époque ont depuis longtemps été remplacés par de nouvelles enseignes ; les bâtiments originels sont restés, presque intacts.

➢ À l'angle nord-ouest de 625 6th Avenue (et 18th Street) se dresse un bel exemple de *cast-iron building (plan itinéraire Chelsea,* ***A****),* construit en 1876 sur des plans de D. et J. Jardine. Jusqu'en 1906, ses volumes d'une grande harmonie furent occupés par la ***B. Altman and Company,*** une des « boutiques » les plus courues à l'époque. C'est toujours un grand magasin.

➢ Juste en face, au n° 620 *(plan itinéraire Chelsea,* ***B****),* édifice plus monumental imaginé par les architectes De Lemos et Cordes en 1896. Ce magnifique immeuble fut l'antre d'un concurrent féroce de *B. Altman and Company* : la ***Siegel-Cooper and Company,*** un *big store,* une véritable ville dans la ville. Le magasin était réputé pour son architecture intérieure extravagante. Au centre de l'étage principal, on découvrait la fontaine : une terrasse circulaire en marbre entourait une statue en marbre blanc et cuivre représentant la République, autour de laquelle jaillissaient des jets d'eau. Depuis, l'intérieur a été remodelé. Aujourd'hui, il abrite, entre autres, le magasin *Bed, Bath & Beyond* (voir « Shopping »). Le bâtiment vaut également pour sa façade très travaillée. Remarquez les immenses colonnes de bronze soutenant de larges voûtes ouvragées.

➢ En remontant sur la gauche de la rue, entre 19th et 20th Street, au n° 641 *(plan itinéraire Chelsea,* ***C****),* l'immeuble ***Simpson Crawford and Simpson.*** Construit en 1900 par les architectes William H. Hume and Son, ce bâtiment en travertin est très massif et sa porte impressionnante.

➢ En face, au n° 650 *(plan itinéraire Chelsea,* ***D****),* l'immeuble ***Cammeyer's,*** de style italien (fonte et brique rouge), fut élevé en 1893 et devint le plus grand magasin de chaussures de la ville.

➢ De l'autre côté de 20th Street, ***The Church of the Holy Communion*** *(plan itinéraire Chelsea,* ***E****),* de style *Gothic Revival,* date de 1846. Elle a longtemps abrité une boîte de nuit mythique dans les années 1980-90, *Limelight,* avant d'être reconvertie récemment en un ensemble de boutiques, *Limelight Marketplace.*

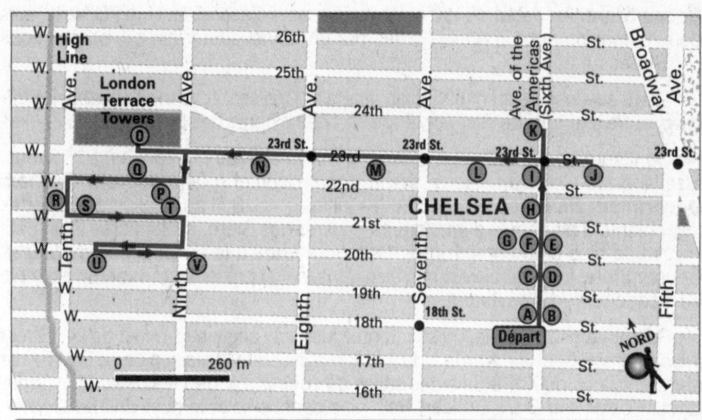

ITINÉRAIRE CHELSEA

- **A** 625 6th Avenue (B. Altman and Company)
- **B** 620 6th Avenue (Siegel-Cooper and Company)
- **C** 641 6th Avenue (Simpson Crawford and Simpson)
- **D** 650 6th Avenue (Cammeyer's)
- **E** Church of the Holy Communion
- **F** 655 6th Avenue (Hugh O'Neill Store)
- **G** Cimetière de la première congrégation juive d'Amérique
- **H** 675 6th Avenue (Adams Dry Goods Store)
- **I** 695 6th Avenue (Ehrich Brothers Building)
- **J** 32-36 W 23rd St (Stern Brothers Department Store)
- **K** The Corner
- **L** 148-156 W 23rd Street (Traffic Building)
- **M** Chelsea Hotel
- **N** 340 W 23rd St (The James N. Wells Real Estate Company)
- **O** London Terrace Towers
- **P** James N. Wells Row
- **Q** Frederic Fleming House
- **R** Guardian Angel Roman Catholic Church
- **S** 465-473 21st St (maisons *Greek Revival)*
- **T** 401 21st St (2e plus vieille maison de NY)
- **U** The General Theological Seminary
- **V** 162 9th Avenue

➢ En face, au nº 655 *(plan itinéraire Chelsea, F)*, le ***Hugh O'Neill Store,*** *cast-iron* érigé en 1876 sur les plans de Mortimer C. Merritt, aujourd'hui transformé en condominiums. Il fut jadis le royaume de la machine à coudre. Le patron, Hugh O'Neill, voulait en faire entrer une dans chaque foyer. Ses méthodes de vente un peu « rentre-dedans » lui valurent de la part de ses concurrents le surnom de « *The Fighting Irishman of 6th Avenue* ». On lit toujours le nom de l'homme d'affaires sur le fronton grec du bâtiment. Remarquez aussi les fenêtres d'angle incurvées, les colonnes corinthiennes et les pilastres.

➢ Contournez le bâtiment par 21st Street à gauche. Vous découvrez une curiosité, un minuscule cimetière ombragé, l'un des trois ***cimetières de la première congrégation juive d'Amérique, d'origines espagnole et portugaise*** *(plan itinéraire Chelsea, **G**)*.

➢ De retour sur 6th Avenue, au nº 675 *(plan itinéraire Chelsea, **H**)*, un édifice de style Beaux-Arts imaginé par De Lemos et Cordes. Il abritait le ***Adams Dry***

Goods Store. Au début du XXe s, Samuel Adams s'associa à Hugh O'Neill, leurs deux magasins étant d'ailleurs reliés par un tunnel souterrain qui passait sous 21st Street.

➢ Juste au-dessus, au n° 695 *(plan itinéraire Chelsea, **I**)*, ***Ehrich Brothers Building,*** autre exemple de *cast-iron* érigé en 1889 d'après des plans d'Alfred Zucker.

➢ Continuez sur 23rd Street à droite. Au milieu du bloc *(32-36 West 23rd Street ; plan itinéraire Chelsea, **J**)* se dresse le gigantesque et splendide ***Stern Brothers Department Store*** (on voit encore les initiales « S. B. » au-dessus de la porte). Les enfants d'un couple d'immigrants pauvres, les Stern, avaient créé là un petit empire, le plus grand magasin de New York jusqu'à la construction du *Siegel-Cooper Store.* L'immeuble est très bien conservé et présente un superbe exemple de façade *cast-iron* ouvragée.

➢ Retour vers 6th Avenue, puis remontez jusqu'à l'angle sud-ouest de 24th Street *(plan itinéraire Chelsea, **K**)*. On a du mal à imaginer que la maison de ce coin de rue abritait, à la fin du XIXe s, une des salles de concerts et de théâtre les plus populaires, *Koster and Bial's Concert Hall,* plus connue sous le nom de ***The Corner.*** Seul témoin de cette époque fastueuse, le nom qui figure toujours sur la corniche et à l'angle de l'immeuble.

23rd Street

➢ Redescendez jusqu'à 23rd Street. Aux n°s 148-156 *(entre 6th et 7th Avenue ; plan itinéraire Chelsea, **L**)*, une belle démonstration du style néogothique appliquée à un vaste bâtiment, autrefois commercial, aujourd'hui reconverti en logements. Sur l'autre trottoir, admirez le ***Traffic Building,*** au n° 163. Construction originale en briques disposées en quinconce, décorée de frises et de colonnes torsadées en haut. À la base du fronton, deux aigles semblent surveiller les environs. Juste après, au n° 167, le *cast-iron* fait son retour, accompagné de colonnes ioniques.

➢ Traversez 7th Avenue et continuez sur 23rd Street. À gauche, le mythique ***Chelsea Hotel*** *(plan itinéraire Chelsea, **M**)*, célébré par Leonard Cohen dans sa chanson éponyme (écrite en l'honneur de Janis Joplin). Ouvert en 1884 en tant que « coopérative d'appartements », il devint hôtel en 1905. Le bâtiment, superbe et extravagant, fut dessiné par le studio Hubert (architecte né en France et inventeur du duplex). Difficile d'en définir le style ; certains parleront de *Queen Anne,* d'autres de gothique victorien. Ce qui est sûr, c'est que sa structure est de type *Florida cast-iron.* Le toit est plutôt exubérant et la jolie série de balcons est en acier richement orné. Malheureusement, cet hôtel légendaire, dont les « invités » pourraient remplir un bottin mondain, a vécu ses dernières heures en 2011. Son classement comme patrimoine culturel en 1981 n'a pas suffi à tenir en respect l'ogre de la rentabilité à outrance. Et tant pis pour l'exception culturelle. Pendant 50 ans, c'est toute la bohème artistique de New York qui le fréquenta assidûment, métamorphosant ce vieux coucou en un lieu de rencontres, de débats, de créations. Un musée vivant en quelque sorte, puisque les artistes résidents (certains l'ont habité 35 ans !) avaient coutume de laisser quelques œuvres en cadeau. Malheureusement,

CHELSEA PEOPLE

Le Chelsea Hotel a toujours eu des hôtes illustres. En 1912, il accueille les rescapés du Titanic. Y descendent ensuite : Mark Twain, Sarah Bernhardt, Dylan Thomas, Thomas Wolfe, Nelson Algren (l'amant de Simone de Beauvoir), Arthur Miller, William Burroughs ou encore Bob Dylan (chambre n° 205...), Andy Warhol (qui y tourne son film Chelsea Girls), Milos Forman, etc. Y est descendue dans la chambre n° 100 : Nancy Spungen... sans doute assassinée par son compagnon Sid Vicious, le bassiste des Sex Pistols.

l'embourgeoisement de Manhattan, corollaire d'une hausse délirante des prix de l'immobilier, n'a que faire de ces bastions marginaux. La direction de l'hôtel a changé de main, sa destinée aussi : les ultimes Mohicans sont chassés, les chambres vont être modernisées et louées au plus offrant. C'est la fin d'un mythe, la fin d'une époque où tout était permis...

➢ Continuez sur 23rd Street après avoir traversé 8th Avenue. Au nº 340 *(plan itinéraire Chelsea, **N**)*, ***The James N. Wells Real Estate Company,*** du début du XIXe s, est le plus ancien bâtiment de style classique de Chelsea. L'architecte Wells commençait alors à développer Greenwich Village et travaillait sur les plans de Chelsea. Cette maison frappe par son austérité, dans ses formes, ses couleurs et les matériaux utilisés.

➢ Au nº 348, une maison de brique peinte en blanc et bleu retient l'attention. Ses bow-windows entourés de frises verticales lui confèrent une certaine élégance.

➢ Poursuivez sur 23rd Street. Tout le bloc entre 23rd et 24th Street et 9th et 10th Avenue *(plan itinéraire Chelsea, **O**)* est occupé par le ***London Terrace Towers,*** remarquable et imposant immeuble de brique à la façade superbement dessinée. Construit en 1930 à la place d'un précédent ensemble de style *Greek Revival,* ce « nouveau » complexe, imaginé par Farrar et Watmaugh, abrite plus de 1 500 logements.

Chelsea Historic District

Les grands édifices laissent maintenant place aux maisons individuelles. Pas toujours très dépaysant pour un Européen, mais on y flâne agréablement. Rues ombragées et calmes où l'on se demande si l'on est bien à New York. Si vous êtes plutôt attiré par les galeries, sautez cette étape et passez directement à la suivante.
Départ : là où l'itinéraire précédent vous a laissé. De 23rd Street, descendez 9th Avenue, puis prenez à droite dans ***22nd Street,*** une des belles rues plantées d'érables et de chicots du Canada (*coffeetree*). Vous voilà dans Chelsea Historic District.

➢ La rangée de maisons entre les nos 400 et 412 *(plan itinéraire Chelsea, **P**)*, construite en 1856 et connue sous le nom de ***James N. Wells Row,*** est un exemple de style italien. Son originalité tient notamment aux corniches du toit assez particulières. Le nº 414, construit en 1835, en pleine vogue *Greek Revival,* fut la demeure de l'architecte James N. Wells. Quelques influences stylistiques italiennes furent ajoutées en 1864-1866. Le nº 450 est un autre témoin de l'architecture *Greek Revival.*

➢ De l'autre côté de la rue, aux nos 443-445 *(plan itinéraire Chelsea, **Q**)*, ***The Frederic Fleming House*** attire l'œil avec sa façade de brique multicolore. L'entrée ouvragée contraste avec la simplicité de la façade. Sa voisine, aux nos 447-449, est une construction en grès rouge. La pierre brute donne un caractère massif à l'édifice.

➢ Après ***Clement Clarke Moore Park,*** tournez à gauche dans 10th Avenue. En face, ***The Guardian Angel Roman Catholic Church*** *(plan itinéraire Chelsea, **R**)* fut édifiée par John Van Pelt en 1930, dans un style italien romantique assez fantaisiste.

➢ Tournez à gauche dans ***21st Street.*** Du nº 473 au nº 465 *(plan itinéraire Chelsea, **S**)*, longue rangée de ***maisons Greek Revival*** construites en 1853. La plus proche de l'architecture initiale est au nº 471. La maison du nº 463 fut la première du bloc, construite en 1836, également dans le style *Greek Revival.* Un peu plus loin, notez l'élégante entrée du nº 453. Au-dessus du perron et de ses rampes en fonte, l'encadrement de la porte en forme d'arche est surmonté d'une corniche s'appuyant sur des consoles en stuc.

➢ Continuez sur 21st Street. Au n° 401 *(à l'angle de 9th Avenue, plan itinéraire Chelsea, T)* se dresse la ***deuxième plus vieille maison*** (1831-1832) de Chelsea Historic District, construite selon le *Federal Style.* La corniche simple sur une façade assez sobre également, les lucarnes du toit et la porte d'entrée de côté en sont très caractéristiques. Aujourd'hui, le rez-de-chaussée est occupé par *Le Grainne Café,* une de nos étapes paisibles dans le quartier pour un petit déj ou un en-cas (voir « Où manger ? De bon marché à prix moyens »).

➢ Prenez à droite dans ***9th Avenue. The General Theological Seminary*** occupe tout le bloc entre 20th et 21st Street *(plan itinéraire Chelsea, U).* En cas de fatigue, pause récupératrice dans son paisible jardin *(horaires variables ; fermé dim).* La construction de ce séminaire débuta en 1825, puis il fut remanié deux fois. *The Christoph Keller, Jr Library* est la plus riche bibliothèque ecclésiastique du pays. Jetez aussi un coup d'œil à la *Chapel of the Good Sheperd,* et particulièrement à ses imposantes portes en bronze.

➢ Toujours dans ***20th Street,*** au n° 402, une maison de style Renaissance de 1897, dotée de bow-windows. Au n° 404, la plus vieille maison de Chelsea Historic District, érigée en 1829-1830. De style *Federal,* l'encadrement de sa porte fut ensuite remanié à la sauce *Greek Revival.* Du n° 406 au n° 418, une rangée de maisons *Greek Revival,* construites par Don Alonzo Cushman en 1839-1840, et considérée comme le plus bel ensemble de ce style aux États-Unis. Des ananas, fruits exotiques rares à l'époque, ornent les rampes d'escalier du n° 416 en symbole de bienvenue. Rares aussi sont les petites fenêtres de grenier encadrées par des couronnes sculptées dans le bois et non pas en fonte, comme on pourrait le croire. Ce petit bout de rue d'une grande harmonie apparaît souvent au cinéma ou dans les séries TV.
Les fans de Kerouac iront voir le petit immeuble en brique au 454 West 20th Street (et 10th Avenue), où il vécut en 1951 et écrivit une grande partie de son livre mythique *On the road.*

➢ Revenez vers ***9th Avenue.*** À l'angle sud-est de 9th Avenue *(au n° 162, plan itinéraire Chelsea, V)* et de 20th Street, grande maison *Greek Revival* qui fut longtemps la résidence de James N. Wells. De sa construction originelle (1934), elle a notamment conservé sa large entrée et ses colonnes doriques.

➢ Continuez vers l'est sur ***20th Street.*** Deux rangées de maisons de style italien, de chaque côté de la rue, entre les nos 361 et 355, et les nos 358 et 348.

Galleries District *(plan 1, A2)*

À l'ouest de 10th Avenue, entre 20th et 25th Street, s'étend la dernière « frontière » de Chelsea : dans les années 1990, suivant le mouvement initié par le *Dia Center for the Arts,* les galeries d'art ont investi cette zone de garages et d'entrepôts au bord de l'eau. En 2004, le *Dia Center for the Arts* (devenu le *Dia Chelsea*) a fermé ses portes pour ne jamais les rouvrir, dans ce quartier du moins (voir plus bas), mais les autres galeries sont toujours là : on en dénombre aujourd'hui environ 250. La plupart se cachent dans les immeubles, ce qui fait que malgré leur nombre, elles ne s'offrent pas au premier regard. Nous ne citerons que les plus influentes sur le marché de l'art mondial, à voir autant pour la beauté de leur espace que pour les œuvres exposées (notez que certaines d'entre elles ont deux adresses) : *Paula Cooper Gallery (534 W 21st St), Gagosian Gallery (522 W 21st St et 555 W 24th St), Gladstone Gallery (530 W 21st St), Matthew Marks Gallery (522 W 22nd St), PaceWildenstein (545 W 22nd St) et Sonnabend (536 W 22nd St).* Pour éviter de vous casser le nez, sachez que les galeries sont généralement fermées le dimanche et le lundi. La balade est particulièrement agréable vers le milieu d'après-midi et avec un temps clément, mais sans intérêt le soir car tout est fermé, à moins de tomber sur le tout dernier vernissage (et le « défilé de mode » qui s'ensuit dans la rue !), ces derniers ayant souvent lieu le jeudi à partir de 18h.

Autre particularité du Galleries District, la *High Line*, une voie aérienne désaffectée reconvertie en promenade paysagère (voir « Greenwich Village »). Au coucher du soleil, les reflets des rayons sur ces structures métalliques créent un bel effet visuel.

Si, après la visite des galeries, vous en redemandez encore, sautez dans un train (l'adresse ci-dessous se situe en effet à 1h30 au nord de New York en train) et foncez au :

Dia : Beacon : *3 Beekman St, à Beacon. ☎ 845-440-0100. • diaart.org • Départ de Grand Central Terminal. Prendre la Hudson Line jusqu'à Beacon Station ; bien fléché de la gare (à 5 mn à pied). Départ ttes les heures (dans les 2 sens) pdt les heures d'ouverture du musée. Possibilité de billet combiné musée-train (env 30 $) en passant par • mta.nyc.ny.us/mnr/html/outbound.htm • Horaires du musée : avr-oct, tlj sf mar-mer 11h-18h ; en hiver, ven-lun 11h-16h. Entrée : 10 $; réducs.* Fondée en 1974, la Dia Art Foundation possède une des plus importantes collection d'art contemporain (des années 1960 à aujourd'hui) des États-Unis et continue à soutenir et à mettre en place des projets d'envergure, dont la qualité est reconnue autant au niveau national qu'international. En 2003, elle a investi cette ancienne usine de papeterie sur les bords de l'Hudson River. Ce site dédié à l'art contemporain s'étend sur plus de 2 ha, et les œuvres proposées, d'une grandeur notable (au propre comme au figuré), ont trouvé un espace à leur mesure ! Le lieu est véritablement mis au service de l'art et des artistes. Des salles ont été spécialement conçues pour accueillir certaines œuvres. On pourrait citer des noms, on ne le fera pas (allez, si, pour un petit avant-goût disons que la première galerie, qui souffle le visiteur, est dédiée à Andy Warhol). L'art contemporain vous laisse froid ? Ce lieu exceptionnel pourrait bien être une belle façon de vous y sensibiliser. Quant aux enfants, ils adorent cet endroit en pleine campagne !

UNION SQUARE, MADISON SQUARE ET GRAMERCY (« FOUR SQUARES »)

Quartier situé à l'est de Broadway, 5th Avenue, entre 14th et 42nd Street. On l'appelle aussi « Four Squares » en raison des quatre parcs qui lui donnent un côté british unique à Manhattan : Union Square, Stuyvesant Square, Gramercy Park et Madison Square. C'est aussi un endroit plutôt résidentiel (on y entend siffler les oiseaux !), même si certaines sociétés, agences de pub et éditeurs, s'y sont installés depuis quelques années... Aux abords de Gramercy et de Stuyvesant Parks, on peut admirer les dignes façades d'immeubles datant du XIXe s. Cet aspect noble et propret

UNE USINE À VIP

La célèbre Factory d'Andy Warhol était située, de 1968 à 1973, au 33 Union Square West (il s'agit en réalité de sa seconde Factory : la première, mythique, se trouvait sur 47th Street). C'est au 6e étage de ce studio-galerie-boîte de nuit que le pape du pop art produisait à la chaîne ses sérigraphies et qu'il recevait toute la jet-set : The Velvet Underground, Mick Jagger, Yves Saint Laurent, Truman Capote... C'est également dans le hall de cette Factory qu'il fut victime d'une tentative d'assassinat (perpétrée par Valérie Solanas, une activiste). Malheureusement, l'immeuble ne se visite pas.

s'explique par l'histoire paisible de ces rues, habitées par de grandes familles bourgeoises. En revanche, beaucoup d'agitation aux alentours de Broadway et de 32nd Street...

Adresses utiles

✉ ***Postes :*** *39 W 31st St (plan 1, B-C2). Lun-ven 9h-17h30. Un autre bureau au 143 E 23rd St (entre Lexington et 3rd Ave ; plan 1, C2). Lun-ven 9h-19h ; sam 9h-16h.*

@ ***Internet :*** *accès pas trop cher chez* ***WL Computer*** *(plan 1, C1,* ***18****), 9 E 37th St (entre 5th et Madison). ☎ 212-532-2718. Lun-sam 9h-22h ; dim 11h-19h. Également des connexions gratuites à la* ***NY Public Library – Kips Bay Branch*** *(plan 1, C2), angle 3rd Ave et 31st St. ☎ 212-683-2520.*

Où dormir ?

Bon marché

Americana Inn *(plan 1, B1,* ***37****) : 69 W 38th St (entre 5th et 6th Ave). ☎ 212-840-6700. • theamericanainn.com • Ⓜ (D, F, N, Q, R) 34th St. Réception à l'étage. Doubles 130-200 $ suivant saison* 💻 À deux pas de l'Empire State Building, un petit hôtel très bien tenu et lumineux, d'un bon rapport qualité-prix. Chambres impeccables avec lavabo, salles de bains sur le palier pour tout le monde, irréprochablement propres, et même une kitchenette par étage avec frigo et micro-ondes. En revanche, assez bruyant côté rue (fréquent à NYC). Bon accueil.

American Dream Hostel *(plan 1, C2,* ***46****) : 168 E 24th St (entre Lexington et 3rd Ave). ☎ 212-260-9779. • americandreamhostel.com • Ⓜ (6) 23rd St. Lits en dortoir de 4 env 60-70 $ (w-e plus cher); singles 85-110 $; doubles env 120-150 $; triples 165-180 $; petit déj compris.* Une AJ d'un bon rapport qualité-prix, proposant de (très) petites chambres pour 4, fonctionnelles, avec lits superposés et lavabo. Salle de bains nickel à chaque étage et cuisine commune agréable (un peu comme à la maison dans l'esprit). Même régime pour les doublés, qui partagent aussi les sanitaires. Accueil cordial.

Ye Old Carlton Arms Hotel *(plan 1, C2,* ***42****) : 160 E 25th St (entre Lexington et 3rd Ave). ☎ 212-684-8337 ou ☎ 212-679-0680 (résas). • carltonarms.com • Ⓜ (6) 23rd St. Au printemps-été, résas 1-2 mois avt, et confirmation 2 sem avt l'arrivée. Doubles 110-130 $ selon confort.* Hôtel absolument inclassable : mosaïques, animaux en peluche, miroir grossissant, et partout des fresques délirantes réalisées par des artistes différents. C'est bien simple, il n'y a pas un seul cm² de libre, même dans les chambres ! Certaines sont d'ailleurs franchement basiques niveau confort (ni TV ni téléphone, salles de bains vieillottes communes pour la moitié d'entre elles). Nouveauté cependant : l'été, clim dans toutes les chambres. On vient donc surtout pour les prix doux, l'atmosphère décalée et la clientèle principalement composée de peintres, sculpteurs, musiciens... Une autre façon d'appréhender NYC !

Hotel 17 *(plan 1, C2-3,* ***36****) : 225 E 17th St (entre 2nd et 3rd Ave). ☎ 212-475-2845. • hotel17ny.com • Ⓜ (L) 3rd Ave. Doubles 120-160 $ selon saison.* 💻 📶 Situé dans une rue calme non loin d'East Village, cet établissement à l'ancienne propose plus d'une centaine de chambres au style désuet (papier peint fleuri et mobilier vieillot) avec lavabo, et sanitaires sur le palier pour la plupart. Ensemble agréable et bien tenu, même si toutes les chambres ne se valent pas (tâchez si possible d'en voir plusieurs). David Bowie et Madonna y auraient séjourné... et Woody Allen y aurait tourné quelques scènes de son *Meurtre mystérieux à Manhattan*.

Hotel 31 *(plan 1, C2,* ***39****) : 120 E 31st St (entre Park et Lexington Ave). ☎ 212-685-3060. • hotel31.com • Ⓜ (6) 33rd St. Doubles 120-200 $, ou 100-150 $ avec sdb commune, suivant saison.* 📶 Au-delà de

FOUR SQUARES

l'imposant porche à colonnes, on découvre un hôtel de 60 chambres sans histoire, très correct, rénové récemment. Chambres nickel, avec salle de bains privée pour les plus chères. Celles avec sanitaires communs ont un prix vraiment raisonnable pour Manhattan. Un bon rapport qualité-prix-situation.

De prix moyens à plus chic

■ ***Herald Square Hotel*** *(plan 1, B-C1-2, **43**) : 19 W 31st St (entre Broadway et 5th Ave). ☎ 212-279-4017 ou 1-800-727-1888 (résas). • heraldsquarehotel.com • Ⓜ (D, F, N, Q, R) 34th St. Doubles 160-280 $ selon confort et saison.* Immeuble en pierre et brique à la façade élégante (1893), où étaient situés les anciens locaux de *Life Magazine*, et dont l'hôtel a conservé la très aristocratique entrée. 2 styles de chambres : les anciennes, propres et convenables (avec salle de bains), et les nouvelles, rénovées avec un brin de coquetterie et d'un bon confort. Certaines sont toutefois petites et peu éclairées. Bon accueil, mais prix un poil surestimés.

■ ***Latham Hotel*** *(plan 1, C2, **343**) : 4 E 28th St (et 5th Ave). ☎ 212-685-8300 et 1-888-293-4117. • thelathamhotel.com • Ⓜ (N, R, 6) 28th St. Selon saison, doubles 150-200 $, 110-140 $ avec sdb partagée.* À deux pas de l'Empire State Building, voici un hôtel moyenne gamme géré par un *friendly staff.* 2 types de chambres, avec sanitaires privés ou sans (salles de bains partagées bien entretenues). Simples, parfois un poil vieillottes mais proprettes (la moquette a été changée). Elles peuvent aussi manquer de vue pour certaines et souffrir un peu de l'absence de double vitrage. Pas le grand luxe, mais néanmoins un bon rapport qualité-prix pour New York, d'autant que les prix restent stables même en très haute saison.

■ ***Hotel Stanford*** *(plan 1, B1, **44**) : 43 W 32nd St (entre 5th Ave et Broadway). ☎ 212-563-1500 ou 1-800-365-1114 (résas). • hotelstanford.com • Ⓜ (D, F, N, Q, R) 34th St. Doubles standard 150-300 $ selon saison, avec petit déj basique.* Voici des chambres bien tenues, toutes un peu différentes et équipées du confort américain standard : salle de bains, clim, sèche-cheveux, TV câblée et frigo. Service pro. *Wine bar* au 2e étage. Une adresse que l'on recommande volontiers... mais essayez d'éviter les chambres qui donnent sur un mur aveugle, peu glamour.

■ ***The Gershwin Hotel*** *(plan 1, C2, **714**) : 7 E 27th St (entre 5th et Madison Ave). ☎ 212-545-8000. • gershwinhotel.com • Ⓜ (N, R, 6) 28th St. Dortoirs 4-6 lits 50-60 $ (2 nuits min). Doubles 140-260 $ selon période (200 $ en moyenne).* La façade rouge avec ses curieux tentacules blancs donne le ton et le vaste lobby au design pop art confirme l'ambiance bobo-*arty.* Andy Warhol fut le parrain artistique de cet hôtel situé près de l'Empire State Building (on peut d'ailleurs voir une authentique boîte de soupe *Campbell* signée de sa main). Mais au final, les parties communes s'avèrent plus gaies et amusantes que les chambres, somme toute parfois vieillottes et assez rudimentaires question confort (salles de bains vétustes aux canalisations bruyantes). Seulement pour la déco et la situation donc.

■ ***Grand Union Hotel*** *(plan 1, C1-2, **41**) : 34 E 32nd St (entre Park et Madison Ave). ☎ 212-683-5890. • hotelgrandunion.com • Ⓜ (6) 33rd St. Doubles 175-210 $ selon saison (pic pour le Nouvel An).* Un hôtel fonctionnel et bien tenu, dont les chambres, très classiques, bénéficient du confort américain de base : salle de bains, frigo, TV HBO... Bon accueil.

■ ***Lola Hotel*** *(plan 1, C2, **48**) : 30 E 30th St (entre Madison et Park Ave). ☎ 212-689-1900 ou 651-3819 ou 1-800-804-4480 (résas). • hotellolanyc.com • Ⓜ (6) 28th St. Doubles 200-350 $ selon saison. Familiale (4 pers) 360 $.* D'abord, on pénètre dans l'immense et stupéfiant lobby, plus somptueux décor de théâtre qu'autre chose, avec ses jeux de lumière et de pénombre, son design extrêmement sophistiqué, rythmé de grandes photos en noir et blanc, les confortables fauteuils et profonds canapés, le superbe bar... Tout cela mène à des chambres plaisantes dans le même style et offrant le maximum de confort, certaines un peu petites mais irréprochablement nettes et équipées du confort le plus éprouvé. Également de fort belles suites (plus chères) dotées de superbes salles de bains.

Nymà (plan 1, C1-2, **45**) **:** *6 W 32nd St (entre Broadway et 5th Ave). ☎ 212-643-7100 ou 1-800-755-3194 (résas). • applecorehotels.com • Ⓜ (D, F, N, Q, R) 34th St. Doubles 130-240 $ selon saison, petit déj compris. Pour 4, prix intéressant.* Hôtel de style contemporain cossu. Près de 200 chambres fonctionnelles de taille raisonnable, impeccables et d'excellent confort : frigo, micro-ondes, station iPod, téléphone local gratuit, etc. À partir du 7e étage, certaines ont une vue en contre-plongée saisissante sur l'Empire State Building, situé à seulement un bloc... Petite salle de gym, bar...

The Deauville Hotel (plan 1, C2, **86**) **:** *103 E 29th St (entre Park et Lexington Ave). ☎ 212-683-0990 ou 1-800-333-8843 (résas). • hoteldeauville.com • Ⓜ (6) 28th St. Doubles 100-150 $ (sdb partagée) et 150-250 $ (avec sdb) selon saison.* Hôtel vintage de la fin du XIXe s, avec une jolie façade et un porche élégant. Vous apprécierez son ascenseur *old style,* ses 2 petits salons à l'accueil, et des chambres classiques au confort standardisé (une cinquantaine), parfaitement tenues. Celles de la façade sont bien lumineuses quoique un peu bruyantes, mais à préférer à celles en retrait, trop sombres. Minifrigo et micro-ondes dans chacune. Une bonne adresse.

De très chic à très, très chic

Gansevoort Park Avenue (plan 1, C2, **56**) **:** *420 Park Ave South (et 29th St). ☎ 212-317-2900 ou 1-877-830-9889 (résas). • gansevoortpark.com • Ⓜ (6) 28th St. Doubles 300-550 $.* Voici l'alter ego Midtown du Gansevoort du Meatpacking District. On y retrouve les ingrédients qui ont fait la renommée de ce luxueux hôtel design toujours *successful* auprès de la jet-set : la piscine sur le toit, en partie découverte et chauffée toute l'année (très South Beach avec sa pin-up en mosaïque dans le fond !) et le bar *lounge* panoramique qui se prolonge même à l'extérieur pour une vision encore plus plongeante sur New York (plaques de verre sous les tables pour la séquence frissons !). Côté chambres, les vastes baies vitrées descendant jusqu'au sol, offrent des vues urbaines assez incroyables. Dans certaines, on a quasiment l'impression de dormir en pleine rue ! Et le fin du fin, la possibilité de vous faire véhiculer gratos en Porsche grâce au partenariat signé par l'hôtel !

Ace Hotel (plan 1, B-C2, **84**) **:** *20 W 29th St (et Broadway). ☎ 212-679-2222 ou 646-214-5750 (résas). • acehotel.com • Ⓜ (N, R) 28th St. Doubles et suites 200-700 $ (réducs importantes pour séjours de plus d'1 sem à certaines périodes).* L'hôtel urbain et branché par excellence. D'emblée, la vaste salle où pianotent dans la pénombre des dizaines de fiévreux internautes, à la lueur de lampes antiques, et le bar toujours bondé donnent le ton : tout, de la clientèle à la déco mêlant moderne et vintage, est hyper sophistiqué. Quant aux chambres, accessibles par des couloirs aux lignes industrielles, elles se partagent entre 7 catégories différentes ! De la double avec lit à étage façon dortoir chic au loft cosy et soigné, il y en a pour tous les goûts, et presque toutes les bourses. Dans tous les cas, c'est très réussi, tendance, un poil déjanté et parfois agrémenté de vraies œuvres d'art. Impeccable, d'autant qu'on trouve même sur place un excellent *coffee shop* et un resto. À l'*Ace,* c'est définitivement jeu, set et match !

The Roger (plan 1, C2, **47**) **:** *131 Madison Ave (angle 31st). ☎ 212-448-7000. • therogernewyork.com • Ⓜ (6) 28th St. Doubles standard 200-350 $, avec petit déj.* Installé dans un ancien building à la façade sobre, en pierre et brique, on aime beaucoup ce boutique-hôtel classe aux couleurs vives et au design bien affûté. Vous serez séduit par l'atmosphère chaleureuse et décontractée, du lobby jusque dans les belles chambres tout confort, à la déco soignée du même acabit, colorée à souhait, avec draps de lin égyptien... Certaines (plus chères *of course*) ont même de petites terrasses privées ! Bar, resto, salle de fitness.

Morgans *(plan 1, C1, **49**) : 237 Madison Ave (entre 37th et 38th St). ☎ 212-686-0300 ou 1-800-334-3408 (résas). • morganshotelgroup.com • Ⓜ (S, 4, 5, 6, 7) 42nd St-Grand Central. Doubles standard 300-550 $, plus pour les suites ; petit déj compris.* Dessiné par Andrée Putman dans les *eighties*, le *Morgans* fut un des tout premiers boutiques-hôtels de New York. On y retrouve la patte de la grande architecte d'intérieur (qui a également signé la récente rénovation de l'hôtel) : l'élégance très Art déco, la palette de noirs, blancs et gris, les rééditions de mobilier des années 1930. Nos lecteurs les plus argentés apprécieront les chambres ultrachic et confortables et l'accueil à la fois pro et décontracté.

Spécial folie

Gramercy Park Hotel *(plan 1, C2, **97**) : 2 Lexington Ave (et Gramercy Park). ☎ 212-920-3300 et 866-784-1300 (résa). • gramercyparkhotel.com • Ⓜ (6) 23rd St. Doubles dès 400 $!* Voici une des dernières réalisations d'Ian Schrager : la rénovation, et par conséquent la métamorphose, du mythique *Gramercy Park Hotel*, ouvert en 1925 et qui accueillit pendant 80 ans de nombreux artistes et écrivains (Humphrey Bogart y a même fêté son mariage). Les tarifs des chambres sont aussi délirants que la déco ! Cela dit, pour le prix, les clients ont quand même le privilège d'avoir la clé du jardin privé devant l'hôtel, accessible seulement aux résidents du quartier... Entrez au moins dans l'hôtel pour voir l'impressionnant lobby à colonnes, avec lustres de Venise, lourdes tentures de velours rouge, cheminées italiennes qui donne un bon aperçu du reste. Une ambiance à la fois baroque, médiévale, et même Renaissance pour la palette de couleurs utilisée sur les murs des chambres. Mais le clou reste l'extraordinaire collection d'œuvres d'art moderne, signées Basquiat, Julian Schnabel, Cy Twombly, Andy Warhol, Damien Hirst... qui décorent les lieux. Jardin-terrasse suspendu au 17e étage donnant sur le Chrysler Building (avec bar et resto), et au rez-de-chaussée, superbe bar avec billard et cheminée pour profiter à moindres frais (tout est relatif) de ce lieu hors du commun, mais sur réservation seulement à partir de 22h...

Où manger ?

Spécial petit déjeuner et brunch

Voir plus loin : ***Sunburst Espresso Bar, Whole Foods Market, Ess-a-Bagel, Café 28, Penelope, 2nd Avenue Deli, Coffee-Shop, 71 Irving Place Coffee & Tea Bar, Max Brenner*** et enfin ***230 Fifth*** pour son brunch du week-end.

De très bon marché à bon marché, sur le pouce

Shake Shack *(plan 1, C2, **203**) : au milieu de Madison Square Park (et 23rd St). ☎ 212-889-6600. Ⓜ (N, R) 23rd St. Tlj 11h-23h (21h l'hiver). Env 8 $.* Facile à repérer : c'est le petit kiosque au milieu des arbres, d'où s'étire une longue, longue file d'attente qui tournicote et se résorbe lentement, mais lentement... Cela ne décourage pas pour autant les New-Yorkais, qui patientent sagement pour commander burgers, hot dogs et *shakes* « signés » par le restaurateur de renom Danny Meyer (voir plus loin *Union Square Café* dans « De plus chic à très chic »). Extra en été (pas de salle abritée, mais tables et chaises dans le jardin). D'autres succursales ont vu le jour (voir index en fin de guide).

Dogmatic *(plan 1, C2-3, **243**) : 26 E 17th St. ☎ 212-414-0600. Ⓜ (L, N, Q, R, 4, 5, 6) Union Sq. Lun-sam 11h-20h (21h ven-sam) ; dim 12h-19h. Env 6-7 $.* On connaissait le burger gourmet... voici le hot dog gourmet ! Comment monter en gamme le plat du pauvre par excellence ? En privilégiant une approche artisanale : les viandes pour élaborer les saucisses proviennent de la ferme, le pain est une bonne baguette du jour, et les sauces sont préparées avec des produits de qualité (tomate séchée et feta, à moins d'opter pour le duo yaourt-menthe). Ensuite, en garantissant ses produits sans hormones, sans antibiotiques, sans nitrates ni conservateurs... Et pour accompagner le tout ? Une timbale de *mac and cheese* et un soda maison. Novateur et tendance, comme le cadre.

Sunburst Espresso Bar *(plan 1, C2,* ***285****) : 206 3rd Ave (et 18th St). ☎ 212-674-1702. Ⓜ (L, N, Q, R, 4, 5, 6) Union Sq. Tlj 7h-23h (minuit ven-sam). Formules petit déj env 5-11 $.* Vu son nom, on ne s'étonne pas d'y goûter un café décent. Mais la vraie bonne surprise, ce sont les petits déj et les brunchs soignés : un choix énorme, œufs bio pour les omelettes, pancakes (comme à la maison), patates sautées bien croustillantes, des *specials* comme le *chicken cacciatore* ou le *salmon platter*... C'est bon, pas compliqué, et servi avec le sourire dans une petite salle aux tonalités rouges pétantes, bourrée d'habitués qui grignotent en surfant sur le Web (c'est une *wifi zone*). Quelques tables en terrasse.

Whole Foods Market *(plan 1, C3,* ***511****) : 4 Union Square South (angle Broadway). ☎ 212-673-5388. Ⓜ (L, N, Q, R, 4, 5, 6) Union Sq. Tlj 8h-23h. Prix au poids : 8 $ la livre.* Cette chaîne de supermarchés bio, qui a largement contribué au succès de la vague *organic* aux USA, propose un rayon traiteur des plus alléchant. Superbe buffet de crudités, soupes, plats chauds souvent originaux (végétariens, latinos, asiatiques, indiens...), desserts, etc. Bien aussi pour un petit déj (bons bagels, *scones*, etc.) à emporter ou à déguster à l'étage dans une grande salle avec vue panoramique sur Union Square et l'Empire State Building en arrière-plan. C'est logiquement un des plus fréquentés... Voir l'index pour les autres succursales.

Ess-a-Bagel *(plan 1, C-D2,* ***119****) : 359 1st Ave (angle 21st St). ☎ 212-260-2252. Ⓜ (6) 23rd St. Tlj 6h-21h. Attention, fermé plusieurs jours au moment des grandes fêtes juives. Env 5-7 $.* C'est l'une de ces vieilles enseignes de NYC devenues cultes. Le cadre est moche, mais les habitués font la queue pour les bagels généreusement garnis de toutes sortes de produits sucrés ou salés, les *cream cheese* (et casher, bien sûr). Simple, bon et pittoresque.

Carl's Steaks *(plan 1, C1,* ***237****) : 507 3rd Ave (entre 34th et 35th St). ☎ 212-696-5336 et 37. Ⓜ (6) 33rd St. Ouv 11h-minuit (1h jeu, 4h30 ven-sam, 23h dim). Env 7-10 $.* Une salle minuscule tout en longueur avec cuisine ouverte où les cuistots s'activent à préparer de fameux *sandwich steaks* à la mode de Philadelphie : le *« cheez whiz »*, morceaux de viande coupés menus et jetés entre 2 tranches de pain, puis agrémentés d'oignons et champignons grillés, fromage fondu... Pour les amateurs, un bon chili à l'*angus beef*. Pas de la grande cuisine mais bon, consistant, populaire et servi jusqu'à pas d'heure !

Café 28 *(plan 1, C2,* ***176****) : 245 5th Ave (et 28th St). ☎ 212-686-7300 et 3844. Ⓜ (6) 28th St. Tlj 24h/24. Env 7 $ la livre.* Grand *deli* (épicerie-buffet) de qualité convenable où l'on compose soi-même son repas, chaud ou froid, pour ensuite payer au poids avant de choisir une table (la mezzanine est plus agréable). Carte très variée, des crudités aux sushis en passant par les spécialités chinoises, soupes, pizzas au four, panini, sandwichs, yaourts, fruits... Décor sans charme mais pas mal pour un repas équilibré ou sur le pouce à deux pas de l'Empire State Building et à n'importe quelle heure.

Bon marché

Penelope *(plan 1, C2,* ***290****) : 159 Lexington Ave (angle 30th St). ☎ 212-481-3800. Ⓜ (6) 28th St. Tlj midi et soir. Brunch w-e 8h-16h. Formules petit déj 8-10 $; brunch 14 $.* Le brunch est une institution aux US. Et comme *Penelope* ne manque pas d'admirateurs, on a toutes les chances de faire la queue avant d'espérer dégoter un bout de table et un coin de banquette en bois. Il faut reconnaître que la salle est charmante et intime, avec sa déco champêtre et rétro, et que ses petits plats se révèlent simples et bons (omelette aux asperges et feta, œufs au saumon...) et ses formules intéressantes. Atmosphère bourdonnante des employés du coin, vraiment très sympa.

Tamarind Tea Room *(plan 1, C2, **200**) : 41-43 E 22nd St (entre Broadway et Park Ave). ☎ 212-674-7400. Ⓜ (N, R, 6) 23rd St. Env 8-10 $ au salon de thé. Tamarind,* c'est l'un des meilleurs restaurants indiens de New York. Cher donc, mais cuisine mémorable. Cadre cossu, dans les tons blanc et crème. Quant à son adorable salon de thé voisin : prix raisonnables pour des sandwichs sophistiqués et savoureux (préparations fraîches à base de viandes et d'épices parfumées, enrobées dans un pain indien), servis si on le souhaite avec le thé le plus approprié (pas mal de choix de thés, ça va de soi !). Ne manquez pas le *kulfi* ! La classe, comme le cadre ! Très peu de tables, en revanche.

Pongal *(plan 1, C2, **282**) : 110 Lexington Ave (entre 27th et 28th St). ☎ 212-696-9458. Ⓜ (6) 28th St. Tlj 12h-22h30 (ven-sam 23h). Plats env 10 $.* Thali lunch *7-8 $.* Petite salle à la fois sobre et coquette (masques katakali pour rappeler les mystères de l'Inde du Sud) et 2 rangées de tables alignées dans une demi-pénombre. Bon, cela ne laisse pas beaucoup de place pour l'intimité, mais on se console vite avec les très bonnes spécialités du Tamil Nadu, mais aussi du Gujarat et du Pendjab. Le tout en version végétarienne, et même casher, pour ne laisser personne sur sa faim ! Excellents *dosa,* crêpes croustillantes fourrées aux oignons et aux légumes. Service gentil.

Prix moyens

Vezzo *(plan 1, C2, **238**) : 178 Lexington Ave (et E 31st St). ☎ 212-839-8300. Ⓜ (6) 33rd St. Pizzas 10-12 $.* Lunch special *5-10 $ (incluant une boisson).* Si vous êtes adepte des pizzas à pâte fine et croustillante, ce resto chaleureux aux allures de bistrot est la meilleure adresse du secteur. D'autant que les garnitures sont préparées avec des produits frais, très bons et parfois originaux. Seul bémol : il y a souvent foule, forcément. Et comme la cuisine ouverte et le bar mangent la moitié de la salle, prévoir un peu d'attente. À noter que les pizzas *personal* ne sont pas immenses : opter pour la taille supérieure en cas de grosse faim. Terrasse.

2nd Avenue Deli *(plan 1, C1, **420**) : 162 E 33rd St (entre Lexington et 3rd Ave). ☎ 212-689-9000. Ⓜ (6) 33rd St. Tlj 6h-minuit. Plats 10-25 $.* Ni son changement d'adresse, ni ses tarifs prohibitifs, ni son service souvent renfrogné n'ont eu raison de sa popularité. Le *2nd Avenue Deli* est toujours un incontournable de la cuisine juive d'Europe de l'Est. Carte vraiment exhaustive. Les sandwichs (au pastrami chaud notamment) sont énormes et goûteux. Le dénommé « infarctus subite » est un pur plaisir calorique où le pain est remplacé par deux galettes de pommes de terre genre rösti allemand. Mais il serait dommage de passer à côté des poissons fumés, des *knish* (croquettes aux pommes de terre, aux épinards, à la viande) ou des blintzes et des *pierogen* polonais. Soupe du jour. Un monument.

Coffee-Shop *(plan 1, C3, **231**) : 29 Union Sq W (angle 16th St et Broadway). ☎ 212-243-7969. Ⓜ (L, N, Q, R, 4, 5, 6) 14th St-Union Sq. Tlj 7h-2h (mar 4h, ven-sam 5h30, dim 8h-2h). Sandwichs et burgers env 10 $; plats lunch 13-18 $, dîner 15-24 $.* Vaste resto-bar agencé comme une *luncheonette* servant les classiques de la cuisine US et des spécialités « latinas » (brésiliennes, caribéennes, mexicaines...) mais présentées plutôt à l'européenne. Le tout convenable, mais on vient surtout pour l'ambiance. Plein de cocktails et bonne musique *lounge.* Clientèle très variée selon les heures de la journée mais toujours jeune et branchée ! Amusant comptoir qui serpente. Terrasse aux beaux jours et bar à jus dans une petite échoppe dehors.

Posto *(plan 1, C2, **115**) : 310 2nd Ave (angle 18th St). ☎ 212-716-1200. Ⓜ (L) 3rd Ave. Formule env 10 $ le midi ; pizzas 10-12 $.* Petite adresse de quartier au cadre sympa et chaleureux (avec banquettes à l'ancienne et vitres largement ouvertes sur la rue), plébiscitée pour ses délicieuses pizzas à la pâte bien fine et croustillante, à composer soi-même. Également des salades, pâtes et autres quiches maison. Aux beaux jours, quelques grosses tables dehors. Beaucoup de monde.

De plus chic à très chic

|●| ***ABC Kitchen*** *(plan 1, C2,* ***188****)* **:** *35 E 18th St (et Broadway). Entrée très discrète, sinon autre accès au rdc du magasin* ABC Home *sur Broadway.* ☎ *212-475-5829.* Ⓜ *(L, N, Q, R, 4, 5, 6) Union Sq. Plats 26-32 $ (pizzas moins chères et plats en demi-portions).* Lunch menu *32 $. Résa très conseillée (au moins 1h de queue sinon).* La nouvelle coqueluche des New-Yorkais est signée Jean-Georges Vongerichten, chef étoilé d'origine alsacienne à la tête d'une quinzaine de restos dans le monde ! Sa dernière création, sur le thème bio-écolo, n'est pas une énième figure de style mais une réussite. Dans un décor exceptionnel (un vaste chalet tout blanc avec des matériaux bruts), on savoure le meilleur de la nouvelle cuisine américaine tendance locavore et *organic*. Clientèle chic et mode, en accord avec le lieu, mais les serveurs cultivent un côté décontracté qu'on aime bien. Brunch le week-end.

|●| ***Ilili*** *(plan 1, C2,* ***470****)* **:** *236 5th Ave (entre 27th et 28th St).* ☎ *212-683-2929.* Ⓜ *(N, R, 6) 28th St.* Lunch menu *20 $ (avec 2 plats).* « Mezze Petite » *pour 2, 62 $;* « Mezze Royale » *pour 4, 140 $. Vins très chers (au verre aussi).* Superbe resto, aussi séduisant par son décor inspiré du grand architecte Frank Lloyd Wright que par son excellente cuisine libanaise, fine et parfumée. Impressionnante salle tout en longueur, entièrement couverte de cloisons de bois à motifs géométriques. Un style très épuré, réchauffé par la couleur miel du bois, les chaises rouge sombre et les éclairages tamisés. *Mezze* et plats sont servis en 2 tailles, à notre avis 2 petites portions suffisent pour un appétit normal. Parfait pour un dîner en amoureux.

|●| ♪ ***Blue Smoke*** *(plan 1, C2,* ***244****)* **:** *116 E 27th St (entre Park et Lexington Ave).* ☎ *212-447-7733.* Ⓜ *(6) 28th St. Plat env 20 $.* À NYC, on ne présente plus ce temple du barbecue. Côté cuisine, recommandons l'avantageuse formule « menu complet ». Dans l'assiette : excellents et copieux poulets, steaks et autres *ribs*, grillés au barbecue évidemment, mais avec toutes sortes de bois parfumés (du pommier notamment) pour un fumet inimitable. On conseille le *Sampler Ribs* (une sélection des 3 sortes). Et puis des sandwichs moins chers, également servis dans cette salle de brasserie spacieuse et moderne à l'atmosphère décontractée avec, au-dessus du bar, une foule de bouteilles de vins, servis au verre pour certains. Excellent club de jazz attenant, le *Jazz Standard* (voir plus loin).

|●| ***Hangawi*** *(plan 1, C1-2,* ***242****)* **:** *12 E 32nd St (entre 5th et Madison Ave).* ☎ *212-213-0077 et 6068.* Ⓜ *(6) 33rd St. Le midi en sem, menu 20 $ (4 miniplats) ; le soir, menu 45 $ (2 pers min) ou plats 15-25 $.* Une véritable expérience. La déco vaut à elle seule le détour : toute de bois vêtue, la salle élégante et zen est surélevée pour permettre aux tables, situées à peine au-dessus du niveau du plancher, de dissimuler un espace pour les jambes. On a par conséquent l'impression de manger par terre (il y a tout de même des coussins). Effet visuel garanti, d'autant que les serveurs sont en costume traditionnel et les convives en chaussettes (on se déchausse obligatoirement !). Et la cuisine ? Coréenne, végétarienne, elle se révèle à la hauteur du cadre : sophistiquée, savoureuse et servie avec art. Le végétarien préféré de Nicole Kidman !

|●| 🍸 ***Dos Caminos*** *(plan 1, C2,* ***197****)* **:** *373 Park Ave (entre 26th et 27th St).* ☎ *212-294-1000.* Ⓜ *(6) 28th St. Plats 10-20 $ en moyenne (le soir, spécialités 22-26 $).* Vaste resto mexicain à l'originale déco ethnico-design. Plafond constellé de lustres en écorce de bois percé diffusant une lumière ultra-tamisée façon *lounge*. Atmosphère très bruyante, clientèle jeune et branchée venue pour le cadre et l'excellente cuisine fine et parfumée (à prix honnêtes), des tacos aux enchiladas en passant par les *ceviches*. Une centaine de tequilas à la carte et des margaritas du tonnerre, à accompagner obliga-

toirement de guacamole maison, préparé quasi devant vous (le *medium* est excellent mais déjà assez épicé). Goûter au *ceviche* de thon ou au *smoked brisket enchiladas* (épicé, mais si bon !). Concerts de jazz le dimanche.

Union Square Café *(plan 1, C3,* ***239****) : 21 E 16th St (et 5th Ave). ☎ 212-243-4020. Ⓜ (L, N, Q, R, 4, 5, 6) 14th St-Union Sq.* Pasta *26-28 $ (mais possibilité de demi-portion), vrais plats 24-35 $ (soir 31-37 $).* Une adresse régulièrement élue au palmarès des meilleurs restos new-yorkais. Clientèle chic, c'est le rendez-vous des yuppies du coin. Cadre à la fois classe, frais et coloré, avec des peintures d'avant-garde aux murs. Les étourdis qui ont oublié de réserver mangeront au comptoir, les autres dans la salle bourdonnante ou sur la mezzanine. Très bonne cuisine américaine sophistiquée. Cher, ça va de soi, mais on en a pour son argent !

Où boire un thé, un café ou un chocolat ?

71 Irving Place Coffee & Tea Bar *(plan 1, C2,* ***413****) : 71 Irving Pl (entre 18th et 19th). ☎ 212-995-5252. Ⓜ (L, N, Q, R, 4, 5, 6) 14th St-Union Sq. Tlj 7h (8h w-e)-22h.* Charmant et chaleureux café niché à l'entresol d'un immeuble *brownstone*. Toujours plein à craquer, car la réputation du café torréfié par la maison a largement dépassé les frontières du quartier. À siroter tranquillement en dégustant des pâtisseries alléchantes, sur un petit air jazzy. Également de bons paninis, salades et sandwichs arrosés de limonade maison... Les gens y discutent, lisent, étudient, etc.

Max Brenner *(plan 1, C3,* ***332****) : 841 Broadway (entre 13th et 14th St). ☎ 212-388-0030 et 257-6435. Ⓜ (L, N, Q, R, 4, 5, 6) Union Sq. Tlj 9h-minuit (ven-sam 2h, dim 23h). Chocolat chaud env 5 $; fondue pour 2 env 20 $.* Pour les fondus de chocolat, voici un temple dont Max Brenner est le gourou. Adepte de *Charlie et la Chocolaterie*, cet écrivain un rien mégalo s'est fabriqué sa propre chocolaterie dans cette grande salle chaleureuse traversée par des tuyaux où coulerait le précieux élément... Les New-Yorkais en sont fous. Servi chaud (avec des marshmallows trempés dedans, hmm...), glacé, en cappuccino, en fondue et même en pizza !

Où boire un verre ?

Les fêtards trouveront leur bonheur à deux pas de Union Square, un quartier qui brille dans la nuit new-yorkaise.

Old Town Bar and Restaurant *(plan 1, C2,* ***400****) : 45 E 18th St (entre Park Ave et Broadway). ☎ 212-529-6732. Ⓜ (L, N, Q, R, W, 4, 5, 6) 14th St-Union Sq.* Fondé en 1892, c'est l'un des plus vieux pubs de Manhattan, ancien *speakeasy* pendant la prohibition. Il a fière allure avec son long comptoir en acajou et marbre, ses box à l'ancienne et ses hauts plafonds en *tin ceiling* ouvragé (voir aussi les urinoirs d'époque !). Populaire chez les écrivains irlandais ou irlando-américains, comme Tom McCourt *(Les Cendres d'Angela)*, Nuala O'Faolain, Seamus Heaney (Nobel de littérature), Brian Friel, auteur de théâtre, Dermot McEvoy (*Our Lady of Greenwich Village*)... Toujours plein en fin de semaine. Fait aussi resto.

Cibar *(plan 1, C2-3,* ***401****) : 56 Irving Pl (entre 17th et 18th). ☎ 212-460-5656. Ⓜ (L, N, Q, R, 4, 5, 6) 14th St-Union Sq. Le soir slt.* Superbe bar dans l'entresol d'une maison bourgeoise. Kyrielle de canapés et fauteuils agencés devant 2 cheminées, mais ne vous y trompez pas : il règne ici une ambiance survoltée assortie à un boucan d'enfer du jeudi au samedi ! Heureusement qu'il y a, à l'arrière, ce petit jardin bordé de plantes vertes. Clientèle jeune, relax, braillarde et aguicheuse, dégustant des *Cocktails Martini*, spécialité de l'établissement.

Pierre Loti *(plan 1, C2-3,* ***469****) : 53 Irving Pl (entre 17th et 18th St). ☎ 212-777-5684. Ⓜ (L, N, Q, R, 4, 5, 6) 14th St-Union Sq. Le soir slt.* Chaleureux hommage au grand écrivain-voyageur : c'est le mot qui convient le mieux pour décrire ce nid douillet qui a tout d'un salon, avec ses sofas, coussins, tables basses et lumières tamisées. Il faut dire que ce n'est pas un café lambda mais un bar à vins, où les serveurs, sympas comme tout, sauront vous conseiller le meilleur cru du moment. Cuisine d'inspiration méditerranéenne, belle planche de charcuterie, produits frais. Très agréable, et surtout impeccable pour une soirée romantique... avec son Aziyadé.

230 Fifth *(plan 1, C2,* ***470****) : 230 5th Ave (entre 26th et 27th St). ☎ 212-725-4300. Ⓜ (N, R) 28th St. Tlj 16h-4h. Brunch sam-dim 11h-17h (plats 12-15 $).* Nous sommes à Manhattan, donc les *rooftops* (bars en étage élevé) ne manquent pas. Mais ce qui distingue le *230,* un bar panoramique, c'est son immense terrasse accessible toute l'année : avec plantes vertes, palmiers, larges parasols et un aménagement de bric et de broc plutôt sympa, elle offre une superbe vue dégagée (notamment sur l'Empire State Building et le Chrysler). Peignoir à dispo pour ceux qui auraient un peu froid ! Magnifique *Penthouse Lounge,* au cadre sophistiqué, confortables canapés style années 1940, atmosphère tamisée dans les tonalités rouges et violacées, coins et recoins intimes... Un super plan pour le brunch.

Gansevoort Park Avenue Rooftop *(plan 1, C2,* ***56****) : Gansevoort Park Avenue, 420 Park Ave South (et 29th St). ☎ 212-317-2900 ou 1-877-830-9889. Ⓜ (6) 28th St. Tlj dès 16h.* Un autre *rooftop*, ultra-design celui-là, perché en haut du nouveau et luxueux hôtel Gansevoort de Midtown (voir « Où dormir ? »). Plusieurs ambiances différentes, à ciel ouvert ou non, toutes avec vues panoramiques sur NY. La classe, à prix encore abordables pour un cocktail.

Pete's Tavern *(plan 1, C2,* ***414****) : 129 E 18th St (et Irving Pl). ☎ 212-473-7676. Ⓜ (L, N, Q, R, 4, 5, 6) Union Sq.* Vieille taverne datant de 1864, célèbre pour n'avoir jamais fermé (déguisée en boutique de fleurs pendant la prohibition), elle fut l'antre de O'Henry, chroniqueur de la vie new-yorkaise... Un bar et 2 belles salles de charme à la déco traditionnelle de pub, pour une ambiance très animée. Bien entendu, possibilité de se restaurer (copieux sandwichs et burgers à moins de 10 $ le midi ; dîner plus cher). Attention, bondé en soirée !

Asia de Cuba *(plan 1, C1,* ***49****) : 237 Madison Ave (entre 37th et 38th St). ☎ 212-726-7755. Ⓜ (S, 4, 5, 6, 7) 42nd St-Grand Central Station.* C'est le bar-resto un brin élitiste du *Morgans Hotel,* dont le design a été confié à Philippe Starck. Déco claire et sobre très réussie, avec des lumières tamisées et une longue table d'hôtes centrale... Mezzanine et petits salons plus intimes pour ceux qui veulent se la jouer plus perso.

Où écouter du bon jazz ?

Jazz Standard *(plan 1, C2,* ***244****) : 116 E 27th St (entre Park et Lexington Ave). ☎ 212-576-2232. • jazzstandard.net • Ⓜ (6) 28th St. Concerts tlj à 19h30 et 21h30, et set supplémentaire ven-sam à 23h30.* Cover charge *20-30 $.* Un club de jazz dont la réputation n'est plus à faire dans la nuit new-yorkaise. Chaque soir, programme de grande qualité (se renseigner) avec des jazzmen qui ont bien roulé leur bosse. Un truc super : sur leur site : « la *Music Library* », pour écouter une sélection de live des meilleurs musiciens passés ici ! Vraiment incontournable dans le quartier ! Et en cas de petite faim, on peut commander les super *ribs* du *Blue Smoke,* fameux resto qui fait partie de la maison et est situé juste au-dessus.

Shopping

Produits bio

Farmer's Market *(plan 1, C3) : Union Sq South. Ⓜ (L, N, Q, R, 4, 5, 6) Union Sq. Lun, mer, ven et sam tte la journée.* Qui a dit que les Américains mangeaient mal ? Pour se convaincre du contraire, venez donc arpenter les allées de ce marché bio, dont les étals regorgent de bonnes et belles choses provenant des fermes des environs.

Whole Foods Market *(plan 1, C3,* ***511****) : 4 Union Sq South (angle Broadway). ☎ 212-673-5358. Ⓜ (L, N, Q, R, 4, 5, 6) Union Sq.* Voir « Où manger ? » plus haut.

Sports

Yankees Clubhouse Shop *(plan 1, C1,* ***573****) : 393 5th Ave (entre 36th et 37th St). ☎ 212-685-4693. Ⓜ (D, F, N, Q, R) 34th St Herald Sq.* Arrêt indispensable pour les fans de cette mythique équipe de base-ball : T-shirts, casquettes, souvenirs en tout genre... Vente des billets pour leurs matchs au Yankee Stadium.

Paragon Sports *(plan 1, C2-3,* ***571****) : 867 Broadway (angle 18th St). ☎ 212-255-8036. Ⓜ (L, N, Q, R, 4, 5, 6) Union Sq.* Ouvert en 1908, l'un des temples du sport de New York, sur 3 niveaux. Tout le nécessaire pour presque toutes les disciplines. Marchandises de qualité, avec beaucoup de petites marques mais aussi le meilleur des grandes.

Mode, déco

ABC Home *(plan 1, C2,* ***188****) : 888 et 881 Broadway (2 magasins l'un en face de l'autre, entre 18th et 19th St). ☎ 212-473-3000. Ⓜ (L, N, Q, R, 4, 5, 6) Union Sq.* Énorme et spectaculaire magasin de déco, où tous les styles sont réunis, magnifiquement présentés : design, ethnique, hippie chic, baroque, campagne... Pour le plaisir des yeux au moins. Au rez-de-chaussée, un des restos les plus en vogue du moment : ***ABC Kitchen*** (voir « Où manger ? » plus haut).

Lord and Taylor *(plan 1, C1,* ***596****) : 424-434 5th Ave (et 39th St). Ⓜ (S, 4, 5, 6, 7) 42nd St-Grand Central.* Grand magasin luxueux, donc cher, mais les soldes permanents sur les grandes marques valent parfois le coup.

À voir

Empire State Building *(plan 1, B-C1) : 5th Ave (entre 33rd et 34th St). ☎ 1-877-NYC-VIEW ou 212-736-3100. • esbnyc.com • Ⓜ (D, F, N, Q, R) 34th St ou (6) 33rd St. Tlj 8h-2h (vente des tickets jusqu'à 1h15). Entrée (86e étage) : 23 $; 17 $ 6-12 ans (gratuit en dessous). Audioguide en français : 8 $. Résa sur Internet conseillée (mais 2 $ de taxe par billet). Sinon, le* City Pass *permet d'entrer sans faire la queue aux caisses (mais on n'échappe pas pour autant à la 2de file d'attente pour accéder à l'*observatory *du 86e étage), et donne aussi droit à l'audioguide. Quant à l'*Express Pass*, 48 $ pour ts, il est hors de prix mais permet de couper ttes les files. Un supplément d'env 17 $ permet de monter au 102e étage ; à prendre aussi à la caisse.*

– *Conseils :* montez-y le matin à l'ouverture, ou 1h avant la fermeture, pour éviter de faire la queue trop longtemps, et jouir de la vue en toute sérénité. Car les touristes choisissent généralement la fin de l'après-midi pour admirer New York dans tous ses états : de jour, puis au coucher du soleil, et enfin *by night,* éclairé de toutes les couleurs possibles selon les événements. Certes, c'est alors le meilleur moment, mais quelle pression ! La queue y est la plus longue de la journée, avec au moins 1h d'attente pour acheter votre ticket et autant pour arriver en haut !

Un peu d'histoire

Construit en 1930, en pleine dépression économique, ce gratte-ciel était un défi du capitalisme américain, un acte d'optimisme et de confiance. Mais les affaires étaient dans un tel marasme que les promoteurs eurent du mal à louer les bureaux ; à tel point d'ailleurs qu'on surnomma l'édifice l'« Empty State Building ». Il fut construit en 1 an et 45 jours, et c'est le président Hoover qui l'inaugura, le 1er mai 1931. En 1933, c'est King Kong qui l'escalada, et aujourd'hui, 15 000 New-Yorkais y ont leur bureau. Depuis l'effondrement des Twin Towers le 11 septembre 2001, il est redevenu le plus haut gratte-ciel de Manhattan : 448 m au bout de la flèche. En y montant, n'ayez aucune crainte, le bâtiment est solide !

D'ailleurs, à l'origine, la pointe du bâtiment était conçue pour servir d'amarrage aux ballons dirigeables. Les passagers pouvaient donc atterrir en plein centre-ville ! Avant de vous diriger vers le sommet, admirez le beau hall d'entrée Art déco tout en marbre avec une représentation en relief de l'immeuble, en aluminium.

À L'ÉPOQUE, LES TOURS ÉTAIENT SOLIDES !

En juillet 1945, un bombardier s'écrasa contre l'Empire State Building, à hauteur du 79e étage. L'immeuble résista au choc ! Le brouillard était tel que le pilote dit à la tour de contrôle : « Je ne vois même pas l'Empire State ! » Quatorze morts au total, et une rescapée miracle qui survécut à la chute de son ascenseur depuis le 75e étage. Elle eut droit aux honneurs du Guinness des records !

Au 86e étage

En 1 mn à peine, l'ascenseur s'élève jusqu'au 80e étage ! De là, on emprunte un autre ascenseur qui grimpe jusqu'au 86e étage, situé à 320 m au-dessus de 5th Avenue : impressionnant ! Le jour comme la nuit, le spectacle est vraiment extraordinaire. Du haut de cet observatoire, les cheveux au vent (prévoir une petite laine, car ça souffle vraiment !), on se rend bien compte qu'on est sur une île : côté ouest on voit le New Jersey, et côté est, Queens et Brooklyn ainsi que les ponts qui les relient à Manhattan. Mais les vues les plus spectaculaires demeurent sur les côtés nord et sud. Nord d'abord, avec tous les gratte-ciel de Midtown, le « poumon vert » Central Park puis, au loin, le Bronx ; sud ensuite, où l'on se croirait dans un décor du comics *Sin City* en regardant la cité volante du Financial District, sans oublier la statue de la Liberté et l'entrée du mythique port de New York. Avis aux amoureux tout émoustillés par le romantisme du panorama : les câlins au 86e étage sont déconseillés, l'atmosphère rendant les baisers électrisants.

Au 102e étage

Encore plus haut, toujours plus cher, mais enfin presque seul, face à l'immensité grandiose de la ville ! La vue sur New York (à travers une vitre cette fois) est décidément plus exceptionnelle sans les touristes sur le dos. Une expérience pas vraiment indispensable mais à tenter si vos moyens vous le permettent.

🎭🎭 ***Morgan Library & Museum*** *(plan 1, C1) : 225 Madison Ave (et 36th St). ☎ 212-685-0008. • themorgan.org • Ⓜ (6) 33rd St. Mar-jeu 10h30-17h ; ven 10h30-21h ; sam 10h-18h ; dim 11h-18h. Entrée (audioguide en anglais compris) : 15 $; réducs ; gratuit moins de 12 ans et pour ts ven 19h-21h et, dans la Morgan Library and Study slt, mar 15h-17h, dim 16h-18h. Accès libre à la boutique et au resto.*

Splendide édifice de style néo-Renaissance construit en 1906 par McKim, Mead et White pour accueillir la collection du banquier John Pierpont Morgan, et récemment rénové et agrandi sous la houlette de Renzo Piano. L'architecte du Centre Pompidou à Paris a réalisé une cage de verre et d'acier lumineuse qui sert de *piazza* communiquant avec les anciens bâtiments. Très réussi. Ici ou là, quelques vitrines mettent en valeur une sélection de belles pièces d'art religieux médiéval (ciboires, reliquaires...). Avant d'entreprendre la visite même, faites donc un tour au sous-sol, où une exposition de photos et plans permettent de mieux se rendre compte de l'évolution des lieux depuis la construction de la maison personnelle de J. P. Morgan en 1852 jusqu'à l'extension de Piano achevée en 2006.

– ***Morgan Library and Study*** *(rez-de-chaussée)* **:** nous voici donc dans la *library* de 1906. On entre d'abord dans le bureau de Mr Morgan, remarquable par son plafond à caissons du XIVe s, acheté en Europe par McKim, Mead et White, démonté en plusieurs parties pour être transporté par bateau jusqu'à New York et recomposé ici. Notez également les vitraux du XVe et du XVIIe s, qui proviennent de monastères et d'églises suisses. Dans un coin de la pièce, une porte discrète mène à un petit réduit voûté où le financier entreposait sa collection de manuscrits du Moyen Âge. Parmi les œuvres d'art exposées dans ce bureau, notons une *Madone et Saints* du Pérugin et trois tableaux du peintre flamand Hans Memling : un portrait d'homme avec un œillet à la main, considéré comme un des plus beaux tableaux de la Morgan, et deux panneaux appartenant à l'origine à un triptyque (remarquable visage ridé de la sœur agenouillée). Également un superbe polyptyque espagnol en bois doré et peint, datant du XIVe s et illustrant des épisodes de la vie du Christ. Enfin, deux portraits de Morgan père et fils : même attitude et même moustache ! Pour finir, des porcelaines et de ravissantes majoliques...

– ***Le bureau du bibliothécaire :*** on ressort du bureau de Mr Morgan pour pénétrer dans la rotonde, tout en marbres de différentes couleurs et plafond en mosaïques, qui donne, côté gauche, sur un bureau richement décoré autrefois dévolu au bibliothécaire. On y découvre de rares pièces comme ces sceaux cylindriques en albâtre (3500-2900 av J.-C.), des tablettes cunéiformes, statuettes égyptiennes et sumériennes, bijoux en or, du temps des invasions (Ve-XIe s). Une mise en bouche avant de découvrir avec émerveillement la bibliothèque.

– ***La bibliothèque :*** fabuleuse ! Sur les rayonnages, pas mal d'auteurs français, et des ouvrages religieux en veux-tu, en voilà. Mais la pièce maîtresse est bien sûr la célèbre et rarissime bible de Gutenberg de 1455, le premier livre imprimé du monde. Seule une poignée d'exemplaires de cette bible subsistent encore aujourd'hui, sur les 180 édités à l'époque. Et la Morgan Library en possède trois ! De même, collection exceptionnelle de manuscrits, comme une lettre de Mme Roland en prison avant d'être guillotinée (fine et délicate écriture n'exprimant aucun stress), lettre de Louis XIV à Mazarin, puis une seule page subsistant du manuscrit de la *Lettre écarlate* de Nathaniel Hawthorne (qui semble-t-il fut brûlé par l'auteur), des partitions originales de Beethoven, Mozart, Debussy (la collection tourne). Plus des évangiles superbement enluminés, etc.

– ***Clare Eddy Thaw Gallery, Morgan Stanley Gallery*** *(rez-de-chaussée)* ***et Engelhard Gallery*** *(1er étage)* **:** salles consacrées aux expos temporaires, qui changent plusieurs fois par an. La part belle est donnée aux manuscrits médiévaux : Morgan en possédait quelque 1 300, vous êtes donc sûr d'en voir lors de votre visite. Mais le fonds richissime comprend également les éditions originales de *Babar* et du *Petit Prince !*

I●I 🍸 ***Morgan Café*** (prix abordables) et ***Morgan Dining Room*** (resto haut de gamme situé dans l'ancienne salle à manger de la famille Morgan), tous deux au rez-de-chaussée.

Museum of Sex *(plan 1, C2,* ***714****)* **:** *233 5th Ave (et 27th St). ☎ 212-689-6337. • museumofsex.com • Ⓜ (N, R, 6) 28th St. Tlj 10h-20h (21h sam). Interdit aux moins de 18 ans. Entrée : 17,50 $; réducs.* Il eût été surprenant qu'un tel musée ne fasse pas un jour son apparition à New York, d'autant que la ville a joué, depuis le XIXe s, un rôle crucial dans l'évolution et la libération des mœurs et attitudes de la population américaine vis-à-vis du sexe. Le lieu explore, à travers des expositions changeantes (et un matériel très explicite !), l'histoire, l'évolution et la portée culturelle de la sexualité humaine dans son ensemble. Tous les arts sont représentés, avec parfois quelques grands noms : peinture, photo, sculpture, cinéma, BD, manga, magazines *(L'Écho des savanes...)*, etc. Bref, un musée à la fois sérieux et complet (qui aborde aussi les questions de santé, médecine et contraception), et surtout pas racoleur comme on pourrait le craindre.

🍸 ***Café*** au sous-sol, proposant des cocktails aphrodisiaques...

Boutique assez amusante, forcément.

Itinéraire dans « Four Squares »

➢ ***69th Regiment Armory*** *(plan 1, C2,* ***712****)* **:** *68 Lexington Ave (entre 25th et 26th St).* Ⓜ *(6) 28th St.* Cet édifice a une valeur historique de taille ! Il s'agit d'une caserne militaire en brique rouge, où eut lieu, en 1913, le célèbre *Armory Show,* l'exposition d'art moderne qui fit connaître ce mouvement révolutionnaire aux Américains. L'œuvre la plus remarquée (et la plus critiquée) fut le fameux *Nu descendant un escalier* de Marcel Duchamp. On y organise encore des expos (plus aussi surréalistes, mais bon !).

➢ ***Madison Square*** *(plan 1, C2) : 5th Ave (entre 23rd et 26th St).* Ⓜ *(N, R) 23rd St.* Beaucoup de circulation, mais aussi de nombreux points de vue. Au sud, l'un des buildings les plus emblématiques de New York : le ***Flatiron Building,*** en forme de fer à repasser (d'où son nom !). Si l'on se place dans l'axe du building, il a l'air squelettique même s'il mesure quand même 87 m de haut. Ce fut d'ailleurs le premier gratte-ciel de la ville. Construit au début du XXe s dans le style néo-Renaissance, il épouse l'angle très aigu formé par le croisement de Broadway et de 5th Avenue. Toujours sur Madison Avenue, deux blocs plus loin, entre 26th et 27th Street, le building de la ***New York Life Insurance Company*** est un chef-d'œuvre de l'architecture néogothique, avec son hall grandiose. Visites guidées gratuites du quartier (Flatiron District) proposées le dimanche à 11h (durée 1h30). Rendez-vous à Madison Square Park, à l'angle de 23rd Street et Broadway (devant la statue). ● *discoverflatiron.org* ●

➢ ***Stuyvesant Square*** *(plan 1, C3) : 2nd Ave (entre 15th et 17th St).* Ⓜ *(6) 23rd St.* Créé par le gouverneur du même nom sur ce qui était alors des terrains fermiers ! Noter les quelques maisons de style *Greek Revival* qui contrastent avec la romanesque Saint George Church.

➢ ***Gramercy Park*** *(plan 1, C2) : sur Lexington Ave (entre 20th et 21st St).* Ⓜ *(6) 23rd St.* Charmant petit square entouré de résidences bourgeoises. On se croirait un peu à Londres. Il suffit d'aller sur Park Avenue, à seulement un bloc de là, pour retrouver l'ambiance new-yorkaise. Détail insolite : le square est privé, et seuls les habitants du quartier en ont la clé (et les clients du très sélect *Gramercy Park Hotel*) ! C'est l'unique jardin de la ville à être régi de la sorte. Il est toujours fermé au public... sauf le 24 décembre.

➢ ***Church of the Transfiguration*** *(plan 1, C2,* ***713****) : 1 E 29th St (entre 5th et Madison Ave).* ☎ *212-684-6770.* ● *littlechurch.org* ● Ⓜ *(N, R, 6) 28th St. Ouv 8h30-18h. Chorale* (Choir of Men and Boys) *dim à 11h.* C'est dans cette « petite église du coin » (comme elle est surnommée depuis toujours), cernée par les buildings, qu'a été fondée la confrérie épiscopale des acteurs de théâtre en 1923. Charlton Heston, Joan Fontaine et Sam Waterston en furent membres. Cela explique que certains saints représentés sur les vitraux aient des visages de comédiens. L'église de style *Gothic Revival,* complètement décalée par rapport à l'environnement, vaut le détour. Il y a en plus un jardin verdoyant avec une fontaine, très romantique.

➢ ***Marble Collegiate Church*** *(plan 1, C2) : 1 W 29th St (angle 5th Ave).* ☎ *212-686-2770.* Ⓜ *(N, R) 28th St. Ouv sf j. fériés lun-ven 8h30-20h30 (visite en passant par 3 W 29th St), sam 9h-19h, dim 8h-15h.* Construite en 1854, c'est la plus ancienne église protestante de New York. À sa consécration, un chemin marquait la limite de la ville au niveau de 23rd Street, ce qui explique la clôture en fonte, nécessaire pour maintenir le bétail à distance. De style néoroman, elle est tout en marbre, avec un clocher de plus de 65 m de hauteur. Vous pourrez y admirer deux magnifiques vitraux Tiffany, datant de 1901. Lors de sa rénovation, en 1984, la laine damassée recouvrant les bancs et la moquette a été retissée par *Scalamandre,* une compagnie française... Les numéros sur les bancs et les portillons sont un vestige du temps où les familles aisées louaient des rangs.

THEATER DISTRICT ET MIDTOWN WEST

Délimité par 59th Street, 34th Street, 6th Avenue et l'Hudson River, Theater District brille par ses activités touristiques et ses spectacles en tout genre. Point d'orgue du quartier, *Times Square* se trouve à l'angle de Broadway et de 44th Street.

Cette place, anciennement appelée Longacre Square, doit son nom au journal *New York Times* : d'abord installé au sud de Manhattan, le célèbre quotidien déménagea sur 42nd Street au Nouvel An 1904. Quelques semaines plus tard apparut la première publicité sur l'immeuble d'une banque, à l'angle de Broadway et de 46th Street. Times Square était né ! Quartier des cinémas et des théâtres, ce fut longtemps l'un des endroits les plus extraordinaires et symboliques de New York, malgré sa mauvaise réputation. Débauche de néons, de publicités scintillantes et agressives, c'était le point de chute des laissés-pour-compte de l'Amérique, tout un monde de Noirs en manque et de Blancs décavés, *gogo girls,* strip-teaseuses et clients pochtronnés...

Mais le quartier s'est littéralement métamorphosé lors du passage de Rudolph Giuliani à la mairie de NY (voir « Histoire », dans « Hommes, culture, environnement » en début de guide). Ainsi, dès 1993, Times Square a accueilli des théâtres rénovés, de grands hôtels à donner le vertige, des tours de bureaux, sans oublier de nombreux commerces (dont la boutique géante de jouets *Toys' R' Us,* les *Hard Rock Café* et *Hotel...*). Le point commun : une surabondance de lumière (même la nuit, on se croirait en plein jour !) et de publicités qui défilent sur des dizaines d'écrans géants.

9, 8, 7, 6, 5, 4, 3, 2, 1... !

Le 31 décembre, à Times Square, une énorme boule en cristal scintillante descend en 60 s depuis l'un des buildings de la célèbre place aux mille néons, afin de marquer la dernière minute de l'année. Une foule gigantesque en profite alors pour scander le plus célèbre des comptes à rebours. Cette coutume, inaugurée en 1907, se déroule depuis sans discontinuer.

Adresses utiles

ℹ *NYC & Company* *(plan 2, G11,* ***1*****) :** *810 7th Ave (entre 52nd et 53rd St).* ☎ *212-484-1222.* • *nycgo.com* • Ⓜ *(N, Q, R) 49th St. Lun-ven 8h30-18h ; w-e 9h-17h (15h j. fériés).* L'office de tourisme de New York innove en proposant aux visiteurs de vastes tables interactives pour découvrir hôtels, restos, attractions gratuites, visites et boutiques dans un rayon précis, avec la possibilité d'imprimer sur place le fruit de ses recherches ou de se l'envoyer par mail. D'autres écrans muraux affichent des informations plus succinctes mais en français. Également une foule de prospectus, magazines et guides (notamment l'Official NYC Guide et son programme des manifestations du moment) sur tout ce qu'il y a à voir et à faire à New York, ainsi que les plans de métro et de bus, et des coupons de réductions pour certains shows de Broadway. Enfin, vente des différents *passes* de musées et monuments.

ℹ *Times Square Alliance* *(plan 2, G11,* ***2*****) :** *7th Ave (entre 46th et 47th St).* ☎ *212-869-1890 et 484-1222.* • *timessquarenyc.org* • Ⓜ *(N, Q, R, S, 1, 2, 3, 7) Times Sq-42nd St. Tlj 9h-19h.* Tout nouveau tout beau, avec un minimusée gratuit sur l'histoire de Times Square. Évidemment, tout plein d'infos sur Theater District, vente de billets pour les shows de Broadway, ainsi que pour toute sorte de tours en ville (bus, bateau, hélicoptère...). Visite guidée gratuite du quartier, tous les vendredis à midi (départ ici même).

✉ ***Post Office :*** *45th St (entre Park et Lexington Ave ; plan 2, G-H11). Et 340 W 42nd St (entre 8th et 9th Ave ; plan 2, G11).*

Où dormir ?

De prix moyens à plus chic

414 Hotel *(plan 2, F-G11,* ***83****) : 414 W 46th St (entre 9th et 10th Ave). ☎ 212-399-0006 ou 1-866-414-HOTEL. • hotel414.com • Ⓜ (A, C, E) 42nd St-Port Authority. Doubles env 160-260 $, avec petit déj.* Sommes-nous bien à New York, à 5 mn à peine de Times Square ? En découvrant ce petit immeuble de caractère en brique rouge, la table commune en bois et la cheminée du salon d'accueil, on pourrait en douter ! C'est justement la force de ce petit hôtel, qui joue à fond la carte de l'adresse intime et chaleureuse : à peine une vingtaine de chambres, coquettes et confort et pour couronner le tout, une courette bien agréable pour siroter un café au calme. Il y a même une cuisine (micro-ondes) à dispo. Personnel disponible. Vraiment super.

Edison Hotel *(plan 2, G11,* ***54****) : 228 W 47th St (entre Broadway et 8th Ave). ☎ 212-840-5000 et 800-637-7070 (résa). • edisonhotelnyc.com • Ⓜ (D, F) 42nd St ou (N, Q, R, S, 1, 2, 3, 7) Times Sq-42nd St. Doubles 180-260 $ selon saison.* Idéalement situé à deux pas de Times Square, cet hôtel Art déco (comme *Radio City Hall*) est une bonne option pour qui voudrait être au cœur de l'animation touristique. Certes, le hall de ce géant de 900 chambres a bien plus de panache que les chambres, somme toute classiques et quelconques pour certaines, voire un peu datées. Cela dit rien ne manque côté confort. Jolie cafétéria à l'américaine (cash seulement) et salle de fitness.

Hotel Metro *(plan 1, C1,* ***51****) : 45 W 35th St (et 5th Ave). ☎ 212-947-2500. Ⓜ (4, 5, 6, R, N, Q, B, D, F, M) 33th et 34th St. • hotelmetronyc.com • Doubles 160-380 $, suivant période, petit déj continental inclus.* Le charme du style Art déco et le glamour d'un boutique-hôtel... Après le ravissant lobby, des chambres au mobilier cossu et d'excellent confort, avec salle de bains en marbre. *Rooftop terrace* avec belle vue sur la *skyline*, bar et resto, salle de fitness.

Comfort Inn *(plan 2, G11,* ***50****) : 129 W 46th St (entre Broadway et 6th Ave). ☎ 212-221-2600 ou 1-800-567-7720 (résas). • applecorehotels.com • Ⓜ (D, F) 42nd St ou (N, Q, R, S, 1, 2, 3, 7) Times Sq-42nd St. Doubles 180-250 $ selon saison, avec petit déj.* Cet hôtel classique de taille moyenne dispose de belles chambres standardisées et confortables (dont pas mal de rénovées). Certaines donnent sur la rue (nos préférées), les autres sur de minuscules courettes assez sombres. À vous de voir. Petite salle de gym. Accueil sympa et efficace.

Skyline Hotel *(plan 2, F11,* ***63****) : 725 10th Ave (angle 49th St). ☎ 212-586-3400 ou 1-800-433-1982 (résas). • skylinehotelny.com • Ⓜ (C, E) 50th St. Doubles 140-260 $ selon saison.* Situé à l'ouest de Theater District. Une architecture de type motel qui détonne dans le paysage des tours ! Les chambres sont banales mais confortables et vraiment spacieuses pour les plus chères (avec frigo). Salle de fitness. Et puis, tout de même, peu d'hôtels moyenne gamme disposent comme celui-ci d'une piscine couverte chauffée avec vue sur New York et l'Empire State Building... L'hiver, c'est tout simplement génial.

The Moderne *(plan 2, G10,* ***59****) : 243 W 55th St (entre 8th Ave et Broadway). ☎ 212-397-6767 ou 1-888-66-46835. • modernehptelnyc.com • Ⓜ (A, C, D, 1) 59th St-Columbus Circle. Doubles 150-250 $ selon saison (parfois jusqu'à 400 $).* Jolie façade étroite en brique dans ce petit boutique-hôtel où les chambres tout confort affichent des couleurs vives, des canapés couleur argent, d'imposantes reproductions de Warhol *(Marilyn)*, de grands miroirs, des salles de bains en marbre et des bureaux avec mobilier design un poil déjanté. C'est plutôt réussi ! Vraiment à taille humaine (5 chambres par étage). En revanche, on aime moins la vue sur un mur aveugle pour celles qui donnent sur l'arrière.

Belvedere Hotel *(plan 2, G11,* ***53****) : 319 W 48th St (entre 8th et 9th Ave). ☎ 212-245-7000 ou 1-888-HOTEL-58 (résas). • belvederehotelnyc.com • Ⓜ (C, E) 50th St. Doubles 150-250 $ selon saison (parfois jusqu'à 350 $).* Tout proche de l'animation de Times Square, un hôtel avec une façade de brique grise décorée façon kitsch avec une touche Art déco (1928), un lobby luxueux et des chambres spacieuses, bien confortables, douillettes et plutôt élégantes, équipées de kitchenette (micro-ondes et frigo seulement) et salle de bains étincelante.

Best Western President Hotel *(plan 2, G11,* ***89****) : 234 W 48th St (entre 8th et Broadway). ☎ 212-246-8800 et 1-800-826-4667. • presidenthotelny.com • Ⓜ (1) 50th St. Doubles 140-350 $ selon période.* L'aquarium et la déco du salon d'accueil, à la fois pop et baroque bien kitsch ne laissent pas indifférent. Plutôt réussi dans son genre. Quant aux chambres, contemporaines, elles se révèlent heureusement plus sages. Compte tenu de la situation, c'est plutôt une bonne adresse, mais il y a encore des efforts à faire concernant la plomberie... Salle du petit déj étriquée (aller plutôt à la charmante cafétéria de *l'Edison Hotel,* pas loin). En prime, réception peu professionnelle (voire pas aimable).

Washington Jefferson Hotel *(plan 2, G11,* ***52****) : 318 W 51st St (entre 8th et 9th Ave). ☎ 212-246-7550 et 800-567-7550. • wjhotel.com • Ⓜ (C, E) 50th St. Doubles 150-300 $ selon saison.* Cet hôtel présente un lobby accueillant et sympa, et une grosse centaine de chambres confortables (quoique de taille inégale : certaines singles sont riquiqui, mais bien sûr moins chères), dans les tons blanc, brun et gris. Toutes sont dotées d'une salle de bains joliment carrelée, avec baignoire à remous pour certaines. Et bien sûr écran plat, station iPod... Bon accueil.

Econo Lodge *(plan 2, G11,* ***99****) : 302 W 47th St (et 8th Ave). ☎ 212-246-1991. • econolodge.com • Ⓜ (C, E) 50th St. Doubles en moyenne 150-250 $ (250-350 $ pour 4 pers) selon période (pics à certaines dates), avec petit déj continental.* Cet hôtel de chaîne a l'avantage d'être situé à deux pas de Times Square. C'est vrai que question charme on repassera, mais les petites chambres se révèlent propres et fonctionnelles (un peu bruyantes toutefois). L'écran plat est la seule touche design ! Quant au petit déj, il est servi dans le hall et se résume à quelques pâtisseries et un café à avaler debout. Bref, un rapport qualité-prix très correct... mais en période creuse.

Out Hotel *(plan 1, A1,* ***38****) : 510 W 42nd St. (et 10th Ave). ☎ 212-947-2999. • theoutnyc.com • Ⓜ (A, C, E) 42nd St. Doubles 200-300 $ suivant période,* sleep shares *(4 pers) 100 $/pers.* Depuis mars 2012, la Grosse Pomme s'est doté de son 1er hôtel gay, plus précisément *« straight friendly urban hotel »* ! On s'en doute, architecture design d'avant-garde, nouveaux concepts, idées neuves en matière de management... On n'est pas déçu. Une centaine de chambres à l'esthétique sobre, voire épurée, dans les tonalités blanche, noire, grise, et confort maximum. Une curiosité : pas de vrais placards mais de simples planches. Les chambres donnent toutes sur de petites cours intérieures verdoyantes pour se dégourdir les jambes. Centre de remise en forme ultramoderne abrité dans un lumineux atrium, avec vigne vierge, *deck* en bois et petite cascade. Salle de resto (le *Ktchn,* prononcer « kitchin ») au cadre minimaliste, mais classe, avec longue table conviviale au milieu. Bar idem. Et pour les nuits folles, l'immense *XL Night Club,* avec un bar d'une esthétique superbe.

De plus chic à très chic

Novotel Times Square *(plan 2, G11,* ***90****) : 226 W 52nd St (et Broadway). ☎ 212-315-0100. • novotel.com • Ⓜ (1) 50th St. Doubles 240-350 $ selon période ; à peine plus chères pour 4.* C'est le gros et grand hôtel, dans tous les sens du terme. C'est-à-dire qu'il aligne tout de même près de 500 chambres contemporaines d'excellent confort, et que le service est à la hauteur : propreté, niveau de confort, prestations (resto, bar, *fitness center*), accueil, il n'y a rien à redire. Mais le vrai plus ici, c'est la vue exceptionnelle qu'on a depuis certaines chambres. À partir du 15e étage, la féerie de Times Square ou les lumières de la ville sont un spectacle dont on ne se lasse pas ! Terrasse panoramique.

Hudson *(plan 2, G10, **58**) : 356 W 58th St (et 9th Ave), pas d'enseigne à l'extérieur.* ☎ *212-554-6000.* • *hudsonhotel.com* • Ⓜ *(A, C, D, 1) 59th St-Columbus Circle. Doubles 200-500 $ selon période (parfois des promos intéressantes).* C'est l'un des hôtels les plus étonnants de New York, entièrement conçu par le designer français Philippe Starck. Ici, tout est décalé, tout accroche le regard, à commencer par le lobby avec ses escaliers mécaniques et son étonnante verrière géante couverte de lierre, ou encore le bar aux dalles luminescentes, ou bien le salon-bar-bibliothèque au décor assez fou et, en même temps, d'une élégance incroyable. Les chambres et leurs salles de bains sont en revanche trop petites à notre goût (sauf pour celles qui disposent de 2 lits et d'un minisalon) mais magnifiquement conçues... Si vous n'y logez pas, tâchez au moins de venir y un boire un verre, juste pour le plaisir des yeux (voir plus loin « Où boire un verre ? »). Et si vous avez encore assez d'énergie, il reste le *rooftop bar* à explorer... et même un night-club dans le *basement* !

Hotel Grace *(plan 2, G11, **55**) : 125 W 45th St (entre 6th et 7th Ave).* ☎ *212-380-2701 et 646-509-6409.* • *room-matehotels.com* • Ⓜ *(D, F) 42nd St ou (N, Q, R, S, 1, 2, 3, 7) Times Sq-42nd St. Doubles 220 $ (un bon rapport qualité-prix dans cette catégorie)-400 $ selon période, avec petit déj-buffet.* Un hôtel tendance au design épuré, réalisé par l'architecte américain Lindy Roy. Inattendu, la piscine dans le lobby ! Chambres petites et dans des tons sobres (blanc, gris, noir), avec néanmoins des papiers peints psychédéliques et, au-dessus du lit, un luminaire en forme... d'os pour chien-chien à sa mémère ! Salles de bains en mosaïque. Au rez-de-chaussée, un bar animé en soirée par un DJ pour de folles *weekend parties* qui se terminent dans la petite piscine. Également une salle de sport, sauna et hammam. Clientèle jeune et très *fashion victim*.

Yotel *(plan 2, F11, **91**) : 570 10th Ave (et 42nd St).* ☎ *646-449-7700.* • *yotel.com* • Ⓜ *(A, C, E) 42nd St Port Authority. Doubles dès 250 $, petit déj inclus (promos).* Inspiré des hôtels capsule japonais et des premières classes dans les avions, le *Yotel* propose non pas des chambres classiques mais des cabines au design high-tech où la fonctionnalité est poussée à l'extrême (lits escamotables par exemple). Ici, on s'enregistre comme à l'aéroport, et la consigne à bagages est entièrement robotisée. Tout un concept. Dommage que les prix ne soient pas proportionnels à la taille des chambres car la nuitée reste fort chère... Il faut dire que le confort est haut de gamme, la déco signée par un cabinet d'archi de renom. Resto japonais, bar-*lounge* et club sur place, sans oublier la plus grande terrasse d'hôtel à New York. Le summum du branché urbain !

Le Parker Meridien *(plan 2, G10, **422**) : 119 W 56th St (entre 6th et 7th Ave).* ☎ *212-245-5000 et 1-800-543-4300.* • *parkermeridien.com* • Ⓜ *(F, N, Q, R) 57th St. Doubles env 250-500 $ selon période et vue (étage élevé, côté parc...).* Hôtel de luxe idéalement placé à 2 blocs de Central Park, dans un style à la fois moderne et classique séduisant. Lobby chic avec ses arcades en pierre, son superbe bar aux allures de nef gothique et, derrière le lourd rideau, un inattendu petit boui-boui à burgers (voir « Où manger ? Bon marché »). Large palette de chambres à l'élégance sobre, avec des prix variés selon la vue, l'étage. Mais la cerise sur le gâteau, c'est la piscine au 42e étage offrant une vue unique sur la totalité de Central Park et l'énorme salle de fitness, déjà testée par Barack Obama. Petit déj à prix rédhibitoire, en revanche.

W Hotel *(plan 2, G11, **62**) : 1567 Broadway (angle 47th St).* ☎ *212-*

930-7400. • starwoodhotels.com • Ⓜ (D, F) 42nd St ou (N, Q, R, S, 1, 2, 3, 7) Times Sq-42nd St. Doubles 300-600 $ selon période, vue et confort. Encore un boutique-hôtel au design particulièrement travaillé. À l'entrée, on franchit une fontaine qui déborde du plafond de verre pour dégringoler le long des murs, puis on atteint, au 7e étage, un très beau lobby avec effets de lumière douce, projections vidéo, petits salons aux banquettes basses, et un grand bar lumineux lui aussi. Lignes épurées et éclairage travaillé sont également les dominantes des chambres, ultra-confortables, toutes personnalisées, avec vue sur les lumières de Manhattan qui nous font tant rêver. Coups de cœur pour les « *Cool Corner Rooms* » (du 31e au 57e étage) et autres *Wonderful* ou *Fantastic Rooms*. Fabuleux, si vos moyens vous le permettent !

Où manger ?

Sur Broadway, entre 35th et 59th Street, et autour de Times Square, on trouve essentiellement des restos touristiques insipides. Les vraies adresses que nous recommandons ici se situent donc à deux pas de Broadway, entre 8th et 10th Avenue, et 42nd et 57th Street. C'est un vieux quartier populaire sympa à dominante irlandaise, surnommé ***Hell's Kitchen*** jusque dans les années 1960...

Spécial petit déjeuner et brunch

Amy's Bread *(plan 2, G11,* ***249****) : 672 9th Ave (entre 46th et 47th St). ☎ 212-977-2670. Ⓜ (C, E) 50th St. Lun-sam 7h30 (8h sam)-23h ; dim 8h-20h. Formules petit déj env 4-7 $; en-cas 5-8 $.* Une petite boulangerie dont la réputation rayonne dans tout NYC ! Voici donc une foule de délicieuses pâtisseries, *scones,* muffins, *cupcakes, carrot cake,* etc., sans oublier les petits déj à la française pour les nostalgiques des tartines beurre-confiture. Également une vingtaine de délicieux pains, sandwichs, pizzas, soupes et salades pour le lunch. Une poignée de tables à l'intérieur pour faire une pause, avec vue sur le fournil. *Succursales au Chelsea Market, 75 Ninth Ave (et 15th St) et dans le Village, 250 Bleeker St (entre 6th et 7th Ave).*

Café Edison *(plan 2, G11,* ***54****) : 228 W 47th St (entre Broadway et 8th Ave). ☎ 212-840-5000. M : (D, F) 42nd St ou (N, Q, R, S, 1, 2, 3, 7) Times Square-42nd St. Tlj 6h-21h30 (dim 6h-19h30).* Vénérable cafétéria évoquant le New York des années 1940-50, avec ses plafonds et piliers stuqués, ses serveurs un poil abrupts, ses petits plats à prix encore très abordables livrés dans une atmosphère vaguement surannée. De son passé de cantine de cuisine juive, elle a gardé les *blintzes,* la carpe farcie et, surtout, la *matzo ball soup* qui vous nourrit fort bien pour moins de 5 $... Beaucoup de monde pour une légère collation pré-théâtre.

Little Pie Company *(plan 2, F11,* ***258****) : 424 W 43rd St (entre 9th et 10th Ave). ☎ 212-736-4780. Ⓜ (A, C, E) 42nd St-Port Authority. Lun-ven 8h-20h ; w-e 10h-20h (18h dim).* À l'écart de l'agitation de Broadway, cette petite pâtisserie avec tables et comptoir est idéale pour démarrer la journée ou recharger les batteries. Excellentes tartes aux parfums envoûtants *(southern pecan, three berries, banana-coconut, key lime...),* d'après des recettes de grand-mère, et puis aussi de très bons cookies, muffins, *scones,* cheese-cakes...

Bouchon Bakery *(plan 2, G10,* ***261****) : au 3e étage du Time Warner Center, 10 Columbus Circle (angle Broadway et 58th). ☎ 1-212-823-9366. Ⓜ (A, C, D, 1) 59th St Columbus Circle. Tlj 8h-21h (19h dim).* D'accord, l'atmosphère est un peu snob, à l'image de l'environnement (un centre commercial de luxe). Mais pour faire une pause gourmande dans le coin, c'est l'idéal : les bons pains au chocolat ou les excellents macarons et cookies (craquants à l'extérieur, fondants à l'intérieur) méritent le détour. D'autant qu'on peut se contenter du stand de vente à emporter sur le côté. Également des salades, quiches et sandwichs du jour de qualité. Comble de la sophistication : des *pet treats,* biscuits au foie gras, en forme de nonosse pour nos compagnons canins !

Et aussi : ***Whole Foods Market, Junior's, Westway Diner*** et ***Carnegie Deli*** (voir plus loin).

Bon marché, sur le pouce et *street food*

Halal Guys *(plan 2, G11,* ***435****) : à l'angle NW de 53rd St et de 6th Ave (un autre un bloc au-dessous, 52nd St et 6th Ave). M (D, E) 7th Ave. Tlj 12h-minuit. Env 5 $.* De loin, ce n'est pas le camion qu'on repère, c'est la file d'attente. Surtout le samedi soir : il faut parfois patienter 20 mn avant d'obtenir sa dose de *chicken and rice* ou d'agneau ! Dans tous les cas, c'est très bon, vraiment (car bien cuit et épicé juste comme il faut), arrosé au besoin de sauce blanche, et accompagné de bon riz et d'un morceau de pain. Vraiment inattendu. Mais les habitués vous diront que la *street food* (cuisine de rue), c'est la vraie face cachée de NYC !

Whole Foods Market *(plan 2, G10,* ***261****) : au sous-sol du Time Warner Center, 10 Columbus Circle (angle Broadway et 58th St). ☎ 212-823-9600. M (A, C, D, 1) 59th St-Columbus Circle. Tlj 8h-20h. Plats cuisinés au poids, env 8 $ la livre.* Ce supermarché bio s'avère un super plan pour acheter les ingrédients d'un pique-nique à Central Park, tout simple (sandwichs, pizzas) ou somptueux (sushis, nombreux plats chauds tous plus appétissants les uns que les autres, bars à thés et à jus de fruits...). Et, s'il pleut, possibilité de s'asseoir dans une grande salle à manger en sous-sol (petits box ou longues tables). Bien aussi pour un petit déj *healthy.*

Sandwich Planet *(plan 1, B1,* ***256****) : 522 9th Ave (entre 38th et 39th St). ☎ 212-273-9768. M (N, Q, R, S, 1, 2, 3, 7) 42nd St-Times Sq. Tlj 10h45-21h30. Env 7-10 $.* Dans cette petite échoppe toute simple, avec quelques tables en alu et une TV pour le sport, on prépare une ribambelle de très bons sandwichs pour tous les goûts (la liste est longue). On peut aussi les composer soi-même à partir d'une foule d'ingrédients frais et sains. Également des salades, *fajitas,* 30 sortes de hamburgers, autant de paninis et *baked potatoes,* à emporter ou à dévorer sur les quelques tables. Beaucoup de monde le midi.

Dean & Deluca *(plan 1, B1,* ***436****) : 620 8th Ave (et 40th St). ☎ 212-221-0308. M (N, Q, R, S, 1, 2, 3, 7) 42nd St-Times Sq. Lun-ven 7h-19h ; w-e 8h-15h. Env 8-12 $.* Tous les gourmets connaissent *Dean & Deluca,* tous les gourmands y font régulièrement une halte pour profiter des salades à composer soi-même, des sandwichs, des soupes et des plats du jour, tous préparés avec les produits haut de gamme sélectionnés par la maison mère (c'est une épicerie fine). Évidemment, la qualité, ça se paie. Cadre sobre et lumineux dans les blanc, noir et alu de cafét' contemporaine.

Bon marché

Burger Joint at Le Parker Meridien *(plan 2, G10,* ***422****) : 119 W 56th St (entre 6th et 7th Ave). ☎ 212-708-7414. M (F, N, Q, R) 57th St. Burger-frites env 11 $. CB refusées.* Dans le lobby de cet hôtel de luxe, juste derrière l'immense rideau à gauche après la réception, se cache un *burger joint* aux airs de cafét' universitaire, avec les murs graffités, les tables grasses, la musique forte et tout et tout. Totalement décalé ! Pas de choix, c'est burger et basta, mais vous aurez votre mot à dire sur la cuisson (parfaite) et la garniture. Simple et bon, même si les portions ne sont pas énormes. Le plus dur sera de faire la queue (parfois très longue, d'ailleurs profitez-en pour réfléchir à votre commande pour ne pas hésiter quand viendra votre tour) et de trouver une place assise (surtout le midi), car l'adresse est très connue des New-Yorkais. Une combine qui simplifie : remplir le bon de commande qui se trouve juste avant la porte d'entrée. Quelqu'un vous appellera pour la récupérer.

Shake Shack *(plan 2, G11,* ***196****) : 691 8th Ave (et 44th St). ☎ 646-435-0135. M (A, C, E) 42nd St-Port Authority. Env 8-10 $.* Succès oblige, le restaurateur Danny Meyer continue l'expansion de ses comptoirs à burgers à travers Manhattan. Il faut dire que la recette est bonne (à part les frites, décevantes) et les prix doux ! Celui-ci est très Times Square, avec son enseigne bien clinquante. N'oubliez pas de préciser la cuisson de votre burger et si vous le voulez avec laitue, tomate, oignons et *pickle,* sinon on vous le servira nature. En dessert, des crèmes glacées bien onctueuses *(frozen custard)* dont les parfums changent tous les jours.

|●| ***Sapporo*** *(plan 2, G11,* ***219****) : 152 W 49th St (entre 6th et 7th Ave). ☎ 212-869-8972. Ⓜ (N, R) 49th St. Plats 9-12 $. CB refusées.* Une cantine japonaise sans aucun charme, pourtant toujours prise d'assaut par une foule d'habitués attirée par les prix, la qualité de la cuisine et l'efficacité du service (en revanche, pour le sourire, on repassera). Beaucoup d'ambiance au comptoir, en prise directe avec les cuisines. Pas de sushis, mais spécialité de *ramen,* la soupe aux grosses nouilles avec du porc, légumes ou curry. Le tout servi généreusement et un peu relevé. Un bon plan reconstituant et, somme toute, très typique de la diversité new-yorkaise.

|●| ***Pam Real Thai Food*** *(plan 2, G11,* ***233****) : 404 W 49th St (entre 9th et 10th Ave). ☎ 212-333-7500 et 7240. Ⓜ (C, E) 50th St. Plats 6-14 $. CB refusées.* En plein cœur de Hell's Kitchen, un délicieux resto thaï aux spécialités mitonnées avec soin et authenticité. Entre les soupes (et le classique *tom yam* bien sûr), salades et autres curries, le choix est monumental, et nos papilles en sont ressorties vraiment flattées. Plusieurs goûteuses déclinaisons de *crispy duck*. Fréquenté par des habitués du quartier. Cadre vraiment quelconque, mais service prévenant. Excellent rapport qualité-prix.

|●| ***Margon*** *(plan 2, G11,* ***226****) : 136 W 46th St (entre 6th et 7th Ave). ☎ 212-354-5013. Ⓜ (D, F) 47th-50th St-Rockefeller Center. Lun-ven 6h-17h ; sam 7h-15h. Plats 7-12 $. CB refusées.* Les affairés du quartier en ont fait leur cantine, et pour cause ! Un classique du sandwich cubain (dinde et jambon) et du *shake* aux fruits tropicaux. Les plats du jour sont une valeur sûre, notamment la salade de poulpe si vous êtes là le jour de chance. Le tout servi ultra-copieux avec riz et haricots, ou salade et bananes frites. Les serveurs latinos mettent beaucoup d'ambiance, ce qui fait oublier le cadre moche : lumière blafarde et tables d'un autre âge.

De bon marché à prix moyens

|●| ***5 Napkin Burger*** *(plan 2, G11,* ***310****) : 630 9th Ave (et 45th St). ☎ 212-757-2277. Ⓜ (N, Q, R, S, 1, 2, 3, 7) 42nd St-Times Sq. Plats 13-15 $.* Happy hours *au bar 16h-19h.* Visiblement, les espèces de crocs de boucher auxquels s'accrochent les lampes ne font pas peur. Box, long comptoir, hautes tables et banquettes de moleskine ; les amateurs de burgers, séduits par leur qualité et leur taille, ont le choix des moyens. Effectivement, il faut bien 5 *napkins* (serviettes) pour en venir à bout sans ravager son veston ! Pour varier, on y trouve également des sushis, du *fish and chips,* quelques salades et des milk-shakes. *Succursales à Upper West Side (2315 Broadway et 84th St) et dans le Queens (voir index).*

|●| ***Fork and Spoon*** *(plan 1, C1,* ***266****) : 7 W 36th St (entre 5th et 6th Ave). ☎ 212-244-3203. Ⓜ (6) 33th St (R, N, Q, B, D, F, M) 34th Herald Square. Tlj sf dim 7h-15h. Prix au poids (8 $ la livre).* Encore la fameuse formule à succès dans un cadre tout simple : choisissez vos mets, vos salades et payez au poids. Produits d'une incroyable abondance et d'une extrême fraîcheur, les comptoirs tout aussi appétissants les uns que les autres se succèdent, plats chauds et froids, grand choix également de *phó, ramen, udon, soba,* desserts, glaces... Délicieux sandwichs au *cream cheese* faits devant vous... Prix modérés. Quelques tables pour consommer sur place.

|●| 🍷 ***VYNL*** *(plan 2, G11,* ***252****) : 754 9th Ave (entre 50th et 51st St). ☎ 212-974-2003. Ⓜ (C, E) 50th St.* Happy hours *16h-19h. Plats 15-22 $* (small plates *pour les petites faims 8-15 $).* Lunch special *12 $.* On aime

bien ce *diner* version rétro-design où les disques vinyles (bonne musique) sont partout à l'honneur. Les toilettes, complètement fétichistes, valent à elles seules le déplacement ! Sinon, cuisine fraîche et originale, avec de bons sandwichs, salades, soupes, burgers et d'inattendus plats thaïs ; le tout pour un bon rapport qualité-prix. Clientèle résolument jeune, branchée et animée (voire bruyante). Toujours bondé en soirée. Box, longues banquettes, tables hautes, comptoir... en principe, on trouve toujours une place !

Afghan Kebab House *(plan 2, G11,* ***254****) : 764 9th Ave (entre 51st et 52nd St). ☎ 212-307-1612. Ⓜ (C, E) 50th St. Plats env 14-20 $. BYOB.* Entre les tentures rustiques aux murs et les tapis au sol, on se croirait sous la tente ! Dans l'assiette, bonne cuisine d'Asie centrale : kebab, *kabuli palow, korma, spicy chicken, tandoori* et plats végétariens. Très fréquenté par les gens du quartier, et souvent plein en soirée (venir tôt, car il n'y a qu'une dizaine de tables).

Rice and Beans *(plan 2, G11,* ***262****) : 744 9th Ave (entre 50th et 51st St). ☎ 212-265-4444. Ⓜ (C, E) 50th St. Plats 15-20 $.* Lunch special *env 10 $.* Quelques tables et une bonne cuisine brésilienne copieusement servie, avec des spécialités de riz et haricots, comme l'indique le nom du resto. Clientèle d'habitués sous le charme de mets exotiques et chantants, comme la traditionnelle *feijoada* et le *brazilian fish stew*.

Junior's *(plan 2, G11,* ***259****) : 1515 Broadway (et 45th St), sur Shubert Alley. ☎ 212-302-2000. Ⓜ (N, Q, R, S, 1, 2, 3) 42nd St-Times Sq. Tlj 7h-minuit (1h ven-sam). Plats 10-20 $.* Succursale du célèbre *diner* de Brooklyn, mais sans le charme rétro-kitsch de la maison mère. Connu surtout pour son cheese-cake (le préféré de Michael Bloomberg !), décliné en plusieurs parfums, servi en parts énormes et élu le meilleur de New York. Le reste de la carte est classique : soupes, salades, burgers, *deli-sandwiches*, barbecue... en format XL. Apprêtez-vous d'ailleurs à vous décrocher la mâchoire si vous avez l'intention de croquer d'un coup dans un sandwich ! Terrasse et comptoir à l'extérieur pour des cheese-cakes à emporter.

Westway Diner *(plan 2, G11,* ***267****) : 614 9th Ave (entre 43rd et 44th St). ☎ 212-582-7661. Ⓜ (A, C, E) 42nd St-Port Authority. Ouv 24h/24. Plats 6-20 $.* On a bien aimé ce vieux *diner* traditionnel plébiscité par les locaux et les voyageurs passant par Port Authority. Cadre plutôt agréable décoré de fresques. Box confortables. Menu long comme le bras, proposant, à prix doux, les classiques américains (burgers, omelettes, salades, steaks, sandwichs...), mais sans graisse excessive et plutôt sain dans l'ensemble. Spécialité de *cajun chicken*, de *spinach pasta* et quelques plats grecs. Idéal aussi au petit déj (une vingtaine de formules différentes !). Service stylé et dynamique.

De prix moyens à plus chic

Southern Hospitality *(plan 2, G11,* ***265****) : 645 Ninth Ave (et 45th St). ☎ 212-265-1000. Ⓜ (A, C, E) 42nd St.* Lunch special *lun-ven 15 $. Sinon, plats 19-25 $.* C'est le nouveau resto de Justin Timberlake, spécialisé dans la cuisine du Sud. On adore son cadre spacieux et chaleureux tout de bois et brique rouge, la bande son country (volume acceptable). Même les 6 écrans pour le sport savent rester discrets. Beaucoup de jeunes pour déguster les bonnes spécialités sudistes comme les *Memphis spare ribs* (laqués d'une sauce parfumée et lentement passées au four, absolument délicieux). Très copieux, 1 pour 2 suffit avec un petit quelque chose d'autre. Bon choix de *platters* également (*fried shrimps, pulled pork*, etc.), *High on the Hog* (assortiments de porc), traditionnels burgers, sandwichs, salades...

Yakitori Totto *(plan 2, G10,* ***59****) : 251 W 55th St (entre Broadway et 8th Ave), au 1er étage. ☎ 212-245-4555. Ⓜ (A, C, D, 1) 59th St-Columbus Circle. Plats lunch 9-12 $* (paitan ramen, chicken Nanban, *brochette d'anguilles). Repas env 25 $.* Ce tout petit resto japonais situé en étage (ne pas confondre avec celui du rez-de-chaussée) est spécialisé dans les *yaki-*

tori mais se distingue de tout ce qu'on peut trouver dans le registre « brochettes à la chaîne ». Petites assiettes absolument délicieuses, à piocher sans hésiter dans la longue carte et à partager avec sa tablée. Les *gyoza* (raviolis) sont aussi à tomber. Très grand choix de brochettes. Venir vers 18-19h ou 22h pour éviter la queue, souvent dantesque. Accueil très aimable.

Nook *(plan 2, G11,* ***262****) : 746 9th Ave (entre 50th et 51st St). ☎ 212-247-5500. Ⓜ (C, E) 50th St. Plats 15-20 $. CB refusées. BYOB.* Une salle sobre avec seulement une poignée de tables pour goûter des spécialités inventives aux saveurs relevées et d'un éclectisme de bon ton (thaï, nippon, moyen-oriental...) ; bref, du bon travail. Clientèle un brin branchouille venant avec sa propre bouteille de vin. Dommage toutefois que le service soit irrégulier.

Carmine's *(plan 2, G11,* ***241****) : 200 W 44th St (entre 8th Ave et Broadway). ☎ 212-221-3800 et 362-6444. Ⓜ (N, Q, R, S, 1, 2, 3, 7) 42nd St-Times Sq. Résa très recommandée. Plats à partager le soir 25-39 $ (déj 12-14 $, mais portions normales).* Immense resto italien au décor à l'ancienne sympa et à l'atmosphère rugissante. Les Américains adorent car les portions sont énormes : quand vous commandez un plat de pâtes (une bonne vingtaine de choix), c'est carrément un saladier pour 3-4 personnes qu'on vous apporte ! L'idée, c'est de venir en famille ou en bande pour partager avec sa tablée. Une spécialité par jour (jeudi, c'est *osso buco* ; dimanche, *four pasta special*, etc.). Très festif mais malheureusement toujours bondé (sans résa, compliqué...).

Pomaire *(plan 2, G11,* ***260****) : 371 W 46th St (entre 8th et 9th Ave). ☎ 212-956-3056. Ⓜ (A, C, E) 42nd St.* Happy hours *15h-17h (lun tte la journée). Plats 22-35 $; menu lunch 15 $.* Dans ce quartier cosmopolite, ce chaleureux petit resto chilien sert d'intéressantes spécialités, notamment des viandes goûteuses et tendres (poulet au cognac, cuisson lente, *chupe de mariscos*). Pas donné mais vraiment bien cuisiné. Pour patienter, excellente sauce tomate épicée, relevée de plein d'aromates, à accompagner d'un *pisco sour* (cocktail à base d'alcool chilien, citron et blanc d'œuf pour l'effet mousseux). Accueil tout sourire.

Carnegie Deli *(plan 2, G10,* ***263****) : 854 7th Ave (et 55th St). ☎ 212-757-2245. Ⓜ (N, Q, R) 57th St. Ouv 6h30-4h. Plats 11-25 $. CB refusées.* Filmé par Woody Allen dans *Broadway Danny Rose*, ce *deli* devenu très touristique est toujours plein comme un œuf (d'ailleurs depuis, il y a un sandwich Woody Allen). Carte bien fournie avec d'énormes sandwichs (visez l'épaisseur de celui au pastrami !), *blintzes*, burgers, steaks, salades, omelettes, gâteaux, dont des cheese-cakes. Les murs sont couverts de photos de stars venues casser une petite graine ici. Du coup, on paie plus la déco que la nourriture, somme toute bonne mais vraiment pas extraordinaire.

Où boire un verre ?

Bar de l'hôtel Mandarin Oriental *(plan 2, G10,* ***468****) : 80 Columbus Circle (mais entrée par 60th St). ☎ 212-805-8876. Ⓜ (A, C, D, 1) 59th St-Columbus Circle. Tlj 9h-23h30 (0h30 ven-sam).* Dès l'ouverture des portes de l'ascenseur au 35e étage, le regard est hypnotisé par la vue fantastique. Les immenses baies vitrées, qui occupent tout l'espace disponible, font de Central Park et des gratte-ciel qui l'environnent un spectacle saisissant dont on ne se lasse pas. Alors on se cale benoîtement dans les fauteuils du *lounge* chic et cosy, et c'est presque distraitement qu'on commande un bon cocktail ou un thé parfumé. Très romantique en soirée.

Bar de l'hôtel Hudson *(plan 2, G10,* ***58****) : voir « Où dormir ? ». Tlj 17h-2h au moins.* Ce bar au plafond peint et au sol recouvert de dalles lumineuses est l'une des « aventures urbaines » les plus étonnantes de Philippe Starck. Mélange détonnant de style Louis XV et de *2001, L'Odyssée de l'espace*. On vient ici pour se montrer et observer, mais avec style (même les serveurs, jeunes, minces et bronzés, se la jouent !). Billard.

THEATER DISTRICT ET MIDTOWN WEST

🍸 ***Bar de l'hôtel W*** *(plan 2, G11, **62**) : 1567 Broadway (angle 47th St).* ☎ *212-930-7400.* Ⓜ *(1) 50th St. Tlj jusqu'à 1h (2h le w-e).* Immense et magnifique « Living Room », d'un design voluptueux et sophistiqué, à l'image du comptoir aux cent jeux de lumières... Festival de couleurs et d'ombres. Alcôves, sièges bas, atmosphère feutrée garantissent une sensuelle intimité...

🍸 ***Bar tournant de l'hôtel Marriott Marquis*** *(plan 2, G11, **404**) : 1535 Broadway (entre 45th et 46th St).* Ⓜ *(N, Q, R, S, 1, 2, 3, 7) 42nd St-Times Sq.* ☎ *212-398-1900. Tlj 17h30 (16h mer et ven)-minuit au moins. Buffet à volonté env 35 $ (20 $ moins de 12 ans) plus une boisson min. Attention, les enfants ne sont pas autorisés après 21h. Par ailleurs, cover charge 8 $/pers après 21h, que l'on vous facturera dès 20h grosso modo même si vous ne buvez qu'un verre !* En entrant dans le hall de l'hôtel, monter par l'escalator et suivre les panneaux « *The View* ». Une hôtesse vous indiquera les ascenseurs vitrés qui montent 48 étages plus haut. Ce bar panoramique accomplit un tour complet en 1h environ : le temps d'admirer la ville comme dans un film de Hollywood. Évidemment, c'est touristique en diable et bourré de Français, mais le principe est rigolo comme tout. Y aller un peu avant le coucher du soleil, pour admirer ensuite la forêt des gratte-ciel scintillant sous les étoiles. Vous pouvez aussi en profiter pour dîner si le cœur vous en dit : buffet frais et varié (les salades surtout).

🍸 ***Hard Rock Café*** *(plan 2, G11, **402**) : 1501 Broadway (angle 43rd St).* ☎ *212-343-3355.* Ⓜ *(N, Q, R, S, 1, 2, 3, 7) 42nd St-Times Sq.* Installé dans le sous-sol du très mythique Paramount Theater, là où Elvis Presley commença sa carrière en 1956 ! On y voit d'ailleurs son costard de jeune premier, mais aussi ceux des Beatles en tournée à travers les États-Unis en 1965. Et puis en vrac, plein d'autres fringues et guitares de Madonna, Lenny Kravitz, Elton John, James Brown, Jim Morrison, Jimi Hendrix, etc., à découvrir le temps d'un verre. Une « pièce » : un bout de papier sur lequel Andy Garcia du *Grateful Dead* cherche fiévreusement le titre d'un disque en 1974... Atmosphère bruyante, touristique et étudiante comme dans tous les rejetons de la chaîne.

Où écouter un concert ?

♪ ***Dizzy's Club*** *(plan 2, G10, **261**) : au centre commercial Time Warner Center, 10 Columbus Circle (angle Broadway et 58th), 5th Floor.* ☎ *212-258-9595. • jalc.org •* Ⓜ *(A, C, D, 1) 59th St-Columbus Circle. Accessible par les ascenseurs situés à droite du hall principal. Sets à 19h30, 21h30 (plus 23h30 ven-sam).* Cover charge *10-35 $, plus 10 $ min de conso (5 $ slt au bar).* On aime bien ce petit club de jazz aux larges baies vitrées donnant sur Central Park *by night*. Tous les soirs, programmation de qualité.

♪ ***Birdland*** *(plan 2, G11, **465**) : 315 W 44th St (entre 8th et 9th Ave).* ☎ *212-581-3080. • birdlandjazz.com •* Ⓜ *(N, Q, R, S, 1, 2, 3, 7) 42nd St-Times Sq. Sets à 20h30 ou 21h et 23h.* Cover charge *30-40 $ selon emplacement (de face ou de côté). Sinon, concerts mer à 17h30 et ven à 17h : compter respectivement 15 et 25 $ slt.* « *The jazz corner of the world* », indique l'enseigne de ce club de jazz largement réputé dans NYC, et dont le nom rend hommage au grand Charlie Parker. C'est sa 3e adresse, on est loin du sous-sol enfumé des années 1950-60 sur Broadway et des 1,50 $ de *cover charge* ! Aujourd'hui, devenu chic et élégant. Très bonne programmation avec régulièrement des pointures (se renseigner), à écouter en sirotant des cocktails dans une salle cosy ou au bar, dans une lumière tamisée et une atmosphère intime, un peu celle du film *Bird* réalisé par Clint Eastwood...

♪ ***B.B. King Blues Club & Grill*** *(plan 1, B1, **463**) : 237 W 42nd St (entre 7th et 8th Ave).* ☎ *212-997-4144. • bbkingblues.com •* Ⓜ *(N, Q, R, S, 1, 2, 3, 7) 42nd St-Times Sq. Au club, sets à 19h, 19h30 ou 20h. Musique live 20h-1h au bar-resto.* Cover charge *slt au club 15-35 $. Résa conseillée (un peu moins cher en plus) :* ☎ *1-212-307-*

7171. Beatles brunch *sam (11h-14h) et* gospel brunch *dim (12h30-14h30) ; env 40 $ si résa à l'avance.* Le roi du blues, B.B. King, a ouvert un lieu hybride très chaleureux. Au choix, un bar-resto sympa où se produisent des formations mineures mais de qualité, ou un superbe club doté d'un excellent *sound system* : jazz, bien sûr, mais aussi gospel, reggae, funk, rock, etc., et beaucoup de grands noms à l'affiche : B.B. en personne, Jean-Luc Ponty, Little Richard, David Crosby, The Fabulous Thunderbirds et Eddie Clendening (une des vedettes de *Million Dollar Quartet*)...

♩ ***Iridium Jazz Club*** *(plan 2, G11,* ***455****) : 1650 Broadway (et 51st St).* ☎ *212-582-2121.* • *iridiumjazzclub.com* • Ⓜ *(1) 50th St.* Sets à 20h et 22h. Cover charge *35 $.* Une autre institution dans Midtown pour écouter de très bons concerts de jazz : c'est en quelque sorte le *Village Vanguard* du secteur. En 2011, s'est même doté d'un studio d'enregistrement pour immortaliser ses concerts live !

♩ ***The Carnegie Hall*** *(plan 2, G10,* ***454****) : 887 7th Ave (angle 57th St).* ☎ *212-247-7800.* • *carnegiehall.org* • Ⓜ *(N, Q, R) 57th St. Box-office ouv 11h (12h dim)-18h, et jusqu'à 30 mn après le début du concert. Places dès 25-35 $. Résas aussi par tél (ci-dessus) 8h-20h, avec surcharge de 6 $/billet. Vente de quelques billets à 10 $ le jour même du show dès l'ouv du box-office* (rush tickets) *jusqu'à 1h avt le concert. Également des billets à 50 % du tarif normal concernant les places peu commodes (vue partielle ou peu d'espace pour les jambes).* Inaugurée en 1891 par Tchaïkovski, qui dirigeait alors le New York Philharmonic, voici l'une des plus vieilles salles de concerts de NYC (l'équivalent de Pleyel à Paris), réputée pour sa forme en fer à cheval capitonné de velours rouge qui lui donne chic et chaleur tout en lui concédant une acoustique parfaite (on s'y passe de micros). Avec ses 2 804 places, elle est la scène de tous les genres et attire les plus grands noms du show-biz. Les Beatles s'y sont produits, tout comme Caruso, Benny Goodman et sa clarinette, Madonna, Sting, Steevie Wonder, etc. On compte également quelques scientifiques à s'y être exprimés, comme Einstein, ou encore des hommes politiques, tels Roosevelt, Martin Luther King, JFK... Qu'on se le dise, monter sur la scène du Carnegie Hall est une véritable consécration !

Où jouer au bowling ?

■ ***Bowlmor Lanes*** *(plan 2, G11,* ***360****) : 222 W 44th St (entre 7th et 8th Ave).* ☎ *212-680-0012.* • *bowlmor.com* • Ⓜ *(N, Q, R, S, 1, 2, 3, 7) Times Sq-42nd St. Lun et jeu 17h-1h, mar-mer 17h-minuit, ven 12h-3h, sam 11h-3h, dim 11h-minuit. Tarifs (par piste) : 10 $ en sem avt 18h, sinon 32-40 $! Loc chaussures : 6,50 $/pers. Intéressants* « adult party packages ». *Attention aux draconiennes conditions d'entrée : interdit aux moins de 12 ans ; après 20h, aux moins de 18 ans sans un parent (les dim, mar, mer et jeu) et aux moins de 21 ans sans un parent (les lun, ven et sam).* Près de 50 pistes réparties dans différentes sections aux décors thématiques (Chinatown, Art déco...), toutes baignées par une musique assourdissante. Possibilité de se restaurer. Pour rester dans l'ambiance Times Square.

Shopping

Spécial enfants-ados

Toys' R' Us *(plan 2, G11) : 1514 Broadway (angle 44th).* ☎ *1-800-TOYSRUS.* Ⓜ *(N, R, S, 1, 2, 3, 7) 42nd St-Times Sq. Tlj 10h-22h.* Un magasin de jouets énorme et complètement fou pour récompenser vos enfants de leur sagesse en visitant les musées de la ville ! L'attraction la plus surprenante demeure cette grande roue qui tourne au beau milieu du magasin (payante), et puis cet étonnant TRex de 5 m de haut avec des mouvements et un grognement très réalistes. Et encore Superman qui retient un camion avec ses biceps d'acier, Spiderman qui lance sa toile, la maison de Barbie grandeur nature et Shrek qui se fait volontiers photographier !

M & M's World *(plan 2, G11,* **518***) : 1600 Broadway (et 48th St). ☎ 212-295-3850. Ⓜ (N, R) 49th St. Tlj 9h-minuit.* Pour ceux qui veulent vivre à fond l'expérience américaine, voici LA boutique à ne pas rater. Outre les célèbres caouètes enrobées de chocolat déclinées ici dans toutes les couleurs, on trouve pléthore de gadgets à leur effigie. Faut le voir pour le croire !

Hershey's Times Square *(plan 2, G11,* **572***) : 1593 Broadway (angle 48th). ☎ 212-581-9100. Ⓜ (N, R) 49th St. Tlj 10h-22h.* Le royaume de la marque *Hershey's,* véritable institution du chocolat US, créée en 1892 dans la région de Chicago (du matériel vintage le rappelle). Sucreries sous toutes les formes et à tous les prix ; bref, le paradis des gourmands.

Sanrio *(plan 1, B1,* **580***) : 233 W 42nd St (et 7th Ave). ☎ 212-840-6011. Ⓜ (N, R, S, 1, 2, 3, 7) 42nd St-Times Sq.* Voici la maison new-yorkaise du gentil chaton japonais *Hello Kitty.* Quelques gadgets encore pas trop chers (notamment parmi les souvenirs de New York), mais dans l'ensemble, c'est plutôt haut de gamme. Dans le fond du magasin, on atteint même le luxe avec les marques *Sanrio Luxe* et *Victoria Couture* pour les grandes filles nostalgiques qui voudraient s'offrir une bague en diamants à plusieurs milliers de dollars...

Midtown Comics *(plan 1, B1,* **581***) : 200 W 40th St (angle 7th Ave), au 1er étage. ☎ 212-302-8192. Ⓜ (N, R, S, 1, 2, 3, 7) 42nd St-Times Sq.* Sur 2 niveaux, le paradis des fans de *comics.* Immense choix d'albums évidemment, dont de très nombreuses raretés (des séries épuisées, des collectors...), mais aussi tous les produits dérivés possibles : statuettes, T-shirts, déguisements, magnets, DVD... Également une large section dédiée aux mangas.

Grand magasin, mode

Macy's *(plan 1, B1) : 151 W 34th St (angle Broadway). ☎ 212-695-4400. Ⓜ (D, F, N, Q, R) 34th St.* Ce magasin plus que centenaire est l'un des plus grands au monde avec ses 100 000 m² sur 10 étages ! Pas de rayon vraiment fantastique, mais intéressant pour les soldes permanents, notamment aux rayons vêtements, et les soldes ponctuels. En avril, ne manquez pas le *Macy's Flower Show,* une tradition aussi attendue que l'arbre de Noël du Rockefeller Center : vitrines et rayons du rez-de-chaussée sont envahis de fleurs en tout genre, transformant le magasin en un somptueux jardin odorant. Enfin, il existe une carte délivrée gratuitement aux touristes sur présentation du passeport, qui permet d'acheter détaxé (11 % de réduc).

Clothing Line Sample Sale : coordonnées de cette braderie plus haut, dans « À voir », avec le descriptif de Garment District.

Boutique spécialisée

Colony Music Center *(plan 2, G11,* **579***) : 1619 Broadway (angle 49th St). ☎ 212-265-2050 et 1260. Ⓜ (N, R) 49th St. Ouv très tard (minuit ou 1h).* Spécialiste des partitions de pop, variétés, et bien sûr – vu le quartier – de comédies musicales. Choix époustouflant ! Et puis pas mal de vitrines avec des objets collectors évoquant les stars de la musique US : statuettes, fringues, bibelots...

À voir

Times Square *(plan 1, B1) :* les écrans publicitaires géants diffusent un flot d'images 24h/24 et illuminent tout le quartier le soir venu... Un des visages mythiques de New York. Atmosphère évidemment ultra-touristique, mais visite incontournable, à faire de préférence à la nuit tombée (encore plus magique, et ce malgré la foule !). Pour une vision panoramique, monter l'escalier rouge qui sert de toit au kiosque *TKTS.* Depuis 2009, le quartier est devenu piéton. Oui, vous avez bien lu : Broadway, un des axes les plus embouteillés de la planète, est désormais fermé à la circulation automobile entre 42nd et 47th Street. Il faut dire que tous les jours, ce sont 365 000 personnes qui passent à Times Square en moyenne, n'hésitant pas à quitter les trottoirs et à se frayer un passage entre les voitures, taxis et même les autobus pour mieux avancer. Outre l'aspect sécurité, l'objectif de cette minirévolution est de convertir peu à peu New York en ville verte. Un des dadas du maire Michael Bloomberg. Pour la petite histoire, les bureaux du quotidien ***New York Times*** sont installés de longue date à Times Square, et depuis 2007 dans une tour de Renzo Piano dotée des technologies les plus modernes (au croisement de 8th Ave et 41st St) : 52 étages, soit 228 m sans compter les 100 m supplémentaires de l'antenne, ce qui fait de cet immeuble la troisième plus haute tour de Manhattan. L'homme-araignée français Alain Robert, qui a escaladé près de 90 gratte-ciel et monuments dans le monde entier, a bien sûr ajouté celle-ci à son palmarès. Malheureusement, on ne visite pas ce bel ouvrage dessiné par l'architecte du Centre Pompidou à Paris...

Madame Tussauds *(plan 1, B1, **718**) : 234 W 42nd St (entre 7th et 8th Ave). ☎ 1-800-246-8872. • madametussauds.com/newyork • Ⓜ (N, Q, R, S, 1, 2, 3, 7) 42nd St-Times Sq. Ouv 10h-20h (22h ven-sam). Entrée (trop) chère : 36 $; 29 $ pour les 4-12 ans. Réducs via Internet. Caisse rapide avec paiement par CB à droite de l'escalier.* Malgré les files d'attente et le prix d'entrée délirant (comparé au MoMA ou au MET par exemple...), ce musée de cire continue de séduire petits et grands. Il faut dire que les personnages sont saisissants de réalisme et très accessibles puisqu'on peut les approcher et même les prendre par le coude pour mieux se faire photographier auprès d'eux ! On aime ou pas ce genre d'attraction, mais reconnaissons-le, le résultat est bluffant. 6 mois sont nécessaires pour réaliser ces figures de cire, d'après les mensurations exactes des modèles originaux. Les cheveux sont piqués un à un et régulièrement lavés par la suite, comme chez les humains ! La visite est organisée en plusieurs sections où évoluent les figures, qui « déménagent » d'ailleurs régulièrement d'une salle à l'autre selon les aléas de l'actualité. En voici une sélection :

RIEN À CIRER !

Née à Strasbourg en 1761, Marie Tussaud apprit l'art de modeler la cire chez un médecin-sculpteur. Elle se fit la main en réalisant les figures des people de l'époque : Voltaire, Rousseau, Benjamin Franklin, avant d'être engagée à la cour de Versailles où elle créa les portraits de Louis XVI et de sa famille. Sympathisante royaliste, elle fut arrêtée par les révolutionnaires mais graciée grâce à ses talents de sculpteur ! Elle réalisa alors les masques mortuaires de Marie-Antoinette, Marat et Robespierre. Exilée en Angleterre, elle ouvrit à Londres son musée à l'âge de 74 ans. Depuis, d'autres ont été créés à New York donc, Amsterdam, Las Vegas, Hong Kong...

– ***Hommage au gotha :*** on ne se lasse pas de ce hall kitsch à souhait réunissant toute une pelletée de stars rassemblées lors d'une soirée de gala. À vos appareils les filles, la plupart des sex-symbols d'Hollywood sont là : Leonardo DiCaprio, Brad Pitt (et sa Jolie), George Clooney (raté, dommage), Johnny Depp et son regard pénétrant, Robert Pattinson... Parmi les plus réussis à notre avis : John Travolta, Harrison Ford et Jean-Paul Gaultier.
– ***Couloir des horreurs :*** beaucoup de mise en scène pour un résultat assez nul, en tout cas moins efficace qu'au Madame Tussauds de Londres. Passez votre chemin !
– ***Hall historique :*** on est accueilli par la petite madame Tussaud, modelée à la perfection par elle-même alors qu'elle avait 81 ans (sa dernière œuvre), qui nous présente les grandes figures de l'histoire américaine et internationale, et le gratin politique. En vrac, Benjamin Franklin, George Washington, Abraham Lincoln, Sit-

ting Bull et Buffalo Bill, Rosa Parks, Martin Luther King, Gandhi, Nelson Mandela, Fidel Castro, le couple Obama derrière le bureau ovale. Tiens, George Bush Jr est toujours là, ils ont dû oublier de le ranger...
– ***New York :*** nouvelle salle dédiée à la Big Apple, où l'on peut se prendre en photo au volant d'un taxi jaune, monter dans la couronne de la statue de la Liberté, serrer la pogne du maire Michael Bloomberg, s'asseoir à côté de Woody Allen sur le banc de *Manhattan*...
– ***Cinéma, musique et sport :*** toute cette section est vraiment extra et les expressions des personnages formidables. Charlot, Marilyn Monroe moulée dans sa robe de lamé rouge, Elvis plus beau qu'en vrai, Jimi Hendrix en plein riff, les Beatles faisant les fous sur un canapé, Elton John dans ses délires, Bob Marley très inspiré. Et encore Robin Williams avec son regard rusé et malicieux, le petit Prince, Andy Warhol et puis les grands sportifs, de Jesse Owens au spationaute Neil Armstrong en passant par Mohammed Ali.
– ***La musique d'aujourd'hui :*** place aux djeun's, voici Justin Bieber avec sa fameuse mèche (réalisée en coopération avec son coiffeur perso !), Lady Gaga (presque sage), Rihanna, Usher, Taylor Swift...

The Carnegie Hall *(plan 2, G10,* ***454****) : 887 7th Ave (angle 57th St). • carnegiehall.org • Ⓜ (N, Q, R) 57th St. Une 1re façon de le visiter est d'assister à un spectacle. La 2de solution, moins chère mais plus touristique : une visite guidée organisée (lun-ven à 11h30, 12h30, 14h et 15h ; sam à 11h et 12h30 ; dim à 12h30). Les visites sont annulées en cas de spectacle ou de répétitions. Tarif : 10 $; réducs. Infos : ☎ 212-903-9765.* Pour l'histoire du *Carnegie Hall,* voir plus haut « Où écouter un concert ? ».

– À un bloc au nord (angle 58th Street et 7th Avenue), ne manquez pas de jeter un œil à l'immeuble ***Alwyn Court,*** construit en 1909 et abritant aujourd'hui le restaurant *Petrossian.* Sa façade, entièrement couverte d'ornements finement travaillés en terre cuite de style Renaissance, est une pure merveille. Les salamandres couronnées au-dessus de l'entrée rappellent d'ailleurs le symbole de François Ier.

Garment District *(plan 1, B-C1) : entre 5th et 9th Ave, et 34th et 42nd St. • fashioncenter.com • Ⓜ (N, Q, R, S, 1, 2, 3, 7) 42nd St-Times Sq.* Depuis près d'un siècle, ce quartier est celui de la mode, des créateurs (grands ou petits) aux fabricants de tissu. C'est ici qu'a longtemps été conçue et même fabriquée une grosse partie de l'industrie vestimentaire américaine. Aujourd'hui, si certains créateurs sont toujours implantés dans le secteur (comme Calvin Klein et Donna Karan, par exemple), la fabrication se fait ailleurs. Les usines et autres *showrooms* ont laissé la place aux grandes chaînes comme *Old Navy* et consorts. On peut toutefois espérer faire encore quelques bonnes affaires dans une solderie *(Sample Sale)* qui écoule chaque semaine (du lundi au jeudi de 10h à 18h ou 19h) des pièces de créateurs à prix cassés : *261 W 36th St (entre 7th et 8th Ave) au 2e étage. ☎ 212-947-8748. Dates des prochaines ventes sur leur site • clothingline.com •*

Intrepid Sea, Air & Space Museum *(plan 2, F11) : Pier 86 (angle W 46th St et 12th Ave), au bord de l'Hudson River. ☎ 212-957-SHIP. • intrepidmuseum.org • Ⓜ (C, E) 50th St. Avr-sept, lun-ven 10h-17h (18h w-e et j. fériés) ; le reste de l'année, mar-dim et j. fériés (sf Thanksgiving et Noël) 10h-17h ; dernière admission 1h avt. Entrée : 24 $; 19 $ pour les 3-17 ans. Attention, les attractions sont en plus : 9 $ chaque ou pass 24 $ pour les 3... Demander le plan à l'entrée, indispensable pour se repérer.* Inauguré en 1943, le porte-avions *Intrepid* débuta sa carrière au cours de la Seconde Guerre mondiale avant de reprendre du service pendant la guerre froide et celle du Vietnam. Il joua même un rôle dans la conquête de l'espace en récupérant plusieurs capsules de spationautes, notamment pour la mission *Mercury.* C'est un musée flottant depuis 1982, qui intéressera surtout les passionnés de marine et d'aviation. Mesurant 275 m sur 93 m, il abritait 3 500 marins et jusqu'à 103 avions. Le niveau principal *(Hangar Deck)* correspond à la partie musée à proprement parler avec vitrines interactives, petits films et nombreuses animations. Certaines sont payantes comme le *XD Theater* (film en 4D de 5 mn, sans rapport avec l'aviation mais très efficace et secouant !) et le *Flight Simulator* ou le *Transporter FX,* malheureusement trop chers pour quelques minutes de vol. Ne manquez pas de jeter un œil à la monumentale hélice de l'*Intrepid* (12 247 kg !). Il en fallait quatre comme elle pour déplacer le porte-avions.

La visite se poursuit ensuite dans les entrailles de la bête : les quartiers de l'équipage avec les couchettes, la cuisine, la salle à manger, etc., la passerelle de commandement et bien sûr le pont d'envol où sont entreposés une bonne vingtaine d'engins de guerre : le surprenant *A-12 Blackbird* (un des plus rapides du monde), l'hélico *Bell UH-1A* utilisé au Vietnam, le *Tomcat* de Tom Cruise dans le film *Top Gun,* un *Super-Étendard* de la marine française... Depuis l'été 2012, un nouveau résident de prestige est venu enrichir un aréopage pourtant déjà riche : le célèbre *Space Shuttle Enterprise* (la navette spatiale), amenée par un Boeing 747. On peut l'admirer dans le nouveau *Science and Technology Center* édifié exprès pour elle ! Juste lieu de retraite puisque l'*Intrepid* participa plusieurs fois à des missions de récupération d'astronautes (dont Scott Carpenter en 1962). Enfin, la visite continue avec la découverte d'un avion de ligne *Concorde* amarré sur une barge à côté du porte-avions et du sous-marin *USS Growler.* Claustros, s'abstenir : c'est vraiment saisissant ! Toujours beaucoup de monde ; venir tôt le matin.

LANCE-PIERRES

Sur les porte-avions, la piste est trop courte (environ 70 m) pour que l'aéroplane puisse décoller par ses propres moyens. On utilise donc une catapulte qui permet de propulser l'avion à 100 nœuds (185 km/h) en quelques secondes.

Museum of Arts and Design (MAD *; plan 2, G10,* **720)** **:** *2 Columbus Circle (et 59th St). ☎ 212-299-7777. • madmuseum.org • Ⓜ (A, C, D, 1) 59th St-Columbus Circle. Mar-dim 11h-18h (21h jeu). Entrée : 15 $; réducs ; gratuit moins de 12 ans. Donation libre jeu dès 18h.* Après avoir été pendant un demi-siècle le petit voisin du MoMA, le MAD a pris son indépendance en 2008 pour s'installer sur Columbus Circle, à la pointe sud-ouest de Central Park, dans un building en béton des *sixties* entièrement rhabillé de briques translucides, offrant des vues panoramiques aux visiteurs. L'objectif de ce musée : appréhender les différents processus de la création, de la matière première à son design final, à travers les œuvres d'artistes et de designers du monde entier. La collection permanente *(3rd Floor)* présente une sélection d'œuvres contemporaines (qui tournent cependant dans l'année) en bois, verre, papier, cuir, porcelaine, bronze... sur lesquels on a cherché à obtenir des effets particuliers. Assez surprenant. Au 2nd *Floor,* ne manquez pas la superbe galerie de bijoux avec des créations modernes ou anciennes mais toujours originales et étonnantes. Ouvrez les tiroirs, il y a encore plein de trésors à découvrir ! Quant aux expositions temporaires réparties dans les autres niveaux, elles sont plutôt orientées vers le design et changent tous les 4 mois. Difficile de rester indifférent devant ces créations... assez dingues, il faut bien le reconnaître (le musée porte bien son surnom !). La plupart sont franchement magnifiques, d'autres complètement loufoques ou décalées mais toujours d'une grande créativité. Enfin, possibilité de rencontrer et de discuter art et technique avec les jeunes artistes travaillant dans les *open studios* du musée.

Belle boutique et le resto *Robert,* panoramique *of course,* d'un design contemporain du dernier chic. *Ouv 11h30-minuit (lounge 1h).* Lunch abordable *(sandwichs 14-18 $),* dîner plus cher *(plats 22-33 $)* et vins hors de prix...

MIDTOWN

Midtown et Wall Street sont les quartiers qui représentent le plus la ville de New York. Tout y est démesuré : la foule, les avenues bordées d'immenses gratte-ciel, sortes de grands canyons à perte de vue qui donnent l'impression d'être devenu lilliputien… N'oubliez pas de lever le nez pour profiter de l'architecture créative de ces gigantesques bâtiments.
L'activité du quartier bat son plein pendant les heures de boulot, quand une marée de cols blancs envahit les rues, tous engagés dans une course contre la montre effrénée (*time is money,* c'est bien connu !). Le trafic y est alors démentiel et, au milieu du concert des sirènes de police et de pompiers, les chauffeurs de taxis paraissent tous en être à leur 10e tasse de café !
Ce rythme trépidant ne fait pas de Midtown l'endroit le plus reposant pour flâner ou siroter un verre en terrasse. Pourtant, il arrive qu'à la pause de midi ces mêmes New-Yorkais sortent profiter du soleil estival en envahissant les rares espaces verts du coin. Le quartier devient alors un observatoire privilégié du mode de vie de toute une population, qui profite aussi de ces rares instants de loisir pour faire les boutiques…
Car il faut bien dépenser l'argent gagné pendant toutes ces journées de travail à rallonge ! Tout au long de ces interminables artères commerciales, dont la plus fameuse est bien sûr la mythique 5th Avenue, Midtown aligne ses hôtels de luxe et ses grands magasins, qui rivalisent de magnificence, d'extravagance et, bien sûr, d'architecture. Raison pour laquelle aussi, à la différence de Lower Manhattan, ce n'est pas désert le week-end… Enfin, à Noël et au Nouvel An, l'ambiance est magique, avec des illuminations et des sapins à tous les coins de rue.
Le premier grand magasin installé au début du XXe s le long de 5th Avenue, dans ce quartier alors très résidentiel, fut *Altman* (à l'angle de 34th Street). Les autres ont suivi : les bijouteries *Gorham* (36th Street), *Tiffany's* (56th Street) et *Cartier* (52nd Street).

Adresses utiles

✉ ***Poste :*** *Lexington Ave (entre 44th et 45th St ; plan 2, H11). Lun-ven 7h30-21h ; sam 7h30-13h. Autre bureau : angle 3rd Ave et 54th St (plan 2, H10). Lun-ven 8h-20h ; sam 9h-16h.*

@ ***Internet :*** *connexions gratuites sur les nombreux ordinateurs de démonstration à l'****Apple Store*** *(plan 2, H10,* ***566****), sur 5th Ave, entre 58th et 59th St (en sous-sol : accessible par le kiosque en verre situé au centre de la place). 24h/24.*

Où dormir ?

Bon marché

■ ***Vanderbilt YMCA*** *(plan 2, H11,* ***60****) : 224 E 47th St (et 2nd Ave). ☎ 212-912-2500. • ymcanyc.org/vanderbilt •* Ⓜ *(S, 4, 5, 6, 7) 42nd St-Grand Central. En été, résas au moins 1 mois à l'avance. Doubles 115-140 $ (sanitaires communs), quadruple 200 $ (avec lits superposés).* Une YMCA typique : il faut voir l'activité qui règne dans le centre sportif attenant ! Bref, on est loin de l'AJ classique… Accès libre au sauna et à la piscine pour les résidents. Sinon, environ 200 chambres minuscules avec des lits superposés (pas très romantique !) et la salle de bains sur le palier. Basique mais correct pour le prix. Coffre-fort à la réception. Accueil routinier.

Prix moyens

■ ***The Sutton Residence*** *(plan 2, H11,* ***98****) : 127 E 47th St (entre Lexington et 3rd Ave). Monter les marches du* *perron et sonner à l'interphone (pas d'enseigne visible).* ☎ *212-838-3852.* • *suttonresidence.com* • Ⓜ *(S, 4, 5, 6, 7) 42nd St-Grand Central ou (E, 4, 5, 6) Lexington Ave-53rd St. Résa impérative. Single 120 $. Double 140 $.* Stratégiquement située dans une maison cernée par les buildings de Midtown, une charmante *guesthouse* à l'atmosphère très conviviale et décontractée. Ses 5 petites chambres (toutes avec AC) et ses salles de bains communes (une pour 2 chambres) sont tenues à la perfection. Celles sur la rue sont un peu bruyantes, mais c'est toujours le cas à NYC. Sinon, grande pièce commune cosy avec TV, et petite cuisine bien équipée où l'on peut faire sa popote.

The Hotel at Times Square *(plan 2, G11,* ***57****) : 59 W 46th St (entre 5th et 6th Ave).* ☎ *212-719-2300 ou 1-800-567-7720 (résas).* • *applecorehotels.com* • Ⓜ *(D, F) 42nd St-Bryant Park. Doubles 120-200 $ selon période (plus à certaines dates), avec petit déj continental.* Cet hôtel ne manque pas d'atouts : très bien situé, rénové de façon contemporaine et globalement bien équipé (petite salle de fitness, ordinateurs à disposition, petit déj-buffet simple mais correct...). Quant aux chambres, de tailles inégales et parfois sans vue, elles se révèlent néanmoins impeccables et d'un très bon niveau de confort (station iPod, appels locaux gratuits...). Une bonne adresse, comme l'accueil.

The Pod Hotel *(plan 2, H11,* ***61****) : 230 E 51st St (entre 2nd et 3rd Ave).* ☎ *212-355-0300 ou 1-800-742-5945 (résas).* • *thepodhotel.com* • Ⓜ *(6) 51st St. Doubles 110-300 $ selon saison, avec sdb privée ou partagée.* Au calme mais au cœur de ce quartier mythique de NYC, cet hôtel rénové dans un style branché urbain propose de petites chambres proprettes et colorées avec ou sans salle de bains mais toutes avec station iPod (d'où le nom de l'hôtel), écran plat et mobilier fonctionnel jouant la carte design (notez les rangements sous le lit !). Celles dépourvues de sanitaires disposent d'un lit superposé. Aux beaux jours, charmante terrasse pour prendre le petit déj (non inclus) et *rooftop* (toit-terrasse) pour un *drink* au milieu des gratte-ciel.

Beekman Tower Hotel *(plan 2, I11,* ***472****) : 3, Mitchell Place, à l'angle de 49th St et 1st Ave.* ☎ *212-355-7300 et 1-866-298-4606.* • *thebeekmanhotel.com* • Ⓜ *(6) 51st St (compter 10 mn à pied). Chambres 270-400 $.* L'avantage de ce bel hôtel Art déco, un poil excentré par rapport au métro mais situé dans un secteur très calme, à deux pas des Nations unies, c'est la taille des chambres, qui pour une fois ne ressemblent pas à un mouchoir de poche. Toutes sont en fait des suites, avec cuisine équipée, coin salle à manger et canapé convertible séparé de la chambre, pratique en famille. Les plus spacieuses (et les plus chères *of course*) ont même carrément 2 chambres et certaines une chouette vue. Déco classique confortable, dans le goût américain, mais qui mériterait un petit coup de jeune. Bar-resto panoramique au 26e étage, *Top of the Tower* (voir plus loin « Où boire un verre ? »).

Très chic

City Club Hotel *(plan 2, G11,* ***87****) : 55 W 44th St (entre 5th et 6th Ave).* ☎ *212-921-5500.* • *cityclubhotel.com* • Ⓜ *(N, Q, R, S, 1, 2, 3, 7) 42nd St-Times Sq. Doubles 240-400 $.* Charmant petit boutique-hôtel d'une soixantaine de chambres, installé dans un bel immeuble ancien. Beaux intérieurs ultra-confortables, alliant design et style classique (jolies salles de bains en marbre noir), avec quelques gadgets comme la TV à travers les miroirs... Accueil impeccable. Seul bémol : les chambres sur l'arrière donnent sur un mur, et sont par conséquent un peu sombres (un grand classique à NYC... l'avantage, c'est qu'on y gagne en tranquillité). Au rez-de-chaussée de l'hôtel, le *DB Bistrot Moderne* est l'un des restos les plus en vue de NY. Son chef, Daniel Boulud, est le créateur du fameux hamburger au foie gras ou encore à la truffe (le premier à 35 $, le second autour de 150 $!).

Où manger ?

Spécial petit déjeuner et brunch

☕ ***Buttercup Bake Shop*** *(plan 2, H11,* ***275****) : 973 2nd Ave (entre 51st et 52nd St). ☎ 212-350-4144. Ⓜ (6) 51st St. Tlj 8h-21h (22h jeu-ven-sam et 10h-19h dim). Apple pie, pecan pie, lemon pie,* muffins, brownies, cookies, cheesecakes... telles sont les douceurs bien typiques et réalisées dans les règles que vous avalerez sans compter dans cette bonne pâtisserie, accompagnées d'un petit noir pour vous remettre les idées en place !

☕ ***Magnolia Bakery*** *(plan 2, G11,* ***318****) : 1240 6th Ave (et 49th St). ☎ 212-767-1123. Ⓜ (D, F) 47-50th St-Rockefeller Center. Tlj 7h (8h w-e)-22h (minuit ven-sam).* Pour un petit déj à emporter, car pas de places assises dans cette succursale de la fameuse pâtisserie de Greenwich Village spécialisée dans les *cupcakes* (voir commentaire dans ce chapitre), située au pied du Rockefeller Center. En revanche, la file d'attente est tout aussi démoniaque !

☕ ***Joe*** *(plan 2, H11,* ***323****) : Grand Central Station, dans le Graybar Passage. ☎ 212-661-8580. Ⓜ (S, 4, 5, 6, 7) 42nd St-Grand Central. Tlj 7h (8h dim)-20h.* Cette minuscule échoppe coincée dans un passage reliant le grand hall de la gare à Lexington pourrait passer inaperçue... sans ses arômes puissants de café qui envahissent l'espace. Car Joe choisit soigneusement ses grains et propose chaque jour une sélection différente. Impeccable pour bien démarrer la journée ou faire une pause au comptoir !

☕ 🍸 ***Upstairs*** *(plan 2, H11,* ***471****) : au 30e étage du* Kimberly Hotel, *145 E 50th St (entre Lexington et 3rd Ave). ☎ 212-702-1685. Ⓜ (6) 51st St. Brunch sam-dim 11h30-15h30. Plats 15-20 $.* Cet élégant bar panoramique, dont le toit rétractable s'ouvre aux beaux jours, sert un excellent brunch gourmet le week-end. Confortable cadre genre baroque contemporain, superbe bar. Le bon plan consiste à choisir un plat avec bloody mary ou mimosa offert (repérer le picto cocktail sur le menu). Une ambiance très *Sex and the City*. DJ le week-end.

☕ Et aussi ***Ess-a-Bagel, Prêt à Manger, Le Bateau Ivre*** et ***Junior's***.

Très bon marché, sur le pouce et *street food*

🍽 ***XPL Halal Food*** *(plan 2, H11,* ***314****) : à l'angle SW de 48th St et de Park Ave. Ⓜ (S, 4, 5, 6, 7) 42nd St-Grand Central. Slt le midi. Env 6 $.* N'hésitez pas à faire la queue devant ce camion quelconque, comme les *office workers* de ce quartier chic. Car, ô surprise, la ration de *chicken rice* vaut largement la poignée de dollars : riz basmati délicieux et poulet parfaitement épicé... le tout servi au format XPL !

🍽 ***Little Italy Pizza*** *(plan 2, G11,* ***283****) : 55 W 45th St (entre 5th et 6th Ave). ☎ 212-730-7575. Ⓜ (N, Q, R, S, 1, 2, 3, 7) 42nd St-Times Sq. Tlj sf dim 9h (10h sam)-20h30. Plein la panse pour moins de 7 $.* Sur place ou à emporter, voici d'excellentes et généreuses pizzas à la coupe à dévorer au cours de vos pérégrinations urbaines. Garnitures variées. Également des pâtes, salades et 3 spécialités : penne sauce vodka, lasagnes et fruits de mer farcis... Une adresse largement plébiscitée le midi par les employés du coin. Excellent rapport qualité-prix.

🍽 ☕ ***Ess-a-Bagel*** *(plan 2, H11,* ***119****) : 831 3rd Ave (angle 51st St). ☎ 212-980-1010. Ⓜ (6) 51st St. Tlj 6h-21h (17h sam-dim). Attention, fermé plusieurs jours au moment des grandes fêtes juives. Env 5-7 $.* Employés et habitants du quartier affectionnent cette échoppe vieillotte, célèbre depuis des lustres pour ses excellents bagels garnis d'un large choix d'assortiments salés et sucrés. Également des salades composées à manger sur les quelques tables ou à emporter. Idéal aussi pour le petit déj. Bon rapport qualité-prix.

🍽 ☕ ***Prêt à Manger*** *(plan 2, G11,* ***322****) : 11 W 42nd St (entre 5th et 6th Ave). ☎ 212-997-5520. Ⓜ (N, Q, R, S, 1, 2, 3, 7) 42nd St-Times Sq. Lun-ven 7h-22h ; sam 8h-20h, dim 8h-19h. Plats 4-8 $.* Cette excellente chaîne britannique, sorte de fast-food bio, s'est bien implantée à NY. Tout est préparé sur place chaque jour, et les ingrédients sont garantis sans conservateurs. Cadre cosy et packaging très engageants. Les sandwichs au pain de mie sont vraiment moelleux, les parfums des yaourts à boire originaux, le choix de soupes est grand et le brownie absolument délicieux ! Vaut aussi pour le petit déj ou le creux de 16h avec un cappuccino et un morceau de *carrot cake.*

I●I ***Hale and Hearty Soups*** *(plan 2, H11, **323**) : au sous-sol de Grand Central Station, dans le* Dining Concourse. ☎ *212-983-2845.* Ⓜ *(S, 4, 5, 6, 7) 42nd St-Grand Central. Tlj 9h-21h. Plats 5-8 $.* Plus d'une quinzaine de soupes du jour à consommer sur place (quelques tables disposées dans la galerie) ou à emporter. Goûter au *clam chowder,* bien onctueux, ou à la soupe aux pois cassés. Également des combinaisons (soupes et sandwichs, ou soupes et salades) et des salades à composer soi-même. Idéal pour un déjeuner sur le pouce, reconstituant et pas cher. Plusieurs succursales en ville.

De bon marché à prix moyens

I●I ***Sakagura*** *(plan 2, H11, **220**) : 211 E 43rd St (et 2nd Ave).* ☎ *212-953-7253.* Ⓜ *(S,4,5,6,7) 42nd St-Grand Central. Ts les soirs, déj lun-ven slt. Formule midi* Oke Bento *20 $.* L'une de nos adresses les plus mystérieuses : entrer dans l'immeuble jusqu'aux ascenseurs, puis descendre un escalier à gauche... pour découvrir une authentique *izakaya* (auberge traditionnelle japonaise). Cadre spacieux fort agréable (bois blanc, brique blanche et bambou), ménageant quelques coins intimes et un comptoir pour les pressés. Fine cuisine, mais le midi, nous recommandons l'*Oke Bento,* une habile sélection de savoureux petits mets. À la carte, le soir, plus cher bien sûr ! À propos, noter les originales toilettes en forme de barrique de saké !

I●I ***Five Guys*** *(plan 2, H10, **205**) : 43 W 55th St (entre 5th et 6th Ave).* ☎ *212-459-9600.* Ⓜ *(E) 5th Ave-53rd St ou (6) 51st St. Burger-frites env 10 $.* Un vrai bon fast-food plébiscité pour ses burgers de compétition (et aussi ses hot dogs), comme en témoignent les nombreux articles encadrés au mur. On peut demander tous les *toppings* pour le même prix : champignons, poivrons, sauces différentes... Hyper copieux au final ! En revanche, on ne choisit pas la cuisson : c'est *well done* (bien cuit) pour tout le monde. Excellentes frites (et il y a même des *cajun fries*). Zéro cadre et confort sommaire, mais on ne vient pas pour ça, n'est-ce pas ?

I●I ***Junior's*** *(plan 2, H11, **323**) : au sous-sol de Grand Central Station, dans le* Dining Concourse. ☎ *212-983-5257.* Ⓜ *(S, 4, 5, 6, 7) 42nd St-Grand Central. Lun-sam 6h-22h ; dim 8h-20h. Env 10-15 $.* Le célèbre *diner* de Brooklyn a essaimé jusqu'à Grand Central. Le cadre n'a pas le charme de la maison mère (quelques tables donnant sur cette pittoresque galerie commerçante), mais on retrouve le fameux cheese-cake à la carte, toutes sortes de salades, de sandwichs et de formules petit déj servies dès l'aube. Les portions sont énormes, sachez-le.

I●I ***Chola*** *(plan 2, H10, **168**) : 232 E 58th St (entre 2nd et 3rd Ave).* ☎ *212-688-4619 et 0464.* Ⓜ *(4, 5, 6) 59th St. Menu midi 14 $ (15 $ ven-dim) ; plats 12-25 $.* Mieux qu'une perle rare, une pépite ! Car ce très bon resto indien casse les prix le midi, en proposant un buffet à volonté d'un surprenant rapport qualité-prix. Certes, les 15 plats proposés sont simples et moins fins qu'à la carte, mais la qualité est là, et le service n'est pas au rabais. À peine arrivé, on nous apporte un *naan* tout chaud, suivi par toutes sortes d'accompagnements et une pièce de viande (du poulet tandoori par exemple). Bref, on n'a déjà plus faim alors qu'on n'a pas encore attaqué le buffet !

Plus chic

I●I ***Sushi Yasuda*** *(plan 2, H11, **280**) : 204 E 43rd St (entre 2nd et 3rd Ave).* ☎ *212-972-1001.* Ⓜ *(S, 4, 5, 6, 7) 42nd St-Grand Central. Tlj sf sam midi et dim. Résa conseillée. Menu 20 et 23 $; env 50 $ à la carte.* Un resto japonais élitiste au bon sens du terme :

MIDTOWN

pas d'enseigne, seul un petit poisson joliment stylisé (à peine visible) indique le lieu. Il faut vraiment être sûr de soi et du bouche-à-oreille ! On ne vous l'indique d'ailleurs pas pour la carte, vraiment chère, mais pour les menus d'un bon rapport qualité-prix. Si on opte en plus pour une place au comptoir, ce n'est plus seulement une halte gastronomique, mais une vraie expérience. Observer les cuisiniers au travail est un show en soi, puis on a droit aux commentaires, avant de croquer à pleines dents dans les sushis, sashimis et autres *rolls* d'une fraîcheur irréprochable. Génial. Résa recommandée : la salle zen tout en bambou est minuscule.

|●| ***Oyster Bar & Restaurant*** *(plan 2, H11,* ***279****) : au sous-sol de Grand Central Station.* ☎ *212-490-6650.* Ⓜ *(S, 4, 5, 6, 7) 42nd St-Grand Central. Tlj sf dim 11h30-21h30. Plats 22-30 $.* Ce vaste resto, ouvert peu après la construction de la gare en 1913, est un incontournable pour déguster poisson et fruits de mer. La fraîcheur est à toute épreuve, et le choix, renouvelé chaque jour, tout bonnement fabuleux (une quinzaine de variétés d'huîtres) ! 4 lieux : la grande salle de restaurant sous les voûtes, le *lounge* intime face à l'entrée, les longues tables conviviales pour les pressés ou le *saloon* au fond à droite (avec aussi un long comptoir). Énorme sélection de vins du pays et du monde entier. De même, vaste choix de bières, dont une quinzaine à la pression (d'excellentes locales comme la *Six Point* de Brooklyn et la *Chelsea Sunset Red*). Un must dans son genre, malgré le service brusque et le vacarme ambiant (dû à la hauteur sous plafond).

Où boire un verre ?

🍸 ***Salon de Ning*** *(plan 2, H10,* ***362****) : au sommet de l'hôtel* Peninsula, *700 5th Ave (et 55th St).* ☎ *212-903-3097. Tlj 16h-1h.* D'abord, c'est un hôtel à la belle architecture néoclassique de 1905, avec un magnifique porche sculpté. Superbe terrasse avec vue sur la *skyline,* offrant un mobilier design et coloré au style éclectique, mélangeant réminiscences asiatiques et Art déco. Poufs à l'orientale et larges lits à la chinoise amplifient son atmosphère relax. Bar intérieur d'une élégance stupéfiante, tout en bois sombre, avec un superbe comptoir élaboré, mon tout rappelant l'atmosphère chaleureuse et fiévreuse du Shanghai des années 1930 (appelé le Paris de l'Extrême-Orient)... Cocktails sophistiqués, ça va de soi !

🍸 ***The Campbell Apartment*** *(plan 2, H11,* ***405****) : accès par Vanderbilt Ave, il faut sortir de Grand Central Terminal.* ☎ *212-953-0409.* Ⓜ *(S, 4, 5, 6, 7) 42nd St-Grand Central. Tlj 15h-1h (23h dim).* Étonnant de trouver un tel endroit dans une gare ! En fait, il s'agit de l'appartement qu'occupait le magnat de la finance J. W. Campbell dans les années 1920 et rénové avec beaucoup de goût. Grande salle de style florentin, au plafond peint, meubles sculptés, murs en marbre et cheminée monumentale. Atmosphère intime, ambiance jazzy et solide brouhaha. Le bar est assez classe (et pas donné !), alors ne vous y pointez pas en jean déchiré ou avec une casquette.

🍸 ***Top of the Tower*** *(plan 2, I11,* ***472****) : au 26e étage du* Beekman Tower Hotel, *à l'angle de 49th St et 1st Ave.* ☎ *212-980-4796.* Ⓜ *(6) 51st St. Tlj dès 17h.* Une expérience très new-yorkaise que ce bar panoramique au sommet d'un bel hôtel Art déco, à deux pas des Nations unies. Un lieu curieusement assez confidentiel, à l'atmosphère feutrée et romantique, très agréable pour boire un verre au calme.

🍸 ☕ ***Upstairs*** *(plan 2, H11,* ***471****) : au 30e étage du* Kimberly Hotel, *145 E 50th St (entre Lexington et 3rd Ave).* ☎ *212-702-1685.* Ⓜ *(6) 51st St. Bar 17h (18h sam)-1h (2h ven-sam, 23h dim).* Encore un *rooftop bar* typiquement new-yorkais, décrit plus haut dans « Où manger ? Spécial petit déj et brunch ».

🍸 ☕ ***Le Bateau Ivre*** *(plan 2, H11,* ***406****) : 230 E 51st St (entre 2nd et 3rd Ave).* ☎ *212-583-0579.* Ⓜ *(6) 51st St. Tlj 11h-4h.* La devise de la maison fait directement écho au nom du lieu : « Buvez toujours... vivez longtemps ! » Bistrot à vins à la parisienne (énorme sélection de vins français, plus de 250 !), tout en bois, réputé dans la *nigh-*

tlife new-yorkaise. Souvent plein en soirée. *Jazz brunch* le dimanche 10h-16h. Sympathique aussi pour un petit café aux beaux jours...

PJ Clarke's *(plan 2, H10,* ***310****) : 915 3rd Ave (angle 55th).* ☎ *212-317-1616.* Ⓜ *(N, R, 4, 5, 6) 59th St. Tlj 11h30-3h.* Dans une pittoresque maison basse de 1868 en brique rouge cernée de gratte-ciel, ce pub vieilli dans son jus – véritable institution – a abreuvé des générations de New-Yorkais depuis sa création en 1884. À l'intérieur, brique encore, vieilles pendules et grand bar en bois où il faut jouer des coudes pour siroter sa bière ou avaler un morceau. Beaucoup d'ambiance en fin de semaine, et très touristique (qui veut son T-shirt souvenir ?).

Où écouter du bon jazz ?

Saint Peter's Church *(plan 2, H11,* ***464****) : 619 Lexington Ave (angle 54th St).* ☎ *212-935-2200.* ● *saintpeters.org* ● Ⓜ *(6) 51st St.* Décidément, tout est très concentré, voire imbriqué à Manhattan. Un exemple, cette église luthérienne installée sous la Citicorp Tower, qui culmine à 274 m ! La congrégation s'est fait pas mal d'argent en vendant son vaste terrain à la Citicorp, il y a quelques décennies, à la condition qu'une nouvelle église soit intégrée dans le complexe. Tous les dimanches à 17h s'y tiennent les *Jazz Vespers* (sauf le 1er dimanche du mois : c'est alors carrément une messe), cérémonies religieuses ponctuées d'« intermèdes musicaux » interprétés par des artistes de talent. C'est gratuit. La messe est suivie d'un goûter auquel les ouailles sont chaleureusement conviées. Concerts gratuits donnés en extérieur, sur la *plaza (jeu 12h30-13h30, juin-août slt).*

Shopping

Spécial enfants

Lego Store *(plan 2, H11,* ***625****) : 620 5th Ave (entrée sur Rockefeller Plaza).* ☎ *212-245-5973.* Ⓜ *(D, F) 47-50th St-Rockefeller St.* Immense boutique qui ravira les inconditionnels des petites briques danoises. Quelques éditions typiquement new-yorkaises, dont les séries *Architecture* qui sont malheureusement assez chères (Empire State Building et autres), et un énorme mur de briquettes multicolores pour se composer ses propres créations.

Build a Bear *(plan 2, H11,* ***599****) : 565 5th Ave (angle 46th St).* ☎ *212-871-7080.* Ⓜ *(S, 4, 6, 7) Grand Central-42nd St.* Une boutique géniale dont les enfants sont complètement dingues ! Il s'agit d'abord de choisir l'enveloppe d'une peluche parmi ours, chiens, lapins, dinosaures, *Hello Kitty,* etc., puis de la faire remplir avec de la mousse. On lui donne la vie en insérant un petit cœur rouge dans sa poitrine, et en option un message enregistré sur une puce électronique en guise de voix. Après le toilettage, vous lui attribuez un nom, des vêtements et accessoires (pompier, motard en Harley, statue de la Liberté, joueur de base-ball, *girly...*), et voilà ! Prix relativement raisonnables.

FAO Schwarz *(plan 2, H10,* ***594****) : 767 5th Ave (angle 58th).* ☎ *212-644-9400.* Ⓜ *(N, R) 5th Ave-59th St.* Le plus beau magasin de jouets de New York, et celui qui fait le plus rêver (particulièrement les petites filles). Tout y est plus joli et raffiné que chez son concurrent de Times Square *Toys' R' Us,* et pourtant, c'est la même maison depuis que le géant du jouet a racheté *FAO* en 2009. Le rayon poupées est extraordinaire ! On peut en faire faire une sur mesure en 10 mn, customiser sa Barbie et même adopter un vrai... poupon dans une pouponnière avec une nurse en chair et en os. Section de peluches divisée par catégories zoologiques : oursons, lapins, animaux aquatiques... Également un atelier pour peindre des figurines. Rayon Harry Potter et énorme choix de Monopoly. Et puis, l'immense piano sur lequel Tom Hanks joue avec ses pieds dans *Big* (il n'est pas interdit de faire comme lui !).

American Girl Place *(plan 2, H11,* ***619****) : 609 5th Ave (et 49th St).* ☎ *1-877-247-5223.* Ⓜ *(E) 5th Ave-53rd St.* Le concept de ce magasin est sans équivalent chez nous : s'occuper de sa poupée comme d'une vraie personne. D'où le coup de l'opération sans doute... On commence par élire sa poupée (une vendeuse est là pour aider la petite fille à trouver celle qui lui ressemble le plus), puis on lui choisit vêtements, accessoires (assortis à ceux de la petite fille, le fin du fin), et même un petit animal de compagnie, avant de la faire coiffer dans un vrai salon de coiffure, de se faire photographier à ses côtés dans un vrai studio et de lui offrir une tasse de thé dans un vrai restaurant. On oubliait, il y a aussi une clinique pour les poupées malades... que l'on vous rendra avec une blouse d'hôpital et un certificat de bonne santé ! Jeter un œil aux vitrines aménagées comme un musée avec des reconstitutions historiques, époque par époque. À prendre impérativement au 2e degré (voire plus) ou comme une bonne leçon de consommation à l'américaine.

Boutiques spécialisées

Marché de Grand Central *(plan 1, C1,* ***592****)* **:** *dans Grand Central Station, au niveau de Lexington Ave et 43rd St.* Ⓜ *(S, 4, 5, 6, 7) Grand Central-42nd St.* Un marché dans une gare ? C'est dire si Grand Central est unique. Ce marché aux étals alléchants est en réalité d'une petite galerie reliant Lexington au hall principal, et réunissant tout ce que New York compte de meilleur en matière d'épicerie fine : fromages de chez *Murray's,* épices de chez *Penzeys,* plats cuisinés italiens de chez *Dishes,* les *crab cakes* de *Pescatore,* les pâtisseries de *Zaro's...* Bien sûr, ce n'est pas donné, mais qu'il est difficile de rester insensible aux extraordinaires effluves sucrés et salés ! Toujours dans Grand Central, ne pas manquer le nouvel ***Apple Store*** qui a pignon sur le célèbre hall.

Harley Davidson of New York *(plan 2, H10,* ***590****)* **:** *686 Lexington Ave (entre 56th et 57th St).* ☎ *212-355-3003.* Ⓜ *(N, R, 4, 5, 6) 59th St.* Pas d'illusions, vous n'y trouverez pas de motos. Surtout des fringues : bottes, blousons, jeans, T-shirts, ceintures, etc., et puis d'amusants vêtements pour bébés motards. Également des souvenirs : mugs, briquets, verres, autocollants... Mon tout parfois assez cher pour ce que c'est et accueil pour le moins indifférent, voire peu sympa !

New York Transit Museum Store *(plan 1, C1,* ***592****)* **:** *dans Grand Central Station, Park Ave et 42nd St.* ☎ *212-BUY-NYTM.* • *transitmuseumstore.com* • Ⓜ *(S, 4, 5, 6, 7) Grand Central-42nd St.* Au rez-de-chaussée, à l'ouest du grand hall, derrière les escaliers, c'est la boutique du musée des Transports en commun. On y trouve les classiques T-shirts, mugs, magnets à l'effigie des stations de métro, mais aussi quelques gadgets amusants et de vieux *tokens* customisés...

Sports

Nike Town *(plan 2, H10,* ***515****)* **:** *6 E 57th St (entre 5th et Madison Ave).* ☎ *212-891-NIKE.* Ⓜ *(N, R, 4, 5, 6) 59th St.* Toutes les dernières créations de la marque en matière de *running,* basket-ball, baseball, ou tout simplement *sportswear.* Un peu moins cher qu'en France. Et puis quelques soldes permanents à explorer.

Yankees Clubhouse Shop *(plan 2, H10,* ***589****)* **:** *110 E 59th St (entre Park et Lexington Ave).* ☎ *212-758-7844.* Ⓜ *(N, R, 4, 5, 6) 59th St.* Arrêt indispensable pour les fans de l'équipe de base-ball chérie des New-Yorkais : fringues, accessoires, souvenirs et vente des billets pour leurs matchs au Yankee Stadium.

Grands magasins

Généralement ouverts de 10h à 19h ou 20h, avec une ou deux nocturnes par semaine (souvent le jeudi, jusqu'à 21h ou 22h). Sachez aussi que les soldes ont lieu en janvier et fin juin-début juillet.

Saks *(plan 2, H11,* ***593****)* **:** *611 5th Ave (entre 49th et 50th St).* ☎ *212-753-4000.* Ⓜ *(D, F) 47th-50th St-Rockefeller Center.* Très chic et traditionnel ; surtout connu pour son rayon prêt-à-porter hommes et femmes. C'est *fashion* et, comme toujours dans ces cas-là, hors de prix. Également un beau rayon de bijoux fantaisie et de parfums.

Tiffany's *(plan 2, H10,* ***595****) : 727 5th Ave (et 57th St). ☎ 212-514-8015. Ⓜ (N, R) 5th Ave-59th St.* Immortalisé à l'écran par Blake Edwards dans *Breakfast at Tiffany's* avec la délicieuse Audrey Hepburn, d'après le roman de Truman Capote. Imaginez une grande surface où les rayons ne présenteraient que des bijoux. Pas du toc, vraiment des pièces de valeur, des pierres somptueuses. Même si vous n'avez ni les moyens ni l'envie d'acheter, allez y faire un tour, juste pour le plaisir des yeux. Pour la petite histoire : c'est à la tête d'une modeste bijouterie que Charles Tiffany commença, dès le milieu du XIXe s, à acquérir une certaine notoriété. Lors de ses voyages en France, il se mit à racheter aux aristocrates parisiens des parures de bijoux qu'il exposait ensuite dans sa boutique new-yorkaise... et qui connurent un rapide succès. Sa réputation de grand bijoutier était faite. Son fils, Louis Comfort Tiffany, a décoré le magasin de vases et d'abat-jour Art nouveau, pour finalement devenir un grand décorateur d'intérieur. Il figure d'ailleurs en bonne place au Metropolitan Museum.

Mode

Uniqlo *(plan 2, H11,* ***588****) : 666 5th Ave (et 53rd St). ☎ 1-877-486-4756. Ⓜ (6) 51st St et (E, M) Lexington Ave et 53rd St.* C'est le *flagship* de la chaîne de prêt-à-porter japonaise, spécialisée dans les fringues sobres et basiques, déclinées dans plein de couleurs et à prix doux. Son plus grand magasin au monde et désormais le plus grand aussi de la 5e Avenue ! Architecture d'avant-garde (signée Masamichi Katayama), présentée comme modèle pour toutes les autres ouvertures de magasins. Sa vitrine d'angle présente lignes et volumes d'un design épuré de toute beauté. À l'intérieur, l'impression de débarquer dans une immense et lumineuse cathédrale de la fringue. Son triple escalator (rappelant celui de Roppongi à Tokyo), monte directement au 3e étage. On accède aux autres par des escaliers aux lumières flashy... Dans la présentation des vêtements, tout est révolutionnaire : larges espaces, mannequins tournants, une centaine de cabines d'essayage, 50 caisses... à l'image du *Heattech Tunnel* où les annonces de soldes passent en lettres géantes au-dessus des stocks !

Abercrombie & Fitch *(plan 2, H10,* ***621****) : 720 5th Ave (et 56th St). ☎ 212-306-0936. Ⓜ (N, R) 5th Ave-59th St.* Cette marque *casual,* connue pour ses gros sweats douillets à capuche estampillés, ses T-shirts, polos et autres chemises à carreaux traités vintage, est devenue en quelques années la coqueluche de la jeunesse dorée française. Les boutiques sont toutes conçues sur le même principe : éclairages ultra-tamisés et musique assourdissante façon boîte de nuit. On allait oublier le sent-bon maison *(Fierce)* vaporisé à tout-va pour l'ambiance olfactive. Moyenne d'âge : 16 ans à peine. Le must est de se faire photographier avec le play-boy bodybuildé qui pose torse nu à l'entrée. Si seulement l'ouverture du magasin à Paris pouvait alléger les files d'attente... Mais non, même pas, dès l'ouverture il y a souvent plus de 100 m de queue... Un peu moins de monde peut-être dans la nouvelle boutique de South St Seaport, à la pointe sud de Manhattan.

Hollister *(plan 2, H11,* ***588****) : 668 5th Ave (entre 52nd et 53rd St). ☎ 646-924-2555. Ⓜ (E) 53rd St.* C'est la ligne californienne d'Abercrombie, grosso modo 30 % moins chère, pour une qualité et un style équivalents. La boutique vaut largement le détour elle aussi, avec ses écrans retransmettant en live Huntington Beach (la plage des surfeurs à Los Angeles) et son staff de jeunes vendeurs-vendeuses recrutés pour leur plastique, n'hésitant pas à déambuler en tong et maillot de bain au cœur de l'hiver ! *So Cal*, comme ils disent...

Brooks Brothers *(plan 2, H11,* ***598****) : 346 Madison Ave (et 44th St). ☎ 212-682-8800. Ⓜ (S, 4, 6, 7) 42nd St-Grand Central.* Depuis 1818, *Brooks Brothers* fait la loi en matière de chemises pour hommes. Cette institution, très prisée par le monde de la finance, est le fournisseur officiel de tous les présidents américains, Barack Obama compris, à l'exception de

Jimmy Carter et Ronald Reagan. N'y voyez aucun lien de cause à effet, mais Abraham Lincoln fut assassiné dans un frac noir griffé *Brooks Brothers...* Du classique, également décliné en *leisure wear* B.C.B.G. Prix convenables vu la qualité, d'autant qu'ils proposent régulièrement des promotions. *D'autres boutiques au 1934 Broadway (et 65th St) et 1270 6th Ave (et 50th St).*

Victoria's Secret *(plan 2, H10, **601**) : 34 57th St (entre Madison et Park Ave). ☎ 212-758-5592. Ⓜ (N, R) 5th Ave-59th St.* Le saviez-vous ? Les Américains, qui nous la jouent tout en pudibonderie *politically correct*, ont une passion pour la lingerie féminine ! Beaucoup de choix, modèles alléchants et prix démocratiques ; en revanche, la qualité est loin de celle de la lingerie française... *Succursale à SoHo, 591 Broadway (et Prince St).*

Ugg Australia *(plan 2, H10, **626**) : 600 Madison Ave (et 58th St). ☎ 212-845-9905. Ⓜ (N, R) 5th Ave-59th St.* Pour les fans des fameuses bottes fourrées australiennes, pas forcément super élégantes mais douillettes et toujours *fashion*. Et puis, à New York en plein hiver, reconnaissons que c'est adapté.

J. Crew *(plan 2, H11, **546**) : Madison Ave (et 45th St). ☎ 212-949-0570. Ⓜ (S, 4, 5, 6, 7) 42nd St-Grand Central.* Une marque *casual* chic peu connue en dehors des USA, jusqu'à ce que Michelle Obama la remette au goût du jour. Réédition des classiques décontractés comme les bermudas, T-shirts ou chemises aux cols boutonnés en version week-end dans les Hamptons (disons Deauville pour les équivalences...). Les collections changent régulièrement et proposent des modèles plus originaux que *Gap* ou autres *Banana Republic*. Cher, mais le coin des soldes réserve parfois des surprises. *Autre adresse au 1035 Madison Ave (et 79th St).*

Daffy's *(plan 2, H10, **602**) : 125 E 57th St (entre Lexington et Park Ave). Ⓜ (N, R, 4, 5, 6) 59th St.* Un supermarché du vêtement dégriffé. Beaucoup de tout-venant, mais également de grandes marques américaines, italiennes ou françaises, présentées de manière peu engageante mais ayant l'avantage du choix et du renouvellement. En fouinant bien, cela dit, certains font des affaires ! Surtout intéressant pour les vêtements d'enfants et les tenues de soirée un peu flashy.

À voir

Museum of Modern Art (MoMA *; plan 2, H10-11)* **:** *11 W 53rd St (entre 5th et 6th Ave), avec aussi une entrée sur 54th St (où s'achètent les billets). ☎ 212-708-9400. • moma.org • Ⓜ (E) 5th Ave-53rd St. Tlj sf mar (mais ouv tlj fin juin-fin sept), Thanksgiving et Noël, 10h30-17h30 (20h ven). Également un nocturne jusqu'à 20h30 le 1er jeu de chaque mois (ts les jeu en juil-août). Entrée : 25 $; réducs ; gratuit moins de 16 ans et pour ts ven dès 16h. Entrée au P.S.1 Contemporary Art Center incluse (voir « Queens » plus loin). Audioguide en français gratuit (carte d'étudiant, carte Vitale ou permis de conduire exigés comme caution,* ***passeport non accepté****), sinon possibilité de podcaster gratuitement le contenu sur un iPod. Photos sans flash et caméscopes autorisés. Lors des nocturnes gratuites du ven, les files d'attente à l'entrée, souvent impressionnantes, avancent très vite. En revanche, l'attente au vestiaire est très longue, donc évitez, si possible, de devoir y laisser un sac.*

Malgré un prix d'entrée carabiné, c'est une des visites à ne rater sous aucun prétexte ! Créé en 1929 par trois collectionneuses riches et audacieuses, le MoMA est alors le premier musée d'art moderne du monde, à une époque où le public comme la critique sont plutôt hermétiques à cette nouvelle esthétique. Les Cézanne, Gauguin, Seurat et Van Gogh y sont à l'honneur parmi une centaine de toiles exposées dans un grand appartement de 5th Avenue (angle 57th Street) prêté par le milliardaire Rockefeller... Puis, le succès venant, la collection de tableaux et sculptures s'agrandit, pour finalement déménager en 1939 à son adresse actuelle. Avec près de 150 000 œuvres, le MoMA compte aujourd'hui ***la plus importante***

collection d'art moderne et contemporain au monde, également ouverte à la photographie, au cinéma, à l'architecture et au design. Et pour mettre en valeur tous ses joyaux artistiques, le musée a fait l'objet d'une vaste campagne de rénovation de 2002 à 2004, dirigée par l'architecte japonais Yoshio Taniguchi (858 millions de dollars, essentiellement financés par des dons privés).
Voici donc un spacieux bâtiment de cinq étages et quelque 12 000 m² d'exposition, aussi zen et aéré que lumineux, et dont l'architecture modeste et discrète n'entre pas en concurrence avec les œuvres. Priorité est ainsi donnée au contenu plutôt qu'au contenant. Le verre, le granit et l'aluminium sont les matériaux dominants...
– ***Important :*** on conseille de réaliser la visite en descendant à partir du 4e étage *(5th Floor)* ; le 5e et dernier étage *(6th Floor)* étant consacré à des expos temporaires.

Le 4e étage (5th Floor)
On y trouve les chefs-d'œuvre (1880-1940) qui ont forgé la réputation du MoMA, une véritable orgie artistique emmenée par Cézanne, Matisse et Picasso, avec notamment *Les Demoiselles d'Avignon,* où ce dernier fustige la beauté féminine en offrant une provocatrice tranche de vie dans un bordel, où certaines dames dénudées portent des masques africains... Dans la *Baigneuse debout,* il présente certaines parties du corps sur le même plan, ainsi les fesses dans la prolongation du ventre, dans un original travail de déconstruction qui fera date. Le cubisme est d'ailleurs abordé en globalité, à travers Juan Gris, les Russes Malevich et Popova. À signaler aussi, *Proun 19 D,* du Russe El Lissitsky, ancien architecte très influencé par Malevich. Sa conception de l'espace s'avère ici une métaphore des transformations de la société suite à la révolution. Puis encore le Mexicain Diego Rivera et le Français Léger. De ce dernier, *Femme au livre,* traitée ici dans ce qui allait devenir son style « métallique et géométrique », voulant offrir, après le désastre de la guerre 1914-18, à l'aide de couleurs primaires, une image solide de la France convalescente. À propos, l'agencement des salles et des œuvres changeant très régulièrement, citons simplement un échantillon des œuvres et des artistes que vous découvrirez au fil des salles : des Gauguin de la période tahitienne, le Douanier Rousseau avec *Le Rêve* (où les éléments de décor sont aplatis et superposés sans perspective, comme au théâtre), Van Gogh et sa *Nuit étoilée* ou encore son *Portrait de Joseph Roulin,* figé avec barbe et fleurs, très socratique, dans un style Village People avant l'heure ! Et puis *The Storm*, d'Edvard Munch, menaçant et frappant. Les femmes se tiennent la tête, une position courante chez les personnages de Munch. La maison brillamment éclairée suggère qu'une vie continue cependant... dont les femmes seraient exclues (où vont donc se nicher les métaphores !). Matisse, dont on peut voir parfois une première version de *La Danse*, nous invite dans son charmant *Atelier rouge* parisien pour une rétrospective de ses œuvres : de son premier tableau (au pied de l'horloge) à sa dernière sculpture du moment (noire, à droite sur un tabouret), que l'on retrouve juste devant la toile. Également une élégante section autour des sculptures de Brancusi, avec ses êtres hybrides et si stylés. Monet apparaît à travers une étude grand format des nuances et reflets d'un étang entouré de verdure ; une préfiguration des fameux *Nymphéas* (que l'on peut admirer, entre autres, à l'Orangerie à Paris). Passage géométrique obligé par la salle Mondrian, suivie des superbes abstractions suspendues de Calder. Pêle-mêle encore, on trouve des Degas, Miró, Dalí, Delaunay, Chirico,

SUR LE PONT

Contrairement à ce que tout le monde imagine, le célèbre tableau des Demoiselles d'Avignon (exposé au MoMA) n'a rien à voir avec la ville française. La toile cubiste qui révolutionna la peinture est en fait un vibrant hommage aux filles de joie de Barcelone, que le jeune Picasso fréquenta assidûment et qui travaillaient à l'époque dans la carrer d'Avinyó, vieille rue du centre...

Bonnard, Arp, Ernst, Klee, Breton, Duchamp, Kandinsky, Max Beckmann, Ensor, Magritte, Klimt, Egon Schiele, Hopper et on en passe... Signalons un artiste moins connu, mais bien représenté au MoMA : Lazlo Moholy-Nagy avec *Construction in Enamel 2* et *Q1 Supremastitic*... Cet Américain, né en Hongrie, montre ici l'énorme influence de Malevich, tout en fusionnant habilement les idées de l'avant-garde russe et celles du Bauhaus qui commençaient à triompher ! Et puis toujours une admiration émue pour Georg Grosz dont on peut admirer ici le *Poète Max Hermann-Neiss.* L'artiste détaille brutalement son ami effondré et perdu dans ses pensées, ainsi que veines, rides, plis, rougeurs, petits défauts physiques avec franchise, voire cynisme mais toujours teinté d'humour et d'un peu de tendresse. Un chef-d'œuvre !

Le 3e étage (4th Floor)

On y admire encore les musts du MoMA, plus récents (1940-1970) mais tout aussi prestigieux. Priorité est donnée ici à l'art américain, qui prend le pas sur le Vieux Continent au lendemain de la Seconde Guerre mondiale. On verra les toiles géniales de Pollock, dont la technique si caractéristique du *dripping* a littéralement révolutionné le paysage artistique. Toujours deux, trois toiles de Bacon, dont *Number VII from Eight Studies for a Portrait*. Parmi les autres artistes américains d'envergure, on retiendra encore Newman, Rauschenberg, Gorky, Still, Gottlieb, de Kooning, Lichtenstein. Et puis Rothko, Cy Twombly, Japer Johns, Hopper dont les toiles tournent bien sûr. En revanche, Warhol est toujours là, comme roi du pop art, alignant ses *Boîtes de soupe Campbell's,* face à une *Gold Marilyn Monroe,* peinte comme une icône l'année de sa mort... Enfin, avec *Mother and Child,* hommage à Elizabeth Catlette, une grande sculptrice (décédée en 2012).

Le 2e étage (3rd Floor)

En grande partie consacré à l'***architecture*** et au ***design.*** La révolution industrielle du XIXe s a modifié la manière dont les concepteurs voient désormais meubles, objets domestiques et habitations... Intéressants plans et maquettes de maisons, buildings et ouvrages d'art. Étonnante collection d'objets usuels (cafetières, fauteuils, couverts de table, lampes, électroménager, etc.) produits en masse et aujourd'hui portés au rang d'œuvres d'art. Architectes et designers sont des pointures : Frank Lloyd Wright, Le Corbusier, Dominique Perrault, Loewy, Herzog et de Meuron, Saarinen, Breuer, Noguchi, Prouvé et bien d'autres encore. À cet étage, on visite aussi un département ***dessins*** mis en valeur par de fréquentes expos temporaires. Même principe pour la galerie retraçant les grands courants artistiques de la ***photographie,*** à travers les clichés de Man Ray, Cartier-Bresson, Irving Penn, Cindy Shermann, Richard Avedon, ou encore Nadar et Atget pour les plus connus.

Le 1er étage (2nd Floor)

Les ***galeries d'art contemporain*** *(Contemporary Galleries)* sont consacrées aux expos temporaires, tout comme le département des ***imprimés et livres illustrés*** *(Prints and illustrated books)* exposant en rotation régulière : gravures, affiches publicitaires, livres d'art et lithographies signés par Toulouse-Lautrec, Gauguin, Picasso, Matisse, Miró, Dubuffet, Warhol, Beckman... Enfin, la ***galerie multimédia*** *(Media Gallery)* montre vidéos, photos et réalisations sonores, devenues de nouveaux supports pour l'art contemporain dans les années 1960. Dans ce domaine encore, le MoMA se veut à la pointe.

Le rez-de-chaussée (1st Floor)

C'est un *Balzac* de Rodin, magistralement drapé, qui salue les visiteurs du musée. À l'origine, l'artiste l'avait sculpté nu, mais ça n'avait pas plu ! Derrière lui, le ***jardin*** *(Abby Aldrich Rockefeller Sculpture Garden),* pour admirer de magnifiques sculptures durant les beaux jours. On retrouve là un mobile de Calder, la célébrissime chèvre de Picasso (son ventre est constitué d'un panier en osier) et, cocorico, une bouche du métro parisien par Guimard. Les passionnés de ***cinéma*** ne manqueront pas les trois salles (accès payant et indépendant du musée, sauf pour certaines séances accessibles avec le billet d'entrée du musée), où sont projetés des films qui ont marqué leur époque. Enfin, le ***centre de recherche,*** et puis la fameuse ***boutique du musée,*** sans oublier le resto-bar chic au rez-de-chaussée, ***The Modern.***

lel Aux 1er et 4e étages, deux excellentes ***cafétérias*** (celle du 4e jouit d'une vue splendide).

🎬🎬 ***Rockefeller Center*** *(plan 2, G-H11) : entre 5th et 6th Ave d'une part, W 48th et W 51st St d'autre part. ☎ 212-698-2000. • rockefellercenter.com • Ⓜ (D, F) 47th-50th St-Rockefeller Center. Visite guidée en anglais tlj à 10h (billets en vente au guichet de l'observatoire).*

Ensemble de 21 gratte-ciel bâtis sur 9 ha. La *Rockefeller Plaza* (transformée en patinoire l'hiver, horriblement chère et surpeuplée la plupart du temps) en est le centre, sous la garde d'une statue dorée de Prométhée dominant la fontaine. Mignonne petite allée du centre depuis cette place vers 5th Avenue parsemée de fleurs, de sculptures, et puis des bancs pour faire une petite pause. Réalisé en pleine dépression économique des années 1930, le Rockefeller Center constitue, avec ses rues, boutiques et équipements culturels, un modèle d'intégration urbaine pour de nombreux architectes contemporains. Vendu aux Japonais, puis racheté, seul le sapin de 25 m de haut, symbole de la prospérité retrouvée après le krach de 1929, demeure immuable : on le dresse depuis cette époque, chaque 1er mardi de décembre, à 18h précises ; et la plus grande star de l'année presse alors un bouton allumant 20 000 ampoules en même temps. Et que la fête commence...

🎬🎬🎬 ***Top of the Rock :*** *entrée sur W 50th St, entre 5th et 6th Ave. Infos : ☎ 1-877-NYC-ROCK. • topoftherocknyc.com • Tlj 8h-minuit (dernière montée à 23h). Ticket : 23 $; 15 $ pour les 6-12 ans. Également des combinés intéressants : MoMA + observatoire ; visite guidée + observatoire...* C'est l'***observatoire du Rockefeller Center,*** situé au 70e étage du *NBC Building.* La montée en ascenseur est déjà une attraction en soi. Des terrasses d'observation, on admire l'architecture de Manhattan dans toute sa grandeur, notamment au soleil couchant... Un peu moins fréquenté et tout aussi grisant que l'Empire State Building, notamment parce qu'on peut justement profiter de la vue sur ce dernier. Une combine : acheter tout de suite son billet en arrivant. On vous indiquera l'heure exacte de votre montée (parfois 45 mn plus tard), ce qui vous laissera le temps d'explorer le quartier...

🎬 ***Radio City Music Hall*** *(plan 2, G11) : entrée sur 6th Ave (angle 50th St). ☎ 212-247-4777. • radiocity.com • Ⓜ (D, F) 47th-50th St Rockefeller Center. Visite guidée ttes les 45 mn 11h-15h ; durée : 1h. Achat des billets à la boutique (entrée sur 6th Ave), ouv 10h30-16h. Entrée chère : 24 $; réducs.* Créée par Rockefeller, la plus grande salle de spectacle de New York dispose de 6 000 places. Il y a plus de spectateurs qui y sont passés depuis 1932 que d'habitants aux États-Unis ! Le style Art déco domine partout. La salle est grandiose, et son décor évoque le soleil couchant sur l'océan. Les grands noms de la musique s'y produisent régulièrement.

🎬 À quelques pas, au ***1290 6th Avenue*** *(plan 2, G11),* entre 51st et 52nd Street, dans le lobby de cet immeuble, on peut admirer des ***fresques*** exécutées en 1930-1931 par le peintre réaliste Thomas Hart Benton. Intitulées *America Today,* elles représentent des scènes de la vie new-yorkaise – particulièrement dynamique – à la veille de la Grande Dépression : usines métallurgiques fumantes, trains lancés à toute vapeur, scènes de rues, de cabaret, de port...

🎬🎬 ***Grand Central Station*** *(plan 1, C1 et plan 2, H11) : 42nd St (et Park Ave). • grandcentralterminal.com • Ⓜ (S, 4, 5, 6, 7) 42nd St-Grand Central.*

La plus ancienne gare de New York est connue pour son immense hall de style Beaux-Arts, où des millions de New-Yorkais pressés prennent le train chaque jour pour le Connecticut ou le nord de Manhattan. Ne faites pas comme eux, levez la tête pour admirer le splendide plafond représentant les constellations du zodiaque, qui brillent grâce à de petites lampes halogènes. Le hall, éclairé par des verrières de 25 m de haut, a des allures de cathédrale. Marbres polis, lustres dorés à l'or fin, chandeliers... c'est ici que Hitchcock tourna une des fameuses scènes de *La Mort aux trousses...* Bref, le décor vaut vraiment le détour, et, en plus, on trouve sur place un incroyable *Apple Store* directement dans ce hall mythique, un centre commercial, un superbe marché *(Grand Central Market)* avec des produits d'une grande fraîcheur, des banques (change), bars, sans oublier les restos, comme le *Dining Concourse,* au sous-sol, ou, un cran au-dessus, le *Oyster Bar & Restaurant* (voir « Où manger ? »), et enfin le *Michael Jordan's Steak House,* perché sur l'un des balcons du grand hall et spécialisé dans la bonne viande...

LES MURS ONT DES OREILLES

Au sous-sol de la gare, entre le resto Oyster Bar et le Dining Concourse, se trouve une voûte dont la courbure porte le son. Pour en faire l'expérience, placez-vous le nez contre un des quatre piliers et parlez à voix basse à la personne située contre le pilier diagonalement opposé. Elle vous entendra comme si vous étiez à côté d'elle ! La Whispering Gallery est un des lieux de rendez-vous les plus prisés à NYC pour les demandes en mariage, particulièrement le jour de la Saint-Valentin !

United Nations (ONU *; plan 2, I11)* **:** *entrée visiteurs au niveau de 46th St (et 1st Ave). ☎ 212-963-8687. • un.org/tours • Ⓜ (S, 4, 5, 6, 7) 42nd St-Grand Central. Lun-ven 9h45-16h45 pour les 2 types de visite ; w-e, visites audioguidées slt 10h-16h15. Fermé certains j. fériés et le w-e en janv-fév (vérifier calendrier sur site internet). Entrée : 16 $; réducs. Interdit aux moins de 5 ans. Prévoir 10-15 mn de contrôles drastiques à l'entrée. Au choix, audioguide ou visite guidée (pour plus d'infos, téléphoner le jour même avt 10h : ☎ 1-212-963-7539). À noter que l'audioguide et la visite durent à peu près le même temps (env 45 mn) et suivent le même itinéraire. Par ailleurs, il existe une version audioguidée destinée aux enfants (avec des anecdotes adaptées à leur âge).*

Tout d'abord, sachez que dans l'enceinte des Nations unies, vous êtes en territoire international et non aux États-Unis !

Dans le hall d'entrée à droite, suspendu au plafond, un pendule de Foucault symbolisant l'égalité oscille toujours dans le même sens... L'ONU se compose en fait de plusieurs bâtiments reliés les uns aux autres, et la visite entraîne le visiteur à travers ce grand complexe, évitant toutefois la haute tour de verre, celle que vous avez probablement en tête et qui abrite le secrétariat. Amusant.

Avant même qu'une ville n'ait été élue pour accueillir le siège des Nations unies, on envisageait qu'il puisse se trouver sur un navire sillonnant en permanence les océans... Le bâtiment de l'ONU a quand même des allures de paquebot amarré au bord de l'East River ; est-ce un hasard ?

La visite explique l'origine, la fonction et les missions des différents services de l'ONU, et permet de voir certaines des salles qui leur correspondent. Toutefois, en raison d'importants travaux de rénovation du site (ils devraient durer jusqu'en 2014), certaines salles ne sont pas toujours accessibles (c'est le cas de la salle de l'*Assemblée générale,* la plus grande, où siègent les 192 pays membres)... quand elles ne sont pas carrément fermées *(rens au ☎ 212-963-7539).* Par exemple, on ne visite malheureusement plus la salle du *Conseil de sécurité* (que l'on voit souvent à la TV quand il y a de grosses crises : guerre en Irak, nucléaire iranien...). En revanche, on a toujours accès aux salles de conférences. Naturellement, les grands problèmes planétaires sont évoqués : on apprend par exemple que le monde dépense chaque année plus de 850 milliards de dollars dans l'armement alors que seuls 10 milliards suffiraient pour que les terriens aient tous accès à l'eau potable, ou encore que 5 milliards permettraient d'éradiquer totalement l'illet-

trisme. Bref... Enfin, on découvre encore, au fil de la visite, les dons de différents États, à savoir des œuvres d'art (ou tout simplement symboliques), disséminées un peu partout à l'intérieur des bâtiments. Certaines valent vraiment le coup d'œil, notamment le grand vitrail de Chagall exposé dans le hall, en entrant à droite, non loin du pendule de Foucault. Profitez-en également pour vous attarder aux expositions temporaires, souvent de qualité.
Enfin, le jardin est maintenant fermé pour raisons de sécurité. Dommage pour sa belle roseraie et ses sculptures. On peut toutefois voir la sculpture du Luxembourg à l'entrée, représentant un gigantesque revolver au canon noué, ce qui a le mérite d'être clair...
– Sur place : *coffee shop,* boutique du monde (assez kitsch), librairie et poste. Un truc très rigolo : on peut acheter des planches de ***timbres*** estampillés des Nations unies avec sa propre photo dessus. Succès assuré auprès de la famille et des copains ! Il faut impérativement poster les cartes sur place (bureau de poste au sous-sol) car ces timbres ne sont valables que dans l'enceinte des Nations unies. Prévoyez si possible d'acheter vos cartes postales avant, car celles en vente au bureau de poste ne sont pas terribles.

➢ Si vous êtes dans le coin de l'ONU, un coup d'œil sur l'architecture des buildings de ***Tudor City*** vaut la grimpette *(42nd St, entre 1st et 2nd Ave).* Ce petit quartier sur les hauteurs avec vue sur l'East River et sur le bâtiment de l'ONU a des airs d'Angleterre. On est ici au calme, loin de l'effervescence new-yorkaise.

🎬🎬🎬 À un bloc à l'est de la gare, le ***Chrysler Building*** *(entrée sur Lexington Ave, au niveau de 42nd St ; plan 2, H11 et plan 1, C1).* Reconnaissable à sa grande flèche d'acier haute de 30 m qui en a fait l'un des symboles les plus élégants de Manhattan. Construit en 1930 par l'architecte William Van Alen, ce gratte-ciel de 77 étages est au summum du style Art déco, que l'on pourrait qualifier ici de « flamboyant ». Le hall d'entrée – tout en marbre et aluminium – vaut vraiment le coup d'œil. Remarquez les portes d'ascenseur décorées de fleurs de lotus... La flèche évoque une calandre de voiture, et les gargouilles sont inspirées des emblèmes du capot de la Chrysler Plymouth de 1929. Le bâtiment est occupé par des bureaux.

🎬🎬 ***Waldorf Astoria Hotel*** *(plan 2, H11)* **:** *301 Park Ave, à la hauteur de 49th St.* Ⓜ *(6) 51st St.* Le palace historique de New York, qui a servi de cadre à de nombreux films, de *Gatsby le Magnifique* à *Hannah et ses sœurs,* en passant par *Broadway Danny Rose...* Si la façade est plutôt austère, visitez absolument le grand lobby, un chef-d'œuvre de l'Art déco avec ses colonnes, velours et dorures. Les allées intérieures sont bordées de boutiques de luxe, bars, etc., vous pouvez donc déambuler à votre guise et « vous y croire » ! Ne manquez ni la grande *Ballroom* ni le *Silver Corridor.* Le *Waldorf Astoria* se tenait autrefois à l'emplacement même de l'Empire State Building. Il fut détruit en 1929 pour être rebâti à sa place actuelle. Ceux qui ont quelques noisettes à la Caisse d'Épargne pourront prendre un verre sur place.

🎬 ***International Center of Photography*** *(plan 2, G11,* ***725****)* **:** *1133 6th Ave (angle 43rd St).* ☎ *212-857-0000.* • *icp.org* • Ⓜ *(D, F) 42nd St-Bryant Park. Tlj sf lun 10h-18h (20h ven). Entrée : 12 $; réducs ; gratuit moins de 12 ans et donation libre ven à partir de 17h.* Bel espace qui accueille toujours un intéressant programme d'expositions temporaires, aussi bien de photographies américaines qu'européennes. Passionnera tous les amateurs de photo. À propos, choix extraordinaire de stages de durées variées (certains à la journée).

🎬 ***New York Public Library*** *(plan 1, B-C1)* **:** *5th Ave (entre 41st et 42nd St).* ☎ *917-275-6975.* • *nypl.org* • Ⓜ *(D, F) 42nd St-Bryant Park ou (7) 5th Ave. Tlj 10-18h (21h mar-mer et 17h dim). Entrée gratuite. Visite guidée gratuite du bâtiment mar-sam à 11h et 14h, dim à 14h (durée 1h) ; intéressante mais un peu longuette.* Construit en 1902 dans le style Art nouveau, cet édifice, classé Monument national, vaut vraiment le coup d'œil. Voici donc la deuxième bibliothèque du pays, après celle du Congrès à Washington. Elle possède plus de 4,5 millions de livres, à consulter sur place. On vous fera noter sur un bout de papier le bouquin de votre choix, qui sera acheminé jusqu'à vous via un tuyau pneumatique d'époque. Vous pouvez aussi y voir de bonnes expos, disséminées dans le bâtiment, et surfer gratuitement sur Internet au 2e étage *(3rd Floor).* Bien sûr, ne manquez pas de jeter un œil à la superbe ***reading room,*** salle de lecture remise à neuf au prix de 3 ans de travaux ; il faut dire qu'elle a la taille d'un terrain de foot et une hauteur équivalente à cinq étages ! Les vitres, peintes en noir pour les besoins du *black-out* pendant la Seconde Guerre mondiale, ont été décapées, les tables en chêne poncées, vernies et équipées de prises électriques et téléphoniques pour l'accès à Internet, mais c'est surtout le plafond, majestueux et superbement ouvragé, qui vaut le détour, notamment pour son trompe-l'œil de ciels nuageux, encadré d'or fin.

👁👁 ***Bryant Park*** *(plan 1, B1) :* *6th Ave, entre 40th et 42nd St. • bryantpark.org • Ⓜ (D, F) 42nd St-Bryant Park.* Ce charmant petit parc, bordé par la New York Public Library et de superbes buildings de tous styles architecturaux, est un des favoris des New-Yorkais. Particulièrement agréable à la belle saison, avec ses tables et chaises de jardin ombragées par de beaux arbres. Plein d'activités possibles : ping-pong, pétanque, échecs, yoga et tai-chi, carrousel pour les enfants, festival de cinéma en plein air (tous les lundis soir d'été)... Et ce n'est pas tout, de fin octobre à mi-janvier, la grande pelouse centrale se transforme en patinoire (gratuite, seule la location de patins est payante). Parmi les trois restos implantés dans le parc, on conseille le ***Bryant Park Café,*** adossé à la New York Public Library *(ouv de mi-avr à nov).* Ne pas confondre avec le *Bryant Park Grill*, qui est la version haut de gamme, donc plus chère *(et ouv tte l'année).* En plein air, sous de vastes parasols, on déguste de grandes salades, des plats de pâtes ou des grillades, le tout copieux et plutôt bon, pour un prix encore raisonnable *(plat env 15-20 $).* Dès la sortie des bureaux, les jeunes employés du quartier viennent s'accouder dans la partie bar. Bref, une immersion très new-yorkaise, limite *Sex & the City* !

Les lieux de culte

Ils sont nombreux dans cette partie de Manhattan. Leur architecture contraste avec celle des buildings qui les encerclent et leur donnent un côté gothique futuriste... un peu comme la Gotham City de *Batman.* En voici quelques-uns.

👁 ***Saint Patrick's Cathedral*** *(plan 2, H11) :* *sur 5th Ave (entre 50th et 51st). Ⓜ (D, F) 47th-50th St-Rockefeller Center.* Une construction au look moyenâgeux dans le style néogothique en vogue au XIXe s. Son élégance défie fièrement les immenses gratte-ciel modernes qui la cernent de tous côtés. Sa taille peut paraître un peu insignifiante, mais en entrant, on se rend mieux compte de ses dimensions : 100 m de long sur 50 m de large...

👁 ***Saint Thomas Church*** *(plan 2, H11) :* *angle 5th Ave et 53rd St.* De style néogothique, elle date de 1905. Double clocher asymétrique et sculptures extérieures aux expressions assez cocasses. À l'intérieur, imposant retable qui comprend près de 80 personnages sculptés. Sur la gauche, *The Chantry Chapel* abrite un triptyque en bois polychrome. À titre d'info, l'orgue majestueux est équipé de 4 700 tuyaux !

👁 ***Saint Bartholomew's Church*** *(plan 2, H11) :* *sur Park Ave et 50th St.* Complètement inattendue dans le décor... Achevée en 1919, faite de brique et de pierre grise, avec son immense dôme, elle a un look italo-byzantin. À l'intérieur, superbe chœur tout en marbre et mosaïques.

👁 ***Central Synagogue*** *(plan 2, H11) :* *sur Lexington Ave (entre 54th et 55th St).* Perdue au beau milieu des buildings, c'est l'une des plus anciennes synagogues de NYC, bâtie en 1872 par H. Fernbach dans le style *Gothic Revival,* avec deux superbes flèches se terminant par des étoiles dorées.

Itinéraire à la découverte des plus beaux buildings de Midtown

Quelques petites notions d'architecture ne sont pas de trop pour apprécier à leur juste valeur les chefs-d'œuvre qui font de certaines rues de Manhattan un véritable musée à ciel ouvert :
- ***Style Art déco (1925-1940) :*** façades en terre cuite ou pierre polie aux lignes verticales, ornées d'éléments décoratifs travaillés et souvent géométriques. Emblèmes : Empire State Building et Chrysler Building.
- ***Style international (1940-1970) :*** apparition des premières tours de verre, béton et acier, sans aucune ornementation, semblables à d'immenses monolithes érigés au-dessus de grandes esplanades. Emblème : Seagram Building.
- ***Style postmoderne (1975 à nos jours) :*** verre et acier toujours, mais lignes moins lisses, avec des références historiques et de la fantaisie en plus. Emblèmes : Sony Building et tour Portzamparc.

Maintenant, la balade !

➢ On commence au sud-est de Central Park, avec le cube de verre de l'***Apple Store*** *(sur l'esplanade à l'angle de 5th Ave et 58th St ; plan 2, H10,* ***566****).* Quelques tables et chaises sur l'esplanade pour faire une pause à Central Park.
En face, sur la gauche *(sur 58th St, entre 5th et 6th Ave),* s'élance une tour de verre noir encastrée dans un cadre de pierre de travertin, réalisée en 1974 par Skidmore, Owings et Merrill, et baptisée aujourd'hui ***Solow Building Company.*** Sa base évasée et ses grosses croix de Saint-André nécessaires au contreventement du bâtiment font toute son originalité.

➢ Descendre maintenant 5th Avenue et tourner à gauche dans 57th Street.
Au 19 57th Street (et Madison Avenue), la fameuse ***tour LVMH de Portzamparc*** (1999), un des gratte-ciel les plus révolutionnaires de ces 20 dernières années, avec ses volumes complètement éclatés (abrite la boutique *Dior*). L'architecte français a également habillé la façade de la boutique *Vuitton* que vous avez croisée à l'angle de 5th Avenue et 57th Street.
De l'autre côté de la rue (angle 57th Street et Madison toujours), le ***Fuller Building,*** avec son élégante structure de granit noir surmontée d'une tour en pierre, typiquement Art déco (1928-1929).

➢ Traverser 57th Street, puis descendre Madison Avenue sur un bloc. À l'angle de 56th Street, entrer dans l'***I.B.M. Building*** (1983). Haut, lumineux et verdoyant, son atrium abrite de gigantesques bambous et des petits oiseaux *(ouv tlj 8h-22h).* Petite buvette au milieu, mais aucune obligation de consommer si l'on s'assoit pour faire une agréable pause... surtout dans le froid de l'hiver !
De là, accès direct dans la ***Trump Tower*** *(plan 2, H10,* ***716****),* sur 5th Ave (entre 56th et 57th St). C'est le château de *Citizen Kane* accessible au quidam, né de l'imagination et de la fortune de Donald Trump, le géant de l'immobilier qui voulait avoir son nom gravé en lettres d'or sur la plus haute tour de la plus belle avenue de la plus grande ville du monde ! Il apporta la preuve que la crise ne frappait pas tout le

COMBIEN POUR LE 7e CIEL ?

C'est un principe : à New York, la réglementation urbaine indique pour chaque quartier une hauteur moyenne à respecter. Mais pas maximale ! Ce qui signifie que si cette moyenne n'est pas atteinte, des architectes peuvent construire une tour nettement plus grande... à condition de racheter les droits de ciel (air rights) des voisins !

monde. La nouveauté dans la conception de ce gratte-ciel, érigé en 1983, réside dans l'atrium, entièrement construit en marbre d'Italie couleur saumon, mâtiné de dorures ! La cerise sur le gâteau, c'est la cascade murale au fond. Des vitrines en forme de pseudo-temple gréco-romain présentent les produits dérivés du maître des lieux : chemises et cravates, montres bling-bling, balles de golf dorées... Comme quoi, l'argent n'est pas toujours synonyme de bon goût.
La tour compte 65 étages alors qu'au départ le permis de construire n'en autorisait que 35. À New York, on peut en effet acheter « l'espace aérien » des immeubles voisins ! Voilà pourquoi la Trump Tower et le Sony Building sont bien plus hauts que leurs voisins...

➢ Notre itinéraire continue avec le ***Sony Building*** justement, qui date de 1984 *(550 Madison Ave, entre 55th et 56th St ; plan 2, H10,* ***719****)*. Son architecture est en rupture avec les gratte-ciel en verre et acier des années 1960-1970. Le corps du bâtiment est en effet de style international, mais dominé par un fronton Chippendale. À l'intérieur de l'atrium *(ouv 7h-23h)*, Sony présente un parcours découverte des dernières technologies avec son ***Sony Wonder Technology Lab.*** *☎ 212-833-8100. • sonywondertechlab.com • Mar-sam 10h-17h ; dim 12h-17h. Entrée libre, mais obligation de réserver ses billets min 1 sem à l'avance (et jusqu'à 3 mois avt !). Sinon, possibilité de retirer des billets (toujours gratuits) le jour même au guichet, mais en nombre très limité ; mieux vaut donc tenter sa chance tôt.*
Vous pourrez, entre autres, faire du mixage, pratiquer une opération au laboratoire médical, devenir cameraman, tripoter des consoles interactives, surfer sur Internet... Bon niveau d'anglais nécessaire pour en profiter. Malheureusement, à force d'être tripotées, les installations déconnent un peu... Boutique ***Sony*** à côté.

➢ Deux blocs plus au sud, sur 53rd Street *(entre 5th et Madison Ave ; plan 2, H11)* le ***Samuel Paley Plaza*** est un des *vestpocket gardens* (jardins de poche urbains) les plus emblématiques de New York. Implanté à la place d'un night-club des années 1930, c'est un havre de paix au cœur de la jungle de Midtown, avec le murmure de son petit rideau d'eau au fond (et un morceau du mur de Berlin).
Continuer encore sur 53rd Street. À l'angle de Park Avenue se dresse la ***Lever House*** qui, en 1952, fut la première tour de verre et d'acier de New York, un des fleurons du style international. Ce fut aussi le premier gratte-ciel entièrement climatisé et équipé de baies vitrées fixes.
Juste en face, à l'angle opposé de 53rd Street et Park Avenue, le ***Seagram Building*** (1958), de Mies Van der Rohe (et Philip Johnson pour la décoration intérieure). Sa sobriété, ses proportions parfaites et l'élégance de ses « murs-rideaux » en font un des plus beaux buildings de New York.
De là, on aperçoit la silhouette gainée d'aluminium du ***Citicorp Center*** (1977), à l'angle de Lexington Avenue et de 53rd Street. On le reconnaît de très loin grâce à son sommet biseauté culminant à 274 m. À l'abri de ses piliers se nichent Saint Peter's Church (un véritable défi architectural !), ainsi qu'un complexe commercial avec un atrium, très agréable pour une pause déjeuner.

➢ En continuant à descendre 53rd Street, on découvre, à l'angle de 3rd Avenue, le ***Lipstick Building*** (1986), où le célèbre escroc Madoff y avait ses bureaux. Sa structure arrondie dans les tons brun-rose rappelle la forme d'un bâton de rouge à lèvres, d'où son nom.

➢ Revenez sur vos pas dans 53rd Street et tournez à gauche dans Lexington Avenue. À l'angle de Lexington Avenue et 51st Street, le ***General Electric Building*** *(RCA Victor Building)*, chef-d'œuvre de l'Art déco érigé en 1931. Remarquable sommet travaillé à la manière d'une flèche de cathédrale gothique.
Un peu plus loin sur 51st Street, à l'angle de 5th Avenue, l'***Olympic Tower*** (1976, réalisée par Skidmore, Owings & Merrill). Commanditée par Aristote Onassis, c'est une boîte de verre de 51 étages dominant Saint Patrick's Cathedral à laquelle elle sert de miroir.

➢ Remontez 5th Avenue sur un bloc et tournez à droite dans 52nd Street pour découvrir l'originale silhouette gris foncé de l'***Austrian Cultural Forum*** (2002, Raimund Abraham) évoquant une colonne vertébrale ou un totem. Très étroit (moins de 8 m), pas très haut non plus (24 étages), il détonne pourtant franchement parmi les autres buildings de la rue et demeure un des projets architecturaux les plus audacieux de cette dernière décennie. Revenez sur vos pas, traversez 5th Avenue et continuez sur 52nd Street.

➢ À l'angle de 52nd Street et 6th Avenue s'élance la façade noire et massive du ***CBS Building,*** surnommé par les New-Yorkais « *The Black Rock* » (« le Rocher noir ») et réalisé en 1965 par le célèbre architecte et designer finlandais Eero Saarinen, connu pour son terminal TWA de l'aéroport JFK.
Possibilité de terminer la balade par le ***Rockefeller Center,*** à trois blocs au sud (voir texte détaillé plus haut).

EAST SIDE ET UPPER EAST SIDE

À l'est de Central Park, de East 59th à East 96th Street, s'étend le quartier le plus chic de Manhattan, tout au moins le long de Park et Madison Avenues. Ici, le prix du mètre carré d'appartement ferait pâlir d'envie les propriétaires parisiens de Saint-Germain-des-Prés.
Jusqu'à la fin de la guerre civile, c'était le lieu de villégiature estivale des New-Yorkais. Aux XVIIIe et XIXe s, l'urbanisation gagna East Side, qui devint le quartier des industriels milliardaires. Les immeubles de 5th Avenue étaient les hôtels particuliers des familles Carnegie, Vanderbilt, Whitney, etc. En 1920, le *New York Times* disait d'East Side que c'était « un collier de perles : les perles sont les immeubles des milliardaires, et le fil, Madison Avenue ». Après, ce fut le coin des stars : Greta Garbo, Marilyn, Marlene Dietrich et Paul Newman y habitèrent. Robert Redford et Woody Allen y vivent encore...
C'est aussi le quartier des boutiques et hôtels de luxe et, bien sûr, des musées. Entre East 70th et East 104th Street, 5th Avenue prend le nom symbolique de *Museum Mile,* vous comprendrez vite pourquoi en découvrant ce qui vous attend dans la rubrique « À voir » !
Plus à l'est, et notamment sur 1st et 2nd Avenues, le quartier devient plus populaire et l'on trouve de nombreux bars et restos ainsi qu'une ambiance bien plus relax. La partie est entre East 80th et East 90th Street s'appelait Yorkville, anciennement une colonie allemande et d'Europe de l'Est, dont il reste quelques signes résistant encore au temps...

Adresse utile

✉ ***Poste*** *(plan 2, H8)* **:** *à l'angle de 91st St et 3rd Ave. Lun-ven 8h-18h ; sam 9h-16h.*

Où dormir ?

Bon marché

☗ ***Tone on Lex Hostel*** *(plan 2, H8,* ***82)*** **:** *179 E 94th St (entre 3rd et Lexington Ave).* ☎ *212-289-0010.* • *tonehostels.com* • Ⓜ *(6) 96th St. Lits en dortoir 30-35 $ et doubles env 85-105 $ selon période, petit déj compris.* 💻 📶 *Attention, mi-2012, fermé pour travaux (téléphoner avt).* À deux pas de Central Park, dans cette rue calme et loin du stress, une AJ pas trop mal tenue proposant des dortoirs classiques (4 à 10 lits) et des chambres correctes avec ou sans salle de bains. TV et petite cuisine donnant sur un jardinet bien agréable en été pour le barbecue. L'ensemble est coloré et tenu par une équipe sympa qui met de l'ambiance : soirées à thème, projection de films... Une bonne adresse très routarde dans l'âme.

Plus chic

The Bentley Hotel *(plan 2, I10,* ***74****) : 500 E 62nd St (angle York Ave). ☎ 212-644-6000. • bentleyhotelnyc.com • Ⓜ (N, R, 4, 5, 6) 59th St. Doubles 180-320 $ selon saison.* C'est excentré, c'est indéniable (le métro est à 10-15 mm). Mais ce désagrément est compensé par le bon niveau de confort : lecteur CD, station iPod, salle de fitness... Façade et architecture très quelconques, mais chambres spacieuses, design, et jouissant pour certaines, grâce à leurs baies immenses, d'une vue fabuleuse sur l'East River, le pont Queensboro et Roosevelt Island. Super *rooftop bar,* avec la vue qu'on devine. Un bon rapport qualité-prix dans cette catégorie.

Où manger ?

Spécial petit déjeuner

Viand *(plan 2, H-I8,* ***255****) : 300 E 86th St (et 2nd Ave). ☎ 212-879-9425. Ⓜ (4, 5, 6) 86th St. Tlj 24h/24. Formules petit déj env 4-11 $.* La déco hors d'âge ramène le visiteur quelques décennies en arrière : banquettes de moleskine, tabourets vissés devant le comptoir rétro, carrelage à damier... et les odeurs de fritures qui s'échappent de la cuisine. Tout y est ! La cuisine ne dépare pas, robuste, généreuse (très bonne omelette *frittata style* et une vingtaine d'autres tout aussi savoureuses) et à prix modique. Spécialité de riches salades et d'un super *Irish Burger* ! Le *coffee shop* US bien typique offrant une alléchante carte longue comme le bras.

Orwasher's *(plan 2, H-I9,* ***157****) : 308 78th St (entre 1st et 2nd Ave). ☎ 212-288-6569. Ⓜ (6) 77th St. Tlj 8h-19h (9h-16h dim).* Excellente boulangerie casher ouverte en 1916, et qui ne cesse de faire des adeptes dans le quartier. Sur les étalages : une foule d'appétissants muffins, cookies, *rolls,* croissants et toutes sortes de pains fantaisie fabriqués maison. En particulier, les « *artisans wine breads* » font un tabac, certains pouvant se consommer pendant 3-4 jours !

Two Little Red Hens *(plan 2, H-I8,* ***255****) : 1652 2nd Ave (entre 85th et 86th St). ☎ 212-452-0476. Ⓜ (4, 5, 6) 86th St. Tlj 7h30-21h (sam 8h-21h, dim 8h-19h).* On est séduit ici par les très bons classiques de la pâtisserie US plébiscités par les habitants du quartier : *cupcakes* (on recommande les *Brooklyn Black Out* et *Key Lime*), cookies, *rolls* et muffins, et puis aussi par des tartes alléchantes et autres gâteaux crémeux exubérants... À emporter plutôt car les places assises y sont rares et chères !

World Cup Café *(plan 2, H9,* ***245****) : 956 Lexington Ave (entre 69th et 70th St). ☎ 212-717-6888. Ⓜ (6) 68th St. Ouv 7h-20h.* Une échoppe minuscule mais envahie de rayonnages bourrés de choses appétissantes, et dotée d'un coin de comptoir pour dévorer muffins, cakes et cookies, et siroter un café ou un savoureux *smoothie.* Aussi des soupes du jour. Simple et bon.

3 Star Diner *(plan 2, I9,* ***127****) : 1462 1st Ave (angle 76th St). ☎ 212-861-7500. Ⓜ (6) 77th St. Tlj 24h/24. Plats 8-12 $; formules petit déj moins chères. Diner* typique (déco basique vieille école) proposant une douzaine de formules pour le petit déj à des prix très sages. Pour le reste, immense carte avec plats à tous les prix, du sandwich à la *seafood* en passant par les omelettes, salades, steaks... Cuisine tendance méditerranéenne (les patrons sont grecs) et portions généreuses.

Spécial brunch

Eli's Vinegar Factory *(plan 2, I8,* ***421****) : 431 E 91st St (entre York et 1st Ave). ☎ 212-987-0885. Ⓜ (4, 5, 6) 86th St. Petit déj 8h-12h. Brunch le w-e 8h-16h. Env 15 $.* Une déclinaison du fameux groupe *Zabar,* ancienne fabrique de vinaigre avec, au rez-de-chaussée, un vaste *gourmet market,* supermarché très haut de gamme proposant des produits frais et de qualité... mais chers. Le brunch se prend au 1er étage, sous les combles. Formule buffet (dur de résister !) ou à la carte à des prix curieusement nettement plus abordables.

☕ ***Sarabeth's*** *(plan 2, H8,* ***299****) : 1295 Madison Ave (entre 92nd et 93rd St). ☎ 212-410-7335. Ⓜ (6) 96th St. Ouv 8h-22h30 (20h dim). Brunch le w-e jusqu'à 16h. Env 20 $.* Qualité et tradition sont les maîtres mots de Sarabeth Levine, qui ouvrit une petite boulangerie en 1981, pour vendre notamment sa confiture orange-abricot, recette de famille vieille de 200 ans... Salle décontractée-chic, présentation soignée et brunch du week-end auquel les élégantes du quartier ne dérogeraient sous aucun prétexte. Confitures d'anthologie (mais chères)...

☕ Et aussi : ***Viand*** et ***3 Star Diner*** (voir plus haut).

Sur le pouce

|●| ***Corrado*** *(plan 2, H9,* ***133****) : 960 Lexington Ave (et 70th St). ☎ 212-774-1904. Ⓜ (6) 68th St. Lun-ven 7h-20h ; sam 8h-19h ; dim 9h-18h. En-cas env 5-8 $.* C'est une halte bienvenue entre 2 musées, car cette petite boutique propose de bons sandwichs (2 tailles, préparés avec des ingrédients de qualité et du pain provenant des meilleurs fournils), une intéressante sélection de gâteaux, quelques salades, quiches et une poignée de tables pour picorer le tout. Bien pratique.

|●| ☕ ***Sant Ambroeus*** *(plan 2, H9,* ***411****) : 1000 Madison Ave (entre 77th et 78th St). ☎ 212-570-2211. Ⓜ (6) 77th St.* Un bar à l'italienne chic fréquenté par la clientèle ad hoc. Fondé en 1936 par des Milanais (d'ailleurs, Sant Ambroeus est le saint patron de Milan). Vrai *barista,* excellents *espresso* et cappuccino, goûteuses mini-*focacce* farcies de tomate-mozzarella ou croissants au jambon de Parme. Pas donné mais idéal pour le café avant la visite du Whitney ou pour l'en-cas après avoir arpenté le MET. Préférez le comptoir ou les tables devant, le resto au fond est encore plus cher.

|●| ***Agatha & Valentina*** *(plan 2, I9,* ***277****) : 1505 1st Ave (et 79th St). ☎ 212-452-0690. Ⓜ (6) 77th St. Tlj 8h-20h30. En-cas et plats 4-13 $.* Une épicerie italienne, parfaitement approvisionnée en produits de 1er choix. Mais ce qui attitre vraiment les foules, c'est son rayon traiteur : un comptoir pour les pizzas à la pâte bien fine (vendues à la coupe), un autre pour les soupes et les salades, et un dernier avec les plats chauds du jour, les incontournables *Turkey Meat Loaf,* paninis et les desserts (tiramisù, *panna cotta...*). Après avoir déposé son butin à l'une des tables, il ne reste plus qu'à commander un *espresso...* et c'est la *dolce vita* !

De bon marché à prix moyens

|●| ***Cascabel Taqueria*** *(plan 2, H-I9,* ***281****) : 1538 2nd Ave (et 80th St). ☎ 212-717-8226 et 7800. Ⓜ (6) 77th St. Plats env 8-14 $.* Néo-*taqueria* au décor plutôt new-yorkais mais avec de petites touches colorées pour le côté festif latino. Spécialités de tacos de toutes sortes et bon guacamole (le *medium* est déjà bien épicé), le tout servi dans des écuelles en inox façon cantoche. *Daily specials* (vendredi *Baja Fish Tacos,* samedi *Tilapia Vera Cruz*). Cool, convivial et pas cher, surtout dans ce quartier, mais ils se rattrapent sur les boissons. En soirée, bourré à craquer.

|●| ***Shake Shack*** *(plan 2, H8,* ***296****) : 154 E 86th St (entre Lexington et 3rd Ave). ☎ 646-237-5035. Ⓜ (4, 5, 6) 86th St. Env 8 $.* Encore une annexe du petit kiosque à burgers de Madison Sq Park (voir index en fin de guide) ! Celui-ci bénéficie d'une agréable salle qui s'ouvre sur une terrasse verdoyante légèrement décalée par rapport à la rue. Burgers, hot dogs et *frozen custard* (crèmes glacées hyper riches) tiennent leurs promesses (pas les frites, par contre) et attirent toujours autant de monde, notamment les familles avec poussettes.

|●| ***Poke Restaurant*** *(plan 2, I8,* ***198****) : 343 E 85th St (entre 1st et 2nd Ave). ☎ 212-249-0569. Ⓜ (4, 5, 6) 86th St. Tlj sf dim 17h-22h30 min. Repas env 20 $, plateaux de sushis dès 25 $. CB*

refusées. Vos papilles ne tariront pas d'éloges sur ce bon resto japonais dont les prix ont su rester simples (sans doute aussi parce qu'on ne peut payer qu'en cash). Dans l'assiette, de délicieux sushis, sashimis, *rolls,* etc. Dernière bonne surprise : c'est un *BYOB,* donc on apporte sa propre bouteille de vin... et on limite encore un peu plus l'addition. Venir tôt car toujours plein. Un bémol toutefois : l'accueil n'est vraiment pas à la hauteur.

🍽 ***Land*** *(plan 2, H9,* ***268****) : 1565 2nd Ave (entre 81st et 82nd St). ☎ 212-439-1847. Ⓜ (4, 5, 6) 86th St. Ouv ts les soirs (le midi le w-e slt). Plats 11-19 $; menu midi 9 $.* Décor zen et design, cuisine fine et relevée comme il faut (pas trop donc), addition légère, service délicat... Pas étonnant qu'avec tous ces atouts, ce resto thaï se soit fait une jolie réputation dans le quartier. Très intéressant surtout pour sa formule du déjeuner (2 plats) à prix imbattable. Original thé maison.

🍽 ***Candle Café*** *(plan 2, H9,* ***228****) : 1307 3rd Ave (entre 74th et 75th St). ☎ 212-472-0970. Ⓜ (6) 77th St. Plats 12-16 $.* Qui, après un repas ici, irait encore dire que la cuisine végétarienne est triste et ennuyeuse ? À la carte sont proposés des plats préparés avec soin et inventivité, à base de produits bio, direct de la ferme sur la table. Goûter au *Whole Wheat Penne* ou au *Moroccan Wrap* ! On s'en lèche les babines ! Également de bons jus de fruits frais (et cocktails *veggie*) à siroter dans une petite salle aux tentures colorées, où règne une ambiance sympa, pleine de bonnes vibrations. En outre, adresse garantie 100 % *eco friendly* !

🍽 ***J. G. Melon*** *(plan 2, H9,* ***324****) : 1291 3rd Ave (et 74th St). ☎ 212-744-0585. Ⓜ (6) 77th St. Tlj jusque très tard. Burger env 10 $. CB refusées.* Indéboulonnable ! Car ce pub classique est une valeur sûre depuis plusieurs générations. Ouvert en 1932, il n'a guère changé (plafond *tin ceiling* d'origine). La salle de style New England est minuscule, mais on n'hésite pas à jouer des coudes pour dénicher une table et déguster le fameux cheeseburger (avec bacon, c'est encore mieux) accompagné d'une pinte. Les frites sont aussi excellentes. En revanche, le reste de la carte ne mérite guère qu'on s'y attarde. Toujours bondé, armez-vous de patience donc. Hélas, avec le succès, la qualité d'accueil s'en ressent quelque peu (et souvent service pas aimable du tout).

🍽 ***El Paso Taqueria*** *(plan 2, H7,* ***289****) : 1643 Lexington Ave (et 103rd St). ☎ 212-831-9831 et 3104. Ⓜ (6) 103rd St. Résa conseillée le w-e. Plats 13-17 $.* Dans un coin peu touristique de *Spanish Harlem,* découvrez un authentique resto mexicain et sa cuisine traditionnelle largement plébiscitée par les habitants du quartier. Produits frais, *ceviche* parfumé à souhait et copieux et plats classiques bien exécutés, surtout la *carnitas Michoacànas* (porc mariné passé au four et sauté à la téquila, jus d'orange, ail et fines herbes)... Un bémol (récurrent à NY) : le niveau sonore, entre la musique à tue-tête, les conversations et l'exubérance latino... Bref, une adresse bien dans son jus. Agréable patio aux beaux jours.

– Sachez aussi que les ***cafétérias du MET, de la Neue Gallery et du Whitney Museum*** sont d'excellents choix pour faire un repas léger.

Plus chic

🍽 ***E.A.T. Café*** *(plan 2, H9,* ***276****) : 1064 Madison Ave (entre 80th et 81st St). ☎ 212-772-0022. Ⓜ (6) 77th St. Entrée par la boulangerie pour atteindre la salle. Ouv 7h-22h. Plats 15-35 $ env.* Traiteur-resto-salon de thé à la déco bistrot rétro et jouissant d'une solide réputation dans Upper East Side malgré le service maussade (encore une déclinaison du talentueux *Zabar* !). Grand choix de viennoiseries et pâtisseries. Les plats sont tout simplement excellents et attirent un monde fou en permanence, dont quelques célébrités à l'occasion. Pourquoi pas vous si vos moyens le permettent ?

Où déguster une glace ?

🍦 ***Serendipity*** *(plan 2, H10,* ***423****) : 225 E 60th St (entre 2nd et 3rd Ave). ☎ 212-838-3531. Ⓜ (N, R, 4, 5, 6)*

59th St. Résa conseillée (toujours bondé). C'est presque un conte de fées moderne : il y a près d'un demi-siècle, des copains débarquent à New York avec l'intention d'y faire du théâtre. Finalement, ils laissent tomber le théâtre, ou plutôt... créent le leur : *Serendipity,* un lieu kitsch mais charmant aux tons pastel évoquant *Alice au pays des merveilles,* avec une horloge géante, des lustres qui tombent de partout, des miroirs et des tables rondes... Rien n'a bougé depuis, et l'on y déguste toujours la même chose : des glaces, énormes, *outrageous* même, si on y met le prix ! Grande spécialité de « chocolat chaud congelé ». Seul petit bémol : le système de réservation et l'accueil !

Ciao Bella *(plan 2, H8,* ***223****) : 27 E 92nd St (entre 5th et Madison Ave). ☎ 212-831-5555. Ⓜ (6) 96th St. Tlj 12h-19h.* Un marchand de glaces absolument divines. Le secret de la maison : le patron achète brownies, confitures et marmelades chez *Sarabeth's,* à côté, pour les incorporer dans ses glaces. Cela donne des parfums inattendus ! Quelques tables pour déguster sur place.

Où boire un verre en soirée ?

Brandy's Piano Bar *(plan 2, H8,* ***407****) : 235 E 84th St (entre 2nd et 3rd Ave). ☎ 212-744-4949 et 650-1944. • brandyspianobar.com • Ⓜ (4, 5, 6) 86th St.* Happy hours *16h-20h, concerts 21h30-3h. Pas de* cover charge, *mais 2 boissons min pdt les concerts.* On a beaucoup aimé traîner dans ce petit bar vraiment sympa, en écoutant de bons groupes de musique live reprenant les grands standards du rock, pop, jazz ... Très fréquenté le week-end.

Auction House *(plan 2, I8,* ***412****) : 300 E 89th St (entre 1st et 2nd Ave). ☎ 212-427-4458. Ⓜ (4, 5, 6) 86th St. Le soir slt.* Un bar branchouille camouflé derrière des rideaux rouges. À l'intérieur, déco de *lounge* baroque : murs en brique, parquet, cheminée, lustres, canapé de velours rouge et des miroirs aux cadres dorés extravagants, mon tout dans une mystérieuse pénombre (assurée par les seules bougies). Bonne ambiance le week-end où des trentenaires branchés écoutent de la musique forte en papotant ferme...

Ryan's Daughter *(plan 2, I8,* ***408****) : 350 E 85th St (entre 2nd et 1st Ave). ☎ 212-628-2613. Ⓜ (4, 5, 6) 86th St. Tlj 10h-4h.* Un pub irlandais classique comme on les aime : chaleureux, pas trop éclairé, et quelle ambiance en fin de semaine ! Bien sûr, long bar en bois, photos du célèbre film de David Lean et plein de souvenirs et clins d'œil de la vieille Erin ! Long comptoir de bois avec pas mal de bières à la pression, et les incontournables billards et jeux de fléchettes.

Où jouer au billard ?

■ ***East Side Billiards*** *(plan 2, H8,* ***733****) : 163 E 86th St (entre Lexington et 3rd Ave), au 1er étage. ☎ 1-212-831-7665. Ⓜ (4, 5, 6) 86th St. Tlj 14h-2h (4h ven-sam). Compter 6-9 $/h par pers selon j. et heure (plus cher le w-e et après 18h ; gratuit pour les filles jeu à partir de 20h).* Immense salle de billards proposant 15 *Brunswick Gold Crown III* (les tables les plus réputées). 5 joueurs maximum par table. Dans les « MP3 juke-boxes », près de 400 000 chansons !

Shopping

Grands magasins

Bloomingdale's *(plan 2, H10,* ***612****) : entrée principale sur Lexington Ave (entre 59th et 60th St). ☎ 212-705-2000. Ⓜ (N, R, 4, 5, 6) 59th St.* Un superbe grand magasin, un peu les *Galeries Lafayette* de NYC. Ne pas rater le rayon *furniture,* au 5e niveau, pour avoir une idée de ce à quoi ressemblent les intérieurs des appartements new-yorkais... Au 6e niveau, petit coup d'œil au resto *Train Bleu (☎ 212-705-2100 ; tlj 10h30-17h30, 20h jeu ; un peu cher)* entièrement aménagé dans un wagon-lit de la Belle Époque. Vraiment inattendu, et toujours plein pour le lunch.

Barneys New York *(plan 2, H10, **622**) : 660 Madison Ave (et 60th St). ☎ 212-826-8900. Ⓜ (N, R, 4, 5, 6) 59th St.* Grand magasin extrêmement chic et cher, spécialisé dans les créateurs les plus en vue (un peu l'équivalent du Bon Marché à Paris). Totalement branché, fin 2011 *Lady Gaga* y ouvrit un éphémère *workshop* de produits à son effigie qui eut beaucoup de succès. Sélection pointue de vêtements, chaussures, sacs et accessoires pour *fashionistas* exigeantes. À voir surtout pendant les soldes parce qu'au prix fort, ça calme...

Crate and Barrel *(plan 2, H10, **613**) : 650 Madison Ave (et 59th St). ☎ 212-308-0011. Ⓜ (N, R, 4, 5, 6) 59th St.* Sur plusieurs niveaux aérés et spacieux, une multitude de beaux objets de déco pour la maison, souvent assez design. De la cuisine à la salle de bains en passant par le salon et la chambre à coucher, tout est vraiment très réussi, et les prix demeurent abordables ; d'autant plus en période de soldes...

Mode

Ralph Lauren *(plan 2, H9, **614**) : 867 Madison Ave (angle 72nd St). ☎ 212-606-2100. Ⓜ (6) 68th St.* Tout l'univers de ce mythe de l'élégance américaine réuni dans un sublime hôtel particulier de style Tudor : tableaux et mobilier anciens, escaliers de bois ciré, épais tapis... Si vos moyens vous le permettent, vous y trouverez des chemises, pantalons, pulls, etc., un poil moins chers qu'en France... Succursale sur le trottoir d'en face, consacrée à la gamme *leisure wear* de la marque, ainsi qu'aux vêtements pour enfants.

Boutiques spécialisées

Dylan's Candy Bar *(plan 2, H10, **585**) : 1011 3rd Ave (angle 60th St). ☎ 646-735-3835. Ⓜ (N, R, 4, 5, 6) 59th St.* Bienvenue dans le monde merveilleux de Dylan, spécialiste des bonbons ! Cette immense maison de Dame Tartine d'un nouveau genre regorge de sucreries et autres douceurs en tout genre, à admirer (les escaliers sont en bonbons), à dévorer et à offrir : *Jelly Beans* à tous les parfums, barres chocolatées et chewing-gums d'antan et même les dragées de Bertie Crochue comme dans Harry Potter ! Dur de résister !

Kitchen Art & Letters *(plan 2, H8, **617**) : 1433 Lexington Ave (entre 93rd et 94th St). ☎ 212-472-7170. Ⓜ (6) 96th St. Tlj sf dim (et sam en juil-août).* Une librairie spécialisée dans les bouquins de cuisine du monde entier (et la plus grande du monde dans le genre, dit-on !). Ils changent régulièrement le thème de leur vitrine : riz, chocolat... Idéal pour trouver des recettes de grand-mère américaine, et réaliser chez vous en rentrant les musts de la pâtisserie US : cookies, muffins, *pies*, etc., vraiment inimitables.

À voir

East Side, ce sont les Champs-Élysées et la place Vendôme réunis ! C'est ici, sur ***5th Avenue,*** que *Jackie Onassis* avait son appartement. Tout près, ***Madison Avenue*** se glorifie de ses loyers qui excèdent 3 000 $ par mois pour 25 m². Pour appréhender un peu ce luxe, commencez à l'angle de East 57th Street et 5th Avenue, puis marchez vers l'est. Entre 5th et Madison Avenue, arrêtez-vous dans ces galeries qui drainent le marché mondial de l'art moderne. Continuez ensuite vers Park Avenue et ses immeubles fastueux...

Upper East Side connut de nombreux ***locataires prestigieux*** :

– ***George Gershwin*** vécut de 1933 à 1936 au 132 East 72nd Street (et Lexington Avenue). Il y travailla sur *Porgy and Bess.*

– Au 140 East 63rd Street (et Lexington Avenue) s'élevait le ***Melrose Hotel,*** longtemps une résidence pour femmes seules. ***Grace Kelly*** y séjourna en 1947-1948, pendant qu'elle apprenait la comédie à l'American Academy of Dramatic Arts.

– En 1955, Grace Kelly revint habiter le quartier au 200 East 63rd Street (et 3rd Street). Elle eut comme voisin ***Benny Goodman,*** le grand jazzman (qui y mourut en 1986).
– ***Elia Kazan*** habita par deux fois l'East Side : de 1945 à 1955 au 167 East 74th Street (à l'époque de *Viva Zapata, Un tramway nommé Désir* et *Sur les quais*), puis de 1955 à 1960 au 212 East 72nd Street *(Baby Doll).*
– À quelques blocs, au 35 East 76th Street, s'élève l'hôtel *Carlyle,* bel immeuble de 38 étages. Le président ***J. F. Kennedy*** y possédait un duplex (on dit qu'il y rencontra Marilyn Monroe qui, elle, habitait un peu plus bas dans Manhattan !).
– Au 985 5th Avenue (et East 81st Street), dans l'hôtel *Stanhope,* mourut, à 34 ans (le 12 mars 1955), le génie du saxo ***Charlie « Bird » Parker.***
– Les fanas de polars iront au 63 East 82nd Street (et Madison Avenue) où vécurent les écrivains ***Lillian Hellman*** et ***Dashiell Hammett*** (celui-ci y mourut en 1961).
– Quant à ***Henry Miller,*** il naquit au 450 East 85th Street (et York Avenue) en 1891.
– ***James Cagney*** passa sa jeunesse au 420 East 78th Street (et York Avenue), tandis que ***Kerenski*** (héros déchu de la révolution russe de février 1917) vint se réfugier au 109 East 91st Street (et Park Avenue). Il y mourut en 1970, à l'âge de 89 ans.
– Pour finir cette balade en souriant, pèlerinage au 179 East 93rd Street (et Lexington Avenue). En 1895, Minnie et Sam Marx, une famille juive très pauvre, s'installèrent avec quatre garnements irrésistibles : ***Zeppo, Chico, Harpo*** et... ***Groucho.*** Ils y vécurent jusqu'en 1910 avant de déménager vers l'Ouest américain. Quand les quatre frangins revinrent à New York, ils étaient déjà célèbres !

Metropolitan Museum of Art *(MET ; plan 2, H8-9)*

Un véritable must ! Seuls le Grand Louvre à Paris, le British Museum à Londres et le musée de l'Ermitage à Saint-Pétersbourg peuvent rivaliser avec le MET. À lui seul, il justifie un voyage à New York !
Le MET, c'est 250 000 œuvres exposées (sur les quelque 2 millions que compte le musée !) dans 270 salles représentant une vingtaine de départements sur une surface totale de 180 000 m^2 ; le tout visité chaque année par plus de 5 millions de personnes ! Le MET, c'est aussi ***la plus riche collection d'art américain au monde, d'art de l'Égypte ancienne*** en dehors d'Égypte, et l'un des plus importants regroupements de ***peintures et sculptures européennes,*** sans oublier les ***arts décoratifs*** des cinq continents, depuis les débuts de l'histoire à nos jours... Le MET, c'est aussi un musée en mouvement, qui ne cesse d'être aménagé, restauré, et des salles, voire des sections entières sont régulièrement fermées pour rénovation. Faudra revenir ! La muséographie est exceptionnelle. Tout est mis en œuvre pour rendre votre visite agréable et dynamique : des jardins chinois aux espaces aérés et lumineux habités par des statues, en passant par des reconstitutions de façades entières de bâtiments, temples, des *period rooms*... L'accent mis sur le côté théâtral est une véritable invitation à déambuler à votre guise dans ce musée car, de toute façon, même en une année, vous ne pourriez admirer tous les objets un à un ! Enfin, le MET a ceci d'américain qu'il y a tout, et certainement le meilleur de tout ! Un best of de ce que l'homme a su créer, en quelque sorte.

Un peu d'histoire

Bizarrement, ce n'est pas aux États-Unis mais à Paris, en 1866, que l'idée de créer un musée pouvant concurrencer les plus grands musées d'Europe a germé dans la tête d'une poignée de riches Américains. Ils ont réuni subventions philanthropiques, leaders d'opinions et œuvres d'art de diverses collections pour enfin ouvrir le Metropolitan Museum of Art en 1870 en plein

centre de Manhattan. 10 ans plus tard, il déménagea vers les beaux quartiers d'East Side, où il se trouve aujourd'hui.
Le bâtiment de style néoclassique date du début du XXe s, et il n'a pas cessé depuis d'être agrandi par de nouvelles ailes. Il appartient, avec son terrain, à la Ville de New York, alors que les collections demeurent la propriété du musée, essentiellement financées par des fonds privés... L'une des dernières ailes construites est la *Lila Acheson Wallace Wing*, tout en verre, qui abrite depuis 1987 la peinture du XXe s. Aujourd'hui, le musée voit son potentiel de croissance bien limité... sauf à s'élever vers le ciel !
Précisons que le côté spectaculaire et théâtral du MET, ainsi que son exigence artistique, sont dus pour beaucoup à Thomas Hoving, un ancien directeur du musée qui sut transformer, au début des années 1970, un MET poussiéreux et vieillot en un « lieu de plaisir ». Aujourd'hui encore, le MET vit de ses nombreux bienfaiteurs, et ses collections sont enrichies constamment par les dons de collectionneurs privés.

Renseignements pratiques

– Le MET se trouve sur le côté est de Central Park, entre 80th et 84th St (entrée sur 5th Ave, au niveau de 82nd St ; plan 2, H8-9). ☎ *212-535-7710.* ● *metmuseum.org* ● Ⓜ *(4, 5, 6) 86th St. Tlj sf lun 9h30-17h30 (21h ven-sam). Fermé pour Thanksgiving, Noël et Jour de l'an. Entrée : 25 $; réducs ; gratuit moins de 12 ans. Audioguide (en français) : 7 $. Possibilité de télécharger les podcasts des balades thématiques (en anglais et gratuit) sur un lecteur MP3. Le ticket donne également accès, le même jour, au remarquable* **Cloisters Museum,** *l'une des sections médiévales du MET, située à la pointe nord de Manhattan. Nombreuses visites guidées thématiques et gratuites tlj en anglais (voir site internet et, sur place, demander le programme du jour* Today's Events*).* ***Visites guidées gratuites en français :*** Highlights Tour, *mar-ven à 11h (excellente introduction aux richesses du musée).* Modern Art, *mar 13h30 et* American Art, *jeu 13h30.*
– Du fait des restrictions budgétaires, ***certaines salles sont ouvertes par roulement,*** mais les ***expositions temporaires*** ne sont normalement pas concernées.

ℹ ***Point infos :*** *au milieu du hall d'entrée.* Prenez le plan général gratuit en français, ainsi que le plan détaillé des *European Paintings and Sculptures Galleries*, pour mieux vous y retrouver dans cette fabuleuse partie du musée... Pour les enfants, plein de **livrets-jeux thématiques** et une affiche pliée en quatre, représentant les collections du musée à la manière de *Charlie* ! Un super souvenir pour les gamins. Enfin, un répertoire recense aussi la totalité des œuvres du musée, avec leur localisation.

Pour manger, plusieurs endroits, pour tous les goûts, à l'intérieur du musée :

|●| ***American Wing Café :*** *mar-jeu et dim 11h-16h30 ; ven-sam 11h-20h30.* Sandwichs autour de 10 $, mais vue agréable sur le grand patio.
|●| ***The Cafeteria :*** *accessible derrière le hall médiéval. Mar-jeu et dim 11h30-16h30 ; ven-sam 11h30-19h.* Cadre de cantoche mais conviendra à ceux qui veulent un repas chaud.
|●| ☕ ***Petrie Court Café :*** *mar-jeu et dim 9h30-21h30 (dernière commande). Plats 18-25 $.* Café lumineux avec vue dégagée sur Central Park.
🍸 ***Great Hall Balcony Bar :*** *ven-sam 16h30-20h.* Au balcon du grand hall (quelle vue !), avec musique classique live. Cocktails, champagne et snacks. Pas mal d'allure.
🍸 ***Roof Garden Café :*** voir plus loin.

Orientation

Les œuvres sont exposées sur deux niveaux : le rez-de-chaussée *(1st Floor)* présente les antiquités gréco-romaines et égyptiennes, le temple de Dendur,

l'art médiéval, les arts décoratifs européens, une partie de l'art américain, les armes et armures, l'art d'Afrique, d'Océanie et des Amériques, et une partie de l'art du XXe s ; le 1er étage *(2nd Floor)* montre les arts asiatiques, les instruments de musique, une petite partie de l'art islamique, les antiquités du Proche-Orient, les peintures et sculptures européennes du XIXe s, une autre partie de l'art du XXe s et de l'art américain, et enfin des dessins, estampes et photographies.
Bis repetita, n'oubliez pas de prendre le plan gratuit du musée en français au bureau d'information. L'essentiel y est très clairement indiqué...

Quelques conseils

Les collections étant très importantes, ***il est totalement impossible de tout voir en un jour.*** Pour une première visite, on conseille de vous concentrer sur ***2-3 sections bien précises, choisies selon vos goûts artistiques.*** Nombreux itinéraires thématiques proposés aussi sur le site internet du MET. Toutefois, il serait dommage de s'y tenir trop fermement car, tel un bon vin, le MET se déguste en tournant, tournant... Alors laissez-vous quand même porter au hasard d'une salle, au détour d'un couloir ! Mais ne ratez pas ces ***incontournables*** : le temple de Dendur, la Charles Engelhard Court et ses sublimes vitraux de Tiffany et la reconstitution du salon de Frank Lloyd Wright *(American Wing)*.

Art médiéval

Apprêtez-vous à ne découvrir que des chefs-d'œuvre, à commencer par la *salle 305* où s'élève la majestueuse grille (bon point de repère pour s'orienter dans le musée) qui séparait, façon jubé, le chœur de la nef de la cathédrale de Valladolid (1763). Plus une sélection de superbes retables et statues polychromes. *Salle 306,* le « trésor médiéval » où l'on n'aura jamais admiré des vitraux des XVe et XVIe s de si près, une émouvante pietà de 1515 et une débauche d'orfèvrerie religieuse, calices, ciboires, encensoirs, reliquaires, crucifix, triptyques en ivoire ciselé, tous plus riches les uns que les autres... *Salle 307,* un pur chef-d'œuvre, des lambris provenant de la Chartreuse de Pavie (Lombardie), festival de délicats motifs en os gravé et bois ciselé, figurant légendes et mythologie...

Collection Robert Lehman

On l'atteint après avoir traversé la salle médiévale. Si le MET regroupe les œuvres d'art par périodes, pays, etc., la collection Lehman échappe à cette règle, car cette donation avait pour condition expresse que l'intégrité de la collection personnelle de M. Lehman soit respectée. D'où le côté intimiste : on se croirait dans sa demeure, avec les tables, tapisseries aux murs, lustres, et sa somptueuse collection de peintures, allant du Quattrocento aux postimpressionnistes, en passant par l'école flamande. Un vrai musée dans un musée et une liste de chefs-d'œuvre impressionnante. En vrac, *Annonciation* de Botticelli (probablement le joyau de la collection Lehman), superbe *Princesse de Broglie* d'Ingres, drapée dans un taffetas bleu étincelant, contrastant avec le brocart jaune du fauteuil, les célèbres *Jeunes filles au piano* de Renoir, *Nu devant un miroir* de Balthus, l'amusante composition de Félix Vallotton pour son *Coin de rue à Paris*, *Leisure Time in an Elegant Setting* du Hollandais Pieter de Hooch, dont les effets de lumière rappellent Vermeer. Et puis encore Hans Memling, Rembrandt, El Greco, Goya, Pierre Bonnard, Matisse et même Van Gogh.

Arts décoratifs et sculptures européennes

C'est l'une des sections les plus riches, une époustouflante présentation d'objets d'art, mobilier, décors les plus beaux du monde ! Là, pour le coup, on y passerait

bien des heures, impossible de tout citer... Vagabondez donc au gré de vos coups de cœur... Au fil des salles, vous croiserez les meubles les plus fous, les tissus les plus somptueux, des tables d'échecs sculptées, un secrétaire Bidermeier en forme de harpe, les célèbres commodes de Jacob Desmalter, un vase énorme de Philippe Thomire réalisé pour un palais florentin, de magnifiques tapisseries et cette prodigieuse paire de *bookcases* italiens sculptés... Sans oublier l'orfèvrerie religieuse, les vitraux, une table à la remarquable marqueterie de marbre et pierres semi-précieuses du XVIe s, plus tous ces objets d'art d'un kitsch si invraisemblable qu'ils en deviennent beaux ! Et puis surtout, cette *salle 531,* la chambre de Louis XIV tendue de velours rouge, avec une cheminée sculptée, un beau portrait de femme par Nicolas de Largillière, et le lit royal de 1700, orné de tentures décrivant les saisons. *Salle d'Europe centrale* livrant aussi son pesant de mobilier incroyable. *Salle 533,* une merveille : un dos de stalles d'église de 1723, finement marqueté bois et ivoire, orné de quatre figures polychromes... *Salle 539,* reconstitution d'une pièce du XVIIIe s, avec tableaux de Boucher. *Salle 534,* on a droit à un immense palais espagnol, avec une élégante loggia à colonnade richement sculptée par des artistes lombards, typique de l'art de la Reconquista. Puis *salle 529,* une série de pièces somptueusement reconstituées, comme la salle de réception de l'hôtel de Tessé à Paris, celle du palais Vaar à Vienne, la chambre Lauzin, son magnifique lit à baldaquin et un portrait de Louis XV enfant par Rigaud... *Salle 545,* on découvre une très rare boutique parisienne du XVIIIe s, récupérée par le musée dans les années 1920 (question : pourquoi le Louvre a-t-il laissé partir un tel patrimoine ?). Pour finir, signalons encore, *salle 505,* une pièce d'un château suisse ornée de superbes panneaux muraux et d'un époustouflant plafond entièrement ciselé (1682). *Salle 507,* chambre à coucher du palais Sagredo à Venise au lourd et sombre décor de putti et, là aussi, doté d'un plafond incroyable... Bon, et encore, on vous a pas tout décrit !
Sous un vaste atrium, entre deux bâtiments, on découvre une salle des sculptures. Les grands classiques sont à l'honneur, de Canova avec Pâris chichement vêtu à Carpeaux (et son célèbre *Ugolin et ses fils*) en passant par Bourdelle (l'*Héraklès archer,* bien sûr) et Rodin et ses fameux *Bourgeois de Calais.* Pour faire une pause, le *Petrie Court Café,* juste à côté.

Galerie des armes et armures

Enfin, les amateurs d'armures de guerre et de parade seront aux anges. Dans cette riche et sublime collection, on est accueilli, *salle 371,* par quatre chevaliers fièrement caparaçonnés, décorés de scènes légendaires comme David et Goliath (tout un symbole !). L'armure d'Henri VIII, roi d'Angleterre, révèle bien combien il était corpulent. On trouve aussi, dans les petites salles adjacentes, l'armure du roi de France Henri II, véritable œuvre d'art décorée de la tête aux pieds. *Salle 377,* on se transporte dans *Ran* et *Kagemusha,* les films de Kurosawa : magnifiques armures japonaises, dont une datant du début du XIVe s, pièce rarissime. Mais aussi armures italiennes, allemandes, syriennes... notamment de spectaculaires ensembles « cheval cavalier » des XVIe et XVIIIe s ! Pour les amateurs, des armes à foison, des objets d'art là aussi, dont un superbe fusil allemand avec des parties en ivoire ; des épées au manche serti de pierreries, offertes par la France au Congrès américain pour le féliciter de ses actes de bravoure contre les Anglais ! Également de superbes fusils et sabres ottomans... et même de l'équipement tibétain.

Art américain

Cette vaste section *(**The American Wing**)* s'organise sur trois niveaux à partir d'un magnifique patio *(Charles Engelhard Court)*, oasis de lumière agrémenté de nombreuses sculptures très académiques. Fantastiques vitraux de Louis Comfort Tiffany, tout à la fois décorateur, paysagiste, architecte, designer (et fils du fondateur de Tiffany & Co, le célèbre joaillier de 5th Avenue). Sa technique est très particulière : il plisse le verre, le froisse, le superpose et travaille les couleurs et la lumière à la manière impressionniste. Admirer l'effet de profondeur du célèbre *Autumn Landscape*, avec l'eau qui semble couler vers le spectateur. Également de nombreuses reconstitutions d'intérieurs de différentes époques *(period rooms)*, dont un magnifique salon provenant d'une demeure conçue en 1914 par le célèbre architecte Frank Lloyd Wright. Une des toutes premières maisons « organiques » du père du Guggenheim. Immenses baies vitrées ouvertes sur l'extérieur, nature omniprésente dans les motifs décoratifs et briques apparentes. Si vous avez le temps, jeter un oeil au *Luce Study Center,* sortes de coulisses du musée et réserves, visibles de tous, où sont savamment rangés peintures, mobilier et textiles. Quant à la galerie de peintures rouverte en 2012 après de grands travaux : elle présente entre autres de magnifiques portraits du XIXe s signés Mary Cassatt (*The Cup of Tea,* très impressionniste), John Singer Sargent (*Madame X*, considéré par l'artiste comme une de ses plus belles réussites), et William Merritt Chase. Pour les artistes du XXe s, direction la section *Modern and Contemporary Art !*

Temple de Dendur

Le clou du département des Antiquités égyptiennes. Dans cette immense salle vitrée donnant sur Central Park, on a remonté pièce par pièce un temple offert par le gouvernement égyptien aux États-Unis en 1965, en remerciement de l'aide apportée au sauvetage des sublimes temples d'Abou Simbel. Resté sur place, le temple que nous admirons aujourd'hui aurait été submergé par le lac Nasser, formé par le barrage d'Assouan... La seule condition de ce don était que le monument fut toujours visible depuis l'extérieur du musée. Édifié par l'empereur Auguste sous la période romaine, au Ier s av. J.-C. à la fin de l'époque ptolémaïque, il est dédié à la déesse Isis, mère des dieux égyptiens, représentée à l'intérieur du temple dans différentes postures. Les bas-reliefs sculptés en creux, à l'inverse de ceux de l'extérieur où l'on reconnaît Isis, Hosiris et Horus, leur enfant, avec un doigt dans la bouche. Il y a même un graffiti du XIXe s ! Petite pièce d'eau pour figurer le Nil, au bord de laquelle on peut faire une pause rafraîchissante.

Antiquités égyptiennes

Remettez-vous de vos émotions ! En poussant la porte située devant la façade du temple de Dendur, on accède maintenant aux collections égyptiennes comptant parmi les plus belles au monde. En vrac : sarcophages polychromes magnifiquement conservés ; mobilier funéraire (bandelettes, barques funéraires, amulettes, céramiques, bijoux, papyrus, etc.) sorti des tombes ; trois statues en granit rose de la reine Hatchepsout, datant du XVe s av. J.-C., retrouvées en mille morceaux au cours de fouilles entreprises par le musée lui-même, puis soigneusement recollées. Pour donner un peu de vie à tout cela, ne manquez pas les maquettes mises au jour dans la tombe de Meketrê, qui sont autant de scènes de la vie quotidienne (la boulangerie, la brasserie, le grenier à grain, etc.) et la reconstitution assez impressionnante de la tombe de Perneb, trouvée à Saqarrah. Brrrr... Voir également les trois figures de la tombe de Merti, censées être la représentation du gouverneur provincial à différents moments de sa vie, les beaux portraits dit du Fayoum et l'impressionnant livre des Morts... La section dite de Tel Amarna (règne d'Akhénaton) devrait être rouverte fin 2012-début 2013.

Collections grecques et romaines

Ces salles de toute beauté offrent au visiteur des objets de la vie quotidienne à Rome et dans le reste de l'Italie (Pompéi), puis une foule de statues en marbre ou bronze, Voici nos coups de cœur : *salle 150,* magnifique collection de vases grecs attiques (500 av. J.-C.), dont les personnages dessinés à « figures rouges » représentent les grands événements de la mythologie. Ce sont certainement les céramiques les plus abouties de l'art grec ancien, en témoigne ce cratère montrant

Hercule tirant Nessos par les cheveux et tout simplement considéré comme l'un des plus beaux au monde... Également des « vases » plus anciens, aux décors plus archaïques. Casques finement ciselés de scènes de combat et statuettes des Cyclades qui inspirèrent sans doute le grand Brancusi ! *Salle 154,* stèle de marbre de la période archaïque, la plus ancienne connue, figurant un jeune homme et une petite fille (530 av. J.-C.). *Salle 153,* relief représentant une copine de Dionysos dansant (beau travail sur les plis). Énorme colonne et chapiteau de marbre du temple d'Artémis de Sardis. *Salle 161,* fascinante armure complète d'un guerrier grec du IVe s av. J.-C (l'hoplite : casque, thorax, cnémides). *Salle 168,* un lit romain dans un état exceptionnel (Ier-IIe s apr. J.-C.). Dans le patio, orgie de sculptures et bustes, dont un beau Dionysos s'appuyant sur une femme. Remarquables sarcophages sculptés.

Collections africaines, latino-américaines et océaniennes

Salle 350, fascinants arts africains : masques divers dont de magnifiques du Burkina-Faso et de Guinée – on reste scotché par ces figures qui séduisirent tant Picasso –, bibles enluminées d'Éthiopie, défenses d'éléphants ciselées et belles cariatides yoruba du Nigéria. Surtout, ne pas manquer la pittoresque collection de plaques de bronze qui ornaient les palais du Bénin. Certaines se révèlent de vrais chefs-d'œuvre ! Dans la partie océanienne *(salles 353-355),* dont les œuvres impressionnent non seulement par leur beauté mais aussi par leur taille, noter les étonnants gongs (dont seul un est encore complet), qui servaient entre autres à la communication entre villages. Également de magnifiques canoës de cérémonie ornés de figures mi-homme, mi-animal et de tortues, ainsi qu'une longue barque creusée dans un seul tronc. Insolites habits en écorce délicatement ornés et impressionnants totems de Nouvelle-Guinée (dont certains précédaient les maisons). Enfin, impossible de rater le monumental plafond Kwoma composé de nombreux panneaux peints. Côté Amériques, *salle 357,* vous serez ébloui par l'exceptionnelle et incroyable collection de masques et d'objets rituels en or mis au jour dans des tombes de l'Empire inca. Pro-di-gieux ! Ces trésors, découverts lors de fouilles archéologiques en Amérique du Sud, sont rarissimes, car les conquistadors avaient pour coutume de les fondre en lingots avant de les rapatrier en Espagne ! De même, superbes couteaux de cérémonie ornés de pierres précieuses et des bijoux de la culture *moche* (en fait très beaux !) ornés de mosaïque d'opales, bijoux en or du Panamá, de Colombie, du Costa Rica, poteries peintes, vases en argent des Chimù du Pérou... Puis, encore les chefs-d'œuvre aztèques et mayas... Trop, c'est trop !

Peintures européennes (du XVIe au XVIIIe siècle)

Revenez à l'entrée principale, et cette fois, montez au 1er étage *(2nd Floor).* Face à vous s'ouvre la galerie des toiles européennes du XVIe au XVIIIe s, montrant des chefs-d'œuvre flamands, espagnols, italiens, anglais, hollandais et français. Les grands maîtres se bousculent : Botticelli, Vélasquez, Rubens, le Caravage, Poussin, Goya, Rembrandt, David... sans compter leurs talentueux élèves. Ne pas oublier de demander au point infos le plan détaillé des salles de cette riche section du musée.

Écoles flamande et allemande

Salle 625, délicats portraits de Dieric Bouts et d'Hugo van der Goes, mais surtout Hans Memling qui nous attire par la grâce de sa *Vierge à l'Enfant et Sainte Catherine d'Alexandrie*. Au passage, une sublime *Crucifixion et Jugement dernier* de Jan van Eyck (noter la délicieuse représentation de tous les supplices de l'Enfer !). La magie continue avec les toiles et triptyques de Gérard David, l'un des plus riches ensembles de cet artiste. Attachante *Nativité avec anges* de Bernaert van Orley (tout en tendresse et finesse du paysage), puis plusieurs œuvres marquantes de Joos van Cleve, les *Adoration des Mages* de Quentin Metsy et de Jérôme Bosch et puis le must : la grande *Annonciation* de Hans Memling, aux couleurs éclatantes. *Les Moissonneurs* de Bruegel l'Ancien (XVIe s) est l'un des cinq tableaux que le peintre a consacrés aux différents mois de l'année et aux activités humaines *(salle 627)* ; les autres toiles étant restées en Europe, à Vienne notamment. *Salle 628,* beaucoup de Lucas Cranach le Vieux, dont le *Martyr de Sainte Barbara* et les portraits tout en finesse d'Albrecht Dürer, d'Hans Holbein le Jeune, etc.

École italienne

L'école florentine est représentée avec *L'Épiphanie* de Giotto, qui a peint en un seul tableau l'Annonce de la naissance de Jésus faite aux bergers (au second plan) et l'Adoration des Mages (au premier plan). Dans la série « primitifs religieux », *salle 603,* Fra Angelico signe une belle *Crucifixion* et des retables d'anthologie. *Vierge à l'Enfant* de Duccio di Buoninsegna qui marque l'apparition du sentiment dans la peinture. Un trésor inestimable et la plus grosse acquisition du MET (45 millions de dollars en 2004). *Salle 604,* tout le grand Ghirlandaio et *salle 606,* on reste béat devant le Christ portant la couronne d'épines, l'air si triste d'Antonello de Messine. Idem devant l'*Adoration des bergers* de Mantegna (même salle), d'une grande qualité narrative et d'un réalisme s'inspirant de l'école flamande. Plus Bellini, Carlo Crivelli et *Méditation sur la Passion,* un étonnant Carpaccio, dans le genre ! *Salle 607,* Philippo Lippi, le maître de Botticelli, ainsi que le Perugin. Place ensuite, *salle 609,* à la généreuse étreinte de *Vénus et Adonis* de Titien (XVIe s) et pas moins géniale, sa vision de *Vénus et du Joueur de luth...* Suit *Mars et Vénus* (encore elle !) réunis par l'amour de Véronèse et des œuvres du Tintoret. Puis, *salle 608,* Raphaël nous transporte avec sa *Madone à l'Enfant* et son manteau piqueté, près de saint Jean Baptiste dans sa peau de bête. *Salle 611,* le célèbre *Rome moderne* de Panini (1757), une expo de tableaux dans un palais présentant les plus beaux monuments de Rome. *Salle 624,* les « photographes » de Venise (et d'ailleurs) de l'époque : Guardi, Canaletto et Bellotto et la *salle 622* est presque entièrement dédiée à Tiepolo. Stop ou encore ! Bon, on vous laisse trouver seuls le Caravage...

École hollandaise

Rembrandt s'impose comme le héros de cette section. Son *Aristote contemplant le buste d'Homère* (salle 614) est un véritable hymne à la pensée (voir la pile de bouquins à l'arrière-plan), incarnée ici par quelques grands personnages, à savoir Homère et Aristote bien sûr, mais aussi Alexandre le Grand, qui est représenté sur le médaillon d'Aristote. Tous trois sont unis par la relation de maître à disciple : Alexandre le Grand fut l'élève d'Aristote qui, lui, rend hommage à Homère, un peu considéré comme le père spirituel de tous les penseurs grecs... Ce tableau qui a coûté 5 millions de dollars au MET, a pu être acheté en 1961 grâce à de nombreux dons. Ne manquez pas non plus son *Homme au costume oriental,* magistral. Dans *Bellona,* on n'en finit pas d'admirer son travail sur la lumière... Abordons maintenant, *salle 616,* les tableaux de Vermeer, dont les célèbres *Portrait d'une jeune femme, Allégorie de la Foi catholique* et *Jeune femme à la cruche* (noter la dominante de bleu). Quand on sait que seulement une quarantaine de tableaux lui ont été attribués, dont quatre sont au MET, on jauge encore mieux leur valeur ! *Salle 613,* une curiosité, la *Visite* de Pieter de Hooch, qu'un critique français attribuait plutôt à Vermeer, à cause de sa géniale distribution de la lumière !

École espagnole

Ne pas manquer les toiles de Goya, et ses portraits d'aristocrates *(salle 623)* ainsi que *Les Majas au balcon,* prises sur le vif, avec derrière elles deux intrigants voilés. Ce tableau inspirera Manet et son célèbre *Balcon,* comme un hommage au génie de Goya. Le portrait de *Juan de Pareja* de Vélasquez *salle 618,* quant à lui, a été acquis pour une misère : 5 millions de dollars ! Suivent inévitablement les acolytes : Zurbáran, Murillo et Ribera. Dans un style différent, la célèbre *Vue de Tolède* du Greco (1597, *salle 619*) a vraiment de quoi donner des cauchemars, tandis que le cardinal tout à côté se révèle extrêmement moderne.

École anglaise

Tous les grands sont là, formidablement représentés. *Last but not least,* Gainsborough (qui se réclamait de l'influence de Van Dyck), dont le portrait de *Grace Dalrymple Elliot* enchante par son élégance et ses délicates couleurs. Puis George Romney (non, pas le républicain mormon qui tenta de devenir président !), John Hoppner, Sir Joshua Reynolds et Thomas Laurence, ces immenses portraitistes. De ce dernier, la magnifique *Elizabeth Farren* et, surtout, les charmants *Enfants Calmady,* d'une grâce totalement confondante et qui le consacrèrent digne successeur de Reynolds !

École française

Salle 601, David nous emballe avec son *Lavoisier et sa femme,* mais beaucoup moins avec *La Mort de Socrate,* très théâtrale, trop classique, peinte à l'aube de la Révolution française. On lui préfère la fraîcheur, le charme, la légèreté et le sens de la lumière d'Élisabeth Vigée-Lebrun dans son portrait de *Madame Grand*. Noter la manière très flamande dans les *Œufs cassés* de Greuze. *Salle 621,* tous les grands du XVIIIe s, les Chardin, Fragonard, Pater, Boucher, Van Loo, Watteau et son *Mezzetin,* personnage de la Commedia dell'arte qui, déçu par l'amour, gratte sa guitare. *Salle 620,* la superbe *Madeleine repentie* et la *Diseuse de bonne aventure* de Georges de La Tour. On s'amuse du jeu des complices qui font les poches de la naïve victime ! Puis, Poussin, le Lorrain (le mentor de Turner) et tant d'autres...

Instruments de musique

Toujours au 1er étage *(2nd Floor),* jetez donc un coup d'œil à cette petite et néanmoins riche section. On peut y voir un clavecin *(harpsichord)* complètement rococo, le plus vieux piano du monde, construit en 1720 et sorti tout droit du palais des Médicis à Florence. Impossible d'échapper à ce prétentieux piano, finement marqueté, mais outrageusement décoré de clinquantes figures de bronze (de 1838). Également un étrange *trumpet marine* du XVIIIe s, une belle guitare italienne incrustée d'ivoire, un baryton de Bohême de 27 cordes, ainsi que quelques très curieux instruments aux formes assez biscornues, d'origines apache, sioux, africaine et asiatique. Vous noterez aussi l'extrême variété des cornemuses, binious, *bag pipes,* vielles à roue et autres *gaitas...*

Arts asiatiques

Un exquis moment de « zénitude » dans la galerie d'art japonais ! Les paravents font rêver. D'une formidable finesse d'exécution, d'un rythme exaltant, ils décoraient les intérieurs japonais en illustrant généralement les saisons ou les grandes batailles (comme celle de *Ichinotami* et *Yashima* au XVIIe s)... D'autres batailles, tout aussi joliment calligraphiées sur de longs rouleaux. Beaux vêtements brodés. Remarquez en passant la très sobre et non moins spectaculaire *fontaine* d'Isamu Noguchi, taillée dans un seul bloc de granit. Aucune onde ne fait trembler l'eau qui pourtant s'écoule gentiment ! Continuer tout droit à travers les boîtes laquées, vêtements, estampes (viens donc voir ma collection !) et autres statues japonaises, avant de traverser ce jardin chinois reconstitué – l'*Astor Court* – d'une tranquillité extraordinaire. Tout y est : pavillon, rochers, plantes, eau... Fascinants arts de la Chine d'ailleurs ! *Salles 209 et 210,* les délicates terres cuites polychromes Tang (VIIe-Xe s) et, remarquez, *salle 207*, ce splendide ensemble chameau et cavalier Tang... Romantiques paysages montagnards traditionnels sur rouleaux verticaux. Superbes intérieurs chinois dans le style Ming ; puis formidable collection de bouddhas de Thaïlande, du Cambodge, du Laos et même du Shanxi (Chine) ; et encore de magnifiques statues des dieux hindous, céramiques, bronzes, etc. Ne surtout pas manquer, *salle 241*, les arts indiens et de l'Himalaya. En particulier, l'admirable coupole d'un temple du Gujarat, chef-d'œuvre de ciselage de bois précieux, comme de la dentelle... encadrée d'une ravissante loggia et balustrades sculptées. Accès ensuite en mezzanine, aux arts népalais et aux manuscrits enluminés du Rajasthan. Mandalas tibétains de toute beauté, comme ce *Yamantaka* détruisant la divinité de la Mort (du XVIIIe s). Nombreux bouddhas de bronze népalais. Dans les arts indonésiens, section Java, on tombe sur une ravissante collection de clochettes de cérémonie et de délicieux petits bronzes. Hallebardes aux formes particulièrement sophistiquées *(salle 246)*. La culture hindoue au Vietnam fournit une superbe statuaire figurant Vishnou. *Salle 208*, bouddhas période Yuan (XIIIe et XIVe s), ainsi que des bouddhas en bois polychrome des Xe et XIe s. *Salle 240*, admirables bronzes indiens. Enfin, garder des forces pour les arts islamiques et mésopotamiens, notamment les monumentaux centaures et bas reliefs du palais Ashurnasirpal II à Nimrod (883 av. J.-C.)...

Peintures et sculptures européennes du XIXe siècle et début XXe siècle

Au 1er étage *(2nd Floor)*, une fabuleuse collection, notamment d'œuvres impressionnistes acquises par les Américains à un moment où en Europe, on ne s'y intéressait pas... Plusieurs Van Gogh, dont un *Autoportrait* peint des 2 côtés de la toile par souci d'économie. Rappelez-vous que de son vivant, il ne vendit qu'une seule toile... L'orgie artistique se poursuit avec une série de marbres et bronzes signés Rodin. Du bronze encore avec les statuettes de Degas, représentant des danseuses, en relais avec sa série de tableaux, dont la célèbre *Classe de danse*, où le peintre fait une incursion discrète à l'Opéra de Paris. Ensuite, de fameux portraits de femmes par Renoir (dont celui de *Madame Charpentier* qui lança l'artiste), et puis Monet, Manet, Monet. Ambiance tristoune au *Lapin agile*, où Picasso se représente dans une tenue d'Arlequin, en très charmante compagnie. Et puis la chère Sainte-Victoire du grand Cézanne (une des cinq versions qui existent) et encore des toiles de Courbet, Sisley, Corot, Gauguin, Signac, Seurat, Ingres, Toulouse-Lautrec, Daumier, Millet, Matisse, Géricault, Delacroix... Deux Klimt et un superbe Egon Schiele complètent cette prodigieuse section. Enfin, ne manquez pas la *Wisteria Dining Room*, reconstitution d'un salon parisien des années 1910, le seul ensemble Art Nouveau du MET.

Art moderne et contemporain

Un musée dans le musée. Vous pouvez y consacrer une demi-journée, tant les chefs-d'œuvre sont légion (et bien moins de monde qu'au MoMA !). La collection est répartie sur trois niveaux et montre autant de choses et de styles différents que l'expression « Art du XXe siècle » est fourre-tout : cela va du *Portrait de Gertrude Stein* par Picasso aux abstractions de Frank Stella, en passant par le roi du pop art, Andy Warhol, la peinture gestuelle de Jackson Pollock, les fonds monochromes et de plus en plus sombres de Rothko, les toiles réalistes de Hopper et hyperréalistes de James Rosenquist ; il y en a vraiment pour tous les goûts. Admirez aussi les autoportraits triturés de Bacon, la sexuelle iris noire de Georgia O'Keefe, les statues incongrues et si fluides de Brancusi, en passant par le caricaturiste au grand cœur du *Washington Post*, Norman Rockwell, les mobiles de Calder et l'intéressant *White Flag* de Jasper Johns (pour voir

la version colorée, direction le MoMA !). Également présents : des Modigliani, Matisse, Balthus, Braque, Klee, Miró, Léger, Chagall, Bonnard, Dubuffet, Giacometti, Soutine, Derain, Ernst et Dalí, ainsi qu'une très riche collection de peintres américains... N'en jetez plus !
Le musée acquiert régulièrement de nouvelles réalisations, en témoigne celle, étonnante, du plasticien Anish Kapoor : un miroir rond incurvé et constitué de petits hexagones d'inox. C'est le spectateur qui crée l'œuvre d'art en bougeant devant.

Roof Garden

Au final (ouf !), prendre l'ascenseur pour aller au Roof Garden avec ses expositions de sculptures (ouvert seulement de mai à octobre). Vue superbe sur la *skyline* entourant Central Park. Les riches donateurs exigent même de voir leurs sculptures sur le toit du musée quand ils descendent à NYC, histoire de les apercevoir depuis leurs terrasses des immeubles environnants. Classe, non ?
🍸 ***Roof Garden Café*** *(mai-oct ; mar-jeu et dim 10h-16h30 ; ven-sam 10h-20h)*, où prendre un cocktail en tête à tête avec Manhattan.

Les autres musées

★★ ***Solomon R. Guggenheim Museum*** *(plan 2, H8)* **:** *1071 5th Ave (et 89th St).* ☎ *212-423-3500.* ● *guggenheim.org* ● Ⓜ *(4, 5, 6) 86th St. Tlj sf jeu 10h-17h45 (19h45 sam). Fermé Thanksgiving, Noël et Jour de l'an. Un des rares musées ouv lun avec le MoMA. Entrée : 18 $; réducs ; gratuit moins de 12 ans. Audioguide en anglais compris.*
L'expo temporaire en cours occupe l'essentiel du musée, soit toute la rotonde, cette galerie longue de 800 m grimpant en spirale et dominée par une coupole qui amène la lumière. Le reste du *Guggenheim* présente – dans la petite Thannhauser Gallery – une infime partie de la très riche collection permanente du musée, faute de place ! On conseille donc de se renseigner sur l'expo en cours, car le prix du ticket d'entrée est vraiment exagéré si l'on est seulement intéressé par les quelques œuvres de la collection permanente exposées dans la *Thannhauser Gallery.*
– *Bon plan :* si vous ne voulez pas monter par la rotonde, le « truc », c'est de prendre l'ascenseur jusqu'en haut de l'édifice et de descendre à pied sans fatigue...

Le bâtiment
Il a été édifié en 1951 par le père de l'architecture moderne américaine : Frank Lloyd Wright. Sa construction délicate dura près de 10 ans, de sorte que Guggenheim lui-même, propriétaire des collections, ne le vit jamais terminé. On comprend, en voyant cette grosse « machine à laver », selon ses détracteurs, que Wright était un architecte hors du commun, et que ce bâtiment est une œuvre d'art en soi. En plus des gratte-ciel qu'il bannissait, il déplorait aussi les maisons américaines du XIXe s « en forme de boîtes », sur lesquelles était plaquée une décoration néo-quelque chose empruntée à la tradition stylistique européenne mais sans adaptation au style de vie américain. Il préférait les constructions basses, en harmonie avec leur environnement, et dont la forme découle de la fonction. Raison pour laquelle le musée est construit en spirale, car pour lui, cela devait permettre de mieux exposer des œuvres dans leur chronologie et leur continuité... En 1990, le Guggenheim Museum a reçu la distinction suprême : être reconnu *landmark* (monument classé). Depuis, d'autres bâtiments new-yorkais ont été gratifiés du même label d'excellence.

Les collections
Outre les expos temporaires qui occupent l'essentiel de l'espace, le musée est célèbre pour posséder la plus importante collection de ***Kandinsky*** jamais cataloguée (195 tableaux). Toutes ces œuvres ont été réunies par le richissime Solomon Guggenheim, propriétaire de mines et grand amateur d'art, avec l'aide de sa femme, Irène de Rothschild. À cela vient s'ajouter une série non négligeable de toiles d'impressionnistes et de postimpressionnistes, parmi lesquelles des chefs-d'œuvre de Renoir, Cézanne, Pissarro, Toulouse-Lautrec, Van Gogh, Chagall, Monet, Degas, Léger, Picasso, Manet, Gauguin, Braque, Pollock, etc. Seule la *Thannhauser Gallery,* aux 1er et 2e étages, abrite en permanence une infime partie de ces œuvres, qui tournent régulièrement. Parfois, d'autres espaces leur sont ouverts, mais, comme on l'a dit plus haut, cela dépend de l'importance de l'expo en cours. Encore une fois, donc, renseignez-vous bien.

UNE MÉCÈNE TRÈS AVISÉE

En 1943, le peintre Jackson Pollock se retrouve au chômage pour alcoolisme. Peggy Guggenheim le prend sous son aile en lui faisant signer un contrat qui le rémunère 150 $ par mois... en échange de 60 % sur la vente de ses tableaux. Quelques années plus tard, sa toile n° 5 sera vendue 140 millions de dollars !

Whitney Museum of American Art *(plan 2, H9)* **:** *945 Madison Ave (et 75th St). ☎ 212-570-3600. • whitney.org • Ⓜ (6) 77th St. Mer, jeu et w-e 11h-18h ; ven 13h-21h. Entrée : 18 $; réducs ; gratuit moins de 18 ans et donation libre ven à partir de 18h. Audioguide en anglais compris. Tlj, visites guidées gratuites en anglais (intéressant, vu le côté déconcertant de certaines œuvres exposées).*

Le bâtiment
L'édifice vaut vraiment la peine qu'on en dise deux mots : si le Guggenheim est tout en courbes, le Whitney, lui, est tout en angles ; si le Guggenheim est blanc et lisse, le Whitney, lui, est gris et rugueux. Marcel Breuer, élève du Bauhaus et l'un des architectes du siège de l'Unesco à Paris, a voulu prendre le contre-pied du Guggenheim en construisant cette pyramide inversée, une vraie sculpture géante où même les rares fenêtres ont un air bizarre.

Les collections
Ce musée avant-gardiste, consacré exclusivement à l'***art américain des XXe et XXIe s,*** a été fondé en 1930 par une artiste, la très riche Gertrude Vanderbilt Whitney. Mais l'histoire commence au début du XXe s, quand celle-ci se mit à exposer les œuvres de ses amis artistes dans son atelier de Greenwich Village, favorisant ainsi le travail des jeunes créateurs. Puis elle fonda le célèbre *Whitney Studio Club,* très actif et très influent centre d'exposition, de vente et d'échanges rassemblant les meilleurs artistes américains du moment. La dissolution du club donna naissance au musée, qui vit toujours de l'héritage de Mme Whitney sans aucune aide publique. En tout, cinq niveaux, consacrés pour la plupart aux expos temporaires, souvent avant-gardistes et pas toujours accessibles pour le commun des mortels... La collection « permanente » du musée étant parfois très réduite (au 5e niveau seulement), cela ne vaut pas toujours le coup : on conseille de bien se renseigner sur le thème des expos temporaires avant d'entrer, histoire d'éviter toute déception. La collection permanente (de haute volée on le précise) présente, parmi les 13 000 sculptures, peintures et dessins, en rotation permanente, tous les mouvements artistiques américains depuis 1900. Mais il arrive qu'une dizaine d'œuvres, pas plus, soient exposées à la fois. Le Whitney est surtout connu pour posséder la plus importante collection d'œuvres d'Edward Hopper (2 500 pièces, dont vous ne verrez qu'une poignée, sauf si une expo temporaire lui est consacrée). Avec un peu de chance, vous aurez la possibilité de voir des œuvres d'Andy Warhol, Jackson Pollock, Mark Rothko, Arshile Gorky, Man Ray, Georgia O'Keefe, des mannequins incroyables de vérité de Duane Hanson et autres mobiles de

Calder... Le Whitney est enfin très réputé pour sa Biennale, véritable vitrine de l'art américain et qui existe depuis 1932. L'équivalent de la Biennale de Venise pour les Américains.

I●I Nouveau ***café-resto*** (***Untitled***) au sous-sol, conçu par le restaurateur Danny Meyer. *Sert tlj breakfast et lunch (plats max 15 $), dîner jeu-sam slt (un peu plus cher).*

*** ***Frick Collection*** *(plan 2, H9) :* *1 E 70th St (et 5th Ave).* ☎ *212-288-0700.* • *frick.org* • Ⓜ *(6) 68th St-Hunter College. Mar-sam 10h-18h, dim 11h-17h. Entrée : 18 $; réducs ; donation libre dim 11h-13h. Interdit aux moins de 10 ans, et les moins de 16 ans doivent être accompagnés. Audioguide en français compris. Plan à l'accueil.*

Vous voici dans l'époustouflant hôtel particulier de Henry Clay Frick (le bien nommé !), riche industriel de Pittsburgh (1849-1919), construit en 1913 dans un mélange hybride de styles européens du XVIIIe s. Ce musée, ouvert en 1935, présente sa collection personnelle d'œuvres d'art d'une incroyable densité, constituée sans relâche pendant près de 40 ans. Un musée à taille humaine et chaleureux, car on a, dans une certaine mesure, l'impression d'être un invité qui se balade dans la demeure de son hôte : vous remarquerez d'ailleurs qu'aucun cordon de sécurité ne protège les œuvres, pourtant exceptionnelles. À ne pas manquer. Commencez par le petit film projeté toutes les 20 minutes.

– ***Salle Boucher :*** les fresques murales de cette chambre ont été réalisées autour de huit panneaux peints vers 1750 par François Boucher pour la marquise de Pompadour (« pompe l'amour », disaient ses amants !). Ces panneaux représentent les Arts et les Sciences. Également des porcelaines de Sèvres et autres meubles du XVIIIe s.

– ***Anteroom :*** salle consacrée aux peintres primitifs religieux. De Jan Van Eyck, une *Vierge à l'Enfant* (1440) : grande richesse de détails, comme les pierreries de la couronne que porte Élisabeth de Hongrie à droite. Également *Trois soldats* de Bruegel l'Ancien (1568) et *Purification du Temple* du Greco (1600). Dans une petite rotonde attenante, superbe Greco (il est placé là lorsqu'il est chassé de sa salle par certaines expos temporaires) et *Annonciation* de Filippo Lippi (environ 1440).

– ***Dining Room :*** Frick y donnait deux repas par semaine. Décor anglais XVIIIe s, où naturellement la peinture British est à l'honneur, avec notamment Gainsborough, George Romney, John Hoppner. On a particulièrement flashé pour la sublime *Frances Duncombe* de Gainsborough et le superbe travail sur la lumière, le drapé, les magiques tonalités de bleus... Jamais la filiation avec Van Dyck n'avait été aussi évidente !

– ***West et East Vestibule :*** orné de quatre galants tableaux de François Boucher représentant les quatre saisons. L'été est évoqué par des femmes nues, les seuls nus de la collection Frick, un point c'est tout ! Noter également de très belles horloges Boulle.

– ***South Hall :*** de Vermeer, *Enfant à sa leçon de musique* et *Officier et Jeune fille,* avec leur légendaire lumière dorée ; puis *Madame Boucher* peinte par Boucher dans un joyeux bric-à-brac (1743) ; la *Fileuse de laine* de Greuze, la *Comtesse Daru* par David et un tableau de Renoir, *Mère et Enfants.* Également un beau bureau Boulle (1700) à huit pieds en marqueterie.

– ***Salle Fragonard :*** c'est ici que les dames avaient coutume de se retirer après dîner, contemplant les 11 œuvres géantes – rachetées à prix d'or au MET – ornant les murs de la pièce. Les quatre plus grandes, de part et d'autre de la cheminée et sur le mur sud, évoquent les quatre âges de l'amour. Elles furent commandées par la comtesse du Barry qui, finalement, les renvoya à son auteur parce qu'elle ne les aimait pas, la capricieuse !

– ***Living Hall :*** deux portraits de Titien très contrastés, réalisés au début et à la fin de la carrière de l'artiste, celui d'un jeune homme anonyme, séduisant et sensible, et le portrait de l'auteur Pietro Aretino, un homme mûr qui dégage puissance et richesse (superbe palette mordorée). De Hans Holbein le Jeune, *Sir Thomas More* (1527) : admirez le plissé des manches en velours rouge, le délicat rendu du col en fourrure, l'or du collier... et approchez-vous pour détailler les rides autour de ses yeux et sa barbe naissante. Quel réalisme ! À l'opposé, un autre portrait de Hans Holbein représentant l'ennemi mortel de Thomas More, *Thomas Cromwell* ; *Saint Jérôme* du Greco ; et *Saint François* de Giovanni Bellini. Frick devait aussi affectionner les mélanges de styles, comme en témoigne cette commode française parée de dorures italiennes et de panneaux japonais, sans oublier les bronzes Renaissance !

– ***Library :*** collection de livres anciens, recueils encyclopédiques couvrant tous les domaines des sciences, des arts et même... de la richesse ! Quelques titres croustillants, un temps oubliés par les conservateurs bien-pensants, vous feront sourire. Bien sûr, quelques tableaux ornent la pièce, comme le splendide et romantique *Lady Peel* de Thomas Lawrence ; *Lady Innes* de Gainsborough ; la gracieuse *Lady Hamilton* de George Romney ; *Mortlake Terrace* et *le Port de Calais* de Turner qui commencent à annoncer l'abstraction flamboyante de l'ultime période; la *Cathédrale de Salisbury* de Constable ; et un grand portrait de Henry Clay Frick *himself*.

– ***North Hall :*** encore d'autres tableaux ; atmosphère glaciale de *Vétheuil en hiver* de Monet, qui aurait été peint depuis une barque ; *Répétition* de Degas, montrant des danseuses au palais Garnier de Paris, thème de prédilection de l'auteur. Également Théodore Rousseau, la lumineuse *Comtesse d'Haussonville* d'Ingres et Watteau. Et puis, une pure merveille que cette console en marbre bleu ornée d'éléments décoratifs en bronze, un des meubles les plus coûteux de l'histoire, fabriqué en France à la fin du XVIIIe s.

– ***West Gallery :*** toutes les toiles sont accrochées dans une véritable galerie d'art éclairée par une immense verrière, voulue par M. Frick pour montrer les œuvres à ses visiteurs. Le Lorrain, puis Van Dyck et un *Venise* de Guardi. Extraordinaire *Port de Dieppe* de Turner, faisant face à celui de *Cologne*... Divers portraits de Hals ; *Le Cheval blanc* de Constable ; Gérard David ; Véronèse ; de Rembrandt, impressionnant *Autoportrait*, monumental *Cavalier polonais,* ainsi qu'un portrait de *Nicolaes Ruts.* Saisissante *Éducation de la Vierge* réalisée par le studio de Georges de La Tour (remarquer les ongles sales de la Vierge, éclairés par la flamme de la bougie, et le tressage du panier au centre de la scène) ; *Maîtresse et Servante* de Vermeer ; le Greco.

– ***Enamel Room :*** dans cette petite salle prolongeant la West Gallery, découvrez le *Couronnement de la Vierge* de Veneziano ; *La Tentation du Christ* de Duccio Di Buoninsegna (début du XIVe s) ; *Flagellation du Christ* de Cimabue (1280) ; Piero Della Francesca, etc. Cette pièce devait accueillir le bureau de M. Frick, mais elle fut finalement consacrée à l'exposition de sa remarquable collection d'émaux de Limoges et de coffrets (XVIe et XVIIe s), toujours en place.

LE FRICK, C'EST CHIC

Un jour de 1895, Henry Clay Frick reçut la visite d'un antiquaire qui lui proposait un superbe ensemble d'émaux du Moyen Âge et de la Renaissance. Le célèbre industriel avait l'intention de marchander. Au grand dam de l'antiquaire, qui insista sur la rareté de la collection et le fait que son propriétaire avait consacré 30 ans à la rassembler. Sortant son carnet de chèques, Frick répliqua qu'il en ferait autant en quelques secondes !

– ***Oval Room*** *(la rotonde)* **:** la salle la plus dépouillée de toutes, qui se partage les faveurs de quatre superbes portraits de Whistler (le seul artiste américain représenté à la Frick Collection, hormis le portrait de Washington par Gilbert Stuart), encadrant un magnifique Philippe IV d'Espagne de Vélasquez.

– ***East Gallery :*** *La Comtesse Daru* de David, *La Forge* de Goya, plusieurs Van Dyck, Corot et pour finir : une *Corrida* de Manet, olé ! Après cette orgie d'œuvres sublimes, vous aurez bien mérité une petite pause dans l'adorable et romantique ***Garden Court.*** À propos, *l'East Gallery* est parfois utilisée pour des expos temporaires, ses œuvres sont alors réparties sur d'autres galeries.

Neue Galerie *(plan 2, H8)* **:** *1048 5th Ave (angle 86th St). ☎ 212-628-6200. • neuegalerie.org • Ⓜ (6) 86th St. Tlj sf mar-mer 11h-18h (20h le 1er ven du mois). Entrée : 20 $; réducs ; gratuit le 1er ven du mois à partir de 18h. Interdit aux moins de 12 ans, et les moins de 16 ans doivent être accompagnés.*
Depuis son ouverture en 2001, la *Neue Galerie* a trouvé ses marques dans le paysage culturel new-yorkais. Installée dans une belle demeure édifiée en 1914 par Carrère & Hastings (mêmes architectes que la *NY Public Library*), elle est spécialisée, comme son nom le suggère, dans l'art allemand et autrichien de 1890 à 1940. Pas de collection permanente, uniquement des expos temporaires mettant en scène, autour de thèmes variés, des œuvres de Gustav Klimt et d'Egon Schiele, mais aussi Oskar Kokoschka, August Macke, Max Beckmann, Ernst Ludwig Kirchner, les architectes autrichiens Josef Hoffman, Otto Wagner et Adolf Loos, sans oublier le mouvement du Bauhaus, avec Marcel Breueur et Ludwig Mies Van der Rohe, etc. La période expressionniste est souvent évoquée à travers les nus radicaux de Christian Schad, ainsi qu'Otto Dix, Georg Grosz et par des peintres contemporains bien dans la continuation de l'expressionnisme, comme Markūs Lüpertz et Eugen Schönebeck. Riche cabinet de dessins (Degas, Cézanne, Van Gogh). Salle médiévale avec quelques armures et des arquebuses, véritables œuvres d'art (incrustation d'ivoires gravées), magnifiques coffrets en cuivre, émaux et ivoires ciselés, chasse de sainte Ursule. Quelques toiles intéressantes aussi comme le *Vieil Homme* de Quentin Metsy.
Au rez-de-chaussée, le décor et l'ambiance du magnifique ***café Sabarsky*** *(tlj sf mar 9h-21h ; 18h lun et mer)* vous transportent tout droit à Vienne : pas donné et très fréquenté, mais il faut au moins y prendre un café viennois pour l'ambiance.
Boutique de livres d'art et petite section dédiée au design (cher, mais de fort belles choses).

Cooper Hewitt National Design Museum *(plan 2, H8)* **:** *2 E 91st St (et 5th Ave). ☎ 212-849-8400. • cooperhewitt.org • Ⓜ (4, 5, 6) 86th St.* ***Fermé pour rénovation au moins jusqu'à fin 2013.*** C'est un musée du design lié au prestigieux *Smithsonian Institute* de Washington, établi dans cette magnifique demeure de style néogothique comptant une soixantaine de pièces, qui fut la résidence d'Andrew Carnegie, l'un des hommes les plus fortunés d'Amérique... Époustouflante abondance des ornements intérieurs : panneaux muraux, plafonds et surtout incroyable escalier en bois ; une richesse qui contraste avec le style épuré des objets de design qui y sont présentés... Toutes les salles sont dédiées aux expositions temporaires, renseignez-vous donc sur celles en cours lors de votre passage. Jardin donnant sur East 90th Street qui, aux beaux jours, accueille des concerts, généralement le vendredi, et un ***café-resto.***
Superbe ***boutique*** pour les amateurs de design un peu pointu et librairie du même niveau.

The Jewish Museum *(plan 2, H8)* **:** *1109 5th Ave ; entrée sur 92nd St. ☎ 212-423-3200. • thejewishmuseum.org • Ⓜ (6) 96th St. Tlj sf mer, j. fériés et fêtes du calendrier juif, 11h-17h45 ; 20h jeu ; 16h ou 17h ven selon période de l'année. Entrée : 12 $; réducs ; gratuit moins de 12 ans et sam pour ts. Parfois, supplément pour les expos temporaires. Audioguide en anglais compris, et visites guidées gratuites en sem ttes les heures à partir de 12h15.*
Installé dans une demeure somptueuse édifiée en 1908 par le banquier Félix Warburg (en désaccord avec son beau-père prétendant que les fastes de la maison provoqueraient des réactions antisémites), cet intéressant musée retrace avec

brio l'histoire mouvementée du peuple juif, en explorant toutes ses particularités, jusqu'à la notion même de judaïté. On en ressort... éclairé !
– La visite commence par l'*expo permanente* installée aux 2e et 3e étages *(3rd et 4th Floors).* D'abord, une évocation des premiers peuples de Palestine, du Temple de Salomon, puis du Premier Exil marquant la naissance de l'identité juive. S'ensuivent les premières synagogues (voir celle de Doura-Europos), le rabbinisme, le Talmud... Ensuite, à travers des objets archéologiques, on voit toute l'influence, sur les différentes communautés juives de la diaspora, des cultures qui les ont accueillies. Dans la foulée, on découvre *(3rd Floor)* les principaux rituels juifs à grand renfort d'objets liturgiques, orfèvrerie religieuse... Voir aussi le seul sofa de mariage encore existant (enfin, on n'en connaît pas d'autres...) et, juste en face, un bout d'arche du XVIe s abritant une torah. Et puis, assez amusant : les fêtes ayant évidemment été réglées sur les saisons d'Israël, elles sont souvent en décalage dans la réalité climatique du pays où elles se célèbrent ; comme la fête du Printemps en Russie, où il gèle encore, ou bien celle des Récoltes d'automne en Australie, alors que c'est le printemps ! Pour finir, section sur l'intégration progressive des juifs dans les sociétés européenne et américaine et leur participation à la vie sociale et politique. Le parcours s'achève par une évocation de l'antisémitisme en Europe (voir les portraits et slogans abominables !), qui, bien sûr, culmine avec la Shoah.
– *Expos temporaires* (peintures, photos, objets divers...) au rez-de-chaussée *(1st Floor)* et au 1er étage *(2nd Floor).*

Museum of the City of New York *(plan 2, H7,* ***726****) : 1220 5th Ave (entre 103rd et 104th St). ☎ 212-534-1672. • mcny.org • Ⓜ (6) 103rd St. Ouv 10h-18h. Donation suggérée : 10 $; gratuit moins de 12 ans.* Un musée sympathique sur l'histoire de la ville, mais pas indispensable compte tenu du tarif. On y trouve néanmoins de fort jolies choses, comme la section consacrée aux jouets anciens autrefois fabriqués à New York (petites voitures, ours en peluche, automates et d'adorables maisons de poupées ; les gosses vont adorer !), ou cette salle consacrée au port de NY (vieux outils, plans, gravures, et maquettes de bateaux comme le *Half Moon* de Henry Hudson, le navigateur qui découvrit Manhattan en 1609...), ou encore un ensemble de belles reconstitutions d'intérieurs de maisons new-yorkaises du XVIIe au XIXe s. Également une foule d'expos temporaires.

Museo del Barrio *(plan 2, H7,* ***727****) : 1230 5th Ave (et 104th St). ☎ 212-831-7272. • elmuseo.org • Ⓜ (6) 103rd St. Tlj sf lun 11h-18h (21h mer, 13h-17h dim). Donation suggérée : 9 $; réducs ; gratuit moins de 12 ans et pour ts le 3e sam du mois.* Ce musée, fondé en 1969 (entièrement rénové en 2009), a pour vocation de préserver et de promouvoir la culture latino-américaine (30 % de la population new-yorkaise et 40 % des élèves de *public schools*), et plus particulièrement celle de la communauté portoricaine. C'est pourquoi il partage son espace entre d'intéressantes expositions temporaires, fréquemment renouvelées, et une toute petite collection permanente qui s'efforce cependant de toucher à tout : on verra aussi bien des objets traditionnels que de l'art contemporain, ainsi qu'une sélection d'œuvres notables d'artistes reconnus qui, soit sont issus de la communauté, soit traitent du sujet (Orozco, Diego Rivera, Frida Kahlo, Picabia ou Motherwell).

À faire

■ ***Roosevelt Island Tram*** *(plan 2, H10,* ***728****) : départ à l'angle de 60th St et 2nd Ave. ☎ 212-832-4543. Ⓜ (N, R, 4, 5, 6) 59th St. Tlj 6h-2h (3h30 le w-e) ; départs ttes les 7-15 mn selon heure.* Ce petit tram aérien, suspendu par des câbles à 90 m au-dessus de l'East River, parcourt le kilomètre qui sépare Manhattan de Roosevelt Island en 3 mn chrono.

Pour seulement 2,25 $ le trajet (*MetroCard* acceptée), on bénéficie d'une vue inédite sur le Queensboro Bridge, surtout à la lumière du soleil couchant. Mais attention, c'est un vrai moyen de transport, pas une attraction ! Cependant si vous êtes dans le coin, le survol vaut le coup.

TRAMWAY DES CIMES

Créé dans les années 1970, ce tramway aérien a été rénové en 2010 par une entreprise grenobloise qui s'est inspiré de son Vanoise Express, un téléphérique ultramoderne reliant les stations de ski de La Plagne et des Arcs.

WEST SIDE ET UPPER WEST SIDE

Un quartier tout en longueur situé à l'ouest de Central Park, limité par West 59th Street et Columbus Circle au sud, et par West 110th Street au nord. Il fait bon vivre et se balader dans West Side et Upper West Side, où les terrasses fleurissent, tout comme les restos et les boutiques de mode, pour une ambiance quand même plus décontractée que dans le quartier cousin d'en face, East Side. La présence de *Columbia University* et de ses nombreux étudiants y est certainement pour beaucoup... L'architecture de cette partie de NY est aussi particulièrement riche et intéressante (perles de l'Art déco, belles *brownstone houses...*), et les bâtiments demeurent à taille humaine. De plus, où que vous soyez, la verdure n'est pas loin, West Side étant bordé à l'est par Central Park, « le poumon de NY », et à l'ouest par Riverside Park. Culturellement parlant, le quartier n'est pas en reste avec son *Lincoln Center, « the biggest cultural center in the world »,* comme le nomment les New-Yorkais. Il a été construit au milieu des années 1950 pendant le mouvement de rénovation urbaine de New York, alors que le quartier était encore économiquement faible...

Adresses utiles

@ ***Internet :*** *connexions gratuites à l'**Apple Store,** à l'angle de Broadway et 67th St (plan 2, F-G10, **566**). Également dans les annexes de la **NY Public Library** ; **Riverside Branch** (plan 2, F-G10), 127 Amsterdam Ave (et 65th St). ☎ 1-212-870-1810. **Saint Agnes Branch** (plan 2, F9), 444 Amsterdam Ave (et 81st St). ☎ 212-877-4380. **Bloomingdale Branch** (plan 2, F-G7), 150 W 100th St (entre Amsterdam et Columbus Ave). ☎ 212-222-8030.*

■ ***Location de vélos et tandems*** *(plan 2, G10, **15**) : **Central Park Bike Rental,** 348 W 57th St (à 2 blocs de Columbus Circle). ☎ 212-664-9600. 1h : 15 $, 2h : 20 $, 3h : 25 $, tte la journée : 40 $.* Casque, panier, antivol et carte fournis gratuitement. Tours organisés de Central Park à 10h, 13h et 16h.

Où dormir ?

De très bon marché à bon marché

☗ ***International Student Center*** *(plan 2, G8, **64**) : 38 W 88th St (et Central Park W Ave). ☎ 212-787-7706. • nystudentcenter.org • Ⓜ (C) 86th St. Réception 8h-23h. Résa possible, mais confirmer 2 j. avt l'arrivée. Lits en dortoir 30-35 $ selon saison. Acceptent les « jeunes » 18-35 ans ! Prévoir une caution de 10 $ pour la clé.* 💻 Dans une rue résidentielle et calme, à deux pas de Central Park, c'est l'un des hébergements les moins chers de New York, donc la providence des budgets serrés. Une cinquantaine de lits. Et une curiosité dans son genre. Car cette auberge est plus proche d'une maison particulière que d'un hôtel : agencée curieusement, meublée de bric et de broc et non dénuée d'originalité (par exemple, on laisse ses valises à la réception pendant le séjour). Elle abrite plusieurs dortoirs (8 à 10 lits), dont certains mixtes, tous avec salles de bains. Ensemble assez sommaire et vieillot mais propre et vraiment sympa. Salon confortable au sous-sol (bouquins, différents canapés), cuisine colorée à disposition, petit jardin. Plus de 50 ans d'activité, ce qui en fait la plus ancienne AJ privée de la ville.

Broadway Hotel and Hostel *(plan 2, F7,* ***68****) : 230 W 101st St (et Broadway). ☎ 212-865-7710. • broadwayhotelnyc.com • Ⓜ (1) 103rd St. Dortoirs (2 lits slt) 55-65 $; doubles classiques 100-160 $, avec sdb.* Un *hostel* de luxe avec entrée élégante et influence orientalo-chic pour la déco. Noir de rigueur, murs en brique apparente, dorures... du moins dans les parties communes. Concernant les chambres, les doubles version hôtel sont confortables et bien arrangées et les doubles version dortoir sont évidemment basiques, mais propres (douches et sanitaires sur le palier). Gros avantage cela dit : ici, on échappe aux chambrées suffocantes. Salon TV, coin cuisine. Accueil sympa.

Hostelling International New York *(plan 2, F7,* ***65****) : 891 Amsterdam Ave (et 103rd St). ☎ 212-932-2300. • hinewyork.org • Ⓜ (1) 103rd St. Réception 24h/24. Lits en dortoir 35-50 $ selon confort et période, quadruples (ou familiales) 135-150 $ selon confort ; doubles 150 $, prévoir 3 $ en plus pour les non-membres.* La plus grande AJ des États-Unis (et la 2e du monde : 624 lits !), abritée dans un élégant édifice de style gothico-victorien. Entièrement remaniée pour lui donner une allure design plus épurée. Dortoirs mixtes ou non (4 à 12 lits), et chambres (2 ou 4 personnes) avec ou sans salle de bains, et puis de nombreux services : machines à laver, cuisine spacieuse, café, petite boutique d'alimentation, plusieurs salons dont un avec TV à écran géant, billards... et toutes sortes d'animations quotidiennes, souvent gratuites. Très complet donc, mais la vraie bonne surprise, c'est la vaste cour intérieure (avec tables et chaises) prolongée par un jardin herbeux. Irrésistible aux beaux jours. Accueil pro.

Jazz on Amsterdam Hostel *(plan 2, F8,* ***173****) : 201 W 87th St (et Amsterdam Ave). ☎ 646-490-4348. Ⓜ (1, 2, A, B, C) 86th St. Lits en dortoir (2-6 pers) 30-40 $.* Une AJ assez récente qui a ainsi gardé toute sa fraîcheur. D'abord, gentillesse de l'accueil (contrairement à *Jazz on the Park* !), ensuite cadre vraiment plaisant, parties communes pimpantes. Certes, chambres pas trop grandes, mais tout est fort bien tenu. Sanitaires communs impeccables. *Lockers*, ATM, etc.

Jazz on the Park Hostel *(plan 2, G7,* ***66****) : 36 W 106th St (et Central Park W Ave). ☎ 212-932-1600. • jazzhostels.com/jazzonthepark • Ⓜ (C) 103rd St. Ouv 24h/24. Lit en dortoir 65 $; doubles 120-150 $ selon confort ; petit déj compris.* À 50 m de Central Park, une AJ répartie entre 2 bâtiments proposant des petits dortoirs juste corrects (4 à 14 lits en version mixte ou non), avec casiers de sécurité et sanitaires sur le palier (entretien aléatoire). Également quelques chambres doubles avec salle de bains pour les plus chères. Consigne à bagages, machines à laver, petit bar au rez-de-chaussée et un espace au sous-sol pour les soirées festives... mais pas de cuisine. Accueil assez exécrable pour couronner le tout ! Bref, en dépannage.

De bon marché à prix moyens

West Side YMCA *(plan 2, G10,* ***67****) : 5 W 63rd St (et Central Park W Ave). ☎ 212-875-4100 ou 4273 (résas). • ymcanyc.org • Ⓜ (A, C, D, 1) 59th St-Columbus Circle. Doubles avec ou sans sdb privée env 100-155 $ pour les anciennes, 115-175 $ pour les rénovées.* En bordure de Central Park, derrière une belle façade en brique d'inspiration romane de 1928, cette grande YMCA mixte et ouverte à tous (des habitués y vivent à longueur d'année) propose 370 petites chambres propres et basiques (un peu décrépites pour les anciennes). Lits superposés et sanitaires communs pour la plupart, les plus abordables. Les chambres rénovées (12e et 13e étages) n'ont aucun charme mais sont fonctionnelles. Sur place : laverie, cafétéria et, bien sûr, un centre sportif doté de 2 piscines, d'une salle de muscu et d'un sauna.

Newton Hotel (plan 2, F8, **69**) : *2528 Broadway (entre 94th et 95th St). ☎ 212-678-6500 ou 1-800-643-5553 (résas). • thehotelnewton.com • Ⓜ (1, 2, 3) 96th St. Doubles env 120-170 $ sans sdb, 160-260 $ avec, selon saison.* Dans un beau bâtiment gris, une centaine de chambres (dont 12 suites avec kitchenette) confortables et bien arrangées. En fait, c'est surtout pour celles qui n'ont pas de salle de bains qu'on vous recommande cet hôtel, car elles ressemblent vraiment aux autres (TV écran plat, sèche-cheveux, frigo et micro-ondes) tout en affichant des tarifs nettement moins chers. Une bonne affaire, donc !

De prix moyens à plus chic

Park 79 Hotel (plan 2, G9, **78**) : *117 W 79th St (et Columbus). ☎ 212-787-3300 et 866-3PARK79. • park79.com • Ⓜ (C, A) 79th St. Doubles 150-250 $ selon confort et saison.* Éminemment bien situé, à deux pas de Central Park et de l'animation de B'way. Bel immeuble ancien, avec fin porche à colonnes et hall de style. Chambres standard totalement satisfaisantes, fonctionnelles. Cadre d'une élégante sobriété et tout le confort américain.

Marrakech Hotel (plan 2, F7, **432**) : *2688 Broadway (et 103rd St). ☎ 212-222-2954 et 866-546-8353. • marrakechhotelnyc.com • Ⓜ (1) 103rd St. Doubles 100-300 $ (150-200 $ en moyenne). Pas de service de petit déj.* Il faut monter l'escalier bien raide (pas d'ascenseur donc, malgré les 5 étages) pour trouver la réception de ce boutique-hôtel impeccablement situé côté transports (au pied de la ligne no 1 qui dessert Times Square et le sud de Manhattan). Comme le nom le laisse supposer, très jolie déco marocaine dans les parties communes, notamment dans le bar : fontaine, poufs, lanternes en fer, petites tables rondes en bois peint. Les chambres, confortables et bien équipées, sont en revanche petites et parfois mal insonorisées. Salles de bains mini aussi, dans un style rétro rénové. Du bon et du moins bon, mais globalement une adresse convenable... tant que les prix ne flambent pas.

The Milburn Hotel (plan 2, F9, **72**) : *242 W 76th St (et Broadway). ☎ 212-362-1006 ou 1-800-833-9622 (résas). • milburnhotel.com • Ⓜ (1) 79th St. Studios 200-320 $ et suites 250-360 $ selon période, avec petit déj.* Passé le lobby kitschement décoré, avec colonnes de marbre et dorures, voici d'agréables studios (2 personnes), spacieux, avec kitchenette. À moins, bien sûr, que vous ne préfériez les suites (4 personnes), encore plus confortables et pouvant accueillir une petite famille. Fitness et accès gratuit à une piscine chauffée toute proche. Petit centre internet performant. Une adresse qu'on recommande volontiers. Accueil pro et sympa.

Hotel Belleclaire (plan 2, F9, **71**) : *250 W 77th St (et Broadway). ☎ 212-362-7700 ou 1-877-HOTELBC (résas). • hotelbelleclaire.com • Ⓜ (1) 79th St. Doubles 110-270 $ sans sdb, 170-400 $ avec, selon saison.* Un superbe hôtel ouvert en 1903 et de style dit « Art nouveau Sécession », avec des chambres parfois petites mais nickel, rénovées à la sauce design et gaies avec leurs têtes de lit capitonnées d'un beau rouge, et bien équipées (station iPod, frigo...). Les moins chères disposent de salles de bains communes, et certaines ont même une jolie vue sur l'Hudson River. Fitness. Accueil pro et sympa. Un bémol : l'absence de double vitrage est problématique si on loge côté Broadway (penser aux bouchons d'oreilles).

The Lucerne (plan 2, F9, **73**) : *201 W 79th St (angle Amsterdam Ave). ☎ 212-875-1000 ou 1-800-492-8122. • thelucernehotel.com • Ⓜ (1) 79th St. Doubles 180-400 $ selon standing et période.* Ce bel hôtel de charme datant de 1904, à la superbe façade rouge de style Beaux-Arts mâtiné de baroque, dissimule, derrière son monumental porche, un lobby chic et cosy qui, lui-même, annonce des chambres harmonieuses, confortables, douillettes, avec de petits détails actuels (salle de bains en marbre, écran plat bien sûr, station iPod). Accueil et service impeccables. Fitness. Pour le petit déj (en supplément), le resto français de l'hôtel, *Nice Matin,* est bon, agréable et figure parmi les mieux cotés de NYC dans cette catégorie.

Où manger ?

Spécial petit déjeuner et brunch

☕ ***Levain Bakery*** *(plan 2, F9,* ***284****) : 167 W 74th St (entre Columbus et Amsterdam Ave).* ☎ *212-874-6080.* Ⓜ *(1, 2, 3) 72nd St. Tlj 8h (9h dim)-19h. En entresol ; pas forcément très visible (et c'est tout petit).* Les meilleurs cookies de Manhattan d'après le *NY Times.* Et on approuve ! Croustillants dehors, moelleux au cœur, avec le chocolat qui coule dans la bouche... Le *chocolate chip walnut cookie* est un must mais tout est bon (scones, muffins...). Mini-comptoir pour s'accouder et savourer tout ça, ou aller à Central Park à 2 blocs. Également des pizzas pour une envie salée. Nouvelle succursale à Harlem.

☕ ***Silver Moon Bakery*** *(plan 2, F7,* ***298****) : 2740 Broadway (angle 105th St).* ☎ *212-866-4717.* Ⓜ *(1) 103rd St. Lun-ven 7h30-20h ; w-e 8h30-19h.* Gentille boulangerie offrant d'excellents pains artisanaux, idéale au petit déj ou pour satisfaire une envie gourmande entre deux visites. Bon choix des classiques pâtisseries US (cookies, muffins, viennoiseries...), réalisées avec un soin exquis et plébiscitées par les locaux. Aux beaux jours, tables et bancs dehors.

☕ ***Isabella's*** *(plan 2, G9,* ***425****) : 359 Columbus Ave (angle 77th St).* ☎ *212-724-2100.* Ⓜ *(C) 81st St. Tlj 11h30-22h30 (lun 22h, ven-sam 23h30). Brunch le w-e 10h-16h30, env 15-25 $.* Ce resto séduisant, très apprécié des familles et véritable institution dans West Side à l'heure du brunch, sert une nourriture de qualité (certes, classique !) à des prix raisonnables. Grande salle aux tons doux s'ouvrant sur de grandes baies à arcades, ambiance classe et service impeccable. Terrasse. Seul problème, l'attente... pendant laquelle vous avez des chances de croiser des people, ça occupe !

☕ ***Sarabeth's*** *(plan 2, F9,* ***270****) : 423 Amsterdam Ave (et 80th St).* ☎ *212-496-6280.* Ⓜ *(1) 79th St. Tlj 8h-22h30. Brunch le w-e 10h-16h, env 15-20 $ (résa recommandée).* Une autre institution ! La *success story* de Sarabeth a commencé en 1981 quand elle ouvrit une petite boulangerie proposant du pain et de la confiture maison. La belle a aujourd'hui plusieurs adresses dans New York et ailleurs, et sa marque d'épicerie fine... Au menu du brunch, des omelettes fabuleuses, des assiettes bien remplies et savoureuses. Il faut souvent attendre, mais quelle récompense quand on s'assoit dans la jolie salle à la déco classe ! Aussi sympa pour le déjeuner et le dîner, notamment le jeudi soir lorsqu'il y a des concerts de jazz (de 18h à 21h). Belle terrasse et nappes blanches.

☕ Et aussi : ***Absolute Bagels, Taquería y Fonda La Mexicana, Good Enough to Eat, Barney Greengrass the Sturgeon King*** (pour son fameux *bagel-lox*), ***City Diner*** et ***Magnolia Bakery*** (voir plus loin).

Sur le pouce, bon marché

|●| ☕ ***Absolute Bagels*** *(plan 2, F7,* ***528****) : 2788 Broadway (entre 107th et 108th St).* ☎ *212-932-2052.* Ⓜ *(1) 110th St. Tlj 6h-21h. Env 2-5 $.* Le cadre : nul. L'ambiance : quelle ambiance ? Mais quelle importance, puisque la seule chose qui compte ici, ce sont les bagels (plus les salades). Préparés au gré de la demande (observez donc la dextérité des pâtissiers), ils ont une consistance idéale et la croûte est croustillante à souhait. On les choisit nature, au sésame ou aux raisins,

puis on demande ses ingrédients préférés. Grande variété de *cream cheese* aromatisés sucrés et salés (tomate séchée, noix-raisin, mûre, etc.). Délicieux... et bien costaud !

Shake Shack *(plan 2, G9,* ***346****) : 366 Columbus (entre 77th et 78th St). ☎ 646-747-8770. Ⓜ (1) 79th St. Burger-frites env 8-10 $.* Succursale du fameux kiosque de Madison Square Park (depuis d'autres ont suivi). Voir « Union Square, Madison Square et Gramercy ("Four Squares") ». L'avantage ici, c'est qu'il y a de quoi s'asseoir en intérieur. Décor de fast-food sans fard, mais vue sur le *Museum of Natural History*. Demandez la cuisson de votre burger (du vrai *beef Angus*) en passant commande, sinon on vous le servira d'office à point. Bons milk-shakes par ailleurs.

Big Nick's Burger Joint & Pizza Joint *(plan 2, F9,* ***286****) : 2175 Broadway (et 77th St). ☎ 212-362-9238. Ⓜ (1) 79th St. Ouv 24h/24. Plats 6-15 $.* 2 gargotes côte à côte : à gauche les pizzas, à droite les burgers. Les amateurs des seconds, cuits au charbon de bois, s'entassent dans cette institution assez bordélique et graillonneuse. Atmosphère bourdonnante et odorante. Carte longue comme le bras. Si la nourriture est toujours correcte, copieuse et à prix doux, ce resto, créé en 1962, vit aujourd'hui un peu trop sur sa réputation : accueil souvent brut de décoffrage !

Hampton Chutney & Co *(plan 2, F8,* ***192****) : 464 Amsterdam Ave (entre 82nd et 83rd St). ☎ 212-362-5050. Ⓜ (1) 86th St ou 79th St. Plats 8-12 $.* Resto indien moderne, cadre simple, avec une étagère garnie de bouquins pour les enfants (le *Children Museum* est juste derrière). Cuisine du sud de l'Inde. Spécialités de *dosa* (crêpes de riz et lentilles fourrées de plein de bonnes choses), *uttapam* (même chose en version pancake), *thalis* et sandwichs. Bon *chaï* (thé au lait épicé). Menu spécial enfants. Tout est bio.

Taquería y Fonda La Mexicana *(plan 2, F7,* ***426****) : 968 Amsterdam Ave (entre 107th et 108th St). ☎ 212-531-0383. Ⓜ (1) 103rd St. Plats 7-14 $.* Bon, le cadre est nul, mais cette cantine est impeccable pour goûter à la cuisine mexicaine sans se ruiner. Tous les classiques y sont : tacos, *alambres* (brochettes), enchiladas, *quesadillas*... sans oublier les bonnes spécialités comme le *mole rojo* (porc ou poulet sauce rouge aux différents poivres, sésame, raisin et amandes) ou le *sea food platter*. Le tout accompagné de *rancheras,* les chansons romantiques des mariachis. Portions copieuses et vin au verre. Bon accueil.

Prix moyens

Tenzan *(plan 2, G9,* ***208****) : 285 Columbus Ave (entre 73rd et 74th St). ☎ 212-580-7300 et 7310. Ⓜ (C) 72nd St. Formule midi jusqu'à 16h30, env 13 $; plats 12-20 $.* Cadre lumineux et sans fioritures pour cet excellent resto japonais proposant sushis, sashimis, *rolls,* soupes, salades, etc., à prix raisonnables, et préparés sous vos yeux par une brochette de cuistots qui connaissent leur job. Le midi, le menu *sushi special lunch* est vraiment une affaire. Très bon rapport qualité-prix et service discret.

Good Enough to Eat *(plan 2, F8,* ***125****) : 483 Amsterdam Ave (entre 83rd et 84th St). ☎ 212-496-0163. Ⓜ (1) 86th St. Plats 10-20 $.* Barrière blanche devant l'entrée et déco rustique chaleureuse ; bienvenue à la ferme ! Côté fourneaux, on mitonne une cuisine américaine de qualité, copieuse et relevée de petites tonalités européennes. Spécialité de *roasted turkey* et *charcoal grilled New York steak,* le *chili* du jour, ainsi que de belles salades. Également des desserts vraiment appétissants. Très apprécié pour le brunch. Une de nos adresses les plus anciennes et toujours fidèle au poste depuis 30 ans !

Barney Greengrass the Sturgeon King *(plan 2, F8,* ***294****) : 541 Amsterdam Ave (entre 86th et 87th St). ☎ 212-724-4707. Ⓜ (1) 86th St. Mar-ven 8h30-16h ; w-e 8h30-17h. Plats 8-20 $.* Ouvert depuis 1908, ce *delicatessen* « dans son jus », et toujours dans la même famille, est spécialisé dans le saumon fumé *(lox)* et l'esturgeon, à emporter ou à déguster sur place (à l'assiette ou en sandwich) dans un cadre pittoresque avec formica vieillot et fresques murales kitsch à souhait. Plusieurs plats roboratifs d'Europe de l'Est pour les journées frisquettes, notamment les superbes plateaux de poissons fumés ou toutes les déclinaisons de *herrings*. Lieu original qui apparut dans plusieurs films dont le dernier fut *Extrêmement fort et incroyablement près*, avec Tom Hanks et Sandra Bullock...

Josie's *(plan 2, F9,* ***293****) : 300 Amsterdam Ave (et 74th St). ☎ 212-769-2964. Ⓜ (1, 2, 3) 72nd St. Tlj sf sam-dim midi. Plats 14-20 $.* On est dans l'un de ces nombreux restos de New York qui revendiquent une cuisine légère, bio et *healthy.* Au menu : salades, pâtes, burgers, *seafood* et poulet bien ficelés, à déguster dans une salle agréable. Également de bons cocktails, jus de fruits, et grand choix de bières.

City Diner *(plan 2, F8,* ***291****) : 2441 Broadway (et 90th St). ☎ 212-877-2720. Ⓜ (1) 86th St. Ouv 24h/24. Plats 10-18 $; formules petit déj 6-10 $.* Dans ce *diner* Art déco, on sert une nourriture américaine de bonne qualité, et les portions suffisent en général pour 2. Dans l'assiette : classiques omelettes, salades, sandwichs, burgers, steaks, *seafood*... Une spécialité : les *grilled BBQ baby back ribs*. Idéal pour faire une pause tranquillou et regarder la vie new-yorkaise défiler à travers les grandes fenêtres.

De prix moyens à plus chic

Café Frida *(plan 2, G9,* ***346****) : 368 Columbus Ave (et 78th St). ☎ 212-712-2929. Ⓜ (1) 79th St. Plats 17-30 $.* Un bon resto mexicain, dans tous les sens du terme : déco sympa (du rustique soigné, avec quelques jolis masques disposés sur les murs rouges), cuisine copieuse et de qualité (comprendre fraîche et innovante, même s'il y a bien sûr toute la panoplie classique des tacos et autres *burritos*). Belles spécialités comme le *mole negro de Oaxaca* et le goûteux *ceviche* du jour (poisson cru aux piments)... Accueil souriant. Très fréquenté. Brunch le dimanche.

Carmine's *(plan 2, F8,* ***297****) : 2450 Broadway (et 91st St). ☎ 212-362-2200. Ⓜ (1) 86th St. Résa conseillée pour dîner. Portions gargantuesques 20-30 $ (moins cher le midi).* Resto-bar très prisé des New-Yorkais, heureux de se retrouver dans cette immense salle digne d'un décor de cinéma, où ventilos, lampes et une accumulation de vieilles photos aux murs distillent une ambiance d'un autre temps... Au menu, cuisine italienne savoureuse et ultra-copieuse à partager (c'est d'ailleurs ce qui fait le succès de la maison : une portion peut nourrir au moins 3 personnes). Chaque jour une spécialité : *osso buco* le jeudi, « quatre pâtes spéciales » le dimanche). Les lundi et mardi soir, véritable festin pour 45 $. Vins cependant assez chers.

Gennaro *(plan 2, F8,* ***325****) : 665 Amsterdam Ave (entre 92nd et 93rd St). ☎ 1-212-665-5348. Ⓜ (1, 2, 3) 96th St. Tlj sf lun 17h-22h30 (ven-sam 23h). Pas de résas. Env 30 $ à la carte. CB refusées.* Un resto italien de quartier qui fidélise la clientèle grâce à une carte courte de pâtes maison et quelques plats de viande et de poulet bien fagotés. Offre également une plaisante petite salle voûtée d'une élégante et chaleureuse simplicité. Mignonne « bibliothèque » de beaux flacons... Goûter aux gnocchis frais crème et basilic et au *stinco di agnello* (agneau sauce vin rouge). Ajoutez à cela une bouteille d'un bon cru transalpin, et vous voici bien parti pour un dîner romantique.

Très chic

Nougatine at Jean Georges *(plan 2, G10,* ***264****) : dans le* Trump International Hotel, *1 Central Park W. ☎ 212-299-3900. Ⓜ (A, C, D, 1) 59th St-Columbus Circle. Formule prix fixe déj 28 $, dîner 38 $ (servi en sem 17h-18h et 22h-23h slt) ; menu dégustation 68 $ ou carte.* Jean-Georges Vongerichten est une icône de la gastronomie new-yorkaise (d'origine alsacienne, en fait), doté d'un sens aigu des affaires : il possède une quinzaine de restaurants dans le monde, dont plusieurs à Manhattan. Le *Jean Georges* est le principal, accolé à une annexe plus décontractée, *Nougatine,* qui propose midi et le soir à certaines heures un menu pour un prix tout à fait raisonnable. L'occasion de goûter à peu de frais à la gastronomie de ce chef talentueux (qui élabore une cuisine française aux accents asiatiques) dans un cadre lumineux, chic et design, avec vue sur Central Park. Cuisine ouverte et long comptoir pour les pressés. Petit menu du midi plébiscité. Desserts particulièrement réussis. Service stylé mais pas guindé.

Épiceries fines et supermarchés

Zabar's *(plan 2, F9,* ***507****) : 2245 Broadway (et 80th St). ☎ 212-787-2000. Ⓜ (1) 79th St. Tlj 8h-19h30 (sam 20h, dim 9h-18h).* Amoncellement de pâtisseries, de charcuteries, de fromages et de *delis,* tous plus délicieux les uns que les autres. Le saumon fumé passe pour être le meilleur de la ville. Une grande fête des sens ! Les thés rares et cafés odorants cohabitent avec toute une quincaillerie d'articles ménagers... Snack pour déguster plusieurs formules de petit déj, de bonnes soupes, quiches et *frozen yogurt.* À humer absolument.

Trader Joe's *(plan 2, F9,* ***627****) : 2073 Broadway et 72nd St. ☎ 212-799-0028. Ⓜ (1, 2, 3) 72nd St. Tlj 8h-22h.* Cette chaîne de supermarchés bio est le nouveau QG des New-Yorkais bobo-écolo. Plusieurs adresses dans la Big (et Green) Apple mais celui-ci est très grand et peut-être un peu moins fréquenté que les autres (c'est relatif bien sûr !). Prix très attractifs pour la qualité.

Whole Foods Market *(plan 2, G7,* ***181****) : 808 Columbus Ave (et 97th St): ☎ 1-212-222-6160. Ⓜ (1, 2, 3) 96th St. Tlj 8h-23h.* Voir le descriptif de ce supermarché bio haut de gamme dans « Theater District et Midtown West. Où manger ? Bon marché... ». À noter que cette succursale possède également un vaste espace pour s'attabler et déguster les suggestions du jour.

Salons de thé, cafés, pâtisseries et glacier

Magnolia Bakery *(plan 2, G9,* ***318****) : 200 Columbus Ave (et 69th St). ☎ 212-724-8101. Ⓜ (1) 66th St-Lincoln Center. Tlj 7h30-22h (ven-sam minuit).* Voici la succursale locale de la pâtisserie de Greenwich Village rendue célèbre par les héroïnes de *Sex and the City.* On y retrouve les *cupcakes,* cheese-cakes, *carrot cakes* et autres gâteaux à étages typiquement ricains mais réellement délicieux ici. Venir une fois revient à prendre un abonnement ! Sympa aussi pour le breakfast (muffins, cakes...), d'autant qu'il y a ici une petite salle au charme rétro pour s'asseoir.

Beard Papa Sweets Café *(plan 2, F9,* ***317****) : 2167 Broadway (entre 76th et 77th St). ☎ 212-799-3770. Ⓜ (1) 79th St. Tlj 10h-22h.* Les Japonais et les gens du quartier se régalent des choux à la crème de *Beard Papa* depuis 1952. Voici donc un vrai repaire de gourmands ! Pour environ 2 $ pièce, ces choux sont faits devant vous (les saveurs changent chaque semaine), moelleux et sucrés à merveille... Nos préférés : les *green tea* ou *caramel cream puffs,* sans oublier les fabuleux éclairs et le *dulche de leche*... Et que dire de leurs fondants au chocolat ? Miam !

Grom *(plan 2, F9,* ***317****) : 2165 Broadway (entre 76th et 77th St). ☎ 212-362-1837 et 646-290-7233. Ⓜ (1) 79th St. À partir de 6 $.* Le secret de fabrication de cet authentique glacier italien : uniquement des bons produits et des fruits frais de saison pour les sorbets (noisettes italiennes et café du Guatemala, fraises l'été et mandarines l'hiver), du bon lait entier et des œufs bio pour les *gelati,* et aucun colorant ni additif. On peut ajouter dessus crème fouettée et brisures de cookies. En revanche, c'est très cher (mais quand on fait de la qualité...).

Levain Bakery *(plan 2, F9,* ***284****) : 167 W 74th St (entre Columbus et Amsterdam Ave). Ⓜ (1, 2, 3) 72nd St.* Voir plus haut « Spécial petit déjeuner et brunch ».

Où boire un verre en soirée ? Où écouter du jazz ?

Smoke Jazz Club *(plan 2, F7, **466**) : 2751 Broadway (et 106th St). ☎ 212-864-6662. • smokejazz.com • Ⓜ (1) 103rd St. Sets à 20h, 22h et 23h30. Pas de cover charge en sem, mais dépense min 20 $/pers et par set ; ven-sam, cover charge 20-30 $ selon soirée.* Petit club chaleureux et intimiste avec lumière tamisée et canapés en velours rouge, pour dîner (prix moyens) ou boire un verre en écoutant du jazz live de très bon niveau. L'un des plus réputés dans la nuit de West Side, mais pas donné au final : mieux vaut profiter des *happy hours* (ni *cover charge* ni dépense minimum pour le dernier *set* du mardi au jeudi) ou du *jazz brunch* le samedi et le dimanche, sets à 11h30, 13h et 14h30 (pas de *cover*).

Boat Basin Café *(plan 2, F9, **417**) : tt au bout de W 79th St, au bord de l'Hudson River. ☎ 212-496-5542. • boatbasincafe.com • Ⓜ (1) 79th St, bus M79 « crosstown ». Pour atteindre le café, au croisement de W 79th St et Riverside Dr, il faut continuer vers l'Hudson et passer sous la route par un escalier (panneaux) ; c'est là, « sous » le rond-point. Ouv 12h-23h30 (23h lun-mer, 22h dim), mai-oct slt, et selon le temps.* En plein air, sous des arcades ou en terrasse, le bar fait face à l'Hudson River et à une petite marina : superbe vue et couchers de soleil romantiques à souhait. Le soir, éclairage aux lampions, et concerts de musique classique certains week-ends. Possibilité de se restaurer : burgers, sandwichs et carte limitée. Plutôt une bonne surprise !

Cinémas

■ **Lincoln Plaza Cinema** *(plan 2, G10) : sur Broadway (entre 62nd et 63rd St). ☎ 212-757-2280. • lincolnplazacinema.com • Ⓜ (1) 66th St.* Le *Lincoln Plaza* est *THE* référence pour les sorties de nouveaux films pas trop commerciaux, et souvent de films contemporains. Fier d'avoir révélé aux Américains *Red Sorgho*, 1er film de Zhang Yimou, la *Vie rêvée des Anges* d'Erick Zonca, *Toto le Héros* de Jaco van Dormael, *Yaaba* de Idrissa Ouedraogo et tant d'autres....

■ **Elinor Bunin Monroe Film Center** *(plan 2, F-G10) : 165 W 65th St (entre Broadway et Amsterdam Ave), au 1er étage. ☎ 212-875-5601, ou 1-212-875-5600 (infos). • filmlinc.com • Ⓜ (1) 66th St. Guichet ouv de 12h30 (1h30 avt la 1re séance le w-e) jusqu'à 15 mn avt le début de la dernière séance.* C'est le nouveau ciné du Lincoln Center. Dans un cadre ultra-design, belles rétrospectives par thèmes, pays ou réalisateurs. Vous pourrez approcher et questionner les plus grands cinéastes présentant leurs films : une expérience unique !

■ **AMC Loews** *(plan 2, F-G9-10) : 1998 Broadway (angle 68th St). ☎ 1-212-336-5020 et 888-AMC-4FUN. • amctheatre.com • Ⓜ (1) 66th St.* Plusieurs écrans géants IMAX pour des méga-expériences 3D et des films commerciaux.

Shopping

Vêtements, chaussures

Harry's Shoes *(plan 2, F8, **628**) : 2299 Broadway (et 83rd St). ☎ 212-874-2035 et 1-866-442-7797. Ⓜ (1) 86th St.* Grande boutique de chaussures (depuis 1931) avec une bonne sélection de toutes les marques prisées des Français : les bottes Ugg et Hunter, les chaussures de sport à orteils Vibram... Le magasin enfants est un bloc au-dessus, au 2315 Broadway.

Crocs *(plan 2, G9, **623**) : 270 Columbus Ave (et 72nd St). ☎ 212-362-1655. Ⓜ (1, 2, 3) 72nd St.* Le créateur canadien des célèbres chaussures-sabots en plastique troué, déclinées de toutes les couleurs, pour petits et grands. On en trouve même des fourrées ! Un seul conseil : bannissez la chaussette, les *Crocs* se portent pieds nus !

The North Face *(plan 2, F9, **615**) : 2101 Broadway (angle 73rd St). ☎ 212-362-1000. Ⓜ (1, 2, 3) 72nd St.* La grande boutique de la célèbre marque de vêtements de montagne, d'exploration et de loisirs. Pas donné mais un peu moins cher qu'en France et promos régulières sur de nombreux articles. Voici donc sacs à dos, anoraks, vestes polaires, duvets, tentes, vêtements de sport, rando...

Patagonia *(plan 2, G9,* **584***) : 426 Columbus Ave (entre 80th et 81st St). ☎ 917-441-0011 et 212-343-1776. Ⓜ (C) 81st St.* Cette marque d'*outerwear* californienne (malgré son nom) s'est frayé un chemin parmi les randonneurs et autres amateurs de grand air pour ses vêtements résistants et légers à la fois, fabriqués à partir de matériaux recyclés. Couleurs et stylisme plus recherchés que chez *North Face,* pour des prix équivalents.

Spécial enfants

West Side Kids *(plan 2, F8,* **577***) : 498 Amsterdam Ave (angle 84th St). ☎ 212-496-7282. Ⓜ (1) 86th St.* Si vous avez envie de gâter vos enfants après la visite du *Children Museum,* ne ratez pas l'occasion de les emmener ici. Vaste choix de jeux « intelligents », notamment de nombreux casse-tête et puzzles, mais aussi des livres, jouets éducatifs pour les tout-petits, etc.

Livres et disques

Westsider Rare and Used Books *(plan 2, F9,* **609***) : 2246 Broadway (entre 80th et 81st St). ☎ 212-362-0706. westsiderbooks.com Ⓜ (1) 79th St. Tlj 10h-minuit.* Des montagnes de bouquins. Occasions éclectiques et nombreuses premières éditions pour les collectionneurs (et beaucoup autour de 1 $).

Westsider Records *(plan 2, F9,* **611***) : 233 W 72nd St (près de Broadway). ☎ 212-874-1588. Ⓜ (1, 2, 3) 72nd St.* Beaucoup de vinyles d'occasion (plus de 30 000 !). Dans cette petite échoppe-capharnaüm, on trouve surtout du classique, mais aussi du jazz, de la musique ethnique, un grand choix de variété étrangère, des musiques de films, etc. Quelques livres anciens à l'entrée. On peut aussi faire transférer des vinyles sur CD.

À voir

Lincoln Center *(plan 2, F-G10) : 70 Lincoln Center Plaza (angle Broadway et Columbus Ave). ☎ 212-875-5000. • newlincolncenter.org/live • Ⓜ (1) 66th St. Tlj 10h30-16h30, différentes visites guidées thématiques : salles de spectacles, architecture, jazz... Résa par mail ou tél conseillée : ☎ 212-875-5350 (possibilité de réserver un tour en français). Tarif (guichet dans le lobby de l'Avery Fisher Hall) : env 15 $; réducs.* La vraie vedette, c'est peut-être cet ensemble de salles, inauguré en 1966 et largement modernisé en 2010-2011, qui fait partie de l'un des plus grands centres culturels au monde, essentiellement construit grâce à des dons (5 millions de visiteurs annuels !). Moyennant la bagatelle de 1 000 $, les donateurs ont eu leur nom inscrit sur l'un des fauteuils, mais pas le droit de s'asseoir dessus ! Le Lincoln Center comprend le *Metropolitan Opera,* le *David H. Koch Theater* (où se produisent le *New York City Opera* et le *New York City Ballet*), l'*Alice Tully Hall,* le nouveau *David Rubenstein Atrium* et l'*Avery Fisher Hall* (où se produit le *New York Philharmonic*). De plus, on y trouve un théâtre, une école de musique, un cinéma flambant neuf *(Elinor Bunin Monroe Film Center)* et, à droite du MET, une fantastique bibliothèque des *Performing Arts* où vous trouverez tout ce que vous pouvez imaginer sur le cinéma, le théâtre, la danse, etc.

– ***David Rubenstein Atrium :*** *Broadway (entre 62nd et 63rd St). Tlj 8h (9h dim)-22h. Public Visitors Centre* où l'on peut acheter ses billets pour tous les spectacles, recueillir les infos. On y trouve un café. Retenir surtout les concerts gratuits du jeudi soir à 20h30, ainsi que *l'Artist Saturday,* le 1er samedi du mois, à 11h.

– ***Metropolitan Opera :*** le centre du complexe. Le foyer, décoré par des peintures murales de Chagall, et l'auditorium sont éclairés par de gigantesques lustres en cristal autrichien, qui sont d'une beauté rare. *Prendre un programme sur place ou se renseigner au ☎ 212-362-6000 et sur • metoperafamily.org/metopera • Achat des billets sur Internet, par tél (avec surcharge) ou sur place. En présentant une carte d'étudiant au guichet, tickets à prix riquiqui pour certains spectacles slt. Et pour ts, 200* rush tickets *sont vendus au guichet lun-jeu 2h avt la représentation (2/pers max) pour 20 $.*

– ***Avery Fisher Hall :*** la maison du *New York Philharmonic.* Son acoustique a été longtemps décriée : les musiciens sur scène ne s'entendaient pas les uns les autres, ce qui était un peu gênant... Le plafond de la scène a donc été réaménagé avec des panneaux en chêne qui ont résolu ce gros problème technique *(infos : ☎ 212-875-5030 et • nyphil.org •).*

– ***David H. Koch Theater :*** *☎ 212-879-5570.* L'une des salles les plus prestigieuses pour assister aux représentations du *New York City Opera (• nycopera.com •)* et du *New York City Ballet (• nycballet.com •),* qui fut dirigé par George Balanchine... Concernant le New York City Ballet, différentes promotions sont proposées, notamment pour les étudiants : consultez le site internet.

– ***Alice Tully Hall :*** *☎ 1-212-875-5050 et 875-5788.* Réservé aux concerts de musique de chambre, c'est le seul espace du Lincoln Center ouvert sur l'extérieur, donc aussi lumineux. Silhouette tout en angles, légère et élancée comparée à celle des autres halls, massifs et austères. Pour en revenir au Alice Tully Hall, n'hésitez pas à étudier le programme pour dénicher les quelques concerts gratuits et de qualité donnés par les étudiants de la Julliard School.

American Folk Art Museum *(plan 2, G10) : 2 Lincoln Sq (entre 65th et 66th St). ☎ 212-595-9533. • folkartmuseum.org • Ⓜ (1) 66th St. Tlj sf lun 12h-19h30 (18h dim). Entrée gratuite.* Ce musée d'art populaire présente sa collection permanente (régulièrement renouvelée) d'objets d'art et d'artisanat américains du XVIIIe au XXe s : dessins, sculptures sur bois, objets en faïence, peintures... Remarquable collection de *quilts.* Également des œuvres d'artistes contemporains autodidactes de différentes nationalités dans le cadre d'expos temporaires. À notre avis, pour un public averti.

American Museum of Natural History *(plan 2, G9) : Central Park W et 79th St. ☎ 212-769-5100. • amnh.org • Ⓜ (C) 81st St. Tlj 10h-17h45. Fermé à Thanksgiving et Noël. Donation suggérée : musée + Rose Center 19 $ (10,50 $ pour les 2-12 ans) ; combiné musée + Rose Center + expo temporaire ou musée + Rose Center + planétarium-Space Show ou IMAX 25 $ (14,50 $ enfants) ; combiné pour tout (même les expos temporaires) : 33 $ (20,50 $ enfants). Plan du musée en français à demander à l'entrée. Audioguide gratuit en anglais pour le Rose Center slt. Visites guidées, gratuites et en anglais, ttes les heures 10h15-15h15 (départ à l'entrée du hall of African Mamals).*

Vous voici donc au cœur de l'un des plus grands musées d'Histoire naturelle au monde, installé dans un bâtiment à l'architecture triomphaliste et pompière du XIXe s qui servit de décor à *La Nuit au musée,* avec Ben Stiller. L'énorme hall d'entrée (la *Theodore Roosevelt Rotunda*), avec ses deux impressionnants squelettes de dinosaures, rappellera aux enfants de bons souvenirs du film. On vous conseille au moins deux visites si vous ne voulez pas rester sur votre faim ni épuiser d'un coup d'un seul votre progéniture... Voici néanmoins les principales attractions.

– ***Les animaux naturalisés :*** au centre du musée (aux niveaux 1, 2 et 3), sont exposés les mammifères de différents continents (Afrique, Amérique du Nord et Asie) mis en scène de manière très réaliste dans des décors rappelant leur environnement naturel, avec leurs petits, de la végétation et plein de détails amusants à observer. Leurs poses sont souvent très expressives, pas du tout statiques. Bref, un enchantement. Également des salles plus récentes sur les primates et invertébrés *(3rd Floor)* et les oiseaux *(2nd Floor).*

– ***Les peuples et civilisations :*** de la reconstitution des habitats traditionnels aux armes de chasse, en passant par les statues, masques et autres objets rituels, sans oublier les outils, bijoux, vêtements, instruments de musique, etc., le musée nous emmène en voyage sur tous les continents, en nous plongeant dans les habitudes sociales des peuples. Ne manquez pas, en particulier avec vos enfants, les sections consacrées aux Indiens d'Amérique et aux peuples du Pacifique au 2e étage *(3rd Floor)*, d'une originalité sans pareille.

– ***Les dinosaures :*** l'attraction la plus connue du musée, qui occupe une grande partie du 3e étage *(4th Floor)*. Les enfants adorent évidemment !

– ***La vie océanique :*** plongez dans cette section résolument moderne et fabuleuse, totalement dédiée à la vie marine, et dominée par une impressionnante baleine bleue longue de 30 m en fibre de verre. Du rez-de-chaussée *(1st Floor)* à la mezzanine du 1er étage *(2nd Floor)*, les poissons et autres animaux marins sont présentés par famille dans leur environnement naturel, pour une compréhension immédiate. Vraiment très réussi !

– ***Biologie et biodiversité :*** au rez-de-chaussée *(1st Floor)*, à l'entrée de la vie océanique, belle salle didactique sur la biodiversité (barrière de corail, forêt primaire, océans...), mettant l'accent sur l'épuisement des ressources planétaires, et la nécessité de les préserver, de recycler, pour mieux protéger l'environnement... Une belle leçon de choses, mais dommage que rien ne soit dit sur l'un des plus gros pays pollueurs au monde : les États-Unis !

– ***Le cinéma IMAX :*** au rez-de-chaussée *(1st Floor)*, projections sur écrans géants dans l'Imax Theater *(ttes les heures 10h30-16h30. Rens sur la programmation : ☎ 212-769-5200)*.

– ***Le planétarium et le Rose Center for Earth and Space :*** un musée dans le musée ! *Entrée sur Central Park W et 81st St, ou accès par l'intérieur du musée (audioguide gratuit en anglais)*. Sa splendide architecture moderne contraste avec les vieilles pierres du musée : une boule en aluminium de près de 27 m de diamètre emprisonnée dans un cube en verre de 29 m de côté ! Pas moins de 210 millions de dollars ont été investis dans ce complexe inauguré en 2000...

Le ***Space Show*** du *planétarium* est à voir absolument : spectacle magnifique de 20 mn (commentaires en anglais mais les images se suffisent presque à elles seules). En général, on vous fixe une séance à l'achat des billets donc regardez bien l'horaire écrit dessus.

Au pied de la sphère s'étire le ***Cosmic Pathway,*** une rampe longue de 110 m qui expose chronologiquement une foule de photos astronomiques illustrant les 13 milliards d'années de l'univers, du *Big Bang* à l'apparition d'*Homo sapiens,* en passant par les dinosaures (à chaque pas, on avance de 75 millions d'années !). Ne pas rater non plus le ***Scales of the Universe Big Bang,*** où l'on vous explique la taille de l'univers de façon imagée : si la sphère du planétarium représentait le Soleil, alors la Terre serait de la taille d'un ballon de foot ; et, si la sphère incarnait une goutte d'eau, un globule rouge aurait la taille de votre poing. C'est clair !

À ne pas manquer encore le ***Hall of Planet Earth*** : plus de 800 m² consacrés aux 4,5 milliards d'années d'histoire de la planète Terre, avec des sections différentes et très instructives, répondant aux questions suivantes : Comment la planète a-t-elle évolué ? Pourquoi y a-t-il des océans, continents et montagnes ? Comment un scientifique lit-il une roche ? Qu'est-ce qui crée le climat et ses changements ? Pourquoi la Terre est-elle habitable ? Des réponses concrètes sont apportées avec, à l'appui, de nombreux échantillons de roches, cristaux, pierres précieuses, météorites... Le musée présente même des cheminées sulfureuses qui poussent au fond des océans (certains scientifiques pensent que la vie a commencé comme ça...). Vous verrez aussi la trace de l'éruption volcanique du Vésuve, qui a enseveli Pompéi en 79 apr. J.-C. et des colonnes de glace d'Alaska de plus de 115 000 ans... Au centre, un petit amphithéâtre avec une demi-sphère sur laquelle la Terre est vue de l'espace puis « dévêtue » pour ne laisser que la croûte. Et puis des écrans vidéo avec les derniers événements terriens : ouragans, tremblements de terre, éruptions volcaniques, crues, érosions créées par les glaciers, etc.

Food-court au sous-sol, sous forme de self. Moyen (à part le *salad bar*) et pas donné. Sinon, plusieurs **cafés** pour faire une pause.
Plusieurs **boutiques** bien sûr, à différents endroits du musée.

New York Historical Society *(plan 2, G9)* **:** *170 Central Park W (angle 77th St). ☎ 1-213-873-3400. • nyhistory.org • (C) 81st St. Tlj sf lun 10h-18h (ven 20h et dim 11h-17h). Bibliothèque tlj sf dim-lun 9h-15h (sam 10h-13h). Entrée : 15 $; réducs ; gratuit moins de 12 ans. Ne pas manquer de se procurer les audio-guides gratuits pour les différentes expos temporaires.*
Le plus ancien musée de New York, fondé en 1804, a rouvert fin 2011 après 3 ans de travaux de rénovation. L'essentiel des espaces est occupé par une riche section ethnographique au dernier étage et de remarquables expos temporaires sur l'histoire de la ville. Dans le hall d'entrée, au-dessus du comptoir, un fragment du plafond peint par Keith Haring pour sa *Pop Shop* de SoHo, où il vendait en direct ses T-shirts et autres posters imprimés. *Living History Days :* de février à avril, toutes les semaines (le samedi ou le dimanche et le 4 Juillet), un régiment de la guerre d'Indépendance, disséminé autour et dans le musée, raconte sa guerre au quotidien. Projection toutes les 30 mn de *New York Story,* un film multimédias sur la ville à travers les siècles. Bon cycle de conférences littéraires...
Conseillé de monter directement au *Level Four* :
– *Level Four :* la *collection permanente,* présentation de 40 000 objets symbolisant 400 ans d'histoire. Un catalogue à la Prévert : la plus belle expo de chaises et de mobilier et la statuaire la plus éclectique qu'on connaisse, puis de l'argenterie, de la porcelaine, de vieilles bornes routières de la ville, un carrosse de 1770... Belle collection de Tiffany... Intéressantes vidéos sur l'émigration dans la ville. En mezzanine, objets domestiques de tous les jours, pittoresques enseignes du passé, jouets, cannes, pipes, médailles, armes de la guerre de Sécession, etc. Petite section de peintures présentant des aspects de New York aux XVIIIe et XIXe s, ainsi que de beaux portraits par *Rembrandt Peale* et *Gilbert Stuart*.
– *Level Two and One :* expos temporaires tous les 5 ou 6 mois sur des aspects historiques, culturels ou sociaux de la vie new-yorkaise. Richesse des documents et de l'iconographie.
– *Lower Level (sous-sol) :* les enfants ont même droit à leur propre musée dans le musée, avec animations ludiques et interactives. Là aussi, quatre siècles d'histoire racontés à travers les yeux des enfants de chaque époque !

Children's Museum of Manhattan *(plan 2, F8,* ***724****)* **:** *212 W 83rd St (entre Broadway et Amsterdam Ave). ☎ 1-212-721-1234. • cmom.org • (1) 86th St. Mar-dim 10h-17h (19h sam). Entrée : 11 $ (adulte et enfant au-dessus de 12 ans) ; réducs ; gratuit pour ts le 1er ven du mois 17h-20h.* Créé en 1973 (74 ans après celui de Brooklyn !), il est consacré aux enfants et à leurs parents sur le thème « apprendre en jouant ». Nombreuses activités « interactives » : ateliers temporaires de peinture, théâtre de marionnettes, familiarisation avec les institutions de la vie quotidienne (médecin, transports, médias...), etc.

Nicholas Roerich Museum *(plan 2, F7,* ***723****)* **:** *319 W 107th St (entre Broadway et Riverside Dr). ☎ 1-212-864-7752. • roerich.org • (1) 110th St. Tlj sf lun 12h-17h (sam-dim 14h-17h). Entrée libre.* Cette belle maison de 1929, classée *historical landmark,* abrite un petit musée consacré au peintre russe né à Saint-Pétersbourg en 1874 et mort en Inde en 1947 (coup de foudre quand il débarqua à Bombay en 1923). Il laisse une œuvre d'une grande richesse (près de 7 000 toiles et dessins). Peinture très graphique, style original, toute empreinte de spiritualité. En particulier, grand sens de la profondeur de champ, avec des paysages se détachant harmonieusement sur plusieurs niveaux. Superbe série sur les Himalaya.

Itinéraires du sud au nord dans Upper West Side

Voici deux itinéraires dans Upper West Side, au cours desquels vous verrez de beaux édifices Art déco : l'un sur *Central Park West* en longeant le parc, et l'autre en remontant *Broadway.* Dans les deux cas, le départ se fait de *Columbus Circle (plan 2, G10).*

Le long de Central Park West *(plan Itinéraires Upper West Side, de A à O)*

➢ On démarre donc à Columbus Circle, dominé par la statue de Christophe Colomb et les tours jumelles du Time Warner Center, signé par l'architecte David Childs. Après avoir jeté un coup d'œil à l'immense ***Trump Tower (A),*** une autre des tours de Donald, qui abrite un hôtel de luxe et surtout l'un des plus prestigieux restos de NYC, le *Jean Georges* (voir « Où manger ? »), longez Central Park. Au 25 Central Park West, le ***Century (B),*** bel immeuble Art déco construit en 1931 par l'architecte Jacques Delamarre, l'un des rares bâtiments surmontés de deux tours jumelles qui bordent Central Park.

➢ Alternatives au style Art déco qui a envahi le quartier en son temps, la ***West Side YMCA (C),*** 5 West 63rd Street (voir « Où dormir ? »), se cache derrière une belle façade en brique rouge d'inspiration romane (1928), et la ***New York Society for Ethical Culture (D),*** 2 West 64th Street, à l'angle de Central Park West, est un édifice Art nouveau qui eut son heure de gloire.

➢ Après être passé devant le ***55th Central Park West (E),*** autre immeuble Art déco caractéristique, arrêtez-vous au 1 West 67th Street, devant l'***hôtel des Artistes (F),*** construit par l'architecte George Mort Pollard en 1918 et autrefois fréquenté par Rudolph Valentino et la danseuse Isadora Duncan. Sur la façade, d'amusantes figures néogothiques représentent des peintres, écrivains et musiciens.

➢ Après avoir observé la ***Spanish and Portuguese Synagogue,*** plantée au coin de West 70th Street, prendre cette rue jusqu'à Columbus, puis revenir sur Central Park West par West 71st Street. Les deux rues sont bordées de ***row houses,*** ces maisons construites fin XIXe-début XXe s dans un style très éclectique néogrec, néoroman, néo-Renaissance, baroque, etc.

➢ Au 115th Central Park West, entre West 71st et 72nd Street, un autre ouvrage Art déco de Jacques Delamarre, le ***Majestic (G),*** bâti en 1931. Notez le style épuré et les deux tours qui se terminent par des motifs architecturaux très en vogue à l'époque. Construit sur le site d'un ancien hôtel Renaissance, l'immeuble accueillit Fred Astaire et le gangster Frank Costello (dans deux styles différents !). En 1957,

A Trump Tower
B Century Building
C West Side YMCA
D New York Society for Ethical Culture
E 55th Central Park West
F Hôtel des Artistes
G Majestic
H Dakota Building
I San Remo
J Studio Building
K Beresford
L 241 Central Park West
M 285 Central Park West
N El Dorado
O Raleigh
I Lincoln Center
II Dorilton Building
III Blessed Sacrament Church
IV 110 W 72nd St
V Ansonia Building
VI Belleclaire Hotel
VII Apthorp Building
VIII First Baptist Church
IX Belnord Building
X West Park Presbyterian Church
XI Astor Court Apartments
XII Cornwall Building
XIII Pomander Walk

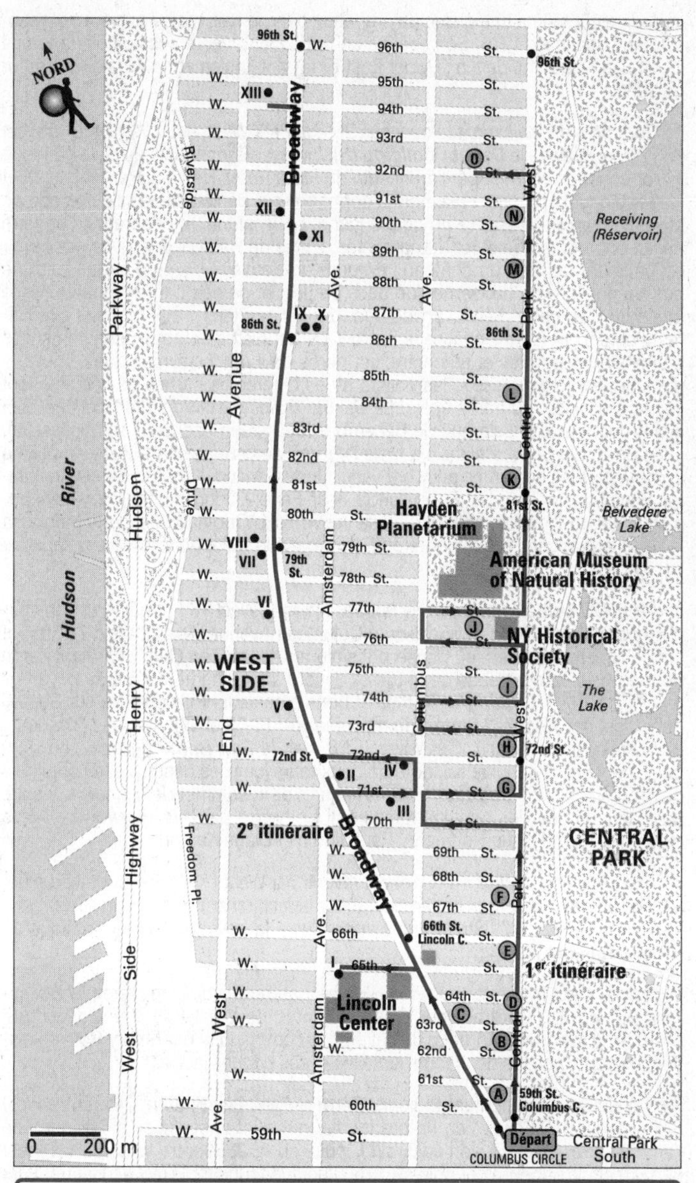

ITINÉRAIRES UPPER WEST SIDE

celui-ci reçut même une giclée de pruneaux dans le hall, mais il survécut et mourut dans son lit en 1973. Son acolyte Lucky Luciano vécut aussi quelque temps ici, et Elia Kazan, infidèle à l'Upper East Side, vint finalement s'y installer à partir de 1960.

➢ Tout près du *Majestic,* toujours sur Central Park West, entre West 72nd et West 73rd Street, s'élève le ***Dakota Building (H),*** incroyable immeuble de style gothique Tudor construit en 1881 par l'architecte du *Plaza Hotel,* Henry J. Hardenberg. Cet immeuble fut le premier ensemble d'appartements de luxe de la ville. Façade de style *German Renaissance* en brique jaune, *brownstone,* et décorations en terre cuite ; photographiée et rephotographiée. L'idée de Hardenberg fut de concevoir ce bâtiment comme un château : entouré de douves ! L'entrée se fait par une grande porte en arche, cernée de becs de gaz, et gardée par une guérite (visite interdite). Sur cette même façade sud, deux « pavillons » aux fenêtres circulaires s'étirent du rez-de-chaussée au toit. Le toit justement, avec ses immenses pignons sur les côtés et au centre, est percé de lucarnes symétriques. Toujours dans l'esprit « forteresse », les paliers et les différentes parties de l'édifice sont séparés par des murs très épais. Le *Dakota Building* était déjà fort célèbre bien avant que, par une sale nuit de décembre 1980, John Lennon y soit assassiné, juste devant la porte. Polanski a filmé l'endroit dans *Rosemary's Baby,* et l'on ne compte plus les célébrités qui y ont vécu : Judy Garland, Leonard Bernstein, Lauren Bacall, Jason Robarts, Boris Karloff, José Ferrer... John Lennon, lui, vivait tranquillement au 7e étage, côté est, où sa veuve Yoko Ono habite encore. Madonna y aurait été refusée il y a longtemps, trop connue à l'époque pour ses tapages nocturnes !

➢ Nouvelle petite escapade *row houses* : prenez West 73rd Street (mention spéciale pour les nos 15, 41 et 65) jusqu'à Columbus Avenue. Au 102 West 73rd Street (angle Columbus Avenue), pause possible au *Alice's Tea Cup,* charmant salon de thé niché en contrebas de la rue et décoré sur le thème d'*Alice au pays des merveilles* (très longue carte de thés et bons gâteaux)... Puis revenez sur Central Park West par West 74th Street (idem pour les nos 18-52 et 37). Au 145-146 Central Park West, entre West 74th et West 75th Street, le ***San Remo (I),*** édifié en 1930 par Emery Roth est, lui aussi, doté de deux tours jumelles destinées, à l'origine, à dissimuler de petits châteaux d'eau. Remarquez le sommet de ces tours, inspiré par l'architecture des temples romains. Il fut habité par Rita Hayworth et, plus récemment, par Dustin Hoffmann, Paul Simon et Diane Keaton.

➢ Prendre ensuite West 76th Street et revenir par West 77th Street pour un dernier festival de *row houses,* dont l'architecture n'a maintenant plus aucun secret pour vous ! Au 44 West 77th Street, vous apprécierez la belle façade néogothique du ***Studio Building (J).***

➢ Après avoir longé le musée d'Histoire naturelle, vous trouverez le ***Beresford (K),*** au 211 Central Park West, à l'angle de West 81st Street. Construit en 1929, la silhouette Art déco de cet édifice commandité par Emery Roth se distingue encore par ses deux tours jumelles et ses briques jaunes.

➢ Continuez en remontant toujours ***Central Park West*** : au ***n° 241*** (entre West 84th et West 85th Street), on notera les fleurs de lotus stylisées si typiques de l'architecture Art déco de l'édifice ***(L),*** puis, au ***n° 285*** (entre West 88th et West 89th Street), la superbe coupole qui orne l'unique tour simple ***(M)*** de Central Park West ; toutes les autres étant jumelles.

➢ Au 300 Central Park West (entre West 90th et West 91st Street), voici ***El Dorado (N)*** et ses deux tours jumelles Art déco, où vécurent Marilyn Monroe, Richard Dreyfuss et Groucho Marx. Et devinez qui l'a commandité : Emery Roth, bien sûr !

➢ Prenez maintenant West 92nd Street vers Columbus Avenue. Au n° 7, le ***Raleigh (O)*** avec ses charmantes et généreuses formes arrondies semble nous inviter à un petit repos dans l'herbe du parc. C'est tant mieux, la balade est finie !

➢ Pour revenir vers le sud d'Upper West Side, on vous conseille de descendre en flânant dans Central Park (voir le chapitre suivant). Si vous traînez les pieds, la ligne C du métro vous attend à l'angle de West 96th Street et de Central Park West.

En remontant Broadway *(plan itinéraires Upper West Side, de I à XIII)*

Commencez votre balade à Columbus Circle et remontez Broadway.

➢ Entre West 62nd et West 65th Street, on est dans la zone du ***Lincoln Center (I),*** décrit plus haut. Asseyez-vous donc quelques instants au bord de la fontaine du Lincoln Center et admirez ce gigantesque complexe artistique avec, bien sûr, le majestueux *Metropolitan Opera.*

➢ À l'angle de Broadway et de West 71st Street se dresse, au n° 171 de cette rue, l'immeuble ***Dorilton (II)*** construit en 1902. Remarquez la porte massive de ce bâtiment de style Beaux-Arts et sa riche décoration, mélange subtil de différents matériaux de construction, avec notamment les deux personnages sculptés sur la façade côté Broadway.

➢ Prenez alors West 71st Street vers Columbus Avenue. Au n° 150, jetez donc un petit coup d'œil à la façade fort réussie de la ***Blessed Sacrament Church (III).*** Puis continuez vers Columbus Avenue.

➢ En revenant vers Broadway par ***West 72nd Street,*** sur la gauche, au **n° 110** ***(IV),*** un édifice Belle Époque d'inspiration parisienne de... 12 étages ! Une fois revenu sur Broadway, au croisement de West 72nd Street, deux anciennes et charmantes entrées de métro.

➢ Au 2109 Broadway (entre West 73rd et West 74th Street) se dresse l'***Ansonia (V),*** à notre avis le plus bel édifice de l'Upper West Side. Imaginé par Paul E.M. Du Boy et achevé en 1903, il présente une façade très parisienne assez démente, de style Beaux-Arts, avec une superbe tour d'angle, de multiples tourelles, gargouilles, décrochements bizarres. Abritant deux piscines, un *roof garden,* et réputé insonorisé, il attira forcément les musiciens : Yehudi Menuhin, Toscanini, Stravinski, Chaliapine, Caruso y vécurent, ainsi que le célèbre showman Ziegfeld. Dans les années 1990, on y campa le décor du film *J.F. partagerait appartement,* avec Bridget Fonda et Jennifer Jason Leigh...

➢ Un peu plus loin, au 1901 Broadway (angle de West 77th Street), le ***Belleclaire Hotel (VI)*** combine les styles Beaux-Arts et Art nouveau. Cela dut plaire à Gorki, qui y séjourna en 1906 mais fut contraint de quitter les lieux quand on découvrit que sa prétendue femme ne l'était pas et, qui plus est, qu'elle exerçait le métier d'actrice *(so shocking !).*

➢ Un peu plus haut encore, au 2209 Broadway (entre West 78th et West 79th Street), voici l'***Apthorp (VII),*** l'un des édifices de style *Renaissance Revival* les mieux conservés de New York. Notez l'arche monumentale de son entrée, surmontée de quatre statues de facture grecque. Cour intérieure avec sa fontaine. Dommage, on ne peut pas entrer...

➢ Juste en dessus de l'*Apthorp,* à l'angle de Broadway et de West 79th Street, l'exubérante ***First Baptist Church (VIII)*** qui prend des allures de petit château avec ses tourelles.

➢ Après une petite pause culinaire bien méritée chez *Zabar's* (voir « Épiceries fines et supermarché », plus haut), à l'angle de West 80th Street, remontez sur

Broadway jusqu'à West 86th Street, prenez-la vers l'est et, aux nos 225-201, pénétrez dans la jolie cour intérieure de l'édifice ***Belnord (IX).*** Si vous demandez gentiment, on vous laissera passer. Grandes baies vitrées verticales en cuivre de style Art nouveau, assez étonnantes...

➢ Continuez jusqu'à l'angle avec Amsterdam Avenue où se dresse la ***West Park Presbyterian Church (X),*** une église originale, construite en *brownstone* en 1899, dans le style roman avec un clocher d'angle.

➢ Revenez sur Broadway et levez les yeux pour admirer deux belles corniches cuivrées : celle de l'***Astor Court Apartments (XI),*** au 205 West 89th Street, sur le côté est de Broadway ; puis celle encore plus surprenante du ***Cornwall (XII),*** au 255 West 90th Street, à l'angle de Broadway, côté ouest, vraiment digne d'un temple grec !

➢ Toujours plus haut ! Continuez sur Broadway jusqu'à ***Pomander Walk (XIII)*** située au 265 West 94th Street (entre Broadway et West End Avenue). Au milieu du bloc, on découvre une charmante allée intérieure joignant West 94th à West 95th Street. Vous devrez vous contenter de la regarder du bout des yeux (meilleure vue depuis 94th Street) car elle est privée. Cet alignement de petites maisons ressemblant à des cottages anglais fut construit en 1921, d'après les décors d'une pièce de Lewis Parker...

➢ À ce stade de la balade, si vous êtes épuisé, le métro vous attend à l'angle de West 96th Street et Broadway. Sinon, rejoignez à l'ouest l'agréable ***Riverside Drive,*** qui longe élégamment Riverside Park. Avec un peu de chance, vous arriverez pour le coucher du soleil...

➢ Pour redescendre vers le sud de West Side, deux solutions : rester sur Riverside Drive pour découvrir quelques alignements de *row houses,* dont certaines construites par Clarence F. True (nos 105-107 et 81-89 notamment), ou bien entrer dans ***Riverside Park*** et longer l'Hudson River vers le sud, jusqu'à West 72nd Street. C'est le terrain de jeux de nombreux New-Yorkais qui parcourent la promenade à pied, en poussette, à vélo, à rollers, et parfois même avec leur toutou pomponné ! Le week-end, les petits Américains y jouent aussi au base-ball, le sport national. La balade est fort jolie, le parc et les jardins bien entretenus...

➢ La promenade s'arrête au niveau de West 72nd Street, à l'extrémité sud du parc. À l'angle de cette rue et de Riverside Drive, en sortant du parc, ne ratez pas la statue très contemporaine et réaliste d'***Eleanore Roosevelt,*** surnommée « The First Lady of the World ».

CENTRAL PARK

Central Park est un espace vert artificiel entièrement aménagé par l'homme. L'un des rares endroits à New York où l'on peut marcher sur de la terre et non du bitume. Au départ, c'était un terrain vague, et, dès 1844, un journaliste du *New York Post,* William Cullen Bryant, eut l'idée de faire campagne pour l'aménager. La décision fut prise par l'assemblée de l'État de New York le 21 juillet 1853 et les travaux débutèrent en 1857 pour s'achever 16 ans plus tard.

Plus de 4 millions de mètres cubes de terre et de pierres ont été remués et 500 000 arbres ont été plantés pour aménager ce parc de 340 ha. Frederic Law Olmsted et Calvert Vaux, les fameux architectes paysagistes, voulaient le plus grand contraste entre Central Park et les rues, les magasins et les immeubles avoisinants (côté ouest, les stars du show-biz, côté est, les

riches banquiers). Les architectes souhaitaient aussi que tout le monde puisse venir là facilement après sa journée de boulot, au milieu des écureuils, ou pour la pause déjeuner (les businessmen qui pique-niquent en cravate sont toujours au rendez-vous). Avec plus de 20 millions de visiteurs par an, c'est un pari totalement réussi !

RETOUR À L'ENVOYEUR

L'obélisque de Central Park, qui se dresse derrière le Metropolitan Museum of Art depuis 1881, est en péril. Le Conseil suprême des antiquités égyptiennes dénonce le manque de mesures de protection accordées à ce monument offert au gouvernement américain et menace d'exiger son rapatriement si rien n'est fait pour éviter sa dégradation.

Adresses et infos utiles

– ***Site internet de Central Park :*** ● *centralparknyc.org* ● Une mine d'informations remises régulièrement à jour : programme des activités culturelles, sportives, photos, cartes (avec emplacement des w-c...), histoire, etc.

🛈 ***The Dairy Visitor Center*** *(plan 2, G10,* ***3****)* ***:*** *dans la partie sud du parc, au nord du Wollman Rink, au niveau de 65th St. ☎ 212-794-6564. Tlj sf lun 10h-17h (16h nov-mars).* Centre d'informations distribuant des plans du parc, très utiles pour se repérer. Également exposition sur l'histoire du parc et une maquette de l'ensemble. À noter que *The Dairy* (pittoresque archi gothico-victorienne) date de 1870 ; c'est là que la municipalité distribuait du lait pour les enfants des familles déshéritées.

🛈 Plusieurs autres ***Visitor Centers*** dans Central Park, notamment au *Belvedere Castle* et au **Charles A.** *Dana Discovery Center* (lire ci-dessous « À voir. À faire »).

■ Les *Urban Park Rangers* organisent des ***visites thématiques du parc*** : animaux crépusculaires, architecture, flore, oiseaux, etc. Gratuit et très sympa. *Pour infos : ☎ 1-888-NYPARKS.* ● *nycparks.org* ● D'autres balades, plus sportives, avec la ***Conservancy Central Park :*** *☎ 212-360-2726.* ● *centralparknyc.org* ●

■ ***Central Park Bike Tours :*** *203 W 58th St (et 7th Ave). ☎ 212-541-8759.* ● *centralparkbiketours.com* ● *Tlj 9h-17h. Env 25 $ à pied ; 50 $ à vélo (avr-oct).* Tours guidés à pied dans Central Park de 2-3h, avec plein d'anecdotes et de références aux films tournés ici. Également des tours en vélo, bien sûr, et un service de location de vélos.

À voir. À faire

🌳🌳🌳 Dans la folie de New York, cet océan de verdure (on ne peut pas parler d'îlot ici) est une promenade à ne pas manquer. Le dimanche, les Américains à vélo ou à rollers envahissent Central Park. Plein d'activités sportives dans l'enceinte du parc : tennis, natation, base-ball, bowling sur gazon, escalade, handball, patin à glace l'hiver, rollers, skateboard, pêche... Et partout de jolies surprises attendent les promeneurs comme la ***statue d'Alice au pays des merveilles*** que les enfants adorent ! La balade est organisée du nord vers le sud *(plan 2, G-H7-8-9-10).*

– Au nord du parc, entrée libre pour le superbe ***Conservatory Garden (1),*** le long de 5th Avenue (entrées au niveau des 105th et 106th Street) : la seule partie du parc qui ressemble à un jardin de particulier, de style français d'un côté, anglais de l'autre, avec une fontaine au milieu et des bancs autour. *Jardins ouv de 8h au coucher du soleil (17h-20h selon saison). Tours organisés avr-oct sam à 11h (départ au 104th St et 5th Ave à l'intérieur des jardins).*

➢ À côté, faisant l'angle de Central Park North et 5th Avenue, le ***lac Harlem Meer (2)*** dans lequel vivent 50 000 poissons et où l'on peut ***pêcher,*** gratuitement mais pour le plaisir seulement (il vous faudra relâcher votre proie). Au ***Charles A. Dana Discovery Center (3),*** possibilité d'emprunter une canne à pêche et tout le nécessaire. ☎ *1-212-860-1370 (tlj sf lun 10h-17h). De mi-avr à fin oct, mar-sam 10h-15h, dim 10h-13h. Pièce d'identité avec photo exigée comme caution. Téléphonez à l'avance si vous êtes en groupe (payant).* Le *Discovery Center* réalise de petites expositions sur Central Park qui changent tous les 6 mois et des balades à la rencontre de la flore et de la faune du parc (dimanche de 13h à 16h) et sur d'autres thématiques sportives.

➢ Prenez le petit pont et chaussez vos baskets pour retrouver les fondus de ***footing*** autour du ***Reservoir (4),*** cette grande réserve d'eau. C'est sur cette boucle de 2,5 km que Dustin Hoffman s'entraîne dans *Marathon Man.* Et ils sont des centaines à suivre l'exemple et à enfiler les tours, toujours dans le sens inverse des aiguilles d'une montre (vieille habitude). Ne vous avisez pas, même pour vous balader, de marcher dans l'autre sens ! Notez que pour le marathon, c'est 17 tours obligatoires.

➢ Au sud du Reservoir (entre 79th et 85th St) se trouve la ***Great Lawn (5).*** On y donne des représentations d'opéras en plein air *(gratuit),* les trois premières semaines de juillet *(☎ 1-800-247-3030).* Toujours deux-trois groupes ou solistes qui répètent. Très agréable. Il y a aussi des matchs de base-ball le week-end et les gens viennent y faire bronzette et pique-niquer aux beaux jours. À l'est de la Great Lawn, l'obélisque et le MET.

BANCS PUBLICS... BANCS PUBLICS

En vous promenant dans Central Park, vous remarquerez que certains bancs sont étiquetés avec le nom de leur propriétaire, en gage de souvenir. Faites comme eux, adoptez un banc ! Il vous en coûtera la bagatelle de 7 500 $... Renseignements au Charles A. Dana Discovery Center.

➢ Au sud de la Great Lawn, le ***Belvedere Castle (6),*** sorte de minichâteau écossais. On y trouve un *Visitor Center (ouv mar-dim 10h-17h).* Ancien centre météo, on y prend encore la température et le taux de précipitations. Pas une réussite architecturale, mais de sa terrasse, joli point de vue sur le parc, le lac des Tortues et les immeubles de West Side : au nord, le *Beresford Building* et ses deux tours. Un peu au sud, le *San Remo Building* et ses tours à consonance romaine.

➢ À l'ouest du Belvedere Castle, à gauche en descendant les marches, le ***Shakespeare Garden (7)*** est un jardin qui descend vers la maison aux marionnettes *(Swedish Cottage, représentations mat et ap-m, appeler pour le programme, ☎ 1-212-988-9083).* Également le ***Delacorte Theater (8),*** théâtre à la grecque où se déroulent pièces et concerts de musique classique en été. Il faut se présenter à partir de 13h pour des billets gratuits pour les représentations du soir même. Premiers arrivés, premiers servis ! Si vous êtes dans les parages, tentez votre chance.

➢ Au sud du Belvedere, belle promenade à travers les sentiers des ***Ramble (9),*** ces bois qui paraissent incroyablement sauvages.
Traverser l'élégant petit pont *(Bow Bridge)* et vous voilà à la ***Bethesda Fountain (10).*** Là, vous n'avez que l'embarras du choix.
Dès que les beaux jours reviennent, possibilité de louer des barques ou des vélos à la ***Loeb Boathouse (11).*** ☎ *212-517-2233. Barques (pour 4 pers) env 12 $ la 1re heure et 2,50 $ par 15 mn supplémentaires (caution 20 $). Loc de vélos (suivre* « Bike rental », *près du parking) env 15-20 $/h (selon période et type de vélo ou tandem), enfant 6 $. Passeport ou CB exigés comme caution.* Il y a aussi des gondoles comme à Venise *(jusqu'à 6 pers, 30 $ la demi-heure).* Les moins courageux

squatteront tout simplement la cafét' tout à fait abordable pour grignoter un bout ou boire un café (attention, dans le même bâtiment, un resto beaucoup plus chic), avec une grande terrasse.
Vous pouvez écouter les groupes qui jouent autour de la fontaine, ou à la statue de *Simón Bolívar* juste à l'ouest. Plus à l'ouest encore en longeant 72nd Street, vous tomberez sur ***Strawberry Fields*** *(plan 2, G9)*, un jardin dont Yoko Ono finance l'entretien pour en faire le *jardin de la Paix*, en souvenir de son mari John Lennon (assassiné à deux pas, en 1980). Au sol, mosaïque *Imagine* en forme de rosace où les fans de tous horizons déposent toujours des fleurs, des offrandes, des bijoux sur les paroles d'une des chansons de son pote George Harrison, mort en 2002. Un peu kitsch, faut bien le reconnaître.

➢ De la fontaine, continuer vers le sud le long des allées qui se présentent à vous, laisser sur la gauche le petit stadium *(Rumsey Playfield)* où ont lieu les concerts du *Summer Stage* (voir « Spectacles » dans « Hommes, culture, environnement » en début de guide) et, sur la droite, le lieu de rencontre des roller-bladers dansant sur du disco ou du funk (non sans avoir pris une photo, ils valent le coup d'œil !).
On tombe alors tout droit sur le ***Central Park Zoo (12).*** Quelque 200 espèces d'animaux répartis en trois zones climatiques : tropicale, tempérée et polaire. Pas essentiel sauf pour les fans du dessin animé *Madagascar. Tlj 10h-17h (17h30 le w-e) ; nov-mars, ferme à 16h30. ☎ 212-439-6500. ● centralparkzoo.com ● Entrée : 18 $; 13 $ pour les 3-12 ans.* Cafétéria en plein air très agréable, mais bondée à l'intérieur quand il pleut. En sortant, vers le nord, découvrez le ***Tisch Children's Zoo,*** une ferme avec des animaux en liberté. Pour les tout-petits. Billet combiné avec l'entrée du zoo principal.

➢ Du zoo, prendre vers l'ouest pour trouver le poste d'information *The Dairy* (voir « Adresses et infos utiles »). À proximité, le ***Wollman Rink (13),*** une piste de rollers (on peut en louer, assez cher) qui se transforme en patinoire en hiver. Passer sous le tunnel pour éviter la circulation. Direction le ***vieux carrousel (14)*** plein de charme pour les enfants (tous les jours en haute saison, seulement le week-end hors saison) et la ***maison aux échecs (15)*** pour les passionnés du jeu *(ouv le w-e 11h30-15h45)* avec tables et jeu incrusté dans la pierre à l'extérieur du bâtiment. Après tout cela, il ne vous reste qu'à aller vous reposer sur la ***Sheap Meadow (16)*** juste au-dessus du carrousel.

– ***Dernier conseil :*** pour votre sécurité, ÉVITEZ ABSOLUMENT CENTRAL PARK DÈS QUE LA NUIT TOMBE. Tout le monde le sait, mais mieux vaut le répéter.

HARLEM ET LES « HEIGHTS »

Il y a encore peu de temps, Harlem était un quartier qui faisait peur aux touristes qui découvraient New York. Heureusement, durant les 15 dernières années, Harlem a beaucoup gagné en sécurité, à l'image de tout New York d'ailleurs, et on peut aujourd'hui s'y promener en toute tranquillité.
Harlem, c'est d'abord le symbole de la communauté noire de New York et de son combat. Pour venir au contact de l'atmosphère authentique du quartier, il vous faudra déambuler dans sa partie historique, autour de Mount Morris Park, et admirer ses jolies maisons *brownstone* et ses églises. N'hésitez pas non plus à assister à une messe gospel le dimanche matin, venir écouter un groupe de jazz le soir, ou encore goûter à la *soul food* du sud des États-Unis et à des plats typiquement africains... Mais attention aux amalgames : il n'y a pas grand-chose en commun entre la culture noire américaine et les immigrants africains arrivés plus récemment, qui conservent la culture de leur propre pays.

On est loin des années 1920 où les *speakeasies* florissaient au temps de la prohibition, où les Blancs en smoking venaient écouter du jazz au *Cotton Club*. Et le jazz, qui était confiné à ce quartier de la ville, a fait le tour du monde grâce à des interprètes comme Duke Ellington, Count Basie, Louis Armstrong, etc. La grande Billie Holiday, qui y a fait également ses débuts, a même dit un jour : « La 133rd Street, c'est le cœur du swing. » Aujourd'hui, les *slums* ont pratiquement disparu, même si la pauvreté est toujours visible. Harlem vit actuellement une nouvelle « Renaissance » (en référence à l'Harlem Renaissance, ce mouvement culturel qui marqua l'apogée du quartier dans les années 1920-1930). Les signes ne trompent pas : les loyers ont fortement augmenté ces dernières années, de nombreux bâtiments sont en cours de restauration, de grandes chaînes de magasins, restos, etc., ont maintenant pignon sur rue, et certains Blancs « reviennent » à Harlem. D'ailleurs, Bill Clinton lui-même y a installé ses bureaux, au 55 W 125th St, dans le grand immeuble situé entre Lenox et 5th Ave. Et non loin de là, l'ex-joueur de basket Magic Johnson a construit un immense ciné : le *Magic Theater*. Théâtre, musique, musées ; en un mot, culture : New York va devoir compter avec Harlem dans les années qui viennent...

BACCHANALES SECRÈTES

À l'époque de la prohibition, les bars clandestins où l'on s'enivrait d'alcool et de jazz dès la tombée de la nuit s'appelaient des speakeasies. Ce nom venait tout simplement de l'avertissement que les patrons inquiets lançaient à leurs clients éméchés : « Hey, speak easy ! », c'est-à-dire « Parlez doucement ! ». Histoire que le bruit n'attire pas l'attention de la police.

Le quartier est également dominé par les « Heights », les « hauteurs ». Aujourd'hui, Morningside Heights est un pôle intellectuel important à Manhattan. *Columbia University* et *Barnard College* donnent à la partie ouest de Harlem, entre West 110th et West 125th Street, un visage complètement différent qui tranche avec le reste du quartier : celui d'un super campus au milieu de la ville. Les milliers d'étudiants qui vivent ici ont attiré restos, bars et commerces, d'où cette ambiance jeune, cosmopolite et plutôt aisée.

UN PEU D'HISTOIRE

Au XVIIe s, les Hollandais fondent un village qu'ils appellent « Haarlem », nom d'une petite ville située à 15 km d'Amsterdam. Au départ, il s'agit d'un quartier très résidentiel, construit de jolies maisons *brownstone*. Plus tard, les travaux du métro souterrain attirent de nombreux promoteurs immobiliers désireux de faire de Harlem un quartier destiné à la bourgeoisie. Mais le projet capote et une multitude de logements restent vacants. C'est alors qu'un riche promoteur nommé Payton propose ces logements à prix cassés à une population modeste, essentiellement composée de Noirs et d'Irlandais. Certains coins de Harlem abritent aussi une importante population juive, surtout de 1890 à 1920, qui part s'installer progressivement dans d'autres quartiers, d'autres boroughs. Au fur et à mesure, les Noirs gagnent donc du terrain, chassant les derniers Blancs...
Harlem est ainsi devenue l'une des plus grandes communautés noires des États-Unis. Mais la crise économique de 1929 dévaste le quartier. En mars 1935, la fausse rumeur d'un jeune Noir battu à mort pour avoir volé un canif engendre les premières émeutes. En 1943, un policier blanc tue un jeune Noir : nouvelles émeutes... À la fin de la Seconde Guerre mondiale, la crise du logement et de l'emploi a atteint un tel niveau que Harlem devient un quartier délabré où il n'est pas rare de voir des immeubles murés et abandonnés. Dans les années 1960, les Noirs commencent à fuir le quartier devant les problèmes d'insécurité et de drogue.

En 1964 et en 1968, deux bavures policières engendrent encore des émeutes, puis encore une autre en 1977 ; décidément ! L'injustice sociale se trouve aussi accentuée par la dégradation de l'éducation publique et, à la fin des années 1970, le taux de chômage dépasse 30 % à Harlem. En 1990, une étude démontre même que l'espérance de vie moyenne d'un homme y est inférieure à celle d'un habitant du Bangladesh (beaucoup de cas de sida, tuberculose et cancer)...
Mais, depuis quelques années, Harlem connaît un important processus de rénovation, tant matériel que culturel ; le même phénomène qu'ont connu Georgetown (Washington) et Beacon Hill (Boston), aujourd'hui devenus des quartiers de la bourgeoisie blanche aisée. Cette « gentrification » alerte nombre d'habitants. Il en va de l'identité profonde de Harlem, le vrai berceau de la culture noire. Il ne faudrait pas qu'à terme, elle devienne strictement du folklore, dans un genre de Disneyland du jazz et du gospel, avec quelques références embaumées à ses luttes et à sa riche histoire culturelle et politique.

Adresses et infos utiles

ℹ **_Harlem Visitor Center_** *(plan Harlem, B3,* ***52****) : ds le Studio Museum Harlem, 144 W 125th St (entre Adam Clayton Powell Jr Blvd et Lenox Ave).* ☎ *212-427-3317 et 864-4500.* Ⓜ *(2, 3) 125th St. Tlj sf w-e 10h-18h.*
– ***Visites guidées hip-hop de Harlem :*** voir « Visites guidées » dans « New York utile » en début de guide.
@ ***Internet :*** *connexions gratuites (15 mn seulement, et selon les disponibilités) à la* ***NY Public Library – Hamilton Grange Branch*** *(plan Harlem, A2,* ***1****), 503 W 145th St (entre Broadway et Amsterdam Ave).* ☎ *212-926-2147. Tlj sf dim.*

Où dormir ?

De très bon marché à bon marché

La Sienna *(plan Harlem, B3,* ***10****) : 241 W 123rd St (entre Frederick Douglass et Adam Clayton Powell Jr Blvd). 1-347-664-2860. • lasienna@aol.com •* Ⓜ *(A, C, D) 125th St. Doubles 75-80 $ (single 50 $). Studios 110 $ (3 nuits min). Réduc de 10 % sur présentation de ce guide.* Un vrai plan routard que cette *brownstone* centenaire à l'esprit pension de famille. L'escalier de guingois donne le ton : ici, tout est dans son jus, patiné par les ans mais non sans âme. Réparties dans les étages, 6 chambres proprettes au confort simple, avec salle de bains partagée et cuisine à dispo, bien organisée (chacun a sa propre vaisselle). Idéal pour les petits budgets. Également 2 grands studios au rez-de-chaussée, avec bains et kitchenette privés, un peu plus chers forcément. Le nº 1, donnant sur la jolie rue, a vraiment de la gueule avec sa belle hauteur sous plafond et ses boiseries d'époque. Yvette, la proprio, est une *cat lover* invétérée (mais les chats ne sont autorisés dans les chambres que lorsqu'ils y ont été invités).
Pink off the Park *(plan Harlem, B4,* ***16****) : 137 W 111th St (entre Adam Clayton Powell Jr Blvd et Saint Nicholas).* ☎ *646-410-20-74. • pinkhostels.com •* Ⓜ *(C, 2, 3) 110th St. Lits superposés en dortoir 20-35 $, double env 100 $ selon saison.* Bien située, à deux pas du métro et de Central Park, cette petite auberge colorée (*pink*, donc) de plus de 50 chambres ne se distingue ni par ses équipements (très corrects cela dit : ordinateurs, cuisine, machines à laver, TV dans un salon attenant) ni par son confort (dortoirs classiques), mais par sa fréquentation... exclusivement féminine. Impec' pour les routardes en solo, d'autant que l'accueil est très sympa. Ne manquent que quelques douches (une par étage, c'est juste) et des casiers pour voir vraiment la vie en rose !
Harlem YMCA *(plan Harlem, B2,* ***15****) : 180 W 135th St (entre Lenox Ave et Adam Clayton Powell Jr Blvd).* ☎ *1-212-912-2100. • ymcanyc.org •*

Adresses utiles

- 52 Harlem Visitor Center
- 1 NY Public Library – Hamilton Grange Branch

Où dormir ?

- 10 La Sienna
- 11 Harlem Flophouse
- 12 International House
- 13 Michelle's Bed & Breakfast
- 14 La Maison d'Art B&B
- 15 Harlem YMCA
- 16 Pink off the Park
- 17 Lotus Accommodation
- 19 Easyliving Harlem
- 20 Aloft Harlem

Où manger ?

- 21 Pisticci
- 22 Amy Ruth's
- 23 Community Food and Juice
- 24 Jacob's
- 25 Max Soha et Kitchenette
- 26 Melba's
- 27 Strictly Roots
- 28 Red Rooster et Chez Lucienne
- 29 Billie's Black
- 30 Dinosaur Bar-B-Que
- 31 Covo
- 32 Miss Maude's
- 44 Shrine et Yatenga
- 90 Native
- 91 Zoma
- 92 Lido
- 93 New Leaf

Où prendre un café ? Où manger une pâtisserie ?

- 33 Levain Bakery
- 34 Lee Lee's Bakery
- 35 Nussbaum and Wu
- 37 Tonnie's Minis
- 39 Make my Cake

Où écouter du bon jazz ? Où voir un spectacle ? Où boire un verre ?

- 40 Showman's
- 41 Lenox Lounge
- 42 LA Scat
- 43 Cotton Club
- 44 Shrine
- 45 Bill's Place
- 46 American Legion Post
- 47 The L Lounge
- 48 Harlem Tavern
- 49 New Amsterdam Musical Association
- 51 Apollo Theater
- 56 National Black Theatre

Shopping

- 70 Harlem's Market
- 71 Marshalls

À voir

- 50 Abyssinian Baptist Church
- 51 Apollo Theater
- 52 Studio Museum Harlem
- 53 Schomburg Center for Research in Black Culture
- 57 Riverside Church
- 59 Mother Zion Church
- 60 Canaan Baptist Church
- 61 Genesis II Museum
- 62 National Jazz Museum
- 63 Hispanic Society of America

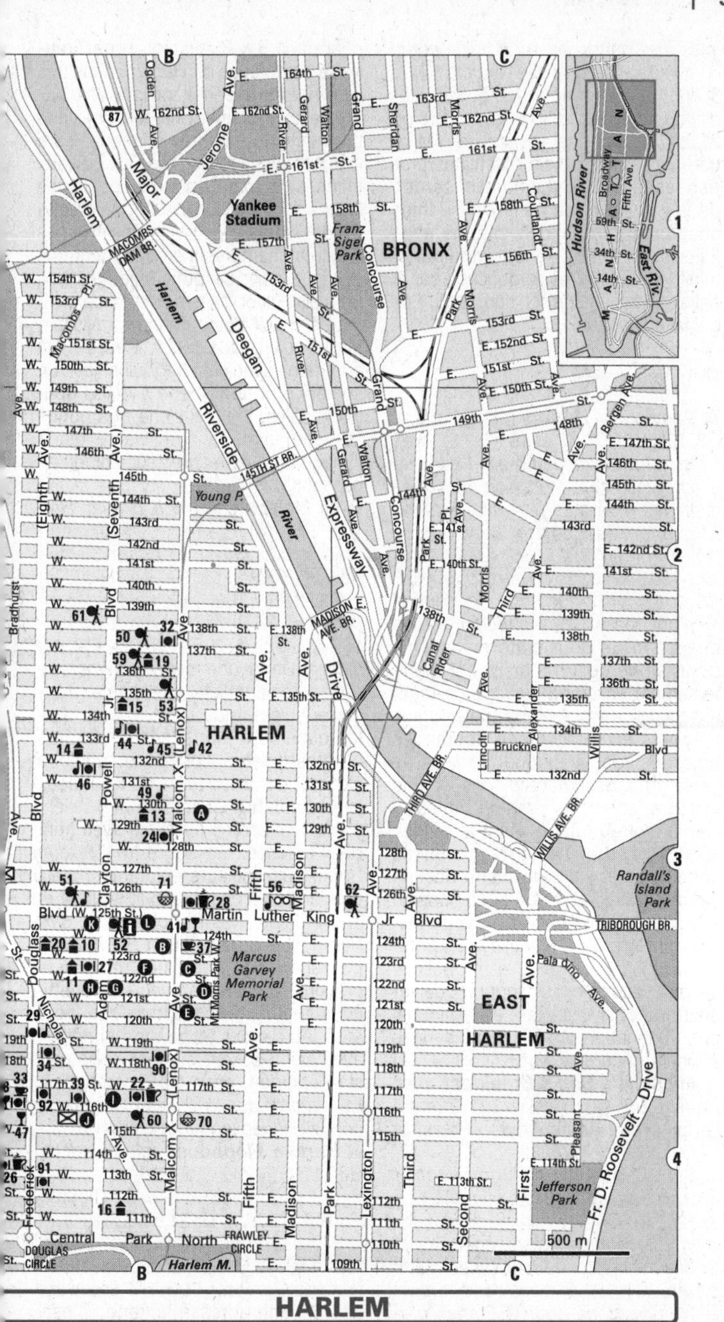
BRONX
HARLEM
EAST HARLEM
Yankee Stadium
Franz Sigel Park
Young P.
Marcus Garvey Memorial Park
Randall's Island Park
Jefferson Park
Harlem M.
Harlem River
Major Deegan Expressway
Harlem River Drive
Grand Concourse
Macombs Dam Br.
145th St Br.
Madison Ave. Br.
Third Ave. Br.
Willis Ave. Br.
Triborough Br.
Martin Luther King Jr Blvd (W. 125th St.)
Malcom X (Lenox) Ave
Adam Clayton Powell Jr Blvd (Seventh Ave.)
Frederick Douglass Blvd (Eighth Ave.)
Central Park North
Frawley Circle
Douglas Circle
Fr. D. Roosevelt Drive
Fifth Ave.
Madison Ave.
Park Ave.
Lexington Ave.
Third Ave.
Second Ave.
First Ave.
Pleasant Ave.
Bruckner Blvd
Hudson River
East Riv.
Broadway
Fifth Ave.
500 m

HARLEM

mais résa conseillée sur • hostelworld.com • pour obtenir des réducs. Ⓜ *(2, 3) 135th St. Double env 100 $. Tarif étudiant pour 1 sem : 250 $. Les moins de 21 ans ne sont pas admis.* Une YMCA très active, avec plein d'activités proposées en plus du *fitness center*, de la piscine et du hammam. Petites chambres sans aucun charme avec 2 lits superposés, fenêtre riquiqui et minifrigo. Sanitaires et douches sur le palier. Entretien correct, sans plus. Pas génial en somme.

Prix moyens

▲ ***Easyliving Harlem*** *(plan Harlem, B2,* ***19****)* **:** *W 137th St (entre 7th et 8th Ave). Résa impérative par mail, l'adresse exacte vous sera alors communiquée au moment de la confirmation. • easylivingharlem@aol.com • easylivingharlem.com •* Ⓜ *(2, 3) 135th St. Doubles 125-150 $ avec sdb privée ou non (10 $ de plus pour une 3e pers).* Wi-Fi Heidi et Tom ont passé 10 ans à restaurer avec beaucoup de goût cette magnifique *brownstone* de 1910 qu'ils ont manifestement un grand plaisir à partager avec leurs hôtes. Escalier majestueux, parquets en marqueterie, toutes les boiseries sont d'époque et mises en valeur par des murs blancs et une déco très sobre. 4 chambres, toutes au calme, notre préférée étant la grande au 1er avec bow-window, cheminée imposante et salle de bains design. Salon et jardinet sont à la disposition des *guests*, sans oublier l'immense cuisine familiale dans laquelle vous pourrez faire la popote avec les proprios si le cœur vous en dit. Un rapport qualité-charme-convivialité-prix exceptionnel pour Manhattan. Au fait, Heidi parle le français, encore un plus !

▲ ***Michelle's Bed & Breakfast*** *(plan Harlem, B3,* ***13****)* **:** *118 W 130th St (entre Lenox Ave et Adam Clayton Powell Jr Blvd).* ☎ *212-876-3351 et 1-646-373-5239. • micbonfils@gmail.com • michellebedandbreakfast.com •* Ⓜ *(2, 3) 125th St. Ouv tte l'année sf janv-fév à priori (à vérifier). Résa impérative et 5 nuits min. Doubles avec ou sans sdb privée 130-155 $, petit déj compris.* 💻 Wi-Fi *Téléphone pour la France gratuit.* Coup de cœur encore pour ce charmant *B & B* tenu par une Française amoureuse de Harlem, dans une *brownstone* récente, propre et fonctionnelle, idéalement située à deux pas du métro. 3 chambres impeccables à la déco fraîche et discrète (une ou deux affiches de John Lennon ou de James Dean), dont une, lumineuse, avec bow-window et salle de bains privative (les 2 autres chambres s'en partagent une sur le palier). Le petit déjeuner à la française (avec pain maison, siou plaît) est servi aux hôtes dans un ravissant jardin aux beaux jours. Petite salle commune avec coin bouquins, jeux de société... et un lit bébé à dispo pour les familles. Vraiment une très bonne adresse, dont la convivialité est à l'image du quartier (très sûr, soit dit en passant !).

▲ ***La Maison d'Art B & B*** *(plan Harlem, B3,* ***14****)* **:** *259 W 132nd St (entre Frederick Douglass et Adam Clayton Powell Jr Blvd).* ☎ *917-533-4605 et 1-718-593-4108. • lamaisondartny.com •* Ⓜ *(A, B) 135th St. Doubles 100-135 $, appart 195-250 $, petit déj inclus.* Dans une belle *brownstone* de rue résidentielle, Stéphanie, française et amatrice d'art, reçoit chaleureusement dans ses chambres d'hôtes-galerie. *Lounge* et couloirs s'ornent de belles toiles de talentueux jeunes artistes. Chambres d'excellent confort, décorées d'ailleurs avec goût par l'hôtesse. On adore la *Victorian Room* aux couleurs éclatantes, ainsi que la *Master Suite,* son lit sculpté et le joli papier peint sophistiqué. *Bird Room* (lit à baldaquin) et *Regal Suite* possèdent également une attachante personnalité. Toutes avec kitchenette équipée (micro-ondes, minifour, frigo, etc.). Au dernier étage, un bel appart avec salon-salle à manger, vraie cuisine équipée, pour 4 à 5 personnes. Et « *cherry sur le cake* », Stéphanie connaît Harlem comme sa poche !

▲ ***Harlem Flophouse*** *(plan Harlem, B3,* ***11****)* **:** *242 W 123rd St (entre Frederick Douglass et Adam Clayton Powell Jr Blvd).* ☎ *212-662-0678 et 1-347-632-1960. • harlemflophouse.com •* Ⓜ *(A, C, D) 125th St. Résa obligatoire. Compter 100-170 $ suivant saison.* Une adresse vintage. C'est-à-dire sans confort moderne (ni clim, ni TV, ni Internet) mais soigneusement restaurée pour retrouver le lustre des années 1930. Il faut reconnaître que le résultat est concluant : papier peint désuet, parquet, cheminées, lits en fer et des meubles anciens dans les 5 chambres. À chaque étage, une salle de bains commune avec, sans surprise, sa baignoire sur pied *old style*. Simple donc, mais plein de caractère.

Lotus Accommodation *(plan Harlem, A2,* ***17****) : W 142nd St (entre Broadway et Amsterdam). • lotusaccommodation@inbox.com • lotusaccommodation.com • M (1) 145th St. Résa obligatoire via e-mail ou Internet (on vous donnera alors l'adresse précise). Double 105 $ ou appartement complet pour 4 pers 225 $ la nuit (lit bébé sur demande et 2 lits enfants en option). Min 3 nuits. Promo janv-mars pour l'appart : 1 100 $ pour 7 nuits.* Encore une *brownstone* plus que centenaire retapée et parfaitement entretenue, dont une partie est réservée aux hôtes (non-fumeurs). Les 2 apparts, très fonctionnels et lumineux, comprennent 2 vastes chambres parquetées avec lit double dans chacune et un vrai coin salon-salle à manger. Cuisine complète et salle de bains. Déco zen avec quelques murs de couleur, et très bon confort : literie tip top, station iPod, nombreux rangements et même des bouquins et magazines. Parfait pour un séjour en famille.

International House *(plan Harlem, A3,* ***12****) : 500 Riverside Dr (et 122nd St). ☎ 212-316-8436 et 316-8400. • ihouse-nyc.org • M (1) 116th St. Mai-août, singles étudiantes (avec sanitaires partagés) 70 $. Sinon, singles avec sdb 135-150 $, doubles 155-170 $, triples 170-185 $ (résas 10 j. à l'avance max).* Toute l'année, cette résidence universitaire privée met à la disposition de tous une dizaine de *guest rooms* et suites (pour 2 à 4 personnes), fonctionnelles et nickel avec salle de bains privée et petit frigo. L'été, quelques chambres d'étudiants avec sanitaires partagés sont aussi libérées (séjour de 20 jours max). Sur place, cafétéria, pub, *laundry*. Un bon plan, malgré sa situation un peu excentrée.

Plus chic

Aloft Harlem *(plan Harlem, B3,* ***20****) : 2296 Frederick Douglass Blvd (entre 123rd et 124th St). ☎ 212-749-4000. • alofthotels.com • M (A, C, D) 125th St. Doubles 150-300 $.* Le 1er hôtel ouvert à Harlem depuis 45 ans joue le registre design branché mais avec un esprit décontract' et festif, pas guindé pour deux cents, à l'image du quartier ! Accueilli par un staff sélectionné pour sa *cool attitude*, on s'y sent immédiatement à l'aise. Les chambres, spacieuses et au design vintage, sont dotées d'un équipement audio-vidéo high-tech qui séduiront nos lecteurs les plus *trendy* (minifrigo pour la touche fonctionnalité). Salles de bains tendance, dans les tons bleu-gris, douche à l'italienne. Dans le lobby, expo d'artistes locaux, billard, bar *lounge* avec décor mélangeant habilement design et vintage, éclairages interactifs selon l'heure de la journée et un minisnack avec micro-ondes à dispo pour se réchauffer un petit plat ! Seul petit bémol : pas vraiment de vue.

Où manger à Harlem, Morningside Heights et autour de Columbia University ?

Spécial petit déjeuner et brunch

Voir ci-dessous : **Kitchenette, Red Rooster** *(brunch le w-e)*, **Covo** *(brunch le w-e)*, **Amy Ruth's, Community Food and Juice, Melba's** *(le w-e slt)*, **Nussbaum and Wu.**

Très bon marché

Jacob's *(plan Harlem, B3,* ***24****) : 373 Lenox Ave (et 129th St). ☎ 212-866-3663. M (2, 3) 125th St. Tlj 8h-22h. Env 6 $ la livre.* Jacob's résume à lui tout seul l'esprit de Harlem. Il s'agit d'une cafétéria avec un vaste buffet garni de *soul food* simple et bonne, à prix démocratique, qu'on savoure sans façons dans une salle toute simple avec les habitués. Fraternel donc.

🍽 ***Strictly Roots*** *(plan Harlem, B3,* ***27****) : 2058 Adam Clayton Powell Jr Blvd (entre 122nd et 123rd St). ☎ 212-864-8699. Ⓜ (2, 3) 125th St. Lun-mar 8h-22h ; sam 11h-22h ; dim 12h-20h. Pour moins de 7 $, vous en aurez largement pour votre faim !* Gentille petite cantine végétarienne, tendance un poil rasta. On ne vient pas pour le décor, basique, mais pour la nourriture fraîche, saine (le maximum de produits bio) et pas chère du tout. On se compose une assiette soi-même en choisissant parmi les plats du jour (tofu, *seitan,* légumes) inscrits au tableau noir. Également bonne variété de jus de fruits et de légumes. Rythme très tranquille : ici, on n'est pas stressé !

Bon marché

🍽 ***Yatenga*** *(plan Harlem, B3,* ***44****) : 2269 Adam Clayton Powell Jr Blvd (entre 133rd et 134th St). ☎ 212-690-0699. Ⓜ (2, 3) 135th St. Tlj 16h-minuit (1h30 ven-sam). Plats 14-19 $ et entrées consistantes autour de 10 $. Pas d'alcool.* C'est le resto attenant au *Shrine's.* Cadre brut de forme, murs de brique blanchis, longue table conviviale de bois, musique africaine. Accueil sympa du manager originaire du Burkina. Cuisine classique aux accents français très correcte et à prix modérés : quiche du jour, steak au poivre, canard rôti, tilapia, calamars, bon tartare de thon...

🍽 ***Miss Maude's*** *(plan Harlem, B2,* ***32****) : 547 Lenox Ave (et 137th St). ☎ 212-690-3100. Ⓜ (2, 3) 135th St. Tlj 11h30-21h (19h dim). Lunch 7-8 $. Plats 13-17 $.* On se croirait vraiment dans une petite gargote de Virginie ou d'une des deux Caroline, toute proprette et colorée (d'ailleurs, les prix datent du temps de Rosa Parks !). Aux murs, des photos nostalgiques de *Maud Darden,* qui régala longtemps les gens en Alabama et dont les descendants reprirent les bonnes recettes. On vient ici avant tout pour le *southern fried* ou le *BBQ chicken,* le *seafood gumbo,* le *Louisiana catfish* et les bons gâteaux maison.

🍽 ☕ ***Native*** *(plan Harlem, B3-4,* ***90****) : 161 Lenox Ave (et 118th St). ☎ 212-665-2525. Ⓜ (2, 3) 116th St. Tlj 11h30-23h (ven-sam minuit, brunch sam-dim 11h-16h). Compter 20 $, brunch 12 $.* Dans ce cadre un poil déglingué, lieu de rencontre de la faune locale, éclectique, bohême, artiste, intello, extravertie, joyeusement bruyante... On aime bien l'atmosphère déliée et animée du brunch. Beaucoup de monde, des chances de se retrouver au comptoir pour de petits plats « exotico-soul food » servis généreusement. D'aucuns diront que la qualité fluctue parfois et que le service peut s'avérer longuet, mais cela n'altère nullement la bonne humeur d'une clientèle venant surtout pour socialiser. En tout cas, bons *shrimp and grits* et poulet grillé à la marocaine. Spécialité de cocktails, mais on s'en doutait un peu... Fier d'être le plus long *happy hours* de Harlem (15h-18h !).

🍽 ☕ ***Kitchenette*** *(plan Harlem, A3,* ***25****) : 1272 Amsterdam Ave (et 123rd St). ☎ 212-531-7600. Ⓜ (1) 125th St. Ouv 8h (9h w-e)-23h. Brunch le w-e jusqu'à 16h30. Env 12-14 $.* On y sert toutes sortes de salades, burgers et sandwichs, mais la maison est incontestablement reconnue pour ses brunchs. Alors préparez-vous à faire la queue ! Car ils sont nombreux à apprécier la cuisine toute simple et généreuse (du genre grosse omelette aux cœurs d'artichauts et son pancake), servie par une équipe sympa dans un cadre de bistrot guilleret. Également de délicieux milk-shakes (goûter au *peanut butter blondie* ou au *caramel turtle*). Pâtisseries maison. Très agréable, à l'image de l'atmosphère jeune et conviviale.

🍽 🍸 ***Max Soha*** *(plan Harlem, A3,* ***25****) : 1274 Amsterdam Ave (angle 123rd St). ☎ 212-531-2221. Ⓜ (1) 125th St. Plats 11-19 $. CB refusées.* Agréable petit resto de quartier connu pour ses bonnes spécialités de pâtes, servies à prix doux à une clientèle essentiellement étudiante (proximité de l'université oblige). Déco chaleureuse, côté intime, avec joli bar en bois, murs de brique rouge et bon choix de vins. Au tableau noir, les *specials* du jour. En été, terrasse sur la rue. Une adresse également idéale pour prendre un verre.

|●| ***Shrine*** *(plan Harlem, B3,* ***44****) : 2271 Adam Clayton Powell Jr Blvd (entre 133rd et 134th St).* Voir plus loin « Où écouter du bon jazz ? Où voir un spectacle ? Où boire un verre ? ».

De prix moyens à plus chic

|●| ***Red Rooster*** *(plan Harlem, B3,* ***28****) : 310 Lenox Ave (entre 125th et 126th St). ☎ 212-792-9001. Ⓜ (2, 3) 125th St. Tlj du matin au soir (brunch le w-e). Plats 18-25 $.* Gros succès pour ce nouveau et vaste resto qui porte le nom d'un fameux *speakeasy* de la prohibition. Aux manettes, un chef talentueux d'origine éthiopienne, qu'Obama avait choisi pour réaliser son premier dîner officiel à la Maison-Blanche. Dans un cadre classe et branché, fidèle à la culture afro-américaine et représentatif de la renaissance de Harlem, on savoure une nouvelle cuisine américaine inspirée des classiques de la *comfy food,* avec des accents sudistes. Viandes et poissons grillés excellents. Rôtisserie high-tech ouverte au fond de la salle, très populaire comptoir en U à l'entrée, bar *lounge* au sous-sol, tables hautes pour les pressés ou les étourdis qui n'ont pas réservé. Cadre chaleureux, musique de fond supportable, cocktails à gogo, terrasse aux beaux jours... Un coup de cœur.

|●| ***Dinosaur Bar-B-Que*** *(plan Harlem, A3,* ***30****) : 700 W 125th St (et 12th Ave). ☎ 212-694-1777. Ⓜ (1) 125th St. Plats env 13-18 $.* Au cœur du nouveau quartier branché d'Harlem, quasi sous le métro aérien, en bordure de l'Hudson River. Super décor à mi-chemin entre l'entrepôt réhabilité et la grange texane. Long bar brique et bois, box confortables. La spécialité, ce sont les travers de porc *(Bar-B-Que ribs),* marinés 24h, puis fumés lentement et caramélisés dans leur sauce originale, un vrai régal (la plus petite portion suffit). Bons accompagnements et large choix de bières pour faire glisser le tout. Quelques autres spécialités : *bronzed catfish* (mariné lait ribot et tabasco, humm !) et *churrasco chicken steak...* Excellent rapport qualité-ambiance-décor-prix, mais, malgré la vaste salle, attendez-vous à faire la queue sans résa. *Live music (jeu, ven et sam) :* blues, jazz, rock, funk. Une de nos adresses préférées.

|●| ***Pisticci*** *(plan Harlem, A3,* ***21****) : 125 Lasalle St. ☎ 212-932-3500. Ⓜ (1) 125th St. Plats 8-15 $ le midi, 10-20 $ le soir.* Tout pour plaire : remarquable rapport qualité-prix, cadre hyper coquet, avec un superbe bar central séparant 3 petites salles au chaleureux cadre de brique rouge brute de forme, mon tout baignant dans une lumière tamisée de bon aloi. Partout des habitués chantant les louanges de la *buona pasta* (notamment la *spaghettata*). Cuisson juste, bons ingrédients et associations réussies, c'est le trio gagnant qui puise son inspiration dans ses origines italiennes (la Basilicate). Si l'on ajoute des concerts de jazz le dimanche soir, on se dit qu'on a bien fait de faire un détour dans le coin. Brunch le week-end. Aux jours doux, sympathique terrasse sur rue tranquille.

|●| ***Zoma*** *(plan Harlem, B4,* ***91****) : 2084 Frederick Douglass Ave (et 113rd St). ☎ 212-662-0620. Ⓜ (B, C) 110th St ou 116th St. Tlj 17h-23h (sam-dim 12h-23h). Compter 25-30 $. Intéressant combo pour 2 env 30 $. CB refusées.* Grande salle sobre et proprette pour déguster une fine cuisine éthiopienne, toute en saveurs et parfums. Des mets délicats et soignés, servis sur une *injera* (crêpe très fine). Nos préférés : les *zoma tibs* (bœuf mariné aux poivrons verts et oignons rouges), le *kitfo,* genre de steak tartare au *mitmata* et *kibé* (le beurre éthiopien), l'*assa* (tilapia) aux herbes et épices, le *doro* (poulet) aux différentes cuissons... Quelques plats végétariens aussi. Accueil prévenant et comptoir pour les pressés où boire une bonne bière abyssinienne.

|●| ***Covo*** *(plan Harlem, A2,* ***31****) : 701 W 135th St (et 12th Ave). ☎ 212-234-9573. Ⓜ (1) 137th St (mais en contrebas). Situé dans un grand bâtiment le long de 12th Ave. Si on arrive par l'est, aller tt au bout de 135th St et descendre les escaliers qui partent à droite. Pizzas et pâtes 11-16 $, vrais plats à peine plus chers.* Encore une bien bonne adresse italienne (une vraie !), située dans ce nouveau coin qui monte qui monte, un genre de

Meatpacking District surnommé le « Restaurant Row d'Harlem ». Certes, un peu paumé, mais ça vaut la peine. Cadre vraiment plaisant. Excellentes pizzas à la pâte fine et croustillante, pâtes très bien cuisinées, salades et *antipasti* à savourer dans un décor de loft mâtiné de petites touches méditerranéennes. Bar *lounge* intimiste à l'étage *(jazz sessions).*

Amy Ruth's *(plan Harlem, B4,* ***22****) : 113 W 116th St (entre Lenox Ave et Adam Clayton Powell Jr Blvd).* ☎ *212-280-8779.* Ⓜ *(2, 3) 116th St. Ouv 8h30 (7h30 dim)-23h (24h/24 ven-sam). Plats 12-18 $.* Cadre tout simple, genre grosse cafétéria. L'un des classiques du coin (le grand rival de *Sylvia's*), réputé à juste titre pour sa *soul food,* cuisine noire du sud des États-Unis. Honorèrent les lieux : les présidents Bush senior et Clinton, Spike Lee, Danny Glover, Al Jarreau, Jim Brown, l'ancien maire Edward Koch... et bien d'autres. Portions copieuses, prix modérés et ambiance décontractée vraiment amicale, distillée par les gens du quartier. Beaucoup de monde le dimanche pour les traditionnels pancakes, et pas mal de touristes qui poursuivent ici le circuit de visite après avoir assisté à un gospel. Autant le savoir, le dimanche midi précisément, c'est la queue, une longue attente et l'accueil s'en ressent quelque peu.

Chez Lucienne *(plan Harlem, B3,* ***28****) : 308, Lenox Ave (et 125th St).* ☎ *212-289-5555.* Ⓜ *(2, 3) 125th St. Résa conseillée le w-e.* Cadre plaisant : long mur de brique rouge, comptoir en zinc, clim et ventilo, lumières tamisées... Bon accueil pour une cuisine française de qualité. Surtout, offre une série de formules attrayantes : *Steak Night* le lundi et *Fish Night* le jeudi à seulement 13 $, menu à 22 $ le dimanche soir, diverses réducs les autres soirs, dont le *pre theatre Menu* à 20 $ (16h-18h15). À la carte, pour changer du burger, tous vos plats favoris : lapin à la moutarde, foie de veau bordelaise, coq au vin, petite friture, gâteau cœur de palmier et avocat, etc. Dommage, pas de rouge en dessous de 30 $!

Community Food and Juice *(plan Harlem, A4,* ***23****) : 2893 Broadway (entre 112th et 113th St).* ☎ *212-665-2800.* Ⓜ *(1) 110th St. Tlj 8h-21h30 (22h ven-sam). Plats 10-15 $ le midi, jusqu'à 25-30 $ le soir (poisson du jour et steak). Formules petit déj et brunch 9-14 $.* Look industrialo-design pour ce resto contemporain, tout en bois, brique peinte et grandes baies vitrées. Franchement dans le camp bio et *organic food*. Tables individuelles ou longue table commune et conviviale, où l'on échange volontiers avec ses voisins (« pas mal, la vinaigrette à l'orange, non ? »). Salades sophistiquées. C'est joli, soigné, avec du bon jazz en fond sonore.

Melba's *(plan Harlem, B4,* ***26****) : 300 W 114th St (entrée par Frederick Douglass Blvd).* ☎ *212-864-7777.* Ⓜ *(C) 110th St et 116th St. Tlj 17h-23h (22h dim) ; brunch w-e 10h-15h. Plats 12-20 $.* Une adresse bien représentative du renouveau du quartier : cadre soigné (voire branché), clientèle bien mise, et à la carte, de la *soul food,* bien sûr, mais dans un registre néo. C'est-à-dire que les traditionnels *catfish* frits, tilapia et autres *fish and chips* côtoient quelques curiosités comme les *spring rolls* aux *black peas.* En revanche, le fameux *chicken and waffles* se révèle peu original. À signaler, la quasi-obscurité des lieux sollicitant essentiellement goût et odorat !

Lido *(plan Harlem, B4,* ***92****) : 2168 Frederick Douglass Blvd (et 117th St).* ☎ *646-490-8575.* Ⓜ *(B, C) 116th St. Plats de pâtes 18-20 $, viandes 22-26 $.* Cadre contemporain d'une certaine sobriété, lumière tamisée, tables bien séparées pour une cuisine italienne moderne, avec un brin d'inspiration, de beaux produits, un harmonieux sens des saveurs. Raviolis à la ricotta et gnocchis au pecorino cuits comme il faut. Carte suivant les saisons, mais on retrouve souvent le cabillaud du Maine ou le poulet amish aux champignons sauvages cuit au four. Service efficace et une addition somme toute raisonnable eu égard au standing de l'établissement.

Billie's Black *(plan Harlem, B3,* ***29****) : 271 W 119th St (entre Saint Nicholas et Frederick Douglass Blvd).* ☎ *212-280-2248.* Ⓜ *(2, 3) 116th St. Tlj sf lun. Plats 17-23 $.* Cover charge

5-15 $. Programme sur ● billiesblack.com ● Dans la vague des bars-restos-cafés-concerts, le *Billie's Black* ne manque pas de caractère : clientèle type famille *middle class* afro-américaine un peu huppée, cadre élégant et chaleureux, une carte qui joue le registre *soul food gourmet* au travers de recettes personnalisées et quelques spectacles intéressants (vendredi et samedi généralement). Nos coups de cœur : les *Billies catfish strips,* les *shrimps and grits,* le *mango chicken,* le *no bull oxtails...* Accueil un peu *stiff* parfois !

Où manger au nord de Manhattan ?

New Leaf *(hors plan Harlem par A1, **93**) : Fort Tryon Park, 1 Margaret Corbin Drive. ☎ 212-568-5323. Ⓜ (A) 190th St (ascenseur pour Fort Washington Ave). À la sortie du métro, accès direct au parc. Sinon, bus M4 jusqu'à The Fort. Tlj sf lun. Brunch 20 $, plats lunch 8-20 $, dîner 23-36 $.* L'occasion d'un bol de chlorophylle dans ce parc magnifique, tout en faisant un excellent repas dans une belle demeure de pierre (en terrasse aux beaux jours). Cadre intérieur élégant et rustique tout à la fois avec ses poutres façon grange et son cadre de bois sombre. Produits locaux bio pour l'essentiel. Cuisine traditionnelle bien troussée (fameux trio de bœuf au vin rouge) et l'impression de faire une bonne action, puisque les bénéfices vont à la *Fondation Bette Midler* pour la rénovation des parcs et la replantation d'arbres. Brunch très populaire le week-end et jazz vendredi 19h30-22h30.

Où prendre un café ? Où manger une pâtisserie ?

Sur Broadway, au niveau de Columbia University, se succèdent les terrasses de cafés...

Levain Bakery *(plan Harlem, B4, **33**) : 2167 Frederick Douglass Blvd (entre 116th et 117th St). ☎ 646-455-0952. Ⓜ (C) 116th St. Tlj 8h (9h dim)-19h.* La miniboulangerie d'Upper West Side, célèbre pour ses cookies d'anthologie (les plus riches, épais et moelleux qu'on connaisse), a ouvert une antenne à Harlem ! Très bons scones également, tout aussi dodus. Vente à emporter seulement, rien pour s'asseoir.

Tonnie's Minis *(plan Harlem, B3, **37**) : 264 Lenox Ave (entre 123rd et 124th St). ☎ 212-831-5292 et 5293. Ⓜ (2, 3) 125th St. Lun-ven 7h30-21h ; sam 9h-21h ; dim 10h-19h.* C'est tout petit, bien caché en contrebas de la rue (descendre quelques marches)... et pourtant souvent plein. Pas de miracle : leurs *cupcakes* méritent le détour, à la fois pour leur fraîcheur et leur diversité. D'ailleurs, le choix est quasi infini puisqu'au final on choisit tout, de la taille du *cupcake* au glaçage en passant par les gourmandises qu'on éparpille dessus (noisettes, *M & M's...*). Rigolo comme tout.

Nussbaum and Wu *(plan Harlem, A4, **35**) : 2897 Broadway (angle 113th St). ☎ 212-280-5344. Ⓜ (1) 110th St. Tlj 6h-minuit.* Pour boire un café ou grignoter bagels, pâtisseries, sandwichs, pizzas à la coupe et salades dans une ambiance relax et cosmopolite. Les étudiants de Columbia University y lisent, discutent, et prennent un bain de soleil sur la terrasse en été.

Make my Cake *(plan Harlem, B4, **39**) : 121 Saint Nicholas Ave (et 116th St). ☎ 212-932-0833. Ⓜ (C) 116th St. Tlj 8h-20h (21h ven-sam et 19h dim).* Quitte à vivre l'expérience US à fond, ne manquez pas les énormes gâteaux aux couleurs extravagantes qui font l'apanage des authentiques pâtisseries. Celle-ci ne déroge pas à la règle : cheese-cake ou *red velvet cake, lemon meringue* ou *key lime* aussi roboratifs que délicieux. Quelques tables pour faire la pause et observer les habitués (nombreux) commander des gâteaux d'anniversaire géants.

Lee Lee's Bakery *(plan Harlem, B3-4, **34**) : 283 W 118th St. Ⓜ (C) 116th St. ☎ 917-493-6633. En prin-*

cipe, lun-sam 9h-19h, dim 10h-17h. La minuscule boutique ne paie vraiment pas de mine. Mais dans son genre, c'est une petite perle : c'est le seul endroit où l'on élabore encore des *rugelach,* petite pâtisserie au beurre d'origine autrichienne qui rappelle le passé juif d'Harlem. Une vraie curiosité, comme le patron, un *old brother* pur jus.

Où écouter du bon jazz ? Où voir un spectacle ? Où boire un verre ?

Harlem est, avec West Village, l'un des deux grands lieux du jazz à New York. Voici quelques bonnes adresses :

♩ |●| ***Shrine*** *(plan Harlem, B3,* ***44****)* **:** *2271 Adam Clayton Powell Jr Blvd (entre 133rd et 134th St).* ☎ *212-690-7807.* • *shrinenyc.com* • Ⓜ *(2, 3) 135th St. Tlj 16h-4h. Plats 8-15 $.* Sympathique repaire africain au beau milieu de Harlem, entièrement décoré de pochettes de disques. Au menu de ce resto-théâtre-salle de concerts très chaleureux à la programmation éclectique, de la poésie, du théâtre, et bien sûr des performances reggae, world, afrobeat ou rock par des groupes locaux et/ou africains ou jamaïcains. Quant aux nourritures terrestres, elles se présentent sous la forme de salades, de toasts ou de plats simples (poulet, poisson du moment), à moins d'opter pour les spécialités françaises servies dans la brasserie attenante *(Le Yatenga),* au cadre rustico-branché très tendance. Proprios et personnel du Burkina Faso, un petit bout de francophonie réjouissante dans ce lieu gastronomico-culturel qui nous a conquis.

♩ 🍸 ***Lenox Lounge*** *(plan Harlem, B3,* ***41****)* **:** *288 Lenox Ave (entre 124th et 125th St).* ☎ *212-427-0253.* • *lenoxlounge.com* • Ⓜ *(2, 3) 125th St. Tlj 12h-4h, et jazz live tlj sf mar dès 20h30. Cover charge 10 $ en sem, 20-25 $ ven-sam, plus un min de 16 $ de boisson.* L'un des plus fameux clubs de jazz du quartier, où se sont produits le Benny Powell Quartet, le Dizzy Reece Quartet, le groupe Cecil Payne, etc. On adore le cadre de ce bar qui ouvrit ses portes en 1939 et conserve encore intacte sa déco rétro à souhait. Dans les 2 salles (une pour le resto, une autre pour le bar), festival de banquettes confortables en demi-lune, glaces biseautées, aluminium, tables et chaises typiques *forties,* etc. Lumière tamisée. En dehors des concerts (de qualité), c'est bien sûr un bar ; ne pas manquer d'aller y boire un verre !

♩ ***LA Scat*** *(plan Harlem, B3,* ***42****)* **:** *449 Lenox Ave.* ☎ *212-234-3298.* Ⓜ *(2, 3) 135th St. Pour le moment, slt ven et sam soir, ainsi que le dim après-midi (13h-15h30 et 16h-19h).* Un petit lieu pour le jazz qui commence à se faire sa place en programmant de bons groupes. Cadre bistrot un peu foutraille, avec expos de tableaux, accueil sympa et atmosphère franchement décontractée.

♩ |●| ***American Legion Post*** *(plan Harlem, B3,* ***46****)* **:** *248 W 132nd St (entre Adam Clayton Powell Jr Blvd et Frederick Douglass Blvd).* ☎ *212-283-9701.* Ⓜ *(C, 2, 3) 135th St. Dim slt 20h-22h45.* Surtout des jams entre copains, pro et amateurs mêlés. Bonne atmosphère et possibilité de grignoter une *soul food* simple et goûteuse. Pas de *cover charge,* mais on signe le registre (c'est une association).

🍸 ***The L Lounge*** *(plan Harlem, B4,* ***47****)* **:** *213 Frederick Douglass Blvd (entre 115th et 116 St).* ☎ *212-961-1010.* Ⓜ *(A, C, D) 125th St. Tlj sf dim-lun jusqu'à 2h (4h ven-sam).* Nouveau bar design aux reflets bleus lumineux, bien représentatif des changements sociologiques du quartier. Clientèle jeune et branchouille venant tester la panoplie de cocktails et les concerts de fin de semaine (jazz le vendredi et soul le samedi)...

♩ ***Bill's Place*** *(plan Harlem, B3,* ***45****)* **:** *148 W 133rd St (entre Lenox et Adam Clayton Powell Jr Blvd).* ☎ *212-281-0777.* • *billsaxton.com* • Ⓜ *(2, 3) 125th St. Ven slt, sets à 21h et 23h30. Résa obligatoire.* Cover charge *15 $.* C'est en quelque sorte la quintessence de l'âme du jazz. Car il ne s'agit pas d'un club comme les autres : ici, pas de chichis ni de tralalas, bienvenue chez Bill Saxton, un saxophoniste talentueux qui se produit avec son quartet... dans son salon. L'exiguïté des lieux crée une atmosphère chaleureuse et attentive, qui permet aux privilégiés (places limitées) de savourer pleinement la musique. Un retour aux sources !

♩ **Showman's** *(plan Harlem, A3,* **40***) : 375 W 125th St (entre Saint Nicholas et Morningside Ave).* ☎ *212-864-8941.* Ⓜ *(A, C, D) 125th St. Sets mer dès 20h30 et ven-sam dès 21h30.* Cover charge *5 $ (sf mer) et 2* drinks *obligatoires.* Le 1er *Showman's Café* fut créé sur Frederick Douglass Boulevard en 1942. Il a depuis fait peau neuve, mais la programmation est par ailleurs aussi bonne qu'auparavant.

♩ |●| **Harlem Tavern** *(plan Harlem, B4,* **48***) : 2153 Frederick Douglass Blvd (et 116th St).* ☎ *212-866-4500.* Ⓜ *(C) 116th St. Tlj 12h (11h sam-dim)-2h. Soirées jazz mar-mer, ainsi que lors du brunch du sam (12h-16h). Parfois le dim ap-m également.* Happy hours *lun-ven 16h-19h.* Une populaire adresse alliant bon jazz et cuisine correcte. Auberge tout de brique rouge, spacieuse et bénéficiant devant d'un grand *beer garden*. En outre, pour les amateurs de sport, une dizaine d'écrans.

♩ **New Amsterdam Musical Association** *(plan Harlem B3,* **49***) : 107 W 130th St.* ☎ *212-234-2973.* Ⓜ *(2, 3) 125th St. En face du* Michelle B & B. *Entrée : 5 $. Ts les lun soir 19h30-22h30.* *Jazz Jam* animé par de bons groupes amateurs dans une ambiance déliée et sympathique. Parfois, le samedi à 18h, un petit show de chanteur ou chanteuse (téléphoner).

♩ **Cotton Club** *(plan Harlem, A3,* **43***) : 656 W 125th St (et Riverside Dr).* ☎ *212-663-7980 ou 1-888-640-7980* ● *cottonclub-newyork.com* ● Ⓜ *(1) 125th St. Petit bâtiment blanc isolé à la croisée des chemins, au pied du pont de la* highway. Jazz buffet *jeu, ven et sam soir 53 $;* big band *lun à partir de 20h 25 $ (3 sets de 50 mn) ;* gospel brunch *le w-e à 12h et 14h30 et* gospel show *avec buffet à 18h, chacun 40 $.* Le plus fameux des clubs de jazz de Harlem a disparu (il était situé sur 142nd Street, entre Lenox et 5th Avenue), avant de réapparaître ici, tout au bout de West 125th Street... Pas donné et évidemment très touristique.

♩ **Apollo Theater** *(plan Harlem, B3,* **51***) : 253 W 125th St (entre Adam Clayton Powell Jr et Frederick Douglass Blvd).* ☎ *212-531-5305. Ticketmaster :* ☎ *800-745-3000* ● *apollo theater.org* ● Ⓜ *(A, C, D, 2, 3) 125th St. Box-office ouv en sem 10h-18h ; sam 12h-17h.* Depuis les années 1930, ce music-hall a vu défiler tous les plus grands jazzmen du monde, de Dizzy Gillespie à Aretha Franklin en passant par Billie Holiday, Ella Fitzgerald et Duke Ellington... Plus tard, il lança aussi James Brown et les Jackson Five. Programme varié avec un accent particulier sur la musique noire américaine, africaine, reggae et parfois latina. À ne pas manquer, la désormais célèbre *Amateur Night*, tous les mercredis à 19h30 *(sf l'été ; billets 19-29 $).* Programmation éclectique : jazz-bands, danse, claquettes et groupes de musique en tout genre (même des enfants). Le spectacle est autant dans la salle que sur scène ! N'hésitez pas à prendre les places les moins chères, au 2e balcon, au milieu des gens du cru qui sifflent et hurlent leurs commentaires sur ceux qui se produisent sur scène, toujours dans la bonne humeur.

♩ ∞ **National Black Theatre** *(plan Harlem, B3,* **56***) : 2033 5th Ave (entre 125th et 126th St). Ce morceau de 5th Ave s'appelle aussi National Black Theatre Way !* ☎ *212-722-3800.* ● *nationalblacktheatre.org* ● Ⓜ *(4, 5, 6) 125th St. Env 10-15 $.* Depuis plus de 40 ans, c'est un symbole de l'affirmation de la culture noire américaine et de sa fierté. On y donne à la fois des cours et des spectacles : comédies, concerts, etc. Immersion culturelle garantie !

Shopping

Les grandes enseignes *(H & M, Old Navy, Foot Locker, American Apparel...)* ont peu à peu envahi 125th Street. Également beaucoup de choix en matière de *street wear* : *sneakers* dernier cri, survêtements.... Mais l'originalité de

Harlem, ce sont les magasins africains. Peu de production locale, les étoffes sont directement importées. Vous croiserez aussi de nombreux salons de beauté : il y en a presque autant que d'églises, incroyable !

Harlem's Market *(plan Harlem, B4,* ***70****) : 116th St (entre 5th et Lenox Ave).* Ⓜ *(2, 3) 125th St.* Petit marché d'artisanat africain : statuettes, masques, instruments de musique, vêtements et tissus. On y parle le français et tout est à négocier ! Juste à côté, un ***Fish Market*** très pittoresque, où l'on vous cuit à la demande des portions de *seafood* avec des légumes.

Marshalls *(plan Harlem, B3,* ***71****) : 125 W 125nd St (entre Lenox et Adam Clayton Powell Jr Blvd).* ☎ *212-866-3963.* Ⓜ *(2, 3) 125th St. Tlj jusqu'à 20h ou 21h.* C'est en quelque sorte le *Century 21* de Harlem. La présentation est moins léchée, mais on y trouve pas mal de marques (chemises *Ralph Lauren,* entre autres) à prix cassés.

Où écouter un bon gospel à Harlem ?

Pour ***écouter un gospel dans une église,*** il faut bien sûr venir un dimanche. Même les anticléricaux garderont un grand souvenir de ces célébrations hautes en couleur. Les choristes ont toujours de superbes tenues colorées, et dans l'assistance, les hommes sont en costume et les femmes arborent souvent des chapeaux aussi élégants que tape-à-l'œil. Qu'il est loin le temps où l'on se refilait le tuyau à l'oreille, presque confidentiellement, avec à la clé un bon repas *Southern food* dans une petite adresse de derrière les fagots... Depuis un certain nombre d'années déjà, les agences de voyages se sont emparées du créneau et déversent leurs bus de touristes dans les églises de Harlem avant de les envoyer dans les restos de *soul food* pour le traditionnel *gospel brunch*. Il est vrai que certaines paroisses pauvres ont vu là un moyen inespéré de collecter de l'argent pour leurs œuvres sociales, leurs programmes d'éducation et de lutte contre la drogue, les réparations de l'église, etc. Alors, conflit entre églises riches et églises démunies (il y en a près de 600 à Harlem) ? Pas si simple !

– La plupart des ***messes*** commencent vers 10h-11h (certaines dès 9h), et durent en général 3h. ***Vu l'affluence, on vous déconseille absolument d'opter pour une église « connue ».*** D'abord, parce qu'il arrive très souvent (surtout en haute saison) que les touristes soient refoulés, ensuite parce que les conditions sont pénibles et gâchent franchement l'aventure : obligation de se pointer au moins 1h en avance, service d'ordre musclé à l'entrée à cause justement du nombre de touristes... La meilleure option consiste à vous perdre dans les rues de Harlem et à pousser la porte d'une petite église de quartier qui vous paraît sympa. L'atmosphère y sera plus intime, authentique et l'émotion plus puissante que dans les églises certes « mythiques » mais noires... de touristes ! Les églises baptistes sont particulièrement recommandées pour leurs chants. Il suffit de demander gentiment à l'entrée si votre présence ne gêne pas. En général, pasteur et fidèles sont ravis de cet intérêt.

– ***Quelques règles de bienséance :*** beaucoup de touristes oublient souvent qu'ils assistent à une messe, qui est un moment de célébration et de communion, et non un spectacle. Alors, au risque de nous répéter encore, adoptez une tenue correcte (même s'il fait chaud en été, évitez débardeurs et tongs) ! De même, rangez caméscope et appareils photo (sauf autorisation préalable) et ne partez pas avant la fin. Parce que c'est difficile de ne pas les citer, voici une courte liste des églises les plus connues, mais on le répète, on ne vous conseille pas vraiment d'aller là, sauf peut-être au cœur de l'hiver, quand les touristes se font vraiment rares...

Abyssinian Baptist Church *(plan Harlem, B2,* ***50****) : 132 W 138th St (entre Lenox Ave et Adam Clayton Powell Jr Blvd).* ☎ *212-862-7474.* • abyssinian.org • Ⓜ *(2, 3) 135th St ; ou bus M2 ou M7 sur Amsterdam Ave. Services dim à 9h et 11h, mais seul celui de 11h est officiellement ouv aux touristes ; en théorie, car il* *arrive qu'on refuse également l'accès au service de 11h ! Également mer à 19h.* Fondée en 1808, c'est la plus vieille église noire de New York. Célèbre grâce à son prédicateur, Adam Clayton Powell Jr, élu à la Chambre des représentants en 1945, qui proposa des lois sur le salaire minimum et la suppression de la ségrégation dans l'armée. Le pasteur actuel, Calvin O. Butts, compte également parmi les principaux défenseurs de la cause des Noirs de New York. Le dernier dimanche du mois au service de 11h, c'est jour de baptême (par immersion)... plutôt spectaculaire ! Malheureusement, cette église ultra-célèbre est aujourd'hui victime de son succès : énormément de touristes (une entrée spécifique leur est même réservée, c'est dire), pas toujours autorisés à entrer en fonction de l'affluence, et un service d'ordre de plus en plus rude (qui aboie plus qu'il ne dialogue) assorti d'un code vestimentaire digne d'une boîte de nuit ultra-hype : pas de débardeurs, même en pleine canicule, pas de chaussures ouvertes non plus... Sans compter l'attente parfois de plus de 1h pour s'entendre dire qu'il n'y a plus de place... Il est clair qu'on n'y supporte plus l'overdose de visiteurs ! Nous déconseillons désormais vivement cette église.

Un bloc plus au sud se trouve ***Mother Zion Church*** *(plan Harlem, B2,* ***59****).* Située au 136 West 137th Street (entre Lenox Avenue et Adam Clayton Powell Jr Blvd), cette église méthodiste a l'avantage d'être un peu moins connue que l'*Abyssinian Baptist Church. Service dim à 11h.* Là, c'est la qualité du chœur et de la sono qui fait débat !

Autour de West 116th Street *(plan Harlem, B4),* on trouve notamment ***Canaan Baptist Church*** *(plan Harlem, B4,* ***60****), au 132 West 116th Street (entre Lenox Ave et Adam Clayton Powell Jr Blvd). Service dim à 8h et 11h, avec un gospel remarquable.* Également un *Sunday service* à la ***First Corinthian Baptist Church,*** *à 10h45 (au coin d'Adam Clayton Powell Jr Blvd et de la W 116th St),* et dans la ***Second Providence Baptist Church,*** *à 11h (11-13 W 116th St, entre 5th et Lenox Ave).*

Vers W 128th et W 129th St *(plan Harlem, B3)* : ***Salem United Methodist Church,*** *2190 Adam Clayton Powell Jr Blvd (et 129th St),* et sa voisine d'en face ***Metropolitan Baptist Church*** *(angle Adam Clayton Powell Jr Blvd et 128th St).*

Mount Neboh Baptist Church *(plan Harlem, B4)* **:** *1883 Adam Clayton Powell Jr Blvd (entre 114th et 115th St). Services du dim à 8h et 11h.* Bon gospel. Touristes à l'étage, dominant les chœurs.

Enfin, sur Lenox Avenue, entre 120th et 125th Street, plus d'une dizaine d'églises sont alignées des deux côtés de la rue !

À voir

HARLEM

Découvrir Harlem aujourd'hui ne pose pas de problèmes de sécurité majeurs, surtout dans les secteurs de plus en plus touristiques. Le métro et le bus sont les meilleurs moyens pour vous y rendre, mais si vous gardez une petite appréhension (le soir tard notamment), prenez un taxi. En débarquant ici, on peut être impressionné car la pauvreté reste présente dans certains coins, accentuée par de nombreuses maisons encore murées comme sur Lenox Avenue. Bien sûr, inutile de faire de la provoc' avec vos bijoux et vos tenues du dimanche, ou de photographier le quartier comme si vous étiez au zoo. De même, à la nuit tombée, restez dans les rues animées et évitez les coins trop excentrés (du bon sens, quoi !). Bref, sachez vous fondre dans Harlem et vous découvrirez un accueil, des sourires de sympathie et une atmosphère toute particulière.

Certaines avenues ont été rebaptisées avec les noms d'hommes politiques noirs. Ainsi, 6th Avenue, au-dessus de Central Park, s'appelle aussi Lenox Avenue (d'après James Lenox, grand philanthrope) ou encore Malcolm X Boulevard (les deux noms sont utilisés ; nous, on a opté pour Lenox !). 7th Avenue se nomme également Adam Clayton Powell Jr Boulevard (député et défenseur des droits civiques), et 8th Avenue s'appelle aussi Frederick Douglass Boulevard. Enfin, il y a aussi une avenue diagonale : Saint Nicholas Avenue. Il y en a d'autres, mais ces quatre-là sont les indispensables pour pouvoir s'orienter dans le quartier. Tout comme dans le reste de Manhattan, 5th Avenue marque la frontière entre les parties est et ouest.

Studio Museum Harlem *(plan Harlem, B3,* ***52****) : 144 W 125th St (entre Adam Clayton Powell Jr Blvd et Lenox Ave). ☎ 212-864-4500. • studiomuseum.org • Ⓜ (2, 3) et (A, B, C, D à 2 blocs et demi) 125th St. Jeu-ven 12h-21h, sam 10h-18h et dim 12h-18h. Donation suggérée : 7 $; réducs ; gratuit moins de 12 ans et pour ts le dim.* D'abord, c'est un très beau lieu. Il présente d'intéressantes expos temporaires (peinture, sculpture et photographie) principalement réalisées avec les œuvres du fonds du musée (superbes toiles de Romare Bearden, John Dowell, Moe A. Brooker, Nellie Mae Rove, papiers froissés de Sam Gilliam, gravures d'Elizabeth Catlett-Mora, portraits insolites de William H. Johnson, etc.). Le studio organise aussi des lectures et des concerts certains soirs (voir programme). Jolie boutique et sympathique *Atrium Café* (soupes, snacks, sandwichs et fraîches salades).

Genesis II Museum *(plan Harlem, B2,* ***61****) : 2376 Adam Clayton Powell Jr Blvd (et 139th St). ☎ 212-690-3800. • genesisiimuseum.org • Ⓜ (2, 3) 135th St. À l'angle de Strivers Row. Mer-dim 11h-19h. Entrée : env 6 $, visite guidée comprise ; réducs.* Minuscule musée entièrement dédié à la culture black depuis ses origines africaines (masques remarquables et autres beaux objets du Cameroun, du Congo, du Bénin et du Ghana...) jusqu'à ses artistes contemporains (pas mal de jazzmen, Harlem oblige), en passant par les grands acteurs de l'émancipation noire aux États-Unis (de Malcolm X à Barack Obama !). Pas grand-chose à voir en soi, mais ce lieu atypique vaut le détour pour la super visite guidée menée par Andy, le conservateur passionné et aussi le seul employé ! Une vraie rencontre.

Schomburg Center for Research in Black Culture *(plan Harlem, B2,* ***53****) : 515 Lenox Ave (angle 135th St). ☎ 212-491-2200. • schomburgcenter.org • Ⓜ (2, 3) 135th St. Centre de recherche ouv mar-jeu 12h-20h, ven-sam 10h-18h. Fermé dim ; ainsi que lun sf pour les expos temporaires.* Centre de recherche consacré à la culture black, mais avant tout l'une des plus importantes bibliothèques sur la civilisation noire, présentant également de belles œuvres d'art africaines. Également des enregistrements de musiques africaines, jazz et blues. Expos temporaires, lectures et concerts (programme sur le site internet).

National Jazz Museum *(plan Harlem, B3,* ***62****) : 104 E 126th St (et Park Ave) Suite 4 D. ☎ 212-348-8300. Ⓜ (2, 3, 4, 5, 6) 125th St. • JMIH.org • Visitor Center tlj sf sam-dim 10h-16h.*

Plus un centre culturel du jazz qu'un véritable musée. Propose un programme de conférences, lectures, petites expos et des séances éducatives sur le jazz, dont voici quelques éléments :

– *Expo :* courant 2012, présentation de la plus extraordinaire découverte depuis 60 ans : l'acquisition par le musée de la *collection Savory,* du nom d'un ingénieur du son qui enregistra près de 1 000 disques des plus grands dans les années 1930 jusqu'au début des années 1940. Enregistrements live dans des night-clubs ou des bals de *Cab Calloway, Lester Young, Coleman Hawkins, Billie Holiday* et bien d'autres... Il faut avoir entendu *Shivers* (1939), un morceau rare qui associa exceptionnellement Benny Goodman, Lionel Hampton et Charlie Christian, ce dernier considéré comme le plus grand guitariste de sa génération, mort de tuberculose à seulement 25 ans... Et que dire de l'extraordinaire *Blues Jam,* sommet

de l'impro entre Louis Armstrong, Fats Waller et le grand tromboniste Jack Teagarden ! Moments de plaisir privilégiés qu'on peut revivre ici avant qu'on en fasse un jour des CD...
– *Quelques activités permanentes : Jazz for curious listeners* (cours de jazz gratuit), le mardi 19h-20h30. *Harlem speaks,* le jeudi 18h30-20h30. *Jazz for curious readers,* le lundi soir. *Saturday Panels* : le samedi 12h-16h, conférences sur des personnalités du jazz. Tous renseignements et inscriptions sur leur site.

Itinéraire dans le quartier de Marcus Garvey Park

Le *Mount Morris Park* a été rebaptisé *Marcus Garvey Park,* du nom d'un célèbre activiste nationaliste. Voici donc une super balade pour découvrir l'architecture « harlemienne » le long de rues désormais classées *Historic District.* Délimité par Lenox Avenue, Mount Morris Park West, entre 124th et 119th Street *(plan Harlem, B3),* le secteur connut son premier développement vers 1880 dans la foulée de la création du métro aérien sur 8th Avenue, bientôt remplacé par l'underground en 1900...
Les premiers habitants du quartier étaient d'abord des familles blanches aisées. Au début du XXe s, elles furent remplacées progressivement par des familles pauvres d'Europe centrale récemment immigrées. Les belles maisons *brownstone* furent alors divisées en petits appartements, voire en studios. Beaucoup de ces immigrants étaient des familles juives, ce qui transforma Mount Morris Park et tout le secteur sud en deuxième pôle d'installation juif, après Lower East Side... Au cours des années 1920 et 1930, nouveau changement sociologique avec l'arrivée de la communauté noire. Le système de location « à la chambre » fut bien entendu maintenu. L'essor et la rénovation actuels du secteur ont fait grimper les prix, au grand dam de ceux qui habitaient jusqu'ici ces jolies maisons.
Accès pour la balade : Ⓜ (2, 3) 116th ou 125th St.

➢ ***Lenox Avenue*** (ou Malcolm X) est le prolongement de 6th Avenue. C'est l'artère principale de Harlem. Sur West 130th Street, entre Lenox et 5th Avenue, l'***Astor Row (A)*** est un bel exemple du style banlieusard des premières maisons construites à Harlem. Avec leur façade en brique rouge, elles sont aussi reconnaissables à leur porche et au carré de gazon devant. Entre West 125th et West 119th Street, Lenox Avenue offre également de superbes alignements de maisons *brownstone.* Si certaines sont en piteux état, la rénovation va bon train...
Les plus anciennes demeures avec escaliers et porches à colonnes datent de 1883 et s'étendent des nos 241 à 259. Au 267 Lenox Avenue (et 123rd Street) s'élève ***The Reformed Low Dutch Church of Harlem (B),*** devenue aujourd'hui église adventiste du 7e jour. Beau grès jaune, style néogothique. En face, au no 272, se tenait l'ancien studio du célèbre photographe Van der Zee (de 1942 à 1969), qui photographia Harlem pendant plus de 50 ans...

➢ Toujours sur Lenox Avenue, à l'angle de West 123rd Street (côté pair), s'élève un bloc particulièrement intéressant. D'abord, l'***Atlah World Missionary Church (C),*** au coin, imposant édifice en brique rouge, avec de hautes cheminées, fenêtres cintrées en pointe de diamant sur colonnettes et chapiteaux ciselés. Un des plus beaux exemples de style *Queen Anne.*
Au 32 West 123rd Street, à côté, ***Harlem Library*** (1891). L'une des premières bibliothèques publiques à New York. Aujourd'hui, elle abrite une des plus anciennes églises noires de Manhattan, la *Greater Behtel A.M.E. Church.*
À côté encore, aux nos 28-30, deux délicieuses demeures étroites de style *Queen Anne.* Combinaison harmonieuse de la brique et de la pierre ciselée. Joli décor floral. Du no 26 au no 4, succession de *brownstone houses* de style néogrec ou *Greek Revival.*

➢ À l'angle de West 123rd Street et de Mount Morris Park West s'élève le bâtiment d'une ancienne ***synagogue (Ethiopian Hebrew Congregation)*** qui accueillait la plus importante communauté de juifs noirs à New York. Magnifique portail de style néo-Renaissance italienne... Tourner ensuite à droite.
Aux nos 26-30 Mount Morris Park West, maisons de style néogrec avec de très élégants porches à portique et colonnes. Aux nos 22-24, fenêtres style néo-Renaissance joliment ornementées.

➢ À l'angle de West 122nd Street, on trouve la ***Mount Morris Ascension Presbysterian Church (D).*** Sur le même trottoir, du 6 au 16 West 122nd Street, alignement de *brownstone houses* cossues réalisées par William Tuthill, l'architecte du Carnegie Hall. Balcons sur consoles, corniches ornées de frises aux motifs différents, décor floral d'inspiration néo-Renaissance. Symboles de l'opulence bourgeoise de l'époque, admirer les hauts escaliers monumentaux qui menaient au 1er étage avec leurs rampes ouvragées. Ces demeures furent longtemps les quelques rares à ne pas avoir été divisées et à continuer à être occupées par une seule famille... Retour sur Mount Morris Park West.

– Aux 11-14 Mount Morris Park West s'élèvent plusieurs intéressantes maisons aux frontons tous différents. Belle tourelle d'angle et, en face, à l'angle de West 121st Street, ce gros bâtiment en brique rouge abritait... une prison pour femmes !

➢ Du 4 au 22 West 121st Street, encore une belle série de ***brownstone houses (E),*** datant de 1887. Porches avec décor floral et feuillage abondant, bow-windows avec encorbellements sculptés. Continuer vers Lenox Avenue.
De part et d'autre de West 121st Street, sur Lenox Avenue, du n° 200 au n° 218 et du n° 220 au n° 228, s'alignent certainement les plus élégantes demeures de l'avenue, témoignages du standing du quartier à l'époque. Surtout entre West 120th et West 121st Street, chaque façade possède sa personnalité. Aux 208 et 210 Lenox Avenue, intéressant chromatisme de brique, et riche décor des fenêtres au rez-de-chaussée. Remonter alors vers West 122nd Street.

➢ À l'angle de Lenox et de West 122nd Street, la ***Holy Trinity Episcopal Church*** (aujourd'hui *Saint Martin Church*) date de 1887. Certainement la plus belle église de style néoroman à New York.

➢ De l'autre côté de Lenox Avenue, à l'angle de West 121st Street (225 Lenox Avenue), s'élève ***Unitarian Church*** (aujourd'hui *Ebenezer Gospel Tabernacle*), de style *Gothic Revival,* le symbole des changements sociologiques du quartier. À sa construction en 1889, c'était une église pour Blancs protestants ; en 1919, la synagogue d'une communauté juive orthodoxe pauvre. En 1942, le quartier devint définitivement noir, et le bâtiment fut vendu pour devenir une nouvelle église afro-américaine.

➢ À l'angle de West 120th Street et de Lenox Avenue, colossale façade de la ***Mount Olivet Baptist Church*** (ancienne synagogue du *Temple Israël of Harlem*), reflet de la prospérité de la communauté juive d'origine allemande à l'époque. Elle fut construite en pierre de calcaire en 1906 par Arnold W. Brunner (ancien des Beaux-Arts de Paris), qui s'inspira, dit-on, de l'architecture du Second Temple de Jérusalem... Paradoxalement, cette synagogue eut une vie très brève puisque, en 1920, le quartier était déjà en grande partie déserté par sa communauté juive. En 1925, l'édifice fut donc racheté par la *Mount Olivet Baptist Church.*

➢ Pour finir, toujours sur le même trottoir, retour sur West 122nd Street pour une dernière série de belles ***brownstone houses (F).*** Du n° 103 au n° 111, détailler de près ces façades d'inspiration maure, dont certaines fenêtres sont en fer à cheval. Belles portes ciselées et nombreuses sculptures florales, fruits, oiseaux, etc. Joli travail sur les corniches toutes différentes.
À la suite, du 133 au 143 West 122nd Street, le plus bel alignement *Queen Anne* de New York, œuvre de Francis H. Kimball, architecte de très grande réputation

à l'époque. Multiplicité des détails et différences entre les maisons, et pourtant, elles s'intègrent harmonieusement à l'ensemble (le but recherché, à l'évidence !). L'architecte sut utiliser habilement la *terra cotta,* technique médiévale qui consistait à mouler la brique avant usage et à l'utiliser pour créer de splendides décors à moindre coût ! Lucarnes abondamment ornementées, grande variété de formes de fenêtres (anse de panier, avec pilastres, à fronton, cintrée, avec décor Renaissance, etc.). Au milieu du groupe, deux balconnets en fer forgé. Tout cela permettait de créer un beau rythme dans ces façades aux couleurs différentes.

➢ Au 154 West 122nd Street, le ***mémorial à Mother Clara Hale (G)*** qui, toute sa vie, se dévoua pour les enfants. Superbe statue en bronze, érigée notamment grâce aux dons de Yoko Ono...

Itinéraire sur 7th Avenue

7th Avenue, rebaptisée ***Adam Clayton Powell Jr Boulevard*** (premier député noir de Harlem au Congrès), avec ses magasins, théâtres et clubs, fut historiquement l'avenue la plus importante et la plus animée dans les *rowing twenties-thirties.* C'est ici que se déroulèrent toutes les grandes parades noires de l'époque : victoires de sportifs, manifestations politiques... En voici les lieux les plus significatifs.

➢ Au 2034 Adam Clayton Powell Jr Boulevard (et 122nd Street), les ***Washington Apartments (H),*** construits en 1883, furent les premières habitations collectives de Harlem. Base en pierre de taille, et le reste en brique sur sept étages, ils parvinrent à séduire la classe moyenne de l'époque qui ne jurait que par les *brownstone houses* ! Aux 1980-1990 Adam Clayton Powell Jr Boulevard (et 119th Street), encore un autre immeuble : fenêtres encadrées de colonnettes sculptées, *limestone* et briques blanches. Noter le beau travail du fer forgé sur les escaliers de secours.

➢ Au 1925 Adam Clayton Powell Jr Boulevard (et 116th Street), la ***Graham Court (I),*** édifiée en 1901, fut longtemps le plus luxueux immeuble de Harlem. Particulièrement imposant, à l'image de l'immense hall d'entrée à colonnes de marbre et chapiteaux ioniques. Au-dessus, oculi ornés d'une exubérante végétation sculptée. Côté 116th Street, le dernier étage reproduit le même décor...

➢ Diamétralement opposée, au 1910 Adam Clayton Powell Jr Boulevard, la ***First Corinthian Baptist Church (J),*** à la façade tarabiscotée d'inspiration mauresque, est un ancien théâtre-cinéma construit en 1913.

Itinéraire dans 125th Street

125th Street, rebaptisée ***Martin Luther King Jr Boulevard,*** offre l'occasion d'une belle balade architecturale le long de ses façades centenaires, même si son visage a considérablement changé du fait des nombreux magasins qui l'ont envahie...

➢ Au 253 West 125th Street, l'***Apollo Theater*** *(plan Harlem, B3,* ***51****),* dont la renommée n'est plus à faire (voir « Où écouter du bon jazz ? Où voir un spectacle ? Où boire un verre ? »).

➢ Au 230 West 125th Street, l'***immeuble Blumstein (K)*** déploie sa superbe façade en cuivre ciselé qui a pris des tons vert-de-gris avec le temps.

➢ Toujours sur West 125th Street, à l'angle d'Adam Clayton Powell Jr Boulevard, on découvre l'ancien ***Teresa Hotel*** (1910), tout blanc. Dernier étage joliment ornementé et balcons ondulants. Castro y dormait en 1960 lorsqu'il venait s'exprimer à l'ONU. Visité par Khrouchtchev également, venu faire un coucou à son vieux pote cubain !

➢ Au 136 West 125th Street, l'immeuble du ***Koch and Company Store (L),*** juste à gauche du *Studio Museum Harlem* (lire plus haut « À voir ») date de 1893. Jolis pilastres corinthiens soutenant deux étages de petites et larges arches néoromanes. Ancien grand magasin *(dry goods store),* dont le nom est resté sculpté tout en haut.

MORNINGSIDE HEIGHTS

Columbia University *(plan Harlem, A3-4,* ***55****)* **:** *201 Dodge Hall (angle 116th St et Broadway). ☎ 212-854-4900. Ⓜ (1) 116th St.* Entre West 114th et West 121st Street, dominant le parc de Morningside, s'étend Columbia University, l'une des plus célèbres et des plus riches des États-Unis. Produit de la fusion, en 1784, du King's College et de l'université de l'État de New York, elle fut installée ici à la fin du XIXe s. Nombre de personnalités y étudièrent. En vrac : Franklin D. Roosevelt, Barack Obama, Jack Kerouac, Paul Auster... Cet énorme complexe universitaire est dominé par la *Low Memorial Library,* genre d'énorme panthéon romain édifié en 1896. Le samedi après-midi, on a des chances d'assister à des séances de photos de mariage en grande pompe (les Américains ne lésinent pas sur les moyens dans ces occasions !) sur les marches de la *Library.* Limousines en pagaille. *Balade libre dans l'enceinte de l'université. Possibilité de visite guidée gratuite en anglais (brochure en français) du campus en sem à 11h et 14h ; départ du* Visitor Center *situé dans la fameuse* Library.

Cathedral Church of Saint John the Divine *(plan Harlem, A4,* ***54****)* **:** *1047 Amsterdam Ave (et 112th St). ☎ 212-316-7540 et 212-932-7347. • stjohndivine.org • Ⓜ (1) 110th St. Tlj 7h-18h (19h dim). Visites guidées (6 $) en anglais mar-sam à 11h et 13h, plus certains dim à 14h. Un autre tour permet de monter en haut de la cathédrale (sam à 12h et 14h : env 15 $, résa conseillée). Certains soirs, concerts de jazz, lectures de poésie, etc. (se renseigner).*

La plus grande église de style « byzantino-gothique français » du monde, mais aussi un vrai gag. Commencée en 1892, elle est bâtie seulement aux deux tiers ! Il manque encore le transept sud, et sa construction devrait s'achever vers 2050... On dit bien « devrait », car les crédits manquent : l'engagement du cardinal de Saint John the Divine en faveur de la lutte contre le sida et ses actions répétées pour la défense des Indiens sont loin de faire l'unanimité...

Ironie du sort, le transept nord qui, lui, était totalement achevé, a été dévasté par un incendie en 2001... Sa rénovation est enfin terminée. Consacrée au culte épiscopal (la branche américaine de l'église anglicane, fondée après l'indépendance et qui ordonne des femmes prêtres), la cathédrale est aussi la troisième basilique du monde en termes de taille, après Saint-Pierre de Rome et Notre-Dame-de-la-Paix de Yamoussoukro en Côte-d'Ivoire. D'une longueur de 183 m, large de 44 m, avec un transept prévu de plus de 100 m ! Nombreuses chapelles latérales dont une, sur la droite en entrant, consacrée aux génocides dans le monde.

La décoration de la cathédrale se révèle un vrai poème : tapisseries flamandes sur des cartons de Raphaël, un cristal de roche de 1 t, chaire en marbre, stalles en bois sculpté, transept gigantesque et chœur pharaonique avec d'énormes colonnes de granit, primitifs religieux, baptistère au gothique hyper chargé, mémorial aux pompiers de la ville, un autre aux victimes du sida... Dans la chapelle *Saint Columba,* les fans de Keith Haring admireront un

GOD BLESS TOUTOU

La plus grande cathédrale gothique du monde n'a pas fini de nous surprendre : le premier dimanche d'octobre, tous les ans, a lieu un événement hautement populaire : la bénédiction des animaux. Veaux, vaches, cochons, couvées... tout le monde est bienvenu, y compris les dromadaires ! Fin avril, on peut aussi venir faire bénir son vélo... Énorme, non ?

retable en bronze (réalisé 2 semaines seulement avant son décès en 1990), dont on trouve un autre exemplaire à la Grace Cathedral de San Francisco. Dans le chœur, un bas-relief en marbre blanc illustre les personnages marquants de la chrétienté. Le XXe s est représenté tout à gauche, avec Gandhi et Martin Luther King, entre autres.

Riverside Church *(plan Harlem, A3,* **57***) : Claremont Ave (entre 120th et 122nd St). ☎ 212-870-6808. • theriversidechurchny.org • Ⓜ (1) 125th St. Lun-sam 9h-17h ; service dim à 10h45 et mer à 19h.* Fondée en 1896 par J. Rockefeller et largement inspirée de la cathédrale de Chartres, l'une de ses particularités est certainement son énorme carillon de 74 cloches, le plus gros du monde ! Une des cloches, pesant 20 t, serait également la plus lourde que l'on connaisse...

HAMILTON HEIGHTS

Hamilton Grange *(plan Harlem, A2,* **58***) : dans Saint Nicholas Park (au niveau de 141st St). ☎ 212-926-2234. • nps.gov/hagr • Ⓜ (A, C, D) 145th St.* C'est l'ancienne maison de campagne d'Alexander Hamilton, grand copain de Washington avec lequel il rédigea la Constitution des États-Unis. Elle fut construite en 1802 dans le style fédéral par l'architecte du City Hall, au 202 Convent Avenue, juste à côté d'une jolie église... et déplacée (sur des roulettes !) en 2008 à quelques dizaines de mètres de là, dans Saint Nicholas Park. Hamilton défendit une nation ouverte sur le monde, industrielle et avec un pouvoir fédéral fort, s'opposant ainsi à une tendance isolationniste, sécessionniste et rurale. Hommage posthume, les États-Unis suivront définitivement le chemin qu'il avait tracé après la fin de la guerre civile. D'ailleurs, ce n'est pas un hasard si *Hamilton Grange* est l'un des quelques monuments new-yorkais administrés par l'État fédéral américain. Si vous êtes dans le coin, profitez-en pour jeter un coup d'œil aux belles *brownstone houses* de Convent Avenue (en remontant vers West 145th Street).

New York City College *(plan Harlem, A2-3) : Convent Ave (entre 131st et 140th St). Infos : ☎ 212-650-6476. • ccny.cuny.edu •* Un gigantesque et étonnant complexe architectural, en accès libre, ou à découvrir lors d'une visite guidée.

WASHINGTON HEIGHTS

Hispanic Society of America *(plan Harlem, A1,* **63***) : 613 W 155th St (angle Broadway). ☎ 212-926-2234. • hispanicsociety.org • Ⓜ (1) 157th St. Entrée sur Broadway, puis dans la 2de cour sur la gauche. Mar-sam 10h-16h30, dim 13h-16h. Entrée gratuite. Visite guidée gratuite en anglais sam à 14h.* Encore un milliardaire à l'initiative de ce petit musée : Archer Milton Huntington. Comme son nom l'indique, il est consacré aux civilisations espagnole et portugaise, de la préhistoire à nos jours. On peut y voir de beaux objets liturgiques des XIVe et XVe s : statuettes, calices, crucifix, morceaux d'églises... Mais aussi quelques toiles de grands peintres espagnols : Ribera, Vélasquez, le Greco, Zurbarán et Goya ; vraiment inattendues !

Morris-Jumel Mansion *(plan Harlem, A1,* **64***) : 65 Jumel Terrace (au niveau de 160th St, ruelle pavée entre Saint Nicholas et Edgecombe Ave, à l'est). ☎ 212-923-8008. • morrisjumel.org • Ⓜ (C) 163rd St. Mer-dim 10h-16h. Entrée gratuite.* Construite en 1865 dans le style georgien, dont elle est aujourd'hui la dernière représentante à NY, cette maison, entourée d'un petit parc, servit de quartier général à Washington pendant la guerre d'Indépendance en 1776. Mobilier des XVIIIe s américain et XIXe s français, car les Jumel qui achetèrent la maison en 1810 étaient français, et qui plus est, proches de notre petit empereur... Au rez-de-chaussée, dans la salle à manger, remarquez les rince-verres sur la table : ils étaient utilisés entre chaque plat (huit au total !) et donc entre chaque vin, car, en raison des impôts, les verres étaient un luxe, même pour les riches.

– Juste à côté, admirez l'allée pavée, ***Sylvan Terrace,*** bordée de croquignolettes maisons de bois peint du XVIIIe s.

THE CLOISTERS

*** ***The Cloisters*** *(hors plan Harlem par A1) :* *dans Fort Tryon Park (près de Washington Bridge, au bord de l'Hudson). ☎ 212-923-3700. • metmuseum.org/cloisters •*
– Accès : Ⓜ (A) 190th St (compter 20 mn de la station 59th St-Columbus Circle). Sortir par l'ascenseur et prendre le bus M4 en face (un arrêt pour le musée). Sinon, suivre le sentier qui traverse le parc et longe l'Hudson River (en fait, il y en a plusieurs, mais ils mènent tous aux Cloisters). Promenade bucolique de 10 mn, très agréable s'il fait beau. Le parc de Fort Tryon à lui seul vaut le détour avec sa flore variée et sa vue sur l'Hudson River et le Washington Bridge. Et puis, quel calme ! Si l'on veut prendre son temps, on peut aussi prendre le bus M4 (Fort Tryon Park-The Cloisters) qui remonte depuis le sud de Manhattan, via Madison Ave, jusqu'aux Cloisters. On traverse Harlem. En 1h30, les jours sans circulation, on a une impression très contrastée de la ville, des quartiers huppés aux coins crados... Enfin, si on arrive du MET : prendre le bus M79 (au niveau de 79th Street) qui traverse Central Park, et descendre au 2e arrêt pour récupérer le métro (B ou C). À la station 125th Street, changer pour le A. Fastidieux mais c'est le plus rapide.
– Ouv mar-dim 9h30-17h15 (16h45 nov-fév). Fermé Thanksgiving, Noël et Jour de l'an. Donation suggérée : 20 $; réducs ; gratuit moins de 12 ans, ou si vous êtes allé au Metropolitan Museum of Art le même jour (sacré challenge, vu le temps nécessaire pour visiter le MET ! C'est pourquoi il est très conseillé d'aller ***d'abord*** *aux Cloisters, et* ***de préférence ven ou sam,*** *jours de nocturnes au MET). On conseille de louer l'audioguide en français 7 $ (durée de la visite : 1h30) ; réducs. Prendre également le plan des salles en français. Visite guidée gratuite en anglais, tlj sf sam à 15h (durée : env 1h). Visite des jardins tlj à 13h, mai-oct slt.*
Le Moyen Âge et la Renaissance en plein New York ! En 1925, Rockefeller acheta la collection de sculptures et d'éléments architecturaux religieux réunie par le sculpteur George Grey Barnard au cours de ses voyages en France. Puis, en 1930, après avoir ajouté quelques pièces de sa collection personnelle, il offrit le *Fort Tryon Park* à la Ville de NY, en réservant le sommet du site pour construire cet étonnant monastère-musée aux quatre cloîtres, dans lequel il n'y eut jamais l'ombre d'un moinillon ! Les différents éléments de l'édifice, et les objets religieux qu'il renferme, datent tous des XIIe-XVe s, et proviennent essentiellement du Midi de la France... L'ensemble est un véritable bijou. Et puis l'atmosphère paisible et reposante est si bien rendue qu'on se rappelle à peine être à Manhattan !
– ***La galerie romane :*** au centre de la salle, une statue en bois de la Vierge à l'Enfant (XIIe s) provenant d'Auvergne. La mine est austère, mais quelle facture ! Ensuite, un magnifique portail gothique provenant de Bourgogne donne accès à la chapelle de Langon (Gironde).
– ***La chapelle Fuentidueña :*** on entre dans une véritable chapelle du XIIe s, dont l'abside provient d'une église de la région de Madrid. Les chapiteaux des piliers sont chargés de personnages bibliques, et la belle fresque au fond a été démontée dans une autre église espagnole des Pyrénées. Imaginez son transport pierre par pierre !
– ***Le cloître de Saint-Guilhem-le-Désert :*** colonnes et chapiteaux (XIIe s) proviennent de la célèbre abbaye du même nom, située au cœur du Languedoc (Hérault). La fontaine centrale était à l'origine un chapiteau.
– ***La salle capitulaire de Notre-Dame-de-Pontaut :*** accès par le *cloître de Cuxa* (Pyrénées françaises). En provenance de Gascogne, elle est un bon exemple de transition entre les styles roman et gothique : les colonnes sont plus minces et les fenêtres plus grandes que dans la chapelle Fuentidueña, vue plus haut.
– ***La tapisserie de la Licorne :*** six superbes tapisseries tissées en Belgique au tout début du XVIe s, racontant la légende de la chasse à la licorne. Certains disent

que c'est une allégorie de la vie du Christ représenté sous les traits de cet animal imaginaire ; d'autres que c'est un symbole de la séduction et de l'amour. Les couleurs sont restées belles. C'est l'un des documents les plus admirables que nous ait laissés le Moyen Âge.

– ***La salle Campin :*** on y admire le *triptyque de l'Annonciation,* admirablement réalisé en 1425 par le peintre Robert Campin, aussi appelé « maître de Flémalle », qui nous offre ici un chef-d'œuvre du réalisme gothique flamand marquant le tout début de la Renaissance. Il utilisa la technique alors révolutionnaire de l'huile sur bois (alors qu'on utilisait couramment la technique *a tempera,* couleurs mélangées à de l'œuf), qui donne plus de brillance et de précision à sa peinture.

– ***La chapelle gothique :*** éclairée par de beaux vitraux autrichiens (XIVe s), elle renferme une série de pierres tombales appelées « gisants » : au centre, un jeune homme, Jean d'Alluye, en armes, grandeur nature ; le lion à ses pieds symbolise son courage (XIIIe s).

– ***Le trésor :*** il recèle les joyaux du musée, des objets précieux parvenus jusqu'à nous depuis le fin fond du Moyen Âge. Voir surtout le *calice de Bertin* en argent massif, le *grain de Rosaire* en buis d'origine flamande (XVIe s), le *Livre d'Heures de Jeanne d'Évreux,* beau petit manuscrit enluminé (XIVe s), et un jeu de cartes datant du XVe s.

– ***Le cloître de Bonnefont :*** à côté des éléments architecturaux rapportés du Sud-Ouest de la France (XIIIe et XIVe s), on y découvre plus de 250 variétés de plantes médicinales et potagères du Moyen Âge, cultivées dans le cadre typique des jardins monastiques de cette époque... Juste à côté, le *cloître de Trie* réunit notamment toutes les plantes symboliques que l'on peut observer sur les tapisseries de la Licorne !

|●| ***Cafétéria*** sur place, sous les arcades du cloître français de Trie.

BROOKLYN

Une énorme ville à elle toute seule : 2,6 millions d'habitants ! Brooklyn est le plus peuplé des cinq boroughs de New York. Si c'était une ville indépendante, ce serait la quatrième des États-Unis, après... New York, Los Angeles et Chicago. D'ailleurs, Brooklyn fut longtemps une ville à part entière. Son rattachement au grand New York ne date que de 1898. Ce qui lui vaut, entres autres, un musée rivalisant facilement avec le MET et un parc à la hauteur de Central Park.

Ce sont peut-être ces années noires, parce qu'elles ont figé une partie de Brooklyn dans le passé, qui rendent sa découverte passionnante aujourd'hui. Nos lecteurs fans de New York et qui ont bien sillonné de long en large Manhattan auront l'impression d'explorer une tout autre ville, et même, dans certains quartiers, de remonter le temps jusqu'au New York des années 1950-1960, celui d'avant la « gentrification ». Non pas que Brooklyn échappe au phénomène. C'est justement ce qui lui est déjà arrivé dans plusieurs quartiers ! La concentration en maisons de ville, les fameuses *brownstone houses,* l'une des plus grandes de tout le pays, en fait un lieu résidentiel très convoité des yuppies.

Aujourd'hui, les artistes et intellos de tout poil qui s'y étaient aventurés en premier sont rejoints par des bobos en mal de lofts, ainsi que par de jeunes familles aisées attirées par la qualité de vie propre à ce secteur désormais considéré comme privilégié. Autre atout : après avoir été une grande puissance industrielle au XIXe s, Brooklyn est devenue une scène alimentaire locale sans équivalent, pionnière en matière d'agriculture urbaine. Un peu partout (y compris sur les toits !), on cultive plantes, fruits et légumes, vendus

ensuite dans les commerces locaux. Brooklyn est donc devenu LE borough le plus branché de New York. Les *hipsters* prennent désormais le taxi à Manhattan pour venir profiter des bars et clubs de Williamsburg, tandis que le charmant secteur de Park Slope se couvre de boutiques coquettes pour satisfaire les nouveaux venus. Brooklyn n'est plus Crooklyn (*crook* pour filou) la mal-aimée, mais le nouvel eldorado des bobos. Une vraie renaissance. Au pied des ponts de Brooklyn, Manhattan et Williamsburg, l'ancien quartier industriel de DUMBO s'est reconverti en cité d'artistes. En même temps, Brooklyn n'a jamais cessé d'accueillir de nouveaux immigrés. Les plus récentes vagues, en provenance d'Europe de l'Est, d'Afrique, d'Amérique latine, des Caraïbes, d'Asie et du sous-continent indien, ont rejoint les communautés plus anciennes. Elles font de Brooklyn, tout comme son voisin Queens, un vrai melting-pot : on estime à près de 100 le nombre de groupes et nationalités qui y cohabitent. Dans les quartiers de Crown Heights et de Williamsburg par exemple, Noirs et Latinos voisinent avec des juifs orthodoxes, bien que pas toujours dans la meilleure entente.

Mais c'est cette mosaïque de *neighborhoods,* ces ambiances de quartier qu'on retrouve dans les films de Spike Lee *(Do the Right Thing, Crooklyn),* Paul Auster *(Smoke, Brooklyn Boogie)* ou James Gray *(Little Odessa),* qui définissent sans doute le mieux Brooklyn.

S'il est impossible de décrire ici la totalité du borough tant il est vaste, nous avons choisi de vous présenter quelques quartiers faciles d'accès depuis Manhattan (notamment les désormais fameux Williamsburg, Brooklyn Heights et Park Slope, mais aussi les stars montantes DUMBO et Fort Greene), à moins que vous ne décidiez d'y loger (voir plus loin « Où dormir ? »).

Que ce soit pour leur atmosphère, leur architecture à échelle humaine, parfois d'une remarquable homogénéité, ou leurs musées aux riches collections, les différents aspects de Brooklyn vous permettront de croquer d'autres morceaux de la Grosse Pomme, trop souvent réduite au seul Manhattan. Bon, vous nous avez compris, ça vaut la peine de traverser l'East River, et pas seulement pour voir la *skyline*...

UN PEU D'HISTOIRE

Au XVIIe s, Brooklyn était une colonie hollandaise de quelques villages. D'ailleurs, le nom de Brooklyn vient de *Breuckelen* ou « la terre brisée », le plus ancien de ces villages, fondé en 1642 et nommé en souvenir d'une petite ville près d'Utrecht. Les Anglais occupant surtout les rives, l'influence hollandaise se fit longtemps sentir (jusqu'au XIXe s) dans les fermes et les champs du centre de Brooklyn.

L'urbanisation ne commença vraiment qu'après la mise en service du ferry à vapeur de Robert Fulton, en 1814, à la hauteur de l'actuel Brooklyn Bridge. Une petite agglomération se forma autour de l'embarcadère et grossit rapidement. Il fut déjà question d'une fusion avec New York, en 1833, mais elle échoua : les quelque 30 000 habitants refusèrent, protestant qu'il n'y avait « rien en commun entre New York et Brooklyn, que ce soit dans les activités, les projets ou les mentalités ». L'année suivante, Brooklyn obtint le statut de ville. Son expansion se poursuivit, réduisant peu à peu les terres agricoles. Vers le milieu du siècle, Brooklyn avait déjà son quotidien, le *Daily Eagle,* son musée d'Art, et bientôt son « Central Park » (le futur Prospect Park). Les rives de l'East River et de la baie se couvrirent de docks, d'entrepôts et d'industries : raffineries de sucre et d'huile, brasseries, imprimeries, métallurgie, et surtout le chantier naval de Navy Yard, simple atelier maritime qui devint, jusqu'à sa fermeture en 1966, le plus gros pôle industriel de New York. Des centaines de bateaux y furent affrétés ou construits pendant la guerre de Sécession et les deux guerres mondiales.

L'achèvement du pont de Brooklyn en 1883 changea radicalement les relations des deux voisins. Pourtant, l'incorporation de Brooklyn à la grande agglomération de New York ne fut signée qu'en 1898, et encore, de justesse : la population de Brooklyn ne vota le rattachement qu'à une infime majorité ! Le pont de Brooklyn est le seul pont de New York qui ne soit pas métallique, avec son arche de 2 005 m et ses piliers de granit de 90 m de haut. L'industrialisation se poursuivit, facilitée par l'ouverture du Williamsburg Bridge, en 1903, puis des premières lignes de métro traversant la rivière à partir de 1905. Ce qui attira forcément les immigrants : Russes, Polonais, Italiens, Irlandais, Grecs, Allemands... Dans les années 1930, ils représentaient plus de la moitié des habitants.

QUEL CIRQUE

Après 14 ans de travaux, le pont de Brooklyn est achevé en 1883. Mais une semaine après son inauguration, une rumeur d'effondrement provoque un mouvement de panique sur le pont et la mort de 12 personnes. Pour prouver sa solidité, Phineas Taylor Barnum y fait défiler les 21 éléphants de son cirque. S'assurant, par la même occasion, un sacré coup de pub.

Avec la crise économique commencèrent les années difficiles. De nombreux quartiers tombèrent dans la misère. La série noire continua après la guerre avec le recentrage des activités portuaires dans le New Jersey, le déclin puis la fermeture définitive de Navy Yard. La classe moyenne s'enfuit vers la banlieue, de nouveaux quartiers sombrèrent dans la décrépitude et l'insécurité. Même le *Daily Eagle* cessa de paraître et, coup encore plus rude pour l'amour-propre brooklynite, la célèbre équipe de base-ball, les *Brooklyn Dodgers,* se vendit au plus offrant et déménagea pour Los Angeles en 1957, 2 ans après avoir remporté son premier titre de champion du monde !

BROOKLYNITES CÉLÈBRES

Les feux de la rampe brillent peut-être à Manhattan, mais nombre de ses vedettes ont grandi à Brooklyn. La liste est longue, à commencer par l'ancien maire de New York, Rudolph Giuliani (son père travaillait au Navy Yard). Spike Lee, Harvey Keitel, Woody Allen, Mel Brooks, Barbra Streisand, Lauren Bacall, Michael Jordan et le rappeur Jay-Z sont nés ou ont passé leur enfance à Brooklyn. L'artiste d'origine haïtienne Jean-Michel Basquiat y est né et même mort ; quant à l'auteur Paul Auster, il vit toujours à Park Slope après avoir habité un temps à Carroll Gardens et Cobble Hill. Henry Miller est un enfant de Williamsburg, qu'il décrit dans son roman *Tropique du Capricorne.* Il y eut aussi les acteurs Mae West et Mickey Rooney, le compositeur George Gershwin, les écrivains Thomas Wolfe, Arthur Miller et Norman Mailer. Et parmi la nouvelle génération du 7e art, les comédiennes Michelle Williams (qui habite Boerum Hill) et Ann Hathaway.
Mais le grand homme dont Brooklyn est sans doute le plus fier, c'est le poète Walt Whitman (1819-1892). Né dans un petit village de Long Island, il a passé la plus grande partie de sa vie à Brooklyn Heights, travaillant et retravaillant inlassablement à ses *Feuilles d'herbe,* son unique recueil de poésies.

Adresses et infos utiles

i Brooklyn Tourism and Visitors Center *(zoom 1 Downtown Brooklyn, A2)* **:** *209 Joralemon St.* ☎ *718-802-3846.* • *visitbrooklyn.org* • Ⓜ *(R, 2, 3, 4, 5) Court St-Borough Hall. Lun-ven 10h-18h (plus sam l'été, mais horaires irréguliers).* Plan du quartier, brochures, infos pratiques.

■ **Hello Brooklyn ! :** • *hellobrooklyn.com* • Infos sur le programme culturel et les événements ponctuels (soirées, matchs, fêtes de quartier, séances de ciné, etc.).

■ ***Brooklyn Attitude :*** ☎ *et fax : 718-398-0939. ● info@brooklynattitudetours.com ● brooklyn.attitudetours.com ● Tarif : 30-60 $/pers selon nombre de participants (limité à 10). Moins de 16 ans 30 $. CB refusées.* Eliot Niles, un Brooklynite de la 3e génération qui parle un français impeccable, a monté cette agence proposant des tours guidées personnalisés pour individuels ou groupes. Tout est à la carte, donc n'hésitez pas à lui demander quelque chose de précis si vous souhaitez une thématique particulière. Pour les voyageurs les plus curieux à la recherche d'une découverte en profondeur, Eliot conseille le *Brooklyn Select,* une visite à pied de 3 quartiers de Brooklyn très contrastés (Fort Greene et Crown Heights notamment), avec transport rapide en métro entre chaque quartier.

■ ***TKTS*** *(zoom 1 Downtown Brooklyn, A2,* ***2****) : 1 MetroTech Center (angle Jay St et Myrtle Ave Promenade), Downtown Brooklyn.* Ⓜ *(A, C, F, R) Jay St-Metro Tech. Mar-sam 11h-18h. Réducs 25-50 % sur les places les plus chères (billets d'orchestre à env 60 $ + frais). Cash ou CB.* Ce kiosque revend des places de théâtre et de comédie musicale à prix réduits. Même principe qu'à Times Square, les files d'attente en moins ! Sont affichés les spectacles pour lesquels il reste des places disponibles le jour même (le lendemain pour les matinées).

Transports à Brooklyn

N'imaginez pas visiter tout Brooklyn en un jour ! D'abord, on le répète, c'est immense, et puis surtout les différents quartiers décrits sont mal reliés entre eux par le réseau de lignes de métro, pas assez dense à certains endroits. Difficile par exemple de rallier le coin du Brooklyn Museum et du Botanic Garden depuis Williamsburg car il n'y a pas de ligne de bus non plus. En revanche, certains quartiers sont désormais desservis par le bateau : DUMBO, Williamsburg et Greenpoint avec l'*East River Ferry (● nywaterway.com ●)* et DUMBO et Red Hook avec le *New York Water Taxi (● nywatertaxi.com ●).*

Se loger à Brooklyn

Loger à Brooklyn (particulièrement à Park Slope et Prospect Heights qui regorgent d'adresses de charme) offre plusieurs avantages : d'abord, découvrir cette partie de New York digne d'intérêt et souvent encore ignorée – à tort – des touristes ; ensuite, y trouver plus de calme qu'à Manhattan et une atmosphère qui n'existe que là.

– Voir plus loin les rubriques « Où dormir ? » présentées par quartier.

Manger à Brooklyn

C'est à Brooklyn que la fièvre culinaire s'est emparée de New York, voici déjà quelques années. C'est ici, dans ce borough tranquille, bobo et alternatif, que les habitants ont, les premiers, privilégié une alimentation saine, souvent bio, et lancé le fameux mouvement « locavore » (né à San Francisco) qui depuis a déferlé sur Manhattan. Les bons restos y foisonnent. Attention, nombre d'entre eux ***ne prennent pas les cartes bancaires*** (petit snobisme ?), alors prévoyez du cash.

Intéressant : pendant une dizaine de jours en mars, de nombreux restos participant à l'opération ***Dine in Brooklyn*** proposent des menus à prix fixe autour de 20 $ le midi et 25 $ le soir ainsi que des réducs sur le brunch. *Rens : ● visitbrooklyn.org ●*

– Voir plus loin les rubriques « Où manger ? » présentées par quartier.

Vie nocturne

Brooklyn est devenu un endroit incontournable du circuit nocturne, à tel point que même les *Manhattanites* y vont pour sortir (ce qui était encore impensable il y a quelques années) : l'ambiance y est plus détendue, et la vie moins chère. Faites comme les

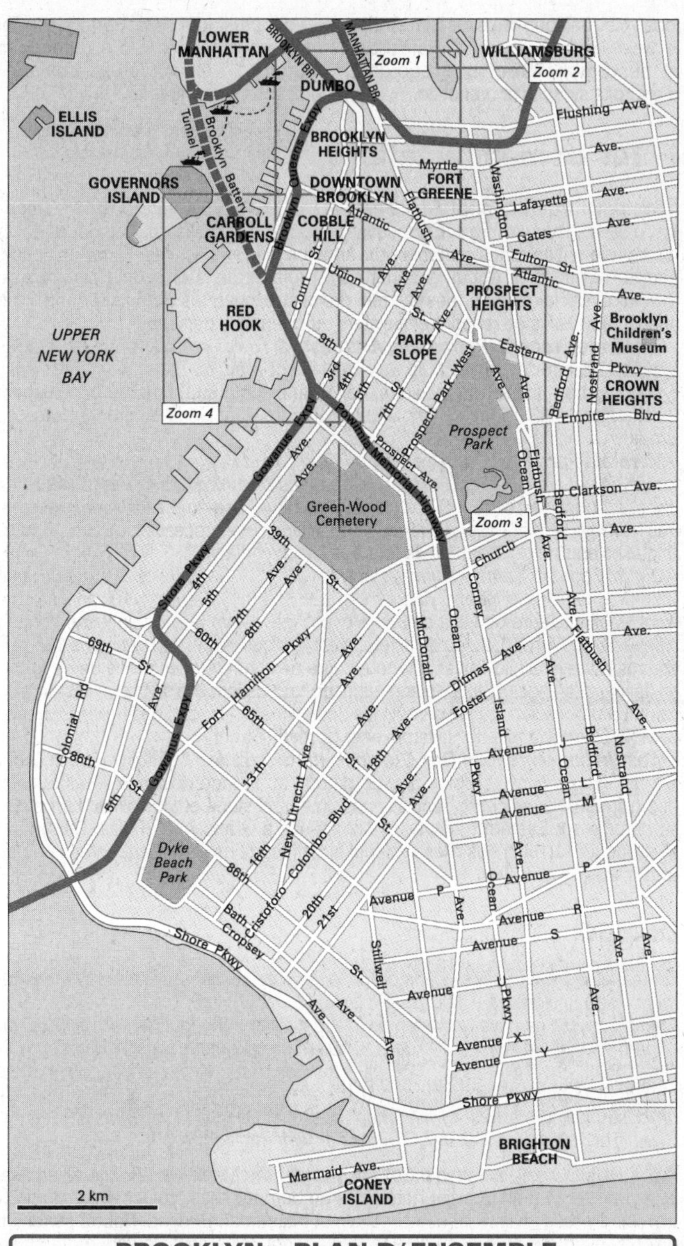

BROOKLYN – PLAN D'ENSEMBLE

locaux et baladez-vous de bar en bar le week-end. Surtout à Williamsburg et sur Smith Street qui regorgent d'endroits sympas et branchés.

– Voir plus loin les rubriques « Où boire un verre ? », « Où écouter de la musique ? « Où voir un spectacle ? » présentées par quartier.

Fêtes et manifestations

– ***Brooklyn International Film Festival :*** *fin mai-début juin, pdt 10 j. Rens : • brooklynfilmfestival.org* • Ce festival accueille des réalisateurs indépendants du monde entier venus partager leur art avec les Brooklynites. Films de fiction, courts-métrages et documentaires sont projetés dans différents cinémas de Brooklyn. Certains jours, des soirées dansantes ouvertes au public donnent la chance à certains de rencontrer les stars du cinéma de demain.
– ***Celebrate Brooklyn Performing Arts Festival :*** *de mi-juin à fin août. Spectacles jeu-dim à partir de 19h ou 20h. La plupart sont gratuits. Rens : • bricartsmedia.org* • Très bon festival de musique, danse et cinéma au *Bandshell* de Prospect Park (entrée sur Prospect Park West et 9th Street) et dans différents parcs de Brooklyn.
– ***Mermaid Parade :*** *1er sam de l'été, sur Surf Ave et Boardwalk, entre W 21th St et W 10th St, à Coney Island. Rens : • coneyisland.com/mermaid* • Fête du Solstice d'été, au bord de l'océan. Sur un thème nautique, une ambiance aussi délirante que les *Gay Pride* et *Halloween Parade* du Village : une procession de Brooklynites déguisés en sirènes, Neptune, le tout très kitsch et coloré...
– ***Giglio, Feast of Saint-Paulinus :*** *vers mi-juil, pdt 7 j., la grande fête annuelle de la communauté italienne de Williamsburg (voir plus loin).* Depuis 1887, on y célèbre saint Paulinus, curé de Nola qui, au Moyen Âge, sauva la vie d'un jeune homme enlevé par les Turcs. Le clou de la fête, c'est la procession : une armée de 135 personnes porte la Giglio Tower, une tour haute de quatre étages ornée de lys (*giglio* en italien) et d'angelots en papier mâché, en haut de laquelle se trouve la statue du saint. La procession, qui se déroule les deux dimanches, part de l'église Our Lady of Mont Carmel (angle de Havemeyer et North 8th Street).
– ***West Indian-American Day Crown Heights Parade :*** *à Brooklyn, pour* Labor Day *(1er lun de sept).* La plus grande parade au monde des différentes nations des Caraïbes, avec chars décorés, costumes, musique et victuailles. La parade se déroule sur Eastern Parkway et commence à Grand Army Plaza. Dépaysant et exotique. Attention les filles : l'alcool aidant, certains se lâchent parfois un peu trop !

DUMBO

Toutes les adresses citées dans ce chapitre sont desservies par les stations de métro High St (lignes A, C) ou York St (ligne F).
*Accès possible en navette bateau avec l'*East River Ferry, *qui dessert DUMBO au départ de Wall St-Pier 11, avt de poursuivre sa trajectoire vers Williamsburg et Greenpoint. Env 4 $ le trajet ; 12 $* pass *journée. Rens • nywaterway.com • Autre option, mais plus chère car* pass *à la journée slt (26 $; réduc), le* water taxi, *qui propose plusieurs arrêts à Manhattan (dont Wall St-Pier 11 et South St Seaport Pier 17) et dessert aussi DUMBO. Rens • nywatertaxi.com •*

DUMBO est l'acronyme de *Down Under the Manhattan Bridge Overpass,* et le nom de ce petit quartier hétéroclite au bord de l'eau, coincé entre les deux travées d'accès *(overpass)* des Brooklyn et Manhattan Bridges. Robert Fulton, le célèbre inventeur du bateau à vapeur (qui tenta vainement de vendre un sous-marin à Napoléon), installa à cet endroit l'arrivée de son ferry, en 1814. C'est d'ici que les productions des fermes de Brooklyn partaient pour Manhattan. L'ouverture du pont en 1883 porta, bien entendu, un coup d'arrêt au *traffic* vers Manhattan.

Le ferry pour passagers s'arrêta, quant à lui, en 1924. Abandonnés progressivement depuis l'après-guerre, les anciens entrepôts et locaux commerciaux ont été redécouverts par des artistes au début des années 1990. Ils seraient maintenant environ un millier à y habiter et travailler ; la prolifération de galeries et de bars branchés en témoigne.

À New York, la naissance d'un nouvel acronyme signifie en général qu'il y a de la « yuppisation » ou « gentrification » dans l'air. DUMBO n'a pas fait exception, au grand dam des artistes qui ont vu leurs chers entrepôts se reconvertir en lofts de luxe. Il est même question depuis plusieurs années (mais personne ne se décide) de transformer le quartier en une sorte de Downtown au bord de l'eau, avec bureaux, hôtels, cinémas et *malls*. C'est donc le moment ou jamais de visiter DUMBO, très facilement et rapidement accessible depuis Manhattan. On adore son côté ville fantôme en train de se réveiller, ses vues superbes sur Manhattan, ses petites rues pavées plantées d'entrepôts rougeâtres d'un autre temps et les masses géantes des deux ponts qui les enjambent dans le fracas des voitures et des métros. Un vrai décor de cinéma.

HÔTEL GRATUIT À NEW YORK

Il faut être témoin de Jehovah très actif pour pouvoir bénéficier de trois nuits gratuites au Bossert Hotel de Montague Street, à l'angle de Hicks. Cet hôtel, qui fut à une époque le Waldorf Astoria de Brooklyn, fait partie de la trentaine de biens appartenant à la secte de Jehovah à DUMBO et Brooklyn Heights. Parmi eux figurent aussi le building Watchtower, qui fut longtemps le siège mondial du mouvement et dont l'enseigne se repère de loin sur le pont de Brooklyn. Nous, on préfère payer !

Où manger ?

Spécial brunch

Bubby's *(plan 1, D5 ou zoom 1 Downtown Brooklyn, A1,* **840***) : 1 Main St (au bord de la rivière).* ☎ *718-222-0666. Brunch servi tlj. Plats 13-20 $.* Cash only ! Bruncher chez *Bubby's* est une tradition à DUMBO. Voir descriptif plus loin.

River Café *(plan 1, D5 ou zoom 1 Downtown Brooklyn, A1,* **841***) : 1 Water St (entre Furman et Old Fulton).* ☎ *718-522-5200. Brunch env 55 $ (oui, quand même !).* Inabordable pour le dîner, l'une des plus belles tables de la ville est toutefois encore fréquentable à l'heure du brunch dominical. Le magnifique panorama sur Manhattan et le Brooklyn Bridge vaut à lui seul le détour : depuis cette péniche amarrée au ponton de l'ancien Fulton Ferry, rien ne vient troubler le spectacle des bateaux glissant au fil de l'eau. Cuisine américaine de très haute volée. Dernier détail : tenue correcte exigée.

De bon marché à prix moyens

Grimaldi's Pizzeria *(plan 1, D5-6 ou zoom 1 Downtown Brooklyn, A1,* **842***) : 1 Front St (et Fulton).* ☎ *718-858-4300. Env 20 $ pour 2. CB refusées.* C'est depuis des lustres l'une des meilleures pizzerias de New York. Les aficionados, talonnés par de nombreux touristes, n'hésitent pas à venir de loin pour ce monument. Relocalisé depuis peu dans un espace beaucoup plus grand à deux pas du précédent (un superbe *cast-iron*), le nouveau *Grimaldi's* se tire la bourre avec son ancien fondateur, Patsy Grimaldi, qui a racheté leurs anciens locaux (et l'antique four à charbon) du 19 Fulton St pour ouvrir à son tour *Juliana's*, où la pizza promet d'être meilleure. Une vraie mafia !

Bubby's *(plan 1, D5 ou zoom 1 Downtown Brooklyn, A1,* **840***) : 1 Main St (et Plymouth).* ☎ *718-222-0666. Plats brunch et dîner 15-20 $, 10-15 $ le midi. CB refusées.* Au bord de l'eau, dans un ancien et vaste entrepôt réhabilité, face à la *skyline* et au

Manhattan Bridge, voilà pour le décor. Dans l'assiette, une cuisine familiale américaine revue au goût du jour, c'est-à-dire tendance bio, servie du matin au soir. Pour être honnête, on vient surtout pour le cadre, la déco industrielle encore dans son jus et cette vue *amazing* comme on dit ici. Si vous voulez être aux premières loges, optez pour une table en mezzanine. Beaucoup de monde le week-end à l'heure du brunch.

|●| ***Rice*** *(plan 1, D5 ou zoom 1 Downtown Brooklyn, A1,* ***843****)* **:** *81 Washington St (entre Front et York). ☎ 718-222-9880. Plats env 10-12 $. CB refusées.* Comme son nom l'indique, Rice est le royaume du riz. Sous toutes ses couleurs et formes, à toutes les sauces, avec ou sans viande (remplacée par du tofu). L'idée, c'est de composer plus ou moins son plat préféré, comme ça tout le monde est content... à condition toutefois de s'y reconnaître dans le menu et d'éviter les mauvaises associations. Salle sobre et agréable, ou terrasse en plein soleil l'été (encore un bon point). Également à emporter au comptoir attenant.

BROOKLYN

Plus chic

|●| ***Vinegar Hill House*** *(plan 1, E5 ou zoom 1 Downtown Brooklyn, B1,* ***847****)* **:** *72 Hudson St (entre Front et Water St). ☎ 718-522-1018. Ⓜ (F) York St. Tlj 18h-23h (23h30 ven-sam). Brunch sam-dim 11h-15h30. Plats 20-30 $; brunch env 15 $.* Pas trop loin de DUMBO, dans un coin assez surréaliste, une rue pavée bordée de mignonnes petites maisons, littéralement enclerclées par les entrepôts. Une vraie table de chef qui mérite le détour tant pour sa cuisine de bistrot revisitée que pour sa chaleureuse atmosphère vintage. Vieux parquet, comptoir en cuivre, cheminée, bougies, beaucoup de charme. Carte courte et simplissime, ce qui surprend toujours aux États-Unis, mais c'est la tendance actuelle dans les très bons restos : on se concentre sur le produit ! Parmi leurs spécialités : le *Chicken 2 ways* (rôti et frit) et la *Red Wattle country pork chop.* Très bons desserts aussi et brunch réputé.

Où boire un café ou un chocolat ? Où manger une douceur ?

Brooklyn Ice Cream Factory *(plan 1, D5 ou zoom 1 Downtown Brooklyn, A1,* ***841****)* **:** *Fulton Ferry Landing Pier ; c'est la maison en bois blanc, à côté du River Café. ☎ 718-246-3963. Tlj sf lun-mar 12h-22h.* Une excellente fabrique de glaces artisanales sise dans une bâtisse pittoresque (l'ancienne station de pompiers de l'East River, avec son adorable tour de guet). Délicieuses, crémeuses à souhait, à déguster à l'intérieur, ou, beaucoup mieux, sur le ponton au soleil, avec vue gratuite sur Manhattan !

Jacques Torres Chocolate *(plan 1, D5 ou zoom 1 Downtown Brooklyn, A1,* ***921****)* **:** *66 Water St. ☎ 212-414-2462. Tlj 9h-20h (10h-18h dim).* Oubliez votre régime en poussant la porte de cette boutique merveilleuse ! Sur les beaux rayonnages, d'innombrables bocaux remplis de chocolats originaux, et, occupant tout l'espace, les odeurs entêtantes provenant de la fabrique voisine. Autant dire qu'on aura bien du mal à ne pas s'offrir au minimum un verre de chocolat chaud. Épais, goûteux, on le sirote à petites gorgées sur place (2 tables) ou dans l'Empire Fulton Ferry State Park. Accueil très gentil.

One Girl Cookies *(plan 1, D5 ou zoom 1 Downtown Brooklyn, A1,* ***922****)* **:** *33 Main St (et Water). ☎ 347-338-1268. Ⓜ (F) York St. Tlj 8h (9h sam, 10h dim)-18h.* Adorable collection de *cupcakes, whoopy pies* et autres gâteaux américains nouvelle génération (donc pas donnés, donnés), à déguster dans un décor industriel réhabilité design, typique de DUMBO.

Où boire un verre ?

|●| ***Superfine*** *(plan 1, E5 ou zoom 1 Downtown Brooklyn, A1,* ***950****)* **:** *126 Front St, DUMBO. ☎ 718-243-9005. Fermé lun.* Comme nombre de ses semblables, cet ancien entrepôt a été métamorphosé en un grand loft

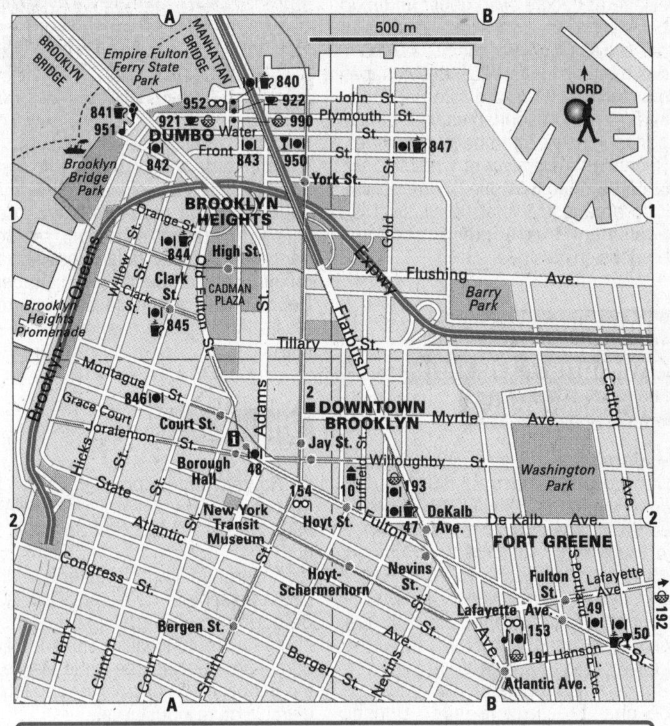

BROOKLYN – Downtown Brooklyn (ZOOM 1)

■ **Adresses utiles**

- Brooklyn Tourism and Visitors Center
- **2** TKTS

Où dormir ?

- **10** Aloft Brooklyn

Où manger ?

- **47** Junior's
- **48** Shake Shack
- **49** Habana Outpost
- **50** No 7
- **193** Dekalb Market
- **840** Bubby's
- **841** River Café
- **842** Grimaldi's Pizzeria
- **843** Rice
- **844** Siggy's
- **845** Tazza
- **846** Five Guys
- **847** Vinegar Hill House

Où boire un café ou un chocolat ? Où manger une douceur ?

- **841** Brooklyn Ice Cream Factory
- **921** Jacques Torres Chocolate
- **922** One Girl Cookies

Où boire un verre ? Où écouter de la musique ? Où voir un spectacle ? Où assister à un gospel ?

- **153** Brooklyn Academy of Music et BAM Café
- **154** The Brooklyn Tabernacle
- **950** Superfine
- **951** Bargemusic
- **952** Galapagos Art Space

Shopping

- **191** Brooklyn Flea Market (hiver)
- **192** Brooklyn Flea Market (été)
- **193** Dekalb Market
- **921** Jacques Torres Chocolate
- **990** Powerhouse Books

éclairé et décoré avec goût : un grand bar central en contrebas de la salle, des œuvres d'artistes locaux aux murs, des meubles dépareillés, des canapés moelleux et un billard (gratuit). Boissons à prix raisonnables, qui font le bonheur d'une ribambelle d'habitués. Si on veut s'éterniser et y rester dîner, la partie resto sert une bonne cuisine italo-américaine *(plats env 15-25 $)*. Également très apprécié pour ses brunchs en musique.

Où écouter de la musique ? Où voir un spectacle ?

♩ ***Bargemusic*** *(plan 1, D6 ou zoom 1 Downtown Brooklyn, A1,* ***951****)* **:** *Fulton Ferry Landing, DUMBO. ☎ 718-624-2083. • bargemusic.org • Tte l'année jeu-sam à 20h et dim à 16h (15h aux beaux jours). Places 35-45 $. Résas au moins 1 sem à l'avance. Ts les sam, concert gratuit au programme « surprise » offert à 15h (voir site web). Pas de résas pour celui-ci, venir tôt.* Concerts principalement de musique de chambre (jazz le jeudi) donnés sur une péniche amarrée au bord de l'East River. Le cadre génial (belle vue sur Manhattan) et la qualité de la programmation lui valent un franc succès depuis plus de 30 ans.

Galapagos Art Space *(plan 1, D5 ou zoom 1 Downtown Brooklyn, A1,* ***952****)* **:** *16 Main St (et Water), DUMBO. ☎ 718-222-8500. • galapagosartspace.com • Spectacle tlj à 19h ou 20h (parfois 21h ou 22h). Le sam à 22h, show burlesque.* Cover *en fonction des performances (env 20 $).* Ce lieu génial de rencontres artistiques et de spectacles d'avant-garde occupe un lieu tout aussi formidable : un ancien entrepôt réaménagé de façon ultra-cosy, avec des îlots de banquettes en arrondi, séparés par de petits bassins dans lesquels se reflètent élégamment les éclairages. Décor super, même le bar est très réussi. Atmosphère à la fois *trendy* et relax.

Shopping

Powerhouse Books *(plan 1, D5 ou zoom 1 Downtown Brooklyn, A1,* ***990****)* **:** *37 Main St (et Water St). ☎ 718-666-3049. Ⓜ (F) York St.* Vaste loft reconverti en librairie-galerie d'art, très représentatif de l'esprit DUMBO. Sélection restreinte, présentation épurée voire minimaliste mais le lieu, offrant une vue superbe sur le Manhattan Bridge, est à voir pour les amateurs d'architecture industrielle.

Jacques Torres Chocolate *(plan 1, D5 ou zoom 1 Downtown Brooklyn, A1,* ***921****)* **:** *66 Water St. ☎ 212-414-2462. Ⓜ (F) York St.* Pour d'excellents chocolats artisanaux (voir, plus haut, « Où boire un café ou un chocolat ? Où manger une douceur ? »).

Balades dans le quartier

DUMBO spécial pressés : une idée géniale pour ceux qui n'ont que très peu de temps. Prendre le métro à l'angle de Broadway et Nassau St (lignes A ou C). Descendre à High Street. Acheter une glace sur le *pier* (voir plus haut « Où grignoter une douceur ? ») et la déguster en faisant un petit tour dans le nouveau parc aménagé en bord de rivière ***(Brooklyn Bridge Park).*** Plus d'un mile de promenade entre le nord de Manhattan Bridge et Atlantic Avenue, avec pelouses, espaces paysagés, bancs, aires de jeux pour les enfants... Vue splendide sur tout Manhattan, sans doute la plus belle de NYC. Puis revenir à Manhattan ***en traversant le Brooklyn Bridge à pied.*** Au coucher du soleil, c'est superbe. Il y a une passerelle pour piétons au-dessus des voitures. De là, on peut faire de superbes photos de Lower Manhattan (pour la lumière, c'est mieux le matin). Restez bien du côté « piétons » ou vous risquez de vous faire insulter par les cyclistes !

★★★ ***DUMBO version longue :*** si vous disposez de plus de temps, vous pouvez aussi opérer dans le sens contraire. Traversez le pont en partant de Manhattan (entrée au pied du Municipal Building) et consacrez quelques heures à la visite de DUMBO.

Quelques escales :

➢ ***Eagle Warehouse :*** *28 Old Fulton St.* Datant de 1893, cet édifice massif en brique est l'un des premiers entrepôts du secteur à avoir été reconvertis en appartements. Le nom de la compagnie, gravé au-dessus de la porte d'entrée au niveau de l'horloge, rappelle le *Brooklyn Daily Eagle* qui avait une imprimerie sur ce site.

➢ ***Fulton Ferry Landing :*** *au bout d'Old Fulton St.* L'ancien embarcadère du ferry est un lieu chargé d'histoire : c'est ici que Washington et ses troupes embarquèrent pour Manhattan, la nuit du 29 août 1776, après la bataille de Long Island. Des plaques rappellent l'épisode qui faillit couper court au rêve américain, 4 semaines seulement après la Déclaration d'indépendance : le 27 août 1776, 33 000 soldats anglais et mercenaires allemands débarquèrent sur Long Island dans le but de reprendre New York aux troupes de Washington. Le gros de la bataille se déroula sur le site de l'actuel Prospect Park. Écrasés par le nombre, les Américains battirent en retraite vers Brooklyn Heights, et Washington évita la capture de justesse. On peut lire également, gravés sur toute la rambarde du ponton, quelques vers de Walt Whitman : « *Flow on River !...* »

LA MALÉDICTION DU PONT DE BROOKLYN

La direction des travaux fut confiée à John Roebling, brillant architecte et ingénieur en chef. Mais avant la pose de la première pierre, il se fait écraser le pied par un ferry et meurt du tétanos. C'est son fils, Washington Roebling, qui reprend le flambeau. Victime d'un accident de décompression lors du creusement des fondations (la grande innovation de ce projet architectural fut l'utilisation de caissons hyperbares pour construire sous l'eau), il reste paralysé et confie la direction du chantier à son épouse, Emily. C'est elle qui conduira les travaux jusqu'à l'inauguration.

➢ À côté de l'embarcadère s'étend désormais le nouveau et très agréable ***Brooklyn Bridge Park,*** aménagé pour les promeneurs et les familles avec des jeux pour les enfants, des pelouses vallonnées, des pistes cyclables. De là, on peut remonter tranquillement jusqu'à l'***Empire Fulton Ferry State Park,*** qui est la prolongation du précédent *(entrée sur Main St).* Depuis ce petit coin de verdure, dont la présence est incongrue dans un cadre aussi peu bucolique, le point de vue sur Manhattan et les ponts est superbe. Le fait d'être littéralement entre les Brooklyn et Manhattan Bridges, avec derrière soi les vestiges du *Tobacco Warehouse* (les entrepôts les plus emblématiques de DUMBO), est assez génial. Il y a bien sûr des bancs stratégiquement placés pour la vue et même des tables en bois pour pique-niquer face à l'Empire State Building. C'est aussi de là que sont tirés les incroyables feux d'artifice du 4 Juillet. Le site accueille depuis 2011 un pavillon dessiné par Jean Nouvel pour abriter un joli carrousel de 1923 restauré avec art, le ***Jane's Carousel.*** La vue depuis le Manhattan Bridge sur le manège et le pont de Brooklyn à l'arrière-plan est franchement cinématographique.

➢ ***The Clocktower Building :*** *à l'angle de Main et Plymouth St.* À côté du resto *Bubby's* (voir « Où manger ? ») se dresse l'imposante silhouette du bâtiment le plus emblématique de DUMBO. Érigé en 1915 pour accueillir une fabrique d'emballages en carton ondulé, il a été comme beaucoup d'autres immeubles industriels reconverti en condominiums de luxe. Pour la petite histoire, le *penthouse* qui occupe les trois derniers étages de la tour à horloges est considéré comme l'appart' le plus cher de tout Brooklyn (estimé à 20 millions de dollars !).

BROOKLYN HEIGHTS

Accès : en métro de Manhattan par les lignes A et C (station High Street), 2 et 3 (station Clark Street) ou 4 et 5 (station Borough Hall).

Au sud de DUMBO, sur un promontoire dominant des quais et entrepôts, s'étend Brooklyn Heights, l'un des plus séduisants quartiers résidentiels de Brooklyn. Brooklyn Heights a été la première banlieue résidentielle de Manhattan, formée après l'ouverture du Fulton Ferry en 1814. Mais avec l'industrialisation de Brooklyn et l'afflux de populations, les riches habitants des Heights quittèrent les lieux vers la fin du XIXe s et leurs belles maisons furent divisées en appartements. Elles échappèrent à la démolition, ce qui vaut à ce quartier de posséder la plus grande densité d'édifices construits avant 1860 (près d'un millier), soigneusement restaurés depuis une trentaine d'années et de nouveau hors de prix sur le plan immobilier.

Où manger ?

Siggy's *(plan 1, D6 ou zoom 1 Downtown Brooklyn, A1,* ***844****) : 76 Henry St (et Orange). ☎ 718-237-3199. Ⓜ (2, 3) Clark St. Tlj sf lun. Plats 10-15 $ pour la plupart.* On aime beaucoup l'esprit bio-écolo-veggie-alternatif de ce petit café-resto où tout est maison. Au menu, salades bien fraîches (celle au quinoa est un délice), *combo* soupe-sandwichs, *smoothies,* jus énergétiques, le tout servi par un staff très *friendly*. Une escale idéale le midi ou tout simplement pour recharger les batteries en cours de balade. Brunch le week-end.

Tazza *(plan 1, D6 ou zoom 1 Downtown Brooklyn, A1,* ***845****) : 72 Clark St (entre Henry et Hicks), Brooklyn Heights. ☎ 718-855-2700. Ⓜ (2, 3) Clark St. Tlj du matin au soir. Plats 8-10 $.* À la fois *coffee-shop,* pâtisserie, *wine bar* et *deli, Tazza* s'adapte aux envies en fonction de l'horaire. C'est bien pratique, et c'est surtout délicieux. Le pain est fourni par les meilleures boulangeries de la ville, gage de sandwichs impeccables puisqu'ils sont remplis de bonnes choses. Les salades sont tout aussi soignées, les soupes et les gâteaux ne dépareillent pas. Bref, on adhère, d'autant plus que le cadre est agréable comme tout et l'atmosphère reposante à souhait.

Five Guys *(plan 1, E6 ou zoom 1 Downtown Brooklyn, A2,* ***846****) : 138 Montague St (entre Henry et Clinton), Brooklyn Heights. Ⓜ (2, 3) Clark St. Tlj 11h-22h. Burger-frites env 10 $.* Le cadre de cette minichaîne originaire de Washington DC est nul, mais l'important ici, ce sont les burgers. Copieux (on peut demander tous les *toppings* pour le même prix : champignons, poivrons, sauces différentes...), cuits comme il faut (même si c'est *well done* pour tout le monde) et accompagnés de bonnes frites. Le vrai bon fast-food.

Balades dans le quartier

Impossible de décrire ici tous les *landmarks* de Brooklyn Heights, mieux vaut se laisser guider par le hasard. Voici simplement quelques coups de cœur :

➢ **24 Middagh Street :** petite et fragile, cette bâtisse en bois est la plus ancienne demeure du quartier (1820). Bel exemple de style *Federal,* alors très en vogue dans la jeune Amérique. Joli porche à colonnettes ioniques (aujourd'hui de guingois) et vitraux latéraux typiques de ce style. Entre Willow et Hicks Street, d'autres maisons de bois de la même époque (certaines ont subi quelques modifications postérieures). Walt Whitman (voir « Brooklynites célèbres », plus haut) a passé son enfance à deux pas, à Cranberry Street.

➢ **Orange Street :** entre Henry et Hicks Street, sur le côté nord de la rue, passer voir la jolie *Plymouth Church of the Pilgrims,* fondée en 1847 par le pasteur Henry

Ward Beecher, l'un des grands prêcheurs anti-esclavagistes du pays (sa sœur, Harriet Beecher Stove, est l'auteur de *La Case de l'oncle Tom*). Abraham Lincoln avait son banc, Charles Dickens faisait des lectures de ses livres et Martin Luther King y a prononcé le discours annonciateur du fameux *I Have a Dream*. Si vous arrivez à entrer dans l'église, jetez un œil aux vitraux, tous sur le thème de la liberté et de l'émancipation : liberté de la presse, éducation des femmes... Mais le clou, ce sont les trois splendides panneaux de Tiffany, provenant de l'église maronite de Remsen St (voir ci-dessous) et installés ici en 1953. Dignes du *Metropolitan Museum*... *Visite guidée ts les dim 12h30-13h30 (résa conseillée).*

➢ ***Willow Street :*** des nos 20 à 26, belle rangée de maisons de style *Greek Revival* (1846-1848). Le no 57, de style *Federal,* date de 1824. Pour la petite histoire, c'est au no 70 que Truman Capote écrivit entre autres *De Sang Froid* et *Petit déjeuner chez Tiffany*. Au no 102, belle *brownstone house*. Aux nos 108, 110 et 112, intéressants exemples du style *Shingle,* aux façades pleines de fantaisie (1880). Du no 155 au no 159, petites maisons en brique de 1830, de style *Federal.*

LES CHEMINS DE LA LIBERTÉ

L'Underground Railroad était un réseau de routes empruntées de nuit par les esclaves au XIXe s pour fuir vers le Canada où ils étaient protégés. Dans les années 1840-1860, beaucoup d'églises de Brooklyn ont participé à cette entraide collective et servi d'étape, particulièrement la Plymouth Church of the Pilgrims. C'était une entreprise très risquée puisqu'un esclave pouvait être récupéré n'importe quand par son maître, même s'il se trouvait dans un État où l'esclavage avait été aboli.

➢ ***Pierrepont Street :*** nombreuses maisons et placettes pittoresques. Au no 128 (angle de Clinton Street), la *Brooklyn Historical Society and Museum,* de style Queen Ann, l'un des immeubles les plus beaux de Brooklyn Heights, par la richesse de l'ornementation, datant de 1881. Son architecte, George B. Post, est celui de la Bourse de Wall Street. Sur la façade, bustes de Christophe Colomb et Benjamin Franklin. À deux pas, au no 82, une curiosité médiévale aux allures de manoir ne manque pas de cachet avec son bestiaire fantaisiste.

➢ ***Montague Street :*** la rue commerçante des Heights. À l'angle avec Clinton Street, la *Church of Saint Ann and the Holy Trinity* : belle église en grès brun de style *Gothic Revival,* datant de 1847. L'église est réputée pour ses vitraux, œuvre de l'artiste William Jay Bolton, et l'intérieur gothique rococo vaut le coup d'œil. Peu avant d'arriver à la Promenade, *Montague Terrace* (1886), au style très british.

➢ ***Pierrepont Place :*** aux nos 2 et 3, deux belles *brownstone houses* (1850), œuvres de Richard Upjohn, l'architecte de Trinity Church à Manhattan.

➢ ***Brooklyn Heights Promenade :*** au bout de Montague Street. Les riverains et les touristes viennent en nombre y contempler le coucher du soleil sur Manhattan. Elle a été construite en 1950 pour couvrir la voie rapide Brooklyn-Queens Expressway (la BQE, prononcer « bi-kiou-i »), qui passe juste en dessous et mène au Verrazano Bridge. Une sorte d'immense balcon sur Manhattan et le pont de Brooklyn, planté d'arbres et de parterres fleuris. Vue absolument superbe.

➢ ***Remsen Street :*** la grande église maronite (élevée au rang de cathédrale en 1977) qui fait l'angle avec Henry Street (1846) possède une curiosité : les panneaux en bronze des portes sud et ouest proviennent du paquebot *Normandie,* qui a brûlé à New York en 1942, alors qu'il était amarré à un quai de l'Hudson. On y voit gravés la cathédrale de Rouen, le Gros Horloge, le château de Falaise, etc.

➢ ***Grace Court Alley :*** dans Hicks Street (entre Remsen et Joralemon), adorable allée bordée d'anciennes écuries reconverties en maisons de poupées (vendues à prix d'or). Arthur Miller a habité là. Juste en face, *Grace Church,* charmante église en grès rouge construite par Richard Upjohn, l'architecte de Trinity Church.

DOWNTOWN BROOKLYN ET FORT GREENE

Pour le touriste de passage, ***Downtown Brooklyn*** ne frappe pas par son homogénéité architecturale ni par son charme. Pourtant ce serait dommage de ne pas y faire un tour, car le coin ne manque pas de bonnes adresses. Et puis il y a la proximité de ***Fort Greene,*** le quartier afro-américain branché des *eighties* aujourd'hui gentryfié et devenu un intense vivier culturel. Spike Lee a longtemps habité ici et y possède toujours son studio de production, sur South Elliott Place. Son film *She's gotta have it* fut tourné ici même, autour de Fort Greene Park. Créé par Olmsted et Vaux (le duo de Central Park mais aussi de Prospect Park), bordé de belles *brownstone houses,* c'est le poumon vert et épicentre du quartier. On y donne des concerts l'été et tous les samedis de l'année se tient un *greenmarket,* sur Washington Park. L'animation se concentre sur Fulton Street, particulièrement entre Fort Greene Place et Cumberland Street, où s'alignent boutiques, cafés et restos.

Mais l'actualité de Downtown Brooklyn, c'est la construction de la nouvelle arène de basket. Après plusieurs années de controverses et des dizaines d'habitations détruites, son squelette d'acier est sorti de terre, à proximité directe de la station de métro et de LIRR Atlantic Avenue-Pacific Street. Un emplacement stratégique pour ce mastodonte conçu pour accueillir l'équipe des New Jersey Nets (rebaptisés pour l'occasion les Brooklyn Nets) qui jouaient jusque là de l'autre côté de la rivière, à Newark. Le complexe d'Atlantic Yards accueillera aussi bureaux et logements et, pour la petite histoire, la plus haute tour préfabriquée du monde. Au grand dam des habitants qui ne reconnaissent plus leur vie de quartier.

FORT GREENE, LE HARLEM BRANCHÉ

Dans les années 1980-1990, les jeunes Blacks dans le coup venaient à Fort Greene. Harlem, le berceau de la culture afro-américaine, n'était pas du tout hype. C'est à Fort Greene que Spike Lee et toute sa bande ont créé la nouvelle culture noire. Tous ces artistes furent suivis par les buppies (les Black yuppies), avant l'arrivée de la population blanche.

Adresse utile

■ ***TKTS*** *(zoom 1 Downtown Brooklyn, A2,* ***2****)* **:** *1 MetroTech Center (angle Jay St et Myrtle Ave Promenade), Downtown Brooklyn.* Ⓜ *(A, C, F, R) Jay St-Metro Tech. Mar-sam 11h-18h.* Billets de spectacles à prix réduits (voir descriptif complet plus haut, dans les adresses utiles générales de Brooklyn).

Où dormir ?

Aloft Brooklyn *(zoom 1 Downtown Brooklyn, B2,* ***10****)* **:** *216 Duffield St (entre Fulton Mall et Willoughby St), Downtown Brooklyn.* ☎ *718-256-3833.* • *aloftnewyorkbrooklyn.com* • Ⓜ *(A, C, F, R) Jay St-Metro Tech ou (2, 3) Hoyt St. Doubles 130-300 $.* Les hôtels *Aloft* sont les *low-cost* (enfin presque...) de la chaîne de luxe *W*. On retrouve dans ce dernier-né, situé au cœur de Downtown Brooklyn, à deux pas de l'artère commerçante Fulton Mall, les principaux ingrédients de son grand frère d'Harlem. Design pop dans les parties communes, touche vintage chic dans les chambres qui n'en oublient pas pour autant d'être fonctionnelles en plus d'être classes (mini-frigo, nécessaire à thé et café), et des petits plus qui séduiront nos lecteurs urbains branchés : *rooftop* avec club-*lounge* au 24ᵉ étage et accès gratuit à la piscine du *Sheraton* attenant. Bref, un rapport qualité-prix sans équivalent à Manhattan dans cette catégorie.

Où manger ?

À Downtown Brooklyn

|●| ☕ ***Junior's*** *(zoom 1 Downtown Brooklyn, B2,* ***47****)* **:** *386 Flatbush Ave Extension (et Dekalb Ave), Downtown Brooklyn.* ☎ *718-852-5257.* Ⓜ *(B, Q, R) Dekalb Ave. Tlj 6h30-minuit (2h ven-sam). Plats 10-20 $.* Ce *diner* typique est une institution qui régale les habitués et les amateurs du genre depuis 1950. Grande salle rétro avec beaucoup d'orange où officient des serveuses d'une gentillesse imparable. Beaucoup d'ambiance le dimanche car c'est la sortie des familles afro-américaines du coin. On y sert une cuisine *comfy* très correcte et variée, quand on n'est pas au régime vu les portions énormes ! D'ailleurs ne commandez pas trop car on vous apporte d'emblée un assortiment de petits pains, *pickles* et *coleslaw* pour patienter. Mais la star de *Junior's,* c'est le célèbre cheesecake ! Tellement connu qu'ils l'expédient dans tous les États-Unis. Et si crémeux qu'une part pour 2 suffit amplement en fin de repas. Succursales dans la gare de Grand Central et à Times Square (mais plus touristiques et sans le charme d'ici).

|●| ***Shake Shack*** *(zoom 1 Downtown Brooklyn, A2,* ***48****)* **:** *409 Fulton (entre Willoughby et Adams), Downtown Brooklyn.* ☎ *718-307-7590.* Ⓜ *(2, 3, 4) Borough Hall. Burgers env 10-12 $.* Toute la panoplie de burgers, hot dogs et *custards* (crème glacées) proposés par la minichaîne née à Madison Square Park (voir chapitre Union Square). Il y a même un petit menu pour chiens !

|●| Et aussi : ***Dekalb Market*** *(zoom 1 Downtown Brooklyn, B2,* ***193****)* **:** *voir plus loin « Shopping ».*

À Fort Greene

|●| ***Habana Outpost*** *(zoom 1 Downtown Brooklyn, B2,* ***49****)* **:** *757 Fulton St (et S Portland St).* ☎ *718-858-9500.* Ⓜ *(C) Lafayette Ave ou (G) Fulton St. Ouv aux beaux jours slt, avr-oct. Plats env 10 $.* Cette maisonnette bariolée toute en hauteur abrite un étonnant écoresto. Entendez par là avec panneaux solaires (produisant aussi l'électricité des voisins), système de récupération d'eaux de pluie pour alimenter les toilettes, station de compost et même un vélo-mixer ! *So Brooklyn...* Carte d'inspiration cubaine pas chère, bons *drinks*. Une chouette ambiance, notamment sur la belle terrasse attenante où, tous les dimanches soir d'été, sont projetés des films sur écran géant.

|●| 🍸 ☕ ***No 7*** *(zoom 1 Downtown Brooklyn, B2,* ***50****)* **:** *7 Greene Ave (et Fulton Ave).* ☎ *718-522-6370.* Ⓜ *(C) Lafayette Ave ou (G) Fulton St. Tlj sf lun, le soir 17h-23h au moins. Brunch sam-dim 12h-15h. Plats env 20 $, quelques options moins chères 15 $.* Bar-resto de cuisine New American, dans un beau cadre, classe mais pas léché. Atmosphère et clientèle branchouille mais sans excès non plus. Long comptoir autour duquel se concentre l'animation, gros parquet, petites tables noires écaillées, éclairages tamisés. Bref un lieu cool où il fait bon dîner ou boire un verre, avant ou après un concert à la *BAM.* Carte courte mais appétissante et bonnes bières locales.

Où écouter de la musique ? Où voir un spectacle ? Où assister à un gospel ?

∞ ***Brooklyn Academy of Music*** *(zoom 1 Downtown Brooklyn, B2,* ***153****)* **:** *30 Lafayette Ave (et Ashland Pl), Fort Greene.* ☎ *718-636-4100.* • *bam.org* • Ⓜ *(B, Q, 2, 3, 4, 5) Atlantic Ave.* La *BAM,* fondée en 1861, est le plus ancien centre artistique des États-Unis. Elle occupe ce vaste et remarquable édifice italianisant depuis 1908 ! Programmation très intéressante et novatrice dans plusieurs domaines : théâtre, danse contemporaine, opéra... Abrite également un cinéma d'art et d'essai.

BAM Café *(zoom 1 Downtown Brooklyn, B2,* ***153****)* **:** *à la* Brooklyn Academy of Music *(voir ci-dessus).* ☎ *718-623-7811. Ven-sam soir et les soirs de spectacle à la* BAM. *Pas de cover. Plats 20-24 $ (10-15 $ au bar).* À l'étage de la *Brooklyn Academy of Music,* dans l'ancien foyer de l'Opera House, cet immense café-restaurant accueille de la musique live de bonne qualité, dans un beau décor : grandes baies vitrées, plafonds aux poutrelles métalliques, plantes vertes... Programmation très variée : jazz, classique, musique latino et des Caraïbes, rock, folk, etc.

The Brooklyn Tabernacle *(zoom 1 Downtown Brooklyn, A2,* ***154****)* **:** *17 Smith St (entre Fulton Mall et Livingston St).* ☎ *718-290-2000.* Ⓜ *(2, 3) Hoyt St ou (A, C, F, R) Jay St-Metro Tech. Messes dim à 9h, 12h et 15h. Venir env 30 mn avt le début du service pour avoir une bonne place (les 1ers rangs du balcon offrent un bon point de vue) et compter 2h de service.* Eh oui, Brooklyn a aussi sa messe gospel, en plein Downtown, une alternative pour ceux qui n'iraient pas à Harlem. Un vrai show à l'efficacité américaine, avec retransmission sur écran géant et tout le tremblement, dans une immense église aux airs de salle de concert. Le chœur, formé de plus de 200 voix, est très réputé et a d'ailleurs été récompensé par plusieurs *awards*. Assistance multiculturelle et diversifiée, entre touristes et locaux.

Shopping

Brooklyn Flea Market : *en hiver, nov-mars, à l'intérieur de la* Williamsburg Savings Bank, *1 Hanson Pl (et Ashland Pl ; zoom 1 Downtown Brooklyn, B2,* ***191****).* Ⓜ *(D, N, Q, R, 2, 3, 4) Atlantic Ave. Sam-dim 10h-17h. Avr-nov, en extérieur, 176 Lafayette Ave (entre Clermont et Vanderbilt ; hors zoom 1 Downtown Brooklyn par B2,* ***192****).* Ⓜ *(G) Clinton-Washington Ave ou (C) Lafayette Ave. Sam 10h-17h.* Le marché aux puces de Brooklyn est un must pour les chineurs et les fans de vintage. Mention spéciale pour les puces d'hiver, installées dans un des édifices les plus remarquables de Brooklyn, un gratte-ciel de 1927 qui abritait une banque dans sa partie inférieure. À l'intérieur, on se croirait plutôt dans une cathédrale. Mosaïques extraordinaires, dont une (au fond) représentant Brooklyn, avec les noms en hollandais. Un écrin grandiose pour un marché aux puces ! Une centaine de stands répartis sur 3 étages (y compris dans la salle des coffres-forts) avec en prime, un *food court* gourmet de producteurs locaux, rendez-vous des Brooklynites locavores. La version estivale de Fort Greene, non loin de là, est 5 fois plus grande.

Dekalb Market *(zoom 1 Downtown Brooklyn, B2,* ***193****)* **:** *138 Willoughby St (entre Flatbush et Dekalb Ave).* • *dekalbmarket.com* • Ⓜ *(Q, R) Dekalb Ave. Ouv mai-oct ou nov, tlj sf lun 11h-18h.* Une cinquantaine de mini-échoppes dans des containers recyclés, formant un marché à la fois original et écolo. Des créateurs, mais aussi des artistes, des producteurs, des chefs et bien sûr du vintage. Encore une formidable initiative, toujours dans cet esprit Brooklyn qu'on aime tant. On peut aussi y grignoter et boire de bonnes choses.

Fulton Mall *(zoom 1 Downtown Brooklyn, A-B2)* **:** *Fulton St (entre Borough Hall et Flatbush Ave).* Ⓜ *(A, C, F, R) Jay St-Metro Tech.* Une rue bourrée de boutiques à touche-touche, sorte de centre commercial à ciel ouvert. Ambiance plus popu et modeste que n'importe où à Manhattan, mais les prix méritent le détour. Un peu l'équivalent de 125th St à Harlem. Cela dit, une grosse campagne de rénovation est en cours avec l'arrivée de grosses enseignes plus haut de gamme (*Macy's* et autres).

À voir

New York Transit Museum *(zoom 1 Downtown Brooklyn, A2)* **:** *angle Boerum Pl et Schermerhorn St.* ☎ *718-694-1600.* • *mta.info/mta/museum* • Ⓜ *(R,*

BROOKLYN

2, 3, 4, 5) Court St-Borough Hall. Mar-ven 10h-16h ; w-e 12h-17h. Fermé lun et j. fériés. Entrée : 7 $; 5 $ pour les 2-17 ans.
L'un des musées les plus insolites de New York rend hommage à l'aventure humaine et technique qui conduisit à la création de l'immense réseau de transport que nous connaissons aujourd'hui. Installé sur deux niveaux dans une station de métro des années 1930 désaffectée, il évoque toutes les facettes d'un univers familier du grand public et pourtant totalement méconnu. Curieux paradoxe ! Super avec les enfants, qui adorent prendre la place du conducteur.

LA GRANDE FAMILLE

Le titanesque chantier du métro new-yorkais était un véritable ogre mangeur d'hommes. Pour pallier le manque de main-d'œuvre, on eut recours au « système Padroni ». Il suffisait de se mettre d'accord avec les chefs des communautés italiennes. Ceux-ci accueillaient traditionnellement les nouveaux immigrants, jaugeaient leurs aptitudes et leur offraient leur premier travail en les conduisant aux chantiers. Tout le monde y trouvait son compte.

– ***À l'étage inférieur :*** les quais sont occupés par une collection d'une trentaine de voitures de métro des origines à nos jours. La plus ancienne, en bois, remonte à 1878, quand le *El* (métro aérien) était encore tiré par une locomotive à charbon.
– ***À l'étage supérieur :*** petit historique interactif de la construction du réseau (de 1900 à 1925, plus de 30 000 ouvriers ont travaillé dans des conditions terribles en sous-sol), collections de maquettes de trolleys, d'enseignes, reconstitutions de guichets et de véhicules, etc. Également de nombreuses expositions temporaires.

WILLIAMSBURG

Pour se rendre à Williamsburg depuis Manhattan, le moyen le plus rapide est le métro : prendre la ligne L et descendre à Bedford Ave, 1re station après la traversée de la rivière (trajet rapide). Plus original, la navette bateau avec le East River Ferry qui dessert Williamsburg et Greenpoint au départ de Manhattan Sud (Wall St-Pier 11) via DUMBO, ou au départ de Midtown (E 34th St). Trajet 4 $, pass journée 12 $. Rens • nywaterway.com •
On peut aussi y aller à pied, en empruntant (de préférence dans la journée et à plusieurs) la passerelle piétonne du pont de Williamsburg qui débouche sur Broadway, à la hauteur de Berry St.

Williamsburg est, plus encore que DUMBO, le quartier de Brooklyn dont tout le monde parle. À une station de métro seulement de l'East Village par la ligne L, il est en devenu son extension naturelle. Les anciennes fabriques et entrepôts se sont peu à peu transformés en galeries et studios. Depuis quelques années, les artistes déçus par la normalisation de Manhattan et attirés par les loyers meilleur marché sont venus s'y installer. Spontanément, les bars, restos et autres magasins bobo ont suivi le mouvement. Bedford Avenue est l'artère centrale du quartier, surtout entre North 10th et North 2nd Street. En allant vers l'eau, vous pouvez encore voir (notamment sur Kent et Wythe) l'ambiance industrieuse des entrepôts en disparition progressive, un peu comme dans le Meatpacking District à Manhattan. Cela dit la « gentrification » est déjà en marche : les condominiums de luxe poussent comme des champignons et les tours d'hôtels commencent aussi à fleurir. Un vaste chantier près du pont de Williamsburg (à l'angle de Kent et Broadway) devrait accueillir bientôt un complexe hôtelier high-tech doté des dernières normes écolo. L'âme du quartier risque d'en prendre un coup, d'ailleurs la hausse des loyers commence à faire fuir les artistes vers des quartiers moins chers et limitrophes, comme East Williamsburg et Bushwick. Une des caractéristiques de Williamsburg est d'abriter un melting-pot réussi : entre son côté juif au sud, son ambiance italienne à l'est (en passe de disparaître), ses inclinations polonaises au nord (vers le quartier de Greenpoint, lui aussi en pleine renaissance), sans oublier une large communauté latino ; le tout saupoudré surtout d'une présence de plus en plus importante de bobos, les *hipsters* comme on dit ici. Tout cela vit dans une bonne ambiance et avec moins de stress qu'à Manhattan. Pour le visiteur, les principaux attraits du quartier seront la sympathie et l'ouverture de ses habitants, et l'intense vie culturelle et musicale qui l'anime. Car, soyons honnête, il n'y a pas grand-chose à voir ni à visiter à Williamsburg, c'est plus une atmosphère.

Où dormir ?

Bon marché

☗ ***Zip 112*** *(zoom 2 Williamsburg, B1,* ***11****) : 112 N 6th St, Williamsburg (pas d'enseigne, sonner à l'interphone et monter l'escalier jusqu'en haut). ☎ 347-403-0577. • zip112.com • Ⓜ (L) Bedford Ave. Env 45-65 $/pers en dortoir (féminin) ; doubles env 55-70 $/pers.* 💻 📶 Cette auberge de poche a pas mal d'atouts : tenue à la perfection (enlevez vos chaussures, s'il vous plaît), décorée et meublée de façon dépouillée, elle est tout confort (cuisine américaine tout équipée et 2 salles de bains pour seulement 2 dortoirs de 4 filles plus une double mixte...) et dispose, dans les parties communes, de larges baies vitrées offrant de belles vues. Les *guests* apprécient aussi le calme absolu et l'atmosphère très zen. Le must, c'est la terrasse, urbaine mais géniale pour se dorer la pilule entre 2 balades. Accueil super sympa en prime. Seul bémol : certains dortoirs sont sans fenêtre.

☗ ***New York Loft Hostel*** *(hors zoom 2 Williamsburg par B2,* ***12****) : 249 Varet St, Williamsburg. ☎ 718-366-1351. • nylofthostel.com • Ⓜ (L) Morgan Ave (sortie Bogart & Harrison Pl). Env 60 $/pers en dortoir avec bon petit déj inclus.* 💻 📶 C'est le genre d'adresse entre deux eaux. Points négatifs : le quartier n'est franchement pas terrible et l'accueil est assez peu sympathique. Points positifs : cette AJ de 220 lits répartis en dortoirs de 4 à 16 personnes (mixtes ou séparés) est moderne et correctement équipée (cuisine lumineuse et salon TV sur une mezzanine, le tout donnant sur un bout de jardin agréable). Comme les tarifs restent attractifs et l'entretien correct, cela reste une option intéressante (la ligne L rallie Williamsburg et Manhattan très rapidement). Également des doubles (lits à étage seulement).

☗ ***YMCA Greenpoint*** *(zoom 2 Williamsburg, B1,* ***13****) : 99 Meserole Ave, Greenpoint. ☎ 718-389-3700. • ymcanyc.org/greenpoint • Ⓜ (G) Nassau Ave (marcher 1 bloc sur Manhattan Ave, puis tourner à gauche dans Meserole). Chambre env 80 $ (env 420 $/sem), avec petit déj.* Située au beau milieu du quartier de Greenpoint, aux couleurs de l'Europe de l'Est, cette vaste YMCA est prisée pour ses équipements sportifs (les résidents peuvent également en profiter gratuitement) : sauna, salle de gym, piscine, basket... C'est son principal avantage. Les chambres sont en effet basiques, vétustes (pas de double vitrage) et sans charme. Salles de bains communes non mixtes. Néanmoins, le tarif est attrayant. Et puis on est en sécurité : le commissariat est juste en face !

Plus chic

☗ ***Hotel Williamsburg*** *(zoom 2 Williamsburg, B1,* ***14****) : 160 N 12th St (entre Berry et Bedford Ave). ☎ 718-218-7500. Ⓜ (L) Bedford Ave. Doubles standard 160-260 $ selon saison.* 💻 📶 Le premier hôtel design de Williamsburg, ouvert en 2011 et situé à une poignée de blocs du métro ralliant East Village. L'avantage, c'est que pour un standing équivalent, les prix sont bien moins élevés qu'à Manhattan, avec en prime une belle piscine extérieure qui ferait presque *resort*. Les 70 chambres affichent un style vintage chic très réussi, avec même un tourne-disques

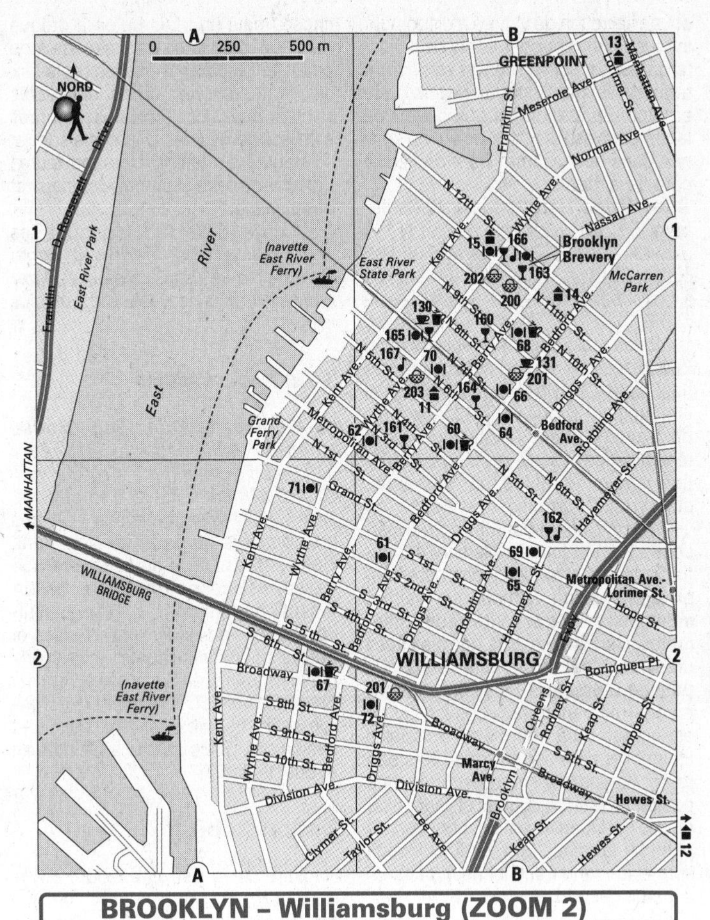

BROOKLYN – Williamsburg (ZOOM 2)

Où dormir ?

- **11** Zip 112
- **12** New York Loft Hostel
- **13** YMCA Greenpoint
- **14** Hotel Williamsburg
- **15** Wythe Hotel

Où manger ?

- **60** Egg et Juliette
- **61** Vanessa's Dumpling House et DuMont Burger
- **62** Café de la Esquina
- **64** Fornino
- **65** Caracas
- **66** The Meatball Shop
- **67** Diner et Marlow & Sons
- **68** Café Colette
- **69** Fette Sau
- **70** Zenkichi
- **71** Aurora
- **72** Peter Luger

Où boire un café ? Où grignoter une douceur ?

- **130** Bakeri
- **131** El Beit

Où boire un verre ?

- **160** Hotel Delmano et Teddy's Bar & Grill
- **161** Radegast Hall & Biergarten
- **162** Spuyten Duyvil
- **163** Brooklyn Brewery
- **164** Surf Bar
- **165** D.O.C.

Où sortir ? Où écouter de la musique ?

- **162** The Knitting Factory
- **166** Brooklyn Bowl
- **167** Music Hall of Williamsburg

Shopping

- **200** Beacon's Closet et KCDC Skate Shop
- **201** Brooklyn Industries
- **202** I Hate Perfume
- **203** Academy Record Annex

et une sélection de vinyles à dispo pour la touche rétro bobo. Mais la cerise sur le gâteau, c'est le *rooftop bar* livrant une vue épatante sur la *skyline* juste en face. En été, on est aux premières loges pour assister aux concerts donnés dans le McCarran Park de l'autre côté de la rue.

🏨 🍽 ***Wythe Hotel*** *(zoom 2 Williamsburg, B1,* ***15****)* ***:*** *80 Wythe Ave (et N 11th St). ☎ 718-460-8000. • wythehotel.com • Doubles dès 200 $. Chambres à lits superposés (4 ou 6 pers) réservables par tél slt.* Inauguré quelques mois après son voisin l'hôtel *Williamsburg,* le *Wythe* met la barre très haut dans le style design industriel si typiquement Brooklyn. De longs mois de travaux furent nécessaires pour réhabiliter ce robuste building de 1901, une ancienne usine de tonneaux, aujourd'hui surmonté d'un cube de verre géant accueillant le *rooftop bar.* Le résultat est tout simplement époustouflant. Les quelque 70 chambres ont en commun un authentique cachet industriel, même si toutes sont différentes. Certaines ont de géniales vues urbaines, d'autres des murs en brique patinée à souhait. Plein de configurations différentes aussi, selon qu'on est en duo ou à 4 et même 6 copains (chambres à lits superposés). Très bon resto *(Reynards),* monté par la fine équipe de *Marlow & Sons et Diner* (voir plus loin « Où manger ? »), et ouvert du petit déj au dîner. Les produits locaux sont évidemment à l'honneur, dans un superbe décor là encore.

Où manger ?

Spécial petit déjeuner et brunch

🍽 ☕ ***Egg*** *(zoom 2 Williamsburg, B1,* ***60****)* ***:*** *135A N 5th St (entre Bedford Ave et Berry St). ☎ 718-302-5151. Ⓜ (L) Bedford Ave. Petit déj et brunch tlj 7h-18h (lunch servi aussi après 15h). Env 10-13 $. CB refusées.* Pour beaucoup, c'est la meilleure adresse de Brooklyn pour le brunch. Le cadre, d'une sobriété minimaliste dans l'air du temps, n'y est pas pour grand-chose, mais une fois qu'on a croqué dans un délicieux pancake ou une omelette préparée avec des œufs bio, on a tout compris : ici, les ingrédients sont primordiaux (certains légumes sont même cultivés par la maison) et cuisinés avec talent. Un sans faute ! Également des sandwichs originaux et des salades.

☕ Et aussi ***Café Colette,*** pour ses petits déj raffinés, ***Marlow & Sons, Bakeri*** pour ses bons gâteaux et ***Diner*** pour son brunch le week-end (voir plus loin).

Très bon marché

🍽 ***Vanessa's Dumpling House*** *(zoom 2 Williamsburg, B2,* ***61****)* ***:*** *310 Bedford St (entre S 1st et S 2nd St). ☎ 718-218-8809. Ⓜ (L) Bedford Ave. Dès 1,25 $ les 4* dumplings *!* Un des tout derniers *bargains* de New York. Cette petite cantine au décor presque design est connue pour ses assortiments de très bons *dumplings* maison (raviolis grillés au porc et cives et autres bouchées vapeur) à des prix d'avant-guerre (de Sécession). Tout est préparé en direct. Également des *wonton soup, noodles, teriyaki,* sushis et sandwichs. Succursales à Chinatown et East Village.

Bon marché

🍽 ***Café de la Esquina*** *(zoom 2 Williamsburg, B1,* ***62****)* ***:*** *225 Wythe Ave (et Metropolitan). ☎ 718-393-5500. Ⓜ (L) Bedford Ave. Ts les soirs ; le midi, slt lun-ven. Brunch sam-dim. Plats 8-15 $ pour la plupart, le soir jusqu'à 20 $.* L'équipe de *La Esquina* de SoHo (voir ce chapitre) a racheté récemment ce *diner* tout chromé de 1952 pour ouvrir une *taqueria* du même tonneau dans ce super décor *fifties.* On aime aussi beaucoup la salle du fond, très latino avec ses tables en bois peintes et ses miroirs patinés couverts de fresques. Mais le « plus », c'est la grande terrasse attenante protégée de la rue par des palissades en bois. Au menu : tacos, *quesadillas, tortas* et assiettes complètes (*plato Julia* d'un très bon rapport qualité-prix), complétés le soir par des options plus travaillées, le tout cuisiné avec une certaine finesse.

DuMont Burger *(zoom 2 Williamsburg, B2, **61**) : 314 Bedford Ave (entre 1st et 2nd). ☎ 718-384-6127. Ⓜ (L) Bedford Ave. Burgers env 12-13 $.* Une vraie ruche ! Au coude à coude sur des tabourets hauts, les habitués s'entassent autour de la table commune dans une joyeuse ambiance fraternelle. Ici, les stars, ce sont les burgers délicieux, énormes et servis avec de bonnes frites. Pour ceux qui ne se refusent rien, ils servent aussi de fameux petits *doughnuts* en dessert (tout chauds). Toujours bondé, malgré l'ouverture d'une 2de salle juste à côté *(DuMont Burger To Go)* !

Fornino *(zoom 2 Williamsburg, B1, **64**) : 187 Bedford Ave (entre 6th et 7th). ☎ 718-384-6004. Ⓜ (L) Bedford Ave. Pizzas 11-14 $.* C'est LA pizzeria du secteur. La déco sans chichis (paniers et gerbe de blé suspendus aux murs), l'arrière-cour agréable et la musique à tue-tête attirent beaucoup de trentenaires, mais ce sont les pizzas garnies de bons produits qui fidélisent vraiment les gourmands. Pris d'assaut le week-end.

Caracas *(zoom 2 Williamsburg, B2, **65**) : 291 Grand (entre Havemeyer et Roebling). ☎ 718-218-6050. Ⓜ (L) Bedford Ave ou (G) Metropolitan Ave. Env 10-20 $.* Très populaire, ce joli petit resto vénézuélien s'est d'abord fait connaître pour ses *arepas,* de petits pains chauds fourrés au poulet, à l'avocat, au fromage ou aux haricots noirs. Mais il serait dommage de ne pas se laisser tenter par une bonne *empanada,* ou carrément le plat national, le *pabellon criollo* ! Avec un verre de sangria maison, c'est parfait.

The Meatball Shop *(zoom 2 Williamsburg, B1, **66**) : 170 Bedford Ave. ☎ 718-551-0520. Ⓜ (L) Bedford Ave. Tlj jusqu'à 2h au moins. Plats 8-12 $ max.* La spécialité ici, ce sont les boulettes, servies en kit puisqu'on choisit tout : viande, sauce et accompagnement. Le *special* du jour est en général un bon choix, plus relevé et original que les classiques. Salle tout en longueur et déco dans l'air du temps. Une adresse très populaire parmi les jeunes.

Prix moyens

Marlow & Sons *(zoom 2 Williamsburg, A2, **67**) : 81 Broadway (et Berry St). ☎ 718-384-1441. Ⓜ (J) Marcy Ave. Tlj 8h-minuit. Plats 20-23 $ le soir (moins cher le midi), fromages et charcuteries dès 6-8 $.* On entre dans ce resto confidentiel par la partie *coffee shop-general store,* très bobo. Au fond, quelques tables assorties de tabourets et bancs de bois. On ne vient pas pour le confort mais pour savourer une nouvelle cuisine américaine dans l'air du temps. Ici, le produit est roi et la simplicité de la carte, très courte, cache en fait des recettes plus travaillées. La spécialité, c'est le *brick chicken,* mais les huîtres sont aussi réputées. De l'autre côté de la rue, *Marlow & Daughters,* une épicerie-boucherie à l'ancienne avec de la bidoche locale qui saigne et tout le tremblement... Hmm, très Brooklyn tout ça.

Diner *(zoom 2 Williamsburg, A2, **67**) : 85 Broadway (et Berry). ☎ 718-486-3077. Ⓜ (J) Marcy Ave. Tlj jusqu'à minuit. Plats 10-20 $.* Les *diners,* c'était ces restaurants pittoresques en forme de wagons, très populaires dans les années 1930-40. Celui-ci a jeté l'ancre voici des lustres au pied du pont de Williamsburg. L'intérieur a été « restauré » avec un peu de brique et pas mal de broc... et vaut largement la photo ! On peut toujours voir la structure en bois du wagon et son plafond arrondi, et on s'assoit dans les mêmes box rétro pleins de charme... mais inconfortables. Côté cuisine, c'est la même équipe que *Marlow & Sons* (voir ci-dessus) qui est aux manettes, une valeur sûre donc.

Café Colette *(zoom 2 Williamsburg, B1, **68**) : 79 Berry St (et N 9th St). ☎ 347-599-1381. Ⓜ (L) Bedford Ave. Ouv en continu du mat à minuit min. Plats 10-11 $ le midi, max 20 $ le soir.* C'est le *diner* version Williamsburg, bobo-arty donc. Les banquettes en moleskine sont dans le ton d'aujourd'hui, les tables en béton et la déco design vintage. Très agréable à toute heure, aussi bien pour y démarrer la journée avec un excellent breakfast tendance raffiné *healthy* que pour y boire un cocktail tard le soir ou un bon thé l'après-midi. Petits plats fusion bien travaillés, à prix raisonnables pour la qualité. Terrasse couverte avec verrière.

|●| **Fette Sau** *(zoom 2 Williamsburg, B2,* ***69****) : 354 Metropolitan Ave (entre Havemeyer et Roebling). ☎ 718-963-3404. Ⓜ (L) Bedford Ave ou (G) Metropolitan Ave. Tlj 17h-23h. Plats env 20-25 $.* C'est le temple de la bidoche, version rugueuse et tonitruante. D'abord, c'est un ancien garage : imaginez le volume. Ensuite, il y a la rôtisserie : chaque jour, affichées au tableau noir, toutes sortes de viandes sont grillées puis proposées au poids. Après avoir rajouté haricots rouges et salade de pommes de terre, un petit tour par le bar (les pompes à bières sont des ustensiles de boucher !), et il ne reste qu'à dégoter une place à l'une des grandes tables communes. Simple, rustique et hyper fraternel. On a l'impression d'être invité à un barbecue chez des amis, surtout à la belle saison en terrasse.

|●| **Juliette** *(zoom 2 Williamsburg, B1,* ***60****) : 135 N 5th St (entre Bedford Ave et Berry St). ☎ 718-388-9222. Ⓜ (L) Bedford Ave. Tlj jusqu'à 23h (minuit ven-sam). Plats 12-25 $.* Au cœur du Brooklyn branché, ce resto-bar-café fait partie des incontournables, pas vraiment pour sa cuisine, d'inspiration française sans grand intérêt et assez chère, mais pour sa terrasse géniale à l'étage, qui garantit une vue plongeante sur l'animation du quartier.

Plus chic

|●| **Zenkichi** *(zoom 2 Williamsburg, B1,* ***70****) : 77 N 6th St (et Wythe Ave). ☎ 718-388-8985. Ⓜ (L) Bedford Ave. Mer-dim 18h-minuit. Repas env 30-40 $; menu dégustation 48 $.* Pas d'enseigne, entrée sous la petite lampe suspendue à un mur en bois façon palissade de chantier version chic. Original, et ce n'est qu'un aperçu du reste de la déco ! Dans ce labyrinthe *feng shui* baignant dans une douce lumière tamisée est servie une cuisine japonaise exquise. Parfait pour un dîner romantique puisque chaque table a son propre « compartiment » et le serveur ne viendra que si vous appuyez sur le bouton secret... Préparez-vous à une expérience pas donnée mais assurément hors du commun !

|●| **Aurora** *(zoom 2 Williamsburg, A2,* ***71****) : 70 Grand (et Wythe Ave). ☎ 718-388-5100. Ⓜ (L) Bedford Ave. Plats 15-30 $. CB refusées (distrib' à l'intérieur).* C'est la 2e adresse de l'excellent resto de SoHo (voir le texte dans ce chapitre). Cadre tout aussi soigné, mais ici, on gagne une belle terrasse abritée. C'est ça aussi la marque de Williamsburg !

Très chic

|●| **Peter Luger** *(zoom 2 Williamsburg, B2,* ***72****) : 178 Broadway (et Driggs). ☎ 718-387-7400. Ⓜ (J) Marcy Ave, et marcher 3 blocs en direction de l'ouest ; ou Ⓜ (L) Bedford Ave. Résa de rigueur. Env 60-70 $/pers (steak dès 35 $). Le midi,* specials *du jour 15-20 $. Attention, CB refusées, alors prévoyez large !* Une institution. Pensez donc, cette maison ouverte depuis 1887 est citée chaque année comme l'une des meilleures, voire carrément la meilleure *steakhouse* de tout New York. Dans un cadre à la fois sobre et ancien (vieilles boiseries, estampes, parquet, etc.), les innombrables amateurs dégustent des viandes savoureuses qui méritent le détour. L'ancien patron y mangeait un steak par jour... Il a vécu jusqu'à 98 ans ! Quant au fringant Antoine de Caunes, il ne jure que par leur *Caesar Salad*.

Où boire un café ? Où grignoter une douceur ?

☕ **Bakeri** *(zoom 2 Williamsburg, B1,* ***130****) : 150 Wythe Ave. ☎ 718-388-8037. Ⓜ (L) Bedford Ave. Tlj 8h-19h. Tt à moins de 10 $. Cash slt.* Adorable boulangerie-pâtisserie-salon de thé à l'esprit campagne d'antan. Carrelages rétro, comptoir en marbre et bois, tout est ancien et charmant. Même les serveuses ont un petit look 1950's. Quel-

BROOKLYN

ques places assises seulement, la meilleure table étant au fond, toute seule dans son alcôve. Une bonne halte pour siroter un bon thé accompagné de délicieux gâteaux. Parfait aussi pour un petit déj à la française ou un lunch rapide (sandwichs avec du bon pain, *focacce*...).

El Beit *(zoom 2 Williamsburg, B1,* ***131****) : 158 Bedford Ave (et N 8th), Williamsburg.* ☎ *718-302-1810.* Ⓜ *(L) Bedford Ave. Tlj 7h (8h w-e)-22h.* Sobre, pour ne pas dire minimaliste malgré ses quelques chaises bariolées et ses tables en bois, ce petit bar à café a d'évidence sacrifié la déco pour se concentrer sur l'essentiel : les meilleurs grains ! Toutes les semaines, de nouvelles variétés sont proposées aux amateurs. Pas de quoi s'ennuyer ! Accueil très sympa.

Où boire un verre ?

Hotel Delmano *(zoom 2 Williamsburg, B1,* ***160****) : 82 Berry St (entrée par N 9th).* ☎ *718-387-1945.* Ⓜ *(L) Bedford Ave. Tlj 17h-2h (3h ven-sam).* Pas d'enseigne, mais à voir les grappes de jeunes branchés à l'extérieur, il y a belle lurette que le secret n'est plus si bien gardé que cela ! Il faut dire qu'il a tout pour plaire, ce bar délicieusement *old fashioned* : comptoir en marbre, lustres vintage, chandeliers, tableaux et ventilos, rien ne manque. Même les toilettes sont dotées de lavabos séculaires ! La classe donc, comme les très bons cocktails.

Radegast Hall & Biergarten *(zoom 2 Williamsburg, B1,* ***161****) : 113 N 3rd St.* ☎ *718-963-3973.* • *radegasthall.com* • Ⓜ *(L) Bedford Ave.* Notre *biergarten* préféré à New York. Dans une ancienne fabrique de bonbons, un lieu plein de charme, patiné comme on les aime, et une ambiance du tonnerre sous cette immense verrière couverte seulement en hiver. Musique live (du très bon jazz) plusieurs soirs par semaine (sans *cover*), et brass band tous les samedis dès 16h30. Le mardi soir, c'est *beer tasting* pour les amateurs *(25 $/pers)*, avec *pretzels* à volonté.

Spuyten Duyvil *(zoom 2 Williamsburg, B2,* ***162****) : 359 Metropolitan Ave (et Havemeyer).* ☎ *718-963-4140.* Ⓜ *(L) Bedford Ave.* Ni design ni tendance, le *Spuyten* est la version *roots* (voire déglinguée) du bar branché de Williamsburg. Mais alors, qu'est-ce qui attire les foules ? Ses cartes scolaires punaisées aux murs ? Son mobilier de bric et de broc ? Son parquet de guingois ? Un peu de tout cela, mais aussi beaucoup sa bonne sélection de bières et son atmosphère fraternelle et sans façon. Terrasse à l'arrière.

Brooklyn Brewery *(zoom 2 Williamsburg, B1,* ***163****) : 79 N 11th St (entre Wythe et Berry).* ☎ *718-486-7422.* • *brooklynbrewery.com* • Ⓜ *(L) Bedford Ave. Slt ven 18h-23h, sam 12h-20h et dim 12h-18h.* Tout le monde connaît désormais la *Brooklyn Lager,* brassée dans une ancienne fonderie de Williamsburg. Et quitte à en boire quelques pintes, autant le faire dans la grande salle de dégustation (quelques tables disposées sans façons parmi les cuves) en compagnie des joyeux drilles qui connaissent le bon plan : atmosphère fraternelle et prix doux ! Lire aussi « À voir ».

Surf Bar *(zoom 2 Williamsburg, B1,* ***164****) : 139 N 6th St (entre Bedford et Berry).* ☎ *718-302-4441.* Ⓜ *(L) Bedford Ave. Tlj jusqu'à 2h.* Sortez vos maillots et chemises à fleurs ! Ce bar à thème archi-kitsch propose des cocktails tropicaux à déguster pieds nus sur le sable (dont le sol est recouvert), à l'intérieur ou dans le jardin ! Bon, le concept n'est pas novateur, mais l'atmosphère paillotes et planches de surf est marrante et plaît beaucoup aux bandes de copains. Très bon enfant et sympa comme tout.

D.O.C. *(zoom 2 Williamsburg, B1,* ***165****) : 83 N 7th St (et Wythe Ave).* ☎ *718-963-1925.* Ⓜ *(L) Bedford. Tlj 18h-23h30. CB refusées.* Joliment rustique et chaleureux, *D.O.C.* est avant tout un bon bar à vins italien (grand choix au verre à prix raisonnables). On peut aussi y déguster des sandwichs, assiettes de charcuterie et fromages. Un petit coin de calme à l'atmosphère intime, au cœur du Williamsburg branché et agité. Terrasse de poche abritée bien agréable.

Teddy's Bar & Grill *(zoom 2 Wil-*

*liamsburg, B1, **160**) : 96 Berry St (et N 8th). ☎ 718-384-9787. Ⓜ (L) Bedford Ave. Tlj jusqu'à 2h (4h ven-sam).* Superbe bon vieux pub de Williamsburg, en activité depuis 1887 : dallage patiné, plafond ciselé et verres teintés. On peut encore lire, gravé sur les vitraux de la façade, le nom d'origine, « Peter Dodgers Extra Beer ». Clientèle familiale et grosse ambiance le week-end. On peut aussi y manger mais rien de folichon.

Où sortir ? Où écouter de la musique ?

♩ 🍸 |●| ***Brooklyn Bowl*** *(zoom 2 Williamsburg, B1, **166**) : 61 Wythe Ave (entre N 11th et N 12th St). ☎ 718-963-3369. • brooklynbowl.com • Ⓜ (L) Bedford Ave. Lun-jeu 18h-2h, ven 18h-4h, sam 12h-4h, dim 12h-2h.* Énorme bowling-bar-resto-salle de concert dans une ancienne usine de ferronnerie réhabilitée. Un cachet industriel du tonnerre. Tout le monde se retrouve ici, pour jouer sur les 16 pistes de bowling dans une ambiance rock *(enfants acceptés le w-e slt, 12h-18h)*, assister à un concert, boire un coup dans un canapé moelleux ou même dîner dans la petite annexe de *Blue Ribbon* (cuisine américaine). Dans tous les cas, on passe une bonne soirée.

♩ ***The Knitting Factory*** *(zoom 2 Williamsburg, B2, **162**) : 361 Metropolitan Ave (et Havemeyer), Williamsburg. ☎ 347-529-6696. • knittingfactory.com • Ⓜ (L) Bedford Ave.* Le club mythique de Houston Street a rouvert au cœur de Williamsburg. Ça lui va bien : programmation tout aussi branchée et expérimentale que le quartier ! Super concerts.

♩ ***Music Hall of Williamsburg*** *(zoom 2 Williamsburg, B1, **167**) : 66 N 6th St (entre Wythe Ave et Kent Ave). M. : (L) Bedford St. • musichallofwilliamsburg.com •* Plébiscitée par les hipsters, voici une autre scène musicale d'envergure à Williamsburg, où viennent parfois se produire de grosses pointures. Atmosphère intime et super son.

Shopping

Beacon's Closet *(zoom 2 Williamsburg, B1, **200**) : 88 N 11th St (entre Wythe et Berry). ☎ 718-486-0816. Ⓜ (L) Bedford Ave.* Vaste « chaîne » de dépôts-vente, très courus par les bobos : ici, on achète, on vend, on échange des chaussures, des accessoires et des fringues vintage contre d'autres, pour être toujours à la pointe de la contre-mode ! Bien organisé, classé par couleurs, on peut vraiment y faire de bonnes trouvailles. Beaucoup de grandes marques.

Brooklyn Industries *(zoom 2 Williamsburg, B1, **201**) : 162 Bedford Ave (et N 8th St). ☎ 718-486-6464. Ⓜ (L) Bedford Ave.* Brooklyn Industries, c'est le cousin de Manhattan Portage, ces sacs à main et *messenger bags* « garantis à vie ». Sauf qu'en plus ils font des vêtements sympas, dans le style rétro-bobo, et des T-shirts vraiment beaux et originaux, pour grands et petits branchés. Le logo de la marque (créée à Williamsburg) représente une vue de Manhattan depuis les toits du quartier, avec les fameuses citernes d'eau. *Succursales à DUMBO (70 Front St) et Park Slope (206 5th Ave et Union St), ainsi qu'à Manhattan.*

Brooklyn Industries *(zoom 2 Williamsburg, B2, **201**) : 184 Broadway (angle Driggs). ☎ 718-218-9166. Ⓜ (J) Marcy Ave ou (L) Bedford Ave.* C'est l'*outlet* de la célèbre marque de Brooklyn, on y trouve donc des articles soldés toute l'année, en plus d'une sélection de la collection en cours (à prix fort, elle).

I Hate Perfume *(zoom 2 Williamsburg, B1, **202**) : 93 Wythe Ave (entre N 10th et N 11th St). ☎ 718-384-6890. Ⓜ (L) Bedford Ave. Mar-sam 12h-18h.* Si vous voulez rapporter un souvenir de Brooklyn à la pointe de l'originalité, poussez la porte de ce créateur de parfums très *hype*, à la limite du conceptuel. Toutes ses fragrances portent des noms évocateurs : *Beautiful Laundrette* (odeur de linge fraîchement lavé), *Room with A View*... Et certaines, incroyablement réalistes, sentent la terre humide, le bois brûlé, la fumée de tabac, le cuir patiné ou encore les vieux livres. Bref, le parfum que vous ne retrouverez pas sur votre collègue de bureau !

KCDC Skate Shop *(zoom 2 Williamsburg, B1,* ***200****) : 90 N 11th St (entre Wythe et Berry). ☎ 718-387-9006. Ⓜ (L) Bedford Ave.* Si l'envie vous prenait de parcourir NYC en skate, c'est ici qu'il faut venir : T-shirts et chaussures à gogo, des planches partout, un atelier de réparation pour les petits et gros bobos, et même une rampe pour s'entraîner ! D'ailleurs, ils donnent aussi des cours aux novices.

Academy Record Annex *(zoom 2 Williamsburg, B1,* ***203****) : 96 N 6th St (et Wythe Ave). ☎ 718-218-8200. Ⓜ (L) Bedford Ave.* C'est le meilleur endroit pour dénicher des vinyles, notamment des raretés ! Bons conseils et prix raisonnables.

Balades dans le quartier

➢ ***Le « nouveau Williamsburg » :*** *celui des artistes – et des bobos –, compris en gros entre S 5th et N 11th St. Bedford Ave est sa colonne vertébrale, Berry et N 6th St ses axes de développement.* C'est donc dans ces quelques rues que vit et travaille la nouvelle « bohème » de New York. Ne vous attendez pas à trouver ici l'équivalent d'un SoHo, vous seriez déçu. Rien de clinquant ni de tape-à-l'œil, du moins encore pour le moment. Mieux vaut y aller le week-end, quand les rues s'animent et que les galeries sont ouvertes. Baladez-vous au hasard des rues et n'hésitez pas à entrer.

➢ ***East River State Park*** *(zoom 2 Williamsburg, B1)* ***:*** *entrée sur Kent Ave, au niveau de N 8th St.* À quelques enjambées du Williamsburg animé et du métro qui le dessert (Bedford Ave, ligne L), ce petit parc, aménagé sur ce qui était jadis un quai d'expédition, offre un point de vue extraordinaire sur la *skyline* de Manhattan. Il y a même des tables et des pelouses pour pique-niquer et un semblant de rivage au bout. Et si vous regardez bien, vous verrez quelques vestiges du passé, des traces de rails de chemin de fer et de rues pavées. En été, on y donne des concerts. Tous les dimanches d'avril à novembre, le *Brooklyn Flea Market* (marché aux puces) prend ses quartiers d'été à un bloc de là, entre N 6th et 7th St. Stands de fringues et accessoires vintage, *antiques* et même des producteurs locaux. Dans la même veine, mais plus orienté jeunes créateurs, le *Artists and Fleas Market* se tient lui toute l'année *(70 N 7th St, entre Wythe et Kent ; sam-dim 10h-19h).*

➢ ***Grand Ferry Park*** *(zoom 2 Williamsburg, A1)* ***:*** *entrée au croisement de Kent Ave et Grand St.* Un peu plus au sud que le précédent, voici un autre point de vue depuis un minuscule square de quartier posé au bord de l'eau, sur une ancienne friche industrielle. Devant vous, légèrement sur la droite, la vue irréelle des tours du Midtown derrière des cheminées d'usine.

Brooklyn Brewery *(zoom 2 Williamsburg, B1,* ***163****) : 79 N 11th St (entre Bedford et Berry), Williamsburg. ☎ 718-486-7422. • brooklynbrewery.com • Ⓜ (L) Bedford Ave. Présentation gratuite du site ttes les heures sam 12h-20h et dim 12h-18h (durée env 30 mn). Sinon visite-dégustation lun-jeu à 17h (résa via Internet impérative car groupe limité à 25 pers, 8 $).* Plus d'une dizaine de variétés de bière made in Brooklyn sont désormais fabriquées dans cette petite brasserie créée en 1987, et installée depuis 1996 dans une ancienne fonderie. C'était à l'origine un pari un peu fou. D'abord, parce qu'il était lancé par deux amis issus du journalisme et de la banque (donc pas grand-chose à voir !), ensuite parce que la dernière brasserie de la ville avait fermé en 1976. Mais avec le temps, cette belle aventure est devenue un très gros succès commercial. Aujourd'hui, tous les bars branchés se doivent de proposer de la *Brooklyn Lager* ! La visite du site, courte, se résume à un exposé dans l'atelier de fabrication lorsque la fabrication est à l'arrêt. Intéressant, mais mieux vaut maîtriser l'anglais.

➢ ***Le quartier Hassidim*** *(zoom 2 Williamsburg, A-B2 : au sud de Broadway, autour de Bedford et Lee Avenues.* C'est le quartier juif où sont concentrés commerces, synagogues, écoles judaïques, etc. Deux conseils de base : ne pas y aller le vendredi soir et le samedi, au moment du shabbat, et évitez de prendre les gens en photo (question de respect). Le mouvement hassidim, fondé en Europe de l'Est au XVIIIe s, s'est beaucoup développé après 1945. Brooklyn abrite deux des plus importantes communautés au monde. Elles appartiennent à des groupes différents : les Lubavitch, originaires de Russie, installés à Crown Heights, et les Satmare, originaires de Hongrie, installés ici à Williamsburg. Leurs membres mènent une vie communautaire très fermée. Les hommes portent des costumes noirs aux longues vestes, de grands chapeaux, des papillotes *(peot),* et se laissent pousser la barbe. Les femmes sont habillées d'amples robes aux manches longues et couvrent leurs cheveux d'une perruque.
Dans les années 1880-1900, tout le secteur était un quartier résidentiel cossu. On peut encore y voir quelques *mansions,* le long de Bedford Avenue : la *Mollenhauer Residence* au n° 505 (1896), la *Hawley Mansion* au n° 563 (1875). Ce fut aussi, à la même époque, l'endroit où l'élite de Manhattan venait s'amuser. Les Vanderbilt et autres Whitney y organisèrent de grandes fêtes dans les hôtels de luxe, casinos et restaurants du coin.

PARK SLOPE ET PROSPECT HEIGHTS

Pour vous rendre à Park Slope et Prospect Heights : plusieurs lignes de métro desservent le secteur : la 2-3, stations Bergen St, Grand Army Plaza et Eastern Pkwy Brooklyn Museum, la Q (stations 7th Ave, Prospect Park) et la R (Union St).

BROOKLYN

☞☞ ***Park Slope,*** littéralement « la pente du parc », fut bâti sur le flanc ouest de la colline de Prospect Park et s'est développé à partir des années 1870 sur ce qui n'était alors que bois, champs et pâturages. L'ouverture du parc attira de riches industriels qui y construisirent des *mansions* et maisons de ville. Park Slope devint alors la *Gold Coast* de Brooklyn. Dans les années 1900, il paraît que ce petit coin de New York avait le plus haut revenu par habitant des États-Unis ! La Dépression changea évidemment la donne et Park Slope tomba dans l'oubli jusque dans les *sixties*. Aujourd'hui c'est devenu le paradis des familles bobos attirées à juste titre par la qualité de vie, le charme des belles *brownstone houses* victoriennes et la proximité de Prospect Park. Avec Brooklyn Heights, c'est indéniablement le plus joli quartier de Brooklyn. Nombreuses rues absolument superbes, toutes différentes mais chacune réalisée par un seul et même architecte, d'où cette impression d'harmonie. Certaines sont encore éclairées par des lampadaires à gaz. Bordé au sud par Windsor Terrace, au nord par Flatbush Avenue et à l'ouest par 4th Avenue, Park Slope a deux artères principales : 5th et 7th Avenue (entre Flatbush Ave et 15th St), où se concentrent boutiques, bons restos et bars branchés. De l'autre côté de Flatbush Avenue s'étend ***Prospect Heights,*** cerné par Atlantic Avenue au nord, Eastern Parkway et Grand Army Plaza au sud et enfin Washington Avenue à l'est. C'est l'extension naturelle de Park Slope. Comptez 2 jours pour une découverte complète du quartier avec aussi la visite du *Brooklyn Museum* et du *Brooklyn Botanic Garden* (lire « À voir »). Sinon, une journée est suffisante en combinant balade dans le quartier et le parc. Dans ce cas, mieux vaut venir le week-end pour profiter de l'ambiance du parc, plutôt désert en semaine.

Où dormir ?

Bien desservi par le métro, Park Slope (et son extension Prospect Heights) est un point de chute idéal pour rayonner entre Brooklyn et Manhattan. Toutes nos adresses sont situées au calme, dans de belles *brownstone houses* pleines d'atmosphère, avec souvent

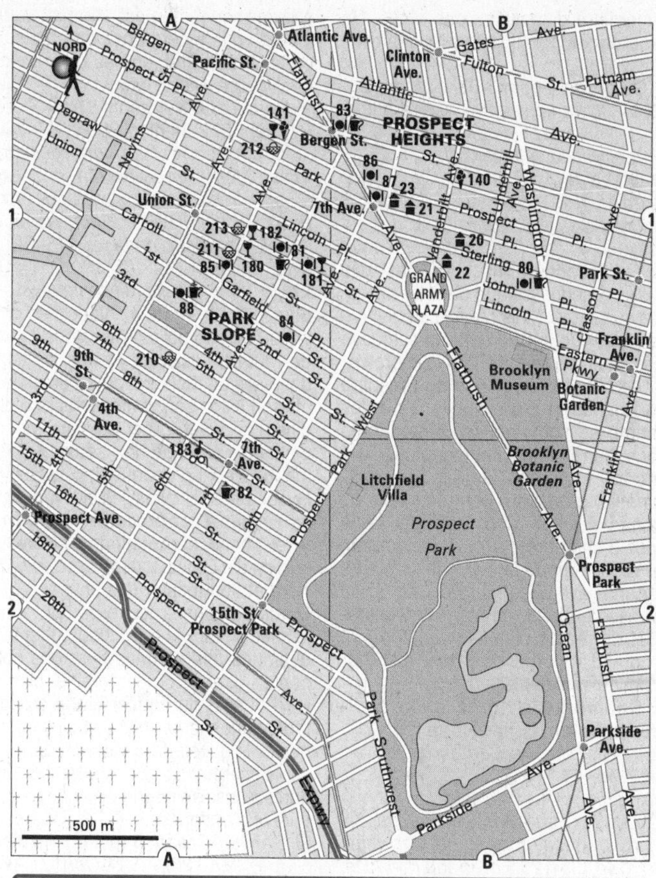

BROOKLYN – Park Slope et Prospect Heights (ZOOM 3)

Où dormir ?

- **20** Sofia Inn
- **21** Chambres d'hôtes chez Guillaume
- **22** House of A & A
- **23** Garden Green Bed

Où manger ?

- **80** Tom's Restaurant
- **81** Rose Water
- **82** Applewood
- **83** Bergen Bagels
- **84** Bareburger
- **85** Al di là
- **86** Franny's
- **87** Geido
- **88** Benchmark

Où boire un chocolat ? Où grignoter une douceur ? Où déguster une glace ?

- **140** Ample Hills Creamery
- **141** Chocolate Room

Où boire un verre ?

- **180** Union Hall
- **181** Tea Lounge
- **182** Bierkraft

Où écouter de la musique ? Où voir un spectacle ?

- **183** Barbès

Shopping

- **210** The Brooklyn Superhero Supply Co.
- **211** Scaredy Kat
- **212** Beacon's Closet
- **213** Brooklyn Industries

un jardin à disposition des hôtes. Un excellent rapport qualité-prix-charme.

Sofia Inn *(zoom 3 Park Slope, B1, **20**) : 288 Park Pl (entre Vanderbilt et Underhill Ave). ☎ 917-865-7428. • brooklynbedandbreakfast.net • Ⓜ (2, 3) Grand Army Plaza ou (Q) 7th Ave. Doubles 100-135 $; suites 155-215 $ (pour 4 pers, 50 $ de plus) ; pas de petit déj (mais cuisine à dispo dans presque toutes).* D'accord, l'accueil n'est pas aussi personnalisé que dans les adresses suivantes. Mais c'est finalement le seul petit défaut de cette *guesthouse* classique située dans une jolie *brownstone house* à deux pas de Prospect Park et du métro. Pour le reste, les chambres sont vastes, charmantes dans leur style ancien (certaines sont encore équipées de vieilles cheminées), et se partagent une salle de bains par étage (donc bon ratio : une pour 2 chambres). Pour les familles, on recommande la suite du 1er étage, superbe avec ses murs carmin et sa terrasse en bois, ou bien les 2 chambres du rez-de-chaussée qui forment un grand appart avec cuisine et living-room ouvrant sur le jardin.

Chambres d'hôtes chez Guillaume *(zoom 3 Park Slope, B1, **21**) : 183 Park Pl (entre Carlton et Vanderbilt Ave). ☎ 718-230-7877. • abrooklyn.com • guillaume@abrooklyn.com • Ⓜ (2, 3) Grand Army Plaza ou (Q) 7th Ave. Résa impérative par mail. Doubles 105-125 $ avec sdb partagée, et une seule avec sdb privée 135 $. Réducs en basse saison ou pour plusieurs j. Paiement par PayPal, chèque en euros ou cash.* Guillaume, un jeune Français ex de la finance et marié à une Brooklynite, met à disposition 5 chambres dans sa maison de Park Slope. Une *brownstone house* bicentenaire, pleine d'âme et de bonne humeur, idéalement située à deux pas du métro et dans un quartier à la fois vivant et prisé. 3 chambres au rez-de-chaussée, avec entrée indépendante, jardinet, grande cuisine équipée et salle à manger communes. Idéal pour une grande famille ou des copains qui viennent en bande. Côté déco, on apprécie le charme de l'ancien et l'atmosphère « comme à la maison ». Si c'est complet, Guillaume vous logera chez des amis ou de la famille. Bref, un très bon rapport qualité-convivialité-prix.

House of A & A *(zoom 3 Park Slope, B1, **22**) : 272 Sterling Pl. ☎ 718-230-7877. • houseofaa.com • (mot de passe « jag » 2 fois). Résa via • maisondeaa@gmail.com • Ⓜ (2, 3) Grand Army Plaza ou (Q) 7th Ave. Selon période, doubles avec sdb partagés 115-130 $, avec bains privés 135-150 $; petite single 85-95 $. Petit déj continental sur demande.* Anne et Alaric, les proprios de cette belle *brownstone house* de 1900, ont décidé il y a une vingtaine d'années de restaurer eux-mêmes leur maison selon son aménagement d'origine. Un projet fou et presque monomaniaque puisque non seulement les meubles sont d'époque mais aussi les lavabos et baignoires, les interrupteurs, les lampes à gaz (électrifiées) et même le téléphone, qui fonctionne encore. La cuisine est un vrai musée avec sa gazinière et son toaster des années 1920. Quant aux chambres, elles sont dans le même esprit, avec heureusement quelques petites transgressions côté confort (literie contemporaine, clim et wifi !). Les 3 du dernier étage se partagent une même salle de bains tandis que celle du rez-de-chaussée, donnant sur le charmant jardin, a la sienne. Une adresse insolite pour passionnés d'histoire et d'antiquités.

Garden Green Bed *(zoom 3 Park Slope, B1, **23**) : 641 Carlton Ave. ☎ 718-783-5717. • gardengreenbb.com • Ⓜ (2, 3) Grand Army Plaza ou (Q) 7th Ave. Double 130 $; apparts 160 $ pour 2, 180 $ pour 3 et 200 $ pour 4. Enfants acceptés dès 7 ans. Pas de petit déj, mais plein de petits restos pas loin. Guesthouse* très bien placée, à l'entrée du charmant quartier de Park Slope et à proximité de 2 stations de métro menant à Manhattan en 10 mn. Stratégique, d'autant plus que cette petite maison de 1865 est à l'écart dans une rue tranquille (vital à New York !). À l'intérieur, meubles anciens, gravures et une bibliothèque pleine à craquer : une vraie bonbonnière ! Agréable jardinet à l'arrière où il fait bon bouquiner parmi les fleurs et les statues. À l'entresol, un appartement peut loger jusqu'à 4 personnes (chambre, salon et cuisine US). 2 petites chambres à l'étage, mignonnes dans leur style désuet, qui se partagent une salle de bains. Une adresse de charme, où l'on se sent comme à la maison. Laura, la proprio, est une femme exquise de raffinement, pleine de délicates attentions pour ses hôtes.

Où manger ?

Spécial petit déjeuner et brunch

Tom's Restaurant *(zoom 3 Park Slope, B1, **80**) : 782 Washington Ave (et Sterling Pl). ☎ 718-636-9738. Ⓜ (2, 3) Eastern Parkway-Brooklyn Museum. Tlj 7h (8h dim)-16h. Plats 5-12 $. CB refusées. « Established in 1936 »*, ce petit resto populaire est devenu un incontournable. Le cadre à l'ancienne au kitsch revendiqué vaut la photo, le service est efficace, et les plats, bien caloriques et dans la tradition américaine, sont aussi copieux que bons : omelettes, pancakes agrémentés de plein de trucs dedans, steaks, et toujours un *daily special*. Accueil très gentil : le week-end, ceux qui font la queue sur le trottoir pour les énormes petits déjeuners ont droit à du café et des cookies pour patienter !

Rose Water *(zoom 3 Park Slope, A1, **81**) : 787 Union St (entre 5th et 6th Ave). ☎ 718-783-3800. Ⓜ (R) Union St ou (Q) 7th Ave. Tlj 17h30-22h. Brunch 10h-15h le w-e (menu 15 $). Sinon, plats le soir 20-30 $.* Si l'attente obligatoire ne vous effraie pas, ce petit resto sobre et décontracté est l'une des meilleures adresses de Park Slope pour le brunch. Pas de miracle pour expliquer son succès : de bons produits du marché, bio le plus souvent, joliment travaillés pour élaborer toutes sortes de petits plats originaux et pleins de saveur (sandwichs au confit de canard, au porc, végétariens...). La carte change régulièrement. Et si vous avez aimé le brunch, rien ne vous empêche de réserver le soir pour goûter la nouvelle cuisine américaine bien ficelée, et préparée là encore avec les produits de saison.

Applewood *(zoom 3 Park Slope, A2, **82**) : 501 11th St (entre 7th et 8th Ave). ☎ 718-788-1810. Ⓜ (F, G) 7th Ave. Brunch le w-e 10h-15h (14h dim). Env 15-20 $.* Si le resto est cher, la carte du brunch se révèle nettement plus abordable. Surtout pour la qualité proposée. D'une part, les produits sont bons (choisis chez les producteurs en fonction des saisons) ; d'autre part, les plats s'efforcent de proposer d'intéressantes associations qui renouvellent le sempiternel œuf-bacon-patates ! De la bonne cuisine américaine moderne, à découvrir dans une salle simple et agréable, pas prétentieuse pour un sou.

Et aussi : **Bergen Bagels** pour son *breakfast special* à 4 $ max, **Benchmark** pour son brunch le week-end (lire plus loin).

De très bon marché à bon marché

Bergen Bagels *(zoom 3 Park Slope, B1, **83**) : 473 Bergen St (et Flatbush Ave). ☎ 718-789-7600. Ⓜ (2, 3) Bergen St. Env 3-8 $.* Petit bouiboui sans aucun charme mais pas cher du tout, spécialisé dans les bagels à tartiner de garnitures variées ou de *cream cheese* aromatisé, sucré ou salé. Un *local favorite* comme on dit ici et une bonne halte pour un en-cas ou un breakfast à prix d'avant-guerre.

Bareburger *(zoom 3 Park Slope, A1, **84**) : 170 7th Ave (et 1st St). ☎ 718-768-2273. Ⓜ (2, 3) Grand Army Plaza. Burger-frites env 12-15 $.* Cette nouvelle minichaîne de burgers gourmets et *healthy* a immédiatement créé le buzz à New York. Décor écolo-cool et ingrédients 100 % *organic* ou *natural*. On choisit sa viande (bœuf, agneau, bison, cerf ou autruche) et son pain. Tout est délicieux, y compris les frites et les petites sauces pour les tremper dedans. L'essayer c'est l'adopter !

Prix moyens

Al di là *(zoom 3 Park Slope, A1, **85**) : 248 5th Ave (et Carroll St). ☎ 718-*

783-4565. Ⓜ (R) Union St. Tlj sf mar midi (brunch sam-dim). Plats 10-15 $ le midi. Le soir, 15-22 $, sinon menu 3 plats 20 $ lun-mer slt. Voici une excellente trattoria plébiscitée pour ses spécialités de Vénétie. Entre autres, savoureuse polenta crémeuse, *risotto nero.* Une cuisine de marché, travaillée à partir de très bons produits locaux et assortie d'une carte des vins de la Botte fort bien construite. Le tout à prix étonnamment raisonnables pour une telle qualité. Vous l'aurez compris, le soir les places sont chères alors tentez plutôt votre chance le midi !

I●I ***Franny's*** *(zoom 3 Park Slope, B1,* ***86****)* **:** *295 Flatbush Ave. ☎ 718-230-0221. Ⓜ (Q) 7th Ave. Plats 10-15 $.* C'est l'adresse branchée par excellence : toujours bondée, bruyante, à la déco sobre et sympa, et qui s'est fait connaître pour ses bonnes pizzas préparées avec des produits de qualité (il y a bien sûr la petite liste pour vérifier les provenances). Au final, ce n'est pas donné et pas toujours copieux (on pense aux entrées et aux pâtes), mais somme toute fort agréable et très caractéristique du renouveau de Brooklyn. Attention, déménagement en projet.

I●I ***Geido*** *(zoom 3 Park Slope, B1,* ***87****)* **:** *331 Flatbush Ave (et 7th Ave). ☎ 718-638-8866. Ⓜ (2, 3) Grand Army Plaza ou (Q) 7th Ave. Tlj sf lun. Plats max 16 $ (plateaux de sushis 20 $).* Voici un Japonais très *friendly* qui mettra tout le monde d'accord. Salle conviviale, avec un mur de briques tout graffité façon Basquiat, donnant une touche colorée et inattendue dans un resto asiatique. La carte, hyper variée, vous prendra un certain temps à décrypter. Longue liste de *rolls,* sushis et sashimis préparés en direct sous vos yeux, mais aussi tempura, soupes, *noodles*, *teriyaki*... Bref, de tout pour tous les goûts (et à prix doux).

Plus chic

I●I ***Benchmark*** *(zoom 3 Park Slope, A1,* ***88****)* **:** *339A 2nd St (et 5th Ave). ☎ 718-965-7040. Ⓜ (R) Union St. Le soir, plats 20-30 $; le midi, env 15 $. Menu brunch w-e env 15 $.* Au fond d'une charmante allée verdoyante qui sert de terrasse aux beaux jours, un resto chic et discret, plébiscité pour sa nouvelle cuisine américaine travaillée avec d'excellents produits tous locaux, à la mode de Brooklyn quoi. Avis aux amateurs, la viande y est particulièrement savoureuse (*pasture-raised,* c'est à dire nourrie en pâturage). Un bon plan pour s'en tirer à bon compte : le burger, servi ici dans les règles de l'art pour moins de 15 $.

Où boire un chocolat ? Où grignoter une douceur ? Où déguster une glace ?

Ample Hills Creamery *(zoom 3 Park Slope, B1,* ***140****)* **:** *623 Vanderbilt Ave (et St Marks Ave). ☎ 347-240-3926. Ⓜ (2, 3) Grand Army Plaza ou (Q) 7th Ave. Tlj sf dim 12h-22h (23h ven-sam).* C'est le bon glacier artisanal de Prospect Heights, qui ne travaille que les produits de saison et locaux. Une vingtaine de parfums au choix, tous très crémeux et ricains dans l'esprit. Également des *sundaes* à customiser. Pas donné quand même.

Chocolate Room *(zoom 3 Park Slope, A1,* ***141****)* **:** *86 5th Ave (et Saint Mark's Pl). ☎ 718-783-2900. Ⓜ (D, N, R) Atlantic Ave-Pacific St. Tlj sf lun 12h-23h (minuit ven-sam). Desserts 5-10 $.* Cet endroit très coquet est dangereux... Des dizaines de desserts, boissons onctueuses et glaces crémeuses à se damner, tous au chocolat, et on vous conseille même le vin qui accompagne idéalement chaque gourmandise. Atmosphère et service charmants (ah ! la boule de glace de bienvenue...).

Où boire un verre ?

Union Hall *(zoom 3 Park Slope, A1,* ***180****)* **:** *702 Union St (entre 5th et 6th Ave). ☎ 718-638-4400. Ⓜ (R) Union St ou (B, Q) 7th Ave.* On est obligé d'aimer l'*Union Hall.* Il a tout pour lui : une atmosphère fraternelle, une déco cosy qui donne l'impression de participer à une fête dans une résidence universitaire de luxe genre Harry Potter (cheminées, tapis, bibliothèques, sofas), et, cerise sur le gâteau, 2 terrains de boules (si, si !). C'est tellement inattendu qu'on en oublierait presque d'aller jeter un coup d'œil à la salle de concerts.

Tea Lounge *(zoom 3 Park Slope, A1,* ***181****) : 837 Union St (entre 6th et 7th Ave). ☎ 718-789-2762. Ⓜ (R) Union St. Tlj 7h (8h w-e)-1h. Concert mer et dim à partir de 21h.* Comme un grand salon désordonné où chacun se sent chez soi, le *Tea Lounge* est, selon le moment de la journée, un café cosy où l'on profite du wifi, un bar bruyant où l'on se fait des amis, ou une salle de concerts attentive où l'on découvre de jeunes talents. C'est dans tous les cas un lieu vraiment chaleureux, à l'ambiance bohème (bobo ?) et pas prétentieuse pour un sou, à l'image du mobilier disparate et déglingué. Bières et café pas chers, super salades et bons sandwichs.

Bierkraft *(zoom 3 Park Slope, A1,* ***182****) : 191 5th Ave (et Union). ☎ 718-230-7600. Ⓜ (R) Union St. Tlj 12h-21h (23h ven-sam). Sandwich-chips 10 $.* Certes, la déco n'est pas le fort de *Bierkraft*. Mais visez un peu les rayonnages : ils ploient littéralement sous la plus belle sélection de bières artisanales de NYC, renouvelée en fonction des saisons et des fêtes. Et pour accompagner la dégustation, direction le comptoir au fond de la boutique (on ne le voit pas, mais il suffit d'avoir du flair !) pour se composer un sandwich ou une assiette de charcuterie et de fromages. Là aussi, excellents produits, à picorer ensuite à l'une des tables communes de la salle (très taverne, dans son genre).

Où écouter de la musique ? Où voir un spectacle ?

Barbès *(zoom 3 Park Slope, A2,* ***183****) : 376 9th St (et 6th Ave). ☎ 347-422-0248. • barbesbrooklyn.com • Ⓜ (F, G) 7th Ave.* Bastion festif et culturel paumé au milieu des jolies maisons de Park Slope, *Barbès* (comme à Paname) est un lieu de vie comme on les aime, tenu par deux musiciens. Et nous ne sommes pas les seuls, vu les innombrables habitués qui s'y donnent rendez-vous. Pastis au comptoir, sourires au bar... Et petite salle à l'arrière où, presque tous les soirs, se jouent des films rares ou des concerts éclectiques (beaucoup de musique du monde), quand il ne s'agit pas de lectures.

Shopping

The Brooklyn Superhero Supply Co. *(zoom 3 Park Slope, A1,* ***210****) : 372 5th Ave. ☎ 718-499-9884. Ⓜ (F, G, R) 4th Ave-9th St. Ouverture aléatoire, mieux vaut téléphoner.* Indescriptible ! À regarder la vitrine, on pourrait croire à une blague : une boutique dédiée aux super-héros, des capes aux livres pour apprendre à « gérer ses pouvoirs » en passant par toutes sortes de potions magiques dont de la poudre d'invisibilité ! Pourtant, les proprios sont très sérieux : les revenus de cette boutique vont notamment à leur atelier d'écriture pour les enfants et ados défavorisés du quartier, qui a lieu... dans l'arrière-boutique. On y entre par un passage secret entre 2 étagères, forcément.

Scaredy Kat *(zoom 3 Park Slope, A1,* ***211****) : 232 5th Ave (entre Carroll et President). ☎ 718-623-1839. Ⓜ (R) Union St. Tlj sf lun dès 12h.* Des gadgets et autres bricoles, mais bien choisis et surtout des souvenirs originaux de Brooklyn (dans le style bobo) et des cartes postales vintage de New York. Pas mal pour faire des petits cadeaux.

Beacon's Closet *(zoom 3 Park Slope, A1,* ***212****) : 92 5th Ave (et Prospect Pl). ☎ 718-230-1630. Ⓜ (2, 3) Bergen St.* Voir descriptif de cette friperie vintage à Williamsburg.

Brooklyn Industries *(zoom 3 Park Slope, A1,* ***213****) : 206 5th Ave (et Union St). ☎ 718-789-2764. Ⓜ (R) Union St.* Voir descriptif à Williamsburg.

À voir

Brooklyn Museum *(zoom 3 Park Slope, B1)* **:** *200 Eastern Parkway. ☎ 718-638-5000. • brooklynmuseum.org • Ⓜ (2, 3) Eastern Parkway-Brooklyn Museum. Mer 11h-18h, jeu 11h-22h, ven-dim 11h-18h (23h le 1er sam du mois sf sept). Fermé lun, mar et j. fériés. Donation suggérée : 12 $; réducs ; gratuit moins de 12 ans et le 1er sam du mois 17h-23h. Billet combiné avec le Brooklyn Botanic Garden : 20 $; réducs.*

Ce fut d'abord une bibliothèque (à partir de 1823), qui prit de l'importance et devint par la suite le *Brooklyn Institute of Arts and Sciences.* Sur le site, il fut décidé en 1897 d'élever un musée digne de la ville. Projet grandiose des architectes McKim, Mead et White sous la forme d'un bâtiment avec d'immenses façades de style néoclassique sur les quatre côtés. L'absorption de Brooklyn dans le grand New York, l'année suivante, cassa l'élan et l'enthousiasme des habitants pour leur musée : seulement un quart du projet fut réalisé.

Aujourd'hui, le Brooklyn Museum tire son épingle du jeu en se distinguant habilement des monstres sacrés de Manhattan. Il est réputé pour ses magnifiques collections d'art (surtout oriental et égyptien), ses *Period Rooms* et ses programmes éducatifs, ainsi que pour l'originalité de certaines de ses expos temporaires. Sa muséographie très aérée, les petites aires de repos judicieusement disposées, le mélange distrayant de peinture, sculpture et arts décoratifs sans compter la diversité des collections en font un musée très agréable à parcourir. En 2007, il a révolutionné le monde des musées en ouvrant la première collection permanente d'art féministe du pays. À noter : le premier samedi de chaque mois, le musée se transforme en lieu d'échange culturel et de fête avec au programme discussions, concert, danse... *(Target First Saturdays).* Assez familial et franchement sympa, une bonne occasion de rencontrer les locaux, très friands de ce rendez-vous mensuel.

Pour avoir un bon aperçu du musée sans trop courir, compter 3h de visite minimum. Nous recommandons, comme toujours, de commencer par le haut, pour redescendre tranquillement. Admirez cependant la dizaine de sculptures de Rodin qui vous accueillent à l'entrée : *Les Bourgeois de Calais,* des statues de la *Porte de l'Enfer,* etc., et plusieurs statues de la série « Balzac ». Le musée Rodin de Paris a eu l'autorisation de reproduire des moulages de bronze à condition qu'il n'existe pas plus de 12 exemplaires de chaque œuvre.

– Au 4e étage (5th Floor) : divisé en différentes sections thématiques qui mêlent art américain et histoire, depuis les premiers colons jusqu'au XXe s. Les fameux portraitistes du XVIIIe s : John Singleton Copley et Gilbert Stuart, célèbre pour ses représentations de George Washington. Et puis les paysages sublimés de Frederic Edwin Church et Albert Bierstadt *(Storm in Rocky Mountains),* dont une libre interprétation de la plasticienne Valérie Hegarty (spécialisée dans les œuvres déstructurées voire en décomposition) est d'ailleurs présentée un peu plus loin dans les salles contemporaines *(Fallen Bierstadt).* Toujours dans la partie XIXe s, superbe portrait de femme pointant son coude en direction du spectateur, signé William Meritt Chase. Et puis tous les grands noms de l'époque : John Singer Sargent, Mary Cassatt, Willmer Dewing... qui cèdent ensuite le pas à leurs homologues du XXe s : Mark Rothko dans une toile figurative inhabituelle, un Edward Hopper peu connu *(Macomb's Dam Bridge),* et encore Stuart Davis, Georgia O'Keefe... Juste à côté, une salle géniale qu'il ne faut pas rater, le *Luce Center for American Art* : il s'agit ni plus ni moins de la réserve ! Accessible au grand public, elle a tout de ces cabinets de curiosités où d'improbables objets s'entassent dans les vitrines, soigneusement étiquetés. Au milieu des peintures, sculptures et mobilier de tous styles (beaucoup de lampes Tiffany, notamment), on verra même un prototype délirant de vélo dessiné en 1946 par Benjamin Bowden. Ne pas hésiter à ouvrir aussi les tiroirs pour découvrir bijoux, pièces d'argenterie...

– ***Au 3e étage (4th Floor) :*** le très médiatique ***Elizabeth A. Sackler Center for Feminist Art*** est organisé autour de l'œuvre centrale, la fameuse installation monumentale de Judy Chicago, *The Dinner Party.* Le concept de cette œuvre emblématique de 1979 est le suivant : une immense table triangulaire autour de laquelle sont regroupées des représentations symboliques des femmes qui ont contribué à l'histoire de leur sexe depuis la nuit des temps. Elles y sont toutes, déesses, reines, écrivaines, suffragettes, militantes, installées par ordre chronologique. Chaque set de table symbolise une femme, et chaque assiette représente une fleur stylisée qui, à mesure que l'on avance dans le temps, prend du relief et devient de plus en plus « vaginale » et « georgiao'keefienne ». Sappho, Hatshepsut, Hildegarde de Bingen, Elizabeth I, Virginia Woolf, Colette... Celles qui ne sont pas attablées sont citées sur la mosaïque au centre. Dans les salles adjacentes, des expos temporaires sur les femmes, par des femmes, pour les femmes, mais pas seulement ! L'autre moitié de cet étage est réservée aux ***arts décoratifs.*** On peut y voir, par roulement : mobilier Art nouveau et Art déco, verrerie, belle collection d'œuvres de Tiffany, amusante Fantasy Furniture Collection. Et surtout la séduisante section permanente des ***period rooms*** : meublées d'ancien, les magnifiques reconstitutions d'intérieurs de maisons américaines donnent une idée du quotidien selon les époques. La plupart des pièces sont d'origine et ont été entièrement remontées à l'identique, comme la *ferme Schenck* (de 1675) qui se trouvait dans les Flatlands, le superbe fumoir mauresque de l'hôtel particulier de John D. Rockefeller, qui se situait sur 5th Avenue à Manhattan *(Moorish Smoking Room),* et le salon tout en marqueterie Art déco réalisé par le décorateur français Alavoine sur Park Ave *(Weil-Worgelt Study).* En 2012, le Brooklyn Museum a lancé une initiative très originale qui devrait être renouvelée : donner carte blanche à quelques artistes pour présenter dans ces *period rooms* une sélection de leurs œuvres.

– ***Au 2e étage (3rd Floor) :*** antiquités égyptiennes, romaines et grecques, ainsi que du Proche-Orient. Sarcophages, momies, bijoux, mosaïques, vaisselle, et une très belle série de bas-reliefs perses provenant d'Irak (notez l'écriture dite « cunéiforme », formée d'encoches de différentes tailles). Une sélection particulièrement riche et une présentation impeccable. Dans la grande galerie centrale ouvrant sur la verrière au milieu, bonne sélection d'art européen aussi riche que variée : Millet, Delacroix, Degas, Vuillard, Bonnard, Monet, Cézanne, mais également Lorenzo Monaco, Crivelli ou même Frans Hals... Quelques perles à dénicher donc, malgré le flou relatif de la présentation.

– ***Au 1er étage (2nd Floor) :*** arts orientaux, islamiques et asiatiques. Miniatures, céramiques, tissus, cuivres gravés, peintures iraniennes, calligraphies et délicats paravents japonais, bouddhas, sculptures hindoues, et bien sûr une collection de disques de jade (symbolisant l'immortalité des souverains chinois).

– ***Au rez-de-chaussée (1st Floor) :*** art des îles du Pacifique, des Amériques et importante section d'art africain ; splendides masques bolo et banda, couronne et sceptre yoruba (Nigeria), bracelets, colliers, spectaculaire chapeau de cérémonie funéraire tikar (Cameroun). Magnifique portrait du roi Mishe mi Shyaang ma Mbul (peuple Kuba de la République démocratique du Congo). Figure du pouvoir (Songye de la République démocratique du Congo), ancre papoue en bois sculpté, bouclier olo (Papouasie). Tissus, immenses totems, poteries des Andes, vases zoomorphes du Costa Rica, armes mélanésiennes, superbes ponchos huaris (Pérou), armes et ivoires gravés esquimaux, etc.

Brooklyn Botanic Garden *(zoom 3 Park Slope, B2) : 900 Washington Ave, pas loin du Brooklyn Museum. ☎ 718-623-7200. • bbg.org • Ⓜ (2, 3) Eastern Parkway-Brooklyn Museum ou (Q, S) Prospect Park. Avr-oct : mar-ven 8h-18h, w-e 10h-18h ; nov-mars : ferme à 16h30. Fermé lun tte l'année. Entrée : 10 $; réducs ; gratuit moins de 12 ans et pour ts mar, et sam 10h-12h. Billet combiné avec le Brooklyn Museum (voir ci-dessus).* Jardin créé en 1910. On y trouve plus de 12 000 variétés de plantes réparties en de superbes parcours, notamment les

Japanese Hill-and-Pond Garden, une des plus belles collections de bonsaïs au monde, le *Fragrance Garden* (pour les non-voyants), le *Shakespeare Garden* (avec 80 plantes mentionnées dans ses œuvres ; les extraits de pièces et poèmes sont écrits devant chaque plante), etc. Dans la *Tropical House,* vaste serre pour les plantes nécessitant une atmosphère humide et chaude (bambou, bananier, canne à sucre, etc.).
– À voir aussi, à côté des jardins japonais, le *Celebrity Path* : promenade avec, au sol, des plaques portant le nom de dizaines de Brooklynites célèbres.

Prospect Park *(zoom 3 Park Slope, A-B1-2)* **:** *Grand Army Plaza. ☎ 718-965-8999. • prospectpark.org • Ⓜ (2, 3) Grand Army Plaza ou (F, G, Q, S) Prospect Park.*
Immense parc de 210 ha construit en 1866-1874 par Calvert Vaux et Frederick Law Olmsted. Les créateurs de Central Park à Manhattan déclarèrent par la suite que Prospect Park était leur chef-d'œuvre car, contrairement à Central Park pour lequel ils avaient eu beaucoup de contraintes, celui-ci leur avait permis de réaliser leur idéal de parc naturel en plein cœur de la ville.
Mieux vaut visiter Prospect Park le week-end pour profiter de l'animation. En semaine, il est assez désert, surtout dans sa partie est. Le week-end, au contraire, la foule des Brooklynites s'y presse : pique-niques et barbecues géants en été, matchs de base-ball, parties de *soccer* (notre football) à toute heure (des *pick up games* : les équipes se forment spontanément en fonction des arrivants), embarcations à pédales sur le lac de mai à octobre, concerts de tambour sur East Lake Drive, concerts au Band Shell en été pendant « Celebrate Brooklyn » (voir, plus haut, « Fêtes et manifestations »), etc.
➢ Principales attractions :
– **Brooklyn Botanic Garden** (voir plus haut) et le zoo, **Prospect Park Zoo** *(☎ 718-399-7339 ; • prospectparkzoo.com • ; 8 $ adulte, 5 $ pour les 3-12 ans).*
– **Long Meadow :** immense prairie qui part de l'entrée de Grand Army Plaza et rejoint le Band Shell au sud. À certains endroits, on ne voit plus du tout la ville. Le rendez-vous des familles et sportifs du week-end.
– **Litchfield Villa :** c'est le grand palais de style toscan dressé sur une petite colline, au niveau de Prospect Park West et 5th St, et la plus ancienne *mansion* de Park Slope. Érigé en 1857 pour le compte d'une riche famille, il fut intégré dans les plans du parc par Olmsted et Vaux et accueille aujourd'hui les bureaux des parcs et jardins de New York.
– **Ravine :** à l'est de Long Meadow, la partie la plus sauvage du parc. Des sentiers défilent à travers bois, collines, étangs et cascades.
– **Friends Cemetery :** sur Quaker Hill, à l'extrémité sud de Long Meadow. Cimetière Quaker, ouvert en 1846, toujours en activité. L'acteur Montgomery Clift y est enterré. Le cimetière est fermé par des grilles, mais les *Urban Park Rangers* le font visiter régulièrement.
– **Prospect Park Carousel :** à côté de la maison Lefferts. Superbe manège de 51 chevaux qui date des années 1900 et a commencé sa carrière dans un parc d'attractions de Coney Island.
– **Boathouse :** départ du petit bateau *Independence,* qui fait le tour des canaux du sud du parc (payant).
– **Lakeside :** vaste projet au sud du parc, réalisé par le duo d'architectes Todd Williams et Billie Tsien (nouvelle Fondation Barnes à Philadelphie), qui comprendra à terme deux patinoires évolutives au fil des saisons (rollers au printemps, pataugeoire l'été, patins à glace en hiver...), des espaces verts avec pelouses, aires de pique-nique, promenade au bord de l'eau.... Music Island devrait aussi retrouver son statut d'île avec des concerts organisés aux beaux jours.

Balade à la découverte des landmarks du quartier :
➢ **Grand Army Plaza :** Ⓜ *(2, 3) Grand Army Plaza.* La place de l'Étoile version brooklynite, conçue en 1870 pour servir d'entrée d'honneur à Prospect Park. La « Grand Army » en question, c'est celle de l'Union, pendant la guerre de Sécession.

L'arc de triomphe, *Soldiers and Sailors Memorial Arch,* dédié aux soldats nordistes tombés au champ d'honneur, ne vit le jour qu'en 1892. À voir, sous la voûte de l'arche, deux bas-reliefs de Grant et Lincoln à cheval (ce dernier est une œuvre du peintre-sculpteur réaliste Thomas Eakins). Au sommet de l'arche, *Quadriga,* une sculpture de Frederick Mac Monnies : un chariot tiré par quatre chevaux et guidé par Columbia, figure symbolique purement yankee qui incarne les notions de justice, d'unité et de liberté.
À voir aussi, à l'extrémité nord de la place : le buste de John F. Kennedy, bien solitaire sur son petit terre-plein envahi de mauvaises herbes. Ce mémorial maigrichon, construit en 1965, est le seul monument officiel de la ville de New York au président assassiné !
Et si vous êtes de passage un samedi matin, faites une halte au *Farmers' Market* qui s'y tient toute l'année sauf de janvier à mars, histoire d'y boire un verre d'*apple cider* (rien à voir avec le cidre normand, c'est du jus de pomme).

➢ ***Montauk Club :*** *angle Plaza St et Lincoln Ave.* Il date de 1891 et son architecte s'est inspiré de la Ca' d'Oro, palais sur le Grand Canal de Venise. Le club, fondé en 1889, était réservé aux messieurs et ne s'est ouvert aux femmes qu'après la Seconde Guerre mondiale. Ces dames devaient quand même entrer par la petite porte latérale, sur 8th Avenue. Comme le rappellent les têtes d'Indiens sculptées au-dessus de l'entrée sur 8th Avenue, les Montauk étaient une tribu indienne de Long Island. La frise qui fait le tour des trois façades raconte leur histoire.
On peut jeter un œil dans le hall d'entrée pour se faire une idée du bel intérieur victorien, avec ses boiseries sombres. Le club est toujours en activité, mais ses critères de sélection, autrefois fondés sur la richesse, se sont démocratisés. Il suffit, paraît-il, d'avoir une bonne morale, de ne pas être un ivrogne et de payer ses factures (sic).

➢ ***Thomas Adams Jr Residence :*** *119 8th Ave (et Carroll).* C'est la maison d'un industriel de Brooklyn qui fit fortune en commercialisant en 1872 les premiers chewing-gums modernes, à base de chiclé (substance caoutchouteuse extraite d'un arbre, le sapotier), de résine et de sirop. Une demeure de style *Romanesque Revival* (reconnaissable, entre autres, à ses entrées massives en forme d'arches, encadrées de pierres brutes, ainsi qu'à ses fenêtres à colonnettes).

➢ ***Carroll Street et Montgomery Place :*** *entre 8th Ave et Prospect Park W.* Les plus beaux ensembles de *brownstone houses* de Brooklyn, et sans doute de New York. Voir en particulier, sur Montgomery Place, les nos 11 à 19, 21 et 25 sur le côté nord, ainsi que les nos 14-18, 36-46, 48-50 et 54-60 sur le côté sud. Ces maisons de style *Romanesque Revival* sont toutes l'œuvre du même architecte, C. P. H. Gilbert (rien à voir avec Cass Gilbert, du Woolworth Building à Manhattan). Et puisque vous êtes dans le coin, jetez aussi un œil à 2nd St à deux blocs de là. Très belle harmonie du no 590 au 648 avec un ensemble de 26 maisons réalisées au début du XXe s par un seul et même architecte brooklynite.

BROOKLYN

À voir dans les environs de Park Slope et Prospect Heights

Brooklyn Children's Museum *(plan d'ensemble Brooklyn) :* *145 Brooklyn Ave (et Saint Mark's Ave). ☎ 718-735-4400. • brooklynkids.org • Ⓜ (3) Kingston Ave. Tlj sf lun 10h-17h. Entrée : 7,50 $ pour ts.* Considéré comme le premier musée des Enfants jamais créé (1899), ce lieu déjà réjouissant à l'origine occupe désormais un vaste bâtiment moderne jaune canari, percé de hublots comme un paquebot. L'intérieur est aussi séduisant que l'extérieur : les différentes sections thématiques, toujours ludiques et joliment réalisées, correspondent à autant de tranches d'âge. L'espace dédié aux moins de 5 ans se démarque avec toutes sortes d'activités d'éveil encadrées par des animateurs, tandis que la partie *World Brooklyn* s'adresse aux plus grands, puisqu'il s'agit désormais de faire prendre conscience de la spécificité multiculturelle de Brooklyn au travers de plusieurs boutiques et activités typiques du quartier (la pizzeria italienne, la pâtisserie mexicaine...). Quant aux aînés, ils passeront sans doute plus de temps dans les sections consacrées aux plantes et aux animaux du coin. Vraiment sympa et bien fichu.

Green-Wood Cemetery *(plan d'ensemble Brooklyn)* **:** *5th Ave (et 25th). ☎ 718-768-7300. • greenwoodcemetery.org • Ⓜ (R) 25th St. Tlj 8h-17h. Tour guidé mer à 13h (15 $ pour 2h de visite). Se renseigner.*
Cimetière ouvert en 1840, qui fut le premier parc naturel de Brooklyn. Relief vallonné avec de belles échappées sur la ville et la baie. Véritable petit musée des tombes et mausolées de style victorien, au milieu des étangs et des canards. Entrée principale sous une immense arche de style gothique.
Quelques noms de célébrités enterrées ici : Henry Ward Beecher (le pasteur abolitionniste de Brooklyn Heights), Samuel Morse, les Tiffany père et fils, F.A.O. Schwarz (celui du magasin de jouets de Midtown), Lola Montes, Leonard Bernstein, Jean-Michel Basquiat.

Hassidic Tours *(hors plan d'ensemble Brooklyn)* **:** *305 Kingston Ave. ☎ 718-953-5244. • jewishtours.com • Ⓜ (3) Kingston Ave. À 1,5 bloc de la station Kingston. Tour guidé de 3h (livret-guide et repas compris) tlj sf sam à 10h (sf fêtes juives) : 42 $/pers ; ½ tarif moins de 12 ans.* Un bon moyen pour découvrir de l'intérieur l'une des communautés hassidim de New York, les Lubavitch du quartier de Crown Heights. C'est le rabbin Epstein qui a fondé Hassidic Tours, il y a près de 20 ans. Visite d'une bibliothèque et d'une synagogue à l'heure de la prière, et d'un petit musée consacré au fondateur du groupe. On entre également chez un scribe, qui recopie à la main la Torah à l'aide de plumes d'oie, d'encre et de parchemins qu'il a lui-même confectionnés dans son sous-sol. Il lui faut une année entière pour écrire la totalité des cinq livres de la Torah. La visite s'achève par un repas casher et une visite dans les boutiques du quartier. Bien qu'elle soit en anglais, l'expérience est suffisamment visuelle pour valoir le déplacement.

CARROLL GARDENS, COBBLE HILL ET BOERUM HILL

Pour se rendre dans ce secteur résidentiel de Brooklyn : lignes F et G, stations Carroll St et Bergen St.

Trois quartiers qui se succèdent juste au sud de Brooklyn Heights, de l'autre côté d'Atlantic Avenue. Emportés par le succès du puissant voisin Brooklyn Heights, Carroll Gardens, Cobble Hill et Boerum Hill sont en passe de devenir les nouveaux lieux de résidence des New-Yorkais aspirant à plus de calme, d'espace, de verdure... Carroll Gardens est même devenu le quartier de prédilection des Français, attirés notamment par les écoles francophones locales. Pour les amateurs, notez qu'Atlantic Avenue offre une impressionnante concentration de magasins, épiceries et restaurants arabes.
En 1834, Cobble Hill était encore assez campagnard quand il fut annexé à la ville de Brooklyn. Il devint alors une enclave bourgeoise, prolongement naturel de Brooklyn Heights, puis, à partir de 1880, un quartier ouvrier avec l'arrivée d'immigrants. Même phénomène qu'à Park Slope, ce n'est que dans les années 1960 qu'une poignée d'amoureux de *brownstone houses* redécouvrit ce secteur oublié et le baptisa *Cobble Hill* (la « colline aux pavés »), après avoir retrouvé ce nom sur une vieille carte du XVIIIe s.

Où manger ?

Bon marché

Lucali *(zoom 4 Carroll Gardens, B1,* ***100****)* **:** *575 Henry St (angle Caroll). ☎ 718-858-4086. Ⓜ (F, G) Carroll St. Tlj sf mar 18h-22h. Pizza à partager env 20 $. BYOB.* À voir la longue file d'attente, on hésiterait presque à rebrousser chemin. Mais on fait bien de tenter le coup ! Inscrit au tableau noir, le choix se résume à 3 ou 4 sortes de piz-

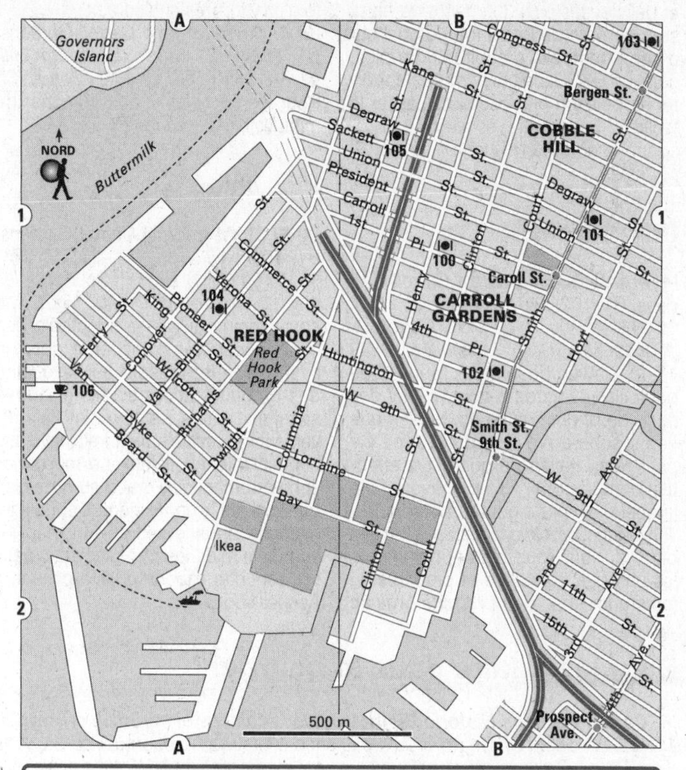

BROOKLYN – Caroll Gardens, Cobble Hill et Red Hook (ZOOM 4)

Où manger ? Où déguster une bonne pâtisserie ?

100 Lucali
101 Zaytoons
102 Frankie's 457
103 Ki Sushi
104 Red Hook Lobster Pound
105 Alma
106 Steve's Authentic Key Lime Pies

zas différentes chaque jour, à goûter en version classique ou calzone. Puis on partage le tout à la bonne franquette, dans une salle simple et agréable avec cuisine ouverte, où la mine réjouie des convives en dit long sur la qualité des produits et la délicatesse de la pâte. Délicieux ! En revanche, pas d'entrées, de desserts, ni de vins (on apporte sa bouteille), la seule star de la maison, c'est définitivement la pizza. Un vrai concept !

***Zaytoons** (zoom 4 Carroll Gardens, B1, **101**) : 283 Smith St (et Degraw). ☎ 718-875-1880. Ⓜ (F, G) Caroll St. Plats 6-10 $ (2 quantités au choix). BYOB.* Tout petit, accueillant, *Zaytoons* a su se faire une réputation d'enfer dans le quartier pour le sérieux de sa cuisine. Spécialités moyen-orientales et délicieuses *pitza* (un genre de pizza sur une pâte de pita !) font le bonheur d'une ribambelle d'habitués. En plus, c'est un *BYOB*, ce qui permet d'apporter sa boisson préférée sans casser la tirelire ! *Succursale avec terrasse à Prospect Heights (594 Vanderbilt Ave et St Marks).*

Prix moyens

|●| ***Frankie's 457*** *(zoom 4 Carroll Gardens, B1,* ***102****)* **:** *457 Court St (et 4th Pl).* ☎ *718-403-0033.* Ⓜ *(F, G) Carroll St. Tlj 11h-23h. Résa conseillée. Plats 10-15 $.* Avec de longues rangées de bouteilles au garde-à-vous le long des murs de brique, on se doute bien que l'atmosphère n'a rien d'austère ! Ce petit resto italien de quartier a effectivement la cote : il faut souvent faire la queue avant de goûter aux salades, sandwichs, *crostini*, tagliatelles, ou aux plats du jour tous plus appétissants les uns que les autres et préparés au maximum avec des produits *organic* (bio en v.f.). Très chaleureux.

|●| ***Ki Sushi*** *(zoom 4 Carroll Gardens, B1,* ***103****)* **:** *122 Smith St, Boerum Hill.* ☎ *718-935-0575.* Ⓜ *(F, G) Bergen St.* Pour les formules à prix plancher du midi. Voir ci-dessous « Plus chic ».

Plus chic

|●| ***Ki Sushi*** *(zoom 4 Carroll Gardens, B1,* ***103****)* **:** *122 Smith St.* ☎ *718-935-0575.* Ⓜ *(F, G) Bergen St. Formules env 10-15 $ le midi, plats 15-20 $ le soir.* À peine arrivé, le spectacle des chefs occupés à trancher le poisson avec dextérité rassure sur la qualité des produits. Et les sushis et autres sashimis servis se révèlent effectivement impeccablement frais, inventifs et absolument délicieux. Le soir, atmosphère romantique grâce aux bougies qui éclairent le cadre élégant et design, avec sa fontaine zen et son mobilier sobre ; le midi, les formules savoureuses sont d'un rapport qualité-prix rare ! Accueil souriant.

Balades à faire dans le quartier

➢ ***Carroll Gardens Historic District :*** *4 blocs compris entre Smith et Hoyt St, 1st Pl et President St.* On ne vous a pas encore expliqué le pourquoi de *Gardens* dans Carroll Gardens : ces quelques rues ont été tracées en 1846 avec des espaces exceptionnellement profonds pour New York. Les maisons qui les bordent ont donc chacune en devanture un long jardin. Elles forment un ensemble très homogène, pratiquement inaltéré depuis leur construction, de 1860 à 1880, pour des familles de commerçants : harmonie des couleurs (brique ou grès brun), des styles « néo » à la mode à cette époque (*Italianate* ou *Greek Revival*) et des balustrades qui clôturent les jardins.

➢ ***Smith et Court Streets :*** *les 2 axes commerçants entre Carroll Gardens et Boerum Hill.* Aux côtés d'une nouvelle génération de boutiques de vintage et de mode, de cafés, de bars et de restaurants, il reste quelques institutions...

➢ ***Cobble Hill Historic District :*** *22 blocs compris entre Degraw St et Atlantic Ave, Court et Hick St.* Ils sont classés depuis 1969. Parmi nos coups de cœur : *Tompkins Place,* aux petites maisons joliment décorées (fenêtres, linteaux des portes, corniches, grilles en fer forgé...).

➢ ***Home & Tower Buildings et Workingmen Cottages :*** *Hicks St, entre Baltic et Warren.* Ces logements sociaux, construits en 1878-1879, sont sans doute les premières « HLM » de tous les États-Unis. Ils doivent leur existence à un homme d'affaires de Brooklyn, Alfred Tredway White. Choqué par les conditions de vie des ouvriers new-yorkais qu'il jugeait les pires au monde, il fit construire cet ensemble de logements en priant l'architecte de créer « un cadre de vie décent ». Lui-même s'était engagé à ne pas percevoir plus de 5 % de bénéfices sur la location. Tout a été conçu afin de laisser passer le maximum d'air et de lumière.

RED HOOK

Pour se rendre à Red Hook en transports en commun : water taxi *depuis Pier 11 à Manhattan du côté de South Street Seaport jusqu'à* Ikea *(pointe sud de Red Hook). Fonctionne ttes les 40 mn tlj 14h-19h20 en sem, 11h-20h20 le w-e. Compter 20 mn de trajet en bateau. Tarifs : 5 $ l'aller en sem, gratuit le w-e. Sinon, navette bus gratuite d'*Ikea *depuis les stations de métro suivantes : Ⓜ (F, D, M, R) 4th Ave-9th St et (R, 2, 3, 4, 5) Court St-Borough Hall. Rens sur • ikea.com •*

Situé au nord-ouest de Brooklyn, et ainsi nommé depuis le XVIIe s en raison de la couleur rouge de la terre et de son avancée vaguement crochue dans la mer, Red Hook s'est peuplé au XIXe s d'Irlandais venus travailler comme marins et dockers sur le port. À partir de 1900, les Italiens leur succédèrent. Après la Seconde Guerre mondiale, lorsque le port de New York recentra ses activités dans le New Jersey, les docks et entrepôts de Red Hook furent désertés, et on taillada le quartier pour y percer la voie rapide. Red Hook se trouva alors coupé en deux, la partie en bord de mer désormais isolée du reste de la ville. En 2006, un nouvel embarcadère a été inauguré dans ce quartier, servant de port d'attache au *Queen Elizabeth 2* et au *Queen Mary 2* (entre autres). La renaissance de Red Hook est annoncée. On assiste à l'ouverture de nouveaux restos et bars et depuis 2008, même d'un *Ikea*, accessible en navette bateau depuis Manhattan...

LE SECRET DE RED HOOK

Red Hook est le seul endroit de New York où l'on a une vue de face sur la statue de la Liberté. Eh oui, Miss Liberty ayant été placée sur son socle pour être orientée en direction de son pays natal, la France...

Où manger ? Où déguster une bonne pâtisserie ?

Red Hook Lobster Pound *(zoom 4 Carroll Gardens, A1,* ***104****) : 284 Van Brunt St (entre Verona St et Visitation Pl). ☎ 718-858-7650. Tlj sf lun. Sandwich au homard 16 $, demi-homard 25 $.* Si vous êtes dans le coin, ne manquez pas cette petite institution locale qui sert le homard le plus frais de NYC ! Acheminé directement du Maine, il est accommodé le plus simplement possible, la vedette du menu étant le *lobster roll*. Succès oblige, l'échoppe fournit aussi bon nombre de restos et s'est mise à la vente ambulante dans un *truck* qui sillonne la ville.

Alma *(zoom 4 Carroll Gardens, B1,* ***105****) : 187 Columbia St (entrée sur Degraw St, juste à l'angle). ☎ 718-643-5400. Ⓜ (F, G) Carroll St. Ouv le soir slt (sf lun et mar en hiver) et le w-e pour le brunch. Plats 15-20 $.* Isolé dans le quartier excentré de Red Hook, *Alma* vaut pourtant le détour. C'est une petite merveille : une cuisine mexicaine de très bonne tenue et une carte de margaritas impressionnante, mais surtout, une vue magnifique sur Manhattan depuis la terrasse (couverte et chauffée en hiver, mais ouverte seulement du jeudi au dimanche) du dernier étage. À ne pas manquer pour une soirée romantique en diable !

Steve's Authentic Key Lime Pies *(zoom 4 Carroll Gardens, A2,* ***106****) : 204 Van Dyke St (entre Conover et Ferris St). ☎ 718-858-5333. Loin du métro, mieux vaut prendre la navette bateau* Ikea *puis 5-10 mn à pied.* Au bord de l'eau, une autre institution du coin, plébiscitée pour ses tartes au citron meringuées, les fameuses *key lime pies* floridiennes, réalisées ici dans les règles de l'art. Meilleures que dans bon nombre d'endroits en Floride ! Il faut dire que la croûte est maison (à base de bon beurre) et le citron vert fraîchement pressé. Les plus gourmands goûteront la version *Swingle*, c'est à dire trempée dans du chocolat noir...

CONEY ISLAND ET BRIGHTON BEACH

Pour vous rendre à Coney Island : Ⓜ *(D, F, N, Q) Coney Island-Stillwell Ave. Rens pratiques sur • coneyisland.com •*

Eh ! les cinéphiles, vous vous rappelez *Coney Island*, le film tourné avec Buster Keaton, le seul de toute sa carrière où on le voit rire aux éclats ? L'antique parc d'attractions *Astroland*, avec ses attractions *old school* pleines de charme, a malheureusement fini par fermer ses portes en 2008. Trop vieux sans doute... Il a rouvert depuis sous forme de *Luna Park*, avec une vingtaine d'attractions inspirées du modèle original. En été, le Brooklyn populaire se retrouve à Coney Island : on se balade sur les planches (façon Deauville en moins classe), on avale des hot dogs de chez *Nathan's*, ou on y fait bronzette sur la vaste plage. N'oubliez pas votre maillot ni votre appareil photo ! Authentique... et surréaliste.

NEW YORK VAUT BIEN UN HOT DOG !

Nathan's, le célèbre snack de Coney Island, n'est pas seulement légendaire pour avoir servi une ribambelle de célébrités. D'après Nelson Rockefeller, ancien gouverneur de New York, aucun candidat n'aurait eu la moindre chance d'être élu sans avoir été au préalable photographié chez Nathan's... l'incontournable hot dog à la main ! Sacrée Amérique !

Où manger à Coney Island et Brighton Beach ?

Nathan's *(plan d'ensemble Brooklyn) : 1310 Surf Ave (et Stillwell Ave). ☎ 718-946-2202.* Ⓜ *(D, F, N, Q) Coney Island Stillwell Ave. Tlj 8h-1h. Env 4 $.* *Nathan's*, c'est pour beaucoup un *landmark*, c'est-à-dire un monument historique. Il faut dire que la maison fut fondée en 1916, qu'elle a rassasié bon nombre de célébrités (d'Al Capone à Rudolph Giuliani en passant par Roosevelt, Cary Grant et Jackie Kennedy, qui se faisait livrer à la Maison-Blanche), et qu'elle aurait vendu jusqu'à ce jour plus de 360 millions de hot dogs ! Alors ? Le cadre est moche (c'est un snack), mais il faut reconnaître que le hot dog est bien bon, car la saucisse est grillée et servie dans un petit pain brioché (avec bacon et *cheese* de préférence). Encore meilleur si on le déguste sur la promenade, le nez au vent, comme tous les habitués !

Gina's *(plan d'ensemble Brooklyn) : 409 Brighton Beach Ave. ☎ 718-646-6297.* Ⓜ *(B, Q) Brighton Beach. Tlj 11h-23h. Plats env 10-15 $.* Malgré une déco inexistante (on se demande d'ailleurs comment une armure médiévale a pu échouer ici), *Gina's* est un bon petit café-resto qui sert des spécialités russes pas chères et bien fichues. La carte, en partie en cyrillique, aligne tous les classiques du genre : *pelmenis, varenekis,* bœuf Strogonoff... En fond sonore et visuel, *MTV Russie* !

À voir. À faire

Luna Park : *1000 Surf Ave, Coney Island. ☎ 718-373-5862. • lunaparknyc.com •* Ⓜ *(Q, F) W 8th St ou (D, F, N, Q) Coney Island-Stillwell Ave. Avr-oct slt (jours d'ouverture et horaires variables, voir le site internet). Attractions env 3-10 $ chacune, pass ½ journée en sem slt 26 $.* C'est la version rénovée de la fameuse fête foraine de Coney Island qu'on a souvent vue au cinéma. La plus vieille montagne russe des USA (1927), le Cyclone, est toujours là, heureusement réhabilitée et surtout sécurisée. Sinon, tout un tas d'autres attractions à sensations pour la plupart très fortes. Mieux vaut avoir le cœur bien accroché et surtout ne pas s'être empiffré de hot dogs de *Nathan's* juste avant... Rien qu'en examinant la configuration de certains *rides,* on se dit que Newton a bien fait « d'inventer » la gravité. Les ados y trouveront leur compte mais les jeunes enfants aussi, avec des manèges bien plus pépères et rigolos comme tout.

Little Odessa : *à l'extrême sud de Brooklyn, aussi.* Ⓜ *(B, Q) Brighton Beach. Infos :* • *brightonbeach.com* • Quartier traditionnel de l'immigration juive de l'ex-Union soviétique, et plus largement de tous les émigrés russophones depuis les *seventies.* Étrange et intéressant. À voir surtout, la plage et Brighton Beach Avenue : géographiquement la même que celle de Coney Island mais sociologiquement totalement différente. On se croirait dans une station balnéaire d'Europe de l'Est. Plutôt désertées en hiver, les planches sont arpentées par des familles russes entières en été (surtout le week-end), qui vont manger dans les grands restos en terrasse. Ambiance Yiddishland avec tous les papis et mamies assis au soleil face à la mer. Populaire au sens large et un peu désuet.
Derrière, des immeubles de standing assez moyen séparent la plage du quartier commerçant. Pour une fois, les classes populaires bénéficient d'un cadre de vie plutôt plaisant, à deux pas de la mer.
À 3 mn à pied de la plage, Brighton Beach Avenue est la grande artère commerçante. La ligne de métro aérien qui l'assombrit lui confère un aspect très cinématographique. Les locaux font leurs courses dans les petites boutiques aux vitrines couvertes (presque) exclusivement de caractères cyrilliques, épiceries où l'on accepte les *food stamps* des plus démunis (les produits sont aussi beaucoup moins chers qu'ailleurs à Brooklyn), et, les soirs de fin de semaine, les plus argentés s'habillent et se pressent à l'entrée des cabarets-restaurants appartenant à l'« Organizatsiya », aux intérieurs kitsch et tristes à la fois...

LE BRONX

Symbole de la plus extrême pauvreté urbaine, le Bronx s'est attelé, depuis de longues années, lui aussi, à sortir de son marasme. Il a enregistré d'impressionnants succès et nombre de New-Yorkais sont stupéfaits des changements. En particulier, dans le « célèbre » ***South Bronx*** **qui fut longtemps un no man's land, un dramatique symbole de la crise des années 1970-80. Les immeubles délabrés, les quartiers en ruine, où la drogue faisait des ravages, ont quasi disparu. De nouveaux buildings commerciaux se sont élevés. Quand ils le bordent, ils mettent d'ailleurs cruellement en valeur la vétusté du métro aérien et la rouille qui le ronge... Des petits quartiers pavillonnaires propres ont remplacé les** ***slums,*** **habités par une nouvelle classe moyenne qui n'avait plus les moyens de résider à Manhattan. Des sièges sociaux aussi reviennent s'y installer et les activités du port sur l'East River ont été relancées. C'est vrai qu'on a du mal à imaginer aujourd'hui, qu'aux XVIIe et XVIIIe s, c'était un paysage de campagne, avec des fermes et des marais.**
La population, là encore, est multiethnique. Les premiers immigrants étaient irlandais, italiens et hollandais. Aujourd'hui, la population est bigarrée (avec une large majorité noire et hispanique) et le nombre de langues parlées impressionnant. Et concernant la sécurité ? Rassurez-vous, si vous restez dans les rues animées et les quartiers indiqués, très familiaux, vous n'avez aucun souci à vous faire (si, bien sûr, vous adoptez la tenue et l'attitude adéquates : pas d'appareil photo autour du cou ni de bijoux clinquants !). En descendant à la station Fordham Road (lignes n° 4 ou D), empruntez l'artère du même nom, Jerome Avenue ou Grand Concourse ; vous aurez un peu

l'impression d'être à Barbès, avec les nombreux magasins qui débordent sur les trottoirs, les vendeurs ambulants et une foule qui n'en finit pas de circuler, au son du R'n'B et de raps stridents.
Ce borough renferme aussi d'autres richesses, comme l'un des plus grands zoos du monde, un jardin botanique, un remarquable *Museum of Arts,* une authentique et délicieuse *Little Italy,* le dernier vrai quartier italien de New York et, avec *City Island,* un bout de Bretagne ou de Nouvelle Angleterre... et même la maison d'Edgar Allan Poe ! Inattendu.

Info utile

– ***Bronx Culture Trolley :*** *☎ 718-931-9500. • bronxarts.org • Départs à 17h30, 18h30 et 19h30 du Hostos Community College, 450 Grand Concourse (près de 149th St). Ⓜ (2, 4, 5) 149th St-Grand Concourse ou bus BX1 et BX19.* Tous les 1ers mercredis du mois (sauf janvier et septembre), le Bronx Culture Trolley permet aux touristes de découvrir gratuitement les lieux culturels du South Bronx. C'est un quartier en pleine renaissance artistique et prisé pour ses loyers abordables. Le trolley s'arrête au Bronx Museum et dans diverses galeries. On peut descendre où on veut et remonter dans le suivant.

Où manger ?

Évidemment, à Little Italy, où les adresses ne manquent pas sur 187th Street et Arthur Avenue.

Bon marché

I●I ***Madonia :*** *2348 Arthur Ave (entre Crescent Ave et 186th St). ☎ 718-295-5573. Ⓜ (B, D, 4) Fordham Rd ou (2, 5) Pelham Parkway, puis bus Bx12 jusqu'à Arthur Ave. Tlj 6h-19h (dim 6h30-18h). Env 3-7 $.* Existe depuis 1918, depuis ce jour où Mario Madonia débarqua de sa Sicile, avec le rêve d'ouvrir une boulangerie. Aujourd'hui, ce rêve est perpétué par la 3e génération, avec toujours les mêmes recettes et savoir-faire. Pour les gourmands, arrêt obligatoire dans cette institution. La devanture ne paie vraiment pas de mine, mais après avoir goûté ses pains artisanaux et ses *cannoli* (tuile de beignet croquant fourrée de crème) ou ses cookies, vous rebrousserez sans doute chemin pour faire des provisions ! En particulier le délicieux pain aux olives, le séduisant *cranberry walnut* ou le parfumé *fennel raisin bread*...

I●I ***Tino's Delicatessen :*** *2410 Arthur Ave (entre 187th et 188th). ☎ 718-733-9879. Ⓜ (B, D, 4) Fordham Rd ou (5) Pelham Parkway, puis bus Bx12 jusqu'à Arthur Ave. Tlj 7h-19h30. Env 5-10 $. Tino's,* 50 ans d'expérience ! En découvrant les comptoirs, on ne sait plus où donner de la tête : jambons, fromages (mozzarella fraîche du jour), copieuses salades, plats cuisinés, ou sandwichs à composer soi-même (ah, le *godfather* et le *bocca di fuoco*, « bouche de feu »...), tout est frais et préparé dans les règles. Les lasagnes, par exemple, sont impeccables, pizzas maison. Sans oublier les *hot heroes,* comme le *Philly Cheese steak* et les *meat balls Marinara*... Mais gare à ne pas trop commander, car les portions sont généreuses ! Bourré d'habitués, qui investissent dans une ambiance bon enfant les tables de la boutique.

De prix moyens à plus chic

I●I ***Mario's :*** *2342 Arthur Ave (entre Crescent Ave et 186th St). ☎ 718-584-1188. Ⓜ (B, D, 4) Fordham Rd ou (2, 5) Pelham Parkway, puis bus Bx12 jusqu'à Arthur Ave. Tlj sf lun. Menu 12h-16h30 en sem 13,95 $. Pasta 13-15 $; plats env 18-34 $.* Ce resto vieille école paraît sorti d'un documentaire historique. Rien n'a bougé, ou presque, depuis que la famille napolitaine Migliucci a investi les lieux voilà 5 générations (1919 !). Cette institution a d'ailleurs accueilli le tournage d'un épisode des *Soprano* ! Déco d'époque, plutôt classe (dont d'exquises peintures sur bois), et des serveurs, italiens bien sûr, le nœud pap' en bonne place et l'immuable menu de la maison à la main : *antipasti, tripe a la livornese, veal cutlet a la Parmigiana*. Beaucoup de choix de *pasta* et *seafood*. Du classique de bonne tenue.

🍽 ***Roberto's :*** *603 Crescent Ave (donne sur Arthur Ave au niveau de 183rd St).* ☎ *718-733-9503.* Ⓜ *(B, D, 4) Fordham Rd ou (2, 5) Pelham Parkway, puis bus Bx12 jusqu'à Arthur Ave. Tlj sf sam midi et dim.* Pasta *16-21 $. Plats 19-30 $.* Réputé de longue date, ce resto à l'atmosphère un tantinet chic fait toujours salle comble le soir (le midi aussi, faut dire). Mais ce n'est que justice pour un chef exigeant, qui travaille ses produits frais avec talent pour mitonner de délicieuses et authentiques spécialités de Positano et Salerno. Accueil particulièrement chaleureux. Un grand classique de Little Italy.

Où manger à City Island ?

À l'est du Bronx, il faut découvrir l'étonnante île de *City Island*. On n'est plus à New York, mais plutôt en Bretagne ou en Nouvelle Angleterre, à Cape Cod ou Newport. 2,4 km de long, 800 m de large et 4 250 (heureux) habitants. Peu urbanisée, très loin de l'agitation urbaine. Beaucoup de belles demeures anciennes dominant les *yacht-clubs* et une flopée de restos de poisson et fruits de mer. Autant le savoir, aux beaux jours, c'est la foule des familles venues tester un avant-goût de l'air du large (parkings immenses, c'est un signe !

– ***Pour s'y rendre :*** *ligne 6 jusqu'au terminus de Pelham Bay Park, puis bus BX29.*

🍽 ***Tony's :*** *tt au bout de l'île, par la City Island Ave.* ☎ *718-885-1424.* Le plus populaire des restos, envahi par les familles le week-end. Faut dire qu'il propose la plus belle terrasse avec vue sur le large (jouez au loto si vous trouvez une place !). Le moins cher aussi : 13 $ la douzaine d'huîtres, *BBQ chicken* à 10 $, *broiled combo* (queue de homard et crevettes frites) à 27 $, homard entier 29 $, etc. Goûter aussi au *clam chowder*. Vente à emporter bien sûr.

🍽 ***Sammy's :*** *au dessus de* Tony's. ☎ *718-885-0920. Tlj jusqu'à 2h (ven-sam 3h). Env 30 $.* L'un des plus réputés et assez cher, ça va de soi (encore qu'on peut surfer habilement sur la carte). Créé en 1966 avec 26 couverts, il en propose plus de 500 aujourd'hui dans ses différents établissements, fréquentés par Andy Garcia, Kiefer Sutherland, Denzel Washington, etc. Dans le principal, pas moins de 8 salles sachant offrir des coins tranquilles et des box intimes. Carte longue comme 2 bras. Quelques spécialités : les homards du Maine, les moules de Terre-Neuve, les plateaux de fruits de mer, le *piri-piri red snapper...* Quelques plats italiens et cajuns également. Vente à emporter.

Achats

🧺 ***Arthur Ave Retail Market :*** *2344 Arthur Ave (entre Crescent Ave et 186th St).* Ⓜ *(B, D, 4) Fordham Rd ou (2, 5) Pelham Parkway, puis bus Bx12 jusqu'à Arthur Ave. Fermé dim.* Ce petit marché couvert pittoresque, où l'italien est de rigueur, regorge d'étals colorés et de boutiques charmantes. Notamment, un bon glacier et un pâtissier, une gargote avec toiles cirées pour grignoter un burger, un charcutier proposant d'excellentes salaisons et des olives dans des tonneaux, etc. Parmi les plus fascinantes, ne pas rater *La Casa Grande Tobacco,* où les cigares sont roulés sous vos yeux.

🧺 ***Borgatti's Ravioli & Egg Noodle :*** *632 E 187th St (entre Belmont et Hugues Ave).* ☎ *718-367-3799.* Ⓜ *(B, D, 4) Fordham Rd ou (2, 5) Pelham Parkway, puis bus Bx12 jusqu'à Arthur Ave. Tlj sf lun 8h-21h (13h dim).* Cachée derrière une vitrine envahie d'images pieuses, une de ces petites boutiques incroyables qui méritent au moins une visite. En vraie gardienne des traditions, la maison vend ses pâtes fraîches dont la recette n'a pas changé depuis des temps immé-

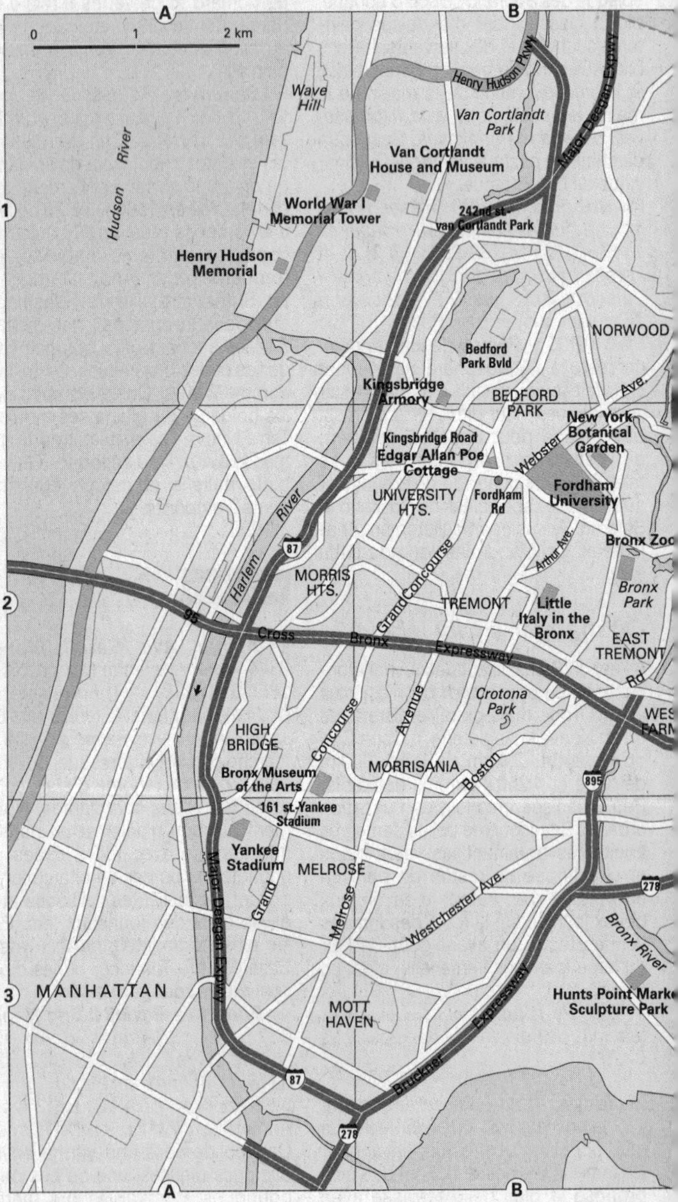

A
B
0
1
2 km
Henry Hudson Pkwy
Major Deegan Expwy
Wave Hill
Van Cortlandt Park
Hudson River
Van Cortlandt House and Museum
World War I Memorial Tower
242nd st - van Cortlandt Park
Henry Hudson Memorial
NORWOOD
Bedford Park Bvld
Kingsbridge Armory
BEDFORD PARK
Ave.
New York Botanical Garden
Kingsbridge Road
Edgar Allan Poe Cottage
Webster
Fordham University
UNIVERSITY HTS.
Fordham Rd
Harlem River
87
Bronx Zoo
Arthur Ave.
MORRIS HTS.
Grand Concourse
TREMONT
Little Italy in the Bronx
Bronx Park
95
Cross Bronx Expressway
EAST TREMONT
Rd
Crotona Park
HIGH BRIDGE
Concourse
Avenue
WES FARM
Bronx Museum of the Arts
MORRISANIA
Boston
895
161 st-Yankee Stadium
Yankee Stadium
MELROSE
Major Deegan Expwy
278
Grand
Melrose
Westchester Ave.
Bronx River
MANHATTAN
Expressway
Hunts Point Market Sculpture Park
MOTT HAVEN
Bruckner
87
278
1
2
3
A
B

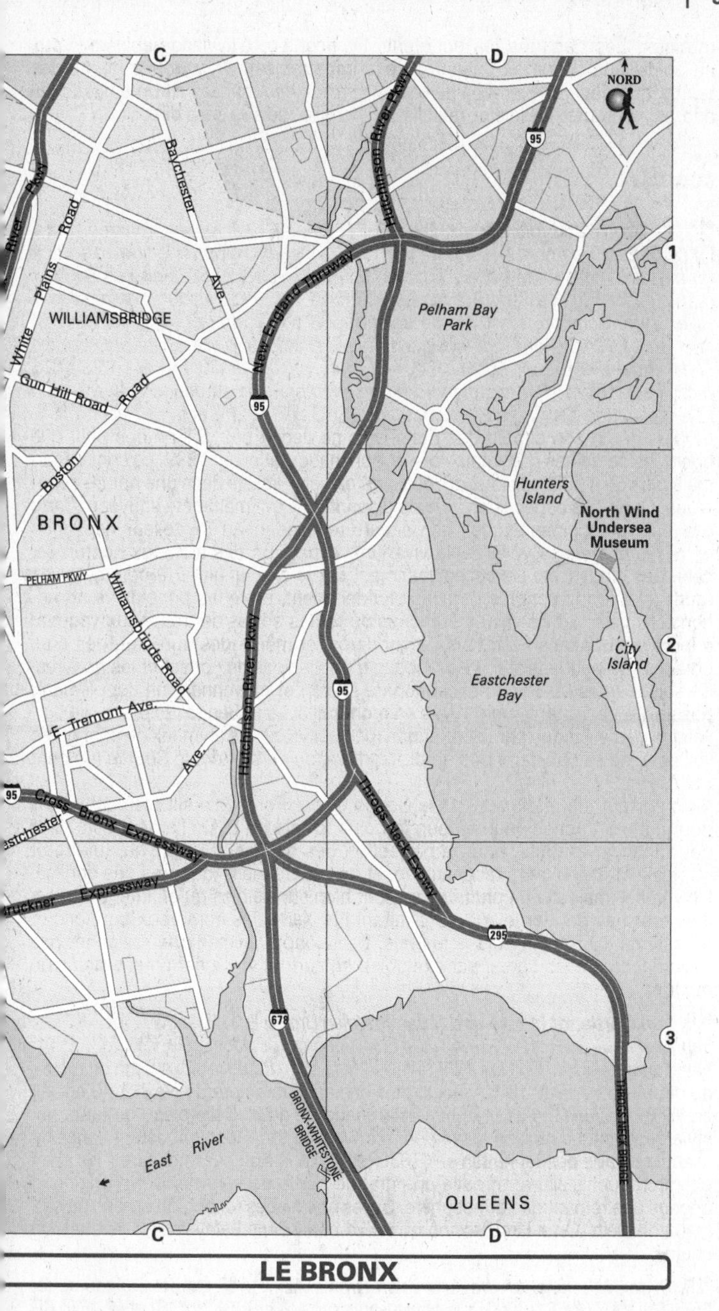
NORD
WILLIAMSBRIDGE
BRONX
Baychester Ave.
White Plains Road
River Pkwy
Gun Hill Road
Boston Road
PELHAM PKWY
Williamsbridge Road
E. Tremont Ave.
Ave.
Cross Bronx Expressway
Bruckner Expressway
Westchester
New England Thruway
Hutchinson River Pkwy
Pelham Bay Park
Hunters Island
North Wind Undersea Museum
City Island
Eastchester Bay
Throgs Neck Expwy
THROGS NECK BRIDGE
BRONX-WHITESTONE BRIDGE
East River
QUEENS
95
295
678
C
D
1
2
3

LE BRONX

moriaux. Les habitués les achètent au poids, à la coupe, et patientent le temps qu'il faut si la prochaine fournée est en route. Délicieux raviolis à la ricotta ou à la viande-épinard (à prix imbattables). On y trouve même des *carrot and tomato noodles.* Accueil familial, cela va sans dire.

À voir

Bronx Zoo *(plan Bronx, B2) :* ☎ *718-367-1010 (infos).* ● *bronxzoo.com* ● Ⓜ *(2, 5) East Treamont Ave-West Farm Sq. Panneaux indiquant le zoo en sortant du métro (l'Asian Gate est à 2,5 blocs, env 5 mn à pied). Ou bien bus Bx M11 (● mta.info ●) sur Madison Ave (arrêts à 26th, 54th et 99th St) jusqu'à l'entrée Bronx River Gate. Compter 30-40 mn de trajet depuis 54th St. L'arrêt « Bronx Zoo » est le 1er après 99th St. Tarif : 5 $ (avoir la monnaie exacte en pièces). Avr-oct, lun-ven 10h-17h, w-e et j. fériés 10h-17h30 ; nov-mars, tlj 10h-16h30. Entrée : 16 $; 12 $ pour les 3-12 ans. Participation libre mer. Nombreuses attractions payantes en plus de l'entrée (3-6 $ chaque ou pass total 30 $ adulte, 20 $ enfant). Parking 13 $.* Le plus grand zoo citadin des États-Unis ne déçoit pas. S'il ne comptait que quelques centaines d'animaux lors de son inauguration en 1899, ce sont désormais plus de 4 000 individus qui évoluent en semi-liberté dans une nature généreuse. Certaines espèces en voie de disparition y ont même été sauvées. Carte à la main (c'est gigantesque), les visiteurs se baladent au gré de leur inspiration entre les immenses volières, le vivarium, le pavillon des animaux nocturnes, celui des singes, ou l'excellent bâtiment dédié à la jungle. Été comme hiver, touffeur et fonds sonores garantis ! Évidemment, entre les principales attractions, on parcourt de vastes étendues où toutes sortes de troupeaux vaquent à leurs occupations : éléphants, rhinocéros, et même des tigres ou des ours polaires. On peut assister à leur repas : n'oubliez pas de consulter les horaires. En saison (c'est-à-dire à l'exception de l'hiver) et moyennant un supplément, possibilité de visiter la partie Asie en monorail avec le *Bengali Express,* de survoler la partie Afrique par téléphérique (pas génial car les animaux ne sont guère visibles), de se balader à dos de dromadaire, ou de prendre le *Shuttle* (un petit train).

Mais surtout, ne manquez pas le *Congo Gorilla Forest.* Le supplément de 5 $ pour cette attraction vaut le coup (en plus, c'est une B.A. : l'argent est utilisé pour financer le fonds pour la protection des gorilles). Sur 2,5 ha, une forêt tropicale africaine a été reconstituée, et on est vraiment tout près des gorilles. L'hiver, ces majestueux primates ne sont bien sûr visibles qu'en intérieur, mais il ne faut pas bouder le zoo pour autant : la visite des nombreux pavillons et du cinéma 4D remplit déjà la journée, beaucoup d'animaux ne craignent pas le froid (comme les tigres, par exemple), et, surtout, il y a nettement moins de monde.

Van Cortlandt House and Museum *(plan Bronx, B1) : Broadway (et 246th St), Van Cortlandt Park.* ☎ *718-543-3344.* ● *vancortlandthouse.org* ● Ⓜ *(1) 242nd St-Van Cortlandt Park. Tlj sf lun 10h-15h (w-e 11h-16h). Entrée : 5 $.* À 5 mn du métro, au début de ce beau parc, voici la plus ancienne demeure de New York, édifiée en 1748 par Van Cortland, un riche marchand de grain. Belle pierre de taille, pur style georgien. La maison servit de PC à Washington, Rochambeau et Lafayette avant la bataille de Manhattan en 1783. Peu de modifications intérieures, les planchers craquent, elle a retrouvé une grande partie de son mobilier d'origine et dégage une romantique atmosphère. Belles cheminées rococo ou ornées de carreaux de Delft. On a l'impression qu'on va buter dans Lafayette au détour d'un couloir.

Bronx Museum of the Arts *(plan Bronx, A2) : 1040 Grand Concourse (et 165th St).* ☎ *718-681-6000.* ● *bronxmuseum.org* ● Ⓜ *(B, D) 167th St et (4) 161th St-Yankee Stadium. Tlj sf lun-mer 11h-18h (20h ven). Entrée libre.* C'est d'abord une remarquable architecture contemporaine digne du renouveau culturel du borough. Intérieur spacieux et lumineux, pour des expos d'avant-garde de très haute qualité.

New York Botanical Garden *(plan Bronx, B2)* **:** *200th St et Kazimiroff Blvd. ☎ 718-817-8700 (infos). • nybg.org • À env 20 mn de Manhattan en train depuis Grand Central par la ligne de train Metro-North Harlem direct jusqu'à Garden Gate. Tlj sf lun 10h-18h. Entrée jardin : 6 $; suppléments pour certains sites (comme le Enid A. Haupt Conservatory). Jardin gratuit mer et 10h-12h sam.* Une des richesses cachées du Bronx. Immense, il est considéré comme l'un des plus beaux jardins botaniques du monde : arbres, fleurs délicates de tous les continents, rien ne manque à sa panoplie (les plus fragiles étant bien sûr abrités dans de vastes serres... généralement payantes).

Hall of Fame for Great Americans : *University Ave (et 181st). ☎ 718-289-5161. • bcc.cuny.edu/hallofFame • À l'intérieur du campus du Bronx Community College. Ⓜ (B, D) Fordham Rd, puis ligne de bus Bx12 jusqu'à University Ave et bus n° 3 pdt 3 stations (il vous dépose devant le collège). Ouv tlj 10h-17h. Entrée libre.*
Belle galerie circulaire en granit offrant une vue dégagée sur les environs, où sont exposés 98 bustes en bronze à l'effigie des plus grands hommes (et quelques femmes) des États-Unis, qu'ils soient politiques, scientifiques, écrivains... : Edgar Allan Poe, Franklin D. Roosevelt, Abraham Lincoln, Thomas Jefferson, Benjamin Franklin... Ces colonnes font partie d'un ensemble intéressant de style néo-Renaissance, construit à partir de 1900 et œuvre de l'architecte Stenford White.
À voir, ***Gould Memorial Library*** (juste à côté des colonnades). C'était la bibliothèque de l'université de New York avant qu'elle ne soit transférée à Manhattan en 1973. L'intérieur est admirable. Impressionnante rotonde décorée à la feuille d'or, dont la coupole est soutenue par 16 gigantesques colonnes corinthiennes en marbre vert (l'architecte se serait inspiré du Panthéon de Rome). Des galeries desservent différents niveaux et salles aux noms prestigieux, qui permettaient le classement des livres par genres (il y en avait 2 millions !) : Copernic pour l'astronomie, Molière pour le théâtre...
Enfin, entre le dôme et les colonnes, nombreuses statues de nymphes grecques représentant les différents arts.

Little Italy in the Bronx *(plan Bronx, B2)* **:** *Ⓜ (B, D, 4) Fordham Rd ou (2, 5) Pelham Parkway et puis bus Bx12 jusqu'à Arthur Ave. Depuis la station (B, D) Fordham Rd, bus Bx12 sur Fordham Rd, direction Bay Plaza jusqu'à E Fordham-Hoffman St. À droite, dans Arthur Ave, vous apercevrez des drapeaux rayés rouge, blanc et vert... Vous y êtes !* Loin du décor d'opérette du Little Italy de Manhattan, qui n'est plus que l'ombre de lui-même, le Bronx abrite depuis près d'un siècle un autre quartier italien qui a su rester authentique. Certes, c'est très excentré, mais la balade vaut le coup si vous avez du temps ou si vous passez dans le coin ! Des mamas italiennes qui font la causette sur leur perron, des boutiques vénérables qui sentent bon le fromage et le jambon fumé, du bel canto ou du Sinatra qui s'échappe de certaines fenêtres... et évidemment aucun touriste. Vraiment sympa. Attention, tout est fermé le dimanche, préférez donc le samedi.

Edgar Allan Poe Cottage *(plan Bronx, B2)* **:** *E Kingsbridge Rd et Grand Concourse (au niveau de 193rd). ☎ 718-881-8900. • bronxhistoricalsociety.org • Ⓜ (B, D, 4) Fordham Rd. De Fordham Rd, rejoindre Grand Concourse et le remonter sur quelques centaines de mètres jusqu'à un square arboré sur la droite. Sam 10h-16h ; dim 13h-17h. Entrée : 5 $; réducs.* Difficile à imaginer, mais c'est pourtant dans cette petite maison en bois encerclée par de sinistres immeubles que vécut le grand poète. Elle paraît aujourd'hui bien fragile dans son petit bout de jardin mal protégé par une grille. De 1846 à 1849, Edgar Allan Poe s'y retira avec son épouse malade. Il y demeura encore quelque temps après sa mort, et s'employa à rédiger *Annabel Lee* et *The Bells.* Les fans transis verront le mobilier d'époque, modeste.

QUEENS

Situé sur Long Island, Queens est le plus grand des boroughs de NYC. Vous ne visiterez donc pas tout, mais vous vous limiterez aux quartiers de *Long Island City* (siège du P.S. 1, annexe du MoMA), *Astoria* (musée du Cinéma, studio Kaufmann et aussi d'incroyables restaurants grecs) et *Flushing Meadow* (NY Hall of Science, maison de Louis Armstrong et US Open). Figurez-vous que Queens doit son nom à la reine consort Catherine de Bragance, épouse de Charles II d'Angleterre ; cela se passait à la fin du XVIIe s, et les premiers habitants à s'installer ici furent de petits fermiers... Le quartier subit son véritable boom démographique avec l'arrivée du chemin de fer en 1910, le *Long Island Railroad,* peu de temps après le rattachement à New York.

Dans les années 1920 et 1930, Queens connut ses heures de gloire avec l'installation des studios Paramount, qui prirent rapidement le nom d'Astoria Movie Studio, pour devenir la capitale du cinéma de la côte Est. C'est ici que Rudolph Valentino, les Marx Brothers et bien d'autres encore ont fait leurs premiers pas devant la caméra. Malheureusement, l'avènement du cinéma parlant marqua aussi la fin de l'hégémonie des studios...

La population de Queens continua d'augmenter, accueillant de plus en plus d'ethnies différentes ayant pour point commun le manque de moyens. C'est d'ailleurs aujourd'hui le quartier le plus multiethnique de New York, dont les cultures différentes cohabitent les unes à côté des autres, chacune à son propre rythme mais en bonne intelligence avec ses voisines...

En débarquant dans Queens, on sent battre un autre rythme de vie : les immeubles sont plus bas, les trottoirs moins envahis, les gens moins pressés. Longtemps considéré comme un quartier déshérité, il s'ouvre aujourd'hui petit à petit au tourisme et révèle des trésors d'architecture et de souvenirs. Pour preuve, nombre de célébrités ont habité ici, comme Jack Kerouac, Will Rogers, Heinrich Steinweg (facteur de pianos à ses débuts et qui installa ici ses ateliers de fabrication des célèbres Steinway en 1853), mais surtout les plus grands *jazzmen and women* de tous les temps : Billie Holiday, Ella Fitzgerald, Louis Armstrong, Dizzie Gillespie, Fats Waller, Count Basie (pour ne citer que les plus connus !)... et encore le groupe de hard rock *Kiss,* né dans Queens en 1973.

Où manger ?

Dans Astoria

Bon marché

I●I *Il Bambino* *(plan Queens, A2,* ***10****) : 34-08 31st Ave (entre 34th et 35th St). ☎ 718-626-0087. Ⓜ (N) Broadway. Plats 8-11 $.* Ici, le cheval de bataille, c'est le panini : le pain est préparé dans une boulangerie de qualité, les ingrédients sont top niveau et les associations pleines d'idées. Délicieux. Mais ce n'est pas tout, car les *crostini,* salades et les sélections de fromages méritent également plus qu'un essai. Bref, tout est bon, servi avec simplicité et gentillesse dans une agréable petite salle ou, mieux, en terrasse dans une courette. Une des meilleures options gourmandes du quartier (c'est d'ailleurs toujours bondé !).

Prix moyens

I●I *5 Napkin Burger* *(plan Queens, A2,* ***31****) : 35-01 36th St (et 35th Ave). ☎ 718-433-2727. Ⓜ (M, R) Steinway St ou (N) 36th Ave. Plats 10-16 $.* Stratégiquement situé en face du *Museum of the Moving Image,* voici un point de chute idéal avant ou après la visite de ce

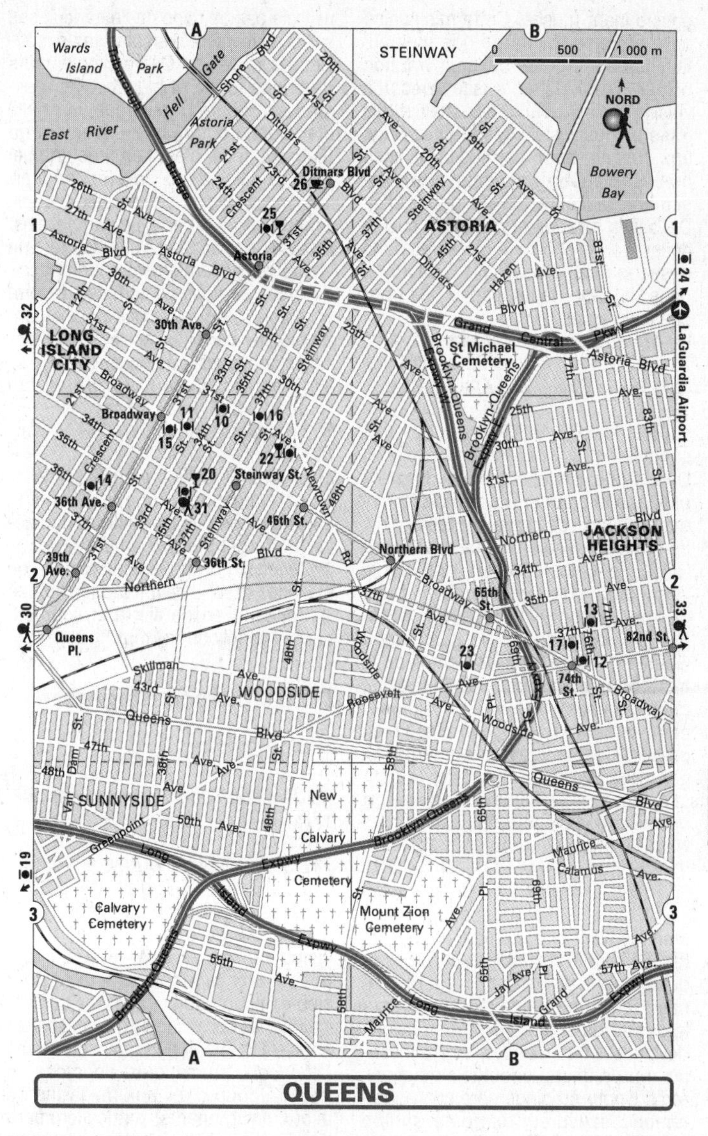

|●| **Où manger ?**

- **10** Il Bambino
- **11** Tierras Colombianas
- **12** Taqueria Coatzingo
- **13** La Portena
- **14** Malagueta
- **15** Bahari Estiatorio
- **16** JJ's
- **17** Jackson Diner
- **19** Bella Via
- **23** Sripraphai
- **24** Grand Restaurant
- **31** 5 Napkin Burger

Où boire un verre ? Où manger une bonne pâtisserie ?

- **20** Café Bar
- **22** Cavo
- **25** Bohemian Hall and Beer Garden
- **26** Artopolis

À voir

- **30** P.S. 1 Contemporary Art Center et 5 Pointz
- **31** Museum of the Moving Image
- **32** Noguchi Museum
- **33** Louis Armstrong House Museum, Flushing Meadows Corona Park, Queens Museum of Art et New York Hall of Science

passionnant musée. Cette minichaîne new-yorkaise est un de nos endroits favoris pour croquer dans un vrai bon burger, classique ou revisité, avec une viande épaisse et *juicy* à souhait et des frites bien croustillantes (goûtez donc aux *Tuscan,* avec parmesan et fines herbes et au *Ahi Tuna* (mariné au gingembre, sauce wasabi et oignons frits). De belles salades et quelques sushis aussi. Large choix de bières et bons desserts ricains pour finir, à savourer dans un beau décor inspiré des boucheries d'antan.

🍽 ***Malagueta*** *(plan Queens, A2,* ***14****) : 25-35 36th Ave (angle 28th). ☎ 718-937-4821. Ⓜ (N) 36th Ave. Plats env 14-19 $. En semaine, imbattable* special lunch *11h30-15h : plats 8 $, sandwichs 5 $ et* pasta latina *7 $.* Une petite perle qui brille d'autant plus que le quartier n'a rien de remarquable. Dans ce charmant resto plein de couleur, décoré de quelques jolies toiles, la cuisine brésilienne est à l'honneur : poisson, viande et fruits de mer sont travaillés avec dextérité (ah, la *moqueca de camarao* !). Goûtez donc au *feijoada completa,* le très copieux plat national du Brésil... malheureusement à la carte uniquement le samedi. En plus, c'est bien présenté et servi avec le sourire. Et n'oubliez pas de commander la sangria maison pour l'apéro ! Bon rapport qualité-prix-saveurs-dépaysement.

🍽 ***JJ's*** *(plan Queens, A2,* ***16****) : 37-05 31st Ave (entre 37th et 38th St). ☎ 718-626-8888. Ⓜ (N) Broadway. Tlj sf lun. Plats 8-18 $.* Tout petit, et forcément souvent plein comme un œuf, ce resto convivial aux tables séparées par des cloisons de bambou s'est rapidement forgé une solide réputation pour la qualité de sa cuisine *Asian Fusion* : délicieuses *bento boxes,* sushis inventifs, makis d'une redoutable fraîcheur, *red snapper* au gingembre cuit parfaitement, savoureux *tempura shrimp roll* à la mangue et un *Edamame pot stickers* à la crème de wasabi dont on se souviendra. Une de nos plus belles adresses.

🍽 ***Bahari Estiatorio*** *(plan Queens, A2,* ***15****) : 31-14 Broadway (entre 31st et 32nd St). ☎ 718-204-8968. Ⓜ (N) Broadway. Plats 10-25 $.* Même s'il ne paie pas de mine de l'extérieur, ses salles se révèlent bien plaisantes, spacieuses et aérées. Cadre simple, murs de brique rouge et blanche. Ce resto grec est réputé depuis des lustres (il était connu autrefois sous le nom de *Stamatis,* mais c'est la même équipe) pour sa cuisine aux saveurs méditerranéennes et son chaleureux accueil. Grand choix à la carte. La part belle est faite aux poissons et fruits de mer ; un vrai régal, généralement accompagné de larges portions de pommes de terre au citron... N'oubliez pas pour autant de piocher parmi les entrées traditionnelles, tout aussi goûteuses !

🍽 ***Tierras Colombianas*** *(plan Queens, A2,* ***11****) : 33-01 Broadway (et 33rd St). Ⓜ (N) Broadway. ☎ 718-956-3012. Tlj sf dim. Plats 13-22 $. CB refusées.* Grande salle tranquille au décor un peu kitsch pour une très honnête cuisine colombienne (histoire d'achever notre périple sud-américain dans le Queens). Fort goûteuses *cazuela de mariscos* et *sopa de mondongo* (soupe de tripes). Service alerte et souriant, accueil gentil comme tout.

Dans Jackson Heights

Bon marché

🍽 ***Jackson Diner*** *(plan Queens, B2,* ***17****) : 37-47 74th St (entre Roosevelt et 37th Ave). ☎ 718-672-1232. Ⓜ (7) 74th St-Broadway. Buffet à volonté 11h30-16h env 10 $; plats 12-20 $. CB refusées.* Très bonne cuisine indienne dans une salle à la déco « moderno-kitsch » façon années 1970. Le soir, goûter aux *tandoori specials*. Pour ajouter au bourdonnement des conversations, les séries *indies* qui passent en boucle à la TV ! Et puis, vous êtes dans *Little India,* ne manquez donc pas de jeter un coup d'œil aux magasins de bijoux environnants, particulièrement kitschissimes !

🍽 ***Taqueria Coatzingo*** *(plan Queens, B2,* ***12****) : 76-05 Roosevelt Ave, Jackson Heights. Ⓜ (7) 74 St-Broadway, (E, F, M, R) Jackson Heights-Roosevelt Ave. ☎ 718-424-1977 et 5245. Ferme tlj très tard, 2-3h en sem, 4h le w-e. Plats 13 $ max. CB refusées.* Un resto mexicain de quartier fort populaire... Pour sa qualité régulière, ses prix vraiment démocratiques, l'atmosphère authentique, la gentillesse de l'accueil... On est facilement rassasié pour 10 $... *Tacos, cemitas, enchiladas* servis généreusement. Ne prenez pas la même chose pour pouvoir partager. Notre *lengua* était goûteuse à souhait. Très bien aussi pour le petit déj !

Plus chic

|●| ***La Portena*** *(plan Queens, B2,* ***13****) : 74-25 37th (et 75 St). ☎ 718-458-8111. Ⓜ (7) 74 St-Broadway, (E, F, M, R) Jackson Heights-Roosevelt Ave. Plats env 30 $ et plus. Pas de résa.* Considéré comme le meilleur resto argentin du Queens et temple de la viande rouge, ça va de soi. Cadre tout de bois verni chaleureux. Le même morceau de viande, quasi moitié-prix de Manhattan. Le plat privilégié ici, c'est bien entendu la *parrillada argentina* aux 5 viandes. Excellents *empanadas* et *mixed grill,* incluant des abats bien cuisinés (ris de veau, boudin, tripes) et bon choix de poulets à toutes les sauces... À propos, prenez la *chimichurri* (à l'ail, origan, poivre rouge et noir, vinaigre et huile de soja)... Bons conseils pour les vins argentins, mais vous vous en doutiez !

Dans Long Island City

Au sud de ce quartier, sur Vernon Blvd, à une station de métro de Manhattan, s'édifie un nouveau *« Restaurant Row »,* appelé à se développer encore plus et avoir beaucoup de succès. Petits immeubles, maisons avec jardin, garages de réparation, quelques usines moribondes, des *warehouses* en attente de reconversion et un grand dépôt de taxis... C'est un New York horizontal, pas encore « gentrifié » et tranquille...

|●| ***Bella Via*** *(hors plan par A3,* ***19****) : 47-46 Vernon Blvd, Long Island City. Ⓜ (7) Vernon Blvd-Jackson Ave. ☎ 718-361-7510. Tlj 12h-22h (ven-sam 22h30, dim 15h-22h). Plats 15-22 $.* Cadre d'une élégante sobriété, salle lumineuse, murs de brique, bar de bois sombre et nappes blanches pour des pizzas de haute volée (un conseil, prenez la petite portion). Sinon, cuisine italienne soignée et à prix très raisonnables pour le standing : veau aux pointes d'asperges, délicieuses moules au vin blanc, herbes fines et joliment présentées. Accueil affable, service efficace.

Dans Woodside

Bon marché

|●| ***Sripraphai*** *(plan Queens, B2,* ***23****) : 64-13 39th Ave, Woodville. ☎ 718-899-9599. Ⓜ (M, R) 65th St. Tlj sf mer 11h30-21h30. Plats 9-12 $.* En entrant dans cette grande salle banale, type cafétéria, on ne sait pas encore que l'on va y déguster une des meilleures cuisines thaïes et à prix si modérés. Si choisir, c'est éliminer, vous avez du mouron à vous faire, la carte fait 4 pages ! Grand choix de poisson, *noodles* et *curries* bien sûr. Notre sauté *seafood* se révéla parfait, tout comme le sauté *frog legs...* Plats épicés bien indiqués. Service diligent.

À Flushing

Prix moyens

Vous allez débarquer dans le plus grand Chinatown de New York, c'est véritablement Hong Kong. Des centaines de restos et gargotes (certaines avec des prix d'avant la guerre de Corée)...

|●| ***Grand Restaurant*** *(hors plan par B1,* ***24****) : 40-21 Main St (au 3e étage). ☎ 718-321-8258. Ⓜ (7) Flushing Main St. Tlj 9h-23h (sam-dim minuit). Addition env 20-30 $.* Immense salle animée, bruyante et éclairée par d'immenses lustres façon Venise. À 90 %, clientèle asiatique, beaucoup de familles réjouies et prospères. Ici, on vient avant tout pour le *dim sum,* miniplats (majoritairement à la vapeur) proposés sur de petits chariots louvoyant sans cesse entre les tables. Pas mal de choix, mais attention, l'addition monte vite.

Où boire un verre ? Où manger une bonne pâtisserie à Astoria ?

🍸 ***Café Bar*** *(plan Queens, A2,* ***20****)* **:** *32-90 36th St (angle 34th Ave). ☎ 718-204-5273. Ⓜ (R) Steinway St. Tlj 17h-1h (ven 2h, sam 4h, dim 23h).* C'est le bar *hype* du secteur, à l'ambiance *lounge,* avec DJ et parfois concert live. Déco particulièrement recherchée (voire sophistiquée) et cuisine méditerranéenne à prix encore abordable qui attire les foules *(« small plates »,* bons burgers). Populaire brunch, avec même un petit déj chypriote. Terrasse l'été.

🍸 🍽 ***Cavo*** *(plan Queens, A2,* ***22****)* **:** *42-18 31st Ave. ☎ 718-721-1001. Ⓜ (N) 30th Ave ou (R) Steinway St. Tlj sf lun 17h-minuit (4h ven-sam). Jeudi « Lady Night » (gratuit pour les dames). Plats 20-40 $. Lounge* classe la aussi, à la déco sophistiquée. En entrant, le bar contemporain, avec ses canapés et sa lumière tamisée, est accueillant et chaleureux. Mais la vraie bonne surprise, c'est le vaste et charmant patio qui justifie à lui seul le déplacement : terrasse irrésistible par beau temps ! Également une salle à la déco plus design où l'on sert une cuisine fine aux intonations grecques quasi réinventée. Goûter aux *seafood spaghetti* et au *dayboat codfish*. Belle sélection de vins (mais chers). Patron sympa parlant le français. Clientèle jeune et branchée. Un de nos grands coups de cœur !

🍸 🍽 ***Bohemian Hall and Beer Garden*** *(plan Queens, A1,* ***25****)* **:** *29-19 24th Ave. ☎ 718-274-4925. Ⓜ (N) Astoria. Tlj 17h-1h (ven 17h-3h, sam 12h-3h, dim 12h-1h, cuisine fermé mar).* Une belle centenaire que cette brasserie d'origine tchèque et qui continue de drainer des centaines d'amateurs de bières dans son grand jardin. Faut dire que sa panoplie de boissons houblonnées séduit assez (dont beaucoup à la pression) : traditionnelles bières de Bohême bien sûr, mais aussi de savoureuses bières locales comme la *Ommegang* (de Cooperstown, au nord de New York). Également de bons petits plats tchèques. En été, le grill tourne à fond dans le jardin, avec *burgers,* saucisses, *BBQ baby back ribs,* steaks et sandwichs à bons prix.

☕ ***Artopolis*** *(plan Queens, A1,* ***26****)* **:** *Agora Plaza, 23-18 31st St. ☎ 718-728-8484 et 800-553-2270. Ⓜ (N, Q) Astoria-Ditmars. Tlj 7h-21h (sam 8h, dim 8h-20h).* Une des meilleures pâtisseries d'Astoria, collectionnant les Awards ! Emporium de rêve où cakes, pâtisseries, fruits confits vous font saliver au long de rayons colorés et odorants... Les patrons viennent de l'île de Céphalonie d'où ils rapportèrent les bonnes recettes de famille. Conjuguées à des produits de première fraîcheur, ça donne les savoureux *chocolate flower, white chocolate mousse, caramel bavarian cream* et tant d'autres. Sans oublier les petites *delicatecies* traditionnelles, les *galaktoboureko* et autres baklava et puis encore les bons pains, les cookies...

QUEENS

À voir

Dans Long Island City

🎥 ***P.S. 1 Contemporary Art Center*** *(hors plan Queens par A2,* ***30****)* **:** *22-25 Jackson Ave (et 46th Ave), Long Island City. ☎ 718-784-2084. • ps1.org • Ⓜ (E) 23rd St-Ely Ave. Jeu-lun 12h-18h. Entrée : 10 $; réducs ; gratuit avec le billet du MoMA (ds les 30 j., à l'exception du* Warm Up*). Ap-m* Warm Up *(juil-août sam 14h-21h) : 15 $.* Ce musée, qui est l'annexe emblématique du MoMA, a ouvert ses portes en 1971 sous la houlette d'Alanna Heiss. Installé dans une école publique désaffectée, il permettait aux jeunes artistes contemporains, souvent marginaux et ignorés des médias, de présenter leurs œuvres. Depuis, il n'a cessé d'enchaîner les expos temporaires avant-gardistes et d'imposer de nouveaux talents. La création de

P.S. 1, devenu l'un des centres d'art contemporains les plus renommés au monde, a largement contribué à la réhabilitation de cette partie de Queens...
Difficile de dire ce que vous y verrez, car les expos tournent tout le temps. Sur place, cafétéria et terrasse.
En juillet et août, après-midi dansant *Warm Up* le samedi, particulièrement branché, musique électronique ; vaut largement le déplacement.

5 Pointz *(hors plan Queens par A2,* ***30****) : 45-46 Davies St (et Jackson Ave).* Ⓜ *7 (Court House Square) et E (23rd St/Ely Ave).* ☎ *317-219-2865. Ouvert irrégulièrement en semaine, en principe 12h-19h le w-e.* À deux pas du P.S. 1, immense entrepôt reconverti en ateliers d'artistes (près de 200) et recouvert intégralement de graffs. Certaines fresques se révèlent magnifiques et sont même visibles du métro aérien de la ligne 7. Pour les amateurs de *street art,* pèlerinage obligatoire !

Dans Astoria

Kaufmann Astoria Studio : *34-12 33rd St (entre 34th et 35th Ave).* Ⓜ *(R) Steinway St.* À voir uniquement de l'extérieur, car la visite est impossible. Ces gigantesques hangars s'étendent sur plus de 5 ha autour de 35th Avenue et 36th Street... Leur histoire débute en 1919 avec l'installation sur place des studios *Paramount.* New York devient alors la capitale du cinéma, et le site est rebaptisé *Astoria Movies Studio* en l'honneur de Jacob Astor, installé ici depuis 1889 et propriétaire d'une grosse partie du quartier. Rudolph Valentino, Gloria Swanson et les Marx Brothers y ont tourné. Lorsque le cinéma muet périclita et que Hollywood prit le relais, l'armée s'y installa pour réaliser ses films de 1941 à 1971. Depuis les années 1980, il porte le nom de *Kaufmann Astoria Studio,* et jusqu'à peu de temps encore, il était toujours le plus important de la côte Est, même si son activité était moindre (c'est ici qu'était tourné le *Cosby Show*)... Woody Allen a cependant gardé l'habitude d'y travailler. Malheureusement, les studios ne se visitent plus, et nombreux sont ceux qui ont été loués à des sociétés n'ayant plus rien à voir avec le cinéma...

Museum of the Moving Image (plan Queens, A2, **31**) : *entrée sur 35th Ave (entre 36th et 37th).* ☎ *718-777-6800.* ● *movingimage.us* ● Ⓜ *(R) Steinway St ou (N, Q) 36th Ave. Tlj sf lun 10h30-17h (20h ven, 19h sam-dim). Entrée (incluant projections de films du jour), commençant vers 13h : 12 $; 6 $ pour les 3-17 ans. Musée gratuit ven 16h-20h (mais films payants). Visite guidée gratuite sam-dim à 14h.* Situé au cœur des studios Kaufmann, ce musée interactif dédié au 7e art s'est lancé il y a quelques années dans une longue campagne de rénovation et d'agrandissement, la première depuis sa création en 1988. Il a rouvert ses portes début 2011, encore plus passionnant et interactif dans cette version relookée, deux fois plus grande que la précédente ! Son credo est « *Behind The Screen* », c'est-à-dire vous montrer tout ce qu'on ne voit pas à l'écran, comment on conçoit une image, une animation et tous les moyens techniques qui vont avec. Un musée à la fois ludique et didactique, comme savent si bien le faire les Américains, dans un superbe espace design où l'image est omniprésente. Prévoir 3h de visite minimum, surtout si vous passez un peu de temps dans les différents « ateliers » de démonstration et dans l'expo temporaire, qui explore de façon très intéressante également toutes les formes d'image (jusqu'aux jeux vidéo). Deux nouvelles ***salles de cinéma,*** dont une très grande, superbe avec son plafond en tissu bleu Klein : projections et débats ven soir, sam et dim surtout. Le week-end, films destinés à un public familial (gratuit avec l'entrée au musée).

– ***Au 3rd Floor :*** pour profiter au mieux de la visite, il faut commencer par le 2e étage (*3rd Floor* donc), qui présente la découverte historique du mouvement et de sa décomposition, du zootrope (jouet optique fondé sur la persistance de l'image sur la rétine) à la lanterne magique en passant par le Mutoscope, une machine antique renfermant des centaines de vieilles photos mises en mouvement en actionnant une manivelle. C'est le principe du *flipbook*, petit carnet d'images destiné à être feuilleté pour créer une séquence animée, que vous pourrez d'ailleurs réaliser ici vous-même en version vidéo (achat possible ensuite à la librairie du musée). Ne manquez pas non plus la *Feral Fount*, sculpture cinétique réalisée par un artiste de Brooklyn, ou comment animer 96 morceaux d'objets posés judicieusement sur une immense roue cylindrique éclairée par une lumière stroboscopique... Puis viennent les premières caméras de cinéma, de télévision, le perfectionnement des éclairages et du son, des projecteurs, récepteurs TV... Quand on pense que sur les premières télés, le son était synchronisé à l'image grâce à un disque que l'on passait en même temps ! Le week-end, des animateurs proposent des démonstrations du kinétoscope d'Edison. On saute alors dans le cinéma d'aujourd'hui où, avec l'aide d'ordinateurs, on peut s'essayer à tout : créer sa propre animation et l'envoyer par mail (rigolo pour les enfants), modifier et créer des bruitages, des musiques de films et même doubler avec sa propre voix quelques scènes mythiques du cinéma : Dorothy dans *The Wizard of Oz (« Toto, I think we are not in Kansas anymore »)*, Eliza Doolittle et sa fameuse réplique de *My Fair Lady, The Rain in Spain...* Jubilatoire ! Puis on passe aux premiers effets spéciaux, avec quelques pièces de choix : la figure de cire de la fillette de *L'Exorciste,* lorsque sa tête tourne sur elle-même, le buste au cou étiré de Nathalie Portman dans *Black Swan* (quand elle rêve qu'elle est étranglée), la maquette miniature de *Blade Runner.*

AUX ABONNÉS ABSENTS

Dans les films et les séries américaines, les numéros de téléphone cités à l'écran commencent souvent par 555. Ce n'est pas un hasard, les numéros compris entre 555-0100 et 555-0199 sont réservés pour le cinéma, afin que personne ne soit dérangé si un petit plaisantin vient à composer le numéro pour de vrai.

– ***Au 2nd Floor :*** place aux acteurs (galerie de photos des stars du grand écran), mais aussi maquillages et perruques. Le *life mask* de Marlon Brando dans *Le Parrain,* la coiffe de Liz Taylor dans *Cléopâtre,* la palette de maquillage des héroïnes de *Sex and the City.* Puis on passe aux décors, aux costumes (le chapeau de JR Ewing dans *Dallas*, la prothèse en mousse de Robin Williams dans *Mrs Doubtfire*), et encore aux produits dérivés des films : figurines et autres goodies, affiches, magazines... La visite se termine sur la reconstitution d'un cinéma des années 1930, un hommage au décor orientalisant alors en vogue à cette époque.

I●I ***Coffee Shop*** au fond du hall d'entrée, donnant sur un jardin avec terrasse aux beaux jours.

Noguchi Museum *(hors plan Queens par A1,* ***32****) : 32-37 Vernon Blvd (donne sur Broadway). ☎ 718-204-7088. • noguchi.org • Ⓜ (N) Broadway. Du métro, bus Q104 jusqu'au musée (arrêt en face). Mer-ven 10h-17h ; w-e 11h-18h. Visite guidée gratuite chaque jour à 14h. Entrée : 10 $; réducs ; gratuit moins de 12 ans.*

Le Noguchi Museum s'épanouit dans un cadre reposant choisi de son vivant par Noguchi lui-même. Ce fut d'ailleurs un moment son atelier. Près de 240 œuvres du sculpteur américain d'origine japonaise sont exposées au rez-de-chaussée d'un ancien bâtiment industriel, aux lignes sobres et zen, et dans le paisible jardin intérieur ; le 1er étage étant consacré aux expos temporaires... L'artiste joue avec nos sens, entre ses énormes blocs de granit, marbre, basalte, etc., aux formes décalées, et les ondulations imperceptibles et raffinées de ses sculptures. Bref, une expérience en dehors des sentiers battus qui ne laisse pas indifférent et vaut le coup d'œil. Boutique du musée et café tout aussi design sur place.

Dans Flushing

Louis Armstrong House Museum *(hors plan Queens par B2,* ***33****) : 34-56 107th St (et 37th Ave). ☎ 718-478-8274. • louisarmstronghouse.org • Ⓜ (7)*

103rd St-Corona Plaza. Du métro, prendre 103rd St et tourner à droite dans 37th Ave, puis à gauche dans 107th St. C'est une maison en brique rouge à 2 étages. Mar-ven 10h-17h ; w-e 12h-17h. Visite guidée en anglais obligatoire : 8 $ (ttes les heures jusqu'à 16h ; durée : 40 mn) ; réducs.

De l'extérieur, la petite maison paraît fort modeste, bien à sa place dans ce quartier populaire (projet d'extension du musée de l'autre côté de la rue). Poussé la porte, on découvre un intérieur évidemment plus cossu mais sans extravagance. Rien n'a bougé depuis le départ de Lucille, et la visite de la maison se fait un peu sur la pointe des pieds, en respectant les lieux et ceux qui les ont habités. À l'image du maître, pas de richesse tape-à-l'œil, plutôt des dizaines d'objets et de petites anecdotes sur la vie et les goûts de Louis Armstrong (1901-1971) et de sa dernière compagne Lucille, qui vécurent ici dès 1943. Pas mal d'extraits de conversations d'Armstrong (il aimait beaucoup faire des enregistrements), la fameuse salle de bains qui lui fut offerte (le seul luxe de la maison avec ses luminaires Baccarat), et puis la cuisine toute bleue et son bureau.

À la fin de sa vie, *Satchmo* (pour les intimes !) jouait devant sa maison pour les enfants du quartier. Dizzie Gillespie habitait à trois blocs de là, et bien que la presse les ait présentés comme de véritables rivaux, les deux trompettistes n'en étaient pas moins amis. Ils sont d'ailleurs enterrés tous deux au *Flushing Cemetery...*

Louis Armstrong's Archives : *Benjamin S. Rosenthal Library, Queens College Campus, 65-30 Kissena Blvd, Flushing. ☎ 718-997-3670. • louisarmstronghouse.org • Ⓜ (E, F) Forest Hills 71st Ave, puis emprunter le bus Q64 et descendre à l'arrêt Jewel Ave-150th St ; enfin marcher 1 bloc (5 mn) sur 150th St. Entrer dans Queens College Campus par la porte n° 2, faire 100 m ; les archives Louis Armstrong se trouvent à gauche en entrant dans la bibliothèque. Ouv en sem et slt sur rdv. Entrée gratuite.* *Satchmo* est mort en 1971, et sa femme Lucille, décédée en 1983, fit don de leur maison et de tous ses souvenirs à la Ville de NY. Les archives s'ouvrirent au public en 1994. Elles sont une véritable mine d'or pour les passionnés de jazz : enregistrements inédits de morceaux et de conversations de Louis, manuscrits, partitions originales, dessins...

Flushing Meadows Corona Park *(hors plan Queens par B2,* ***33****) :* Ⓜ *(7) 111th St. Depuis le métro, remonter 111th St jusqu'à l'entrée du parc située au carrefour de 49th Ave.* Ce gigantesque parc constitue le poumon vert de Queens où, le week-end, les familles viennent pique-niquer et se promener dans les immenses allées bordées d'arbres. Il héberge aussi le *Shea Stadium,* où se déroulent des matchs de base-ball, et le *Tennis Stadium* qui voit chaque année les plus grands joueurs du monde venir disputer l'*US Open,* un des tournois du Grand Chelem (fin août, début septembre). Ce parc a accueilli les Expositions universelles de 1939 et 1964, et la plupart des bâtiments sur place sont en fait des rescapés de ces deux manifestations. L'*Unisphère,* à peu près au centre du parc, est une gigantesque mappemonde plantée au milieu d'un bassin, qui ne pèse pas moins de 350 t. Elle a été réalisée pour l'Expo universelle de 1964.

Queens Museum of Art *(hors plan Queens par B2,* ***33****) : dans le Flushing Meadows Corona Park, tt près de l'Unisphère. ☎ 718-592-9700. • queensmuseum.org • Ⓜ (7) 111th St. Du métro, remonter 111th St jusqu'à 49th Ave et entrer dans le parc sur la gauche, juste après le NY Hall of Science (panneaux). Mer-dim 12h-18h (20h ven en juil-août). Entrée : 5 $; réducs ; gratuit moins de 5 ans. Visites guidées gratuites en anglais le dim.*

Ce bâtiment a été inauguré pour l'Expo universelle de 1939. Son attraction principale est une gigantesque maquette de New York composée de 895 000 morceaux pour une superficie totale de plus de 1 000 m^2 ! Un balcon vous permet de faire le tour de ce *Panorama of the city of New York,* présenté au cours de l'Expo universelle de 1964. On a vraiment l'impression de survoler New York, comme dans un hélico. Pour rendre cette maquette encore plus vivante, des avions atterrissent et décollent de l'aéroport, et vous aurez même droit au coucher de soleil avec la version nuit, environ toutes les 10 mn. En revanche, les Twin Towers n'ont pas été retirées, et deux formes flottent au-dessus d'elles pour symboliser leur disparition. Sinon, le musée abrite une petite présentation des deux Expos universelles de 1939 et 1964, et une exposition de magnifiques vitraux et lampes de chez Tiffany. Eh oui, la *Tiffany Glass and Decorating Company* était installée dans Queens...

New York Hall of Science *(hors plan Queens par B2,* ***33****)* **:** *47-01 111th St, en bordure du Flushing Meadows Corona Park. ☎ 718-669-0005. • nyscience.org • Ⓜ (7) 111th St. Du métro, remonter 111th St jusqu'à 47th Ave. Mar-jeu 9h30-14h ; ven 9h30-17h (tlj 9h30-17h pdt les vac scol) ; w-e 10h-18h et lun 9h30-14h (avr-juin). En juil-août, lun-ven 9h30-17h ; w-e 10h-18h. Entrée : 11 $; 8 $ pour les 2-17 ans ; gratuit ven 14h-17h et dim 10h-11h (sf juil-août).*
À l'extérieur, deux répliques de fusée annoncent la couleur. C'est l'équivalent américain de la *Cité des enfants* de la Villette à Paris. Les gamins peuvent toucher à tout, tester, explorer, appliquer en jouant des tas de phénomènes physiques, optiques, mathématiques, sonores, pianoter sur ordinateur, rêver devant les machines sophistiquées... Bref, un gigantesque laboratoire pour découvrir le monde, du centre de la Terre au fond des mers en passant par l'espace et ses planètes... Rien n'est traduit en français, mais la plupart des expériences sont faciles à comprendre et de nombreux animateurs sont là pour expliquer et montrer aux enfants... Très ludique.
À l'extérieur, un parc de jeux (ouvert de mars à mi-décembre ; payant) permet aux enfants de manipuler des miroirs, domestiquer l'eau, etc., et comprendre le pourquoi du comment...

QUITTER NEW YORK

– ***Consignes à bagages :*** depuis le 11 septembre 2001, les consignes *(baggage storage)* sont devenues rares à New York. Il reste encore celle de l'aéroport JFK. Si vous poursuivez votre séjour aux États-Unis et quittez New York en train, des consignes sont normalement accessibles dans les gares pour les voyageurs munis d'un billet Amtrak (celle de Penn Station, en revanche, est fermée).
Si vous séjournez à l'hôtel ou dans une AJ, aucun souci pour laisser vos valises dans un local spécial le jour de votre départ. En revanche, certains établissements font désormais payer ce service !
Si vous avez opté pour la location d'appartement et que vous n'avez aucun endroit où déposer vos bagages, il existe désormais des consignes privées (cher).
– ***Schwartz Travel Services*** *(plan 1, B1)* **:** *355 W 36th St (entre 8th et 9th Ave). ☎ 212-290-2626. • schwartztravel.com • Ⓜ (A, C, E) 34th St-Penn Station. À proximité de Pennsylvania Station (Penn Station) et Port Authority Bus Terminal. Tlj 8h-23h. Env 10 $ par bagage pour 24h. Autre consigne (plan 2, G-H11) au 34 W 46th St (entre 5th et 6th Ave). Ⓜ (B, D, F) 47-50th St-Rockefeller Center. À proximité de Times Square et Grand Central. Tlj 9h-18h.*

EN AVION

Voir également « L'arrivée à New York », en début de guide, pour plus de détails.

Pour Kennedy International Airport (JFK)

En métro

➢ ***Ligne A*** marquée « Far Rockaway ». Arrêt à la station Howard Beach JFK Airport, puis prendre l'*Airtrain* jusqu'aux différents terminaux. Compter au moins 1h30 de trajet et env 7,25 $ en tout. *Infos : ☎ 718-330-1234 ou • mta.info •*

➢ Si vous partez du nord de Penn Station, possibilité de prendre aussi la ***ligne E,*** direction Jamaica Center Parsons/Archer et descendre à l'arrêt Sutphin Blvd Archer Ave JFK Airport, avant de prendre l'*Airtrain*. Même prix, mais trajet plus court.

➢ De Little Italy ou de Lower East Side, la ***ligne J*** conduit également à Jamaica Center. Là aussi, descendre à Sutphin Blvd.

En bus (New York Airport Service)

➢ Départ de ***Grand Central Terminal*** *(plan 1, C1),* ***Port Authority*** *(plan 1, B1)* ou ***Penn Station*** *(plan 1, B1-2).* De Grand Central, bus ttes les 30 mn 5h-22h ; station au 125 Park Ave (entre 41st et 42nd St) ; trajet : env 1h15. De Port Authority, bus ttes les 30 mn 5h10-21h40 ; station dans la gare (fléché), entrée sur la 8th Ave (entre 41st et 42nd St) ; trajet : env 1h30-1h45. De Penn Station, bus ttes les 30 mn 7h40-19h10 ; station sur 33rd St, à l'angle de 7th Ave (juste devant le fast-food italien *Sbarro*). Attention, la durée du trajet varie selon le trafic. Tarif : 15 $; gratuit moins de 12 ans (limité à 1 enfant par adulte).

Rens au ☎ 718-875-8200 ou 212-532-4900 sur le site • nyairportservice.com • Le bus s'arrête devant les différents terminaux et le chauffeur crie le nom des compagnies qui les desservent.

En minibus (Super Shuttle et Airlink)

En réservant au moins 24h à l'avance. Ils passent vous prendre où vous voulez et à l'heure que vous choisissez. Service 24h/24. 18-20 $, selon le lieu de départ dans Manhattan et le nombre de personnes (moins cher que le taxi).
– ***Super Shuttle :*** *☎ 1-800-258-3826. • supershuttle.com •*
– ***Airlink :*** *☎ 1-877-599-8200. • goairlinkshuttle.com •*

En taxi

➢ Compter 50 $, péage du pont compris, seul le pourboire de 15-20 % est en plus. Un peu plus cher depuis le centre de Brooklyn (Downtown Brooklyn).

Pour Newark International Airport

En bus (Newark Liberty Airport Express Bus)

➢ Départ de ***Grand Central Terminal*** *(plan 1, C1),* ***Port Authority Bus Terminal*** *(plan 1, B1)* ou ***Bryant Park*** *(plan 1, B1).* De ***Grand Central,*** service ttes les 15-30 mn 4h-1h pour 30-45 mn de trajet. Prix : 15 $ (réducs). *Infos : ☎ 1-877-8NEWARK ou • coachusa.com/olympia •*

En minibus

➢ Avec ***Super Shuttle,*** mêmes indications que pour Kennedy International Airport. Tarif : 17-20 $ selon lieu de départ dans Manhattan et nombre de personnes.

En Airtrain Newark

➢ À la gare ferroviaire ***Pennsylvania Station*** *(plan 1, B1-2),* chercher le guichet New Jersey Transit, et y acheter un billet pour Newark Liberty International Airport Train Station. Compter alors 15 $ pour 2-6 départs ttes les heures 4h45-2h10. Durée du trajet : 20 mn. *Infos : ☎ 1-800-772-2222 ou • njtransit.com •* Une fois à destination, l'*Airtrain Newark,* petit train aérien, vous mène gratuitement (à condition d'avoir conservé son billet de train) et en quelques minutes dans les différents terminaux de l'aéroport. Circule ttes les 3 mn env 5h-minuit, et ttes les 15 mn le reste du temps. *Infos : ☎ 1-888-397-4636 ou • panynj.gov/airtrainnewark •* Une solution pratique qui élimine les risques d'embouteillage.

En taxi

➢ Compter 40 mn de trajet depuis le centre de Manhattan. Tarif : env 60 $ de Manhattan, jusqu'à 80 $ depuis plus loin, *toll* (péage) et *tip* (pourboire) en plus.

Pour LaGuardia Airport

En bus (New York Airport Service)

➢ Départ de ***Grand Central Terminal*** *(plan 1, C1),* ***Port Authority Bus Terminal*** *(plan 1, B1)* ou ***Penn Station*** *(plan 1, B1-2).* De ***Grand Central,*** service ttes les 20-30 mn 5h-20h ; trajet : 40 mn. De Port Authority Bus Terminal, bus ttes les 30 mn 5h50-19h10 ; trajet : env 1h. De Penn Station, ttes les 30 mn 7h40-19h10 ; trajet : env 1h30. Prix : 12 $. *Infos : ☎ 718-875-8200 ou • nyairportservice.com •* Pour connaître les points de départ des bus selon les gares, voir « En bus » dans « Pour Kennedy International Airport ».

En Super Shuttle

Mêmes indications et tarifs que pour Kennedy International Airport.

En taxi

➢ Compter 20 mn depuis Midtown. Tarif : 25-35 $ (plus le péage et le *tip*) selon l'endroit où vous êtes à Manhattan.

EN TRAIN (AMTRAK)

Départ de Pennsylvania Station *(plan 1, B1-2)* **:** *33rd St et 7th Ave (à côté du Madison Square Garden). ☎ 212-582-6875 ou 1-800-USA-RAIL.* Plus rapide et plus confortable que le *Greyhound* (sièges spacieux). Prix bien plus élevés (env 40 %) que le bus. Évitez le *metroliner*, un peu plus rapide mais vraiment plus cher. Valable pour Boston, Washington ou Rochester (chutes du Niagara).

EN BUS

🚌 ***Départ de Port Authority Bus Terminal*** *(plan 1, B1)* **:** *42nd St (et 8th Ave).* ☎ *212-564-8484 ou 1-800-231-2222.* Terminal de *Greyhound* et de *Trailways.*

🚌 ***Megabus*** et ***Boltbus*** **:** *terminal à l'angle de 9th Ave et 33rd St. Résas sur Internet slt • megabus.com • boltbus.com •* Tarifs attractifs. Bus confortables et propres, équipés wifi. Liaisons vers Philadelphie, Washington et Boston.

les ROUTARDS sur la FRANCE 2013-2014

(dates de parution sur • *routard.com* •)

DÉCOUPAGE de la FRANCE par le *ROUTARD*

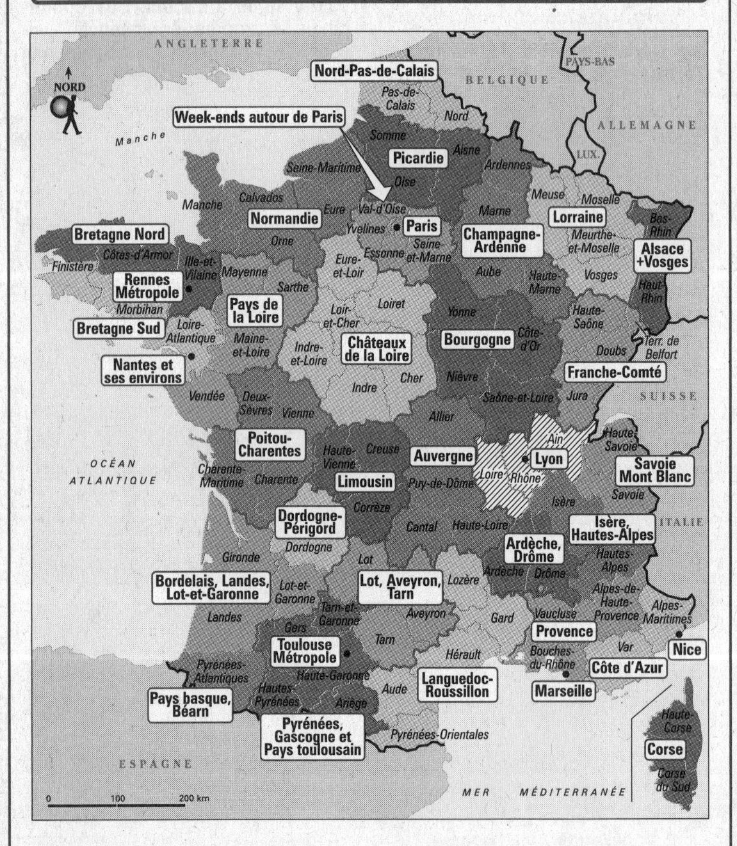

Autres guides nationaux

- Les grands chefs du routard
- Nos meilleures chambres d'hôtes en France
- Nos meilleurs campings en France
- Nos meilleurs hôtels et restos en France
- **Nos meilleurs sites pour observer les oiseaux en France (octobre 2012)**
- Tourisme responsable

Autres guides sur Paris

- Paris
- Paris à vélo
- Paris balades
- Restos et bistrots de Paris
- Le Routard des amoureux à Paris
- Week-ends autour de Paris

les ROUTARDS sur l'ÉTRANGER 2013-2014

(dates de parution sur • *routard.com* •)

Europe

Pays européens

- Allemagne
- Andalousie
- Angleterre, Pays de Galles
- Autriche
- Baléares
- Belgique
- Budapest, Hongrie
- Catalogne (+ Valence et Andorre)
- Crète
- Croatie
- Danemark, Suède
- Écosse
- Espagne du Nord-Ouest (Galice, Asturies, Cantabrie)
- Finlande
- Grèce continentale
- Îles grecques et Athènes
- Irlande
- Islande
- Italie du Nord
- Italie du Sud
- Lacs italiens
- Madrid, Castille (Aragon et Estrémadure)
- Malte
- Norvège
- Pologne
- Portugal
- République tchèque, Slovaquie
- Roumanie, Bulgarie
- Sardaigne
- Sicile
- Suisse
- Toscane, Ombrie

Villes européennes

- Amsterdam et ses environs
- Barcelone
- Berlin
- Bruxelles
- **Copenhague (mai 2013)**
- **Dublin (novembre 2012)**
- Florence
- Lisbonne
- Londres
- **Milan (décembre 2012)**
- **Moscou (avril 2013)**
- Prague
- Rome
- **Saint-Pétersbourg (avril 2013)**
- **Stockholm (mai 2013)**
- Venise
- **Vienne (mars 2013)**

Amériques

- Argentine
- Brésil
- Californie
- Canada Ouest
- Chili et île de Pâques
- Équateur et les îles Galápagos
- États-Unis Nord-Est
- Floride
- Guatemala, Yucatán et Chiapas
- Louisiane et les villes du Sud
- Mexique
- **Miami (octobre 2012)**
- **Montréal (mars 2013)**
- New York
- Parcs nationaux de l'Ouest américain et Las Vegas
- Pérou, Bolivie
- Québec, Ontario et Provinces maritimes

Asie

- Bali, Lombok
- **Bangkok (octobre 2012)**
- Birmanie (Myanmar)
- Cambodge, Laos
- Chine
- Inde du Nord
- Inde du Sud
- Israël, Palestine
- Istanbul
- Jordanie
- Malaisie, Singapour
- Népal, Tibet
- **Shanghai (avril 2013)**
- Sri Lanka (Ceylan)
- Thaïlande
- Tokyo, Kyoto et environs
- Turquie
- Vietnam

Afrique

- Afrique de l'Ouest
- Afrique du Sud
- Égypte
- Kenya, Tanzanie et Zanzibar
- Maroc
- Marrakech
- Sénégal, Gambie
- Tunisie

Îles Caraïbes et océan Indien

- Cuba
- Guadeloupe, Saint-Martin, Saint-Barth
- Île Maurice, Rodrigues
- Madagascar
- Martinique
- République dominicaine (Saint-Domingue)
- Réunion

Guides de conversation

- Allemand
- Anglais
- Arabe du Maghreb
- Arabe du Proche-Orient
- Chinois
- Croate
- Espagnol
- Grec
- Italien
- Japonais
- Portugais
- Russe
- G'palémo (conversation par l'image)

INDEX GÉNÉRAL

A

B

INDEX

C

INDEX

D

E

F

G

H

INDEX

I

J

INDEX

K

L

M

INDEX

N

O-P

Q-R

S

T

U-V

INDEX

W-Z

OÙ TROUVER LES CARTES ET LES PLANS ?

Les **Routards** *parlent aux* **Routards**

Faites-nous part de vos expériences, de vos découvertes, de vos tuyaux. Indiquez-nous les renseignements périmés. Aidez-nous à remettre l'ouvrage à jour. Faites profiter les autres de vos adresses nouvelles, combines géniales... On adresse un exemplaire gratuit de la prochaine édition à ceux qui nous envoient les lettres les meilleures, pour la qualité et la pertinence des informations. Quelques conseils cependant :

– Envoyez-nous votre courrier le plus tôt possible afin que l'on puisse insérer vos tuyaux sur la prochaine édition.
– N'oubliez pas de préciser l'ouvrage que vous désirez recevoir.
– Vérifiez que vos remarques concernent l'édition en cours et notez les pages du guide concernées par vos observations.
– Quand vous indiquez des hôtels ou des restaurants, pensez à signaler leur adresse précise et, pour les grandes villes, les moyens de transport pour y aller. Si vous le pouvez, joignez la carte de visite de l'hôtel ou du resto décrit.
– N'écrivez si possible que d'un côté de la lettre (et non recto verso).
– Bien sûr, on s'arrache moins les yeux sur les lettres dactylographiées ou correctement écrites !

En tout état de cause, merci pour vos nombreuses lettres.

Les Routards parlent aux Routards :
122, rue du Moulin-des-Prés, 75013 Paris

e-mail : • ***guide@routard.com*** **•**
Internet : • ***routard.com*** **•**

Le Trophée du voyage humanitaire ROUTARD.COM s'associe à VOYAGES-SNCF.COM

Ils ont aidé à la création d'un poste de santé autonome au Sénégal, à la reconstruction d'un orphelinat à Madagascar... Et vous ?
Envie de soutenir un projet qui favorise la solidarité entre les hommes ? Le Trophée du Voyage Humanitaire Routard.com est là pour vous ! Que votre projet concerne le domaine culturel, artisanal, écologique, pédagogique, en France ou à l'étranger, le *Routard* et Voyages-sncf.com soutiennent vos initiatives et vous aident à les réaliser ! Si vous aussi vous voulez faire avancer le monde, inscrivez-vous sur • *routard.com/trophee* • ou sur • *tropheesdutourismeresponsable.com* •

Routard Assurance *2013*

Routard Assurance et Routard Assurance Famille, c'est l'Assurance Voyage Intégrale. Dépenses de santé et frais d'hôpital pris en charge directement sans franchise jusqu'à 300 000 € + caution + défense pénale + responsabilité civile + tous risques bagages et photos. Assurance personnelle accidents : 75 000 €. Très complet ! Tarif à la semaine pour plus de souplesse. Tableau des garanties et bulletin d'inscription à la fin de chaque *Routard* étranger. Pour les départs en famille (4 à 7 personnes), demandez le bulletin d'inscription famille. Pour les longs séjours, contrat Plan Marco Polo « spécial famille » à partir de 4 personnes. Pour un voyage éclair de 3 à 8 jours dans une ville de l'Union européenne, bulletin d'inscription adapté dans les guides villes avec des garanties allégées et un tarif « light ». Également un nouveau contrat Seniors pour les courts et longs séjours. Si votre départ est très proche, vous pouvez vous assurer via Internet • *avi-international.com* • ou par fax : 01-42-80-41-57, en indiquant le numéro de votre carte de paiement. Pour en savoir plus : ☎ 01-44-63-51-00.

Édité par Hachette Livre (43, quai de Grenelle, 75905 Paris Cedex 15, France)
Photocomposé par Jouve (45770 Saran, France)
Imprimé par Lego SPA Plant Lavis (via Galileo Galilei, 11, 38015 Lavis, Italie)
Achevé d'imprimer le 17 septembre 2012
Collection n° 13 - Édition n° 01
24/5564/0
I.S.B.N. 978-2-01-245564-1
Dépôt légal : septembre 2012

PAPIER À BASE DE FIBRES CERTIFIÉES

hachette s'engage pour l'environnement en réduisant l'empreinte carbone de ses livres. Celle de cet exemplaire est de : 400 g éq. CO_2
Rendez-vous sur www.hachette-durable.fr